O NORTE
A COSTA GELADA
Torre Sombria
BAÍA DE GELO
BAÍA DAS FOCAS
Skagos
Ilha dos Ursos
Lar Derradeiro
Lago Longo
Colinas Solitárias
Rio Último
Karhold
Bosque Profundo
Matadelobos
Forte do Pavor
N
Águas Chorosas
Winterfell
Faca Branca
Estrada do Rei
Praça de Torrhen
Costa Rochosa
Ramo Partido
TERRAS ACIDENTADAS
Ariete
Vila Acidentada
Porto Branco
Atalaia da Viúva
Os Regatos
Fosso Cailin
Castelovelho
O GARGALO
DENTADA
Vilirmã
Atalaia da Água Cinzenta
Três Irmãs
Os Dedos
As Gêmeas
Pretamare
Ilhas de Ferro
Velha Wyk
Montrasgo
Guardamar
Ramo Verde
Ninho da Águia
VALE DE ARRYN
Grande Wyk
Harlaw
Ramo Azul
Passo Sangrento
Pyke
Salésia
Mapa por James Sinclair
Correrrio
Ramo Vermelho

A DANÇA DOS DRAGÕES

AS CRÔNICAS DE GELO E FOGO

LIVRO CINCO

GEORGE R.R.

MARTIN

A DANÇA DOS DRAGÕES

AS CRÔNICAS DE GELO E FOGO

LIVRO CINCO

4ª reimpressão

Tradução
Marcia Blasques

LeYa

Título original: *A Dance with Dragons*

Diretor editorial: Pascoal Soto
Produtora editorial: Sonnini Ruiz
Assistente editorial: Carolina Pereira da Rocha

Coordenação editorial: Estúdio Sabiá
Preparação de texto: Rosane Albert
Revisão: Leandro Morita, Valéria Sanalios, Bruno SR
Diagramação: Carochinha Editorial
Ilustração da capa: Marc Simonetti
Capa: Scintilla Lima

Dados Internacionais de Catalogação na Publicação (CIP)
(Câmara Brasileira do Livro, SP, Brasil)

Martin, George R. R.
A dança dos dragões / George R. R. Martin ; tradução Marcia Blasques. – São Paulo : Leya, 2012. – (Coleção as crônicas de gelo e fogo ; 5)

Título original: A dance with dragons.
ISBN 978-85-8044-481-0

1. Ficção fantástica norte-americana. I. Título. II. Série.

12-08553 CDD-813.5

Índices para catálago sistemático:
1. Ficção : Literatura norte-americana 813.5

Texto Editores Ltda.
[Uma editora do grupo LeYa]
Rua Desembagador Paulo Passaláqua, 86
01248-010 – Pacaembu – São Paulo – SP
www.leya.com

G

Este é para meus fãs,
para Lodey, Trebla, Stego, Pod, Caress,
Yags, X-Ray e Mr. X, Kate, Chataya,
Mormont, Mich,
Jamie, Vanessa, Ro,

para Stubby, Louise, Agravaine, Wert,
Malt, Jo, Mouse, Telisiane, Blackfyre,
Bronn Stone, Filha do Coiote e o restante
dos homens loucos e das mulheres selva-
gens da Irmandade Sem Estandartes,

para meus magos do website, Elio e Linda,
senhores de Westeros, Winter e Fabio do
WIC, e Gibbs de Pedra do Dragão, que
começou tudo isso,

para homens e mulheres de Asshai, na
Espanha, que cantam para nós sobre um
urso e uma bela donzela, e os fabulosos fãs
da Itália, que me deram tanto vinho,

para meus leitores na Finlândia, Alema-
nha, Brasil, Portugal, França, Holanda
e todas as terras distantes que estiveram
esperando por
esta dança

e para todos os amigos e fãs que ainda
encontrarei, obrigado
pela paciência.

Uma observação sobre a cronologia

Tivemos um bom espaço de tempo entre os livros, eu sei. Então, um lembrete pode ser útil.

O livro que você tem nas mãos é o quinto volume de *As crônicas de gelo e fogo*. O quarto volume foi *O festim dos corvos*. Contudo, este volume não dá sequência ao anterior no sentido tradicional, mas corre em paralelo a ele.

Tanto *Dança* quanto *Festim* iniciam a história imediatamente após os eventos do terceiro volume da série, *A tormenta de espadas*. Enquanto *Festim* foca nos acontecimentos em Porto Real e seus arredores, nas Ilhas de Ferro e em Dorne, *Dança* nos leva para o norte, até Castelo Negro e a Muralha (e para além dela), e para o outro lado do mar estreito, até Pentos e a Baía dos Escravos, a fim de contar as histórias de Tyrion Lannister, Jon Snow, Daenerys Targaryen e todos os outros personagens que você não viu no volume anterior. Em vez de sequenciais, os dois livros são simultâneos... divididos geograficamente, em vez de cronologicamente.

Mas só até um ponto.

A dança dos dragões é um livro mais comprido do que *O festim dos corvos*, e cobre um longo período de tempo. Aproximadamente na metade deste volume, você notará que certos personagens focalizados em *O festim dos corvos* aparecem de novo. E isso significa exatamente o que você acha que significa: a narrativa chegou até o momento em que *Festim* acaba, e os dois riachos se uniram novamente, para seguirem em um só rio.

Na sequência, *Os ventos do inverno*. Neste, espero, todos estarão tremendo juntos novamente...

George R. R. Martin

Prólogo

A noite estava repulsiva com o cheiro de homem.

O warg parou embaixo de uma árvore e farejou, seu pelo marrom-acinzentado manchado pela sombra. Um sopro de vento por entre os pinheiros trouxe o rastro humano até ele, juntamente com cheiros mais fracos que falavam de raposas, lebres, focas, veados, até mesmo de lobos. Aqueles eram odores humanos também, o warg sabia; o fedor de velhas peles, mortas e azedas, quase encoberto pelos rastros mais fortes de fumaça, sangue e podridão. Somente o homem tirava a pele de outros animais e vestia couros e pelos.

Wargs não têm medo do homem como os lobos têm. Ódio e fome faziam espirais em sua barriga, e ele deu um rosnado baixo, chamando seu irmão de um olho só e a pequena e astuta irmã. Conforme ele corria por entre as árvores, os companheiros de matilha seguiam em seus calcanhares. Eles haviam pegado o rastro. Conforme o warg corria, via através dos olhos dos irmãos e se enxergava na frente. A respiração da matilha resfolegava quente e branca das longas mandíbulas cinzentas. O gelo havia congelado entre suas patas, duro como pedra, mas a caçada começara, a presa à frente. *Carne*, o warg pensava, *comida*.

Um homem sozinho é uma coisa frágil. Grande e forte, com bons olhos afiados, mas obtuso na audição e insensível aos odores. Cervos, alces e até mesmo lebres são mais rápidos, ursos e javalis são mais ferozes na luta. Já homens em matilhas são perigosos. Quando os lobos se aproximaram da presa, o warg escutou o choro de um filhote, a crosta da última neve da noite quebrando sob as desajeitadas patas humanas, o crepitar dos couros endurecidos contra as longas garras cinza que os homens carregavam.

Espadas, uma voz dentro dele sussurrou, *lanças*.

Nas árvores haviam crescido dentes de gelo que pendiam arreganhados dos ramos castanhos sem folhas. Um-Olho correu rapidamente por entre a vegetação rasteira, espalhando neve. Os companheiros de matilha o seguiram. Subiram uma ladeira e desceram a encosta depois dela, até que a floresta se abriu diante deles e os homens estavam lá. Um era fêmea. O pacote embrulhado em pele que ela segurava era seu filhote. *Deixe-a por último*, a voz sussurrava, *os machos são os mais perigosos*. Eles rugiam uns para os outros como os homens fazem, mas o warg podia sentir o terror entre eles. Um dos homens tinha um dente de madeira mais alto que ele mesmo. O homem atirou o dente, mas sua mão tremia e o arremesso saiu alto demais.

Então a matilha caiu sobre eles.

Seu irmão de um olho jogou o atirador de dentes em um monte de neve e rasgou a garganta do homem enquanto ele lutava. Sua irmã escorregou por trás do outro e o pegou pela retaguarda. Isso deixava a fêmea e o filhote para ele.

Ela tinha um dente também, pequeno, feito de osso, mas o derrubou quando as mandíbulas do warg se fecharam em torno de sua perna. Conforme ela caiu, enrolou ambos os braços ao redor do filhote barulhento. Por baixo das peles, a fêmea era apenas pele e ossos, mas suas tetas estavam cheias de leite. A carne mais doce era a do filhote. O lobo deixou as melhores partes para o irmão. Em volta das carcaças, a neve congelada se tornava rosa e vermelha, enquanto a matilha enchia a barriga.

A léguas dali, em uma choupana de taipa de um cômodo só, telhado de palha com buraco para fumaça e chão de terra batida, Varamyr estremeceu, tossiu e lambeu os lábios. Seus olhos estavam vermelhos, os lábios rachados, a garganta seca, mas o gosto de sangue e gordura enchia-lhe a boca, enquanto a barriga inchada gritava por alimento. *A carne de uma criança,* ele pensou, lembrando-se de Bump. *Carne humana.* Havia ele descido tão baixo a ponto de correr atrás de carne humana? Quase podia ouvir Haggon resmungando para ele.

– Os homens podem comer a carne das bestas e as bestas a carne dos homens, mas o homem que come a carne do homem é uma abominação.

Abominação. Essa sempre foi a palavra favorita de Haggon. *Abominação, abominação, abominação.* Comer carne humana era abominação, acasalar-se como lobo com outro lobo era abominação, e tomar o corpo de outro homem era a pior abominação de todas. *Haggon era fraco, tinha medo do próprio poder. Morreu chorando e sozinho quando lhe arranquei a segunda vida.* Varamyr devorara-lhe pessoalmente o coração. *Ele me ensinou muito, e ainda mais, e a última coisa que aprendi com ele foi o gosto da carne humana.*

Isso foi como lobo. Ele nunca havia comido carne de outra pessoa com seus dentes humanos. Apesar disso, não invejava o banquete da sua matilha. Os lobos estavam tão famintos quanto ele, magros, com frio e com fome, e as presas... *dois homens e uma mulher, um bebê em seus braços, fugindo da morte. Eles teriam perecido em pouco tempo, de qualquer maneira, de exposição ao frio ou de inanição. Dessa maneira foi melhor, mais rápido. Uma bênção.*

– Uma bênção – ele disse em voz alta. A garganta estava em carne viva, mas era bom ouvir uma voz humana, mesmo que a sua própria. O ar cheirava a mofo e umidade, o chão estava frio e duro, e o fogo fornecia mais fumaça que calor. Ele se moveu para o mais perto das chamas que ousava, tossindo e estremecendo, sentindo palpitar o lado do corpo onde tinha a ferida aberta. O sangue encharcara seus calções até o joelho e secara, formando uma dura crosta marrom.

Cynara avisara que isso podia acontecer.

– Eu costurei da melhor maneira possível – ela dissera –, mas você precisa descansar e deixar sarar, ou a carne vai rasgar novamente.

Cynara fora a última de suas companheiras, uma esposa de lança dura como raiz velha, verrugosa, queimada pelo vento e enrugada. Os outros os haviam deixado ao longo do caminho. Um a um, ficaram para trás ou foram adiante, de volta às antigas vilas, ou seguiram pelo Guadeleite, ou para Durolar, ou mesmo para uma morte solitária na floresta. Varamyr não sabia e não se importava. *Eu devia ter tomado um deles quando tive chance. Um dos gêmeos, ou o homem grande com o rosto marcado, ou o jovem de cabelo vermelho.*

Ele tivera medo, contudo. Um dos outros podia perceber o que estava acontecendo. As pessoas do grupo podiam se virar contra ele e matá-lo. E as palavras de Haggon o haviam assombrado, e então a chance passara.

Depois da batalha, milhares perambulavam pela floresta, famintos, amedrontados, fugindo da carnificina que se abatera sobre eles na Muralha. Alguns falavam em voltar para o lar que tinham abandonado, outros em organizar um segundo ataque aos portões, mas a maioria estava perdida, sem noção de para onde ir ou do que fazer. Eles haviam escapado dos corvos de capas negras e dos cavaleiros de aço cinzento, mas inimigos mais implacáveis os espreitavam agora. Todos os dias mais corpos eram deixados nas trilhas. Alguns morriam de fome, outros de frio ou de doenças. Outros foram assassinados por aqueles que tinham sido seus irmãos em armas quando todos marcharam para o Sul com Mance Rayder, o Rei-para-lá-da-Muralha.

Mance caiu, os sobreviventes diziam uns para os outros em vozes desesperadas, *Mance foi capturado, Mance está morto.*

– Harma está morta e Mance, capturado. Os outros fugiram e nos deixaram – Cynara afirmara, enquanto costurava sua ferida. – Tormund, o Chorão, Seis-Peles, todos bravos saqueadores. Onde estão agora?

Ela não me conhece, Varamyr percebeu, *e por que deveria?* Sem seus animais, ele não parecia um grande homem. *Eu era Varamyr Seis-Peles, que partilhava o pão com Mance Rayder*. Dera-se o nome de Varamyr aos dez anos de idade. *Um nome adequado para um lorde, um nome para canções, um nome poderoso e temível.* E, mesmo assim, havia fugido dos corvos como um coelho assustado. O terrível Lorde Varamyr tinha sido um covarde, mas não podia suportar que Cynara soubesse disso, e disse para a esposa de lança que se chamava Haggon. Mais tarde, perguntou-se por que aquele nome viera aos seus lábios, entre todos os que poderia ter escolhido. *Eu comi seu coração e bebi seu sangue, e ele ainda me assombra.*

Um dia, enquanto fugiam, um cavaleiro veio a galope pela floresta, em um magro cavalo branco, gritando que todos deviam ir para o Guadeleite, onde o Chorão reunia guerreiros para cruzar a Ponte dos Crânios e tomar a Torre Sombria. Muitos o seguiram, a maioria não. Mais tarde, um obstinado guerreiro vestido de pele e âmbar foi de fogueira em fogueira, exortando todos os sobreviventes a irem para o Norte, refugiarem-se no vale dos thenns. Por que alguém consideraria aquele um local seguro, quando os próprios thenns o haviam abandonado, Varamyr nunca soube, mas centenas o seguiram. Centenas mais seguiram a feiticeira da floresta que tivera uma visão de uma frota de navios que levaria o povo livre para o sul.

– Temos que procurar o mar – gritou Mãe Toupeira, e seus seguidores dirigiram-se para o leste.

Varamyr poderia ter estado entre eles, se estivesse mais forte. Mas o mar era cinza, frio e distante, e ele sabia que não viveria para vê-lo. Estivera morto e moribundo por nove vezes, e esta seria sua morte verdadeira. *Uma capa de pele de esquilo,* recordou, *ele me esfaqueou por uma capa de pele de esquilo.*

A antiga dona havia morrido, a parte de trás da cabeça esmagada em uma polpa vermelha salpicada de pedaços de ossos, mas a capa parecia quente e grossa. Estava nevando, e Varamyr perdera sua capa na Muralha. Suas peles de dormir e roupas de baixo de lã, as botas de pele de carneiro e as luvas forradas, o estoque de hidromel e de comida, os tufos de cabelo das mulheres com quem dormira, e até mesmo as pulseiras de ouro que Mance lhe havia dado, tudo perdido ou deixado para trás. *Queimei e morri, e então corri, meio louco de dor e terror.* A lembrança ainda o envergonhava, mas ele não estivera sozinho. Outros correram também, centenas deles, milhares. *A batalha estava perdida. Os cavaleiros vieram, invencíveis em aço, matando todos que ficaram para lutar. Era correr ou morrer.*

Mas a morte não era tão mais fácil de ultrapassar. Quando Varamyr viu a mulher morta na floresta, ajoelhou-se para retirar a capa dela e não notou o garoto até que o menino irrompeu de seu esconderijo para acertá-lo com uma longa faca de osso e arrancar a capa de seus dedos.

– A mãe dele – Cynara lhe contou mais tarde, depois que o garoto fugiu. – Era a capa da mãe dele, e ele viu você roubando ela...

– Ela estava morta – Varamyr disse, estremecendo conforme a agulha de osso penetrava em sua carne. – Alguém esmagou a cabeça dela. Algum corvo.

– Nenhum corvo. Homens cornopés. Eu vi. – A agulha dela puxou um dos lados do corte, fechando-o. – São selvagens. E quem estava aqui para domá-los?

Ninguém. E se Mance está morto, o povo livre está condenado. Os thenns, os gigantes, os cornopés, os moradores das cavernas de dentes afiados, os homens da costa ocidental com suas carruagens de ossos... todos estavam condenados. Até mesmo os corvos. Eles podiam não saber ainda, mas esses bastardos de capa negra iriam perecer com o resto. O inimigo estava chegando.

A voz áspera de Haggon ecoou em sua cabeça.

– Você morrerá uma dúzia de mortes, rapaz, e cada uma delas doerá... mas quando sua morte verdadeira chegar, você viverá de novo. A segunda vida é mais simples e mais doce, dizem.

Varamyr Seis-Peles descobriria a verdade disso em breve. Podia sentir o gosto de sua morte verdadeira na fumaça acre que pairava no ar, no calor sob seus dedos quando deslizou a mão por baixo das roupas e tocou sua ferida. O frio estava nele também, bem no fundo dos ossos. Desta vez seria o frio que o mataria.

Sua última morte tinha sido pelo fogo. *Eu queimei.* Primeiro, no meio da confusão, ele pensou que algum arqueiro da Muralha o tinha acertado com uma flecha incendiada... mas o fogo vinha *de dentro*, consumindo-o. E a dor...

Varamyr já havia morrido nove vezes. Uma vez, morrera de golpe de lança, noutra, de uma dentada de urso na garganta, e houve ainda a vez que morrera em um banho de sangue, dando à luz um filhote natimorto. Morreu sua primeira morte aos seis anos de idade, com o machado do pai esmagando seu crânio. Mas mesmo aquela vez não fora tão agonizante quanto o fogo em suas entranhas, crepitando ao longo de suas asas, *devorando-o*. Quando tentou voar para longe daquilo, seu medo só fez as chamas aumentarem e ficarem ainda mais quentes. Num momento, ele planava sobre a Muralha, com seus olhos de águia observando os movimentos dos homens abaixo. Então as chamas transformaram seu coração em cinza enegrecida, mandaram seu espírito aos gritos de volta para a própria pele, e por um tempo ele enlouqueceu. Até a lembrança daquele momento era suficiente para fazê-lo estremecer.

Foi quando percebeu que o fogo se apagara.

Restara apenas um emaranhado negro-acinzentado de madeira carbonizada, com algumas brasas brilhando entre as cinzas. *Ainda há fumaça, só precisa de madeira.* Rangendo os dentes de dor, Varamyr rastejou até a pilha de galhos partidos que Cynara juntara antes de sair para caçar e atirou alguns gravetos nas cinzas.

– Pega – resmungou. – *Queima.* – Soprou sobre as cinzas e disse uma oração sem palavras para os deuses sem nome da floresta, da colina e dos campos.

Os deuses não responderam. Depois de um tempo, a fumaça também cessou. A pequena cabana já ficava mais fria. Varamyr não tinha pederneira, mecha ou gravetos secos. Nunca conseguiria fazer o fogo queimar novamente, não sozinho.

– Cynara – gritou, a voz áspera e alquebrada pela dor. – *Cynara!*

O queixo dela era pontudo e seu nariz, achatado, e ela tinha uma pinta na bochecha, de onde saíam quatro pelos escuros. Um rosto feio e duro, mas mesmo assim ele teria dado tudo para vislumbrá-la na porta da cabana. *Eu deveria tê-la tomado antes que ela partisse.* Há quanto tempo ela se fora? Dois dias? Três? Varamyr não tinha certeza. Estava escuro dentro da cabana, e ele tinha entrado e saído do sono sem saber se era dia ou noite.

– Espere – ela dissera. – Voltarei com comida.

Então, como um tolo, ele esperara, sonhando com Haggon e Bump e com todos os erros que cometera em sua longa vida, mas dias e noites se passaram e Cynara não retornou. *Ela não voltará.* Varamyr se perguntava se ele teria se revelado. Poderia ela saber o que ele estava pensando só de olhá-lo, ou teria ele murmurado algo em seus sonhos febris?

Abominação, ouviu Haggon dizendo. Era quase como se o caçador estivesse ali, naquele mesmo cômodo.

– Ela é somente uma feia esposa de lança – Varamyr disse para si mesmo. – Eu sou um grande homem. Eu sou Varamyr, o warg, o troca-peles, não está certo que ela viva e eu deva morrer.

Ninguém respondeu. Não havia ninguém ali. Cynara se fora. Ela o abandonara da mesma forma que todos os demais.

Sua mãe também o abandonara. *Ela chorou por Bump, mas nunca chorou por mim.* Na manhã que o pai o tirou da cama para entregá-lo a Haggon, ela não lhe deu sequer um olhar. Ele gritara e chutara enquanto era arrastado pela floresta, até o pai lhe dar um tapa e mandar que se calasse.

– Você pertence a sua própria espécie – foi tudo o que lhe disse, quando o jogou aos pés de Haggon.

Ele não estava errado, Varamyr pensou, tremendo. *Haggon me ensinou muito, e ainda mais. Me ensinou a caçar e a pescar, a destrinchar uma carcaça e tirar as espinhas de um peixe, e a encontrar meu caminho na floresta. E me ensinou o caminho do warg e os segredos dos troca-peles, embora meu dom tenha sido mais forte que o dele.*

Anos mais tarde, tentou encontrar os pais, para contar-lhes que seu Lump havia se tornado o grande Varamyr Seis-Peles, mas ambos tinham sido mortos e queimados. *Desaparecido nas árvores e riachos, nas rochas e na terra. Desaparecido no pó e nas cinzas.* Fora isso que a feiticeira das florestas dissera para sua mãe quando Bump morreu. Lump não queria ser um torrão de terra. O garoto sonhava com o dia em que bardos cantariam seus feitos e moças bonitas o beijariam. *Quando crescer, serei o Rei-para-lá-da-Muralha,* Lump prometera a si mesmo. Não chegou a tanto, mas chegou perto. Varamyr Seis-Peles era um nome que os homens temiam. Seguia para as batalhas no dorso de um urso-das-neves de quase quatro metros de altura, mantinha três lobos e um gato-das-sombras como seus servos e sentava-se à direita de Mance Rayder. *Foi Mance quem me trouxe para este lugar.*

Nunca deveria tê-lo ouvido. Eu deveria ter escorregado na pele do meu urso e ter feito Mance em pedaços.

Antes de Mance, Varamyr Seis-Peles fora um senhor das sortes. Vivia sozinho em um cômodo feito de musgo, lama e troncos cortados que tinha sido de Haggon, e era servido por seus animais. Uma dúzia de vilas o homenageavam com pão, sal e sidra, oferecendo-lhe frutas de seus pomares e vegetais de suas hortas. A carne, ele mesmo arranjava. Sempre que desejava uma mulher, enviava o gato-das-sombras para persegui-la e, qualquer que fosse a garota na qual ele colocasse o olho, ela vinha docilmente para sua cama. Algumas vinham chorando, mas mesmo assim, vinham. Varamyr lhes dava sua semente, pegava um tufo de seus cabelos para recordar-se delas e as mandava embora. De tempos em tempos, algum herói da vila aparecia com a lança em punho para matar a besta-fera e salvar uma irmã, uma amante ou uma filha. Esses ele matava, mas nunca fazia mal às mulheres. Algumas até mesmo abençoou como crianças. *Mirrados. Pequenas coisas insignificantes como Lump, e nenhum deles com o dom.*

O medo o colocou em pé, vacilante. Segurando o lado do corpo para estancar o sangue que escorria do ferimento, Varamyr cambaleou até a porta. Empurrou para o lado a pele que a cobria e deu de cara com um muro branco. *Neve.* Não era à toa que estava tão escuro e esfumaçado lá dentro. A neve que caía havia enterrado a cabana.

Quando Varamyr empurrou, a neve, ainda macia e molhada, desmoronou e abriu caminho. Do lado de fora, a noite estava branca como a morte; pálidas nuvens finas dançavam na presença de uma lua prateada, enquanto milhares de estrelas assistiam friamente. Ele podia ver as formas corcundas de outras cabanas sepultadas sob a neve e, além delas, a sombra pálida de um represeiro blindado em gelo. Para sul e oeste, as colinas eram um vasto deserto branco, onde nada se movia exceto a neve soprada pelo vento.

– Cynara – Varamyr chamou fracamente, imaginando quão distante ela poderia ter ido. – Cynara. Mulher. Onde você está?

Ao longe, um lobo uivou.

Um arrepio atravessou o corpo de Varamyr. Ele conhecia aquele uivo tão bem quanto um dia Lump conhecera a voz de sua mãe. Um-Olho. Era o mais velho dos três, o maior, o mais feroz. Perseguidor era mais magro, mais rápido, mais jovem. Manhosa, a mais astuta. Mas os dois tinham medo de Um-Olho. O velho lobo era destemido, implacável, selvagem.

Varamyr perdera o controle de seus outros animais na agonia da morte da águia. O gato-das-sombras correra para a floresta, enquanto o urso-das-neves usara as garras contra quem se aproximasse, rasgando quatro homens antes de ser derrubado por uma lança. E teria matado Varamyr se tivesse podido alcançá-lo. O urso o odiava, enraivecendo-se todas as vezes que o warg vestia sua pele ou subia em suas costas.

Seus lobos, no entanto...

Meus irmãos. Minha matilha. Em muitas noites frias, ele dormira com os lobos, seus corpos peludos amontoados sobre ele para mantê-lo aquecido. *Quando eu morrer, eles vão se banquetear com minha carne e deixar somente ossos para cumprimentar o degelo da primavera.* O pensamento era estranhamente reconfortante. Seus lobos tinham frequentemente forrageado para ele enquanto percorriam o território; parecia apropriado que os alimentasse no final. Ele bem que podia começar sua segunda vida rasgando a carne morna de seu próprio cadáver.

Os cães eram os animais mais fáceis para se ligar; viviam tão próximos ao homem que eram quase humanos. Escorregar para dentro da pele de um cão era como vestir uma bota velha, com o couro amaciado pelo uso. Assim como a bota é moldada para conter um pé, um cão é moldado para conter uma coleira, mesmo uma coleira que não possa ser vista pelo olho humano. Lobos são mais difíceis. Um homem pode fazer amizade com um lobo, até mesmo dobrar um lobo, mas nenhum homem pode verdadeiramente *domar* um lobo.

– Lobos e mulheres casam-se para a vida toda – Haggon dizia com frequência. – Você pega um, é um casamento. O lobo é parte de você desse dia em diante, e você é parte dele. Ambos vão mudar.

Outros animais são melhores deixados sozinhos, o caçador afirmara. Gatos são vaidosos e cruéis, sempre prontos para se virar contra você. Alces e veados são presas; vestindo suas peles por muito tempo até o mais corajoso dos homens se torna um covarde. Ursos, javalis, texugos, doninhas... Haggon não se ligava a tais coisas.

– Nunca queira vestir certos tipos de pele, rapaz. Você não gostará daquilo que se tornará. – Aves eram as piores, ele dizia. – Os homens não foram feitos para deixar a terra. Passe muito tempo nas nuvens e você não vai querer voltar para baixo novamente. Conheci troca-peles que experimentaram gaviões, corujas, corvos. Mesmo quando estavam em suas próprias peles, sentavam-se, sonhadores, olhando para cima, para o maldito azul.

Nem todos os troca-peles sentiam o mesmo. Uma vez, quando Lump tinha dez anos, Haggon o levou a um encontro. Os wargs eram os mais numerosos no grupo, os irmãos-lobos, mas o garoto achou os outros estranhos e mais fascinantes. Borroq se parecia tanto ao seu javali que só lhe faltavam as presas, Orell tinha sua águia, Briar, seu gato-das-sombras (no momento em que os viu, Lump desejou um gato-das-sombras para si), a mulher-cabra Grisella...

No entanto, nenhum deles foi tão forte quanto Varamyr Seis-Peles, nem mesmo Haggon, alto e sombrio, com suas mãos tão duras quanto pedra. O caçador morrera chorando, depois que Varamyr tomou Pelecinza, expulsando Haggon para reivindicar o animal para si. *Sem segunda vida para você, velho.* Varamyr Três-Peles, ele se chamava naquela época. Pelecinza foi a quarta, embora o velho lobo estivesse frágil e quase sem dentes, logo acompanhando Haggon na morte.

Varamyr podia tomar qualquer animal que quisesse, dobrando-o à sua vontade, fazendo da carne deles a sua própria. Cão ou lobo, urso ou texugo...

Cynara, ele pensou.

Haggon chamaria isso de abominação, o pecado mais negro de todos, mas Haggon estava morto, devorado e queimado. Mance também o teria amaldiçoado, mas tinha sido assassinado ou capturado. *Ninguém nunca saberá. Serei Cynara, a esposa de lança, e Varamyr Seis-Peles estará morto.* Seu dom pereceria com seu corpo, imaginava. Perderia seus lobos e viveria o resto de seus dias como uma mulher magra e verrugosa... mas viveria. *Se ela voltar. Se eu ainda estiver forte o bastante para tomá-la.*

Uma onda de tontura tomou conta de Varamyr. Caiu sobre os joelhos, as mãos afundando em um monte de neve. Pegou um punhado e encheu a boca, esfregando-a contra a barba e os lábios rachados, sugando a umidade. A água estava tão gelada que mal conseguia engolir, e mais uma vez notou quão febril seu corpo estava.

A neve derretida só o fez ficar com mais fome. Era por comida que sua barriga ansiava, não por água. A neve tinha parado de cair, mas o vento estava aumentando, enchendo o ar de cristais, cortando seu rosto enquanto ele lutava contra o turbilhão, a ferida abrindo e fechando novamente. Sua respiração formava uma rala nuvem branca. Quando alcançou o represeiro, encontrou um galho caído comprido o suficiente para servir de muleta. Apoiando-se pesadamente no galho, cambaleou em direção à cabana mais próxima. Talvez os aldeões tivessem esquecido alguma coisa quando partiram... um saco de maçãs, alguma carne seca, qualquer coisa que o mantivesse vivo até o retorno de Cynara.

Estava quase lá quando a muleta estalou sob seu peso e suas pernas foram arremessadas para cima.

Quanto tempo permaneceu deitado, com o sangue tingindo a neve de vermelho, Varamyr não poderia dizer. *A neve vai me enterrar*. Seria uma morte pacífica. *Dizem que você se sente aquecido próximo do fim, aquecido e sonolento*. Seria bom sentir-se aquecido novamente, embora ficasse triste em pensar que então nunca chegaria a ver as terras verdes, as terras quentes para lá da Muralha, sobre as quais Mance costumava cantar.

– O mundo para lá da Muralha não é para nossa espécie – Haggon costumava dizer. – O povo livre teme os troca-peles, mas também nos honram. Ao sul da Muralha, os ajoelhadores nos caçariam e nos matariam como porcos.

Você me avisou, Varamyr pensou, *mas também foi você quem me mostrou Atalaialeste*. Ele não devia ter mais do que dez anos. Haggon trocou uma dúzia de cordas de âmbar e um trenó cheio de peles por seis odres de vinho, um pacote de sal e uma chaleira de cobre. Atalaialeste era um local melhor para comércio do que Castelo Negro; era lá que os navios chegavam, carregados de mercadorias das lendárias terras de além-mar. Os corvos conheciam Haggon como caçador e amigo da Patrulha da Noite e apreciavam as notícias que ele trazia da vida para lá da Muralha. Alguns também o conheciam como troca-peles, mas ninguém falava no assunto. Foi lá, em Atalaialeste do Mar, que o garoto começara a sonhar com o quente Sul.

Varamyr podia sentir os flocos de neve derretendo em sua testa. *Isso não é tão ruim quanto ser queimado. Me deixe dormir e nunca acordar, me deixe começar minha segunda vida*. Seus lobos estavam perto agora. Ele podia senti-los. Deixaria essa carne fraca para trás e se tornaria um deles, caçando à noite e uivando para a lua. O warg se transformaria em um verdadeiro lobo. *Mas em qual deles?*

Em Manhosa, não. Haggon teria chamado de abominação, mas Varamyr uma vez escorregou para dentro da pele da loba quando ela estava sendo montada por Um-Olho. Ele não queria passar sua nova vida como uma fêmea, a menos que não tivesse escolha. Perseguidor poderia servir melhor, o macho mais jovem... embora Um-Olho fosse maior e mais feroz, e era Um-Olho quem sempre pegava Manhosa quando ela entrava no cio.

– Eles dizem que você esquece – Haggon lhe dissera, algumas semanas antes de sua própria morte. – Quando a carne humana morre, seu espírito vive dentro do animal, mas a cada dia suas memórias desaparecem, e o animal se torna um pouco menos warg, um pouco mais lobo, até que nada do homem reste e apenas o animal permaneça.

Varamyr conhecia a verdade daquilo. Quando reivindicou a águia que havia sido de Orell, pôde sentir o outro troca-peles irado com sua presença. Orell havia sido morto pelo corvo vira-casaca Jon Snow, e o ódio ao seu assassino era tão forte que Varamyr também se encontrou odiando o rapaz. Soube o que Jon era no momento em que viu o magnífico lobo branco gigante espreitando ao lado do rapaz. Um troca-peles sempre pode sentir outro. *Mance deveria ter me deixado tomar o lobo gigante. Teria sido uma segunda vida digna de um rei.* Ele poderia ter feito, não tinha dúvidas. O dom era forte em Snow, mas o jovem era ignorante, ainda lutava contra sua natureza, quando deveria glorificá-la.

Varamyr podia ver os olhos vermelhos do represeiro olhando para ele do tronco branco. *Os deuses estão me analisando.* Um arrepio passou por seu corpo. Havia feito coisas más, coisas terríveis. Havia roubado, matado, estuprado. Havia se empanturrado de carne humana e lambido o sangue de homens mortos enquanto jorrava de suas gargantas rasgadas. Tinha perseguido seus inimigos pela floresta e caído sobre eles enquanto dormiam, arrancando as entranhas de suas barrigas e espalhando-as pela terra enlameada. *Que doce era a carne deles.*

– Era o animal, não eu – disse, em um sussurro rouco. – Era o dom que vocês me deram.

Os deuses não responderam. Sua respiração era uma neblina pálida no ar. Ele podia sentir o gelo se formando em sua barba. Varamyr Seis-Peles fechou os olhos.

Sonhou um sonho antigo de um casebre à beira-mar, três cães choramingando, lágrimas de uma mulher.

Bump. Ela chorou por Bump, mas nunca chorou por mim.

Lump nascera um mês antes do previsto e ficava doente com tanta frequência que ninguém esperava que sobrevivesse. Sua mãe esperou até que tivesse quase quatro anos para lhe dar um nome, e então era muito tarde. Toda a vila o chamava de Lump, o nome que sua irmã Meha lhe dera quando ele ainda estava na barriga da mãe. Meha também dera o nome de Bump, mas o irmão caçula de Lump nascera no tempo certo, grande, vermelho e robusto, sugando avidamente as tetas maternas. A mãe iria dar a ele o nome do pai. *Mas Bump morreu. Morreu quando tinha dois anos, e eu seis, três dias antes do dia dedicado ao seu nome.*

– O seu pequeno está com os deuses agora – a feiticeira da floresta disse para sua mãe, enquanto ela chorava. – Ele não se machucará novamente, nem sentirá fome e nunca mais chorará. Os deuses o levaram para dentro da terra, para dentro das árvores. Os deuses estão ao nosso redor, nas rochas e nos riachos, nas aves e nos animais terrestres. Seu Bump se juntou a eles agora. Ele será o mundo e tudo o que está nele.

As palavras da velha mulher atravessaram Lump como uma faca. *Bump vê. Ele está me olhando. Ele sabe.* Lump não podia se esconder dele, não podia escorregar para trás da saia da mãe ou fugir com os cães para escapar da fúria do pai. *Os cães.* Cotó, Fungada e Resmungo. *Eram bons cães. Eram meus amigos.*

Quando o pai encontrou os cães farejando ao redor do cadáver de Bump, não havia como saber qual deles tinha feito aquilo, então pegou o machado para acabar com os três. Suas mãos tremiam tanto que foram necessárias duas pancadas para silenciar Fungada e mais quatro para derrubar Resmungo. O cheiro de sangue pairava pesado no ar, e o som dos cães morrendo era terrível de se ouvir. Mesmo assim, Cotó veio quando o pai o chamou. Era o mais velho, e seu treinamento suplantava seu pavor. No momento que Lump escorregou para dentro de sua pele, era tarde demais.

Não, pai, por favor, ele tentou dizer, mas cães não falam a língua dos homens, então tudo o que saiu foi um gemido comovente. O machado acertou o meio do crânio do cachorro e, no interior do casebre, o menino soltou um grito. *Foi assim que eles souberam.* Dois dias mais tarde, o pai o arrastou para a floresta. Levava consigo o machado, e Lump pensou que teria o mesmo fim dos cães. Em vez disso, foi dado para Haggon.

Varamyr acordou abruptamente, com violência, o corpo todo sendo sacudido.

– Levanta! – a voz estava gritando. – Levanta, temos que ir. São centenas deles.

A neve o cobrira com um rígido cobertor branco. *Tão frio.* Quando tentou se mover, descobriu que sua mão estava congelada no chão. Deixou a pele na neve quando a soltou com um puxão.

– Levanta! – ela gritou novamente. – Eles estão chegando.

Cynara havia voltado para ele. Ela o segurava pelos ombros e o sacudia, gritando na sua cara. Varamyr podia sentir o hálito dela e o calor que ele proporcionava em suas bochechas dormentes pelo frio. *Agora,* ele pensou, *faça agora ou morra.*

Reuniu todas as forças que lhe restavam, saltou de sua própria pele e se forçou para dentro dela.

Cynara arcou as costas e gritou.

Abominação. Seria ela, ele ou Haggon? Ele nunca soube. Seu antigo corpo caiu na neve quando as mãos dela o soltaram. A esposa de lança se contorceu violentamente, gritando. O gato-das-sombras costumava lutar com ele de forma selvagem, e o urso--das-neves ficava meio louco por um tempo, dando patadas nas árvores, nas pedras e até mesmo no ar, mas aquilo era pior.

– Sai daqui, *sai daqui!* – ele ouviu a própria boca gritando. O corpo cambaleou, caiu e levantou novamente, as mãos se agitando, as pernas indo para cá e para lá, numa dança grotesca, enquanto os espíritos dele e dela lutavam pelo controle. Ela sugou um bocado de ar gelado, e Varamyr sentiu meio segundo de júbilo por provar a força de um corpo jovem, mas os dentes dela trincaram com força e a boca se encheu de sangue. Ela ergueu as mãos até o rosto. Ele tentou baixá-las novamente, mas as mãos não obedeceram, e ela estava agarrando seus olhos. *Abominação,* ele lembrou, afundando em sangue, dor e loucura. Quando ele tentou gritar, ela cuspiu a língua para fora.

O mundo branco revirou e caiu. Por um momento, era como se ele estivesse dentro do represeiro, vendo, através dos olhos vermelhos esculpidos na árvore, um moribundo levemente contraído no chão e uma mulher louca dançando, cega e ensanguentada, sob a lua, chorando lágrimas vermelhas e rasgando as próprias roupas. Então ambos se foram, e ele estava subindo, fundindo-se, seu espírito amparado por algum vento frio. Estava na neve e nas nuvens, era um pardal, um esquilo, um carvalho. Uma coruja voou silenciosamente entre as árvores, caçando uma lebre; Varamyr estava dentro da coruja, dentro da lebre, dentro das árvores. Profundamente enterradas sob o chão gelado, minhocas escavavam cegamente na escuridão, e também era elas. *Eu sou a floresta e tudo o que há nela,* pensou, exultante. Centenas de corvos levantaram voo, grasnando conforme o sentiam passar. Um grande alce barriu, inquieto com os filhotes ao seu redor. Um lobo gigante adormecido levantou a cabeça para farejar o ar vazio. Antes que seus corações pudessem bater novamente, ele havia passado, procurando pela sua matilha, por Um-Olho, Perseguidor e Manhosa. Seus lobos o salvariam, disse para si mesmo.

Esse foi seu último pensamento como homem.

A morte real veio repentinamente; ele sentiu um choque de frio, como se tivesse sido mergulhado nas águas de um lago congelado. Então se viu correndo pela neve enluarada, com o restante da matilha logo atrás. Metade do mundo estava escuro. *Um-Olho,* soube. Uivou, e Manhosa e Perseguidor fizeram eco.

Quando chegaram ao cume, os lobos pararam. *Cynara*, lembrou, e uma parte dele lamentou pelo que havia perdido e outra parte pelo que havia feito. Embaixo, o mundo tinha se transformado em gelo. Dedos congelados saíam dos represeiros, indo de uma árvore até a outra. A vila abandonada já não estava vazia. Sombras de olhos azuis andavam entre os montes de neve. Alguns vestiam marrom, outros vestiam negro e alguns estavam nus, as peles brancas como a neve. Um vento atravessava as colinas, pesado com os cheiros que vinham das criaturas: carne morta, sangue seco, peles que fediam a mofo e podridão, e urina. Manhosa rosnou e mostrou os dentes, os pelos do pescoço eriçados. *Não homens. Não presas. Não esses.*

As criaturas abaixo se moveram, mas não estavam vivas. Uma a uma, levantaram as cabeças em direção aos três lobos na colina. A última a olhar foi a criatura que havia sido Cynara. Ela vestia lã, pele e couro, e sobre isso um casaco congelado que estalava quando se movia e brilhava à luz da lua. Pálidos pingentes rosa pendiam de seus dedos, dez longas facas de sangue congelado. E, nos fossos onde seus olhos estiveram, uma pálida luz azul tremulava, emprestando às feições grosseiras uma beleza estranha que nunca tiveram em vida.

Ela me vê.

Tyrion

Ele bebeu seu trajeto pelo mar estreito.

O navio era pequeno, a cabine, menor, mas o capitão não permitia sua presença no convés. O balanço do chão sob seus pés embrulhava o estômago, e a comida miserável parecia ainda pior quando ele a vomitava. Mas por que precisava de carne salgada, queijo duro e pão cheio de vermes quando tinha vinho para nutri-lo? Era tinto e amargo, muito forte. Algumas vezes, punha o vinho para fora também, mas sempre havia mais.

– O mundo está cheio de vinho – murmurou na cabine úmida. Seu pai nunca tinha visto utilidade nos bêbados, mas o que isso importava? Agora estava morto. Ele o matara. *Um dardo na barriga, meu senhor, todo ele para você. Se eu fosse melhor com uma besta, teria acertado o pau com o qual você me fez, seu filho da puta.*

Embaixo do convés não havia dia ou noite. Tyrion marcava o tempo pelo vai e vem do grumete que lhe trazia as refeições que ele não comia. O garoto sempre trazia um escovão e um balde também, para limpar a cabine.

– Isso é vinho dornense? – Tyrion lhe perguntou certa vez, enquanto o rapaz puxava a rolha do odre. – Isso me lembra certa serpente que conheci. Um sujeito engraçado, até que uma montanha caiu sobre ele.

O grumete não respondeu. Era um garoto feio, embora deva-se admitir que mais formoso que certo anão com metade do nariz e uma cicatriz que ia do olho ao queixo.

– Eu o ofendi? – Tyrion perguntou, enquanto o menino esfregava o chão. – Ordenaram que você não falasse comigo? Ou algum anão sacaneou sua mãe? – isso também ficou sem resposta. – Para onde estamos navegando? Responda-me. – Jaime mencionara as Cidades Livres, mas nunca dissera qual delas. – Vamos para Bravos? Tyrosh? Myr? – Tyrion teria preferido ir para Dorne. *Myrcella é mais velha do que Tommen e, pelas leis dornenses, o Trono de Ferro é dela. Vou ajudá-la a reclamar seus direitos, como o Príncipe Oberyn sugeriu.*

Mas Oberyn estava morto, a cabeça esmagada em destroços sangrentos pelo punho blindado de Sor Gregor Clegane. E sem a Víbora Vermelha para incitá-lo, Doran Martell levaria esse plano incerto em consideração? *Em vez disso, ele poderia me acorrentar e me mandar de volta para minha doce irmã.* A Muralha pode ser mais segura. O Velho Urso dissera que a Patrulha da Noite precisa de homens como Tyrion. Contudo, Mormont estava morto. Agora, Slynt pode ser o Senhor Comandante. Aquele filho de açougueiro não era o tipo que esquecia quem o havia mandado para a Muralha. *Preciso mesmo passar o resto da minha vida comendo carne salgada e papa de aveia com assassinos e ladrões?* Não que o resto da vida dele fosse durar muito. Janos Slynt se encarregaria disso.

O grumete molhou o escovão e esfregou vigorosamente.

– Você já visitou as casas de prazer de Lys? – o anão inquiriu. – Será para lá que as putas vão? – Tyrion não conseguia se lembrar da palavra valiriana para puta, em todo caso era tarde demais. O garoto jogou o escovão no balde e partiu.

O vinho está turvando meu juízo. Ele aprendeu a ler em Alto Valiriano nos joelhos de seu meistre, embora o que se fale nas nove Cidades Livres... bem, não é exatamente um dialeto, mas nove dialetos em vias de se separar em nove línguas. Tyrion entendia algum bravosi e um punhado de myrishi. Em Tyrosh, seria capaz de amaldiçoar os deuses, chamar um homem de trapaceiro e pedir uma cerveja, graças a um mercenário que conhecera no Rochedo. *Pelo menos em Dorne se falava a Língua Comum.* Como a comida e as leis, a fala dornense era temperada com os sabores do Roine, mas um homem podia compreendê-la. *Dorne, sim, Dorne para mim.* Ele se arrastou para a cama, acalentando esse pensamento como uma criança faz com sua boneca.

O sono nunca veio fácil para Tyrion Lannister. A bordo do navio, nunca veio completamente, embora de tempos em tempos ele tivesse conseguido embriagar-se o suficiente para apagar por um tempo. Ao menos, não sonhou. Já sonhara o suficiente para uma vida pequena. *E com coisas tão tolas: amor, justiça, amizade, glória. Assim como sonhara ser alto.* Isso tudo estava fora do seu alcance, Tyrion sabia agora. Mas ele não sabia para onde as putas iam.

– Para onde quer que as putas vão – seu pai tinha dito. *Suas últimas palavras, e que palavras foram.* A besta *zuniu*, Lorde Tywin caiu sentado, e Tyrion Lannister encontrou-se bamboleando pela escuridão, com Varys ao seu lado. Deve ter descido as escadas com esforço, duzentos e trinta degraus até onde as brasas laranja brilhavam na boca do dragão de ferro. Não se recordava de nada disso. Somente do som da besta e do fedor das vísceras de seu pai se abrindo. *Até mesmo na morte ele encontrou um jeito de me cagar.*

Varys o guiou pelos túneis, mas não falaram nada até saírem ao lado da Água Negra, onde Tyrion conseguiu uma famosa vitória e perdeu o nariz. Foi aí que o anão se virou para o eunuco e disse:

– Matei meu pai – no mesmo tom que um homem usaria para dizer: "Perdi o dedo do pé".

O mestre dos sussurros estava vestido como um irmão mendicante, com uma túnica de tecido rústico marrom, comida por traças, e um capuz que cobria de sombras suas gordas e macias bochechas e a cabeça careca.

– Você não devia ter subido aquelas escadas – ele disse em tom de reprovação.

"Aonde quer que as putas vão." Tyrion queria que seu pai não tivesse dito aquilo. *Se eu não tivesse soltado o gatilho, ele teria visto que minhas ameaças eram vazias. Teria tirado a besta das minhas mãos como certa vez tirou Tysha de meus braços. Ele estava se levantando quando o matei.*

– Matei Shae também – ele confessou para Varys.

– Você sabia o que ela era.

– Sabia. Mas nunca soube o que ele era.

Varys deu um riso abafado. – E agora você sabe.

Eu devia ter matado o eunuco também. Um pouco mais de sangue em suas mãos, quem se importaria? Não saberia dizer o que segurara sua adaga. Não foi gratidão. Varys o salvara da espada do carrasco, mas somente porque Jaime o obrigara. *Jaime... não, melhor não pensar em Jaime.*

Em vez disso encontrou um odre de vinho fresco e o sugou como se fosse o seio de uma mulher. O vinho amargo escorria pelo queixo e molhava a túnica suja, a mesma que usara na cela. O chão balançava sob seus pés e, quando tentou se levantar, caiu de lado e bateu com força em um anteparo. *Uma tempestade*, percebeu, *ou então estou mais bêbado do que pensava.* Vomitou o vinho e se deitou um pouco, imaginando se o navio afundaria. *Essa é a sua vingança, pai? O Pai aí de cima o fez sua Mão?*

– É assim que se paga um assassino de familiares – disse, enquanto o vento uivava lá fora. Não parecia justo afogar o grumete, o capitão e todo o resto da tripulação por algo que ele havia feito, mas desde quando os deuses são justos? E nesse momento a escuridão o engoliu.

Quando se mexeu novamente, sua cabeça parecia prestes a estourar e o navio rodava em círculos vertiginosos, embora o capitão insistisse em que tinham chegado ao porto. Tyrion lhe disse para ficar quieto e reagiu debilmente quando um imenso marinheiro careca o pegou sob um braço e o carregou para o porão, onde um barril de vinho vazio o aguardava. Era pequeno e achatado, apertado até mesmo para um anão. Tyrion urinou-se enquanto tentava lutar, e isso foi o melhor que conseguiu. Foi enfiado de cabeça para baixo, os joelhos apertando-se contra as orelhas. A ponta do nariz pinicava horrivelmente, mas os braços estavam tão apertados que não conseguia se coçar. *Uma liteira apropriada para alguém da minha estatura*, pensou, enquanto fechavam a tampa. Podia ouvir vozes gritando, enquanto era içado. Qualquer balanço fazia sua cabeça bater contra o fundo. O mundo girou e girou quando o barril rolou para fora do navio, e então parou com uma batida que o fez querer gritar. Outro barril se chocou contra o seu, e Tyrion mordeu a língua.

Foi a viagem mais longa de sua vida, embora não tenha levado mais do que meia hora. Foi levantado e abaixado, rolado e empilhado, derrubado e endireitado, e rolado novamente. Através das aduelas de madeira, ouvia os homens gritando, e uma vez um cavalo relinchou ali perto. Suas pernas atrofiadas começaram a ter câimbras e logo doíam tanto que esqueceu o martelar na cabeça.

E terminou como começou, com outro rolar que o deixou tonto e mais sacudido. Do lado de fora, vozes estranhas falavam em uma língua que ele não conhecia. Alguém começou a bater em cima do barril, e a tampa se abriu de repente. A luz inundou tudo, assim como o ar fresco. Tyrion ofegou avidamente e tentou se levantar, mas só conseguiu tombar o barril e esparramar-se em um chão duro de terra.

Um homem gordo e grotesco assomou sobre ele, com uma barba amarela bifurcada, segurando um martelo de madeira e um cinzel de ferro. Seu roupão era grande o bastante para servir como pavilhão de torneio, mas o cinto atado frouxamente tinha se desfeito, expondo uma gigantesca barriga branca e um par de peitos pesados que pendiam como sacos de sebo cobertos de grossos pelos amarelos. Fazia Tyrion lembrar-se de um peixe-boi morto que certa vez dera à praia, nas cavernas sob o Rochedo Casterly.

O homem gordo olhou para baixo e sorriu.

– Um anão bêbado – disse, na Língua Comum de Westeros.

– Um peixe-boi apodrecendo – a boca de Tyrion estava cheia de sangue. Cuspiu nos pés do homem gordo. Estavam em uma adega comprida e escura, com tetos abobadados e paredes de pedra manchadas de salitre. Barris de vinho e cerveja os cercavam, mais que suficientes para manter um anão sedento em segurança durante a noite. *Ou durante uma vida.*

– Você é insolente. Gosto disso em um anão. – Quando o homem gordo riu, sua carne balançou tão vigorosamente que Tyrion ficou com medo que caísse e o esmagasse. – Está com fome, meu pequeno amigo? Cansado?

– Com sede. – Tyrion lutou com seus joelhos. – E imundo.

O homem gordo cheirou.

– Primeiro um banho, então. Depois comida e uma cama macia, que tal? Meus servos providenciarão isso. – Colocou o martelo e o cinzel de lado. – Minha casa é sua. Qualquer amigo dos meus amigos do outro lado da água é amigo de Illyrio Mopatis, sim.

Qualquer amigo de Varys, a Aranha, é alguém em quem confiarei o quanto mais longe estiver de mim.

Apesar disso, o homem gordo cumpriu bem a promessa do banho. Tão logo entrou na água quente, Tyrion fechou os olhos e rapidamente adormeceu. Acordou nu em um colchão de penas de ganso tão macio que parecia que tinha mergulhado em uma nuvem. Sua língua estava espessa e a garganta em carne viva, mas seu pau estava tão duro quanto uma barra de ferro. Rolou cama afora, encontrou um penico e começou a enchê-lo com gemidos de prazer.

O quarto estava escuro, mas havia faixas amarelas de sol entre as ripas da persiana. Tyrion balançou as últimas gotas e bamboleou sobre tapetes de Myr estampados tão macios quanto a grama nova da primavera. Escalou desajeitadamente o assento da janela e aventurou-se a abrir a persiana e ver para onde Varys e os deuses o tinham mandado.

Embaixo da janela seis cerejeiras montavam guarda ao redor de uma piscina de mármore, seus ramos delgados desfolhados e marrons. Um rapaz nu estava na água, pronto para um duelo, com uma lâmina bravosi na mão. Era flexível e bonito, com não mais do que dezesseis anos e um cabelo loiro liso que lhe caía sobre os ombros. Parecia tão real que levou um longo tempo até que o anão percebesse que era de mármore pintado, embora a espada brilhasse como aço de verdade.

Do outro lado da piscina havia uma parede de tijolos, com quase quatro metros de altura e pontas de ferro no topo. Além dela estava a cidade. Um mar de telhados cercava uma baía. Era possível ver torres de tijolo quadradas, um grande templo vermelho e, distante, uma mansão sobre uma colina. Bem longe, a luz do sol brilhava nas águas profundas. Barcos de pesca se moviam pela baía, as velas tremulando ao vento, e, mais distantes, mastros de navios maiores disputavam espaço ao longo da costa. *Certamente algum deles vai para Dorne ou para Atalaialeste do Mar.* Mas Tyrion não tinha como pagar a passagem, nem servia para puxar um remo. *Eu poderia entrar como grumete e ganhar um lugar no navio deixando a tripulação me mandar de um lado para o outro no mar estreito.*

Perguntou-se onde estava. *Até o ar cheira diferente aqui.* Estranhas especiarias perfumavam o vento frio de outono, e ele podia ouvir um fraco som do vozerio vindo das ruas além do muro. Parecia algo como Valiriano, mas ele não conseguia reconhecer mais do que uma palavra em cinco. *Não é Bravos,* concluiu, *nem Tyrosh.* Os ramos sem folhas e o ar frio também eram indícios contra Lys, Myr e Volantis.

Quando ouviu a porta se abrir atrás dele, Tyrion virou-se e confrontou seu gordo anfitrião.

– Estamos em Pentos, não?

– Exatamente. Onde mais?

Pentos. Bem, não era Porto Real, era o máximo que podia dizer sobre o lugar.

– Para onde as putas vão? – ele se ouviu perguntando.

– Aqui as putas ficam nos bordéis, como em Westeros. Mas você não precisa disso, meu pequeno amigo. Escolha uma das minhas servas. Nenhuma delas o recusará.

– Escravas? – o anão perguntou severamente.

O homem gordo acariciou uma das pontas da oleosa barba amarela, um gesto que pareceu a Tyrion incrivelmente obsceno.

– A escravidão é proibida em Pentos, nos termos do tratado que os bravosis nos impuseram há centenas de anos. Mesmo assim, elas não o recusarão – Illyrio fez uma pesada meia reverência. – Mas agora, meu pequeno amigo, você precisa me desculpar. Tenho a honra de ser magíster nesta grande cidade, e o príncipe nos convocou para uma sessão. – Sorriu, mostrando uma boca cheia de dentes tortos e amarelos. – Explore a mansão e os jardins, mas não se perca para fora dos muros. É melhor que ninguém saiba que está aqui.

– Aqui, onde? Eu fui para algum lugar?

– Teremos tempo suficiente para conversar esta tarde. Meu pequeno amigo e eu comeremos, beberemos e faremos grandes planos, sim?

– Sim, meu gordo amigo – Tyrion respondeu. *Ele acha que me usará para obter algum lucro.* Era tudo lucro com os príncipes mercadores das Cidades Livres. "Soldados de especiarias e senhores do queijo", era como seu pai os chamava, com desprezo. Amanhecesse um dia em que Illyrio Mopatis visse mais benefício em um anão morto do que em um vivo, e ele se encontraria dentro de outro barril de vinho ao anoitecer. *Será bom eu partir antes que esse dia chegue.* E esse dia viria, não tinha dúvidas; Cersei não o perdoaria, e até Jaime poderia ter ficado aborrecido em encontrar um dardo na barriga do pai.

Um vento suave movimentava as águas na piscina abaixo, ao redor do espadachim nu. Isso fez Tyrion se lembrar de como Tysha sacudia os cabelos durante a falsa primavera do casamento deles, antes que ele ajudasse os guardas do pai a estuprá-la. Ele pensara nesses guardas durante a viagem, tentando lembrar quantos haviam sido. Seria de se esperar que ele lembrasse, mas não. Uma dúzia? Vários? Uma centena? Ele não poderia dizer. Eram todos homens crescidos, altos e fortes... embora todos os homens parecessem altos para um anão de treze anos. Tysha saberia o número. Cada um deles lhe deu um veado de prata, então ela só teria que contar as moedas. *Uma moeda de prata de cada um deles e uma de ouro de mim.* Seu pai insistiu para que ele também pagasse. *Um Lannister sempre paga suas dívidas.*

"Aonde quer que as putas vão", ele ouviu Lorde Tywin dizer mais uma vez, e novamente a corda da besta zuniu.

O magíster o convidara a explorar a mansão. Encontrou roupas limpas em uma arca de cedro incrustada de lápis-lazúli e madrepérola. Eram roupas feitas para um garoto pequeno, ele notou enquanto lutava para vesti-las. Os tecidos eram suficientemente ricos, ainda que um pouco mofados, mas o corte era muito longo nas pernas e muito curto nos braços, com um colarinho que teria deixado sua cara azulada se conseguisse mantê-lo fechado. Algumas traças também tinham andado por ali. Mas pelo menos as roupas não cheiravam a vômito.

Tyrion começou sua exploração pela cozinha, onde duas mulheres gordas e um criado o observaram com cuidado, enquanto ele se servia de queijo, pão e figos.

– Um bom dia para vocês, belas damas – disse, com uma mesura. – Vocês sabem para onde as putas vão? – Quando elas não responderam, ele repetiu a pergunta em Alto Valiriano, embora tivesse que dizer *cortesãs* no lugar de *putas*. A cozinheira mais jovem e mais gorda deu de ombros desta vez.

Ele se perguntou o que elas fariam se as tomasse pela mão e as arrastasse até seu quarto. *Nenhuma delas vai recusá-lo*, Illyrio garantira, mas de algum modo Tyrion não achava que ele se referisse àquelas duas. A mulher mais nova era velha o suficiente para ser sua mãe, e a mais velha podia ser mãe *dela*. Ambas eram quase tão gordas quanto Illyrio, com tetas maiores que a cabeça do anão. *Eu poderia me sufocar em carne.* Havia piores maneiras de morrer. Como o jeito que seu pai morreu, por exemplo. *Eu deveria tê-lo feito cagar um pouco de ouro antes de morrer.* Lorde Tywin podia ter sido sovina com sua aprovação e afeto, mas sempre fora mão aberta quando o assunto era dinheiro. *A única coisa mais lamentável do que um anão sem nariz é um anão sem nariz que não tem ouro.*

Tyrion deixou as mulheres gordas com seus pães e chaleiras e foi em busca da adega onde Illyrio o decantara na noite anterior. Não foi difícil de encontrar. Havia vinho suficiente ali para mantê-lo bêbado por centenas de anos; tintos doces da Campina e tintos amargos de Dorne, pálidos âmbares pentoshis, o verde néctar de Myr, três tonéis pontuados de dourado da Árvore, além de vinhos do lendário leste, de Qarth e Yi Ti, e Asshai pela Sombra. No fim, Tyrion escolheu um barril de vinhoforte marcado como estoque pessoal de Lorde Runceford Redwyne, o avô do atual Lorde da Árvore. O gosto era lânguido e pesado na língua, a cor, um roxo tão escuro que parecia quase negro na adega pouco iluminada. Tyrion encheu uma taça e um garrafão com uma boa quantidade e levou-os para o jardim, pensando em beber sob as cerejeiras que vira mais cedo.

No caminho, entrou por uma porta errada e não encontrou a piscina que espiara da janela, mas não se importou. Os jardins atrás da mansão eram tão agradáveis quanto, e muito maiores. Caminhou por eles por algum tempo, bebendo. Os muros fariam qualquer castelo sentir vergonha, e as pontas de ferro sobre o topo pareciam estranhamente nuas sem cabeças que as adornassem. Tyrion imaginou como a cabeça da irmã ficaria espetada ali, com alcatrão em seus cabelos dourados e moscas zunindo dentro e fora de sua boca. *Sim, e Jaime deve ficar na ponta de ferro ao lado dela*, decidiu. *Ninguém deve ficar entre meu irmão e minha irmã.*

Com uma corda e um gancho ele devia ser capaz de ultrapassar aquele muro. Tinha braços fortes e não pesava muito. Deveria ser capaz de escalar, se não se empalasse em uma das pontas de ferro. *Procurarei uma corda amanhã*, decidiu.

Viu três portões durante sua caminhada; a entrada principal com sua guarita, um postigo nos canis e um portão no jardim, escondido atrás de um emaranhado de hera desbotada. O último estava acorrentado, os outros, protegidos. Os guardas eram gordos, com o rosto tão suave quanto bumbum de bebê, e cada um deles usava um capacete pontudo de bronze. Tyrion reconhecia um eunuco quando via um. E conhecia esse tipo pela reputação. Não temiam nada e não sentiam dor, dizia-se, e eram leais aos seus mestres até a morte. *Eu faria um bom uso de umas poucas centenas para mim*, refletiu. *Pena que não pensei nisso antes de virar mendigo.*

Andou ao longo de uma galeria de colunas e através de um arco pontiagudo, chegando a um pátio ladrilhado, onde uma mulher lavava roupas em um poço. Ela parecia ter a mesma idade dele, com um cabelo ruivo embotado e um rosto largo, coberto de sardas.

– Gostaria de um pouco de vinho? – ele perguntou. Ela olhou para ele incerta. – Não tenho taça para você, teremos que dividir.

A lavadeira voltou a torcer as túnicas e pendurá-las para secar. Tyrion instalou-se em um banco de pedra com seu garrafão.

– Me diga, até onde devo acreditar no Magíster Illyrio? – O nome a fez olhar para cima. – Tanto assim? – Rindo, ele cruzou as pernas atrofiadas e tomou um gole. – Eu detestaria desempenhar qualquer papel que o queijeiro tenha em mente para mim, mas como posso recusar? Os portões estão guardados. Talvez você possa me contrabandear para fora sob suas saias? Eu ficaria tão grato que poderia me casar com você. Já tenho duas esposas, por que não três? Ah, mas onde nós viveríamos?

Ele lhe deu o sorriso mais simpático que um anão com meio nariz poderia conseguir.

– Tenho uma sobrinha em Lançassolar, lhe contei? Poderia fazer um monte de travessuras em Dorne, com Myrcella. Poderia fazer meu sobrinho e minha sobrinha entrarem em guerra um contra o outro, não seria engraçado? – A lavadeira pendurou uma das túnicas de Illyrio, grande o suficiente para dobrar como uma vela de navio. – Eu deveria ter vergonha desses pensamentos malvados, você está certa. É melhor eu ir para a Muralha. Todos os crimes são limpos quando um homem se junta à Patrulha da Noite, é o que dizem. Embora eu tema que não vão me deixar manter você lá, docinho. Não há mulheres na Muralha, nenhuma doce esposa sardenta para esquentá-lo na cama durante a noite, apenas ventos gelados, bacalhau salgado e um pouco de cerveja. Você acha que parecerei mais alto de negro, minha senhora? – Ele encheu sua taça novamente. – O que me diz? Norte ou Sul? Devo expiar os pecados antigos ou cometer alguns novos?

A lavadeira lhe deu uma última olhada, pegou sua cesta e foi embora. *Parece que não consigo manter uma esposa por muito tempo*, Tyrion refletiu. De algum modo, seu garrafão tinha secado. *Talvez eu deva cambalear de volta à adega*. Mas o vinho forte estava fazendo sua cabeça girar, e os degraus da adega eram muito íngremes.

– Para onde as putas vão? – ele perguntou para a roupa estendida no varal. Talvez devesse ter perguntado para a lavadeira. *Não quero dizer que você é uma puta, minha querida, mas talvez você saiba para onde elas vão*. Ou, melhor ainda, devia ter perguntado ao seu pai.

– Aonde quer que as putas vão – Lorde Tywin dissera. *Ela me amava. Ela era a filha de um arrendatário, ela me amava e se casou comigo, e ela confiou em mim*.

O garrafão vazio escorregou de suas mãos e rolou pelo jardim. Tyrion jogou-se para fora do banco e foi buscá-lo. Ao fazer isso, viu alguns cogumelos crescendo entre as rachaduras de um ladrilho do piso. Eram de um branco pálido, manchado, e por baixo tinham ranhuras vermelhas, escuras como sangue. O anão apanhou um e o cheirou. *Delicioso*, pensou, e *mortal*.

Havia sete cogumelos. Talvez os Sete estivessem tentando lhe dizer algo. Colheu todos, pegou uma luva do varal para embrulhá-los com cuidados e guardou-os no bolso. O esforço o deixou tonto, então arrastou-se de volta para o banco, deitou de barriga para cima e fechou os olhos.

Quando acordou novamente, havia voltado ao seu quarto, afundado mais uma vez no colchão de penas de ganso enquanto uma garota loira o sacudia pelos ombros.

– Meu senhor – ela dizia –, seu banho o aguarda. Magíster Illyrio o espera para jantar em uma hora.

Tyrion apoiou-se nos travesseiros, com a cabeça entre as mãos.

– Eu sonhei ou você fala a Língua Comum?

– Sim, meu senhor. Fui trazida para agradar o rei. – Ela tinha belos olhos azuis, era jovem e esbelta.

– Tenho certeza de que agradou. Preciso de vinho.

Ela derramou vinho em uma taça para ele.

– Magíster Illyrio disse que eu devo lavar suas costas e aquecer sua cama. Meu nome...

– ... Não me interessa. Você sabe para onde as putas vão?

Ela corou.

– As putas se vendem por moedas.

– Ou joias, vestidos, castelos. Mas para onde elas vão?

A garota não entendeu a pergunta.

– É um enigma, senhor? Não sou boa em charadas. O senhor vai me falar a resposta?

Não, ele pensou. *Também desprezo enigmas.*

– Não vou lhe falar nada. Faça-me o mesmo favor. – *A única parte sua que me interessa é aquela entre as suas pernas*, ele quase disse. As palavras estavam na ponta da língua, mas de alguma maneira não saíram de seus lábios. *Ela não é Shae*, o anão disse para si mesmo, *apenas uma pequena tola que pensa que brinco com enigmas.* Verdade seja dita, nem a boceta dela o interessava muito. *Devo estar doente, ou morto.*

– Você mencionou um banho? Não podemos deixar o grande queijeiro esperando.

Enquanto ele se banhava, a garota lavava seus pés, esfregava suas costas e escovava seus cabelos. Depois, ela esfregou uma pomada cheirosa em suas panturrilhas, para aliviar a dor, e vestiu-o novamente com roupas de menino, uma calça cor de vinho, um pouco mofada, e um gibão de veludo azul forrado com samito.

– Meu senhor vai me querer depois do jantar? – ela perguntou enquanto amarrava as botas dele.

– Não. Não quero mais saber de mulheres. – *Putas.*

A garota lidou com a decepção bem demais para o gosto dele.

– Se meu senhor preferir um rapaz, posso providenciar um para esperá-lo na cama.

O senhor prefere sua esposa. O senhor prefere uma moça chamada Tysha.

– Somente se ele souber para onde as putas vão.

A garota apertou os lábios. *Ela me despreza*, ele percebeu, *mas não mais do que desprezo a mim mesmo.* Que já havia fodido muita mulher que odiava a visão que ele proporcionava, Tyrion Lannister não tinha dúvida, mas as outras tiveram, pelo menos, a gentileza de fingir afeição. *Um pouco de honesta aversão pode ser refrescante, como um vinho amargo depois de um muito doce.*

– Acho que mudei de ideia – disse para ela. – Me espere na cama. Nua, se quiser; chegarei bêbado demais para lidar com suas roupas. Mantenha a boca fechada e as coxas abertas e nós dois teremos uma esplêndida noite. – Deu-lhe um olhar malicioso, esperando um sabor de medo, mas tudo o que teve dela foi repulsa. *Ninguém teme um anão.* Nem mesmo Lorde Tywin tivera medo, ainda que Tyrion estivesse com uma besta nas mãos.

– Você geme quando está sendo fodida? – ele perguntou para a camareira.

– Se o agradar, meu senhor.

– Talvez agrade ao senhor estrangulá-la. Foi isso que fiz com minha última puta. Você acha que seu mestre faria alguma objeção? Certamente não. Ele tem centenas como você, mas nenhum outro como eu. – Dessa vez, ao sorrir, conseguiu o medo que queria.

Illyrio estava reclinado em um sofá estofado, devorando pimentas e cebolinhas de uma tigela de madeira. Sua testa estava cheia de gotas de suor, os olhos de porco brilhando sobre as bochechas gordas. Joias dançavam quando ele movia as mãos, ônix e opala, olhos de tigre e turmalina, rubi, ametista, safira, esmeralda, azeviche e jade, um diamante negro e uma pérola verde. *Eu poderia viver por anos desses anéis,* Tyrion ponderou, *mas precisaria de um cutelo para reclamá-los.*

– Venha sentar, meu pequeno amigo – Illyrio acenou-lhe para se aproximar.

O anão subiu em uma cadeira. Era grande demais para ele, um trono almofadado feito para acomodar as maciças nádegas do Magíster, com pernas grossas e robustas para suportar seu peso. Tyrion Lannister sempre vivera em um mundo grande demais para ele, mas na mansão de Illyrio Mopatis a desproporção assumia dimensões grotescas. *Sou um rato na toca de um mamute,* ponderou, *mas pelo menos o mamute tem uma boa adega.* O pensamento o fez sentir sede. Pediu vinho.

– Gostou da garota que mandei para você? – Illyrio perguntou.

– Se eu quisesse uma garota, teria pedido.

– Se ela falhou em agradá-lo...

– Ela fez tudo o que lhe foi pedido.

– Eu esperava isso. Ela foi treinada em Lyz, onde eles fazem do amor uma arte. O rei gostava muito dela.

– Eu mato reis, não sabia? – Tyrion sorriu maldosamente sobre a taça de vinho. – Não quero sobras reais.

– Como desejar. Vamos comer. – Illyrio bateu palmas, e os serviçais entraram correndo.

Começaram com um caldo de caranguejo e tamboril e uma sopa fria de limão e ovo. Então vieram codornizes no mel, lombo de cordeiro, fígado de ganso embebido em vinho, chirivias com manteiga e leitão. A visão de toda aquela comida fez Tyrion se sentir enjoado, mas obrigou-se a provar uma colherada da sopa, por educação. Uma vez feito isso, percebeu que estava perdido. As cozinheiras podiam ser velhas e gordas, mas conheciam seu ofício. Ele nunca havia comido tão bem, nem mesmo na corte.

Enquanto sugava a carne dos ossos de uma codorniz, perguntou a Illyrio sobre o compromisso da manhã. O homem gordo encolheu os ombros.

– Há problemas no leste. Astapor caiu, assim como Meereen. Cidades escravagistas ghiscaris, que já eram velhas quando o mundo era jovem.

O leitão estava fatiado. Illyrio alcançou um pedaço de torresmo, mergulhou-o em molho de ameixa e comeu-o com os dedos.

– A Baía dos Escravos é bem longe de Pentos. – Tyrion espetou um fígado de ganso na ponta da faca. *Nenhum homem é tão amaldiçoado quanto o assassino de familiares,* pensou, *mas eu poderia aprender a gostar deste inferno.*

– Isso é verdade – Illyrio concordou –, mas o mundo é uma grande teia, e um homem não se atreve a tocar em um único fio, com medo de que todos os outros tremam. Mais vinho? – Illyrio estalou uma pimenta em sua boca. – Não, algo melhor. – Bateu palmas.

Ao som, um criado entrou com um prato coberto. Colocou-o na frente de Tyrion, e Illyrio se inclinou sobre a mesa para remover a tampa.

– Cogumelos – o Magíster anunciou, enquanto o cheiro subia. – Com uma pitada de alho e banhados em manteiga. Disseram-me que o gosto é requintado. Pegue um, meu amigo. Pegue dois.

Tyrion tinha um gordo cogumelo negro a meio caminho da boca, mas algo na voz de Illyrio o fez parar abruptamente.

– Depois de você, meu senhor. – E empurrou o prato na direção de seu anfitrião.

– Não, não. – Magíster Illyrio empurrou os cogumelos de volta. Por um breve momento era como se um garoto travesso espiasse de dentro do corpo inchado do queijeiro. – Depois de você. Eu insisto. A cozinheira fez especialmente para você.

– Verdade? – Lembrou-se da cozinheira, a farinha em suas mãos, os seios pesados atravessados por veias azul-escuras. – Muito gentil da parte dela, mas... não. – Tyrion devolveu o cogumelo para o lago de manteiga do qual emergira.

– Você é muito desconfiado. – Illyrio sorriu através da barba bifurcada amarela. *Ele deve lubrificá-la toda manhã, para fazê-la brilhar como ouro,* Tyrion suspeitava. – Você é covarde? Não tinha ouvido isso de você.

– Nos Sete Reinos é considerada uma grave violação de hospitalidade envenenar o convidado no jantar.

– Aqui também. – Illyrio Mopatis pegou sua taça de vinho. – No entanto, quando um convidado deseja claramente acabar com a própria vida, seu anfitrião deve ajudá-lo, não? – Ele tomou um gole. – Magíster Ordello foi envenenado por um cogumelo há menos de meio ano. A dor não é tanta, me disseram. Algumas cólicas no intestino, uma dor súbita atrás dos olhos, e está feito. Melhor um cogumelo do que uma espada atravessada no pescoço, não é mesmo? Por que morrer com gosto de sangue na boca, quando pode ser de manteiga e alho?

O anão estudou o prato diante de si. O cheiro de alho e manteiga enchia sua boca d'água. Parte dele queria aqueles cogumelos, mesmo sabendo o que eram. Não era corajoso o suficiente para enfiar aço gelado em sua própria barriga, mas uma mordida em um cogumelo não seria tão difícil. Isso o assustava mais do que ele poderia dizer.

– Você se engana comigo – ouviu-se dizendo.

– É mesmo? Espero que sim. Se prefere afogar-se em vinho, basta dizer e será providenciado rapidamente. Afogar-se taça por taça é uma perda de tempo e de vinho.

– Você se engana comigo – Tyrion disse novamente, mais alto. Os cogumelos na manteiga brilhavam à luz do lampião, escuros e convidativos. – Não tenho desejo de morrer, juro. Tenho... – Sua voz sumiu, incerta. *O que tenho? Uma vida para viver? Trabalho a fazer? Filhos para criar, terras para governar, uma mulher para amar?*

– Você não tem nada – completou Magíster Illyrio –, mas podemos mudar isso. – Pegou um cogumelo da manteiga e mastigou-o vigorosamente. – Delicioso.

– Os cogumelos não estão envenenados. – Tyrion estava irritado.

– Não. Por que eu ia desejar-lhe mal? – Magíster Illyrio comeu outro. – Temos que mostrar um pouco de confiança, você e eu. Vamos, coma. – Bateu palmas novamente. – Temos trabalho a fazer. Meu pequeno amigo deve manter as forças em dia.

Os criados trouxeram garça recheada com figos, costeletas de vitela com leite de amêndoa, creme de arenque, cebolas caramelizadas, queijos fortes, pratos de *escargots* e miúdos e um cisne negro em sua plumagem. Tyrion recusou o cisne, que o fez lembrar-se de um jantar com a irmã. Serviu-se da garça e do arenque, além de algumas cebolas adocicadas. E os criados enchiam sua taça cada vez que ela ficava vazia.

– Você bebe um bocado de vinho para um homem tão pequeno.

– Assassinar familiares é um trabalho duro. Dá sede.

Os olhos do homem gordo brilhavam como as gemas em seus dedos.

– Há aqueles em Westeros que acham que matar Lorde Lannister foi apenas um bom começo.

– Melhor que não deixem minha irmã ouvi-los dizer isso, ou terão línguas mais curtas. – O anão partiu um pedaço de pão ao meio. – E você deve ter cuidado ao falar da minha família, Magíster. Assassino de familiares ou não, eu ainda sou um leão.

Aquilo parecia divertir muito o senhor do queijo. Deu um tapa na coxa carnuda e disse:

– Vocês, westerosis, são todos iguais. Costuram algum animal em um pedaço de seda e, de repente, são leões, dragões ou águias. Posso trazer um leão de verdade para você, meu pequeno amigo. O príncipe mantém um em sua coleção particular. Gostaria de dividir a jaula com ele?

Os senhores dos Sete Reinos realmente levavam seus estandartes muito a sério, Tyrion tinha que admitir. – Muito bem – admitiu. – Um Lannister não é um leão. Mas eu ainda sou filho do meu pai, e Jaime e Cersei são meus, para matá-los.

– Estranho que você mencione sua bela irmã – Illyrio disse, mordiscando *escargots*. – A rainha ofereceu títulos e propriedades para o homem que levar sua cabeça, não importa quão humilde seja o nascimento dele.

Não era mais do que Tyrion esperava.

– Se quiser apanhá-la nessa promessa, faça-a também abrir as pernas para você. Minha melhor parte pela melhor parte dela, um acordo justo.

– Prefiro ter meu peso em ouro. – O queijeiro riu tanto que Tyrion temeu que estivesse prestes a explodir. – Todo o ouro em Rochedo Casterly, por que não?

– O ouro eu garanto – disse o anão, aliviado por não estar prestes a se afogar em uma avalanche de enguias e miúdos semidigeridos –, mas Rochedo é meu.

– Que seja. – O Magíster cobriu a boca e deu um poderoso arroto. – Você acha que o Rei Stannis vai dá-lo a você? Disseram-me que é um grande seguidor da lei. Seu irmão vestiu o manto branco, então você é o herdeiro por todas as leis de Westeros.

– Stannis poderia muito bem me conceder Rochedo Casterly – disse Tyrion –, mas temos o pequeno problema do regicídio e do assassinato de familiares. Por esses crimes ele me encurtaria uma cabeça, e já sou curto o suficiente do jeito que sou. Mas por que você acha que eu me uniria a Lorde Stannis?

– Por que mais você iria para a Muralha?

– Stannis está na Muralha? – Tyrion esfregou o nariz. – O que, pelos sete infernos, Stannis está fazendo na Muralha?

– Tremendo, acho. É mais quente em Dorne. Talvez ele devesse ter navegado para lá.

Tyrion estava começando a suspeitar que uma certa lavadeira sardenta entendia mais da Língua Comum do que parecia.

– Acontece que minha sobrinha Myrcella está em Dorne. Passou pela minha cabeça fazê-la rainha.

Illyrio sorriu enquanto os criados serviam cerejas escuras em creme doce para ambos.

– O que essa pobre criança fez, para que você a queira morta?

– Mesmo um assassino de parentes não precisa matar todos os parentes – Tyrion disse, magoado. – Fazê-la rainha, eu disse. Não matá-la.

O queijeiro pegou uma colherada de cerejas.

– Em Volantis, eles usam uma moeda que tem uma coroa de um lado e uma caveira do outro. Ainda assim é a mesma moeda. Fazê-la rainha é matá-la. Dorne pode se levantar por Myrcella, mas Dorne só não basta. Se você é esperto como seus amigos dizem, deve saber disso.

Tyrion olhou para o homem gordo com novo interesse. *Ele está certo em ambos os casos. Fazê-la rainha é matá-la. E eu sabia disso.*

– Gestos vãos são tudo o que me resta. Esse, ao menos, faria minha irmã chorar lágrimas amargas.

Magíster Illyrio limpou creme doce da boca com as costas da mão gorda.

– A estrada para Rochedo Casterly não passa por Dorne, meu pequeno amigo. Tampouco por baixo da Muralha. Ainda assim há uma estrada, eu lhe digo.

– Sou um traidor desonrado, um regicida e um assassino de familiares. – Aquela conversa de estradas o irritava. *Será que ele acha que isso é um jogo?*

– O que um rei faz, outro pode desfazer. Em Pentos, temos um príncipe, meu amigo. Ele preside os bailes e as festas e passeia pela cidade em uma liteira de marfim e ouro. Três arautos vão adiante dele, com as balanças douradas do comércio, a espada de ferro da guerra e o chicote de prata da justiça. No primeiro dia de cada novo ano ele deve deflorar a donzela dos campos e a donzela dos mares. – Illyrio se inclinou para a frente, com os cotovelos sobre a mesa. – No entanto, se uma colheita falhar ou uma guerra for perdida, cortaremos a garganta do Príncipe para apaziguar os deuses e escolheremos um novo príncipe entre as quarenta famílias.

– Lembre-me de nunca ser príncipe de Pentos.

– Os seus Sete Reinos são tão diferentes? Não há paz em Westeros, nem justiça, nem fé... e logo não haverá comida. Quando os homens estão doentes e mortos de medo, procuram um salvador.

– Podem procurar, mas tudo o que encontrarão será Stannis...

– Não Stannis. Nem Myrcella. – O sorriso amarelo se alargou. – Outro. Mais forte que Tommen, mais gentil que Stannis, com uma pretensão melhor do que a da menina Myrcella. Um salvador vindo do outro lado do mar para curar as feridas da sangrada Westeros.

– Belas palavras – Tyrion estava indiferente. – Palavras são vento. Quem é esse maldito salvador?

– Um dragão. – O queijeiro viu o olhar no rosto do anão e riu. – Um dragão com três cabeças.

Daenerys

Ela ouvia o morto subindo as escadas. O som dos passos lentos e compassados ecoava entre os pilares roxos do salão. Daenerys Targaryen o esperava no banco de ébano que usava como trono. Seus olhos estavam pesados de sono, a cabeleira louro-prateada emaranhada.

– Vossa Graça – disse Sor Barristan Selmy, o Senhor Comandante da Guarda da Rainha –, não há necessidade de ver isso.

– Ele morreu por mim. – Dany apertou a pele de leão de encontro ao peito. Por baixo, uma túnica de linho puro a cobria até metade da coxa. Estava sonhando com uma casa de porta vermelha, quando Missandei a acordou. Não teve tempo para se vestir.

– *Khaleesi* – sussurrou Irri –, não deve tocar no homem morto. Dá má sorte tocar os mortos.

– A menos que a senhora mesma o tenha matado. – Jhiqui tinha ossos maiores do que Irri, quadris largos e seios pesados. – É sabido.

– É sabido – Irri concordou.

Os dothrakis eram sábios no que dizia respeito a cavalos, mas podiam ser completos tolos em relação a outras coisas. *Além disso, são apenas garotas.* Suas servas estavam havia muito tempo com ela; mulheres crescidas se olhasse para elas, com cabelos negros, pele cor de cobre e olhos amendoados, mesmo assim meninas. Elas lhe haviam sido dadas quando se casara com Khal Drogo. E foi Drogo quem lhe dera a pele que vestia agora, a cabeça e o couro de um *hrakkar*, o leão branco do mar dothraki. Era muito grande e tinha um cheiro de mofo, mas a fazia sentir como se seu sol-e-estrelas ainda estivesse perto dela.

Verme Cinzento apareceu nos primeiros degraus, com uma tocha na mão. Seu capacete de bronze era ornamentado com três lanças. Atrás dele seguiam quatro de seus Imaculados, carregando o homem morto sobre os ombros. Seus capacetes tinham apenas uma lança, e os rostos mostravam tão pouco que era como se também fossem feitos de bronze. Colocaram o cadáver a seus pés. Sor Barristan puxou a mortalha manchada de sangue. Verme Cinzento abaixou a tocha, e então ela pôde ver.

O rosto do homem morto era liso e sem pelos, embora as bochechas tivessem um talho que ia de orelha a orelha. Tinha sido um homem alto, de olhos azuis e face justa. *Algum filho de Lys ou da velha Volantis o arrancara de um navio de corsários e o vendera à escravidão na vermelha Astapor.* Ainda que seus olhos estivessem abertos, eram suas feridas que choravam. Havia mais feridas do que ela podia contar.

– Vossa Graça – Sor Barristan disse –, havia uma harpia desenhada nos ladrilhos do beco onde ele foi encontrado…

– … Desenhada com sangue. – Daenerys, agora, já sabia como aquilo era feito. Os Filhos da Harpia faziam a matança à noite, e sobre cada morto deixavam sua marca. – Verme Cinzento, por que esse homem estava sozinho? Ele não tinha parceiro? – Ela ordenara que os Imaculados andassem pelas ruas da cidade de Meereen à noite sempre aos pares.

– Minha rainha – respondeu o capitão –, seu servo Escudo Robusto não estava de serviço na noite passada. Ele tinha ido a um… a um certo lugar… para beber e conseguir companhia.

– Um certo lugar? O que você quer dizer?

– Uma casa de prazer, Vossa Graça.

Um bordel. Metade de seus libertos eram de Yunkai, onde os Sábios Mestres tinham sido famosos por treinar escravos de cama. *O caminho dos setes suspiros.* Bordéis tinham brotado como cogumelos por toda Meereen. *Era tudo o que sabiam fazer. E precisavam sobreviver.* A comida estava mais cara a cada dia, embora o preço da carne humana ficasse mais barato. Nos distritos mais pobres entre os degraus das pirâmides da nobreza escravagista de Meereen, havia bordéis para todos os gostos eróticos imagináveis, ela sabia. *Mesmo assim…*

– O que um eunuco esperava encontrar em um bordel?

– Mesmo aqueles que não têm as partes de homem ainda têm um coração de homem, Vossa Graça – disse Verme Cinzento. – Contaram para este um que seu servo Escudo Robusto algumas vezes dava moedas para as mulheres dos bordéis se deitarem com ele e o abraçarem.

O sangue do dragão não chora.

– Escudo Robusto – ela disse, de olhos secos. – Era esse o nome dele?

– Se a agradar, Vossa Graça.

– É um bom nome. – Os Bons Mestres de Astapor não permitiam que os soldados escravos tivessem nomes. Alguns de seus Imaculados adotaram os nomes de nascimento, depois que ela os libertou; outros escolheram nomes novos. – Sabe-se quantos atacaram Escudo Robusto?

– Este um não sabe. Muitos.

– Seis ou mais – disse Sor Barristan. – Pela aparência dos ferimentos, eles o esfaquearam de todos os lados. Ele foi encontrado com a bainha vazia. Pode ser que tenha ferido alguns de seus atacantes.

Dany fez uma oração silenciosa para que, em algum lugar, um dos Filhos da Harpia estivesse morrendo naquele momento, agarrando a barriga e contorcendo-se de dor.

– Por que cortaram seu rosto desta maneira?

– Graciosa Rainha – disse Verme Cinzento –, os assassinos forçaram os órgãos genitais de um bode pela garganta de seu servo Escudo Robusto. Este um os removeu antes de trazê-lo aqui.

Eles não poderiam comer seus próprios genitais. Os Astapori os removiam até a raiz.

– Os Filhos estão ficando mais ousados – Dany observou. Até aquele momento, eles haviam se limitado a atacar libertos sem armas cortando-os nas ruas, ou invadindo suas casas na calada da noite para matá-los em suas camas. – Esse é o primeiro dos meus soldados a ser assassinado.

– O primeiro – Sor Barristan avisou –, mas não o último.

Ainda estou em guerra, Dany percebeu, *só que agora estou lutando com sombras.* Ela desejara uma pausa na matança por algum tempo, para construir e curar.

Descartando a pele do leão, ajoelhou-se ao lado do cadáver e fechou os olhos do morto, ignorando o sobressalto de Jhiqui.

– Escudo Robusto não será esquecido. Lavem-no e vistam-no para batalha, e queimem-no com seu capacete, escudo e lança.

– Será feito como Vossa Graça ordena – disse Verme Cinzento.

– Envie homens para o Templo das Graças e pergunte se alguém apareceu na Graça Azul com um ferimento de espada. E espalhe a notícia de que pagaremos um bom ouro pela espada curta de Escudo Robusto. Interrogue os açougueiros e os pastores para saber quem castrou bodes adultos. – Talvez algum pastor confessasse. – E, daqui em diante, nenhum dos meus homens anda sozinho depois de escurecer.

– Estes uns obedecerão.

Daenerys empurrou o cabelo para trás.

– Encontre esses covardes para mim. Encontre-os, para que eu possa ensinar aos Filhos da Harpia o que significa acordar o dragão.

Verme Cinzento fez uma mesura. Seus Imaculados fecharam a mortalha mais uma vez, levantaram o morto sobre os ombros e o levaram do salão. Sor Barristan Selmy ficou para trás. Seu cabelo era branco e havia pequenas rugas nos cantos de seus olhos azuis. Suas costas, no entanto, ainda eram eretas e os anos não tinham roubado sua habilidade com as armas.

– Vossa Graça – disse –, temo que seus eunucos estejam mal preparados para as tarefas que lhes são delegadas.

Dany voltou para o banco e enrolou a pele ao redor dos ombros novamente.

– Os Imaculados são meus melhores guerreiros.

– Soldados, não guerreiros, se me permite, Vossa Graça. São feitos para a batalha, para permanecer ombro com ombro atrás de seus escudos, com suas lanças avante. O treinamento que tiveram os ensinou a serem obedientes, sem medo e perfeitos, sem pensar ou hesitar... não a desvendar segredos ou fazer perguntas.

– Cavaleiros me serviriam melhor? – Selmy vinha treinando cavaleiros para ela, ensinando os filhos dos escravos a lutarem com lança e espada longa, à moda westerosi... mas o que bons lanceiros poderiam fazer contra covardes que matam nas sombras?

– Não nisso – o velho admitiu. – E Vossa Graça não tem cavaleiros, me perdoe. Levarão anos até que os garotos estejam prontos.

– Então quem, se não os Imaculados? Os dothrakis seriam ainda piores. – Os dothrakis lutavam no dorso de cavalos. Homens montados são mais úteis em campos abertos e colinas do que em ruas estreitas e becos da cidade. Além das muralhas de tijolos multicoloridos de Meereen, as regras de Dany não tinham muito efeito. Milhares de escravos ainda trabalhavam nas vastas propriedades nas colinas, cultivando trigo e oliveiras, pastoreando ovelhas e cabras, minerando sal e cobre. Os armazéns de Meereen podiam abrigar grandes suprimentos de grãos, óleo, azeitonas, frutas secas e carne salgada, mas os estoques estavam diminuindo. Então Dany enviou seu reduzido khalasar para subjugar o interior, sob comando de seus três companheiros de sangue, enquanto Ben Mulato Plumm levou os Segundos Filhos para proteger o Sul das incursões dos yunkaítas.

A tarefa mais crucial fora dada a Daario Naharis, o loquaz Daario, com seu dente de ouro, sua barba em forma de tridente e aquele sorriso perverso por detrás do bigode roxo. Além das colinas do leste, havia uma cadeia de montanhas arredondadas de arenito, o Passo Khyzai e Lhazar. Se Daario pudesse convencer os lhazarenos a reabrir as rotas comerciais terrestres, grãos poderiam ser trazidos pelo rio ou através das montanhas, se necessário... mas os Homens-Ovelha não tinham nenhuma razão para gostar de Meereen.

– Quando os Corvos Tormentosos retornarem de Lhazar, talvez possa usá-los nas ruas – disse para Sor Barristan. – Precisa me dar licença, Sor. Os peticionários logo estarão em meus portões. Tenho que vestir minhas orelhas de abano e ser a rainha deles novamente. Convoque Reznak e o Cabeça-Raspada, quero vê-los quando estiver vestida.

– Às ordens de Vossa Graça. – Selmy curvou-se.

A Grande Pirâmide erguia-se duzentos e cinquenta metros em direção ao céu, desde sua enorme base quadrada até o cume, onde a rainha mantinha seus aposentos particulares cercados de folhagens e piscinas perfumadas. Um frio e azul amanhecer levantava-se sobre a cidade, e Dany saiu para o terraço. No oeste, a luz do sol brilhava sobre as cúpulas douradas do Templo das Graças e gravava profundas sombras por trás das pirâmides dos poderosos. *Em algumas dessas pirâmides, os Filhos da Harpia estão tramando novos assassinatos, e sou impotente para detê-los.*

Viserion sentiu sua inquietação. O dragão branco estava enroscado em uma pereira, a cabeça apoiada na cauda. Quando Dany passou, seus olhos se abriram, duas piscinas de ouro derretido. Seus chifres eram dourados também, bem como as escamas que corriam pelas costas da cabeça à cauda.

– Você é preguiçoso – ela lhe disse, coçando-o sob a mandíbula. As escamas eram quentes ao toque, como uma armadura deixada por muito tempo exposta ao sol. *Dragões são fogo transformado em carne.* Ela lera isso em um dos livros que Sor Jorah lhe dera de presente de casamento. – Você deveria estar caçando com seus irmãos. Você e Drogon andaram brigando novamente? – Seus dragões estavam crescendo muito selvagens. Rhaegal tinha agarrado Irri e Viserion havia incendiado o *tokar* de Reznak, da última vez que o senescal viera. *Eu os tenho deixado muito por conta própria, mas onde encontrarei tempo para eles?*

A cauda de Viserion, enroscada em um galho, batia no tronco da árvore com tanta força que uma pera caiu aos pés de Dany. O dragão desdobrou as asas e deu um meio voo, meio pulo até o parapeito. *Ele cresce,* ela pensou enquanto ele se lançava em direção ao céu. *Todos os três estão crescendo. Logo serão grandes o suficiente para suportar meu peso.* Então, ela voaria como Aegon, o Conquistador, havia feito, para o alto e para o alto, até que Meereen ficasse tão pequena que poderia fazê-la sumir atrás de seu polegar.

Ela observava Viserion subir em círculos cada vez maiores, até que o perdeu de vista além das águas barrentas do Skahazadhan. Só então Dany voltou para dentro da pirâmide, onde Irri e Jhiqui a aguardavam para escovar seus cabelos emaranhados e vesti-la como convinha à Rainha de Meereen, em um *tokar* ghiscari.

O vestido era uma coisa desajeitada, um tecido solto disforme que tinha que ser enrolado ao redor de seus quadris, sob um braço e por cima de um ombro, as franjas soltas cuidadosamente organizadas e dispostas em camadas. Atado frouxamente, ficava como se fosse cair; se muito apertado, ficava enroscado, e a pessoa podia tropeçar nele. Mesmo quando atado de maneira adequada, o *tokar* exigia que a pessoa que o vestia o segurasse no lugar com a mão esquerda. Andar em um *tokar* requeria passos pequenos e truncados, além de um equilíbrio requintado para não pisar nas pesadas franjas à direita. Não era uma roupa feita para alguém que fosse trabalhar. O *tokar* era uma vestimenta de mestre, um sinal de riqueza e poder.

Dany desejara banir o *tokar* quando tomou Meereen, mas seus conselheiros a convenceram do contrário.

– A Mãe de Dragões precisa usar o *tokar* ou será odiada para sempre – avisara a Graça Verde, Galazza Galare. – Nas lãs de Westeros ou em um vestido de rendas de Myr, Sua Iluminada permanecerá para sempre como uma estranha entre nós, uma estrangeira grotesca, uma conquistadora bárbara. A Rainha de Meereen deve ser uma Senhora da Antiga Ghis.

Ben Mulato Plumm, capitão dos Segundos Filhos, colocou de forma mais sucinta.

– O homem que quer ser o rei dos coelhos deve estar pronto para usar um par de orelhas de abano.

As orelhas de abano que ela escolhera naquele dia eram feitas de linho branco puro, com franja de pendões dourados. Com a ajuda de Jhiqui, ela colocou o *tokar* corretamente na terceira tentativa. Irri buscou sua coroa, feita na forma do dragão de três cabeças de sua Casa. As caudas eram feitas de ouro, as asas de prata e as três cabeças de marfim, ônix e jade. Os ombros e pescoço de Dany estariam duros e doloridos pelo peso antes que o dia terminasse. *Uma coroa não deve assentar fácil na cabeça.* Um de seus antepassados reais havia dito isso certa vez. *Algum Aegon, mas qual?* Cinco Aegons haviam governado os Sete Reinos de Westeros. Teria havido um sexto, mas os cães do Usurpador assassinaram o filho de seu irmão quando ele ainda era um bebê de peito. *Se ele tivesse vivido, eu poderia ter me casado com ele.* Aegon era mais próximo da minha idade do que Viserys. Dany só fora concebida depois que Aegon e sua irmã foram assassinados. O pai deles, seu irmão Rhaegar, morrera antes ainda, abatido pelo Usurpador no Tridente. Seu irmão Viserys morrera gritando em Vaes Dothrak, com uma coroa de ouro derretido sobre a cabeça. *Eles me matarão também, se eu permitir. As facas que mataram Escudo Robusto foram feitas para mim.*

Ela não se esquecera das crianças escravas que os Grandes Mestres tinham pregado ao longo da estrada de Yunkai. Eles tinham calculado cento e sessenta e três, uma criança a cada quilômetro, pregadas nos marcos com um braço estendido apontando o caminho para Meereen. Depois que a cidade caiu, Dany pregara um número igual de Grandes Mestres. Enxames de moscas assistiram à sua morte lenta, e o fedor permaneceu um longo tempo na praça. No entanto, alguns dias depois, ela temera ter ido longe demais. Esses meereeneses eram um povo astuto e obstinado que resistia a ela uma vez após outra. Eles libertaram seus escravos, sim... apenas para contratá-los novamente como servos, e com salários tão baixos que a maioria mal podia se dar ao luxo de comer. E ainda os Grandes Mestres se reuniram sobre suas altas pirâmides para reclamar de como a rainha dragão havia enchido a nobre cidade deles de mendigos sujos, ladrões e prostitutas.

Para governar Meereen, preciso ganhar os meereeneses, por mais que os despreze.

– Estou pronta – disse para Irri.

Reznak e Skahaz a esperavam no alto dos degraus de mármore.

– Grande rainha – exclamou Reznak mo Reznak –, está tão radiante hoje que temo olhá-la. – O senescal vestia um *tokar* de seda castanho com franjas douradas. Um homem pequeno e pegajoso, ele cheirava como se tivesse se banhado em perfume e falava uma forma bastarda de Alto Valiriano, corrompida e temperada por um espesso rosnado ghiscari.

– É muito gentil em dizer isso – respondeu Dany, na mesma língua.

– Minha rainha – rosnou Skahaz mo Kandaq, da cabeça raspada. O cabelo ghiscari era denso e hirto; por muito tempo fora moda entre os homens das Cidades de Escravos moldá-lo como chifres, espinhos e asas. Raspando a cabeça, Skahaz havia deixado a velha Meereen para trás e aceitado a nova, e seus parentes haviam feito o mesmo, seguindo seu exemplo. Outros os seguiram, talvez por moda, medo ou ambição. Dany não saberia dizer; cabeças-raspadas, eram chamados. Skahaz era o Cabeça-Raspada... o mais vil dos traidores para os Filhos da Harpia e sua laia. – Fomos informados sobre o eunuco.

– O nome dele era Escudo Robusto.

– Mais morrerão, a menos que os assassinos sejam punidos. – Mesmo com a careca, Skahaz tinha um rosto odioso; uma sobrancelha hirsuta, olhos pequenos com pesadas bolsas sob eles, um nariz grande, escuro de cravos, uma pele oleosa que parecia mais amarela do que o âmbar usual dos ghiscaris. Era um rosto brusco, bestial, raivoso. Ela só podia rezar para que fosse honesto também.

– Como posso puni-los se não sei quem são? – Dany exigiu dele. – Diga-me isso, audaz Skahaz.

– Vossa Graça não tem falta de inimigos. Pode ver suas pirâmides de seu terraço. Zhak, Hazkar, Ghazzen, Merreq, Loraq, todas as antigas famílias escravagistas. Pahl. Pahl mais que qualquer outro. Uma casa de mulheres, agora. Mulheres velhas e amargas, com desejo de sangue. Mulheres não esquecem. Mulheres não perdoam.

Não, Dany pensou, *e os cães do Usurpador vão descobrir isso quando eu retornar a Westeros*. Era verdade que havia sangue entre ela e a casa de Pahl. Oznak zo Pahl havia sido morto por Belwas, o Forte, em combate singular. Seu pai, comandante da patrulha da cidade de Meereen, morrera defendendo os portões quando o aríete de Joso os arrebentou em pedaços. Três tios estavam entre os cento e sessenta e três da praça.

– Quanto ouro temos que oferecer por informações sobre os Filhos da Harpia? – Dany perguntou.

– Uma centena de honras, se agradar Vossa Iluminada.

– Um milhar de honras nos agradará mais. Faça isso.

– Vossa Graça não pediu meu conselho – disse Skahaz Cabeça-Raspada –, mas direi que sangue deve ser pago com sangue. Pegue um homem de cada família que citei e mate-o. Da próxima vez que um dos seus for assassinado, pegue dois de cada uma das grandes casas e mate ambos. Não haverá um terceiro homicídio.

Reznak gritou em pânico.

– Nãaaaao... gentil rainha, uma selvageria dessas traria a ira dos deuses sobre nós. Encontraremos os assassinos, prometo, e quando o fizermos, eles provarão ser ignóbeis miseráveis, a senhora verá.

O senescal era tão careca quanto Skahaz, mas neste caso os deuses eram os culpados. "Se algum cabelo for insolente de aparecer, meu barbeiro está com a navalha pronta", ele garantiu, quando ela o nomeou. Houve momentos em que Dany se perguntou se aquela navalha não estaria melhor se guardada para a garganta de Reznak. Era um homem útil, mas ela não gostava muito dele, nem confiava nele. Os Imortais de Qarth haviam dito que ela seria três vezes traída. Mirri Maz Duur fora a primeira, Sor Jorah, o segundo. Seria Reznak o terceiro? O Cabeça-Raspada? Daario? *Ou seria alguém de quem eu nunca suspeitaria, como Sor Barristan, Verme Cinzento ou Missandei?*

– Skahaz – ela disse para o Cabeça-Raspada –, agradeço seu conselho. Reznak, veja o que mil honras podem conseguir. – Segurando o *tokar*, Daenerys começou a descer a escada de mármore. Um passo de cada vez, para não tropeçar na franja e cair de cabeça na corte.

Missandei a anunciou. A pequena escriba tinha uma voz doce e forte.

– *Todos de joelhos para Daenerys Nascida da Tormenta, a Não Queimada, Rainha de Meereen, Rainha dos Ândalos, dos Roinares e dos Primeiros Homens, Khaleesi do Grande Mar de Grama, Rompedora de Algemas e Mãe de Dragões.*

O salão estava repleto. Os Imaculados permaneciam de costas para os pilares, segurando escudos e lanças, as pontas dos capacetes apontadas para cima como facas. Os meereeneses se reuniam sob as janelas leste. Os libertos estavam bem distantes de seus antigos senhores. *Até que estejam juntos, Meereen não conhecerá a paz.*

– Em pé. – Dany sentou-se em seu banco. O salão se levantou. *Isso, pelo menos, eles fizeram como um só.*

Reznak mo Reznak tinha uma lista. O costume exigia que a rainha começasse com o enviado astapori, um ex-escravo que se chamava Lorde Ghael, embora ninguém parecesse saber do que ele era senhor.

Lorde Ghael tinha uma boca de dentes tortos e escuros e um pontudo rosto amarelo de doninha. Também tinha um presente.

– Cleon, o Grande, envia essas sandálias como prova de seu amor por Daenerys Nascida da Tormenta, a Mãe de Dragões.

Irri colocou as sandálias nos pés de Dani. Eram de couro dourado, decoradas com pérolas verdes de água doce. *Será que o rei açougueiro pensa que um par de belas sandálias vai ganhar minha mão?*

– O Rei Cleon é muito generoso. Pode agradecer-lhe o belo presente. – Adoráveis, mas feitas para uma criança. Dany tinha pés pequenos, mesmo assim a ponta das sandálias esmagava seus dedos.

– O Grande Cleon ficará satisfeito em saber que a agradou – disse Lorde Ghael. – Sua Magnificência me pede para dizer que permanece pronto para defender a Mãe de Dragões de seus inimigos.

Se propuser novamente que me case com o Rei Cleon, jogo uma sandália na cabeça dele, Dany pensou, mas desta vez o enviado astapori não fez nenhuma menção ao casamento real. Em vez disso, falou:

– Está chegando o tempo de Astapor e Meereen acabarem com o reino selvagem dos Sábios Mestres de Yunkai, que são inimigos jurados de todos os que vivem em liberdade. O Grande Cleon me pede para dizer que ele e seus novos Imaculados marcharão em breve.

Seus novos Imaculados são uma brincadeira indecente.

– O Rei Cleon deveria ter a sensatez de cuidar do próprio jardim e deixar que os yunkaítas cuidem do deles. – Não que Dany tivesse algum amor por Yunkai. Estava começando a se arrepender de ter deixado a Cidade Amarela livre depois de derrotar seu exército em campo.

Os Sábios Mestres haviam restaurado a escravidão assim que ela partiu, e andavam ocupados cobrando impostos, contratando mercenários e fazendo alianças contra ela.

No entanto, Cleon, o autointitulado Grande, não era melhor. O Rei Açougueiro restabelecera a escravidão em Astapor, com a única diferença que os ex-escravos passaram a ser os senhores e os antigos senhores, escravos.

– Sou apenas uma garota e conheço pouco dos caminhos da guerra – disse para Lorde Ghael –, mas temos ouvido que Astapor está faminta. O Rei Cleon deveria alimentar seu povo antes de liderá-los para a batalha. – Fez um gesto, dispensando-o. Ghael se retirou.

– Magnificência – solicitou Reznak mo Reznak –, pode atender ao nobre Hizdahr zo Loraq?

De novo? Dany assentiu e Hizdahr se adiantou; um homem alto, muito magro, com uma impecável pele âmbar. Fez uma mesura, no mesmo lugar em que Escudo Robusto jazera morto não muito tempo antes. *Preciso deste homem,* Dany recordou a si mesma. Hizdahr era um rico comerciante, com muitos amigos em Meereen, e muitos mais além dos mares. Conhecia Volantis, Lys e Qarth, tinha parentes em Tolos e Elyria, e dizia-se que tinha alguma influência em Nova Ghis, onde os yunkaítas estavam tentando criar hostilidade contra Dany e suas leis.

E ele era rico. Famoso e fabulosamente rico...

E gostaria de ficar ainda mais rico, se eu conceder sua petição. Quando Dany fechara as arenas de luta da cidade, o valor desses espaços havia diminuído. Hizdahr zo Loraq as agarrara com as duas mãos e agora era dono da maioria das arenas de Meereen.

O nobre tinha asas de hirsutos cabelos negro-avermelhados brotando das têmporas. Davam a impressão de que sua cabeça estava prestes a levantar voo. Seu rosto ficava ainda mais comprido com a barba presa com anéis de ouro. Seu *tokar* roxo tinha franjas com ametistas e pérolas.

– Vossa Iluminada sabe o motivo que me traz aqui.

– Talvez porque você não tenha outro propósito que não seja me atormentar. Quantas vezes já lhe disse não?

– Cinco vezes, Vossa Magnificência.

– Seis, agora. Não reabriremos as arenas de luta.

– Se Vossa Majestade ouvisse meus argumentos...

– Eu ouvi. Cinco vezes. Você tem algum novo?

– Velhos argumentos – Hizdahr admitiu –, novas palavras. Palavras amáveis e corteses, mais aptas a convencer uma rainha.

– O que está em questão é sua causa, não sua cortesia. Ouvi seus argumentos tantas vezes que eu mesma poderia pleitear seu caso. Devo? – Dany inclinou-se para a frente. – As arenas de combate fazem parte de Meereen desde que a cidade foi fundada. Os combates têm natureza profundamente religiosa, um sacrifício de sangue aos deuses de Ghis. A arte mortal de Ghis não é mera carnificina, mas a demonstração de coragem, habilidade e força que mais agrada aos deuses. Lutadores vitoriosos são paparicados e aclamados, os mortos são homenageados e lembrados. Reabrir as arenas de luta seria uma demonstração de respeito aos usos e costumes do povo de Meereen. As arenas são famosas em todo o mundo. Atraem comércio para Meereen e enchem os cofres da cidade com moedas vindas dos confins da terra. Todos os homens partilham o gosto por sangue, gosto esse que as arenas ajudam a saciar. Dessa maneira, deixam Meereen mais tranquila. Para criminosos condenados a morrer sobre as areias, a arena representa um julgamento por combate, uma última chance para um homem provar sua inocência. – Ela recostou-se novamente, com um meneio de cabeça. – Aí está. Como me saí?

– Vossa Iluminada pleiteou o caso muito melhor do que eu esperava fazer por mim mesmo. Vejo que é tão eloquente quanto bonita. Estou muito convencido.

Ela teve que rir.

– Ah, mas eu não estou.

– Vossa Magnificência – sussurrou Reznak mo Reznak em seu ouvido –, é habitual a cidade cobrar um décimo de todos os lucros das arenas, descontados os gastos, com imposto. Esse dinheiro poderia ter nobres fins.

– Poderia... mas, se *reabríssemos* as arenas, deveríamos ter nosso décimo do *valor bruto*. Sou apenas uma garota jovem, que sabe pouco desses assuntos, mas convivi com Xaro Xhoan Daxos tempo suficiente para aprender bastante. Hizdahr, se você pudesse comandar exércitos como comanda os argumentos, poderia conquistar o mundo... mas minha resposta ainda é *não*. Pela sexta vez.

– Como disse a rainha. – Curvou-se mais uma vez, tão profundamente quanto antes. As pérolas e as ametistas retiniram suavemente contra o chão de mármore. Hizdahr zo Loraq era um homem muito flexível.

Ele pode ser bonito, mas tem aquele cabelo bobo. Reznak e a Graça Verde haviam pedido que Dany tomasse um nobre meereenese como marido, para reconciliar a cidade com suas leis. Hizdahr zo Loraq poderia valer um olhar mais cuidadoso. *Antes ele que Skahaz.* O Cabeça-Raspada havia oferecido anular seu casamento por ela, mas a ideia fez Dany estremecer. Hizdahr, ao menos, sabia sorrir.

– Magnificência – disse Reznak, consultando sua lista –, o nobre Grazdan zo Galare gostaria de se dirigir à senhora. Poderia ouvi-lo?

– Será um prazer – disse Dany, admirando o brilho do ouro e das pérolas verdes das sandálias de Cleon, enquanto fazia seu melhor para ignorar o aperto em seus dedos. Grazdan, ela havia sido avisada, era um primo da Graça Verde, cujo apoio ela julgava inestimável. A sacerdotisa era a voz da paz, da aceitação e da obediência à autoridade legítima. *Posso dar ao primo dela uma audiência respeitável, o que quer que ele deseje.*

Ele desejava ouro. Dany se recusara a indenizar qualquer um dos Grandes Mestres pelo valor de seus escravos, mas o meereenese tinha elaborado outra maneira de tirar dinheiro dela. O nobre Grazdan possuíra certa vez uma escrava que era uma tecelã muito fina, segundo diziam; as peças que saíam de seu tear eram muito valorizadas, não só em Meereen, mas em Nova Ghis, em Astapor e em Qarth. Quando a mulher ficou idosa, Grazdan comprou meia dúzia de moças e ordenou que a velha as introduzisse nos segredos de seu ofício. A velha já morrera. As jovens, agora livres, abriram uma loja perto da muralha do porto para vender suas tecelagens. Grazdan zo Galare pedia uma parcela dos ganhos das mulheres.

– Elas devem sua habilidade a mim – insistiu. – Tirei-as do lote em leilão e dei um tear para cada uma delas.

Dany ouviu em silêncio, o rosto imóvel. Quando ele acabou, disse:

– Qual era o nome da antiga tecelã?

– A escrava? – Grazdan deslocou seu peso de uma perna para a outra, franzindo a testa. – Ela se chamava... Elza, creio eu. Ou Ella. Faz seis anos que morreu. Já tive tantos escravos, Vossa Graça.

– Digamos que seja Elza. Eis nossa decisão: das moças, você não terá nada. Foi Elza quem as ensinou a tecer, não você. De você, as moças terão um tear novo, o melhor que o dinheiro possa comprar. Isso é por esquecer o nome da velha.

Reznak ia convocar o próximo *tokar*, mas Dany insistiu para que chamasse um liberto. Depois, passou a alternar entre os antigos mestres e os ex-escravos. Muitos e ainda mais assuntos foram levados para ela, pedindo reparação. Meereen havia sido selvagemente saqueada após sua queda. As pirâmides dos poderosos foram poupadas da devastação, mas as partes mais humildes da cidade haviam sido entregues a uma orgia de roubos e assassinatos conforme os escravos locais se sublevavam e as hordas de famintos vindas de Yunkai e Astapor invadiam os portões quebrados. Seus Imaculados finalmente restauraram a ordem, mas o saque deixou uma epidemia de problemas em sua esteira. E então as pessoas vinham para ver a rainha.

Veio uma rica mulher, cujos marido e filho tinham morrido defendendo as muralhas da cidade. Durante o saque, ela havia fugido para a casa do irmão, com medo. Quando voltou, encontrou a casa transformada em um bordel. As prostitutas haviam se enfeitado com as joias e roupas da antiga proprietária. Ela queria sua casa e suas joias de volta.

– Elas podem ficar com as roupas – permitiu.

Dany concedeu-lhe as joias, mas negou a casa, que fora perdida quando a mulher a abandonou.

Um ex-escravo veio acusar um certo nobre dos Zhak. O homem recentemente havia tomado para esposa uma liberta que esquentava a cama do nobre antes da cidade cair. O nobre havia tomado a virgindade da mulher, usado-a para seu prazer e deixado-a com uma criança. O novo marido queria que o nobre fosse castrado pelo crime de estupro, e também queria uma bolsa de ouro como pagamento por criar o bastardo como seu filho. Dany concedeu-lhe o ouro, mas não a castração.

– Quando ele se deitou com ela, sua esposa era propriedade dele para fazer o que bem entendesse. Por lei, não houve estupro. – Ela percebeu que sua decisão não agradou ao homem, mas se castrasse todos que haviam forçado sexo com as escravas, governaria uma cidade de eunucos.

Veio um rapaz, mais jovem do que Dany, frágil e marcado por cicatrizes, vestindo um *tokar* cinza desgastado, arrastando uma franja prateada. Sua voz falhou quando contou como dois escravos de sua família haviam entrado na casa na noite em que os portões se quebraram. Um havia matado seu pai, o outro, o irmão mais velho. Ambos tinham estuprado sua mãe, antes de matá-la. O rapaz fugira com apenas a cicatriz no rosto, mas um dos assassinos ainda vivia na casa de seu pai, e o outro se unira aos soldados da rainha, como um dos Homens da Mãe. Ele queria os dois enforcados.

Sou rainha de uma cidade construída sobre pó e morte. Dany não teve escolha a não ser negar o pedido do rapaz. Ela havia declarado anistia a todos os crimes cometidos durante o saque. Nem puniria escravos por se levantar contra seus mestres.

Ao ouvir a decisão da rainha, o rapaz correu na direção dela, mas seus pés se enroscaram no *tokar* e ele se estatelou de cabeça no mármore púrpura. No instante seguinte, Belwas, o Forte, estava sobre ele. O enorme eunuco marrom puxou-o por uma mão e o sacudiu como um mastim faria com um rato.

– Basta, Belwas – Dany ordenou. – Liberte-o.

Para o rapaz, disse:

– Conserve esse *tokar*, pois ele salvou sua vida. Você é apenas um rapaz, então vamos esquecer o que aconteceu aqui. Você deve fazer o mesmo. – Ao deixar o salão, o rapaz olhou para trás por cima do ombro, e quando Dany fitou seus olhos, pensou, *a Harpia tem outro filho*.

Ao meio-dia, Daenerys sentia o peso da coroa em sua cabeça e a dureza do banco sob as nádegas. Com tantos ainda à espera de sua disposição, não parou para comer. Em vez disso, enviou Jhiqui às cozinhas para buscar um pão pita, azeitonas, figos e queijo. Mordiscava enquanto ouvia e tomava goles de vinho aguado. Os figos estavam bons, as azeitonas ainda melhores, mas o vinho deixou um gosto amargo e metálico na boca. As pequenas e pálidas uvas nativas da região produziam uma safra notadamente inferior. *Não teremos comércio de vinho*. Além disso, os Grandes Mestres haviam queimado as melhores parreiras, juntamente com as oliveiras.

Na parte da tarde, veio um escultor propondo substituir a grande harpia de bronze da Praça da Purificação por um projeto com a imagem de Dany. Ela recusou a proposta com o máximo de cortesia que pôde conseguir. Um lúcio de tamanho sem precedentes havia sido apanhado no Skahazadhan, e o pescador desejava dar o peixe à rainha. Ela admirou o extravagante animal, recompensou o pescador com uma bolsa de prata e enviou o lúcio para a cozinha. Um caldeireiro tinha feito para ela uma cota de malha de cobre polido para usar na guerra. Ela aceitou com exagerados agradecimentos; era uma peça linda de se ver, e todo aquele cobre polido deveria brilhar lindamente ao sol – embora, em uma batalha real, preferisse estar revestida em aço. Mesmo uma jovem moça sem experiência nos caminhos da guerra sabia d*isso*.

As sandálias que o Rei Açougueiro lhe enviara estavam ficando desconfortáveis demais. Dany as tirou e sentou-se sobre um dos pés, enquanto o outro balançava para a frente e para trás. Não era uma pose muito régia, mas ela estava cansando de ser régia. A coroa lhe dava dores de cabeça e suas nádegas começavam a ficar dormentes.

– Sor Barristan – chamou –, eu sei qual é a qualidade que um rei mais precisa.

– Coragem, Vossa Graça?

– Nádegas de ferro – brincou. – Tudo o que faço é sentar.

– Vossa Graça exige demais de si mesma. Devia permitir que seus conselheiros cuidassem mais de seus encargos.

– Tenho conselheiros demais e almofadas de menos. – Dany virou-se para Reznak. – Quantos mais?

– Vinte e três, se agradar Vossa Magnificência. Com muitos pedidos. – O senescal consultou alguns papéis. – Um bezerro e três cabras. Os demais serão ovelhas e cordeiros, não há dúvida.

– Vinte e três. – Dany suspirou. – Meus dragões desenvolveram um gosto prodigioso por carne de cordeiro desde que começamos a pagar os pastores pelos animais que eles matam. Essas alegações são comprovadas?

– Alguns homens trouxeram ossos queimados.

– Homens fazem fogo. Homens cozinham carne de cordeiro. Ossos queimados não provam nada. Ben Castanho diz que há lobos vermelhos nas colinas fora da cidade, além de chacais e cães selvagens. Devemos pagar uma boa prata para cada cordeiro que se perde entre Yunkai e o Skahazadhan?

– Não, Magnificência. – Reznak fez uma mesura. – Devo mandar esses patifes embora, ou devo mandar açoitá-los?

Daenerys se mexeu no banco.

– Nenhum homem deve temer vir até mim. – Algumas alegações eram falsas, ela não duvidava, mas a maioria era genuína. Os dragões estavam demasiado grandes para se contentar com ratos, cães e gatos. *Quanto mais comem, maiores ficam*, Sor Barristan a havia advertido, *e quanto maiores ficam, mais comem*. Drogon, especialmente, ia até muito longe e podia facilmente devorar uma ovelha por dia. – Pague-os pelo valor dos animais – ela disse a Reznak –, mas, de hoje em diante, os requerentes devem apresentar-se no Templo das Graças e fazer um juramento sagrado diante dos deuses de Ghis.

– Assim será. – Reznak virou-se para os peticionários. – Sua Magnificência, a Rainha, consentiu em compensar cada um de vocês pelos animais que perderam – disse, na língua ghiscari. – Apresentem-se aos meus administradores, amanhã, e serão pagos em moeda ou espécie, como preferirem.

O pronunciamento foi recebido com um silêncio taciturno. *E você imaginava que isso os deixaria felizes*, Dany pensou. *Eles tiveram o que vieram buscar. Não tem jeito de agradar essas pessoas?*

Um homem ficou para trás enquanto o resto partia; um homem atarracado, com o rosto queimado pelo vento, malvestido. Seu cabelo era um capacete grosseiro de fios negro-avermelhados cortado na altura das orelhas, e em uma das mãos segurava um triste saco de pano. Ficou de cabeça baixa, olhando para o chão de mármore, como se tivesse se esquecido de onde estava. *E o que esse aí quer?*, Dany se perguntou.

– *Todos de joelhos para Daenerys Nascida da Tormenta, a Não Queimada, Rainha de Meereen, Rainha dos Ândalos, dos Roinares e dos Primeiros Homens, Khaleesi do Grande Mar de Grama, Rompedora de Algemas e Mãe de Dragões* – gritou Missandei em sua voz alta e doce.

Conforme Dany se levantou, seu *tokar* começou a escorregar. Ela o pegou e o enrolou de volta no lugar.

– Você com o saco – chamou –, deseja falar conosco? Pode se aproximar.

Quando ele levantou a cabeça, seus olhos estavam vermelhos e magoados como uma ferida aberta. Dany vislumbrou Sor Barristan chegando, uma sombra branca ao seu lado. O homem se aproximou tropegamente, um passo e depois o outro, segurando o saco. *Está bêbado ou doente?*, ela se perguntou. Havia sujeira sob suas unhas amarelas rachadas.

– O que é isso? – Dany perguntou. – Você nos trouxe alguma reclamação, alguma petição? O que tem para nós?

Ele passou nervosamente a língua sobre os lábios rachados.

– Eu... eu trouxe...

– Ossos? – ela disse, impaciente. – Ossos queimados?

Ele levantou o saco e derramou seu conteúdo no mármore.

Os ossos estavam ali, ossos quebrados e enegrecidos. Os ossos maiores haviam sido quebrados, pelo tutano.

– Foi o negro – o homem disse, em um rosnado ghiscari –, a sombra alada. Ele veio do céu e... e...

Não. Dany estremeceu. *Não, não, oh, não.*

– Você é surdo, seu tolo? – Reznak mo Reznak exigiu do homem. – Não ouviu meu pronunciamento? Fale com meus administradores amanhã, e eles pagarão por sua ovelha.

– Reznak – Sor Barristan disse sobriamente –, segure a língua e abra os olhos. Esses não são ossos de uma ovelha.

Não, Dany pensou, *esses são ossos de uma criança.*

Jon

O lobo branco corria por um tronco negro, ao pé de um pálido penhasco tão alto quanto o céu. A lua corria com ele, deslizando por um emaranhado de galhos desfolhados suspenso sobre sua cabeça, no céu estrelado.

– Snow – a lua murmurou. O lobo não respondeu. A neve era triturada sob suas patas. O vento soprava por entre as árvores.

Ao longe, ele podia ouvir seus companheiros de matilha chamando por ele, de igual para igual. Estavam caçando também. Uma chuva selvagem chicoteava as costas de seu irmão negro, enquanto ele rasgava a carne de um enorme bode, lavando o sangue do lado do seu corpo onde o longo chifre da presa o havia acertado. Em outro lugar, sua irmãzinha levantava a cabeça para cantar para a lua, e uma centena de pequenos primos cinzentos interrompia a caçada para cantar com ela. As colinas eram mais quentes onde ela estava, e mais abundantes de comida. Várias noites a matilha da irmã se fartara com carne de ovelhas, vacas e cavalos, as presas dos homens, e, às vezes, até com a carne do próprio homem.

– Snow – a lua chamou novamente, tagarelando. O lobo branco seguia ao longo da trilha do homem, sob o penhasco de gelo. O gosto de sangue estava em sua língua, e em seus ouvidos soava a canção dos cem primos. Antes eles eram seis, cinco choramingando cegos na neve, ao lado do cadáver da mãe, sugando o leite gelado de seus duros mamilos mortos, enquanto ele se arrastava sozinho. Restavam quatro... e um deles o lobo branco não conseguia mais sentir.

– Snow – a lua insistia.

O lobo branco correu dela, seguindo em direção à caverna da noite onde o sol tinha se escondido, sua respiração congelando no ar. Nas noites sem estrelas, o grande penhasco ficava negro como uma rocha, a escuridão elevando-se sobre o mundo inteiro, mas, quando a lua saía, ele brilhava pálido e frio como um córrego congelado. A pele do lobo era grossa e peluda, mas quando o vento soprava sob o gelo, nenhum pelo conseguia afastar a sensação de frio. Do outro lado, o vento estava ainda mais frio, o lobo sentia. Era onde seu irmão estava, o irmão cinzento que cheirava a verão.

– Snow. – Um pingente de gelo caiu de um galho. O lobo branco virou-se e mostrou os dentes. – Snow. – Seu pelo se eriçou, conforme a floresta se dissolvia ao seu redor. – Snow, Snow, Snow! – Ele ouviu o bater de asas. Através da escuridão, um corvo voou.

A ave pousou no peito de Jon Snow, com um baque e um arranhar de garras.

– SNOW! – gritou diante de seu rosto.

– Já ouvi. – A sala estava escura, e seu colchão de palha, duro. Uma luz acinzentada vazava pelas persianas, prometendo mais um frio dia sombrio. – Era assim que você acordava Mormont? Tire as penas da minha cara. – Jon estendeu o braço para fora dos cobertores para espantar o corvo. Era um pássaro grande, velho, ousado e desalinhado, e totalmente sem medo. *Snow*, ele gritou, batendo as asas até o dossel da cama. *Snow, Snow*. Jon encheu o punho com o travesseiro e o arremessou no ar, mas o pássaro alçou voo. O travesseiro atingiu a parede e estourou, espalhando seu recheio por todo lado, bem no momento em que Edd Doloroso Tollett enfiava a cabeça pela porta.

– Com licença – disse, ignorando o turbilhão de penas –, devo buscar o café da manhã, Senhor?

Grão, gritou o corvo. *Grão, grão.*

– Corvo assado – Jon sugeriu. – E meio quartilho de cerveja. – Ter um intendente para servi-lo ainda era algo estranho; havia não muito tempo, era ele quem servia o café da manhã do Senhor Comandante Mormont.

– Três milhos e um corvo assado – disse Edd Doloroso. – Muito bem, Senhor, só que Hobb fez ovos cozidos, chouriço e maçãs cozidas com ameixas secas. As maçãs com ameixas estão ótimas, exceto pelas ameixas. Eu mesmo não vou comê-las. Bem, havia uma época em que Hobb picava-as com castanhas e cenouras e escondia-as dentro de uma galinha. Nunca confie em um cozinheiro, senhor. Eles servirão ameixas secas quando menos se esperar.

– Mais tarde. – O café da manhã podia esperar; Stannis, não. – Algum problema com as paliçadas na noite passada?

– Não, desde que colocou guardas nas guaritas, senhor.

– Ótimo. – Mil selvagens estavam confinados para lá da Muralha, os cativos que Stannis Baratheon fizera quando seus cavaleiros esmagaram a miscelânea de tropas de Mance Rayder. Muitos dos prisioneiros eram mulheres, e alguns dos guardas as tinham furtivamente levado para aquecer suas camas. Homens do rei, homens da rainha, não parecia importar; e alguns irmãos negros haviam tentado a mesma coisa. Homens são homens, e aquelas eram as únicas mulheres a mil léguas.

– Mais duas selvagens se renderam – Edd continuou. – Uma mãe com uma menina pendurada em suas saias. Ela tinha um bebê também, todo enrolado em peles, mas estava morto.

Morto, disse o corvo. Era uma das palavras favoritas da ave. *Morto, morto, morto.*

Eles tinham vagado livremente na maioria das noites, mortos de fome, criaturas semicongeladas que haviam fugido da batalha na Muralha, só para rastejar de volta quando perceberam que não havia lugar seguro para onde fugir.

– A mãe foi interrogada? – Jon perguntou. Stannis Baratheon havia esmagado as tropas de Mance Rayder e tomado o Rei-para-lá-da-Muralha como seu prisioneiro... mas os selvagens ainda estavam lá fora, o Chorão, Tormund Terror dos Gigantes e milhares mais.

– Sim, senhor – disse Edd –, mas tudo o que ela sabia é que tinha fugido durante a batalha e se escondido na floresta. Enchemos ela de papa de aveia, a mandamos para as paliçadas e queimamos o bebê.

Queimar crianças mortas tinha deixado de ser um problema para Jon Snow; já as vivas eram outro assunto. *Dois reis para acordar o dragão. O pai primeiro e depois o filho, para que ambos os reis morram.* As palavras tinham sido murmuradas por um dos homens da rainha, enquanto Meistre Aemon limpava suas feridas. Jon imaginou que era a febre falando. Aemon tinha hesitado.

– Há poder no sangue de um rei – o velho Meistre lhe avisara –, e homens melhores do que Stannis fizeram coisas piores do que essa. – *O rei pode ser duro e implacável, sim, mas um bebê de peito? Apenas um monstro daria uma criança viva às chamas.*

Jon mijou na escuridão, enchendo seu penico enquanto o corvo do Velho Urso murmurava queixas. Os sonhos de lobo estavam ficando mais fortes, e ele se pegava lembrando-se deles até mesmo acordado. *Fantasma sabe que Vento Cinzento morreu.* Robb tinha morrido nas Gêmeas, traído por homens que acreditava serem seus amigos, e seu lobo havia perecido com ele. Bran e Rickon tinham sido assassinados também, decapitados por ordem de Theon Greyjoy, que fora protegido de seu pai... mas, se os sonhos não mentem, seus lobos escaparam. Na Coroadarrainha, um deles tinha saído das trevas para salvar a vida de Jon. *Verão, tinha de ser ele. Sua pele era cinzenta, e Cão Felpudo é negro.* Ele se perguntava se alguma parte de seus falecidos irmãos vivia dentro de seus lobos.

Encheu a bacia com o garrafão de água do lado da cama, lavou o rosto e as mãos, vestiu um conjunto negro de lã limpo, atou um gibão de couro preto e calçou um par de botas surradas. O corvo de Mormont o olhava com astutos olhos escuros, e então voou até a janela.

– Você acha que sou seu servo? – Quando Jon abriu a janela com seus grossos painéis de vidro amarelo em forma de diamante, o frio da manhã bateu em seu rosto. Respirou para limpar os vestígios da noite enquanto o corvo voava para longe. *Esse pássaro é muito espertinho.* Tinha sido companheiro do Velho Urso por longos anos, mas isso não o impedira de comer o rosto de Mormont quando ele morreu.

Do lado de fora dos aposentos de dormir, um lance de degraus descia para uma sala maior, decorada com uma mesa de pinho marcada pelo uso e uma dúzia de cadeiras de carvalho e couro. Com Stannis na Torre do Rei e a Torre do Senhor Comandante queimada até só restar a casca, Jon havia se estabelecido nas modestas instalações de Donal Noye, atrás do arsenal. Com o tempo, sem dúvida, precisaria de alojamentos maiores, mas esses serviriam por enquanto, até ele se acostumar a comandar.

A concessão que o rei lhe deixara para assinar estava sobre a mesa, embaixo de uma taça de prata que tinha sido de Donal Noye. O ferreiro de um braço havia deixado poucos pertences pessoais: a taça, seis moedas de um dinheiro e uma estrela de cobre, um broche de esmalte negro com o fecho quebrado, um gibão brocado mofado com o veado de Ponta Tempestade. *Seus tesouros eram suas ferramentas e as espadas e facas que fez. Sua vida estava na forja.* Jon moveu a taça para cima e leu o pergaminho mais uma vez. *Se eu colocar meu selo nisso, serei sempre lembrado como o Senhor Comandante que entregou a Muralha,* pensou, *mas se eu recusar...*

Stannis Baratheon estava se mostrando um convidado espinhoso e inquieto. Tinha percorrido a estrada do rei até quase a Coroadarrainha, rondando pelas cabanas vazias da Vila da Toupeira, inspecionando as ruínas dos fortes em Portão da Rainha e em Escudo de Carvalho. Todas as noites, andava pelo alto da Muralha com a Senhora Melisandre e, durante os dias, visitava as paliçadas, escolhendo cativos para serem interrogados pela mulher vermelha. *Ele não gosta de ficar parado.* Aquela não seria uma manhã agradável, Jon temia.

Do arsenal veio um barulho de escudos e espadas, conforme o último grupo de rapazes e recrutas se armava. Ele podia ouvir a voz de Emmett de Ferro dizendo-lhes para se apressar com aquilo. Cotter Pyke não tinha gostado de perdê-lo, mas o jovem patrulheiro tinha o dom para treinar os homens. *Ele ama lutar e vai ensinar os rapazes a gostar também.* Pelo menos era o que esperava.

A capa de Jon estava pendurada em um cabide junto à porta, seu cinturão em outro. Vestiu ambos e encaminhou-se para o arsenal. O tapete onde Fantasma dormia estava vazio, notou. Dois guardas estavam no interior das portas, vestidos com capas pretas e meios-elmos de ferro, carregando lanças nas mãos. – O Senhor gostaria de escolta? – perguntou Garse.

– Acho que consigo encontrar a Torre do Rei sozinho. – Jon odiava ter guardas atrás de si aonde quer que fosse. Fazia-o sentir-se como uma mãe pata liderando uma procissão de patinhos.

Os rapazes de Emmett de Ferro estavam no pátio, espadas embotadas batendo nos escudos, e empurrando-se uns aos outros. Jon parou por um momento para ver Cavalo pressionando Salto de Pisco através do pátio. Cavalo tinha as qualidades de um bom lutador, percebeu. Era forte e estava ficando mais forte ainda, e seus instintos eram afiados. Salto de Pisco era de outro tipo. Tinha os pés bastante tortos, e também temia ser atingido. *Talvez possa fazer dele um intendente.* A luta terminou abruptamente, com Salto de Pisco no chão.

– Boa luta – Jon disse para Cavalo –, mas você mantém o escudo muito baixo quando parte para o ataque. Você deve corrigir isso, ou acabará morto.

– Sim, senhor. Vou deixar ele no alto da próxima vez. – Cavalo puxou Salto de Pisco, que estava caído a seus pés, e o rapaz levantou-se com o corpo em um arco desajeitado.

Alguns dos cavaleiros de Stannis estavam treinando do outro lado do pátio. *Homens do rei em um canto, homens da rainha no outro,* Jon não podia deixar de notar, *mas apenas alguns deles. Está muito frio para a maioria.* Ao passar por eles, uma voz potente chamou em suas costas.

– RAPAZ! VOCÊ AÍ! *RAPAZ!*

Rapaz não era a pior coisa da qual Jon Snow havia sido chamado desde que fora escolhido Senhor Comandante. Ele ignorou.

– *Snow* – a voz insistiu. – *Senhor Comandante.*

Dessa vez ele parou.

– Sor?

O cavaleiro era quase quinze centímetros mais alto do que ele.

– Um homem que carrega consigo aço valiriano deve usá-lo para algo mais do que coçar o traseiro.

Jon tinha visto o sujeito pelo castelo – um cavaleiro de grande renome segundo ele mesmo dizia. Durante a batalha sob a Muralha, Sor Godry Farring havia matado gigantes em fuga, perseguindo-os a cavalo e atingindo-os com a lança pelas costas, desmontando então para cortar as cabeças lamentavelmente pequenas das criaturas. Os homens da rainha passaram a chamá-lo de Godry, o Matador de Gigantes.

Jon se lembrou de Ygritte, gritando. *Eu sou o último dos gigantes.*

– Uso Garralonga quando devo, sor.

– Muito bem, vamos? – Sor Godry desembainhou sua própria lâmina. – Mostre-nos. Prometo não machucá-lo, rapaz.

Quanta gentileza.

– Numa outra hora, sor. Temo ter outros deveres agora.

– Teme. Posso ver. – Sor Godry sorriu para seus amigos. – Ele teme – repetiu, para os mais lentos.

– Com sua licença – Jon deu-lhe as costas.

O Castelo Negro parecia um lugar triste e abandonado à luz do pálido amanhecer. *Meu comando,* Jon Snow refletiu com tristeza, *é tanto uma ruína quanto uma fortaleza.* A Torre do Senhor Comandante era apenas uma casca, os Salões Comuns, uma pilha de madeira enegrecida, a Torre de Hardin parecia prestes a desabar na próxima rajada de vento... embora estivesse assim havia anos. Atrás, levantava-se a Muralha: imensa, proibitiva, gélida, apinhada de construtores que colocavam novos remendos na escada, unindo vigas novas às antigas. Eles trabalhavam do amanhecer ao anoitecer. Sem a escada, não havia como chegar ao topo da Muralha, salvo pela gaiola de ferro. E isso não serviria se os selvagens atacassem novamente.

Acima da Torre do Rei, o grande estandarte de guerra dourado da Casa Baratheon estalava como um chicote no telhado, onde havia não muito tempo Jon Snow estivera com o arco na mão, matando thenns e o povo livre, ao lado de Cetim e Dick Surdo Follard. Dois homens da rainha estavam tremendo nos degraus, com as mãos sob as axilas e as lanças encostadas na porta.

– Essas luvas de tecido nunca vão servir – disse-lhes Jon. – Falem com Bowen Marsh pela manhã, e ele dará para cada um de vocês um par de luvas de couro, forradas de pele.

– Iremos, sim, senhor. Obrigado – disse o guarda mais velho.

– Isso se nossas malditas mãos não estiverem congeladas – o mais jovem completou, sua respiração uma névoa pálida. – Eu costumava achar que era frio nas Marcas de Dorne. O que eu sabia?

Nada, pensou Jon Snow, *o mesmo que eu.*

A meio caminho dos sinuosos degraus, deparou-se com Samwell Tarly, que descia as escadas.

– Você estava com o Rei? – Jon perguntou.

– Meistre Aemon me mandou com uma carta.

– Entendo. – Alguns senhores confiavam em seus meistres para lerem suas cartas e lhes transmitirem os conteúdos delas, mas Stannis insistia em ele mesmo romper os selos. – Como Stannis a recebeu?

– Pela cara, não muito feliz. – Sam baixou a voz até um sussurro. – Eu não deveria falar sobre isso.

– Então, não falamos. – Jon se perguntou qual dos vassalos de seu pai teria recusado prestar homenagens ao Rei Stannis desta vez. *Ele havia sido bem rápido em espalhar a notícia quando Karhold lhe declarou apoio.* – Como você e seu arco estão se saindo?

– Encontrei um bom livro sobre arco e flecha – Sam franziu a testa. – Mas praticar é mais difícil do que ler sobre o assunto. Fico com bolhas.

– Continue. Podemos precisar de seu arco sobre a Muralha se os Outros aparecerem em alguma noite escura.

– Oh, espero que não.

Mais guardas permaneciam do lado de fora dos aposentos do Rei.

– Não são permitidas armas na presença de Sua Graça, senhor – o sargento disse. – Vou precisar dessa espada. E das suas facas também. – Não faria bem algum protestar, Jon sabia. Entregou-lhes seu armamento.

Dentro dos aposentos o ar estava morno. A Senhora Melisandre estava sentada perto do fogo, seu rubi brilhando contra a pele branca do pescoço. Ygritte fora beijada pelo fogo; a sacerdotisa vermelha *era* o fogo e seus cabelos eram sangue e chamas. Stannis estava atrás da mesa rústica onde o Velho Urso costumava se sentar para fazer as refeições. Cobrindo a mesa havia um grande mapa do Norte, pintado em um pedaço irregular de couro cru. Uma vela de sebo segurava uma das extremidades do mapa, uma luva de aço, a outra.

O rei usava calções de lã de cordeiro e um gibão acolchoado, mesmo assim parecia tão duro e desconfortável como se estivesse revestido em armadura e cota de malha. Sua pele era couro pálido, sua barba, cortada tão rente que poderia ter sido pintada. Uma franja sobre as têmporas era tudo o que lhe restara do cabelo preto. Em suas mãos estava um pergaminho com um selo de cera verde-escuro rompido.

Jon se ajoelhou. O rei franziu a testa para ele e sacudiu o pergaminho com raiva.

– Levante-se. Me diga, quem é *Lyanna Mormont?*

– Uma das filhas da Senhora Maege, Majestade. A mais jovem. Recebeu esse nome por causa da irmã do meu pai.

– Para agradar ao senhor seu pai, não duvido. Sei que jogo é esse. Quantos anos tem essa garota miserável?

Jon teve que pensar um momento.

– Dez... Ou quase isso. Posso saber como ela ofendeu Sua Graça?

Stannis leu a carta.

– *A Ilha dos Ursos não reconhece nenhum rei que não o Rei do Norte, cujo nome é STARK.* Uma garota de dez anos, você diz, e ela se atreve a repreender seu rei legítimo. – Sua barba rente parecia uma sombra pelas bochechas magras. – Mantenha essa notícia com você, Lorde Snow. Karhold está comigo, e é tudo o que os homens precisam saber. Não quero seus irmãos contando histórias sobre como essa criança cuspiu em mim.

– Ao seu comando, Majestade – Maege Mormont havia seguido para o Sul com Robb, Jon sabia. Sua filha mais velha também havia se unido às tropas do Jovem Lobo. Mesmo se as duas estivessem mortas, a Senhora Maege tinha deixado pelo menos uma das filhas mais velhas como castelã. Ele não entendia por que Lyanna havia escrito para Stannis, e não podia ajudar, mas se perguntava se a resposta da garota seria diferente caso a carta tivesse sido selada com um lobo gigante em vez de um veado coroado e assinada por Jon Stark, Senhor de Winterfell. *É tarde demais para essas dúvidas. Você fez sua escolha.*

– Dois grupos de corvos foram enviados – o rei reclamou – e ainda não tivemos resposta, só silêncio e desafio. Obediência é o que cada sujeito leal deve ao seu rei. Mas todos os vassalos do seu pai viraram as costas para mim, com exceção dos Karstark. Arnolf Karstark é o único homem honrado no Norte?

Arnolf Karstark era o tio do falecido Lorde Rickard. Fora feito castelão de Karhold quando seu sobrinho e os filhos dele foram para o Sul com Robb, e havia sido o primeiro a responder ao chamado do Rei Stannis por obediência, declarando sua lealdade. *Os Karstark não têm outra escolha,* Jon poderia ter dito. Rickard Karstark traíra o Lobo Gigante e derramara sangue dos leões. O veado era a única esperança de Karhold.

– Em tempos confusos como estes, até mesmo os homens de honra devem se perguntar onde está seu dever. Vossa Graça não é o único rei a exigir obediência.

A Senhora Melisandre se agitou.

– Diga-me, Lorde Snow... onde estavam esses outros reis quando os selvagens atacaram sua Muralha?

– A milhares de léguas daqui, e surdos às nossas necessidades – Jon respondeu. – Não esqueci disso, minha senhora. Nem me esquecerei. Mas os vassalos do meu pai têm esposas e filhos para proteger, e camponeses que morrerão se eles escolherem mal. Sua Graça exige muito deles. Dê-lhes tempo, e eles encontrarão suas respostas.

– Respostas como esta? – O rei Stannis amassou a carta de Lyanna na mão.

– Mesmo no Norte os homens temem a ira de Tywin Lannister. Os Bolton também são maus inimigos para se ter. Não é à toa que têm um homem esfolado em seu estandarte. O Norte cavalgou com Robb, sangrou com ele, morreu por ele. Tiveram uma boa porção de tristeza e morte, e agora o senhor vem lhes oferecer outra dose. Pode culpá-los se ficarem com o pé atrás? Perdoe-me, Sua Graça, mas alguns vão olhá-lo e ver apenas outro pretendente condenado.

– Se Sua Graça está condenada, o reino está condenado também – disse a Senhora Melisandre. – Lembre-se disso, Lorde Snow. É o único rei verdadeiro de Westeros que está diante de você.

Jon manteve o rosto impenetrável.

– É como diz, senhora.

Stannis bufou.

– Você gasta suas palavras como se cada uma delas fosse um dragão de ouro. Eu me pergunto: quanto ouro você tem?

– Ouro? – *Eram esses os dragões que a mulher vermelha queria acordar? Dragões feitos de ouro?* – As taxas que nós coletamos são pagas em espécie, Vossa Graça. A Patrulha é rica em nabos, mas pobre em moedas.

– Nabos não vão apaziguar Salladhor Saan. Exijo ouro ou prata.

– Para isso, é necessário Porto Branco. A cidade não se compara a Vilavelha ou Porto Real, mas ainda é um próspero porto. Lorde Manderly é o vassalo mais rico do meu pai.

– Lorde Gordo-demais-para-sentar-em-um-cavalo. – A carta que Lorde Manderly tinha enviado de Porto Branco falava de sua idade e sua enfermidade, e pouco mais que isso. Stannis ordenara a Jon que também não comentasse sobre essa carta.

– Talvez o senhorio gostasse de uma esposa selvagem – disse a Senhora Melisandre. – Esse homem gordo é casado, Lorde Snow?

– Sua esposa morreu há tempos. Lorde Wyman tem dois filhos crescidos, e netos do mais velho. E ele *é* gordo demais para sentar em um cavalo, cento e noventa quilos no mínimo. Val nunca iria querer um homem assim.

– Apenas uma única vez você podia tentar dar uma resposta que me agradasse, Lorde Snow – o rei resmungou.

– Eu esperava que a verdade o agradasse, Majestade. Seus homens chamam Val de princesa, mas para o povo livre ela é apenas a irmã da falecida esposa do rei deles. Se forçá-la a casar com um homem que não deseja, ela é capaz de cortar a garganta dele na noite de núpcias. Mesmo se ela aceitar um marido, isso não quer dizer que os selvagens vão segui-lo, ou ao senhor. O único homem que pode uni-los à sua causa é Mance Rayder.

– Eu sei disso – Stannis disse, infeliz. – Passei horas falando com o homem. Ele sabe muito e ainda mais sobre nosso verdadeiro inimigo, e é um homem astuto, lhe garanto. Mas, mesmo se ele renunciar a sua realeza, continuará a ser um perjuro. Deixe um desertor viver, e incentivará outros a desertarem. Não. Leis devem ser feitas de ferro, não de pudim. Mance Rayder deve ser executado por todas as leis dos Sete Reinos.

– As leis terminam na Muralha, Vossa Graça. O senhor podia fazer bom uso de Mance.

– E eu pretendo. Vou queimá-lo, e o Norte verá como lido com vira-casacas e traidores. Tenho outro homem para liderar os selvagens. E tenho o filho de Rayder, não se esqueça. Uma vez que o pai esteja morto, o filhote será o Rei-para-lá-da-Muralha.

– Vossa Graça está enganado. – *Você não sabe nada, Jon Snow*, Ygritte costumava dizer, mas ele havia aprendido. – O bebê não é mais príncipe do que Val é uma princesa. Você não se torna Rei-para-lá-da-Muralha porque seu pai era.

– Bom – disse o rei –, pois eu não suportarei outros reis em Westeros. Você assinou a concessão?

– Não, Vossa Graça – *E aí vem.* Jon fechou seus dedos queimados e os abriu novamente. – O senhor pede muito.

– Peço? Eu *pedi* para você ser Lorde de Winterfell e Protetor do Norte. Eu *exijo* esses castelos.

– Já lhe cedemos o Fortenoite.

– Ratos e ruínas. Um presente avarento que não custará nada ao doador. Seu próprio homem, Yarwyck, diz que será necessário meio ano até que o castelo fique habitável.

– Os outros fortes não estão melhores.

– Eu sei disso. Não importa. São tudo o que temos. Há dezenove fortes ao longo da Muralha, e você tem homens em apenas três deles. Quero ter cada um deles guarnecidos novamente antes que o ano acabe.

– Não tenho nenhuma objeção a isso, Majestade, mas lá também está dito que o senhor pode conceder esses castelos para cavaleiros e senhores, a fim de mantê-los como suas próprias casas, como vassalos de Vossa Graça.

– Espera-se que os reis sejam mão-aberta com seus seguidores. Lorde Eddard não ensinou nada para seu bastardo? Muitos de meus cavaleiros e senhores abandonaram ricas terras e fortes castelos no Sul. A lealdade deles deve ficar sem recompensa?

– Se Vossa Graça deseja perder todos os vassalos do meu pai, não há meio mais seguro para isso do que dar propriedades nortenhas para lordes do Sul.

– Como posso perder homens que não tenho? Eu esperava outorgar Winterfell para um nortenho, você deve se lembrar. Um filho de Eddard Stark. Ele jogou a oferta na minha cara. – Stannis Baratheon com uma queixa era como um mastim com um osso; roía até o último pedaço.

– Por direito Winterfell deve ir para minha irmã Sansa.

– A Senhora Lannister, você quer dizer? Está assim tão ansioso para ver o Duende empoleirado na cadeira do seu pai? Eu lhe prometo que isso não acontecerá enquanto eu viver, Lorde Snow.

Jon sabia que era melhor não prolongar o assunto.

– Majestade, alguns afirmam que o senhor pretende conceder terras e castelos para Camisa de Chocalho e para o Magnar de Thenn.

– Quem disse isso?

Era a conversa que circulava pelo Castelo Negro.

– Se o Senhor quer saber, escutei a história de Goiva.

– Quem é *Goiva?*

– A ama de leite – disse a Senhora Melisandre. – Vossa Graça lhe deu liberdade no castelo.

– Não para espalhar histórias. Ela é necessária por suas tetas, não por sua língua. Terei mais leite dela, e menos conversas.

– Castelo Negro não precisa de bocas inúteis – Jon concordou. – Enviarei Goiva para o Sul no próximo navio que sair de Atalaialeste.

Melisandre tocou o rubi em seu pescoço. – Goiva está amamentando o filho de Dalla, além do seu próprio. Parece cruel separar nosso pequeno príncipe de seu irmão de leite, senhor.

Cuidado agora, cuidado.

– A mãe de leite é tudo o que partilharam. O filho de Goiva é maior e mais robusto. Ele chuta o príncipe e o belisca, e o empurra do peito. Craster era seu pai, um homem cruel e ganancioso, e o sangue fala.

O rei estava confuso.

– Eu pensei que a ama de leite era filha de Craster.

– Esposa e filha, Vossa Graça. Craster se casava com todas as filhas. O menino de Goiva é fruto dessa união.

– O pai a engravidou? – Stannis parecia chocado. – Faremos bem em nos livrar dela, então. Não aceitarei essas abominações aqui. Isto não é Porto Real.

– Posso encontrar outra ama de leite. Se não houver outra entre as selvagens, pedirei uma para os clãs da montanha. Até lá, leite de cabra deverá nutrir o garoto, se for do agrado de Vossa Graça.

– Comida pobre para um príncipe... mas melhor do que leite de prostituta, isso é. – Stannis tamborilou os dedos sobre o mapa. – Se pudermos voltar ao assunto dos fortes...

– Vossa Graça – disse Jon, com fria cortesia –, tenho alojado e alimentado seus homens a um custo terrível para nossos estoques de inverno. Tive que vesti-los para que não congelassem.

Stannis não se importou.

– Sim, você compartilhou seu porco salgado e seu mingau de aveia e jogou alguns panos pretos para nos manter aquecidos. Trapos que os selvagens teriam tirado de seus cadáveres se eu não tivesse vindo para o Norte.

Jon ignorou o comentário.

– Dei forragem para seus cavalos, e uma vez que a escada esteja pronta, enviarei construtores para restaurar Fortenoite. Também concordei que o senhor estabelecesse selvagens na Dádiva, terras que foram dadas para a Patrulha da Noite perpetuamente.

– Você me oferece terras vazias e desoladas e ainda me nega os castelos que exijo para recompensar meus lordes e vassalos.

– A Patrulha da Noite construiu esses castelos...

– E a Patrulha da Noite os abandonou.

– ... para defender a Muralha – Jon completou, teimosamente –, não como lugares para os senhores do Sul. As pedras desses fortes foram assentadas com o sangue e os ossos dos meus irmãos, mortos há muito tempo. Não posso dá-los para o senhor.

– Não pode ou não dará? – As veias no pescoço do rei destacavam-se, afiadas como espadas. – Eu lhe ofereci um nome.

– Eu tenho um nome, Vossa Graça.

– Snow. Alguma vez um nome foi mais de mau agouro? – Stannis tocou o punho da espada. – Quem você pensa que é?

– O patrulheiro na Muralha. A espada na escuridão.

– Não me venha com seu juramento. – Stannis desembainhou a espada que chamava de Luminífera. – *Aqui* está a espada na escuridão. – A luz ondulava para cima e para baixo pela lâmina, ora vermelha, ora amarela, ora laranja, pintando o rosto do rei em duros tons brilhantes. – Até mesmo um menino inexperiente deve ser capaz de ver isto. Você é cego?

– Não, Majestade. Concordo que esses castelos devem ser guarnecidos...

– O garoto comandante concorda. Que sorte.

– ... pela Patrulha da Noite.

– Você não tem homens para isso.

– Então me dê homens, Majestade. Providenciarei oficiais para cada um dos fortes abandonados, comandantes experientes, que conheçam a Muralha e as terras além dela, e saibam como sobreviver ao inverno que está chegando. Em retribuição a tudo o que lhe demos, consiga-me os homens para guarnecer os fortes. Homens em armas, arqueiros, meninos ainda crus. Posso levar até seus feridos e enfermos.

Stannis olhou para ele, incrédulo, e depois deu uma gargalhada.

– Você é realmente ousado, Snow, posso garantir isso, mas é louco se acha que meus homens vão vestir negro.

– Eles podem vestir capas das cores que quiserem, desde que obedeçam a meus oficiais como obedeceriam aos seus.

O rei estava imóvel.

– Tenho cavaleiros e senhores a meu serviço, descendentes de nobres Casas, antigas em sua honra. Não se pode esperar que sigam as ordens de caçadores, camponeses e assassinos.

Ou bastardos, Majestade?

– Sua própria Mão é um contrabandista.

– Era um contrabandista. Cortei seus dedos por isso. Disseram-me que você é o nonocentésimo nonagésimo oitavo homem a comandar a Patrulha da Noite, Lorde Snow. O que você acha que o nonocentésimo nonagésimo nono diria sobre esses castelos? A imagem de sua cabeça em uma lança poderia inspirá-lo a ser mais prestativo. – O rei pousou sua brilhante espada sobre o mapa, ao longo da Muralha, o aço brilhava como a luz do sol na água. – Você só é Senhor Comandante com meu consentimento. É bom que se lembre disso.

– Sou Senhor Comandante porque meus irmãos me escolheram. – Houve manhãs em que Jon Snow quase não acreditava em si mesmo, quando ele acordava pensando que tudo não passava de um pesadelo. *É como colocar novas roupas*, Sam lhe havia dito. *O caimento parece estranho no início, mas assim que você as usa por um tempo, parecem mais confortáveis.*

– Alliser Thorne reclamou da maneira como você foi escolhido, e não posso dizer que ele não tenha razão na queixa. – O mapa permanecia entre eles como um campo de batalha, umedecido pelas cores da espada brilhante. – A contagem foi feita por um *homem cego*, com seu amigo gordo ao lado. E Slynt chama você de vira-casaca.

E quem reconheceria um melhor do que Slynt?

– Um vira-casaca diria o que o senhor deseja ouvir e o trairia mais tarde. Vossa Graça sabe que fui escolhido de forma justa. Meu pai sempre disse que o senhor é um homem justo. – *Justo mas rigoroso* haviam sido as palavras exatas de Lorde Eddard, mas Jon achava que não seria sensato partilhar isso.

– Lorde Eddard não era meu amigo, mas não era destituído de algum juízo. Ele teria me dado esses castelos.

Nunca.

– Não posso dizer o que meu pai teria feito. Eu fiz um juramento, Vossa Graça. A Muralha é minha.

– Por enquanto. Veremos como vai mantê-la. – Stannis apontou para ele. – Fique com suas ruínas, se elas significam tanto para você. No entanto, eu prometo que, se alguma delas permanecer vazia quando o ano terminar, eu as tomarei com ou sem sua permissão. E se uma delas cair para o inimigo, sua cabeça a seguirá na sequência. Agora, saia.

A Senhora Melisandre levantou-se de seu lugar próximo à lareira.

– Com sua permissão, Majestade, levarei Lorde Snow de volta aos aposentos dele.

– Por quê? Ele sabe o caminho. – Stannis acenou para que os dois fossem embora. – Faça o que quiser. Devan, comida. Ovos cozidos e água de limão.

Depois do calor vindo dos aposentos do rei, a escada encaracolada parecia assustadoramente fria.

– O vento está aumentando, senhora – o sargento avisou Melisandre enquanto devolvia as armas de Jon. – Deveria colocar uma capa mais quente.

– Tenho minha fé para me aquecer. – A mulher vermelha desceu a escada ao lado de Jon. – Sua Graça está gostando cada vez mais de você.

– Percebi. Ele só ameaçou cortar minha cabeça duas vezes.

Melisandre riu.

– São seus silêncios que você deve temer, não suas palavras. – Assim que saíram para o pátio, o vento fez o manto de Jon bater contra ela. A sacerdotisa vermelha empurrou a lã negra para o lado e passou o braço pelo dele. – É possível que você não esteja errado sobre o rei selvagem. Vou rezar para o Senhor da Luz me orientar. Quando olho para as chamas, posso ver através da pedra e da terra e encontrar a verdade nas almas dos homens. Posso falar com reis há muito mortos e com crianças que ainda não nasceram, e assistir aos anos e às estações do tremulante passado, até o final dos dias.

– E o fogo nunca erra?

– Nunca... apesar de que nós, sacerdotes, somos mortais e algumas vezes erramos, confundindo o deve ser com o pode ser.

Jon podia sentir o coração dela, mesmo através da lã e do couro fervido. A imagem dos dois de braços dados formava um quadro curioso. *Teremos fofoca nos alojamentos esta noite.*

– Se você realmente pode ver o futuro nas chamas, me diga quando e como o próximo ataque dos selvagens virá. – Ele escorregou o braço, libertando-se dela.

– R'hllor nos manda as visões que ele deseja, mas procurarei por este homem, Tormund, nas chamas. – Os lábios de Melisandre se curvaram em um sorriso. – Já vi você nas chamas, Jon Snow.

– É uma ameaça, senhora? Quer me queimar também?

– Você se engana com meus propósitos. – Ela lhe deu um olhar inquiridor. – Temo tê-lo deixado inquieto, Lorde Snow.

Jon não podia negar.

– A Muralha não é lugar para uma mulher.

– Está enganado. Sonhei com sua Muralha, Jon Snow. Grande foi o conhecimento que a ergueu e grandes foram os feitiços presos sob seu gelo. Nós caminhamos por baixo de uma dobradiça do mundo. – Melisandre olhou para ele, seu hálito quente formando uma nuvem úmida no ar. – Este é meu lugar tanto quanto é seu, e logo você precisará seriamente de mim. Não recuse minha amizade, Jon. Vi você na tempestade, muito pressionado, com inimigos por todos os lados. Você tem tantos inimigos... Devo dizer-lhe seus nomes?

– Eu sei os nomes.

– Não esteja tão certo disso. – O rubi na garganta de Melisandre brilhava, vermelho. – Não são os inimigos que o maldizem abertamente que você deve temer, mas aqueles que sorriem quando você está olhando e amolam as facas quando você vira as costas. Faz bem em manter seu lobo sempre por perto. Gelo, eu vi, e adagas na escuridão. Sangue congelado vermelho e duro, e aço nu. Estava muito frio.

– É sempre frio na Muralha.

– Você acha?

– *Eu sei*, senhora.

– Então você não sabe nada, Jon Snow – ela sussurrou.

Bran

Já estamos lá? – Bran nunca dizia as palavras em voz alta, mas elas estavam frequentemente em seus lábios, conforme a esfarrapada companhia marchava através de bosques de carvalhos antigos e imponentes e sentinelas verde-acinzentadas, passando por pinheiros sombrios e castanheiros desfolhados. *Estamos perto?*, o garoto se perguntava, enquanto Hodor subia uma encosta rochosa, ou descia por alguma fenda escura, onde montes de neve suja rachavam sob seus pés. *Quanto falta?*, ele pensava, cada vez que o grande alce atravessava um córrego semicongelado. *Quanto tempo mais? Está tão frio. Cadê o corvo de três olhos?*

Balançando na cesta de vime nas costas de Hodor, o menino debruçava-se, abaixando a cabeça sempre que o cavalariço passava sob o galho de um carvalho. A neve caía novamente, molhada e pesada. Hodor andava com um dos olhos fechado congelado, a espessa barba castanha emaranhada com a geada e gelo pendurado nas pontas do bigode. Uma mão enluvada ainda segurava a longa espada que pegara das criptas sob Winterfell, e de tempos em tempos ele se lançava em batalha imaginária, espalhando a neve. – Hod-d-d-dor –, resmungava, com os dentes batendo.

O som era estranhamente reconfortante. Na jornada de Winterfell até a Muralha, Bran e seus companheiros haviam tornado os quilômetros mais curtos conversando e contando histórias, mas aqui era diferente. Até mesmo Hodor sentira. Seus *hodors* ficaram menos frequentes do que eram ao sul da Muralha. Havia um silêncio naquela floresta diferente de qualquer coisa que Bran conhecera. Antes de começar a nevar, o vento norte rodopiava ao redor do grupo e nuvens de folhas mortas e marrons quicavam no solo, com um crepitar que lembrava baratas correndo em um armário. Mas agora as folhas estavam todas enterradas sob um cobertor branco. De tempos em tempos, um corvo voava para o alto, batendo as grandes asas negras contra o ar frio. Caso contrário, o mundo ficava em silêncio.

Um pouco mais à frente, o alce avançava entre os montes de neve com a cabeça baixa, a enorme galhada coberta por uma crosta de gelo. O cavaleiro sentava nas costas do animal, triste e silencioso. *Mãos Frias* era o nome que o rapaz gordo, Sam, lhe dera, pois embora o homem tivesse o rosto pálido, suas mãos eram negras e duras como ferro, e também frias como o metal. O resto dele estava envolto em camadas de lã, couro fervido e cota de malha, suas feições encobertas por uma capa com capuz e um lenço preto cobrindo a metade inferior do rosto.

Atrás do cavaleiro, Meera Reed passara os braços ao redor do irmão, para protegê-lo do vento e do frio com o calor do próprio corpo. Uma crosta de ranho congelado havia se formado sob o nariz de Jojen e, de vez em quando, ele tremia violentamente. *Ele parece tão pequeno*, Bran pensou quando o viu tremer. *Parece menor que eu e mais fraco também, e eu sou o aleijado.*

Verão vinha na traseira do pequeno bando. A respiração do lobo gigante congelava no ar da floresta, conforme ele caminhava atrás deles, ainda mancando da pata que havia sido atingida por uma flecha na Coroadarrainha. Bran sentia a dor da velha ferida toda vez que escorregava para dentro da pele do animal. Ultimamente, Bran usava mais a pele de Verão do que a sua própria; o lobo sentia a mordida do frio, apesar da espessura de sua pelagem, mas podia ver mais e ouvir melhor do que o garoto na cesta, empacotado como um bebê em seus cueiros.

Outras vezes, quando estava cansado de ser um lobo, Bran escorregava para dentro da pele de Hodor. O gentil gigante gemia quando o sentia, e batia na cabeça, enquanto a balançava de um lado para o outro, mas não tão violentamente como havia sido na primeira vez, na Coroadarrainha. *Ele sabe que sou eu*, o garoto gostava de dizer para si mesmo. *Está se acostumando comigo agora.* Mesmo assim, ele nunca se sentiu confortável na pele de Hodor. O grande cavalariço não entendia o que estava acontecendo, e Bran podia sentir seu medo no fundo da boca. Sentia-se melhor dentro de Verão. *Eu sou ele, e ele sou eu. Ele sente o que eu sinto.*

Algumas vezes, Bran podia sentir o lobo gigante farejando atrás do alce, perguntando--se se conseguiria abater o grande animal. Verão crescera acostumado aos cavalos de Winterfell, mas isso era um alce, e alces são presas. O lobo gigante podia sentir o sangue correndo por trás dos pelos desgrenhados do alce. Só o cheiro era suficiente para fazer a saliva escorrer entre suas mandíbulas, e quando isso acontecia, a boca de Bran se enchia d'água por pensar na quente e deliciosa carne.

Um corvo *crocitou* em um carvalho perto dali, e Bran ouviu o som das asas de outro desses grandes pássaros batendo ao seu lado. Durante o dia, apenas meia dúzia de corvos ficava com eles, voando de árvore em árvore, ou pousando nos chifres do alce. O resto do bando voava na frente ou ficava para trás. Mas quando o sol caía, eles voltavam, descendo do céu em asas negras como a noite até que todos os ramos das árvores ficassem lotados deles por metros. Alguns gostavam de voar até o cavaleiro e murmurar para ele, e, para Bran, parecia que ele entendia os *crocs* e *uocs* das aves. *Elas são seus olhos e ouvidos. São suas batedoras e lhe sussurram os perigos que estão à frente e atrás.*

Como agora. O alce parou abruptamente, e o cavaleiro desceu de suas costas, atingindo o chão com neve até os joelhos. Verão rosnou para ele, o pelo eriçado. O lobo gigante não gostava do cheiro de Mãos Frias. *Carne morta, sangue seco, um fraco odor de podridão. E frio. Sobretudo frio.*

– O que foi? – Meera quis saber.

– Atrás de nós – Mãos Frias anunciou, a voz abafada pelo lenço negro sobre o nariz e a boca.

– Lobos? – Bran perguntou. Eles sabiam havia dias que estavam sendo seguidos. Todas as noites ouviam o uivo triste da matilha, e todas as noites os lobos pareciam um pouco mais próximos. *Caçadores, e com fome. Eles podem cheirar quão fracos estamos.* Muitas vezes, Bran acordava tremendo antes do amanhecer e ficava ouvindo o som deles chamando uns aos outros ao longe, enquanto esperava o sol nascer. *Se há lobos aqui, deve haver presas,* ele costumava pensar, até perceber que *eles* eram a presa.

O cavaleiro balançou a cabeça.

– Homens. Os lobos ainda mantêm distância. Esses homens não são tão tímidos.

Meera Reed empurrou o capuz para trás. A neve úmida que o cobria caiu no chão, com um baque surdo.

– Quantos homens? Quem são eles?

– Inimigos. Lidarei com eles.

– Vou com você.

– Você fica. O garoto deve ser protegido. Há um lago adiante, totalmente congelado. Quando chegar lá, virem para o norte e sigam a margem. Vocês chegarão a uma vila de pescadores. Se refugiem lá até que eu possa alcançá-los.

Bran achou que Meera fosse argumentar, até que o irmão dela disse:

– Faça o que ele diz. Ele conhece estas terras. – Os olhos de Jojen estavam verde-escuros, da cor do musgo, mas pesados com um cansaço que Bran nunca tinha visto neles. *O pequeno avô.* Ao sul da Muralha, o garoto cranogmano parecia ser mais sábio do que sua idade, mas ali estava tão perdido e assustado quanto o resto deles. Mesmo assim, Meera sempre o ouvia.

E ainda era assim. Mãos Frias sumiu por entre as árvores, no caminho por onde tinham vindo, com quatro corvos voando atrás dele. Meera o viu partir, as bochechas vermelhas pelo frio, a respiração soprando gelada pelas narinas. Puxou o capuz de volta, deu uma cotovelada no alce, e a jornada deles recomeçou. Antes que tivessem caminhado vinte metros, ela olhou para trás e comentou:

– Homens, ele disse. Que homens? Será que quis dizer selvagens? Por que não disse?

– Ele disse que lidaria com eles – Bran respondeu.

– Ele *disse*, sim. Também disse que nos levaria ao corvo de três olhos. O rio que cruzamos esta manhã é o mesmo que cruzamos há quatro dias, eu juro. Estamos andando em círculos.

– Rios fazem curvas – Bran disse, sem muita certeza –, e onde há lagos e colinas, você precisa dar a volta.

– Temos dado muitas *voltas* – Meera insistiu –, e há segredos demais. Não gosto disso. Não gosto dele. E não confio nele. Aquelas mãos dele não são coisa boa. Ele esconde o rosto e não diz seu nome. Quem é ele? O *que* é ele? Qualquer um pode vestir uma capa negra. Qualquer um ou qualquer coisa. Ele não come, nunca bebe, não parece sentir frio.

É verdade. Bran tivera medo de comentar, mas tinha notado. Toda vez que se abrigavam para a noite, enquanto ele, Hodor e os Reed se aconchegavam todos juntos, para se aquecerem, o cavaleiro permanecia afastado. Algumas vezes Mãos Frias fechava os olhos, mas Bran não achava que ele dormia. E havia algo mais...

– O lenço. – Bran olhou em volta, inquieto, mas não havia nenhum corvo à vista. Todas as grandes aves negras os tinham deixado juntamente com o cavaleiro. Ninguém estava ouvindo. Mesmo assim, manteve a voz baixa. – O lenço sobre a boca, ele nunca fica duro com o gelo, como a barba de Hodor. Nem mesmo quando ele fala.

Meera lhe deu um olhar penetrante.

– Você está certo. Nunca vimos sua respiração, vimos?

– Não. – Um sopro branco anunciava cada um dos *hodors* de Hodor. Quando Jojen ou sua irmã falavam, suas palavras também podiam ser vistas. Até mesmo o alce soltava uma névoa branca quando resfolegava.

– Se ele não respira...

Bran se pegou lembrando das histórias que a Velha Ama contava, quando ele ainda era uma criança. *Para lá da Muralha vivem monstros, os gigantes e os fantasmas, sombras que perseguem pessoas e mortos que andam*, ela dizia, enfiando-o embaixo do cobertor de lã áspera, *mas eles não podem passar para cá enquanto a Muralha permanecer forte e os homens da Patrulha da Noite permanecerem fiéis. Então durma, meu pequeno Brandon, meu menininho, e sonhe doces sonhos.* O cavaleiro vestia o negro da Patrulha da Noite, mas e se não fosse totalmente humano? E se ele fosse algum monstro, levando-os para que outros monstros os devorassem?

– O cavaleiro salvou Sam e a garota das criaturas – Bran disse, hesitante – e está me levando para o corvo de três olhos.

– Por que esse corvo não pode vir até nós? Por que *ele* não pode nos encontrar na Muralha? Corvos têm asas. Meu irmão fica mais fraco a cada dia. Até onde podemos ir?

Jojen tossiu.

– Até chegarmos lá.

Chegaram ao lago prometido não muito tempo depois e viraram para o Norte, como o cavaleiro lhes dissera para fazer. Essa era a parte fácil.

A água estava congelada, e a neve, que caía havia tanto tempo que Bran perdera a conta dos dias, transformara o lago em um vasto deserto branco. Onde o gelo era plano e o chão, acidentado, o percurso era fácil, mas onde o vento tinha amontoado a neve, era difícil dizer em que parte o lago terminava e a costa começava. Nem mesmo as árvores eram o guia infalível que poderiam ter imaginado, pois havia ilhas arborizadas no lago e grandes áreas de terra em que não cresciam árvores.

O alce ia para onde queria, independentemente dos desejos de Meera e Jojen em suas costas. Seguia em geral por baixo das árvores, mas onde a costa fazia uma longa curva para oeste, ele tomou o caminho mais curto através do lago congelado, passando por montes de neve mais altos do que Bran, conforme o gelo estalava sob seus cascos. Ali o vento estava mais forte, um frio norte que uivava através do lago, atravessava as camadas de lã e couro e fazia todos tremerem. Conforme batia no rosto, enchia os olhos de neve, deixando-os quase cegos.

Horas se passaram em silêncio. À frente, as sombras começaram a esconder as árvores, como longos dedos do crepúsculo. A escuridão chegava mais cedo nesse extremo norte. Bran temia isso. Cada dia parecia mais curto que o anterior e, se os dias eram frios, as noites eram amargamente cruéis.

Meera parou novamente.

– Já devíamos ter chegado à aldeia. – Sua voz soava abafada e estranha.

– Será que passamos por ela? – Bran perguntou.

– Espero que não. Precisamos encontrar abrigo antes do anoitecer.

Não estava errada. Os lábios de Jojen estavam azuis, e as bochechas de Meera, vermelho-escuras. O próprio Bran tinha o rosto dormente. A barba de Hodor era gelo sólido. A neve cobria as pernas do cavalariço até quase o joelho, e Bran o sentiu cambalear mais de uma vez. Ninguém era mais forte que Hodor, ninguém. Se até mesmo sua grande força estava falhando...

– Verão pode achar a vila – Bran disse de repente, as palavras formando brumas no ar. Não esperou para ouvir o que Meera poderia dizer, mas fechou os olhos e fluiu para fora de seu corpo quebrado.

Quando deslizou para dentro da pele de Verão, a floresta morta voltou subitamente à vida. Onde antes havia silêncio, agora ele ouvia: vento nas árvores, a respiração de Hodor, o alce fuçando o chão em busca de forragem. Aromas familiares preencheram suas narinas: folhas molhadas, grama morta, a carcaça podre de um esquilo em decomposição, o cheiro azedo de suor humano, o odor almiscarado do alce. *Comida. Carne.* O alce sentiu seu interesse. Virou a cabeça em direção ao lobo gigante, cauteloso, e baixou os grandes chifres.

Ele não é presa, o menino sussurrou para o animal com quem dividia a pele. *Deixe-o. Corra.*

Verão correu. Correu através do lago, suas patas levantando nuvens de neve atrás dele. As árvores estavam ombro a ombro, como homens em uma linha de batalha, tudo envolto em branco. Sobre raízes e rochas, o lobo gigante acelerou, passando por um velho monte de neve, a crosta de gelo crepitando sob seu peso. Suas patas ficavam cada vez mais molhadas e frias. A colina seguinte estava coberta de pinheiros, e o forte cheiro de suas folhas, longas e pontudas como agulhas, encheu o ar. Quando chegou ao topo, virou em círculos, farejou o ar, então levantou a cabeça e uivou.

Os cheiros estavam lá. Cheiros humanos.

Cinzas, pensou Bran, *velhas e fracas, mas cinzas.* Era cheiro de madeira queimada, fuligem e carvão. Um fogo morto.

Ele sacudiu a neve do focinho. O vento vinha em rajadas, o que dificultava seguir os cheiros. O lobo virou para um lado e para o outro, farejando. Para onde virasse só havia montes de neve e altas árvores vestidas de branco. O lobo pendeu a língua entre os dentes, sentindo o gosto do ar gelado, seu hálito transformando-se em flocos de neve derretidos na língua. Quando trotou em direção ao cheiro, Hodor imediatamente os seguiu. O alce levou mais tempo para se decidir, então Bran, relutantemente, voltou para seu próprio corpo e disse:

– É por ali. Sigam Verão. Senti o cheiro.

Quando a primeira fatia de lua crescente espreitou por entre as nuvens, eles finalmente tropeçaram na vila. Quase tinham passado direto por ela. Visto do gelo, o lugar não parecia em nada diferente do que uma dúzia de outros pontos ao longo da margem do lago. Enterradas sobre montes de neve, as casas de pedra redondas poderiam facilmente ser pedras, montes, ou árvores caídas, como o tronco que Jojen havia confundido com uma construção na noite anterior, até que cavaram e encontraram apenas galhos quebrados e toras podres.

A vila estava vazia, abandonada pelos selvagens que ali viveram um dia, como todas as outras vilas pelas quais passaram. Algumas tinham sido queimadas, como se os habitantes quisessem se assegurar de que nada sairia rastejando de lá, mas esta fora poupada. Sob a neve, encontraram uma dúzia de cabanas e um grande salão, com telhado de grama e espessas paredes de toscas toras de madeira.

– Pelo menos estaremos longe do vento – Bran disse.

– *Hodor* – respondeu Hodor.

Meera deslizou das costas do alce. Ela e o irmão ajudaram Bran a sair da cesta de vime.

– Talvez os selvagens tenham deixado um pouco de comida para trás – ela disse.

A esperança provou-se vã. Dentro do salão, encontraram cinzas de um incêndio, chão de terra batida e um frio que atravessava os ossos. Mas pelo menos tinham um teto sobre suas cabeças e paredes de madeira para manter o vento afastado. Um córrego corria nas proximidades, coberto por uma película de gelo. O alce teve que quebrá-la com o casco para beber. Assim que Bran, Jojen e Hodor foram acomodados de maneira segura, Meera trouxe alguns pedaços de gelo quebrado para que chupassem. A água derretida estava tão fria que fez Bran estremecer.

Verão não os seguiu para dentro do salão. Bran podia sentir a fome do lobo, uma sombra de seu próprio apetite.

– Vá caçar – ele disse –, mas deixe o alce em paz. – Parte dele desejava ir caçar também. Talvez fosse, mais tarde.

A ceia foi um punhado de bolotas amassadas até se transformarem em pasta, tão amarga que Bran se esforçava para engoli-la. Jojen Reed nem sequer tentou. Mais jovem e mais frágil que sua irmã, ele ficava mais fraco a cada dia.

– Jojen, você tem que comer – Meera disse a ele.

– Mais tarde. Quero só descansar. – Jojen deu um sorriso amarelo. – Este não é o dia em que morro, irmã. Prometo a você.

– Você quase caiu do alce.

– Quase. Estou com frio e com fome, é tudo.

– Então coma.

– Bolotas amassadas? Minha barriga dói, mas isso só vai piorá-la. Deixe-me quieto, irmã. Estou sonhando com uma galinha assada.

– Sonhos não vão alimentá-lo. Nem mesmo sonhos verdes.

– Sonhos são o que temos.

Tudo o que temos. A última comida que trouxeram do Sul acabara havia dez dias. A partir daí, a fome andou ao lado deles dia e noite. Nem mesmo Verão conseguia encontrar alguma coisa nessa floresta. Viviam de bolotas amassadas e peixe cru. Os bosques estavam cheios de riachos congelados e negros lagos frios, e Meera era tão boa pescadora com sua lança de três pontas quanto a maioria dos homens era com linha e anzol. Algumas vezes seus lábios ficavam azuis de frio, pelo tempo que passava lutando para voltar com a presa se contorcendo nos dentes da lança. Mas já fazia mais de três dias que Meera pegara um peixe. Bran sentia a barriga tão vazia que parecia ter sido três anos antes.

Depois de empurrarem goela abaixo sua escassa ceia, Meera sentou-se de costas contra a parede, afiando sua adaga com uma pedra de amolar. Hodor agachou-se ao lado da porta, balançando para a frente e para trás e resmungando, *Hodor, hodor, hodor.*

Bran fechou os olhos. Estava muito frio para conversar, e eles não ousavam acender o fogo. Mãos Frias os avisara. *Estas florestas não estão tão vazias quanto pensam,* dissera. *Vocês não sabem o que a luz pode atrair das trevas.* A lembrança o fez tremer, apesar do calor de Hodor ao seu lado.

O sono não viria, não poderia vir. Em vez disso, havia vento, o frio cortante, a luz da lua sobre a neve e fogo. Ele estava novamente dentro do Verão, a léguas de distância, e a noite estava pesada com o cheiro de sangue. O odor era forte. *Uma matança, não muito longe.* A carne ainda estaria quente. A baba escorreu pelos dentes, enquanto a fome acordou dentro dele. *Nada de alce. Nada de veados. Nada disso.*

O lobo gigante moveu-se em direção à carne, uma magra sombra cinza deslizando de árvore em árvore, através de piscinas de luar e sobre montes de neve. O vento soprava em torno dele, mudando de direção. Perdeu o rastro, encontrou e perdeu novamente. Procurou mais uma vez, e um som distante fez suas orelhas ficarem em pé.

Lobos, soube imediatamente. Verão seguiu em direção ao som, mais cauteloso. Logo o cheiro de sangue tinha voltado, mas havia outros odores também; urina e peles mortas, merda de pássaros, penas e lobo, lobo, lobo. *Uma matilha*. Precisaria lutar por sua carne.

Eles também o haviam cheirado. Quando saiu da escuridão das árvores na clareira sangrenta, eles o observavam. A fêmea mastigava uma bota de couro que ainda tinha metade de uma perna dentro, mas deixou cair conforme ele se aproximou. O líder da matilha, um velho macho com o focinho grisalho e um olho cego, saiu para enfrentá-lo, rosnando, com os dentes de fora. Atrás dele, um macho mais jovem também mostrava as presas.

Os claros olhos amarelos do lobo gigante absorveram os detalhes da paisagem ao redor. Um ninho de entranhas enroscadas nos ramos de um arbusto. Vapor saindo de uma barriga aberta, suculento com o cheiro de sangue e carne. Uma cabeça olhando para o vazio até a lua crescente, as bochechas rasgadas, destruídas até se tornarem osso sangrento, covas no lugar dos olhos, o pescoço terminando em um toco irregular. Uma poça de sangue congelado, brilhando vermelho e negro.

Homens. O fedor deles enchia o mundo. Vivos, haviam sido tantos quantos os dedos de uma pata humana, mas ali não eram nada. *Mortos. Feito. Carne*. Haviam usado mantos e capuzes, mas os lobos haviam rasgado suas roupas em pedaços, no frenesi de chegar à carne. Os que ainda tinham rosto usavam barba espessa encrustada de gelo e ranho congelado. A neve que caía começara a enterrar o que restava deles, tão pálidos contra o negro dos mantos e das calças esfarrapadas. *Negro*.

A léguas de distância, o menino se agitava, inquieto.

Negro. A Patrulha da Noite. Eram patrulheiros.

O lobo gigante não se importava. Eram carne. Estava com fome.

Os olhos dos três lobos brilharam, amarelos. O lobo gigante balançou a cabeça de um lado para o outro, expandiu as narinas e arreganhou os dentes num rosnado. O macho mais jovem recuou. O lobo gigante podia sentir o cheiro do medo dele. *Seguidor*, ele sabia. Mas o lobo de um olho respondeu com um rosnado e moveu-se para bloquear seu avanço. *Macho alfa. E não tem medo de mim, embora eu tenha o dobro do seu tamanho*.

Seus olhos se encontraram.

Warg!

Então os dois avançaram ao mesmo tempo, lobo e lobo gigante, e não havia mais tempo para pensar. O mundo resumia-se a dentes e garras, e neve a voar enquanto eles rolavam, giravam um ao outro e se rasgavam, os outros lobos rosnando e andando em volta deles. Sua mandíbula fechou no pelo liso emaranhado com a geada, em uma pata fina como um graveto, mas o lobo caolho acertou a garra em sua barriga, rasgando-a, e se libertou, partindo para cima dele. Presas amarelas fecharam em uma dentada em sua garganta, mas ele sacudiu o velho primo cinzento como se fosse um rato, jogando-o para longe e depois derrubando-o. Rolando, rasgando, chutando, lutaram até ficarem cobertos pelo sangue fresco espalhado na neve ao redor. Finalmente o velho lobo caolho se deitou e mostrou a barriga. O lobo gigante o agarrou mais duas vezes, cheirou seu traseiro e, em seguida, levantou a perna sobre ele.

Algumas dentadas e um rosnado de aviso, e a fêmea e o macho seguidor também se submeteram. A matilha era dele.

E a presa também. Passou de homem em homem, farejando, antes de escolher o maior, uma coisa sem rosto que segurava um ferro negro em uma das mãos. A outra mão estava faltando, cortada na altura do pulso, o coto coberto com couro. O sangue fluiu espesso e lento, a partir do corte na garganta. O lobo lambeu o sangue, lambeu o nariz e as bochechas da esfarrapada ruína sem olhos, depois enterrou o focinho no pescoço e rasgou-o, engolindo um pedaço de doce carne crua. Nenhuma outra carne fora tão boa.

Quando acabou com o primeiro, partiu para o próximo e devorou os melhores pedaços dele também. Corvos assistiam das árvores, olhos escuros e silenciosos empoleirados nos galhos, e a neve caindo ao redor deles. Os outros lobos atacaram as sobras; o velho macho se alimentou primeiro, depois a fêmea e então o seguidor. Eram seus agora. Eram sua matilha.

Não, o garoto sussurrou, *nós temos outra matilha. Lady está morta e talvez Vento Cinzento também, mas Cão Felpudo, Nymeria e Fantasma ainda estão em algum lugar. Lembra do Fantasma?*

A neve caindo e o banquete dos lobos começaram a ficar indistintos. O calor batia em seu rosto, reconfortante como beijos de uma mãe. *Fogo,* ele pensou, *fumaça.* Seu nariz se contraiu com o cheiro de carne assada. E então a floresta sumiu, e ele estava de volta ao salão, novamente em seu corpo quebrado, olhando para o fogo. Meera Reed virava um pedaço de carne vermelha crua sobre as chamas, deixando-a chamuscar e pingar.

– Bem na hora – ela disse. Bran esfregou os olhos com a palma da mão e se contorceu contra a parede, para sentar. – Você quase dormiu durante a ceia. O cavaleiro encontrou uma porca.

Atrás dela, Hodor rasgava ansiosamente um pedaço quente de carne queimada, enquanto sangue e gordura escorriam em sua barba. Fumaça subia pelos dedos. *Hodor,* ele murmurava entre as mordidas, *hodor, hodor.* Sua espada estava no chão, ao seu lado. Jojen Reed beliscava uma porção com pequenas mordidas, mastigando cada pedaço de carne uma dúzia de vezes antes de engolir.

O cavaleiro matou um porco. Mãos Frias estava ao lado da porta, com um corvo no braço, ambos olhando para o fogo. O reflexo das chamas brilhava em quatro olhos negros. *Ele não come,* Bran se lembrou, *e tem medo das chamas.*

– Sem fogo, você disse – lembrou ao cavaleiro.

– As paredes ao nosso redor escondem a luz, e o amanhecer está próximo. Partiremos em breve.

– O que aconteceu com os homens? Com os inimigos que nos seguiam?

– Eles não o incomodarão.

– Quem eram? Selvagens?

Meera virou a carne para cozinhar do outro lado. Hodor mastigava e engolia, murmurando alegremente sob sua respiração. Apenas Jojen parecia perceber o que estava acontecendo, quando Mãos Frias virou a cabeça para olhar Bran.

– Eram inimigos.

Homens da Patrulha da Noite. – Você os matou. Você e seus corvos. Seus rostos estavam rasgados, e os olhos tinham sumido. – Mãos Frias não negou. – Eram seus irmãos. Eu vi. Os lobos rasgaram suas roupas, mas eu ainda consegui ver. As capas eram negras.

Como suas mãos. – Mão Frias não falou nada. – Quem é você? Por que suas mãos são negras?

O cavaleiro olhou as mãos, como se nunca as tivesse notado antes.

– Assim que o coração para de bater, o sangue do homem corre para as extremidades, onde engrossa e congela. – Sua voz falhava na garganta, tão fina e fraca como ele. – As mãos e os pés incham e ficam negros como chouriço. O resto dele torna-se branco como leite.

Meera Reed se levantou, com a lança na mão, um naco de carne defumada ainda espetado no tridente.

– Mostre seu rosto.

O cavaleiro não fez nenhum gesto para obedecer.

– Ele está morto. – Bran podia sentir a bile em sua garganta. – Meera, ele é alguma coisa morta. Os monstros não podem passar enquanto a Muralha estiver em pé e os homens da Patrulha da Noite permanecerem fiéis, era o que a Velha Ama costumava dizer. Ele nos encontrou na Muralha, mas não podia passar. Mandou Sam em vez disso, e aquela garota selvagem.

A mão enluvada de Meera apertou o cabo do tridente.

– Quem mandou você? Quem é o corvo de três olhos?

– Um amigo. Sonhador, feiticeiro, você pode chamá-lo do que quiser. O último vidente verde. – A porta de madeira do salão se abriu com um estrondo. Lá fora o vento da noite uivava, sombrio e negro. As árvores estavam cheias de corvos gritando. Mãos Frias não se moveu.

– Um monstro – Bran disse.

O cavaleiro olhou para Bran como se o resto deles não existisse.

– Seu monstro, Brandon Stark.

Seu, o corvo ecoou, em seu ombro. Do lado de fora da porta, os corvos nas árvores se uniram ao coro, e a floresta noturna parecia ecoar a canção do assassino: *Seu, seu, seu.*

– Jojen, você sonhou com isso? – Meera perguntou para o irmão. – Quem é ele? O que é ele? O que fazemos agora?

– Nós vamos com o cavaleiro – Jojen disse. – Viemos longe demais para voltar agora, Meera. Nunca chegaríamos vivos à Muralha. Vamos com o monstro de Bran, ou morreremos.

Tyrion

Deixaram Pentos pelo Portão do Nascer do Sol, embora Tyrion Lannister não tivesse nem vislumbrado o nascer do sol.

– Será como se você nunca tivesse vindo a Pentos, meu pequeno amigo – prometeu o Magíster Illyrio, ao fechar a cortina de veludo roxo da liteira. – Nenhum homem deve vê-lo sair da cidade, assim como nenhum o viu entrar.

– Nenhum homem, com exceção dos marinheiros que me enfiaram naquele barril, do grumete que limpava minha cabine, da garota que você enviou para esquentar minha cama e daquela lavadeira sardenta e traiçoeira. Ah, e de seus guardas. A menos que remova a inteligência deles juntamente com as bolas, eles sabem que você não está sozinho aqui. – A liteira estava suspensa entre oito cavalos de lida, em pesadas tiras de couro. Quatro eunucos seguiam ao lado dos animais, dois de cada lado, e outros mais caminhavam logo atrás, para proteger o comboio de bagagens.

– Imaculados não contam histórias – Illyrio lhe assegurou. – A galé que o deixou aqui estava a caminho de Asshai. Levará uns dois anos até voltar, se os mares forem gentis. E o pessoal da minha casa me ama. Nenhum deles me trairia.

Acalente este pensamento, meu gordo amigo. Um dia entalharemos essas palavras sobre sua cripta.

– Devíamos estar a bordo de uma galé – disse o anão. – O caminho mais rápido para Volantis é por mar.

– O mar é perigoso – respondeu Illyrio. – O outono é uma época repleta de tempestades, e os piratas ainda fazem seus covis no Passopedra, e de lá se aventuram em rapinar homens honestos. Nunca faria algo para que meu pequeno amigo caísse em tais mãos.

– Há piratas no Roine também.

– Piratas dos rios. – O queijeiro deu um bocejo, cobrindo a boca com as costas da mão. – Baratas correndo atrás de migalhas.

– Ouve-se falar em homens de pedra também.

– São bastante reais, pobres condenados. Mas por que falar de tais coisas? O dia está muito agradável para essas conversas. Veremos o Roine em breve, e lá você se livrará de Illyrio e sua barriga grande. Até lá, vamos beber e sonhar. Temos vinho doce e petiscos para desfrutar. Por que nutrir-se de doença e morte?

Por que, realmente? Tyrion se perguntou e ouviu o zumbido de uma besta uma vez mais. A liteira balançava de um lado para o outro, um movimento suave que o fazia sentir-

-se como se fosse uma criança embalada para dormir nos braços da mãe. *Não que eu saiba como é isso.* Almofadas de seda, recheadas de penas de ganso, acomodavam suas bochechas. As paredes de veludo roxo curvavam-se para formar um telhado, tornando o lugar agradavelmente quente por dentro, apesar do frio de outono do lado de fora.

Um comboio de mulas ia atrás deles, carregando caixas, tonéis, barris e cestas de iguarias para aplacar o apetite constante do senhor do queijo. Aquela manhã, eles mordiscaram linguiça picante, regada com um vinho escuro defumado. Enguias gelatinosas e vinhos vermelhos dornenses encheram a tarde. Com a noite vieram presuntos em fatias, ovos cozidos e cotovias assadas recheadas com alho e cebola, com cervejas claras e o apimentado vinho de Myr para ajudar a digestão. A liteira era tão lenta quanto confortável, mas em pouco tempo o anão se viu com coceiras de impaciência.

– Quantos dias até chegarmos ao rio? – ele perguntara a Illyrio naquela noite. – Nesta toada, os dragões da sua rainha serão maiores que os três de Aegon quando eu conseguir colocar os olhos neles.

– Antes fossem. Um dragão grande é mais temível do que um pequeno. – O Magíster encolheu os ombros. – Por mais que fosse do meu agrado dar as boas-vindas à Rainha Daenerys em Volantis, devo confiar em você e em Griff para isso. Posso servir melhor em Pentos, abrindo caminho para o retorno dela. Por enquanto fico com você, embora... bem, um homem velho e gordo deve ter seu conforto, não é? Coma, beba um copo de vinho.

– Diga-me – Tyrion disse enquanto bebia –, por que um Magíster de Pentos daria três figos que fosse para quem usa a coroa em Westeros? Onde está seu ganho nessa aventura, senhor?

O homem gordo limpou a gordura dos lábios.

– Sou um velho, cansado deste mundo e de suas traições. É tão estranho que eu queira fazer algum bem antes do fim dos meus dias para ajudar uma doce garota a recuperar o que é dela por direito de nascimento?

Daqui a pouco você vai me oferecer uma armadura mágica e um palácio em Valíria.

– Se Daenerys não é mais do que uma doce jovem, o Trono de Ferro vai cortá-la em doces jovens pedaços.

– Não tema, meu pequeno amigo. O sangue de Aegon, o Dragão, corre nas veias dela.

Juntamente com o sangue de Aegon, o Indigno; Maegor, o Cruel; e Baelor, o Abençoado.

– Fale-me mais sobre ela.

O homem gordo ficou pensativo.

– Daenerys era meio criança quando veio até mim, ainda mais fresca que minha segunda mulher, tão adorável que fiquei tentado a reivindicá-la para mim mesmo. Mas uma coisa furtiva, assim como um temor, me dizia que eu não teria nenhuma alegria em copular com ela. Em vez disso, chamei alguém para aquecer minha cama e a fodi vigorosamente, até que a loucura passasse. Para dizer a verdade, não achei que Daenerys fosse sobreviver por tanto tempo entre os senhores dos cavalos.

– O que não o impediu de vendê-la a Khal Drogo...

– Os dothrakis nunca compram ou vendem. É melhor dizer que o irmão dela, Viserys, a deu para o Drogo para ganhar a amizade do khal. Um jovem vaidoso e ganancioso. Viserys desejava o trono de seu pai, mas também desejava Daenerys, e detestou ter que dar a moça. Na noite anterior ao casamento da princesa, ele tentou ir para a cama dela, insistindo que se não podia ter sua mão, reivindicaria sua virgindade. Se eu não tivesse tomado a precaução de colocar guardas na porta dela, Viserys teria desfeito anos de planejamento.

– Ele me parece um completo idiota.

– Viserys era filho de Aerys, o Louco, apenas isso. Daenerys... Daenerys é bem diferente. – Ele enfiou uma cotovia assada na boca e mastigou ruidosamente, com ossos e tudo. – A criança assustada que abriguei em minha mansão morreu no Mar Dothraki e renasceu no sangue e no fogo. Essa rainha dragão que usa seu nome é uma verdadeira Targaryen. Quando enviei navios para trazê-la para casa, ela se virou para a Baía dos Escravos. Num curto espaço de dias conquistou Astapor, colocou Yunkai de joelhos e saqueou Meereen. Mantarys seria a próxima, se ela marchasse para o oeste, pelas velhas estradas valirianas. Se ela chegar por mar, bem... sua frota deve se reabastecer de alimentos e água em Volantis.

– Por terra ou por mar, há muitas léguas entre Meereen e Volantis – Tyrion observou.

– Quinhentos e cinquenta, enquanto o dragão voa, por desertos, montanhas, pântanos e ruínas assombradas por demônios. Muitos e mais perecerão, mas os que sobreviverem estarão mais fortes no momento em que chegarem a Volantis... onde encontrarão você e Griff esperando por eles, com novas forças e navios suficientes para levar todos por mar, até Westeros.

Tyrion ponderou tudo o que sabia sobre Volantis, a mais antiga e mais orgulhosa das Nove Cidades Livres. Algo estava errado. Mesmo com meio nariz, ele podia sentir. – Dizem que há cinco escravos para cada homem livre em Volantis. Por que a tríade iria ajudar uma rainha que acabou com o comércio de escravos? – Apontou para Illyrio. – Falando nisso, por que você faria? A escravidão pode ser proibida pelas leis de Pentos, mas você tem um dedo nesse comércio também, se não uma mão inteira. E ainda conspira para a rainha dragão, e não contra ela. Por quê? O que espera ganhar com a Rainha Daenerys?

– Voltamos a isso novamente? Você é um homenzinho persistente. – Illyrio deu uma gargalhada e bateu na barriga. – Como quiser. O Rei Pedinte jurou que eu seria seu mestre da moeda, e seria um senhor nobre também. Uma vez que ele tivesse sua coroa de ouro, eu poderia escolher meus castelos... até mesmo Rochedo Casterly, se eu desejasse.

Tyrion espirrou vinho pelo coto que havia sido seu nariz.

– Meu pai teria adorado ouvir isso.

– O senhor seu pai não teria motivo para preocupação. Por que eu iria querer uma rocha? Minha mansão é grande o suficiente para qualquer homem, e mais confortável do que seus frios castelos westerosis. Já mestre da moeda... – O homem gordo descascou outro ovo. – Gosto muito de moedas. Existe som mais doce do que o tilintar de ouro com ouro?

O grito de uma irmã.

– E você tem certeza de que Daenerys vai cumprir as promessas do irmão?

– Pode ser que sim, pode ser que não – Illyrio mordeu metade do ovo. – Eu lhe disse, meu pequeno amigo, nem tudo o que um homem faz é por lucro. Acredite se quiser, mas mesmo velhos gordos tolos como eu têm amigos e dívidas de afeto para pagar.

Mentiroso, pensou Tyrion. *Algo nesse empreendimento vale mais para você do que moedas ou castelos.*

– É difícil encontrar quem valorize a amizade nos dias de hoje.

– Sem dúvida – disse o homem gordo, surdo à ironia.

– Como o Aranha tornou-se tão querido para você?

– Éramos jovens juntos, dois garotos inexperientes em Pentos.

– Varys veio de Myr.

– Foi de lá que ele veio. Conheci-o um pouco depois de ele chegar, um passo à frente dos escravos. Durante o dia, dormia nos esgotos. À noite vagava pelos telhados como um gato. Eu era quase tão pobre quanto ele, um espadachim em sedas sujas, vivendo pela minha lâmina. Talvez você tenha tido a chance de ver a estátua na minha piscina? Pytho Malanon a esculpiu quando eu tinha dez-e-seis. Uma coisa linda, até hoje choro ao vê-la.

– A idade arruína todos nós. Ainda lamento por meu nariz. Mas Varys...

– Em Myr, ele era o príncipe dos ladrões, até que um ladrão rival o entregou. Em Pentos, seu sotaque o marcava e, como era conhecido por ser eunuco, era desprezado e espancado. Por que ele me escolheu para protegê-lo eu nunca saberei, mas chegamos a um acordo. Varys espionava ladrões menores e pegava informações. Eu oferecia minha ajuda para as vítimas, prometendo recuperar seus objetos de valor por uma taxa. Logo, todo homem que havia sofrido uma perda vinha até mim, enquanto salteadores e gatunos procuravam por Varys... metade para cortar sua garganta, a outra metade para vender-lhe o que haviam roubado. Nós dois enriquecemos, e ficamos ainda mais ricos quando Varys treinou seus camundongos.

– Em Porto Real, ele mantinha seus passarinhos.

– Camundongos, nós os chamávamos, então. Os ladrões mais velhos eram tolos que só pensavam em transformar a pilhagem da noite em vinho. Varys preferia garotos órfãos e jovens meninas. Escolhia os menores, os que eram mais rápidos e silenciosos, e os ensinava a escalar paredes e a escorregar pelas chaminés. Também os ensinava a ler. Deixávamos o ouro e as pedras preciosas para os ladrões comuns. Em vez disso, nossos camundongos roubavam cartas, livros-caixa, listas... mais tarde, eles passaram a ler os papéis e os deixavam onde estavam. *Segredos valem mais do que prata ou safiras*, Varys afirmava. E foi isso. Eu me tornei tão respeitável que um primo do Príncipe de Pentos me permitiu casar com sua filha donzela, enquanto sussurros sobre o talento de certo eunuco atravessaram o Mar Estreito e chegaram aos ouvidos de certo rei. Um rei muito *aflito*, que não confiava em seu filho, nem em sua esposa, nem em sua Mão, um amigo de juventude que havia se tornado arrogante e orgulhoso demais. Acredito que você conheça o resto desta história, não é verdade?

– Muito dela. – Tyrion admitiu. – Vejo que você é muito mais do que um queijeiro, afinal.

Illyrio inclinou a cabeça.

– Você é muito gentil em dizer isso, meu pequeno amigo. E, de minha parte, vejo que você é tão rápido quanto Lorde Varys disse. – Ele sorriu, mostrando todos os tortos dentes amarelos, e gritou por outra jarra de vinho apimentado de Myr.

Quando o Magíster se recostou para dormir, com a jarra nos joelhos, Tyrion arrastou-se pelos travesseiros para se libertar de sua prisão carnal e servir-se de uma taça de vinho. Esvaziou-a de uma vez, bocejou e encheu-a novamente. *Se eu beber vinho suficiente*, disse para si mesmo, *talvez sonhe com dragões*.

Quando ainda era uma criança solitária em Rochedo Casterly, ele frequentemente se imaginava montando em dragões noites afora, fingindo que era algum príncipe Targaryen perdido ou um Senhor de Dragões Valiriano, voando alto por campos e montanhas. Uma vez, quando seus tios lhe perguntaram o que gostaria de presente para o dia de seu nome, implorou-lhes por um dragão.

– Não precisa ser um grande. Pode ser um pequeno, como eu.

O tio Gerion achou que era a coisa mais engraçada que já tinha ouvido, mas o tio Tygett disse:

– O último dragão morreu há um século, rapaz. – Aquilo lhe pareceu tão monstruosamente injusto, que naquela noite o menino chorou até dormir.

Se o senhor do queijo falava a verdade, a filha do Rei Louco havia eclodido três dragões vivos. *Dois a mais que um Targaryen poderia exigir.* Tyrion quase sentia por ter matado seu pai. Teria gostado de ver a cara de Lorde Tywin quando soubesse que havia uma rainha Targaryen a caminho de Westeros com três dragões, apoiada por um eunuco conspirador e por um queijeiro com metade do tamanho de Rochedo Casterly.

O anão estava tão estufado que teve que soltar o cinto e os cadarços superiores do seu calção. As roupas de menino que seu anfitrião o fizera vestir faziam-no sentir como se fosse uma linguiça de quatro quilos na pele de uma de dois. *Se comermos dessa maneira todos os dias, ficarei do tamanho de Illyrio antes de encontrar essa rainha dragão.* Fora da liteira, a noite caíra. Dentro estava tudo escuro. Tyrion escutava os roncos de Illyrio, o roçar das tiras de couro, o *ploc ploc* lento das ferraduras dos cavalos pela dura estrada valiriana, mas seu coração ouvia o bater de asas de couro.

Quando acordou, o amanhecer já tinha chegado. Os animais arrastavam-se, com a liteira rangendo e balançando entre eles. Tyrion puxou a cortina alguns centímetros para olhar o lado de fora, mas havia pouco para ver além de campos cor de ocre, olmos marrons sem folhas e a própria estrada, um caminho largo de pedra que seguia em linha reta como uma lança para o horizonte. Ele havia lido sobre as estradas valirianas, mas era a primeira vez que via uma delas. O alcance do Domínio Valiriano havia chegado à Pedra do Dragão, mas nunca avançara pelo continente de Westeros em si. *Estranho, isso. A Pedra do Dragão não é mais que uma rocha. A riqueza estava bem distante no oeste, mas eles tinham dragões. Certamente eles sabiam que estava lá.*

Ele bebera muito na noite anterior. Sua cabeça latejava e até o leve balanço da liteira era o suficiente para a pesada refeição subir em sua garganta. Ainda que não tenha reclamado, sua angústia deve ter ficado evidente para Illyrio Mopatis.

– Venha, beba comigo – disse o homem gordo. – Uma escama do dragão o queimou, como dizem. – Ele serviu para ambos um vinho de amora tão doce que atraía mais abelhas que o mel.

Tyrion enxotou os insetos com a mão e bebeu profundamente. O gosto da bebida era tão enjoativo que tudo o que ele podia fazer era engoli-la. A segunda taça foi mais fácil. Mesmo assim, ele estava sem fome, e quando Illyrio lhe ofereceu uma tigela de amoras no creme, ele recusou.

– Sonhei com a rainha – disse. – Estava de joelhos diante dela, jurando fidelidade, mas ela me confundiu com meu irmão Jaime e me serviu de comida para seus dragões.

– Esperemos que não seja um sonho profético. Você é um duende esperto, como Varys disse, e Daenerys vai precisar de homens espertos ao seu lado. Sor Barristan é um cavaleiro valente e verdadeiro, mas acredito que ninguém alguma vez o tenha chamado de astuto.

– Cavaleiros só conhecem uma maneira de resolver um problema. Eles empunham a lança e atacam. Já um anão tem uma maneira diferente de olhar o mundo. Mas, e você? Também é um homem esperto.

– Você me lisonjeia. – Illyrio acenou com a mão. – Ah, não sou feito para viajar, por isso envio você para Daenerys no meu lugar. Você já prestou um grande serviço para Sua Graça quando matou seu pai, e minha esperança é que ainda fará muito mais por ela. Daenerys não é a tola que o irmão era. Ela fará um bom uso de você.

Como graveto? Tyrion pensou, sorrindo agradavelmente.

Eles trocavam as equipes apenas três vezes por dia, mas precisavam parar duas outras vezes, pelo menos por uma hora, para que Illyrio descesse da liteira e pudesse mijar. *Nosso senhor do queijo é do tamanho de um elefante, mas tem a bexiga como um amendoim,* o anão ponderou. Em uma das paradas, ele aproveitou o tempo para dar uma olhada mais de perto na estrada. Tyrion sabia o que encontraria: nada de torrões de terra, ou tijolos ou pedras soltas, mas uma faixa de pedra fundida, quinze centímetros acima do solo, que permitia que a água da chuva e a neve derretida escorressem pelos lados. Ao contrário dos caminhos lamacentos chamados de estradas nos Sete Reinos, as estradas valirianas eram largas o suficiente para que três carroças passassem lado a lado, sem que o tempo ou o tráfego as atrapalhasse. E ainda eram resistentes, imutáveis quatro séculos depois que a própria Valíria encontrara sua condenação. Olhou pelos sulcos e fissuras, mas encontrou apenas uma pilha de esterco quente depositada por um dos cavalos.

O esterco o fez pensar no senhor seu pai. *Você foi parar em algum inferno, pai? Um inferno frio e agradável de onde possa olhar para cima e me ver ajudar a levar a filha de Aerys, o Louco, para o Trono de Ferro?*

Quando retomaram a viagem, Illyrio pegou um saco de castanhas assadas e começou a falar novamente sobre a rainha dragão.

– Temo que a última notícia que tivemos da Rainha Daenerys seja velha e ultrapassada. Temos que imaginar que agora ela já deve ter deixado Meereen. Tem sua tropa, afinal, uma tropa bem irregular, formada por mercenários, cavaleiros dothrakis e a infantaria de Imaculados, e certamente ela os levará para oeste, para tomar o trono que era de seu pai. – Magíster Illyrio abriu um pote de *escargots* ao alho, cheirou-o e sorriu. – Em Volantis, você terá notícias frescas de Daenerys, espero – disse, enquanto chupava um caracol de sua concha. – Dragões e meninas jovens são ambos caprichosos, e pode ser que você tenha que ajustar seus planos. Griff saberá o que fazer. Quer um? O alho é do meu jardim.

Eu poderia montar um caracol e fazer uma viagem mais rápida do que esta sua liteira.

Tyrion afastou o prato de si. – Você deposita bastante confiança nesse homem, Griff. Outro de seus amigos de infância?

– Não. Um mercenário, você poderia chamá-lo, mas de nascimento westerosi. Daenerys precisa de homens dignos de sua causa. – Illyrio levantou a mão. – Eu sei! *Mercenários colocam o ouro antes da honra,* você está pensando. *Esse tal de Griff vai me vender para minha irmã.* Não vai. Confio em Griff como confiaria em um irmão.

Outro erro mortal.

– Então devo fazer o mesmo.

– A Companhia Dourada marcha para Volantis enquanto conversamos, para aguardar que nossa rainha chegue do oriente.

Sob o ouro, o aço amargo.

– Soube que a Companhia Dourada estava sob contrato de uma das Cidades Livres.

– Myr. – Illyrio sorriu. – Contratos podem ser rompidos.

– Queijo dá mais dinheiro do que eu imaginava – Tyrion disse. – Como conseguiu isso?

O Magíster balançou os dedos gordos.

– Alguns contratos são selados com tinta, outros com sangue. Não direi mais nada.

O anão ponderou sobre aquilo. A Companhia Dourada tinha a reputação de ser a melhor das companhias livres, fundada havia um século por Açoamargo, um filho bastardo de Aegon, o Indigno. Quando outro dos Grandes Bastardos de Aegon tentou tomar o Trono de Ferro de seu meio-irmão legítimo, Açoamargo aderiu à revolta. Daemon Blackfyre, no entanto, pereceu no Campo do Capim Vermelho, e sua rebelião com ele. Os seguidores do Dragão Negro que sobreviveram à batalha se recusaram a dobrar os joelhos e fugiram pelo Mar Estreito, entre eles os irmãos mais jovens de Daemon, Açoamargo e centenas de senhores sem terras e cavaleiros que se viram obrigados a vender suas espadas para comer. Alguns se juntaram ao Padrão Irregular, outros aos Segundos Filhos ou aos Homens da Donzela. Açoamargo viu que a força da Casa Blackfyre se espalhava aos quatro ventos, e então criou a Companhia Dourada para unir os exilados.

Daquele dia em diante, os homens da Companhia Dourada viveram e morreram nas Terras Disputadas, lutando por Myr, Lys ou Tyrosh, em suas pequenas guerras sem sentido, e sonhando com as terras que seus pais haviam perdido. Eram exilados e filhos de exilados, sem posses e sem perdão... mas ainda assim guerreiros formidáveis.

– Admiro seu poder de persuasão – Tyrion falou para Illyrio. – Como você convenceu a Companhia Dourada a aceitar a causa de sua doce rainha, quando eles passaram muito de sua história lutando contra os Targaryen?

Illyrio afastou a objeção como se fosse uma mosca.

– Negro ou vermelho, um dragão ainda é um dragão. Quando Maelys, o Monstruoso, morreu no Passopedra, foi o fim da linhagem masculina da Casa Blackfyre. – O queijeiro sorriu através da barba bifurcada. – E Daenerys dará para eles o que Açoamargo e os Blackfyre nunca puderam dar. Ela vai levá-los para casa.

Com fogo e espada. Era o tipo de volta ao lar que Tyrion também desejava.

– Dez mil espadas são um presente principesco, eu garanto. Sua Graça deve estar bastante satisfeita.

O Magíster fez um modesto aceno com a cabeça, o queixo balançando.

– Não me atreveria a dizer o que satisfaz Sua Graça.

Prudência sua. Tyrion conhecia muito e ainda mais sobre a gratidão dos reis. Por que rainhas seriam diferentes?

Logo o Magíster dormia profundamente, deixando Tyrion cismando sozinho. Ele se perguntava o que Barristan Selmy pensaria de cavalgar para a batalha com a Companhia Dourada. Durante a Guerra dos Reis de Nove Moedas, Selmy tinha aberto um sangrento caminho entre as fileiras inimigas para matar o último dos Pretendentes Blackfyre. *Rebelião feita por estranhos aliados. E nenhum mais estranho do que este homem gordo e eu.*

O queijeiro acordou quando pararam para trocar os cavalos e pediu um cesto fresco.

– Onde estamos? – o anão perguntou enquanto se enchiam de capão frio e de uma pasta feita de cenoura, passas e pedaços de limão e laranja.

– Estamos em Ândalos, meu amigo. A terra de onde seus ândalos vieram. Eles a tomaram dos homens peludos que viviam aqui antes deles, primos dos homens peludos de

Ib. O coração do antigo reino de Hugor está ao norte daqui, mas estamos passando pelas suas marcas meridionais. Em Pentos, este lugar é conhecido como Terras Planas. Mais a leste estão as Colinas de Veludo, cuja fronteira é aqui.

Ândalos. A Fé ensinava que uma vez os Sete haviam caminhado pelas colinas de Ândalos na forma humana.

– O Pai estendeu a mão para os céus e pegou sete estrelas – Tyrion recitou de memória –, e uma por uma ele as colocou na testa de Hugor da Colina para fazer uma coroa brilhante.

Magíster Illyrio olhou para ele com curiosidade.

– Não imaginava que meu pequeno amigo fosse tão devoto.

O anão encolheu os ombros.

– Uma relíquia da minha infância. Sabia que não seria feito cavaleiro, então decidi ser um Alto Septão. Aquela coroa de cristal adiciona uns trinta centímetros à altura de um homem. Estudei os livros sagrados e rezei até conseguir escaras em ambos os joelhos, mas minha busca teve um trágico fim. Alcancei aquela certa idade e me apaixonei.

– Uma donzela? Conheço esse caminho. – Illyrio enfiou a mão direita na manga esquerda e tirou um medalhão de prata. Dentro havia uma pintura de uma mulher com grandes olhos azuis e cabelos de pálido ouro mesclado com prata. – Serra. Encontrei-a em uma casa de travesseiros lisena e a trouxe para casa, para aquecer minha cama, mas no final me casei com ela. Eu, cuja primeira esposa havia sido prima do Príncipe de Pentos. Os portões do palácio se fecharam para mim depois disso, mas não me importei. Era um preço pequeno por Serra.

– Como ela morreu? – Tyrion sabia que ela estava morta; nenhum homem fala com tanto carinho de uma mulher que o abandonou.

– Uma galé mercantil bravosi parou em Pentos no caminho de volta do Mar de Jade. O *Tesouro* carregava cravo, açafrão, azeviche, jade, samito escarlate, seda verde... e a morte cinza. Matamos os remadores assim que pisaram em terra firme e queimamos o navio até afundá-lo, mas os ratos desceram pelos remos e seguiram para o cais. A praga levou dois mil antes de seguir seu curso. – Magíster Illyrio fechou o medalhão. – Mantenho as mãos dela no meu quarto de dormir. Eram mãos tão suaves...

Tyrion pensou em Tysha. Olhou para fora, para os campos onde outrora os deuses tinham andado.

– Que tipo de deuses fazem pragas, ratos e anões? – Outra passagem da *Estrela de Sete Pontas* veio até ele. – A Donzela lhe trouxe uma garota tão flexível quanto um salgueiro, com olhos como profundas piscinas azuis, e Hugor declarou que a teria como sua noiva. Então a Mãe a fez fértil, e a Velha predisse que ela daria à luz quarenta e quatro filhos valentes do rei. O Guerreiro deu força para os braços deles, enquanto o Ferreiro fez uma armadura de ferro para cada um.

– Seu Ferreiro deve ter sido roinar – Illyrio brincou. – Os ândalos aprenderam a arte de trabalhar o ferro com os roinares que viviam ao longo do rio. Isso é sabido.

– Não pelos nossos septões. – Tyrion apontou para os campos. – Quem vive *nessas* tais Terras Planas?

– Lavradores e trabalhadores ligados à terra. Existem pomares, fazendas, minas... Eu mesmo possuo alguns, embora raramente os visite. Por que deveria passar meus dias aqui, com as miríades de prazeres de Pentos à mão?

– Miríades de prazeres. – *E enormes muros grossos.* Tyrion rodou o vinho em sua taça. – Não vimos nenhuma cidade desde Pentos.

– Há ruínas. – Illyrio acenou pelas cortinas com uma coxa de frango na mão. – Os senhores dos cavalos vêm por estes caminhos, sempre que algum khal coloca na cabeça que quer contemplar o mar. Os dothrakis não gostam de cidades, você saberá disso mesmo em Westeros.

– Caia sobre um desses *khalasars* e o destrua, e você pode descobrir que os dothrakis não são tão rápidos para atravessar o Roine.

– É mais barato subornar o inimigo com alimentos e presentes.

Se eu tivesse tido a ideia de levar um belo pedaço de queijo para a Batalha na Água Negra, poderia ainda ter meu nariz. Lorde Tywin sempre vira as Cidades Livres com desprezo. *Eles lutam com moedas em vez de espadas,* costumava dizer. *O ouro tem seus usos, mas as guerras são vencidas com o ferro.*

– Dê ouro para o inimigo e ele só voltará para mais, meu pai costumava dizer.

– Este é o mesmo pai que você matou? – Illyrio jogou o osso de galinha para fora da liteira. – Mercenários não ficarão contra Dothraki. Isso ficou provado em Qohor.

– Nem mesmo seu bravo Griff? – zombou Tyrion.

– Griff é diferente. Tem um filho que adora. O garoto é conhecido como Jovem Griff. Nunca houve rapaz mais nobre.

O vinho, a comida, o sol, o balançar da liteira, o zumbido das moscas, tudo conspirou para tornar o anão sonolento. Então ele dormiu, acordou, bebeu. Illyrio o acompanhou taça após taça. E quando o céu ficou roxo-escuro, o homem gordo começou a roncar.

Naquela noite, Tyrion Lannister sonhou com uma batalha que deixou as colinas de Westeros vermelhas como sangue. Estava no meio dela, lidando com a morte com um machado tão grande como ele, lutando lado a lado com Barristan, o Ousado, e Açoamargo, enquanto dragões voavam em círculos no céu sobre eles. No sonho, ele tinha duas cabeças, ambas sem nariz. Seu pai liderava o inimigo, então ele o matou mais uma vez. Depois matou seu irmão Jaime, esmagando seu rosto até transformá-lo em uma ruína vermelha, rindo a cada golpe desferido. Somente quando a luta acabou, percebeu que sua segunda cabeça estava chorando.

Quando acordou, suas pernas atrofiadas estavam duras como ferro. Illyrio comia azeitonas.

– Onde estamos? – Tyrion perguntou.

– Ainda não deixamos as Terras Planas, meu precipitado amigo. Logo nossa estrada deve passar pelas Colinas de Veludo. Lá começaremos nossa subida em direção a Ghoyan Drohe, sobre o Pequeno Roine.

Ghoyan Drohe havia sido uma cidade roinar, até que os dragões de Valíria reduziram-na a uma desolação fumegante. *Estou viajando não só por léguas, mas através dos anos,* Tyrion refletiu, *de volta na história até os dias em que os dragões dominavam a terra.*

Tyrion dormiu e acordou e dormiu novamente, e dia e noite pareciam não importar. As Colinas de Veludo provaram ser uma decepção.

– Metade das putas de Lannisporto tem peitos maiores do que estas colinas – ele comentou com Illyrio. – Você deveria chamá-las de Tetas de Veludo.

Viram um círculo de pedras que Illyrio alegou ter sido erguido por gigantes e, mais tarde, um lago profundo.

– Aqui era um covil de ladrões que atacavam todos que passavam por esse caminho – disse Illyrio. – Dizem que ainda vivem sob a água. Aqueles que pescam no lago são puxados para baixo e devorados.

Na noite seguinte, passaram por uma enorme esfinge valiriana agachada ao lado da estrada. Tinha corpo de dragão e rosto de mulher.

– Uma rainha dragão – disse Tyrion. – Um agradável presságio.

– O rei dela está faltando – Illyrio apontou para o pedestal de pedra lisa no qual a segunda esfinge estivera, já coberta de musgos e trepadeiras floridas. – Os senhores dos cavalos construíram rodas de madeira embaixo dele e o arrastaram para Vaes Dothrak.

O que também é um presságio, pensou Tyrion, *só que não tão esperançoso.*

Naquela noite, mais bêbado do que de costume, começou subitamente a cantar:

Ele andava pelas ruas da cidade,
do alto da colina, para baixo.
Pelos becos, passos e paralelepípedos,
andava a suspirar por uma mulher.
Pois ela era seu tesouro secreto,
sua vergonha e sua felicidade.
E uma corrente e uma fortaleza não são nada,
comparadas ao beijo de uma mulher.

Essa era toda a letra que ele sabia, além do refrão. *Mãos de ouro são sempre frias, mas as mãos de uma mulher são quentes.* As mãos de Shae haviam batido nele, enquanto as mãos de ouro se enterravam na garganta dela. Ele não se lembrava se estavam quentes ou não. Conforme a força a abandonava, seus golpes pareciam mariposas sobre seu rosto. A cada volta que ele dava na corrente, as mãos de ouro entravam mais fundo. *Uma corrente e uma fortaleza não são nada, comparadas aos beijos de uma mulher.* Ele a beijara uma última vez, depois que ela morreu? Não se lembrava... embora ainda se recordasse da primeira vez que a beijara, na tenda ao lado do Ramo Verde. Como sua boca era doce!

Ele também se lembrava da primeira vez com Tysha. *Ela não sabia como fazer, não mais do que eu. Ficamos batendo nossos narizes, mas quando toquei a língua dela com a minha, ela tremeu.* Tyrion fechou os olhos para trazer o rosto dela à mente, mas imediatamente viu seu pai, de cócoras na latrina, com o roupão levantado até a cintura. – Aonde quer que as putas vão –, Lorde Twyn disse, e a besta *zuniu.*

O anão virou-se, pressionando o meio nariz nas almofadas de seda. O sono se abriu sob ele como um poço, e ele mergulhou com vontade, desejando que a escuridão o cercasse totalmente.

O homem do Mercador

O *Aventura* fedia.

Ostentava sessenta remos, uma única vela e um casco longo e esguio que prometia velocidade. *Pequeno, mas pode servir,* Quentyn pensou quando o viu, mas isso foi antes de ir a bordo e dar uma cheirada nele. *Porcos,* foi seu primeiro pensamento, mas depois de uma segunda cheirada mudou de ideia. Porcos tinham um cheiro mais limpo. Este fedor era uma mistura de mijo, carne podre e excrementos, era o cheiro de cadáveres, feridas purulentas e infeccionadas, tão forte que oprimia o ar salgado e o cheiro de peixe do porto.

– Quero vomitar – disse a Gerris Drinkwater. Estavam esperando o capitão do navio aparecer, sufocando no calor, enquanto o fedor saía do casco abaixo deles.

– Se o capitão cheirar como o navio, ele pode confundir seu vômito com perfume – Gerris respondeu.

Quentyn estava prestes a sugerir que tentassem outro navio, quando o capitão finalmente apareceu, com dois tripulantes mal-encarados ao seu lado. Gerris o cumprimentou com um sorriso. Embora não falasse a língua de Volantis tão bem quanto Quentyn, tinha a habilidade necessária para se comunicar com eles. Em Vila Tabueira, Quentyn assumira o papel de mercador de vinhos, mas a farsa o incomodou, então quando os dornenses trocaram de navio em Lys, eles também haviam trocado os papéis. A bordo do *Cotovia,* Cletus Yronwood era o mercador e Quentyn, seu servo; em Volantis, com Cletus morto, Gerris assumira o papel do mestre.

Alto e sério, com olhos azul-esverdeados, cabelo cor da areia iluminada pelo sol e um corpo magro e gracioso, Gerris Drinkwater tinha um ar de superioridade, uma confiança que beirava a arrogância. Nunca parecia pouco à vontade e, mesmo quando não falava uma língua, encontrava maneiras de se fazer compreendido. Comparado a ele, Quentyn era uma pobre figura – de pernas curtas e atarracado, maciçamente constituído e com o cabelo castanho cor de terra remexida. Sua testa era bem alta, a mandíbula quadrada e o nariz muito largo. *Um rosto bom e honesto,* uma moça lhe dissera certa vez, *mas você devia sorrir mais.*

Sorrisos nunca vieram fáceis para Quentyn Martell, não mais do que para o senhor seu pai.

– Quão rápido é o seu *Aventura?* – Gerris perguntou, em uma fraca aproximação de Alto Valiriano.

O capitão do *Aventura* reconheceu o sotaque e respondeu na Língua Comum de Westeros.

– Não há mais rápido, honrado senhor. O *Aventura* pode atropelar até mesmo o vento. Diga-me aonde deseja ir e rapidamente estará lá.

– Procuro passagem para Meereen, para mim e dois servos.

O capitão fez uma pausa.

– Não sou um estranho em Meereen. Poderia encontrar a cidade novamente, sim... mas por quê? Não há escravos em Meereen, nenhum lucro pode ser encontrado lá. A rainha de prata pôs um fim nisso. Ela fechou até mesmo as arenas de luta, então um pobre marinheiro não pode nem se divertir enquanto espera para encher seu navio. Me diga, meu amigo westerosi, o que há em Meereen para desejar ir para lá?

A mulher mais bonita do mundo, pensou Quentyn. *Aquela que será minha noiva, se os deuses forem bons*. Algumas vezes, durante a noite, ficava acordado imaginando o rosto e as formas dela, e se perguntando por que tal mulher se casaria com ele, entre todos os príncipes do mundo. *Eu sou Dorne*, dizia para si mesmo. *Ela vai querer Dorne.*

Gerris respondeu com a história que tinham inventado.

– O vinho é o negócio da nossa família. Meu pai possui extensos vinhedos em Dorne, e deseja que eu encontre novos mercados. Acreditamos que o bom povo de Meereen vai receber bem o que vendo.

– Vinho? Vinho dornense? – O capitão não estava convencido. – As cidades escravocratas estão em guerra. Será que você não sabe disso?

– As lutas são entre Yunkai e Astapor, nós ouvimos. Meereen não está envolvida.

– Não ainda. Mas logo estará. Um enviado da Cidade Amarela está em Volantis agora mesmo, contratando espadas. As Longas Lanças já tomaram navios para Yunkai, e os Soprados pelo Vento e a Companhia do Gato seguirão assim que terminarem de preencher suas fileiras. A Companhia Dourada marcha também para leste. Tudo isso é sabido.

– Se você diz. Eu lido com vinho, não com guerras. O vinho ghiscari é uma coisa pobre, todos concordam. Os meereeneses pagarão um bom preço pelas minhas finas safras dornenses.

– Homens mortos não se importam com o tipo de vinho que bebem. – O capitão do *Aventura* passou os dedos pela barba. – Não sou o primeiro capitão com quem você conversa, acho. Nem o décimo.

– Não – Gerris admitiu.

– Quantos, então? Cem?

Quase isso, pensou Quentyn. Os volantinos gostavam de se gabar que as cem ilhas de Bravos podiam cair em seu profundo porto e se afogar. Quentyn nunca vira Bravos, mas podia acreditar nisso. Opulenta, madura e podre, Volantis cobrira a boca do Roine como um beijo quente e úmido, estendendo-se através da colina e do pântano para ambos os lados do rio. Navios estavam em toda parte, descendo o rio ou saindo para o mar, lotando cais e píeres, levando carga ou descarregando-a; navios de guerra, baleeiros e galés mercantes, naus e barcos a remo, barcos de pesca, grandes barcos de pesca, canoas, navios cisne, navios de Lys, de Tyrosh e de Pentos, embarcações qartenas grandes como palácios, navios de Tolos, de Yunkai e das Basílicas. Eram tantos que Quentyn, vendo o porto pela primeira vez do convés do *Cotovia*, dissera aos amigos que ficariam ali apenas três dias.

No entanto, vinte dias haviam se passado e ali estavam, ainda sem barco. Os capitães do *Melantine*, do *Filha do Tridente* e do *Beijo da Sereia* haviam negado passagem. Um tripulante do *Viajante Ousado* rira na cara deles. O capitão do *Golfinho* os repreendera por desperdiçar seu tempo, e o proprietário do *Sétimo Filho* os acusou de serem piratas. E isso tudo no primeiro dia.

Somente o capitão do *Gamo* deu uma razão para a recusa.

– É verdade que vou navegar para leste – ele disse, tomando vinho aguado. – Sul ao redor de Valíria, e daí para o nascer do sol. Vamos nos abastecer de água e provisões em Nova Ghis, e então viraremos todos os remos em direção a Qarth e aos Portões de Jade. Toda viagem tem riscos, as longas mais que a maioria. Por que deveria procurar mais perigos entrando na Baía dos Escravos? O *Gamo* é meu sustento. Não o arriscarei para levar três dornenses loucos ao meio de uma guerra.

Quentyn começou a pensar que teria sido melhor se tivessem comprado o próprio navio em Vila Tabueira. O que, no entanto, teria chamado uma atenção não desejada. O Aranha tinha informantes em todos os lugares, até mesmo nos salões de Lançassolar.

– Dorne sangrará, se seu propósito for descoberto – advertira seu pai, enquanto observavam as crianças brincando nas piscinas e fontes dos Jardins das Águas. – O que estamos fazendo é traição, não se engane. Confie apenas em seus companheiros, e faça o melhor para não atrair olhares curiosos.

Então Gerris Drinkwater deu ao capitão do *Aventura* seu sorriso mais desarmante.

– Verdade seja dita, não guardei a conta de todos os covardes que nos recusaram, mas na Casa do Mercador ouvi dizer que você era um tipo mais ousado, um tipo que arriscaria qualquer coisa por ouro suficiente.

Um contrabandista, Quentyn pensou. Fora assim que os outros comerciantes rotularam o capitão do *Aventura* na Casa do Mercador.

– É um contrabandista e um traficante de escravos, meio pirata, meio alcoviteiro, mas pode ser sua melhor esperança – o estalajadeiro lhes dissera.

O capitão esfregou o polegar no indicador.

– E quanto ouro você considera suficiente para uma viagem dessas?

– Três vezes o preço usual de uma passagem para a Baía dos Escravos.

– Para cada um de vocês? – O capitão mostrou os dentes, em algo que deve ter sido a intenção de um sorriso, mas que dava ao seu rosto estreito um ar selvagem. – Talvez. É verdade, sou mais ousado que a maioria. Em quanto tempo desejam partir?

– Amanhã não seria cedo demais.

– Feito. Retornem uma hora antes da primeira luz com seus amigos e seus vinhos. É melhor estar em curso enquanto Volantis dorme, assim ninguém fará perguntas inconvenientes sobre nosso destino.

– Será como diz. Uma hora antes da primeira luz.

O sorriso do capitão se arregalou.

– Estou satisfeito em poder ajudar vocês. Teremos uma viagem feliz, não é?

– Estou certo disso – concordou Gerris. O capitão pediu cerveja e os dois fizeram um brinde ao empreendimento.

– Um doce homem – Gerris disse mais tarde, quando ele e Quentyn percorriam o caminho até o final do cais, onde o *hathay* alugado os esperava. O ar estava quente e pesado, e o sol tão brilhante que ambos estavam com os olhos semicerrados.

– Esta é uma doce cidade – Quentyn completou. *Doce o suficiente para apodrecer os dentes.* Beterrabas doces eram cultivadas em profusão nas redondezas e servidas em quase todas as refeições. Os volantinos faziam uma sopa fria delas, tão grossa e rica como mel roxo. Seus vinhos também eram doces. – Temo que nossa feliz viagem será curta, no entanto. Aquele doce homem não pretende nos levar para Meereen. Foi muito rápido em aceitar sua oferta. Ele vai levar três vezes o preço da passagem usual, sem dúvida, e uma vez que nos tenha a bordo e fora do alcance terrestre, cortará nossas gargantas e também levará o resto do nosso ouro.

– Ou vai nos acorrentar a um remo, ao lado daqueles desgraçados que estávamos cheirando. Precisamos encontrar contrabandistas de melhor categoria, acho.

O condutor os aguardava ao lado do *hathay*. Em Westeros, isso seria chamado de carro de boi, embora fosse algo mais ornamentado do que qualquer carroça que Quentyn já tivesse visto em Dorne e faltasse o boi. O *hathay* era puxado por um elefante anão, cuja pele tinha cor de neve suja. As ruas da Antiga Volantis estavam repletas desses veículos.

Quentyn teria preferido caminhar, mas eram quilômetros até a pousada. Além disso, o estalajadeiro havia avisado que andar a pé causaria má impressão aos olhos dos capitães estrangeiros e das pessoas nascidas em Volantis. Pessoas de bom nível viajavam de liteira ou de *hathay*... e, por coincidência, o estalajadeiro tinha um primo que possuía vários desses veículos e teria imenso prazer em atendê-los.

O condutor deles era um dos escravos do primo, um homem pequeno com uma roda tatuada em uma bochecha, nu, com exceção de uma tanga e de um par de sandálias. Sua pele era da cor da teca, seus olhos como lascas de sílex. Depois de ajudá-los a se acomodar nos bancos almofadados entre duas enormes rodas de madeira, ele subiu nas costas do elefante.

– Para a Casa do Mercador – Quentyn disse para o homem –, mas vá acompanhando o cais. – Além da beira-mar com sua brisa, as ruas e becos de Volantis estavam sempre quentes o suficiente para afogar um homem em seu próprio suor, pelo menos desse lado do rio.

O condutor gritou algo para o elefante no idioma local. O animal começou a se mover, o tronco balançando de um lado para o outro. O carro deu uma cambaleada logo atrás, o condutor apupando para marinheiros e escravos saírem do caminho. Era fácil diferenciar um do outro. Os escravos eram todos tatuados; uma máscara de penas azuis, um relâmpago que ia do maxilar à sobrancelha, uma moeda sobre a bochecha, pintas de leopardo, um crânio, um jarro. Meistre Kedry dizia que havia cinco escravos para cada homem livre em Volantis, embora não tivesse vivido o suficiente para verificar sua estimativa. Morrera na manhã em que os corsários invadiram o *Cotovia*.

Quentyn perdera dois outros amigos no mesmo dia: Willam Wells, com suas sardas e dentes tortos, destemido com uma lança, e Cletus Yronwood, bonito apesar de seu olhar indolente, sempre barulhento, sempre rindo. Cletus tinha sido o melhor amigo de Quentyn por metade de sua vida, irmão em tudo, exceto no sangue.

– Dê um beijo em sua noiva por mim – Cletus havia sussurrado para ele pouco antes de morrer.

Os corsários subiram a bordo na escuridão que antecedia o amanhecer, enquanto o *Cotovia* estava ancorado na costa das Terras Disputadas. A tripulação os derrotara, com o custo de doze vidas. Depois, os marinheiros despojaram os corsários mortos de suas botas, cintos e armas, dividiram suas bolsas e arrancaram as pedras de suas orelhas e os anéis de seus dedos. Um dos cadáveres era tão gordo que o cozinheiro do navio teve que cortar os dedos do morto com um cutelo para conseguir os anéis. Foram necessários três homens para rolar o corpo até o mar. Os outros piratas foram atirados depois dele, sem uma palavra de oração ou cerimônia.

Seus próprios mortos receberam tratamento mais gentil. Os marinheiros costuraram os corpos em lonas, com pedras de lastro, para afundarem mais rapidamente. O capitão do *Cotovia* comandou a tripulação em uma oração pelas almas dos marinheiros assassinados. Então, virou-se para os passageiros dornenses, os três que ainda permaneciam dos seis que subiram a bordo em Vila Tabueira. Até o grandão compareceu, pálido, enjoado e cambaleante, saindo com dificuldade da cabine do navio para prestar suas últimas homenagens.

– Um de vocês deve dizer algumas palavras para seus mortos, antes de entregá-los ao mar – disse o capitão. Gerris foi obrigado a discursar, mentindo em cada palavra, uma vez que não ousavam dizer a verdade sobre quem eram ou qual o motivo de estarem ali.

Não era para acabar desta maneira para eles.

– Esta será uma história para contar para nossos netos – Cletus afirmara no dia em que saíram do castelo de seu pai. Will fizera uma careta e dissera:

– Uma história para contar nos prostíbulos, você quer dizer, na esperança de que alguém levante as saias.

Cletus lhe dera um tapa nas costas.

– Para ter netos, você precisa ter filhos. Para ter filhos, é preciso levantar algumas saias.

Mais tarde, na Vila Tabueira, os dornenses brindaram à futura noiva de Quentyn, fizeram gracejos obscenos sobre a futura noite de núpcias e falaram sobre as coisas que veriam, seus feitos e a glória que os aguardava. *Tudo o que ganharam foi um saco de lona cheio de pedras de lastro.*

Por mais que lamentasse Will e Cletus, era a perda do Meistre que Quentyn sentia com mais intensidade. Kedry era fluente nas línguas de todas as Cidades Livres, até mesmo no Ghiscari mestiço que se falava ao longo das margens da Baía dos Escravos.

– Meistre Kendry irá acompanhá-lo – disse o pai, na noite em que se separaram. – Preste atenção aos conselhos dele. Ele dedicou metade da vida a estudar as Nove Cidades Livres. – Quentyn se perguntava se as coisas não teriam chegado ao acordo mais fácil se ele estivesse lá para orientá-los.

– Eu poderia vender minha mãe por um pouco de brisa – disse Gerris, enquanto passavam pela multidão no cais. – Está úmido como a boceta da Donzela, e ainda nem é meio-dia. Odeio esta cidade.

Quentyn compartilhava o sentimento. O insuportável calor molhado de Volantis minava suas forças e o fazia sentir-se sujo. A pior parte era saber que a noite não traria alívio algum. No cume dos altos prados nortes da propriedade de Lorde Yronwood, o ar era sempre puro e fresco depois que escurecia, não importava quão quente o dia havia sido. Ali não. Em Volantis, as noites eram quase tão quentes quanto os dias.

– O *Deusa* parte para Nova Ghis amanhã – Gerris o recordou. – Isso pelo menos nos deixaria mais perto.

– Nova Ghis é uma ilha, e de porte muito menor do que esta. Estaríamos mais perto, sim, mas poderíamos ficar presos lá. E Nova Ghis se aliou a Yunkai. – Essa notícia não surpreendera Quentyn. Nova Ghis e Yunkai eram ambas cidades ghiscaris. – Se Volantis se aliar a elas também...

– Precisamos encontrar um navio de Westeros – Gerris sugeriu –, algum comerciante de Lannisporto ou de Vilavelha.

– Poucos vêm tão longe, e os que o fazem enchem os porões com sedas e especiarias do Mar de Jade e já voltam os remos para casa.

– Talvez um navio bravosi? Ouve-se falar em velas roxas em lugares tão distantes quanto Asshai e as ilhas do Mar de Jade.

– Os bravosi descendem de escravos fugidos. Não fazem comércio na Baía dos Escravos.

– Temos ouro suficiente para *comprar* um navio?

– E quem vai navegá-lo? Você? Eu? – Os dornenses não eram homens do mar, não desde que Nymeria queimara seus dez mil navios. – Os mares ao redor de Valíria são perigosos e cheios de corsários.

– Já estou cheio de corsários. Não vamos comprar um navio.

Isso ainda é só um jogo para ele, Quentyn notou, *em nada diferente da vez em que levou seis de nós para as montanhas, para encontrar o antigo covil do Rei Vulture.* Não era da natureza de Gerris Drinkwater imaginar que pudessem falhar, e muito menos que pudessem morrer. Mesmo a morte dos três amigos não servira para corrigi-lo, ao que parecia. *Ele deixa isso para mim. Sabe que minha natureza é tão cautelosa quanto a dele é ousada.*

– Talvez o grandão esteja certo – Sor Gerris disse. – Dane-se o mar, podemos terminar a jornada por terra.

– Você sabe muito bem por que ele diz isso – Quentyn disse. – Ele prefere morrer a pôr o pé em outro navio.

O grandão havia tido enjoo todos os dias da viagem. Em Lys, levara quatro dias para recuperar as forças. Tiveram que alugar quartos em uma pousada, para que Meistre Kedry pudesse colocá-lo em uma cama macia e alimentá-lo com caldos e poções até que alguma cor rosada voltasse à sua face.

Era possível ir por terra para Meereen, isso era verdade. As antigas estradas valirianas poderiam levá-los lá. *Caminhos do dragão,* os homens chamavam as grandes estradas de pedra do Domínio, mas as que seguiam para leste, de Volantis para Meereen, tinham um nome mais sinistro: *caminho do demônio.*

– O caminho do demônio é perigoso e muito *lento.* – Quentyn disse. – Tywin Lannister enviará seus homens atrás da rainha, assim que qualquer notícia sobre ela chegar a Porto Real. – Seu pai tinha certeza disso. – Eles virão com facas. Se chegarem até ela primeiro...

– Vamos esperar que os dragões dela farejem e devorem todos – disse Gerris. – Bem, se não podemos encontrar um navio e você não vai nos deixar andar, o melhor é arranjar uma passagem de volta para Dorne.

Rastejar de volta para Lançassolar derrotado, com o rabo entre as pernas? A decepção de seu pai seria mais do que Quentyn poderia suportar, e o desprezo das Serpentes de Areia seria fulminante. Doran Martell colocara o destino de Dorne em suas mãos, e ele não podia falhar, não enquanto estivesse vivo para seguir adiante.

O ar quente subia pela rua conforme o *hathay* sacudia de um lado para o outro entre as rodas de aro de ferro, conferindo aos arredores um aspecto de sonho. Entre armazéns e trapiches, lojas e barracas de muitos tipos lotavam a beira-mar. Era possível comprar ostras frescas, correntes e algemas de ferro, além de *cyvasses* com peças esculpidas em marfim e jade. Por ali também estavam templos onde marinheiros faziam sacrifícios para deuses estrangeiros, lado a lado com casas de travesseiros onde mulheres debruçavam-se nas varandas para chamar os homens que passavam embaixo.

– Olha aquela lá. – Gerris provocou, quando passaram por uma dessas casas. – Acho que está apaixonada por você.

E quanto custa o amor de uma puta? Verdade seja dita, garotas deixavam Quentyn ansioso, especialmente as bonitas.

Assim que chegara a Yronwood, havia ficado louco por Ynys, a mais velha das filhas de Lorde Yronwood. Embora nunca tenha dito uma palavra sobre seus sentimentos, acalentou seus sonhos por anos... até o dia que a moça foi enviada para se casar com Sor Ryon Allyrion, herdeiro da Graçadivina. Da última vez que a vira, ela tinha um menino no peito e outro agarrado às suas saias.

Depois de Ynys, vieram as gêmeas Drinkwater, um par de jovens donzelas morenas que amavam falcoaria, caçadas, escalar rochas e fazer Quentyn corar. Uma delas lhe dera seu primeiro beijo, embora ele nunca soubera qual delas. Como filhas de um cavaleiro, as gêmeas tinham um nascimento muito baixo para o casamento, mas Cletus não achava que isso fosse motivo para parar de beijá-las.

– Depois que você se casar, pode pegar uma delas como amante. Ou ambas, por que não?

Mas Quentyn conseguia pensar em vários motivos porque não, então fez o melhor que pôde para evitar as gêmeas depois disso, e não houve um segundo beijo.

Mais recentemente, a filha mais nova de Lorde Yronwood passara a persegui-lo pelo castelo. Gwyneth tinha apenas doze anos, uma menina pequena e magricela de olhos escuros e cabelos castanhos que a diferenciavam naquela casa de louros de olhos azuis. Era esperta, porém tão rápida com as palavras quanto com as mãos, e gostava de dizer a Quentyn que esperasse que ela desabrochasse, para que pudessem se casar.

Isso foi antes de o Príncipe Doran convocá-lo para o Jardim das Águas. E, agora, a mulher mais bonita do mundo o aguardava em Meereen, e ele pretendia cumprir seu dever e pedir para que fosse sua noiva. *Ela não me recusará. Ela honrará o acordo.* Daenerys Targaryen precisaria de Dorne para ganhar os Sete Reinos, o que significa que precisaria dele. *O que não quer dizer que vá me amar. Pode ser que nem goste de mim.*

A rua fazia uma curva onde o rio encontrava o mar, e ao longo dela vários vendedores de animais se agrupavam, oferecendo lagartos coloridos, cobras gigantes e pequenos e ágeis macacos, com caudas listradas e espertas mãos cor-de-rosa.

– Talvez sua rainha prateada goste de um macaco – disse Gerris.

Quentyn não tinha ideia do que Daenerys Targaryen gostaria. Prometera ao pai que a levaria para Dorne, mas cada vez mais se perguntava se estaria à altura da tarefa.

Nunca pedi isso, pensou.

Por toda a extensão azul do Roine, ele via a Muralha Negra que havia sido levantada pelos valirianos quando Volantis não era mais do que um posto avançado do império: uma grande oval de pedra fundida com mais de sessenta metros de altura e tão larga que seis carruagens de quatro cavalos podiam correr lado a lado pelo topo, como faziam a cada ano para comemorar a fundação da cidade. Forasteiros, estrangeiros e libertos não eram permitidos dentro da Muralha Negra, a menos que fossem convidados por alguém que já vivesse lá, herdeiros de Velho Sangue cuja ascendência podia ser traçada até a própria Valíria.

O tráfego era mais intenso por ali. Estavam perto do extremo ocidental da Grande Ponte, que ligava as duas metades da cidade. Carruagens, carroças e *hathays* lotavam as ruas, todos eles indo ou vindo pela ponte. Escravos estavam em toda parte, tão numerosos quanto baratas, correndo para resolver os negócios de seus donos.

Não muito longe da Praça do Peixeiro e da Casa do Mercador, gritos irromperam de uma rua transversal, e uma dúzia de lanceiros Imaculados, em armaduras ornamentadas e capas feitas de pele de tigre, apareceram como que do nada, acenando para que se afastassem e a tríade, em cima de um elefante, pudesse passar com sua escolta. O elefante da tríade era um gigante vestido com uma elaborada armadura esmaltada que chacoalhava suavemente enquanto se movia, e o palanquim em seu dorso era tão alto que raspou no arco de pedra ornamental ao passar por baixo.

– A tríade é considerada tão elevada que seus pés não podem tocar o solo durante seu ano de serviço – Quentyn comentou com o companheiro. – Vão para todos os lugares em elefantes.

– Bloqueando as ruas e deixando montes de estercos para aqueles como nós enfrentarmos – disse Gerris. – Por que Volantis precisa de três príncipes quando Dorne funciona com um único, é algo que nunca vou entender.

– A tríade não é formada por reis ou príncipes. Volantis é um domínio, como Valíria antigamente. Todos os proprietários de terras nascidos livres partilham a mesma lei. Até as mulheres podem votar e manter terra própria. Os três membros da tríade são escolhidos entre as famílias nobres que podem provar linhagem direta da antiga Valíria, para servir até o primeiro dia do novo ano. E você saberia tudo isso se tivesse se dado ao trabalho de ler o livro que Meistre Kedry lhe deu.

– Não tinha figuras.

– Tinha mapas.

– Mapas não contam. Se ele tivesse me dito que era sobre tigres e elefantes, eu poderia ter tentado. Parecia suspeitosamente com uma história.

Quando o *hathay* chegou à Praça do Peixeiro, o elefante anão levantou a tromba e fez um barulho de buzina, como um imenso ganso branco, relutante em mergulhar no emaranhado de carruagens, liteiras e pedestres adiante. O motorista cutucou o animal com o calcanhar e o manteve em movimento.

Os peixeiros estavam em bando, gritando para oferecer a pesca da manhã. Quentyn entendia uma em cada duas palavras, na melhor das hipóteses, mas não precisava conhecer as palavras para reconhecer os peixes.

Viu bacalhaus, aguilhões e sardinhas, barris de mexilhões e mariscos. Enguias estavam penduradas na frente de uma barraca. Outra mostrava uma tartaruga gigante, com as pernas presas em correntes de ferro, pesada como um cavalo. Caranguejos mexiam-se dentro de barris de água salgada e algas marinhas. Vários vendedores fritavam pedaços de peixe com cebolas e beterrabas, ou vendiam caldeirada de peixe apimentado em pequenas chaleiras de ferro.

No centro da praça, sob uma estátua trincada e sem cabeça de uma tríade morta, a multidão se reunia para ver um show de anões. Os pequenos homens usavam armaduras de madeira, cavaleiros em miniatura se preparando para um torneio. Quentyn viu um montar em um cão, enquanto o outro pulava sobre um porco... apenas para escorregar pelo outro lado, arrancando várias gargalhadas.

– Parecem divertidos – Gerris disse. – Podemos parar e vê-los lutar. Umas risadas fariam bem para você, Quentyn. Você parece um velho constipado há uns seis meses.

Tenho dezoito, seis anos mais jovem que você, Quentyn pensou. *Não sou um velho*. Em vez disso, disse:

– Não preciso de anões engraçados. A menos que eles tenham um navio.

– Um pequeno, imagino.

Com quatro andares de altura, a Casa do Mercador dominava as docas, cais e armazéns que a rodeavam. Lá, comerciantes de Vilavelha e Porto Real se misturavam com colegas de profissão de Bravos, Pentos e Myr, com ibbeneses cabeludos, com viajantes de pele clara de Qarth e homens de pele negra como carvão das Ilhas do Verão, com seus mantos de penas, e até mesmo com umbromantes mascarados de Asshai e das Terras das Sombras.

O chão de pedra parecia quente sob seus pés quando Quentyn desceu do *hathay*, mesmo através do couro de suas botas. Do lado de fora da Casa do Mercador, uma mesa feita com cavalete tinha sido colocada à sombra e decorada com flâmulas listradas de branco e azul, que tremulavam a cada lufada de ar. Quatro mercenários de olhos duros estavam sentados ao redor da mesa, chamando cada um dos homens e meninos que passavam. *Soprados pelo Vento*, Quentyn percebeu. Estavam à procura de carne fresca para preencher suas fileiras antes de embarcarem para a Baía dos Escravos. *E cada homem que assina com eles é outra espada para Yunkai, outra lâmina destinada a beber o sangue daquela que será minha noiva.*

Um dos Soprados pelo Vento gritou para eles.

– Não falo sua língua – Quentyn respondeu. Embora soubesse ler e escrever em Alto Valiriano, tinha pouca prática em falar o idioma. E a maçã volantina rolara bem distante da árvore valiriana.

– Westerosi? – o homem perguntou, na Língua Comum.

– Dornense. Meu mestre é um comerciante de vinhos.

– Mestre? Foda-se ele. Você é um escravo? Venha conosco e será seu próprio mestre. Quer morrer deitado? Ensinaremos você a lutar com a espada e a lança. Você irá para a batalha com o Príncipe Esfarrapado e ficará mais rico do que um lorde. Garotos, garotas, ouro, tudo o que quiser, se for homem o suficiente para pegar. Somos os Soprados pelo Vento, e fodemos a deusa da matança pelo cu.

Dois dos mercenários começaram a cantar, gritando a letra de alguma marcha. Quentyn entendeu o suficiente para pegar a essência. *Somos os Soprados pelo Vento*, eles cantavam. *Nos sopraram para leste até a Baía dos Escravos, para matar o rei açougueiro e foder a rainha dragão.*

– Se Cletus e Will ainda estivessem conosco, poderíamos voltar com o grandão e matar um monte deles – disse Gerris.

Cletus e Will estavam mortos.

– Não dê atenção para eles – disse Quentyn. Os mercenários os insultaram pelas costas quando empurraram as portas da Casa do Mercador, chamando-os de covardes com sangue de barata e de meninas assustadas.

O grandão estava esperando nos quartos do segundo andar. Embora a estalagem tivesse sido bem recomendada pelo capitão do *Cotovia*, isso não significava que Quentyn estivesse disposto a deixar seus bens e ouro sem proteção. Todo porto tinha ladrões, ratos e putas, e Volantis tinha mais do que a maioria.

– Estava quase indo procurar vocês – Sor Archibald Yronwood disse, enquanto deslizava o trinco para deixá-los entrar. Fora Cletus quem começara a chamá-lo de "grandão", mas o apelido era bem merecido. Arch tinha quase dois metros de altura, largo de ombros, imenso de barriga, com pernas que pareciam troncos de árvores, mãos do tamanho de presuntos, e nenhum pescoço que pudesse ser notado. Alguma doença de infância o fizera perder todo o cabelo. Sua cabeça careca fazia Quentyn pensar em uma suave pedra rosada. – Então – ele questionou –, o que o contrabandista disse? Temos um barco?

– Um navio – corrigiu Quentyn. – Sim, ele nos levará, mas só até o inferno mais próximo.

Gerris sentou-se na cama mole e tirou as botas.

– Dorne soa mais atraente a cada momento.

O grandão disse:

– Ainda digo que seria melhor ir pelo caminho do demônio. Talvez não seja tão arriscado quanto dizem. E, se for, isso só representará mais glória para aqueles que ousarem ir por ele. Quem terá coragem de nos molestar? Drink com sua espada, eu com meu martelo, é mais do que qualquer demônio pode digerir.

– E se Daenerys estiver morta antes de chegarmos até ela? – Quentyn disse. – Nós precisamos de um navio. Mesmo se for o *Aventura*.

Gerris riu.

– Você deve estar mais desesperado por Daenerys do que eu pensava, para aguentar o fedor meses a fio. Em três dias eu estaria implorando para que me matassem. Não, meu príncipe, eu peço, não o *Aventura*.

– Você tem um jeito melhor? – Quentyn perguntou.

– Tenho. Só pensei nisso agora. Tem seus riscos, e não é o que vocês chamariam de honrado, garanto... mas vai nos levar até sua rainha mais rápido do que o caminho do demônio.

– Conte-me – disse Quentyn Martell.

Jon

Jon leu e releu a carta até que as palavras começaram a ficar borradas e a correr juntas. *Não posso assinar isto. Não vou assinar isto.*

Ele quase queimou o pergaminho. Em vez disso, tomou um gole de cerveja, do resto que sobrara da ceia solitária da noite anterior. *Tenho que assinar. Me escolheram Senhor Comandante. A Muralha é minha, e a Patrulha também. A Patrulha da Noite não toma partido.*

Foi um alívio quando Edd Doloroso Tollett abriu a porta para dizer que Goiva estava lá. Jon deixou a carta de Meistre Aemon de lado.

– Eu a verei agora. – Ele temia isso. – Encontre Sam para mim. Vou falar com ele em seguida.

– Ele deve estar lá embaixo, com os livros. Meu velho septão costumava dizer que livros são mortos que andam. Os mortos devem ser deixados em paz, é o que digo. Ninguém quer ouvir o blá-blá-blá de um morto – Edd Doloroso saiu resmungando cobras e lagartos.

Goiva entrou e se ajoelhou. Jon deu a volta na mesa e a ajudou a se levantar.

– Você não precisa se ajoelhar para mim. Isso é só para os reis.

Embora já fosse esposa e mãe, Goiva ainda parecia meio criança para ele, uma coisinha magra embrulhada em uma das velhas capas de Sam. A capa era tão grande que ela poderia ter escondido várias outras meninas nas dobras.

– Os bebês estão bem? – ele perguntou.

A garota selvagem sorriu timidamente sob o capuz.

– Sim, senhor. Eu tinha medo de não ter leite suficiente para os dois, mas, quanto mais eles mamam, mais leite tenho. Estão fortes.

– Tenho algo difícil para lhe falar. – Ele quase dissera *lhe pedir*, mas calou-se no último instante.

– É sobre Mance? Val implorou ao rei que o poupasse. Disse que se casará com um ajoelhador e nunca cortará a garganta dele se Mance viver. Aquele Senhor dos Ossos, ele está para ser poupado. Craster sempre jurou que o mataria se ele desse as caras na Fortaleza. Mance nunca fez metade das coisas que ele fez.

Tudo que Mance fizera fora liderar um exército contra o reino que ele uma vez jurou proteger.

– Mance fez seus votos, Goiva. Então virou a casaca, casou-se com Dalla e se coroou Rei-para-lá-da-Muralha. A vida dele está nas mãos do rei agora. Não é sobre ele que preciso falar com você. É sobre o filho dele. O menino de Dalla.

– O bebê? – A voz dela tremeu. – Ele nunca quebrou nenhum juramento, senhor. Ele dorme, chora e mama, e nunca fez mal a alguém. Não deixe que o queimem. Salve-o, por favor.

– Só você pode fazer isso, Goiva – e Jon lhe disse como.

Outra mulher teria gritado com ele, o teria amaldiçoado, condenado aos sete infernos. Outra mulher poderia ter partido para cima dele com raiva, estapeando-o, chutando-o, tentando arrancar seus olhos com as unhas. Outra mulher poderia ter jogado sua ira na cara dele.

Goiva abanou a cabeça.

– Não. Por favor, não.

O corvo imitou a palavra. *Não*, gritou.

– Se você se negar, o menino será queimado. Não amanhã, nem no dia seguinte... mas logo, assim que Melisandre precisar acordar um dragão, convocar o vento, ou fazer algum outro feitiço que precise de sangue real. Quando Mance for cinzas e ossos, ela reivindicará o filho dele para o fogo, e Stannis não negará. Se você não tirar o menino daqui, *ela vai queimá-lo*.

– Eu tiro – disse Goiva. – Eu levo ele. Vou tirar os dois daqui, o menino de Dalla e o meu. – Lágrimas rolaram pelo rosto dela. Se a luz das velas não as tivessem feito brilhar, Jon nunca saberia que ela estava chorando. *As esposas de Craster haviam ensinado suas filhas a derramar as lágrimas no travesseiro. Talvez elas fossem para fora para chorar, longe dos punhos de Craster.*

Jon fechou os dedos da mão na espada.

– Leve os dois meninos e os homens da rainha irão atrás de você para trazê-los de volta. O garoto ainda será queimado... e você com ele. – *Se eu a consolar, ela pode achar que algumas lágrimas podem me fazer mudar de ideia. Ela precisa perceber que não vou ceder*. – Você levará um menino, e será o de Dalla.

– Uma mãe não pode deixar seu filho, ou será amaldiçoada para sempre. Não um filho. Nós salvamos ele, Sam e eu. Por favor. Por favor, senhor. Nós salvamos ele do frio.

– Dizem que congelar até a morte é quase sereno. O fogo, no entanto... você vê a vela, Goiva?

Ela olhou para a chama.

– Sim.

– Toque-a. Coloque sua mão sobre a chama.

Os grandes olhos castanhos da moça ficaram ainda maiores. Ela não se moveu.

– Faça isso. – *Mate o menino*. – Agora.

Tremendo, a garota esticou a mão, mantendo-a bem acima da chama bruxuleante da vela.

– Para baixo. Deixe o fogo beijá-la.

Goiva abaixou sua mão. Um centímetro. Outro. Quando a chama lambeu sua carne, ela puxou a mão para trás e começou a soluçar.

– O fogo é uma maneira cruel de morrer. Dalla morreu para dar à luz o filho, mas você o alimenta e o acalenta. Você salvou seu próprio menino do gelo. Agora salve o dela do fogo.

– Aí eles vão queimar meu bebê. A mulher vermelha. Se ela não tiver o filho de Dalla, ela vai queimar o meu.

– Seu filho não tem sangue real. Melisandre não ganhará nada dando-o para o fogo. Stannis quer que o povo livre lute por ele e não queimará um inocente sem uma boa causa. Seu menino estará seguro. Encontrarei uma ama de leite para ele, e ele será criado aqui no Castelo Negro, sob minha proteção. Ele aprenderá a caçar e a cavalgar, a lutar com a espada, com o machado e com o arco. Providenciarei para que aprenda a ler e escrever. – Sam gostaria disso. – E quando ele tiver idade suficiente, saberá a verdade sobre quem é. E será livre para procurar por você, se for o que ele desejar.

– Você vai transformar ele em um corvo – ela limpou as lágrimas com o dorso da pequena e pálida mão. – Não quero. Não quero.

Mate o menino, pensou Jon.

– Você vai. Uma coisa eu lhe prometo: no dia em que queimarem o filho de Dalla, o seu morre também.

Morre, gritou o corvo do Velho Urso. *Morre, morre, morre.*

A garota se sentou, curvada e encolhida, olhando para a chama da vela, lágrimas brilhando em seus olhos. Finalmente Jon disse:

– Tem minha permissão para ir. Não fale com ninguém sobre isso, mas esteja pronta para partir uma hora antes da primeira luz. Meus homens irão com você.

Goiva levantou-se. Pálida e sem palavras, partiu sem olhar novamente para ele. Jon ouviu os passos dela enquanto atravessava o arsenal. Estava quase correndo.

Quando foi fechar a porta, Jon viu Fantasma estendido sob uma bigorna, roendo o osso de um boi. O imenso lobo gigante branco o olhou quando ele se aproximou.

– Fazia tempo que você não aparecia. – Ele voltou para sua cadeira, para ler a carta de Meistre Aemon mais uma vez.

Samwell Tarly apareceu um pouco depois, carregando uma pilha de livros. Mal ele entrou o corvo de Mormont voou até ele, exigindo *grão*. Sam fez o melhor que pôde para atendê-lo, oferecendo alguns grãos de milho do saco ao lado da porta. O corvo fez o melhor que pôde para bicar a palma de sua mão. Sam gritou, o pássaro bateu as asas e o milho se espalhou.

– O patife machucou você? – Jon perguntou.

Sam tirou as luvas com cuidado.

– Machucou. Estou *sangrando*.

– Todos derramamos nosso sangue pela Muralha. Use luvas mais grossas – Jon empurrou uma cadeira para ele, com o pé. – Sente-se e dê uma olhada nisto. – Deu o pergaminho para Sam.

– O que é isto?

– Um escudo de papel.

Sam leu devagar.

– Uma carta do Rei Tommen?

– Em Winterfell, Tommen lutou com meu irmão Bran com espadas de madeira – Jon disse, recordando-se. – Sua roupa era tão almofadada que ele parecia um ganso recheado. Bran o derrubou. – Foi até a janela e abriu as persianas. O ar lá fora era frio e estimulante, embora o céu estivesse com uma monótona cor cinza. – E agora Bran está morto, e o rechonchudo e rosado Tommen está sentado no Trono de Ferro, com uma coroa aninhada em seus cachos dourados.

Sam lhe deu um olhar estranho e, por um momento, pareceu querer dizer alguma coisa. Em vez disso, engoliu em seco e voltou ao pergaminho.

– Você não assinou a carta.

Jon balançou a cabeça.

– O Velho Urso implorou ajuda ao Trono de Ferro uma centena de vezes. Enviaram Janos Slynt para ele. Nenhuma carta fará os Lannister gostarem mais de nós. Ainda mais quando ouvirem dizer que estamos ajudando Stannis.

– Somente para defender a Muralha, não em sua rebelião. É o que *diz* aqui.

– A diferença pode escapar a Lorde Tywin. – Jon pegou a carta de volta. – Por que ele nos ajudaria agora? Nunca ajudou antes.

– Bem, ele não vai querer que falem por aí que Stannis cavalgou para defender o reino enquanto o Rei Tommen brincava com seus brinquedos. Isso faria o escárnio cair sobre a Casa Lannister.

– É morte e destruição que quero para a Casa Lannister, não escárnio. – Jon leu a carta. – *A Patrulha da Noite não toma partido nas guerras dos Sete Reinos. Nossos votos são prestados ao reino, e o reino agora está em grande perigo. Stannis Baratheon nos ajudou contra os inimigos para lá da Muralha, embora não sejamos seus homens...*

Sam se contorceu na cadeira.

– Bem, nós *não* somos. Somos?

– Dei comida, abrigo e o Fortenoite para Stannis, e autorização para que estabelecesse pessoas do povo livre na Dádiva. E foi tudo.

– Lorde Tywin dirá que foi muito.

– E Stannis diz que não é o suficiente. Quanto mais você dá a um rei, mais ele quer. Estamos caminhando sobre uma ponte de gelo com abismo dos dois lados. Agradar um rei já é difícil. Agradar dois é praticamente impossível.

– Sim, mas... se os Lannister ganharem e Lorde Tywin decidir que nós traímos o rei ao ajudar Stannis, isso pode significar o fim da Patrulha da Noite. Ele tem os Tyrell ao seu lado, com a força de Jardim de Cima. E ele derrotou Lorde Stannis na Água Negra.

– A Água Negra foi uma batalha. Robb venceu todas as suas batalhas e mesmo assim perdeu a cabeça. Se Stannis conseguir levantar o Norte...

Sam hesitou e, então, disse:

– Os Lannister também têm nortenhos ao seu lado. Lorde Bolton e seu bastardo.

– Stannis tem os Karstarks. Se ele conseguir o apoio de Porto Branco...

– Se – Sam destacou. – Se não... meu senhor, até mesmo um escudo de papel é melhor do que nenhum.

– Acho que sim. – *Tanto Aemon quanto ele.* De alguma forma, esperara que Sam Tarly pudesse ver de modo diferente. *É somente tinta e pergaminho.* Resignado, pegou a pena e assinou. – Coloque o lacre. – *Antes que eu mude de ideia.* Sam apressou-se em obedecer. Jon colocou o selo de Senhor Comandante e lhe entregou a carta. – Leve isto para Meistre Aemon quando partir e diga para ele despachar uma ave para Porto Real.

– Pode deixar. – Sam parecia aliviado. – Senhor, se me permite perguntar... Vi Goiva saindo daqui. Ela estava quase chorando.

– Val a enviou aqui para pedir por Mance novamente – Jon mentiu, e conversaram um pouco sobre Mance, Stannis e Melisandre de Asshai, até que o corvo comeu o último grão de milho e gritou: *Sangue.*

– Vou mandar Goiva embora – Jon disse. – Ela e o menino. Precisamos encontrar outra ama para seu irmão de leite.

– Leite de cabra servirá, até que você encontre outra. É melhor para um bebê do que leite de vaca. – Falar de peitos deixava Sam claramente desconfortável, e de repente ele começou a contar uma história sobre um rapaz comandante que vivera e morrera havia centenas de anos. Jon o cortou:

– Conte-me algo útil. Fale-me sobre nossos inimigos.

– Os Outros. – Sam passou a língua pelos lábios. – Eles são mencionados nos anais, embora não com tanta frequência quanto eu imaginava. Isso nos anais que achei e vasculhei. Sei que há outros que ainda não encontrei. Alguns dos livros antigos estão caindo aos pedaços. As páginas se desfazem quando tento virá-las. E os livros *realmente* antigos... ou já se desintegraram, ou estão enterrados em algum lugar que ainda não olhei ou... bem, pode ser que não existam tais livros, nem nunca tenham existido. As histórias mais antigas que temos foram escritas depois que os ândalos chegaram a Westeros. Os Primeiros Homens só nos deixaram runas em pedras, então tudo o que pensamos saber sobre a Era dos Heróis, a Era da Aurora e a Longa Noite vieram de cálculos feitos por septões milhares de anos mais tarde. Há arquimeistres na Cidadela que questionam tudo isso. Essas histórias antigas estão cheias de reis que governaram por centenas de anos e cavaleiros que andaram por aí milhares de anos antes de existirem cavaleiros. Você conhece as histórias, Brandon, o Construtor, Symeon Olhos-de-Estrela, os Reis da Noite... nós dizemos que você é o nonocentésimo nonagésimo oitavo Senhor Comandante da Patrulha da Noite, mas a lista mais antiga que encontrei mostra seiscentos e setenta e quatro comandantes, o que sugere que foi escrita durante...

– Há muito tempo – Jon o interrompeu. – Mas e os Outros?

– Encontrei menções sobre a obsidiana. As crianças da floresta costumavam dar para a Patrulha da Noite cem adagas de obsidiana todos os anos, durante a Era dos Heróis. Os Outros vêm quando está frio, a maior parte das histórias concorda. Ou então fica frio quando eles vêm. Algumas vezes eles aparecem durante tempestades de neve e derretem quando o céu fica limpo. Eles se escondem da luz do sol e emergem à noite... ou então a noite cai quando eles emergem. Algumas histórias falam que eles cavalgam em corpos de animais mortos. Ursos, lobos gigantes, mamutes, cavalos, não importa, desde que o animal esteja morto. Aquele que matou Paul Pequeno cavalgava um cavalo morto, então essa parte é claramente verdadeira. Alguns relatos também falam de aranhas gigantes de gelo. Não sei o que podem ser. Os homens mortos em batalha contra os Outros devem ser queimados, ou levantarão novamente como servos deles.

– Isso já sabemos. A questão é: como lutar contra eles?

– A armadura dos Outros é à prova da maioria das lâminas comuns, se podemos acreditar nas lendas, e suas próprias espadas são tão frias que quebram o aço. O fogo os assusta, e eles são vulneráveis à obsidiana. Encontrei um relato da Longa Noite que fala do último herói que matou Outros com uma espada de aço de dragão. Aparentemente, eles não podem lutar contra isso.

– Aço de dragão? – O termo era novo para Jon. – Aço *valiriano?*

– Foi minha primeira ideia também.

– Então, se conseguirmos convencer os senhores dos Sete Reinos a nos dar suas espadas valirianas, tudo está salvo? Não será tão difícil. – *Não mais do que pedir a eles que desistam de seu dinheiro e seus castelos.* Deu uma risada amarga. – Você descobriu quem são os Outros, de onde vieram, o que querem?

– Ainda não, senhor, mas pode ser que eu esteja lendo os livros errados. Há centenas que ainda não olhei. Me dê mais tempo e eu encontrarei o que há para ser encontrado.

– Não há mais tempo. Você precisa juntar suas coisas, Sam... Você partirá com Goiva.

– Partir? – Sam olhou para ele de boca aberta, como se não entendesse o significado da palavra. – Vou partir? Para Atalaialeste, senhor? Ou... aonde eu...

– Vilavelha.

– *Vilavelha?* – Sam repetiu, em um guincho agudo.

– Aemon também.

– Aemon? *Meistre* Aemon? Mas... ele tem cento e dois anos de idade, senhor, ele não pode... está enviando ele e eu? Quem vai cuidar dos corvos? Se alguém ficar doente ou ferido, quem...

– Clydas. Ele está com Aemon há anos.

– Clydas é apenas um intendente, e seus olhos estão ficando ruins. Você precisa de um *meistre*. Meistre Aemon é tão frágil, a viagem pelo mar... ele pode... ele é velho, e...

– Sua vida estará em risco. Estou ciente disso, Sam, mas o risco é maior aqui. Stannis sabe quem Aemon é. Se a mulher vermelha precisar de sangue real para seus feitiços...

– Oh! – As bochechas gordas de Sam perderam a cor.

– Dareon se juntará a vocês em Atalaialeste. Minha esperança é que as canções dele conquistem alguns homens para nós no Sul. O *Melro* deixará vocês em Bravos. De lá vocês arranjarão passagem para Vilavelha. Se ainda pretende alegar que o bebê de Goiva é seu bastardo, envie-a juntamente com a criança para Monte Chifre. Senão, Aemon vai encontrar um lugar para ela como serva na Cidadela.

– Meu b-b-bastardo. Sim, eu.. minha mãe e minhas irmãs ajudarão Goiva com a criança. Dareon pode ir com ela para Vilavelha tão bem quanto eu. Eu... Eu tenho treinado com o arco todas as tardes, com Ulmer, como você mandou... bem, exceto quando estou na abóbada, mas você me disse para pesquisar sobre os Outros. O arco faz meus ombros doerem e levanta bolhas nos meus dedos. – Ele mostrou a mão para Jon. – Mesmo assim, eu treino. Posso acertar o alvo com mais frequência do que antes, mas ainda sou o pior arqueiro que já usou um arco. Gosto das histórias de Ulmer, no entanto. Alguém precisa escrevê-las e colocá-las em um livro.

– Você fará isso. Eles têm pergaminhos e tinta na Cidadela, assim como arcos. Espero que continue a treinar. Sam, a Patrulha da Noite tem centenas de homens que podem atirar uma flecha, mas somente um punhado que sabe ler ou escrever. Preciso que você se torne meu novo meistre.

– Senhor, eu... meu trabalho é aqui, os livros...

– ... ainda estarão aqui quando você retornar para nós.

Sam colocou uma mão na garganta. – Senhor, a Cidadela... eles nos fazem cortar cadáveres. Não posso usar uma corrente.

– Você pode. Você usará. Meistre Aemon está velho e cego. Suas forças o estão abandonando. Quem tomará seu lugar quando ele morrer? Meistre Mullin, na Torre Sombria, é mais guerreiro do que erudito, e Meistre Harmune, em Atalaialeste, vive mais bêbado do que sóbrio.

– Se pedir mais meistres para a Cidadela...

– Pretendo fazer isso. Precisaremos de cada um deles. Mas não é tão fácil substituir Aemon Targaryen. – *Isso não está indo como eu esperava.* Ele sabia que Goiva seria difícil de convencer, mas imaginava que Sam ficaria feliz em trocar os perigos da Muralha pelo calor de Vilavelha. – Eu tinha certeza de que você gostaria disso – ele disse, confuso. – Há tantos livros na Cidadela que nenhum homem pode esperar ler todos. Você se sairá bem lá, Sam. Eu sei que sim.

– Não. Eu poderia ler os livros, mas... um m-meistre precisa ser curandeiro e s-sangue me faz desmaiar. – Sua mão tremia, para provar a verdade do que ele dizia. – Sou Sam, o Assustado, não Sam, o Matador.

– Assustado? Com o quê? Com censuras de velhos? Sam, você viu as criaturas invadirem o Punho, uma maré de mortos-vivos com mãos negras e brilhantes olhos azuis. Você matou um Outro.

– Foi o v-v-vidro de dragão, não eu.

– Chega! – Jon desistiu de argumentar. Depois de Goiva, ele não tinha paciência para os medos do rapaz gordo. – Você mentiu, maquinou e tramou para me fazer Senhor Comandante. Agora *vai* me obedecer. Irá para a Cidadela e forjará uma corrente, e se tiver que cortar cadáveres, assim será. Pelo menos, em Vilavelha os cadáveres não vão reclamar.

– Meu senhor, meu p-p-pai, Lorde Randyl, ele, ele, ele, ele, ele... a vida de um meistre é uma vida de *servidão*. Nenhum filho da Casa Tarly jamais usará uma corrente. Nenhum homem de Monte Chifre se curva diante de um senhor insignificante. Jon, não posso desobedecer meu *pai*.

Mate o menino, Jon pensou. *O menino em você e o menino nele. Mate ambos, seu bastardo maldito.* – Você não tem pai. Somente irmãos. Somente nós. Sua vida pertence à Patrulha da Noite, então vá, coloque suas roupas de baixo em um saco, juntamente com qualquer outra coisa que queira levar para Vilavelha. Vocês partirão antes do nascer do sol. E aqui está outra ordem. Deste dia em diante, você não se chamará de covarde. Você encarou mais coisas no último ano do que a maioria dos homens em toda a vida. Você pode encarar a Cidadela, mas o fará como um Irmão Juramentado da Patrulha da Noite. Não posso ordenar que seja bravo, mas *posso* ordenar que esconda seus medos. Você fez os votos, Sam. Lembra?

– Eu... Eu vou tentar.

– Não vai tentar. Vai obedecer.

Obedecer. O corvo de Mormont repetiu e bateu suas grandes asas negras.

Sam pareceu ceder. – Como meu senhor ordena. Meistre... Meistre Aemon sabe?

– Isso foi ideia tanto dele quanto minha – Jon abriu a porta para ele. – Sem despedidas. Quanto menos pessoas souberem disso, melhor. Uma hora antes da primeira luz, junto ao cemitério.

Sam fugiu dele como Goiva havia feito.

Jon estava cansado. *Preciso dormir*. Ele passara metade da noite debruçado sobre mapas, escrevendo cartas e fazendo planos com Meistre Aemon. Mesmo quando se jogou em sua cama estreita, o descanso não veio fácil. Ele sabia o que teria que enfrentar naquele dia, e se pegou virando na cama enquanto meditava sobre as palavras finais de Meistre Aemon. – Permita-me, senhor, dar-lhe um último conselho – o velho falara –, o mesmo conselho que uma vez dei ao meu irmão quando nos separamos pela última vez. Ele tinha trinta e três quando o Grande Conselho o escolheu para assumir o Trono de Ferro. Um homem crescido, com seus próprios filhos, mas em alguns aspectos ainda um menino. Ovo tinha uma inocência, uma doçura que todos amávamos. *Mate o menino em você*, eu disse para ele no dia em que peguei o navio para a Muralha. *É preciso um homem para governar. Um Aegon, não um Ovo. Mate o menino e deixe o homem nascer.* – O velho sentiu o rosto de Jon com as mãos. – Você tem metade da idade que Ovo tinha, e temo que seu fardo seja mais cruel do que o dele. Você terá poucas alegrias com seu comando, mas penso que terá forças para fazer as coisas que precisam ser feitas. Mate o menino, Jon Snow. O inverno está quase sobre nós. Mate o menino e deixe o homem nascer.

Jon vestiu a capa e saiu. Ele fazia rondas no Castelo Negro todos os dias, visitando os homens de guarda e ouvindo seus relatos em primeira mão, observando Ulmer treinar os arqueiros a acertar o alvo, falando tanto com os homens do rei quanto com os homens da rainha, caminhando pelo topo da Muralha, para dar uma olhada na floresta. Fantasma caminhava com ele, uma sombra branca ao seu lado.

Kedge Olho-Branco estava na Muralha quando Jon subiu. Kedge já havia visto uns quarenta dias de seu nome, trinta dos quais na Muralha. Seu olho esquerdo estava cego, o direito mais ou menos. Na natureza, com um machado e um garrano, era tão bom patrulheiro quanto qualquer um da Patrulha, mas nunca se dera bem com outros homens.

– Um dia quieto – disse para Jon. – Nada para informar, exceto os cavaleiros do caminho-errado.

– Cavaleiros do caminho-errado? – Jon perguntou.

Kedge sorriu. – Um par de cavaleiros. Saíram há uma hora, sentido sul, pela estrada do rei. Quando Dywen viu os dois indo embora, disse que os tolos sulistas estavam cavalgando pelo caminho-errado.

– Entendo – disse Jon.

Descobriu mais do próprio Dywen, enquanto o velho patrulheiro tomava uma tigela de caldo de cevadinha no alojamento. – Sim, senhor, eu vi os dois. Horpe e Massey, eram eles. Falaram que Stannis mandou eles saírem, mas não falaram para onde, para quê, ou quando estariam de volta.

Sor Richard Horpe e Sor Justin Massey eram ambos homens da rainha e tinham altos postos no conselho do rei. *Um par de homens comuns seria suficiente se Stannis quisesse fazer algum reconhecimento,* Jon Snow refletiu, *mas cavaleiros são mais indicados para atuar como mensageiros ou enviados.* Cotter Pyke enviara uma carta de Atalaialeste dizendo que o Senhor das Cebolas e Salladhor Saan haviam partido para Porto Branco, para negociar com Lorde Manderly. Fazia sentido que Stannis tivesse despachado outros enviados. Sua Graça não era um homem paciente.

Se os cavaleiros do caminho-errado voltariam era outra questão. Eles podiam ser cavaleiros, mas não conheciam o Norte. *Haverá olhos ao longo da estrada do rei, e nem todos amigáveis.* Mas isso não era problema de Jon. *Deixe Stannis com seus segredos. Os deuses sabem que tenho o meu.*

Fantasma dormiu aos pés de sua cama naquela noite, e por uma vez Jon não sonhou que era um lobo. Mesmo assim, dormiu de forma intermitente, virando-se de um lado para o outro por horas antes de mergulhar em um pesadelo. Goiva estava nele, chorando, implorando que deixasse seus bebês em paz, mas ele tirava as crianças dos braços dela e arrancava suas cabeças, para depois trocá-las e falar para ela costurá-las no lugar.

Quando acordou, encontrou Edd Tollett pairando sobre ele na escuridão do quarto. – Senhor? Já está na hora. A hora do lobo. Deixou ordens para que fosse acordado.

– Traga-me algo quente. – Jon afastou os cobertores.

Edd voltou bem na hora em que ele terminou de se vestir, apertando uma xícara fumegante entre as mãos. Jon esperava vinho quente com especiarias e ficou surpreso ao encontrar sopa, um caldo ralo que cheirava a alho-poró e cenouras, mas que parecia não ter nem alho-poró nem cenouras. *Os cheiros são mais fortes nos meus sonhos de lobo*, refletiu, *e a comida parece mais saborosa também. Fantasma está mais vivo do que eu.* Deixou a xícara vazia sobre a forja.

Barricas estava em sua porta naquela manhã.

– Quero falar com Bedwyck e com Janos Slynt – Jon lhe disse. – Traga os dois aqui na primeira hora da manhã.

Do lado de fora, o mundo estava negro e imóvel. *Frio, mas não perigosamente frio. Não ainda. Ficará mais quente quando o sol nascer. Se os deuses forem bons, a Muralha vai chorar.* Quando chegaram ao cemitério, a coluna já estava em formação. Jon dera o comando da escolta a Jack Negro Bulwer, com uma dúzia de patrulheiros montados e duas carroças. Uma estava repleta de arcas, engradados e sacos, com provisões para a viagem. A outra tinha um teto estirado de couro fervido para manter o vento do lado de fora. Meistre Aemon estava sentado no fundo desta, encolhido em uma pele de urso que o fazia parecer tão pequeno quanto uma criança. Sam e Goiva estavam por perto. Os olhos dela estavam vermelhos e inchados, mas o menino estava em seus braços, embrulhado apertado. Se era o filho dela ou o de Dalla, ele não tinha certeza. Ele vira os dois juntos apenas algumas vezes. O menino de Goiva era mais velho, o de Dalla mais robusto, mas tinham quase a mesma idade e tamanho, então ninguém sabia dizer muito bem qual era um e qual era o outro.

– Lorde Snow – Meistre Aemon chamou –, deixei um livro para você em meus aposentos. O *Compêndio Jade*. Foi escrito pelo aventureiro volantino Colloquo Votar, que viajou para o leste e visitou todas as terras do Mar de Jade. Há uma passagem que pode interessá-lo. Pedi para que Clydas a marcasse para você.

– Eu certamente lerei.

Meistre Aemon limpou o nariz.

– O conhecimento é uma arma, Jon. Arme-se bem antes de ir para a batalha.

– Farei isso. – Jon sentiu algo molhado e gelado no rosto. Quando ergueu os olhos, viu que estava chovendo. *Um mau presságio.* Virou-se para Jack Negro Bulwer. – Faça no melhor tempo que puder, mas não corra riscos tolos. Você tem um velho e um bebê de peito com você. Mantenha-os aquecidos e bem alimentados.

– Faça o mesmo, senhor. – Goiva não parecia ter nenhuma pressa em subir na carroça. – Faça o mesmo pelo outro. Encontre uma ama de leite para ele, como disse que faria. Prometeu-me isso. O menino... o menino de Dalla... o principezinho, quero dizer... encontre uma boa mulher pra ele, pra que ele cresça grande e forte.

– Você tem minha palavra.

– Não dê nome pra ele. Não até que ele tenha mais de dois anos. Dá azar dar um nome pra eles enquanto ainda estão no peito. Seus corvos não sabem disso, mas é verdade.

– Como desejar, senhora.

– Não me chame assim. Sou uma mãe, não uma senhora. Sou esposa e filha de Craster, e uma *mãe*. – Ela deu o bebê para Edd Doloroso enquanto subia na carroça e se cobria com peles. Quando Edd lhe devolveu a criança, Goiva o colocou no peito. Sam virou o rosto, corado, e subiu em sua égua. – *Vamos* – comandou Jack Negro Bulwer, estalando o chicote. As carroças moveram-se adiante.

Sam permaneceu um momento.

– Bem – disse –, até à vista.

– Até à vista, Sam – disse Edd Doloroso. – Não é provável que seu navio afunde, acho. Barcos só afundam quando estou a bordo.

Jon estava recordando.

– Na primeira vez que vi Goiva, ela estava encostada na parede da Fortaleza de Craster, uma menina magrela de cabelos escuros, com a barriga grande, encolhida de medo do Fantasma. Ele tinha se metido entre os coelhos dela, e acho que ela tinha medo que ele a abrisse e devorasse seu bebê... mas não era do lobo que ela tinha que ter medo, não é mesmo?

– Ela tem mais coragem do que imagina – Sam disse.

– E você também, Sam. Faça uma viagem rápida e segura, e cuide dela, de Aemon e da criança. – O frio escorrendo por seu rosto fez Jon lembrar-se do dia em que se despediu de Robb, em Winterfell, sem imaginar que seria a última vez. – E puxe o capuz. Os flocos de neve estão derretendo em seu cabelo.

Quando a pequena coluna diminuiu com a distância, o céu oriental tinha ido de negro a cinza e a neve caía pesadamente.

– O Gigante estará esperando as ordens do Senhor Comandante – Edd Doloroso o lembrou. – E Janos Slynt também.

– Sim. – Jon Snow deu uma olhada para a Muralha, erguendo-se sobre eles como um penhasco de gelo. *Quinhentos quilômetros de ponta a ponta, e mais de duzentos metros de altura.* A força da Muralha estava em sua altura; o comprimento da Muralha era sua fraqueza. Jon se lembrou de algo que o pai lhe dissera certa vez. *Uma muralha é tão forte quanto os homens que estão atrás dela.* Os homens da Patrulha da Noite eram suficientemente corajosos, mas estavam longe de ser em número suficiente para a tarefa que tinham pela frente.

O Gigante o esperava no arsenal. Seu nome verdadeiro era Bedwyck. Com um fio de cabelo acima de um metro e meio, era o menor homem da Patrulha da Noite. Jon foi direto ao ponto.

– Precisamos de mais olhos na Muralha. As fortalezas são o lugar em que nossas patrulhas podem se abrigar do frio e encontrar comida quente. Vou colocar uma guarnição em Marcagelo e darei o comando dela para você.

O Gigante colocou a ponta do dedo mínimo no ouvido para limpá-lo da cera.

– Comando? Eu? O senhor sabe que sou só um arrendatário que veio para a Muralha por caça ilegal?

– Você é patrulheiro há uma dúzia de anos. Sobreviveu ao Punho dos Primeiros Homens e à Fortaleza de Craster, e voltou para contar a história. Os homens mais jovens se espelham em você.

O homenzinho sorriu.

– Só anões se espelham em mim. Não sei ler, senhor. Em um dia bom, posso escrever meu nome.

– Pedi mais meistres para Vilavelha. Você terá dois corvos para casos urgentes. Quando não for emergência, pode mandar patrulheiros. Até que tenhamos mais meistres e mais aves, pretendo fazer uma linha de faróis ao longo do topo da Muralha.

– E quantos pobres tolos vou comandar?

– Vinte, da Patrulha – disse Jon –, e metade disso de homens de Stannis. – *Velhos, inexperientes ou feridos.* – Eles não serão seus melhores homens e nenhum deles vestirá o negro, mas vão obedecer. Faça o uso que desejar deles. Quatro dos irmãos que vou mandar com você serão de Porto Real, que vieram para a Muralha com Lorde Slynt. Mantenha um olho neles e vigie os escaladores com o outro.

– Podemos vigiar, senhor, mas se escaladores suficientes chegarem ao topo da Muralha, trinta homens não vão conseguir derrubá-los.

Trezentos homens podem não ser o suficiente. Jon manteve aquela dúvida para si mesmo. Era verdade que escaladores eram muito vulneráveis durante a subida. Pedras, lanças e barris de piche ardente podiam ser derramados de cima, e tudo o que eles podiam fazer era se agarrar desesperadamente ao gelo. Algumas vezes, a própria Muralha os repelia, como um cachorro se abana para se livrar das pulgas. Jon havia visto isso com seus próprios olhos, quando uma camada de gelo rachou sob o amante de Val, Jarl, e o mandou para a morte.

No entanto, se os escaladores chegassem ao topo da Muralha sem ser notados, tudo mudava. Com tempo, eles podiam escavar pontos de apoio para os pés, fazendo baluartes dos quais podiam atirar cordas e escadas para que milhares subissem depois deles. Fora assim que Raymun Barbarruiva fizera, Raymun que havia sido Rei-para-lá-da-Muralha nos dias do avô de seu avô. Jack Musgood era o Senhor Comandante naquela época. Jack Alegre era como o chamavam antes que Barbarruiva viesse do Norte; tornou-se Jack Sonolento para sempre, depois disso. O grupo de Raymun encontrara um fim sangrento nas margens do Lago Longo, pego entre Lorde Willam de Winterfell e o Gigante Bêbado, Harmond Umber. Barbarruiva foi morto por Artos, o Implacável, irmão mais novo de Lorde Willam. A Patrulha chegou tarde demais para combater os selvagens, mas a tempo de enterrá-los, tarefa que Artos Stark designou para eles, em sua ira, enquanto velava o cadáver sem cabeça do irmão.

Jon não pretendia ser lembrado como o Sonolento Jon Snow.

– Trinta homens são uma chance melhor do que nenhum – disse ao Gigante.

– Isso é verdade – o homenzinho respondeu. – Vai ser só Marcagelo, ou o senhor vai abrir os outros fortes também?

– Pretendo guarnecer todos eles, com o tempo – disse Jon –, mas por enquanto serão apenas Marcagelo e Guardagris.

– E o senhor já decidiu quem vai comandar Guardagris?

– Janos Slynt – falou Jon. *Que os deuses nos ajudem.* – Um homem não ganha o comando dos mantos dourados sem alguma habilidade. Slynt nasceu filho de um açougueiro. Era capitão dos Portões de Ferro quando Manly Stokeworth morreu, e Jon Arryn o promoveu e colocou a defesa de Porto Real nas mãos dele. Lorde Janos não pode ser um tolo tão grande quanto parece. – *E eu o quero longe de Alliser Thorne.*

– Pode ser que seja assim – disse o Gigante –, mas eu ainda mandaria ele para as cozinhas, para ajudar Hobb Três-Dedos a cortar nabos.

Se fizer isso, nunca mais ousarei comer outro nabo.

Metade da manhã se passara antes que Lorde Janos se apresentasse, como lhe fora ordenado. Jon estava limpando Garralonga. Alguns homens davam essa tarefa para um intendente ou um escudeiro, mas Lorde Eddard ensinara os filhos a cuidar das próprias armas. Quando Barricas e Edd Doloroso chegaram com Slynt, Jon agradeceu-lhes e convidou Lorde Janos a se sentar.

Foi o que ele fez, com pouca elegância, cruzando os braços, carrancudo, e ignorando o aço nu nas mãos do Senhor Comandante. Jon deslizou o oleado pela espada bastarda, observando as luzes da manhã brincando em suas ondulações, pensando em quão fácil a lâmina atravessaria pele, gordura e tendões para separar a cabeça feia de Slynt de seu corpo. Todos os crimes de um homem eram esquecidos quando ele vestia o negro, assim como todas as alianças, ainda assim era difícil pensar em Janos Slynt como um irmão. *Há sangue entre nós. Esse homem ajudou a assassinar meu pai e fez o melhor que pôde para me matar também.*

– Lorde Janos – Jon embainhou a espada –, estou lhe dando o comando de Guardagris.

Aquilo pegou Slynt de surpresa.

– Guardagris... Guardagris foi onde você escalou a Muralha com seus amigos selvagens...

– Foi. A fortaleza está em estado lamentável, sem dúvida. Você vai restaurá-la da melhor maneira que puder. Comece limpando a floresta, afastando-a. Pegue pedras das estruturas que caíram para reparar as que ainda estão em pé. – *O trabalho será brutal,* ele podia ter dito. *Você dormirá na pedra, cansado demais para reclamar ou tramar, e logo vai esquecer o que é se sentir aquecido, mas poderá se lembrar de como é ser um homem.* – Você terá trinta homens. Dez daqui, dez da Torre Sombria e dez emprestados pelo Rei Stannis.

O rosto de Slynt ficou cor de ameixa. Sua papada começou a tremer.

– Você acha que não vejo o que está fazendo? Janos Slynt não é homem para ser enganado tão facilmente. Eu cuidava da defesa de Porto Real enquanto você ainda se sujava em seus panos. Fique com sua ruína, bastardo.

Estou lhe dando uma chance, senhor. É mais do que deu para meu pai.

– Engana-se comigo, senhor – Jon disse. – Isto é uma ordem, não uma oferta. São mais de duzentos quilômetros até Guardagris. Embale suas armas e armadura, faça suas despedidas e esteja pronto para partir na primeira luz da manhã.

– Não. – Lorde Janos levantou-se abruptamente, derrubando a cadeira para trás. – *Não* vou partir humildemente para congelar e morrer. Nenhum bastardo de um traidor vai dar ordens para Janos Slynt! Não estou sem amigos, fique sabendo. Aqui e em Porto Real também. Eu era Senhor de Harrenhal! Dê sua ruína para um dos tolos cegos que atiram uma pedra por você, porque eu não vou para lá. Você me ouviu, rapaz? *Não vou para lá!*

– Você vai.

Slynt não se dignou a responder, mas chutou a cadeira para o lado quando saiu.

Ele ainda me vê como um garoto, Jon pensou, *um garoto inexperiente que pode ser intimidado por palavras raivosas.* Ele só podia esperar que uma noite de sono trouxesse um pouco de juízo a Lorde Janos.

A manhã seguinte provou que suas esperanças eram vãs.

Jon encontrou Slynt quebrando o jejum no salão comum. Sor Alliser Thorne estava com ele, e vários de seus comparsas. Estavam rindo de algo quando Jon desceu os degraus acompanhado de Emmett de Ferro e Edd Doloroso e, atrás deles, Mully, Cavalo, Jack Caranguejo Vermelho, Rusty Flowers e Owen, o Idiota. Hobb Três-Dedos estava servindo mingau de aveia de seu caldeirão. Homens da rainha, homens do rei e irmãos negros sentavam em mesas separadas, alguns debruçados sobre suas tigelas, outros enchendo a barriga de pão frito e bacon. Jon viu Pyp e Green em uma mesa, Bowen Marsh em outra. O ar cheirava a fumaça e gordura, e o barulho de facas e colheres ecoava pelo teto abobadado.

Todas as vozes morreram ao mesmo tempo.

– Lorde Janos – Jon disse –, vou lhe dar uma última chance. Abaixe a colher e vá para os estábulos. Seu cavalo já está com sela e freio. É um longo e difícil caminho para Guardagris.

– Então é melhor se colocar a caminho, garoto. – Slynt riu, com mingau escorrendo pelo peito. – Guardagris é um bom lugar para pessoas como você, estou pensando. Bem longe de gente decente e boa. A marca da besta está em você, bastardo.

– Está se recusando a obedecer minha ordem?

– Você pode enfiar sua ordem no seu rabo bastardo – disse Slynt, com a papada tremendo.

Alliser Thorne deu um tênue sorriso, os olhos negros fixos em Jon. Em outra mesa, Godry, o Matador de Gigantes, começou a rir.

– Como desejar. – Jon acenou para Emmett de Ferro. – Por favor, leve Lorde Janos para a Muralha...

... *e confine-o em uma cela de gelo*, ele poderia ter dito. Um dia ou dez apertado dentro do gelo, e ele ficaria trêmulo e febril, implorando para ser libertado, Jon não tinha dúvidas. E no momento em que estivesse fora, ele e Thorne começariam a tramar novamente.

... *e amarre-o ao seu cavalo*, ele poderia ter dito. Se Slynt não desejava ir para Guardagris como comandante, poderia ir como cozinheiro. Mas seria apenas questão de tempo até que ele desertasse. E quantos outros levaria com ele?

... *e enforque-o*, Jon completou.

O rosto de Janos Slynt ficou branco como leite. A colher caiu de seus dedos. Edd e Emmett cruzaram o salão, seus passos ecoando no chão de pedra. Bowen Marsh abriu e fechou a boca, mas as palavras não saíram. Sor Alliser Thorne alcançou o punho da espada. *Vamos lá*, Jon pensou. Garralonga estava pendurada em suas costas. *Mostre seu aço. Me dê motivo para fazer o mesmo.*

Metade dos homens no salão estava em pé. Cavaleiros sulistas e homens em armas, leais ao Rei Stannis ou à mulher vermelha, ou a ambos, e Irmãos Juramentados da Patrulha da Noite. Alguns haviam escolhido Jon para ser Senhor Comandante deles. Outros haviam colocado suas pedras para Bowen Marsh, Sor Denys Mallister, Cotter Pyke... e alguns para Janos Slynt. *Centenas deles, se me lembro bem.* Jon se perguntava quantos deles estariam naquele porão. Por um momento, o mundo ficou equilibrado no fio da espada.

Alliser Thorne tirou a mão da espada e deu um passo para trás, para deixar Edd Doloroso passar.

Edd Doloroso segurou Slynt por um braço, Emmett de Ferro pelo outro. Juntos, arrancaram-no do banco.

– Não! – Lorde Janos protestou, cuspindo mingau. – Não! Solte-me. Ele é só um garoto, um bastardo. O pai dele era um traidor. A marca da besta está nele, aquele lobo... Soltem-me! Vão lamentar o dia que colocaram as mãos em Janos Slynt. Tenho amigos em Porto Real. Estou avisando. – Ele ainda estava protestando, conforme eles meio andavam, meio o arrastavam pelos degraus.

Jon os seguiu para fora. Atrás dele, o porão havia se esvaziado. Na gaiola, Slynt conseguiu escapar por um momento e tentou lutar, mas Emmett de Ferro o pegou pela garganta e apertou-o contra as barras de ferro até que desistisse. Nesse momento, todo o Castelo Negro já estava do lado de fora para assistir. Até Val estava em sua janela, com a longa trança dourada em um ombro. Stannis estava em pé nos degraus da Torre do Rei, cercado por seus cavaleiros.

– Se o rapaz acha que pode me assustar, está enganado – ouviram Lorde Janos dizer. – Ele não ousará me enforcar. Janos Slynt tem amigos, amigos importantes, vocês verão... – o vento levou embora o resto de suas palavras.

Isto está errado, Jon pensou.

– Pare.

Emmett virou-se, franzindo a testa.

– Senhor?

– Não vou enforcá-lo – Jon disse. – Traga-o aqui.

– Oh, os Sete nos salvaram – ele ouviu Bowen Marsh gritar.

O sorriso que Lorde Janos Slynt deu tinha toda a doçura de manteiga rançosa. Até que Jon disse:

– Edd, traga-me um bloco – e desembainhou Garralonga.

Enquanto um bloco adequado para corte estava sendo procurado, Lorde Janos voltou para dentro da gaiola, mas Emmett de Ferro foi atrás dele e o arrancou de lá.

– Não! – gritou Slynt, enquanto Emmett meio o empurrava meio o puxava pelo pátio. – Solte-me... vocês não podem... quando Lorde Tywin Lannister ouvir falar disso, vocês todos estarão...

Emmett chutou suas pernas para derrubá-lo. Edd Doloroso colocou um pé em suas costas para mantê-lo de joelhos, enquanto Emmett posicionava o bloco sob sua cabeça.

– Isto será mais fácil se você ficar quieto – Jon prometeu para ele. – Mova-se para evitar o corte e você ainda morrerá, mas sua morte será mais feia. Estique o pescoço, senhor. – A luz clara do sol da manhã correu pela lâmina enquanto Jon tirou a espada bastarda da bainha com as duas mãos e a levantou. – Se tem alguma última coisa para dizer, agora é a hora de falar – disse, esperando uma última maldição.

Janos Slynt virou o pescoço para encará-lo.

– Por favor, senhor. Perdão. Eu... Eu irei, eu vou, eu...

Não, pensou Jon. *Você fechou esta porta*. Garralonga desceu.

– Posso ficar com as botas dele? – perguntou Owen, o Idiota, enquanto a cabeça de Janos Slynt rolava pelo chão lamacento. – Estão quase novas, essas botas. Forradas com pele.

Jon olhou para Stannis. Por um instante, seus olhos se encontraram. Então o rei assentiu com a cabeça e voltou para dentro de sua torre.

Tyrion

Ele acordou sozinho e encontrou a liteira parada.

Uma pilha de almofadas amassadas indicava o lugar em que Illyrio estivera esparramado. A garganta do anão estava seca e raspando. Ele sonhara... o que sonhara? Não se lembrava.

Do lado de fora, vozes falavam em um idioma que não conhecia. Tyrion balançou as pernas através das cortinas, pulou no chão e encontrou Magíster Illyrio parado ao lado de dois cavaleiros montados. Ambos vestiam camisas de couro puído, sob capas de lã marrom-escura, mas suas espadas estavam embainhadas e o homem gordo não parecia estar em perigo.

– Preciso mijar – o anão anunciou. Bamboleou para fora da estrada, desatou os calções e se aliviou em um emaranhado de espinhos. Levou um longo tempo.

– Ele mija bem, pelo menos – uma voz observou.

Tyrion sacudiu as últimas gotas e ajeitou a roupa.

– Mijar é o menor dos meus talentos. Você devia me ver cagar. – Virou-se para Magíster Illyrio. – Esses dois são seus conhecidos, Magíster? Parecem fora da lei. Devo pegar meu machado?

– Seu machado? – exclamou o cavaleiro maior, um homem forte com uma barba desgrenhada e um nada discreto cabelo laranja. – Ouviu isso, Haldon? O homenzinho quer lutar com a gente!

Seu companheiro era mais velho, bem barbeado, com um rosto alinhado e ascético. Seu cabelo estava puxado para trás e preso em um nó sobre a cabeça.

– Homens pequenos frequentemente precisam provar sua coragem com ostentações inconvenientes – declarou. – Duvido que consiga matar um pato.

Tyrion encolheu os ombros.

– Traga o pato.

– Se insiste – o cavaleiro deu uma olhada para seu companheiro.

O homem forte desembainhou a espada bastarda.

– Eu sou Pato, seu pequeno saco de mijo tagarela.

Oh, deuses, sejam bons.

– Eu tinha um pato *menor* em mente.

O homem grande caiu na gargalhada.

– Ouviu isso, Haldon? Ele quer um pato menor!

– Eu me contentaria com um mais calado. – O homem chamado Haldon estudou Tyrion com frios olhos cinzentos antes de virar-se para Illyrio. – Você tem alguns baús para nós?

– E mulas para carregá-los.

– Mulas são muito lentas. Temos cavalos de carga, colocaremos os baús neles. Pato, cuide disso.

– Por que é sempre o Pato que cuida das coisas? – O homem grande colocou a espada de volta na bainha. – Do que *você* cuida, Haldon? Quem é o cavaleiro aqui, você ou eu? – Mesmo assim, saiu pisando duro em direção às mulas.

– Como nosso rapaz está? – perguntou Illyrio enquanto a bagagem era amarrada. Tyrion contou seis baús de carvalho com fechos de ferro. Pato deslocava-os facilmente, apoiando-os em um ombro.

– Está tão alto quanto Griff agora. Três dias atrás ele derrubou Pato em um cocho de cavalo.

– Eu não fui *derrubado*. Eu caí para fazer ele rir.

– Sua tática foi um sucesso – disse Haldon. – Eu ri.

– Tem um presente para o garoto em um dos baús. Um pouco de gengibre caramelizado. Ele sempre adorou isso. – Illyrio soou estranhamente triste. – Pensei que poderia continuar com vocês até Ghoyan Drohe. Uma festa de despedida antes de começarem a descer o rio...

– Não temos tempo para festas, senhor – falou Haldon. – Griff pretende atacar rio abaixo no instante que voltarmos. Notícias estão chegando do rio acima, e nenhuma delas é boa. Dothrakis têm sido vistos no norte do Lago Adaga, batedores do antigo *khalasar* de Motho, e Khal Zekko não está longe dele, movendo-se pela Floresta de Qohor.

O gordo fez um barulho rude.

– Zekko visita Qohor a cada três ou quatro anos. Os qohoriks dão um saco de ouro para ele, e ele volta para o leste. Quanto a Motho, seus homens são quase tão velhos quanto ele, e são menos numerosos a cada ano. A ameaça é...

– ... Khal Pono – Haldon completou. – Motho e Zekko fogem dele, se os boatos são verdadeiros. Os últimos relatos dizem que Pono está perto da cabeceira do Selhoru, com um *khalasar* de trinta mil. Griff não quer correr o risco de ser pego na travessia se Pono decidir aventurar-se no Roine. – Haldon deu uma olhada para Tyrion. – Seu anão cavalga tão bem quanto mija?

– Cavalga – Tyrion interrompeu, antes que o senhor do queijo pudesse responder por ele –, embora cavalgue melhor com uma sela especial e um cavalo que conheça bem. Ah, e ele fala também.

– Que assim seja. Sou Haldon, o curandeiro do nosso pequeno grupo de irmãos. Alguns me chamam Meiomeistre. Meu companheiro é Sor Pato.

– Sor *Rolly* – disse o homem grande –, Rolly Patodocampo. Qualquer cavaleiro pode sagrar um cavaleiro, e Griff me sagrou. E você, anão?

Illyrio respondeu rapidamente:

– Yollo, é o nome dele.

Yollo? Yollo parece um nome que alguém daria a um macaco. Pior, era um nome pentoshi, e qualquer tolo podia ver que Tyrion não era pentoshi.

– Em Pentos, sou Yollo – disse rapidamente, para ajeitar a história da melhor maneira possível –, mas minha mãe me deu o nome de Hugor Hill.

– Você é um pequeno rei ou um pequeno bastardo? – perguntou Haldon.

Tyrion percebeu que deveria ser cuidadoso perto do Meiomeistre Haldon.

– Todo anão é um bastardo aos olhos de seu pai.

– Sem dúvida. Bem, Hugor Hill, me responda essa. Como Serwyn do Escudo Espelhado matou o dragão Urrax?

– Ele se aproximou atrás de seu escudo. Urrax viu somente seu próprio reflexo até que Serwyn espetou a lança através do olho do animal.

Haldon não estava impressionado.

– Até Pato conhece essa história. Você sabe me dizer o nome do cavaleiro que tentou o mesmo truque com Vhagar durante a Dança dos Dragões?

Tyrion sorriu.

– Sor Byron Swann. Mas ele foi assado, para seu azar... só que o dragão era Syrax, não Vhagar.

– Sinto que esteja enganado. Em *A Dança dos Dragões – uma história verdadeira*, Meistre Munkun escreve...

– ... que era Vhagar. Grande Meistre Munkun estava errado. O escudeiro de Sor Byron viu seu mestre morrer e escreveu para a filha contando de que maneira isso aconteceu. O relato diz que foi Syrax, a dragão-fêmea de Rhaenyra, o que faz mais sentido do que a versão de Munken. Swann era filho de um senhor manifestante, e Ponta Tempestade estava por Aegon. Vhagar era cavalgada pelo Príncipe Aemond, irmão de Aegon. Por que Swann iria querer matá-la?

Haldon apertou os lábios.

– Tente não cair do cavalo. Se fizer isso, melhor bambolear de volta para Pentos. Nossa donzela tímida não espera por nenhum homem ou anão.

– Donzelas tímidas são meu tipo favorito. Juntamente com as devassas. Diga-me, para onde as putas vão?

– Eu pareço homem que frequenta putas?

Pato riu ironicamente.

– Ele não se atreve. Lemore faria ele rezar por perdão, o garoto ia querer ir junto, e Griff pode cortar o pau dele e enfiar garganta abaixo.

– Bem – disse Tyrion –, um meistre não precisa de um pau.

– Mas Haldon é só meiomeistre.

– Parece que você acha o anão divertido, Pato – disse Haldon. – Ele pode cavalgar com você. – E virou abruptamente sua montaria.

Levou mais algum tempo para que Pato terminasse de amarrar os baús de Illyrio nos três cavalos de carga. Quando terminou, Haldon tinha desaparecido. Pato pareceu despreocupado. Subiu na sela, pegou Tyrion pelo colarinho e colocou o homenzinho sentado em sua frente.

– Segure o cepilho com firmeza e se sairá bem. A égua tem uma marcha tranquila, e o caminho do dragão é suave como o traseiro de uma donzela – apanhando as rédeas com a mão direita e a guia com a esquerda, Sor Rolly partiu em trote rápido.

– Boa sorte! – Illyrio gritou atrás deles. – Diga ao garoto que sinto não estar presente no casamento dele. Vejo vocês de novo em Westeros. Juro pelas mãos da minha doce Serra.

Na última vez que Tyrion Lannister viu Illyrio Mopatis, o Magíster estava em pé ao lado da liteira, com suas vestes brocadas e os enormes ombros caídos. Conforme sua imagem diminuiu em meio à poeira, o senhor do queijo chegou a parecer quase pequeno.

Pato alcançou Meiomeistre Haldon quatrocentos metros adiante. Depois disso, os cavaleiros seguiram lado a lado. Tyrion agarrava-se ao cepilho, com as pernas curtas abertas desajeitadamente, sabendo que mais adiante poderia procurar por bolhas, câimbras e úlceras da sela.

– Eu me pergunto o que os piratas do Lago Adaga farão ao nosso anão – Haldon disse enquanto cavalgavam.

– Ensopado de anão? – sugeriu Pato.

– Urho, o Sembanho, é o pior deles – confidenciou Haldon. – Seu mau cheiro sozinho é capaz de matar um homem.

Tyrion encolheu os ombros.

– Ainda bem que não tenho nariz.

Haldon lhe deu um leve sorriso.

– Se encontrarmos a Senhora Korra no *Dentes de Hag*, você logo estará sem outras partes também. Korra, a Cruel, ela é chamada. Seu navio é tripulado por belas e jovens donzelas que castram todos os machos que capturam.

– Terrível. Eu bem que posso mijar nos calções.

– Melhor não – Pato advertiu, sombriamente.

– Como preferir. Se encontrarmos essa Senhora Korra, vou simplesmente escorregar para dentro de uma saia e dizer que sou Cersei, a famosa beleza barbada de Porto Real.

Dessa vez Pato riu, e Haldon disse:

– Que sujeitinho engraçado você é, Yollo. Dizem que o Senhor Mascarado dará uma bênção para quem puder fazê-lo rir. Talvez Sua Graça Cinza escolha você para ornamentar seu tribunal de pedra.

Pato olhou para o companheiro, inquieto:

– Não é bom fazer graça com isso, não quando estamos tão perto do Roine. Ele ouve.

– Sabedoria de um pato – disse Haldon. – Perdoe-me, Yollo. Não precisa ficar pálido, eu estava só brincando. O Príncipe dos Sofrimentos não dará seu suave beijo gris.

Seu beijo gris. O pensamento fez sua pele arrepiar-se. A morte perdera o terror para Tyrion Lannister, mas escamagris era outra coisa. *O Senhor Mascarado é apenas uma lenda*, disse para si mesmo, *não mais real do que o fantasma de Lann, o Esperto, que alguns acham que assombra Rochedo Casterly*. Mesmo assim, segurou a língua.

O súbito silêncio do anão passou despercebido, enquanto Pato começou a deliciá-lo com sua própria história de vida. Seu pai fora um armeiro em Ponteamarga, disse, então ele nascera com o som do aço nos ouvidos e começou a praticar esgrima em idade precoce. Um rapaz tão grande e promissor logo chamou a atenção de Lorde Caswell, que ofereceu para ele um lugar em sua guarnição, mas o garoto teria querido mais. Viu o filho fracote de Caswell ser nomeado pajem, escudeiro e, finalmente, cavaleiro.

– Um cara-furada magrelo e vagabundo, ele era, mas o velho senhor tinha apenas quatro filhas e um único filho, então ninguém podia dizer uma palavra contra ele. Os outros escudeiros dificilmente se atreviam a levantar um dedo contra ele no pátio.

– Mas você não era tão tímido quanto eles. – Tyrion podia ver facilmente para onde a história caminhava.

– Meu pai fez uma espada longa para mim, para marcar o décimo-sexto dia do meu nome – disse Pato –, mas Lorent gostou tanto dela que pegou-a para si, e meu maldito pai não se atreveu a dizer não. Quando eu reclamei, Lorent disse na minha cara que minha mão tinha sido feita para segurar um martelo, não uma espada. Então peguei um martelo e bati nele até que ficasse com as duas pernas e metade das costelas quebradas. Depois disso, tive que deixar a Campina o mais rápido possível. Atravessei o mar e me juntei à Companhia Dourada. Trabalhei na forja por uns anos, como aprendiz, então Sor Harry Strickland me tomou como escudeiro. Quando Griff mandou uma carta rio abaixo dizendo que precisava de alguém para treinar seu filho nas armas, Harry me mandou.

– E Griff sagrou você cavaleiro?

– Um ano mais tarde.

Meiomeistre Haldon deu um leve sorriso.

– Conte para seu amiguinho como você arranjou seu nome, por que não?

– Um cavaleiro precisa de mais do que apenas um nome – o homem grande insistiu – e, bem, estávamos em um campo quando ele me sagrou, e eu olhei para cima e vi esses patos, então... não ria agora.

Logo após o pôr do sol, eles deixaram a estrada para descansar em uma área coberta ao lado de um velho poço de pedra. Tyrion pulou do cavalo para esticar as pernas e se livrar das câimbras, enquanto Pato e Haldon davam água para os cavalos. Uma grama dura e marrom e plantas daninhas brotavam entre os espaços do piso, e havia paredes cobertas de musgo do que poderia ter sido uma grande mansão de pedra. Depois que os animais foram tratados, os cavaleiros repartiram uma ceia simples de carne de porco salgada e feijões brancos frios, empurrados para baixo com cerveja. Para Tyrion, a refeição singela foi uma agradável mudança depois da farta comida partilhada com Illyrio.

– Estes baús que trouxemos para vocês – disse o anão enquanto mastigavam. – Ouro para a Companhia Dourada, pensei primeiramente, até ver Sor Rolly carregando-os em um ombro. Se estivessem cheios de moedas, não poderiam ser levantados com tanta facilidade.

– São apenas armaduras – Pato disse, com um encolher de ombros.

– E roupas também – Haldon interrompeu. – Roupas da corte, para todo o nosso grupo. Finas lãs, veludos, capas de seda. Ninguém quer chegar diante da rainha parecendo um mendigo... nem de mãos vazias. O Magíster foi gentil o suficiente para nos providenciar presentes adequados.

Com o nascer da lua, eles voltaram para suas selas, trotando para leste sob um manto de estrelas. A velha estrada valiriana brilhava diante deles como uma longa fita prateada enroscando-se por bosques e pequenos vales. Por um instante, Tyrion Lannister sentiu-se quase em paz.

– Lomas Longstrider disse a verdade. A estrada é uma maravilha.

– Lomas Longstrider? – perguntou Pato.

– Um escriba, morto há muito tempo – disse Haldon. – Passou a vida viajando pelo mundo e escrevendo sobre as terras que visitou em dois livros, que chamou de *Maravilhas* e *Maravilhas Feitas pelo Homem*.

– Um tio me deu esses livros quando eu ainda era menino – disse Tyrion. – Eu os li até que caíssem aos pedaços.

– *Os deuses fizeram sete maravilhas, e o homem mortal fez nove* – citou o Meiomeistre. – Muito ímpio da parte do homem mortal fazer dois a mais que os deuses, mas aí estão. A estrada de pedra de Valíria é uma das nove de Longstrider. A quinta, eu acho.

– A quarta – disse Tyrion, que sabia todas as dezesseis de memória desde menino. Seu tio Gerion gostava de colocá-lo sobre a mesa durante as festas para que pudesse recitá-las. *Eu gostava bastante disso, não gostava? Ficar parado ali entre os convidados, todos os olhos sobre mim, provando que anãozinho esperto eu era.* Por anos depois disso, ele acalentou o sonho de um dia viajar pelo mundo e ver as maravilhas de Longstrider com seus próprios olhos.

Lorde Tywin pusera um fim nessa esperança dez dias antes do décimo-sexto dia do nome do anão, quando Tyrion pediu para viajar pelas Nove Cidades Livres, como seus tios haviam feito com a mesma idade.

– Meus irmãos jamais trariam vergonha para a Casa Lannister – seu pai replicara. – Nenhum deles se casou com uma puta.

E quando Tyrion o lembrou que em dez dias seria um homem feito, livre para viajar para onde desejasse, Lorde Tywin disse:

– Nenhum homem é livre. Somente crianças e tolos pensam o contrário. Vá pelos seus meios. Vista uma roupa quadriculada e fique de cabeça para baixo para divertir os senhores das especiarias e os reis do queijo. Só tenha certeza de poder se manter, e coloque de lado qualquer ideia de voltar para cá.

Diante disso, a rebeldia do rapaz se esfacelou.

– Se quer uma ocupação útil, terá uma ocupação útil – disse então seu pai.

Para marcar sua entrada na vida adulta, Tyrion ficou responsável por todos os drenos e cisternas de Rochedo Casterly. *Talvez ele esperasse que eu caísse em um deles.* A sorte de Tywin o desapontou daquela vez. Os drenos nunca funcionaram tão bem como na época em que o anão esteve a cargo deles.

Preciso de uma taça de vinho, para lavar o gosto de Tywin da minha boca. Um odre de vinho seria até melhor.

Eles cavalgaram a noite toda, com Tyrion dormindo de modo irregular, cochilando contra o cepilho e acordando repentinamente. De tempos em tempos, ele começava a escorregar para um dos lados da sela, mas Sor Rolly o pegava e o colocava no lugar novamente. Ao amanhecer, as pernas do anão doíam e suas nádegas estavam esfoladas e em carne viva.

No dia seguinte, alcançaram Ghoyan Drohe, bem ao lado do rio.

– O lendário Roine – disse Tyrion, quando vislumbrou o lento curso d'água verde de cima de uma elevação.

– O Pequeno Roine – disse Pato.

– É isso. – *Um rio bastante agradável, suponho, mas o menor ramo do Tridente é duas vezes mais largo, e todos os três correm mais rápido.* A cidade tampouco impressionava. Ghoyan Drohe nunca fora grande, Tyrion lembrava das histórias, mas havia sido um lugar bom, verde e florido, uma cidade de canais e fontes. *Até a guerra. Até que os dragões vieram.* Mil anos depois, os canais estavam obstruídos pelo junco e pela lama, e as piscinas de água estagnada davam origem a enxames de moscas. As pedras quebradas de templos e palácios afundavam de volta para a terra, e velhos e retorcidos salgueiros cresciam grossos ao longo da margem do rio.

Algumas pessoas ainda permaneciam em meio à miséria, cuidando de pequenos jardins entre o mato. O som das ferraduras na velha estrada valiriana mandou muitos deles correndo de volta para os buracos de onde tinham rastejado, mas os mais ousados permaneceram ao sol por tempo suficiente para olhar os cavaleiros que passavam com embotados olhos indiferentes. Uma menina nua, com lama até os joelhos, não conseguia tirar os olhos de Tyrion. *Ela nunca viu um anão antes*, ele percebeu, *muito menos um anão sem nariz*. Fez uma careta e mostrou a língua, e a menina começou a chorar.

– O que você fez para ela? – Pato perguntou.

– Mandei um beijo. Todas as garotas choram quando as beijo.

Depois dos salgueiros emaranhados, a estrada terminava abruptamente, e eles viraram para o norte, por um atalho, e cavalgaram beirando a água, até que a vegetação baixa acabou e se encontraram ao lado de um velho cais de pedra, semissubmerso e rodeado por altas plantas daninhas marrons.

– *Pato!* – veio um grito. – *Haldon!*

Tyrion esticou a cabeça para um lado e viu um rapaz em pé no telhado de uma construção de madeira baixa, acenando com um chapéu de palha de abas largas. Era um jovem ágil e benfeito, magro e com um escandaloso cabelo azul-escuro. O anão calculou sua idade entre quinze, dezesseis anos, ou algo próximo a isso.

O telhado no qual o rapaz estava mostrou-se ser a cabine do *Donzela Tímida*, um barco à vela de um mastro só, caindo aos pedaços. Tinha uma viga mestra larga e um casco raso, ideal para abrir caminho até no menor dos córregos e avançar de lado sobre bancos de areia. *Uma rústica donzela*, pensou Tyrion, *mas algumas vezes as mais feias são as mais vorazes na cama*. Os barcos à vela que enchiam os rios de Dorne eram, em geral, pintados e muito bem esculpidos, mas não essa donzela. Sua pintura era de um castanho-acinzentado lamacento, manchado e descamado, seu grande e curvado timão era simples e sem adornos. *Parece suja*, ele pensou, *mas sem dúvida esse é o objetivo*.

Pato gritava o cumprimento de volta. A égua espirrava água pelas poças, pisando sobre os juncos. O rapaz saltou do teto da cabine para o convés do barco, e o resto da tripulação do *Donzela Tímida* apareceu. Um velho casal com feições roinares permaneceu perto do timão, enquanto uma bela septã em suaves vestes brancas apareceu na porta da cabine e tirou uma mecha de cabelos castanhos dos olhos.

Mas não dava para confundir Griff.

– A gritaria já foi suficiente – disse. Um silêncio súbito caiu sobre o rio.

Este será um problema, Tyrion percebeu de cara.

A capa de Griff era feita com a pele e a cabeça de um lobo vermelho do Roine. Sob a pele, vestia couro marrom enrijecido com anéis de ferro. Seu rosto bem barbeado era como couro também, com rugas no canto dos olhos. Embora seu cabelo fosse tão azul quanto o do filho, tinha as raízes vermelhas e as sobrancelhas mais vermelhas ainda. Levava uma espada e uma adaga penduradas no quadril. Se estava feliz em ver Pato e Haldon de volta, escondeu bem, mas não se preocupou em disfarçar o desagrado ao ver Tyrion.

– Um anão? O que é isto?

– Eu sei, você esperava uma roda de queijo. – Tyrion virou-se para o Jovem Griff e deu ao rapaz seu sorriso mais desarmante. – O cabelo azul pode servir bem em Tyrosh, mas em Westeros as crianças jogarão pedras em você e as garotas vão rir na sua cara.

O rapaz foi pego de surpresa.

– Minha mãe era uma senhora de Tyrosh. Pinto meu cabelo em memória a ela.

– O que é essa criatura? – Griff exigiu saber.

Haldon respondeu:

– Illyrio enviou uma carta explicando.

– Quero vê-la, então. Leve o anão para minha cabine.

Não gosto dos olhos dele, Tyrion refletiu, quando o mercenário sentou-se em sua frente na penumbra do interior do barco, com uma mesa de tábuas riscadas e uma vela de sebo entre eles. Eram de um azul gélido, claros, frios. O anão não gostava de olhos claros. Os olhos de Lorde Tywin eram verde-claros, salpicados de ouro.

Ele assistiu ao mercenário lendo. Que fosse *capaz* de ler já dizia alguma coisa. Quantos mercenários podiam se gabar disso? *Ele praticamente não move os lábios,* Tyrion refletiu.

Finalmente, Griff levantou os olhos do pergaminho, e aqueles olhos claros se estreitaram.

– Tywin Lannister está morto? Pelas suas mãos?

– Pelo meu dedo. Este aqui. – Tyrion o levantou para que Griff o admirasse. – Lorde Tywin estava sentado em uma latrina, então eu atravessei um dardo de besta em suas entranhas, para ver se ele realmente cagava ouro. Não cagava. Uma pena, eu poderia usar algum ouro. Também assassinei minha mãe, um pouco mais cedo. Ah, e meu sobrinho Joffrey, eu o envenenei em sua festa de casamento e fiquei olhando ele sufocar até a morte. O queijeiro deixou essa parte de fora? Pretendo colocar meu irmão e minha irmã na lista antes de terminar, se for do agrado de sua rainha.

– Agradá-la? Illyrio perdeu o bom-senso? Por que ele imaginaria que Sua Graça aceitaria os serviços de um assassino de parentes e traidor confesso?

Uma questão justa, Tyrion pensou, mas o que disse foi:

– O rei que eu matei estava sentado no trono dela, e todos aqueles que traí eram leões, então parece que já prestei um bom serviço para a rainha. – Coçou o toco do nariz. – Não tema, não vou matá-lo, você não é meu parente. Posso ler o que o queijeiro escreveu? Adoro ler sobre mim mesmo.

Griff ignorou o pedido. Em vez disso, encostou a carta na chama da vela e ficou olhando o pergaminho escurecer, encurvar-se e pegar fogo.

– Há sangue entre os Targaryen e os Lannister. Por que você apoiaria a causa da Rainha Daenerys?

– Por ouro e glória – o anão disse, alegremente. – Ah, e ódio. Se você já tivesse encontrado minha irmã, entenderia.

– Entendo o ódio bem o suficiente.

Pelo jeito que Griff falou isso, Tyrion soube que era verdade. *Este aí tem se alimentado de ódio. É o que o aquece à noite, durante anos.*

– Então temos isso em comum, sor.

– Não sou nenhum cavaleiro.

Não é apenas um mentiroso, mas um mau mentiroso. Isto foi indelicado e estúpido, senhor.

– E mesmo assim Sor Pato disse que você o sagrou cavaleiro.

– Pato fala demais.

– Alguns poderiam estranhar que um pato fale qualquer coisa. Não importa, *Griff*. Você não é um cavaleiro e eu sou Hugor Hill, um pequeno monstro. Seu pequeno monstro, se quiser. Você tem minha palavra, tudo o que quero é ser um servo leal de sua rainha dragão.

– E como você pretende servi-la?

– Com minha língua. – Lambeu os dedos, um por um. – Posso contar para Sua Graça como minha doce irmã pensa, se alguém pode chamar aquilo de pensar. Posso dizer aos capitães dela qual a melhor maneira de derrotar meu irmão Jaime em batalha. Sei quais senhores são corajosos e quais são covardes, quais são leais e quais são corruptos. Posso entregar aliados para ela. E sei muito e ainda mais sobre dragões, como seu meiomeistre lhe dirá. E sou divertido também, e não como muito. Considere-me seu verdadeiro duende.

Griff pesou aquilo por um momento.

– Entenda isso, anão. Você é o último e o menos importante de nossa companhia. Segure a língua e faça o que lhe for dito, ou logo desejará ter feito.

Sim, pai, Tyrion quase disse.

– Será como diz, senhor.

– Não sou senhor.

Mentiroso.

– Foi apenas uma cortesia, meu amigo.

– Tampouco sou seu amigo.

Não é cavaleiro, não é senhor, não é amigo.

– Uma pena.

– Poupe-me da sua ironia. Vou levá-lo até Volantis. Se você se mostrar obediente e útil, pode permanecer conosco, para servir a rainha o melhor que puder. Prove ser mais problemático do que valioso, e seguirá seu próprio caminho.

Sim, e meu caminho me levará para o fundo do Roine, com peixes beliscando o que sobrou do meu nariz.

– Valar dohaeris.

– Pode dormir no convés ou no porão, como preferir. Ysilla providenciará roupas de cama para você.

– Que gentileza a dela. – Tyrion fez uma mesura, mas, na porta da cabine, voltou-se. – E se encontrarmos a rainha e descobrirmos que essa história de dragões é alguma fantasia de um marinheiro bêbado? Este mundo está cheio desses contos loucos. Gramequins e snarks, fantasmas e vampiros, sereias, gnomos, cavalos alados, porcos alados... leões alados.

Griff olhou para ele, franzindo a testa.

– Eu lhe dei um aviso, Lannister. Guarde sua língua ou vai perdê-la. Reinos estão em perigo aqui. Nossa vida, nosso nome, nossa honra. Isto não é um jogo que estamos jogando para seu divertimento.

Claro que é, pensou Tyrion. *O jogo dos tronos.*

– Como quiser, capitão – murmurou, curvando-se novamente.

Davos

O relâmpago partiu o lado norte do céu, estampando a negra torre da Lamparina da Noite contra o firmamento branco e azul. Seis segundos depois veio o trovão, como um tambor distante.

Os guardas escoltaram Davos Seaworth por uma ponte de basalto negro e sob um portão de ferro corrediço com sinais de ferrugem. Além do portão havia um profundo fosso salgado e uma ponte levadiça presa por um par de grossas correntes. Águas verdes agitavam-se embaixo, com ondas que rebentavam contra as fundações do castelo. Então veio uma segunda guarita, maior do que a primeira, suas pedras barbadas com algas verdes. Davos chegou a um pátio lamacento com as mãos atadas pelos pulsos. Uma chuva gelada caía em seus olhos. Os guardas o cutucaram para subir os degraus, até o cavernoso salão de pedra de Quebra-Mar.

Uma vez lá dentro, o capitão tirou a capa e a pendurou em um gancho, de modo a não deixar poças no puído tapete de Myr. Davos fez o mesmo, tateando o fecho com as mãos amarradas. Ele não esquecera a cortesia aprendida em Pedra do Dragão durante anos de serviço.

Encontraram o senhor sozinho na escuridão da sala, fazendo uma refeição de cerveja, pão e ensopado. Vinte arandelas de ferro estavam dispostas ao longo das grossas paredes de pedra, mas somente quatro tinham tochas e nenhuma delas estava acesa. Duas gordas velas de sebo davam ao ambiente uma iluminação pobre e indefinida. Davos podia ouvir a chuva escorrendo pelas paredes e uma goteira que caía de um vazamento no telhado.

– Senhor – disse o capitão –, encontramos este homem na Barriga da Baleia, tentando comprar uma passagem para sair da ilha. Ele tinha vinte dragões e esta coisa também.

O capitão colocou-a na mesa diante do senhor: uma larga fita de veludo negro aparada com samito, com três selos – um veado coroado carimbado em cera de abelha dourada, um coração em chamas em cera vermelha e uma mão em cera branca.

Davos esperou, molhado e pingando, os pulsos esfolados onde a corda molhada entrara em sua pele. Uma palavra desse senhor, e logo estaria pendurado no Portão do Enforcamento de Vilirmã, mas pelo menos estava fora da chuva, com pedra sólida sob seus pés, em vez de um convés balançante. Estava encharcado, dolorido e exausto, desgastado pela dor e pela traição, e cansado até a morte das tempestades.

O senhor limpou a boca com as costas da mão e pegou a fita para analisá-la mais de perto. Um relâmpago brilhou lá fora, formando uma seta branca e azul que durou meio segundo. *Um, dois, três, quatro,* contou Davos, antes que o trovão viesse. Quando o barulho passou, ele ouviu o gotejamento e o rugido sincopado sob seus pés, onde as ondas quebravam contra os enormes arcos de pedra de Quebra-Mar e turbilhonavam pelas masmorras do castelo. Ele bem que poderia terminar lá, acorrentado ao chão de pedra molhado, deixado para se afogar quando a maré subisse. *Não,* tentou dizer a si mesmo, *um contrabandista pode morrer assim, mas não a Mão do Rei. Valho mais se me vender à rainha dele.*

O senhor segurou a fita entre os dedos, franzindo a testa para o selos. Era um homem feio, grande e carnudo, com ombros grossos de remador e nenhum pescoço. Uma barba cinza cobria o rosto e o queixo, com algumas partes já totalmente brancas. Em cima das grossas sobrancelhas, avistava-se uma careca. Seu nariz era irregular e vermelho, com algumas veias aparecendo, tinha lábios grossos e uma espécie de membrana entre os três dedos do meio da mão direita. Davos ouvira falar que alguns dos senhores das Três Irmãs tinham membranas entre os dedos das mãos e dos pés, mas sempre achara que eram apenas histórias de marujos.

O senhor inclinou-se para trás.

– Tire as amarras dele – disse – e também as luvas. Quero ver suas mãos.

O capitão fez o que lhe foi ordenado. Quando levantou a mão esquerda mutilada do prisioneiro, um relâmpago brilhou novamente, jogando as sombras dos dedos encurtados de Davos Seaworth contra o rosto franco e brutal de Godric Borrell, Senhor da Doceirmã.

– Qualquer homem pode roubar uma fita – o senhor disse –, mas esses dedos não mentem. Você é o cavaleiro das cebolas.

– Tenho sido chamado assim, senhor – Davos era um senhor também, e fora sagrado cavaleiro havia muitos anos, mas no fundo ainda era o que sempre fora, um contrabandista de nascimento humilde que comprara sua nobreza com um porão de cebolas e peixe salgado. – E também contrabandista de coisas piores.

– Sim. Traidor. Rebelde. Vira-casaca.

Ele se indignou com o último xingamento.

– Nunca virei a casaca, senhor. Sou um homem do rei.

– Só se Stannis for um rei. – O senhor o mediu com duros olhos negros. – A maioria dos cavaleiros que chega às minhas terras procura-me no meu salão, não na Barriga da Baleia. Um covil de vis contrabandistas, aquele lugar. Está retomando o antigo negócio, cavaleiro das cebolas?

– Não, senhor. Estava procurando passagem para Porto Branco. O rei me enviou, com uma mensagem de lá para o senhor.

– Então você está no lugar errado, com o senhor errado. – Lorde Godric pareceu divertir-se. – Esta é Vilirmã, em Doceirmã.

– Sei disso. – Embora não houvesse nada doce em Vilirmã. Era uma cidade torpe, um chiqueiro, pequena, pobre e rançosa com os cheiros de excremento de porco e peixe podre. Davos lembrava bem de seus dias de contrabando. As Três Irmãs eram o refúgio preferido dos contrabandistas havia centenas de anos e, antes disso, um ninho de piratas. As ruas de Vilirmã eram feitas de barro e tábuas de madeira, as casas eram cabanas de pau a pique com telhados de palha, e no Portão do Enforcamento sempre tinha um homem pendurado com as entranhas de fora.

– Você tem amigos aqui, não duvido – disse o senhor. – Todo contrabandista tem amigos nas Irmãs. Alguns deles são meus amigos também. Os que não são, eu enforco.

Deixo eles serem estrangulados lentamente, com as tripas batendo contra os joelhos. – O salão brilhou novamente: um relâmpago acendeu a janela. Dois segundos depois veio o trovão. – Se é Porto Branco que você quer, por que está em Vilirmã? O que o trouxe aqui?

Uma ordem do rei e a traição de um amigo, Davos podia ter dito. Em vez disso, respondeu:

– Tempestades.

Vinte e nove navios zarparam da Muralha. Se metade deles ainda estivesse flutuando, Davos ficaria surpreso. Céus negros, ventos amargos e chuvas pesadas os seguiram por todo o caminho pela costa. As galeras *Oledo* e *Filho da Velha Mãe* haviam sido levadas para as rochas de Skagos, a ilha dos unicórnios e canibais onde até mesmo o Bastardo Cego tinha medo de ir; o grande barco de pesca *Saathos Saan* naufragara nas Falésias Cinzentas.

– Stannis pagará por eles – Salladhor Saan esbravejara. – Pagará com bom ouro, cada um deles.

Era como se algum deus irado estivesse cobrando pela fácil viagem que haviam feito para o norte, quando partiram de Pedra do Dragão para a Muralha. Outro vendaval arrancou o cordame do *Colheita Caridosa,* obrigando Salla a rebocá-lo. Sessenta quilômetros ao norte de Atalaia da Viúva o mar se levantou novamente, empurrando o *Colheita* contra a galera que o rebocava e afundando os dois. O restante da frota lisena se espalhara pelo Mar Estreito. Alguns navios deviam andar perdidos em um ou outro porto. Outros nunca mais seriam vistos.

– Salladhor, o Mendigo, foi nisso que seu rei me transformou – Salladhor Saan reclamou para Davos, enquanto os navios que sobraram claudicavam pela Dentada. – Salladhor, o Esmagado. Onde estão meus navios? E meu ouro, onde está todo o ouro que me prometeram?

Quando Davos tentou assegurar que ele teria seu pagamento, Salla irrompeu.

– Quando? *Quando?* Amanhã, na lua nova, quando o cometa vermelho aparecer de novo? Ele me prometeu ouro e pedras preciosas, sempre prometendo, mas nunca vi esse ouro. Ele deu sua palavra, me diz, ah, sim, sua real palavra, e por escrito. Salladhor Saan pode comer as palavras do rei? Pode aplacar sua sede com pergaminhos e selos de cera? Pode derrubar promessas em um colchão de penas e fodê-las até gritarem?

Davos tentou persuadi-lo a permanecer fiel. Se Salla abandonasse Stannis e sua causa, argumentou, deixaria de lado toda a esperança de receber o ouro que lhe era devido. No final das contas, um vitorioso Rei Tommen não pagaria as dívidas de seu tio derrotado. A única esperança de Salla era manter-se leal a Stannis Baratheon até que ele conquistasse o Trono de Ferro. De outra maneira, nunca veria uma só moeda do seu dinheiro. Tinha que ser paciente.

Talvez algum senhor com mel na língua pudesse ter influenciado o príncipe dos piratas liseno, mas Davos era um cavaleiro das cebolas e suas palavras só provocaram nova indignação em Salla.

– Em Pedra do Dragão eu fui paciente – disse – quando a mulher vermelha queimou os deuses de madeira e os homens aos gritos. Todo o caminho para a Muralha eu fui paciente. Em Atalaialeste eu tive paciência... e frio, muito frio. Bah, digo. Bah para sua paciência, e bah para seu rei. Meus homens estão com fome. Querem foder suas esposas e contar seus filhos, querem ver Passopedra e os jardins de prazer de Lys. Não querem gelo, tempestades e promessas vazias. Este norte é muito frio, e está ficando mais frio ainda.

Eu sabia que esse dia chegaria, Davos disse para si mesmo. *Eu gostava do velho malandro, mas nunca fui tolo de acreditar nele.*

– Tempestades. – Lorde Godric disse a palavra tão carinhosamente quanto outro homem diria o nome da amada. – Tempestades eram sagradas nas Irmãs antes da chegada dos ândalos. Nossos deuses de antigamente eram a Senhora das Ondas e o Senhor dos Céus. Faziam tempestades cada vez que acasalavam. – Inclinou-se para a frente. – Esses reis nunca se importaram com as Irmãs. Por que deveriam? Somos pequenos e pobres. E, ainda assim, você está aqui. Entregue a mim pelas tempestades.

Entregue a você por um amigo, Davos pensou.

Lorde Godric virou-se para seu capitão.

– Deixe este homem comigo. Ele nunca esteve aqui.

– Não, senhor. Nunca.

O capitão despediu-se, suas botas molhadas deixando pegadas úmidas pelo tapete. Embaixo do piso, o mar roncava e agitava-se batendo na fundação do castelo. A porta foi fechada como um som que parecia um trovão distante, e novamente veio um relâmpago, como que em resposta.

– Senhor – disse Davos –, se puder me mandar para Porto Branco, Sua Graça considerará isso um ato de amizade.

– Eu poderia enviar você para Porto Branco – o lorde concordou. – Ou posso mandá-lo para algum inferno frio e úmido.

Vilirmã já é inferno suficiente. Davos temeu o pior. As Três Irmãs eram putas inconstantes, leais apenas a si mesmas. Supostamente eram vassalas dos Arryn do Vale, mas o controle do Ninho da Águia sobre as ilhas era tênue, na melhor das hipóteses.

– Sunderland exigiria que você fosse entregue a ele, se soubesse que está aqui. – Borrell era senhor de Doceirmã, como Longthorpe era de Longairmã e Torrent de Pequenairmã; e todos eles eram vassalos de Triston Sunderland, o Senhor das Três Irmãs. – Ele venderia você à rainha, por um pote daquele ouro Lannister. Homens pobres precisam de cada dragão, ainda mais quando têm sete filhos determinados a ser cavaleiros. – O senhor pegou uma colher de madeira e atacou o ensopado novamente. – Eu costumava amaldiçoar os deuses por me darem apenas filhas mulheres, até que ouvi dizer que Triston lamenta o gasto com cavalos de batalha. Você ficaria surpreso em saber quanto peixe é necessário para comprar uma armadura decente e uma cota de malha.

Também tive sete filhos, mas quatro deles foram queimados e morreram.

– Lorde Sunderland é juramentado ao Ninho da Águia – Davos disse. – Por direito, deveria me entregar à Senhora Arryn. – Ele poderia ter uma chance melhor com ela do que com os Lannister, imaginava. Embora não tivesse tomado partido na Guerra dos Cinco Reis, Lysa Arryn era uma filha de Correrrio e tia do Jovem Lobo.

– Lysa Arryn está morta – disse Lorde Godric –, assassinada por algum cantor. Lorde Mindinho comanda o Vale agora. Onde estão os piratas? – Quando Davos não respondeu, ele bateu com a colher na mesa. – Os lisenos. Torrent viu os navios deles de Pequenairmã, e antes dele os Flint de Atalaia da Viúva. Velas laranja, verdes e rosa. Salladhor Saan. Onde está ele?

– No mar. – Salla devia estar contornando os Dedos para voltar ao Mar Estreito. Estava retornando para Passopedra com os poucos navios que sobraram. Talvez conseguisse mais alguns no caminho, se encontrasse alguns navios mercantes promissores. *Um pouco de pirataria ajudaria a distância a passar mais rápido.* – Sua Graça enviou-o ao Sul, para levar um pouco de problemas aos Lannister e seus amigos. – Ele ensaiara essa mentira enquanto remava para Vilirmã embaixo de chuva. Cedo ou tarde, o mundo saberia que Salladhor Saan abandonara Stannis Baratheon, deixando-o sem uma frota, mas não ouviria isso dos lábios de Davos Seaworth.

Lorde Godric mexeu seu ensopado.

– Aquele velho pirata Saan fez você nadar até a praia?

– Cheguei em terra em um bote aberto, senhor – Salla esperara até que o farol da Lamparina da Noite se afastasse do porto *valiriano* para colocá-lo para fora. Sua amizade valera a pena por isso, no final das contas. O liseno teria ficado feliz em levá-lo consigo para o Sul, confessara, mas Davos recusara. Stannis precisava de Wyman Manderly, e confiava nele para ganhar o apoio do senhor. Ele não trairia aquela confiança.

– Bah – o príncipe pirata replicara –, ele vai matar você com essa honra, velho amigo. Ele vai matar você.

– Nunca tive uma Mão do Rei sob meu teto antes – Lorde Godric disse. – Stannis pagaria um resgate por você, me pergunto?

Pagaria? Stannis dera terras, títulos e um cargo para Davos, mas pagaria um bom ouro por sua vida? *Ele não tem ouro. Se tivesse, ainda teria Salla.*

– Você encontrará Sua Graça no Castelo Negro, se quiser perguntar a ele.

Borrell grunhiu:

– O Duende está no Castelo Negro também?

– O Duende? – Davos não entendeu a pergunta. – Ele está em Porto Real, condenado à morte pelo assassinato do sobrinho.

– A Muralha é a última a saber, meu pai costumava dizer. O anão escapou. Torceu as barras de sua cela e despedaçou o próprio pai com as mãos. Um guarda o viu fugir, vermelho da cabeça aos pés, como se banhado em sangue. A rainha dará títulos e terras para qualquer homem que matá-lo.

Davos lutava para acreditar no que ouvia.

– Está me dizendo que Tywin Lannister está morto?

– Pela mão do filho, sim. – O senhor tomou um gole de cerveja. – Quando havia reis nas Irmãs, não permitíamos que os anões vivessem. Jogávamos eles ao mar, como oferenda aos deuses. Os septões nos fizeram parar. Um bando de tolos piedosos. Por que os deuses dariam tal forma a um homem, se não fosse para marcá-lo como um monstro?

Lorde Tywin está morto. Isso muda tudo.

– Senhor, me permitiria enviar um corvo para a Muralha? Sua Graça desejará saber que Lorde Tywin está morto.

– Ele saberá. Mas não por mim. Nem por você, enquanto estiver sob meu telhado gotejante. Não quero que digam que dei ajuda e conselho a Stannis. Os Sunderland arrastaram as Irmãs para as duas Rebeliões Blackfyre, e todos nós sofremos gravemente com isso. – Lorde Godric acenou com a colher em direção a uma cadeira. – Sente-se. Antes que caia, sor. Meu salão é frio, úmido e escuro, mas não sem alguma cortesia. Encontraremos roupas secas, mas primeiro você comerá. – Ele gritou, e uma mulher entrou no salão. – Temos um convidado para alimentar. Traga cerveja, pão e ensopado.

A cerveja era marrom, o pão, negro, e o ensopado, um branco cremoso. Foi servido em um pão velho escavado. Estava grosso, com alho-poró, cenoura, cevadinha e nabos brancos e amarelos, juntamente com amêijoas, pedaços de bacalhau e carne de caranguejo, nadando em uma porção de creme pesado e manteiga. Era o tipo de ensopado que aquecia o homem até os ossos, perfeito para uma noite úmida e fria. Davos comeu com gratidão.

– Já havia provado o ensopado das Irmãs?

– Já, senhor. – O mesmo ensopado era servido por todas as Três Irmãs, em cada estalagem e taverna.

– Este é melhor do que qualquer um que você já tenha comido. Gella preparou. A filha da minha filha. É casado, cavaleiro das cebolas?

– Sou, senhor.

– Uma pena. Gella não é. Mulheres caseiras são as melhores esposas. Há três tipos de caranguejos aí. Caranguejos vermelhos, caranguejos-aranha e conquistadores. Eu não como caranguejos-aranha, exceto no ensopado. Para me sentir meio canibal. – O nobre gesticulou para o estandarte pendurado sobre a fria lareira negra. Um caranguejo-aranha estava bordado ali, branco, em um campo verde-acinzentado. – Ouvimos histórias que Stannis queimou sua Mão.

A Mão que viera antes de mim. Melisandre dera Alester Florent para o deus dela em Pedra do Dragão, para conjurar o vento que os levaria para o Norte. Lorde Florent permaneceu forte e silencioso enquanto os homens da rainha o amarravam ao poste, tão dignamente quanto um homem seminu pode permanecer, mas quando as chamas lamberam suas pernas, ele começou a gritar, e seus gritos as sopraram por todo o caminho até Atalaialeste do Mar, se fosse possível acreditar na mulher vermelha. *Podia facilmente ter sido eu.*

– Eu não queimei – assegurou a Lorde Godric –, embora Atalaialeste tenha quase me congelado.

– A Muralha fará isso. – A mulher trouxe um naco de pão fresco para eles, ainda quente do forno. Quando Davos viu a mão dela, não pôde deixar de encarar. Lorde Godric não se fez de rogado. – Sim, ela tem a marca. Como todos os Borrell, por cinco mil anos. Filha da minha filha. Não a que fez o ensopado. – Ele partiu o pão e ofereceu metade para Davos. – Coma. É bom.

E era, embora qualquer crosta velha teria parecido boa para Davos; significava que era um convidado ali, pelo menos por aquela noite. Os senhores das Três Irmãs tinham uma reputação negra, e ninguém suplantava a de Godric Borell, Senhor da Doceirmã, Escudo de Vilirmã, Mestre do Castelo Quebra-Mar e Protetor da Lamparina da Noite... mas até mesmo senhores ladrões e sabotadores estavam submetidos às antigas leis da hospitalidade. *Verei o amanhecer pelo menos,* Davos disse para si mesmo. *Comi seu pão e sal.*

Embora pudesse perceber temperos mais estranhos do que sal no ensopado.

– É açafrão que estou sentindo? – Açafrão valia mais do que ouro. Davos provara apenas uma vez, quando o Rei Robert enviara metade de um peixe para ele em uma festa em Pedra do Dragão.

– Sim. De Qarth. Tem pimenta também. – Lorde Godric pegou uma pitada entre o polegar e o indicador e espalhou sobre o ensopado. – Pimenta negra moída de Volantis, nada mais fino. Pegue o quanto quiser, se estiver se sentindo picante. Tenho quarenta baús dela. Sem mencionar cravo e noz-moscada, e um quilo de açafrão. Tirei de uma donzela de olhos amendoados – riu. Ele ainda tinha todos os dentes, Davos notou, embora estivessem amarelos e um dos de cima estivesse negro e morto. – Dirigia-se para Bravos, mas um vendaval a arrastou para a Dentada e esmagou-a contra uma das minhas pedras. Como pode ver, você não é o único presente que as tempestades me trouxeram. O mar é uma coisa traiçoeira e cruel.

Não tão traiçoeiro quanto os homens, pensou Davos. Os antepassados de Lorde Godric haviam sido reis piratas, até que os Stark desceram sobre eles com fogo e espadas. A partir daí, os homens das irmãs deixaram a pirataria para Salladhor Saan e sua laia e se contentaram em provocar naufrágios. Os faróis que queimavam ao longo das margens das Três Irmãs eram supostamente para avisar de cardumes, recifes e rochas e garantir a segurança do caminho, mas em noites de tempestade e neblina, alguns homens das irmãs usavam falsas luzes para levar capitães incautos à perdição.

– As tempestades fizeram uma gentileza ao trazer você até minha porta – Lorde Godric disse. – Você teria encontrado uma recepção mais fria em Porto Branco. Chegou muito tarde, sor. Lorde Wyman pretende se ajoelhar, mas não para Stannis. – Tomou um pequeno gole de cerveja. – Os Manderly não são nortenhos, não no fundo. Não faz mais de novecentos anos que vieram para o norte, carregados com todo o seu ouro e seus deuses. Haviam sido grandes senhores no Mander, até que se excederam e os mãos verdes os expulsaram. O rei lobo tomou seu ouro, mas lhes deu terras e os deixou ficarem com seus deuses. – Ele esfregou um pedaço de pão no ensopado. – Se Stannis pensa que o gordo cavalgará o veado, está enganado. O *Leão Estrelado* parou em Vilirmã há doze dias, para abastecer os barris de água. Você o conhece? Velas carmesins e um leão de ouro na proa. E cheio de Freys, dirigindo-se para Porto Branco.

– Freys? – Esta era a última coisa que Davos poderia esperar. – Ouvimos que os Frey mataram o filho de Lorde Wyman.

– Sim – Lorde Godric disse –, e o gordo estava tão indignado que jurou viver só de pão e vinho até ter sua vingança. Mas antes que o dia acabasse, já estava enchendo a boca de amêijoas e bolos novamente. Há navios entre as Irmãs e Porto Branco todo o tempo. Nós vendemos caranguejos, peixes e queijo de cabra para eles, e eles nos vendem madeira, lãs e peles. Pelo que escutei, sua senhoria está mais gordo do que nunca. Demais para juramentos. Palavras são vento, e o vento da boca de Manderly não significa mais do que aquele que escapa pelo seu traseiro. – O senhor partiu outro pedaço de pão para raspar o fundo do ensopado. – Os Frey traziam ao gordo tolo um saco de ossos. Alguns chamam de cortesia levar os ossos do filho morto para alguém. Se tivesse sido filho meu, teria retornado a cortesia e agradecido aos Frey antes de enforcá-los, mas o gordo é nobre demais para isso. – Enfiou o pão na boca, mastigou-o e engoliu a seco. – Recebi os Frey para jantar. Um deles ficou sentado exatamente onde você está agora. *Rhaegar*, ele disse ser seu nome. Quase ri na cara dele. Havia perdido a esposa, me disse, mas queria conseguir uma nova em Porto Branco. Corvos voaram para cá e para lá. Lorde Wyman e Lorde Walder teriam feito um pacto e pretendiam selá-lo com um casamento.

Davos sentiu como se o senhor o tivesse esmurrado na barriga. *Se ele diz a verdade, meu rei está perdido.* Stannis Baratheon precisava desesperadamente de Porto Branco. Se Winterfell era o coração do Norte, Porto Branco era a boca. Seu estuário permanecera livre de gelo mesmo em pleno inverno por séculos. Com o inverno que ali chegava, aquilo podia significar muito e ainda mais. A cidade valeria mais que prata. Os Lannister tinham todo o ouro de Rochedo Casterly e se aliaram com a opulência de Jardim de Cima. Os cofres do Rei Stannis estavam exauridos. *Preciso tentar, pelo menos. Deve haver um meio de impedir esse casamento.*

– Preciso chegar a Porto Branco – disse. – Sua senhoria, eu imploro, me ajude.

Lorde Godric começou a comer o pão onde estava o ensopado, desmanchando-o com suas grandes mãos. O ensopado amolecera o pão velho.

– Não tenho nenhum amor pelos nortenhos – anunciou. – Os meistres dizem que o Estupro das Três Irmãs aconteceu há dois mil anos, mas Vilirmã ainda não esqueceu. Éramos um povo livre antes disso, com nossos reis nos governando. Depois, tivemos que nos ajoelhar para que o Ninho da Águia expulsasse os nortenhos. O lobo e o falcão disputaram por milhares de anos em nosso nome, até que ambos tivessem roído toda a carne e a gordura dos ossos destas pobres ilhas. Já seu Rei Stannis, quando era mestre dos navios de Robert, enviou uma frota para meu porto sem minha permissão e me fez enforcar uma dúzia de bons amigos. Homens como você. Ele chegou a ameaçar que me enforcaria também se acontecesse de algum navio encalhar porque a Lamparina da Noite estava apagada. Tive que engolir a arrogância dele. – Comeu um pouco do pão amolecido. – Agora ele vem para o Norte humilhado, com o rabo entre as pernas. Por que devo dar qualquer tipo de ajuda para ele? Responda-me isso.

Porque ele é seu rei por direito, Davos pensou. *Porque ele é um homem forte e justo, o único que pode restaurar o reino e nos defender contra os perigos que chegam do Norte. Porque ele tem uma espada mágica que brilha com a luz do sol.* As palavras ficaram em sua garganta. Nenhuma delas causaria algum efeito sobre o Senhor de Doceirmã. Nenhuma delas o deixaria um centímetro mais perto de Porto Branco. *Que resposta ele quer? Devo prometer ouro que não temos? Um marido de alto nascimento para a filha de sua filha? Terras, honrarias, títulos?* Lorde Alester Florent tentara jogar esse jogo e o rei o queimara por isso.

– Parece que a Mão perdeu a língua. Não aprecia o ensopado, ou a verdade. – Godric limpou a boca.

– O leão está morto – Davos disse, lentamente. – Aí está sua verdade, senhor. Tywin Lannister está morto?

– E daí?

– Quem governa agora em Porto Real? Não é Tommen, ele é apenas uma criança. É Sor Kevan?

A luz das velas brilhava nos olhos negros de Lorde Godric.

– Se fosse, você estaria acorrentado. É a rainha quem governa.

Davos entendeu. *Ele nutre dúvidas. Não quer estar do lado perdedor.*

– Stannis manteve Ponta Tempestade contra os Tyrell e os Redwyne. Tomou Pedra do Dragão dos últimos Targaryen. Esmagou a Frota de Ferro na Ilha Leal. Esse rei criança não prevalecerá contra ele.

– Este rei criança comanda a riqueza de Rochedo Casterly e o poder de Jardim de Cima. E tem os Bolton e os Frey. – Lorde Godric coçou o queixo. – Ainda assim... neste mundo apenas o inverno é certo. Ned Stark disse isso para meu pai, aqui neste mesmo salão.

– Ned Stark esteve aqui?

– No alvorecer da Rebelião de Robert. O Rei Louco exigiu que o Ninho da Águia lhe mandasse a cabeça de Stark, mas Jon Arryn respondeu, desafiando-o. Apesar disso, Vila

Gaivotas permaneceu leal ao trono. Para chegar em casa e convocar seus vassalos, Stark teve que atravessar as montanhas até os Dedos e encontrar um pescador que o levasse através da Dentada. Uma tempestade os pegou no caminho. O pescador se afogou, mas sua filha trouxe Stark para as Irmãs antes que o barco afundasse. Dizem que ele a deixou com uma sacola de prata e um bastardo na barriga. Jon Snow, ela o chamou, por causa de Arryn.

– Seja como for. Meu pai estava sentado aqui onde estou quando Lorde Eddard veio para Vilirmã. Nosso meistre nos exortou a enviar a cabeça de Stark para Aerys, para provar nossa lealdade. Isso teria significado uma rica recompensa. O Rei Louco era mão-aberta com aqueles que o agradavam. Mas então já sabíamos que Jon Arryn tomara Vila Gaivotas. Robert fora o primeiro homem a escalar a Muralha e matou Marq Grafton com suas próprias mãos. *Este Baratheon é destemido*, eu disse. *Luta como um rei deve lutar*. Nosso meistre riu de mim e nos disse que certamente o Príncipe Rhaegar derrotaria esse rebelde. Foi então que Stark disse, *Neste mundo somente o inverno é certo. Podemos perder nossas cabeças, é verdade... mas e se prevalecermos?* Meu pai o enviou para seu destino com a cabeça ainda sobre os ombros. *Se você perder*, disse para Lorde Eddard, *você nunca esteve aqui*.

– Não mais do que eu estive – disse Davos Seaworth.

Jon

Eles trouxeram o Rei-para-lá-da-Muralha com as mãos atadas por tiras de cânhamo e uma corda em volta do pescoço.

A outra ponta da corda estava presa na sela do corcel de Sor Godry Farring. O Matador de Gigantes e sua montaria estavam vestidos com armaduras de aço prateado, incrustadas com esmalte negro. Mance Rayder vestia apenas uma fina túnica que deixava seus tornozelos expostos ao frio. *Eles poderiam tê-lo deixado com sua capa,* Jon Snow pensou, *aquela que a selvagem remendou com tiras de seda vermelha.*

A notícia boa era que a Muralha estava chorando.

– Mance conhece a Floresta Assombrada melhor do que qualquer patrulheiro – Jon dissera ao Rei Stannis, em seu esforço final para convencer Sua Graça de que o Rei-para-lá-da-Muralha seria mais útil vivo do que morto. – Ele conhece Tormund Terror dos Gigantes. Lutou com os Outros. Teve o Berrante de Joramun e não o tocou. Ele poderia ter derrubado a Muralha com isso.

Suas palavras caíram em ouvidos surdos. Stannis permanecera imutável. A lei era clara: um desertor devia ser executado.

Abaixo da Muralha chorosa, a Senhora Melisandre levantou suas pálidas mãos brancas.

– *Todos devemos escolher* – proclamou. – Homem ou mulher, jovem ou velho, senhor ou camponês, nossas escolhas são as mesmas. – A voz dela fazia Jon pensar em anis, noz-moscada e cravo. Ela permanecia ao lado do rei, em um andaime de madeira erguido sobre o fosso. – Escolhemos a luz ou escolhemos a escuridão. Escolhemos o bem ou escolhemos o mal. Escolhemos o deus verdadeiro ou o falso.

O grosso cabelo castanho-acinzentado de Mance Rayder caía em seu rosto conforme ele andava. Ele o empurrava para longe dos olhos com as mãos amarradas, sorrindo. Mas quando viu a jaula, a coragem lhe faltou. Os homens da rainha a tinham construído com as árvores da Floresta Assombrada, a partir de mudas e ramos flexíveis, galhos de pinheiro grudentos de seiva e pedaços branco-osso de represeiros. Todo esse material fora dobrado e torcido até formar uma espécie de rede de madeira, pendurada bem acima de um fosso profundo, cheio de troncos, folhas e gravetos.

O rei selvagem recuou com a visão.

– Não! – gritou. – Piedade. Isto não é certo, não sou o rei, eles...

Sor Godry deu um puxão na corda. O Rei-para-lá-da-Muralha não teve escolha senão tropeçar atrás dele, o laço no pescoço sufocando suas palavras. Quando caiu, Godry o arrastou pelo resto do caminho. Mance estava ensanguentado quando os homens da rainha meio o empurraram, meio o carregaram para a jaula. Uma dúzia de homens em armas ergueram-no.

A Senhora Melisandre o viu ser levantado.

– *POVO LIVRE*! Aqui está seu rei das mentiras. E aqui está o berrante que ele prometeu que derrubaria a Muralha.

Dois homens da rainha trouxeram o Berrante de Joramun, negro, com listas cor de ouro envelhecido, com mais de dois metros de comprimento de ponta a ponta. Runas haviam sido entalhadas nas faixas douradas, a escrita dos Primeiros Homens. Joramun morrera havia milhares de anos, mas Mance encontrara seu túmulo sobre um glaciar, no alto dos Colmilhos de Gelo. *E Joramun tocou o Berrante do Inverno e levantou os gigantes da terra*. Ygritte dissera a Jon que Mance nunca encontrou o berrante. *Ela mentiu, ou Mance manteve esse segredo consigo.*

Mil cativos olhavam através das barras de madeira das paliçadas enquanto o berrante era levantado. Estavam todos esfarrapados e meio famintos. *Selvagens*, os Sete Reinos os chamavam; eles se autointitulavam *o povo livre*. Não pareciam nem selvagens nem livres; apenas com fome, assustados e entorpecidos.

– O Berrante de Joramun? – Melisandre disse. – Não. Chame de Berrante da Escuridão. Se a Muralha cair, a noite também cairá, uma longa noite que jamais terminará. Isso não deve acontecer, não *vai* acontecer! O Senhor da Luz viu seus filhos em perigo e enviou seu campeão, Azor Ahai renascido. – Ela levou a mão na direção de Stannis, e o grande rubi em sua garganta pulsava, iluminado.

Ele é pedra e ela é chama. Os olhos do rei, profundamente mergulhados em um rosto vazio, tinham um tom azul manchado. Ele vestia armadura cinza, com uma capa de pele com samito fluindo de seus ombros largos. O peitoral tinha um coração flamejante bem em cima do dele. Cingindo a testa estava uma coroa vermelho-dourada com pontas como chamas torcidas. Val estava ao lado dele, alta e séria. Eles a coroaram com um simples aro de bronze escuro, e mesmo assim ela parecia mais real em bronze do que Stannis em ouro. O olhos dela eram cinzentos e destemidos, resolutos. Sob um manto de arminho, ela vestia branco e dourado. Seu cabelo loiro-mel havia sido preso em uma trança que pendia sobre o ombro direito até a cintura. O frio no ar colocara cor em suas bochechas.

A Senhora Melisandre não usava nenhuma coroa, mas cada homem ali sabia que ela era a verdadeira rainha de Stannis Baratheon, não a mulher desajeitada que ele deixara tremendo em Atalaialeste do Mar. Dizia-se que o rei não pretendia buscar a Rainha Selyse e sua filha até que Fortenoite estivesse habitável. Jon sentia por elas. A Muralha oferecia poucos dos confortos com os quais as senhoras sulistas e as pequenas meninas de alto nascimento estavam acostumadas, e Fortenoite não oferecia nenhum. Era um lugar impiedoso, até mesmo em seus melhores dias.

– *POVO LIVRE*! – gritou Melisandre. – Veja o destino daqueles que escolhem a escuridão!

O Berrante de Joramun explodiu em chamas.

Ele subiu com um silvo, enquanto línguas rodopiantes de fogo verde e amarelo crepitavam em toda sua extensão. O garrano de Jon recuou nervosamente, e para cima e para baixo das fileiras outros também lutavam com suas montarias. Um lamento veio das paliçadas conforme o povo livre via sua esperança em brasas. Alguns começaram a gritar e amaldiçoar, mas a maioria permaneceu em silêncio. Por um instante, as runas gravadas nas faixas douradas pareceram tremular no ar. Os homens da rainha arremessaram o berrante, que caiu bem no meio da pira armada no fosso.

Dentro de sua jaula, Mance Rayder agarrou a corda em volta do pescoço com as mãos atadas e começou a berrar de modo incoerente sobre traição e bruxaria, negando seu reinado, negando seu povo, negando seu nome, negando tudo o que fora. Gritou por perdão, amaldiçoou a mulher vermelha e começou a rir histericamente.

Jon assistia sem piscar. Não ousava parecer incomodado diante de seus irmãos. Ordenara duzentos homens, mais da metade da guarnição do Castelo Negro. Montados em solenes fileiras escuras, com compridas lanças nas mãos, eles usavam capuz para ocultar a face... e esconder o fato de que muitos eram anciãos ou rapazes inexperientes. O povo livre temia a Patrulha. Jon queria que levassem esse temor com eles quando estabelecessem seus novos lares ao sul da Muralha.

O berrante caiu entre os troncos, folhas e gravetos. Em menos de três segundos, todo o fosso estava em chamas. Segurando as barras da jaula com as mãos amarradas, Mance soluçava e implorava. Quando o fogo o alcançou, fez uma pequena dança. Seus gritos tornaram-se um longo berro de medo e dor. Dentro da jaula, ele voava como uma folha em chamas, uma mariposa capturada pelo fogo de uma vela.

Jon se pegou lembrando uma canção:

Irmãos, oh, irmãos, meus dias se foram,
o dornense tirou minha vida,
mas o que importa, pois todos os homens devem morrer,
é que eu experimentei a esposa do dornense.

Val permaneceu na plataforma como se tivesse sido esculpida em sal. *Ela não vai chorar e não desviará o olhar.* Jon se perguntava o que Ygritte teria feito no lugar dela. *As mulheres são as mais fortes.* Ele se pegou pensando em Sam, no Meistre Aemon, em Goiva e no bebê. *Ela vai me amaldiçoar até seu último suspiro, mas não tinha outro jeito.* Atalaialeste relatara tempestades selvagens no Mar Estreito. *Eu queria mantê-los a salvo. Será que em vez disso fiz deles comida para caranguejos?* Noite passada, sonhara com Sam se afogando, com Ygritte morrendo atravessado por sua flecha (não havia sido a flecha dele, mas nos seus sonhos sempre era) e com Goiva chorando lágrimas de sangue.

Jon havia visto o bastante.

– Agora – disse.

Ulmer da Mata de Rei espetou a lança no chão, pegou o arco pendurado nas costas e tirou uma flecha da aljava. Doce Donnel Hill jogou o capuz para trás para fazer o mesmo. Garth Pena-Cinza e Ben Barbudo colocaram as flechas, dobraram os arcos e dispararam.

Uma flecha atingiu Mance Rayder no peito, uma nos intestinos e uma na garganta. A quarta acertou uma das barras de madeira da jaula e balançou um instante antes de pegar fogo. O soluço de uma mulher ecoou pela Muralha enquanto o rei selvagem deslizava para o chão da gaiola, envolto em fogo.

– E agora sua Patrulha acabou – Jon murmurou baixinho. Mance Rayder fora um homem da Patrulha da Noite uma vez, antes de trocar sua capa negra por uma recortada com brilhante seda vermelha.

Sobre a plataforma, Stannis estava carrancudo. Jon recusou-se a encontrar seus olhos. O fundo da gaiola caiu e as barras estavam desmoronando. Cada vez que o fogo subia, mais e mais galhos se soltavam, vermelhos e negros.

– O Senhor da Luz fez o sol, a lua e as estrelas para iluminar nosso caminho, e nos deu o fogo para manter a noite a distância. – Melisandre disse para os selvagens. – Ninguém pode se opor às suas chamas.

– *Ninguém pode se opor às suas chamas* – os homens da rainha ecoaram.

As vestes de um profundo tom escarlate da mulher vermelha rodopiavam em volta dela, e seu cabelo acobreado formava um halo em volta do seu rosto. Altas chamas amarelas dançavam em seus dedos como garras.

– *POVO LIVRE!* Seus falsos deuses não podem ajudá-los. Seu falso berrante não salvou vocês. Seu falso rei trouxe para vocês apenas morte, desespero, derrota... mas aqui está o verdadeiro rei. *VEJAM SUA GLÓRIA!*

Stannis Baratheon desembainhou a Luminífera.

A espada brilhava vermelha, amarela e laranja, viva com a luz. Jon havia visto o espetáculo antes... mas não como *este*, nunca antes como este. A Luminífera era o sol feito aço. Quando Stannis levantou a lâmina sobre sua cabeça, os homens tiveram que virar o rosto ou cobrir os olhos. Os cavalos recuaram, e um deles derrubou seu cavaleiro. A fogueira na pira pareceu encolher diante dessa tempestade de luz, como um cão pequeno se abaixa diante de um maior. A própria Muralha tornou-se vermelha, rosa e laranja, com ondas coloridas dançando pelo gelo. *É este o poder do sangue de um rei?*

– Westeros tem apenas um rei – disse Stannis. Sua voz soou áspera, sem nada da melodia de Melisandre. – Com esta espada defendo meus súditos e destruo aqueles que os ameaçam. Dobrem os joelhos e prometo para vocês comida, terras e justiça. Ajoelhem-se e vivam. Ou partam e morram. A escolha é de vocês. – Ele colocou a Luminífera na bainha, e o mundo escureceu novamente, como se o sol tivesse se escondido atrás de uma nuvem. – Abram os portões.

– *ABRAM OS PORTÕES!* – berrou Sor Clayton Suggs, com uma voz tão profunda quanto um berrante de guerra.

– *ABRAM OS PORTÕES!* – ecoou Sor Corliss Penny, comandando os guardas.

– *ABRAM OS PORTÕES!* – gritaram os oficiais. Os homens se esforçavam para obedecer. Estacas afiadas foram arrancadas do chão, tábuas foram retiradas das profundas valas e os portões da paliçada, abertos. Jon Snow levantou a mão e depois a baixou, e suas negras fileiras se moveram para a direita e para a esquerda, abrindo caminho até a Muralha, onde Edd Doloroso abrira os portões de ferro.

– Venham – instou Melisandre. – Venham para a luz... ou corram de volta para a escuridão. – No fosso abaixo dela, o fogo estalava. – Se escolherem a vida, venham até mim.

E eles foram. Lentamente no início, alguns mancando ou apoiados em seus companheiros, os cativos começaram a emergir de seu tosco engradado. *Se querem comer, venham até mim*, Jon pensou. *Se não querem congelar ou morrer de fome, submetam-se*. Hesitantes, com medo de alguma armadilha, alguns poucos prisioneiros cruzaram as tábuas e o anel de estacas, em direção a Melisandre e à Muralha. Mais os seguiram, quando viram que nada de mau acontecera àqueles que foram antes. Então mais, até que o fluxo tornou-se constante. Homens da rainha em casacos forrados e meio-elmos entregavam a cada homem, mulher ou criança que passava um pedaço de represeiro branco: uma vara, um galho partido pálido como osso quebrado, um ramo de folhas vermelhas como sangue. *Um pedaço dos velhos deuses para alimentar os novos.* Jon flexionou os dedos da mão da espada.

O calor da pira era palpável até mesmo a distância; para os selvagens, devia formar bolhas na pele. Ele viu homens chorando enquanto se aproximavam das chamas, ouviu crianças chorando. Alguns foram para a floresta. Viu uma jovem mulher caminhando aos tropeços com uma criança em cada mão. A cada poucos passos, ela olhava para trás para ter certeza de que ninguém a acompanhava e, quando se aproximou das árvores, começou a correr. Um ancião pegou o galho de represeiro que lhe deram e usou como arma, atacando com ele até que os homens da rainha convergiram sobre ele com lanças. Os outros ficaram rodeando seu corpo, até que Sor Corliss o atirou ao fogo. Mais do povo livre escolheu a floresta depois disso; um em cada dez, talvez.

Mas a maioria veio. Atrás deles havia somente o frio e a morte. Adiante, a esperança. Eles vieram, agarrando seus pedaços de madeira até que chegou a hora de alimentar as chamas. R'hllor era uma divindade ciumenta, sempre com fome. Então o novo deus devorou o cadáver do velho e lançou sombras gigantes de Stannis e Melisandre sobre a Muralha, negras contra o vermelho corado refletido no gelo.

Sigorn foi o primeiro a ajoelhar-se diante do rei. O novo Magnar de Thenn era uma versão mais velha e mais baixa de seu pai: magro, careca, vestindo grevas de bronze e uma camisa de couro costurada com escamas de bronze. Depois veio Camisa de Ossos, com sua ruidosa armadura feita de ossos e couro fervido, seu elmo um crânio de gigante. Sob os ossos ocultava-se uma criatura arruinada e miserável, com os rachados dentes marrons e um tom amarelado tingindo o branco de seus olhos. *Um homem pequeno, malicioso e traiçoeiro, tão estúpido quanto cruel.* Jon não acreditou nem por um momento que ele fosse manter a fé. E se perguntou o que Val estaria sentindo ao vê-lo ajoelhar-se, perdoado.

Líderes menores os seguiram. Dois chefes dos homens cornopés, cujos pés eram negros e duros. Uma velha sábia venerada pelos povos do Guadeleite. Um menino esquelético de olhos escuros e doze, filho de Alfyn Mata-Corvos. Halleck, irmão de Harma Cabeça de Cão, com os porcos dela. Cada um deles ajoelhou-se diante do rei.

Está muito frio para este espetáculo de pantomimeiros, pensou Jon.

– O povo livre despreza ajoelhadores – ele avisara Stannis. – Deixe-os manter seu orgulho, e eles o amarão mais.

Sua Graça não o ouvira. E dissera:

– É das espadas deles que eu preciso, não dos beijos.

Depois de se ajoelharem, os selvagens passavam pelas fileiras de irmãos negros até o portão. Jon havia destacado Cavalo, Cetim e mais meia dúzia para conduzi-los pela Muralha com tochas. Do outro lado, tigelas de sopa de cebola quente os aguardava, além de nacos de pão negro e salsichas. Roupas também: capas, calções, botas, túnicas, boas luvas de couro. Dormiriam em pilhas de palha limpa, com fogueiras para manter o frio da noite afastado. O rei não era nada senão metódico. Cedo ou tarde, no entanto, Tormund Terror dos Gigantes assaltaria a Muralha novamente, e, quando essa hora chegasse, Jon se perguntava que lado os novos súditos de Stannis escolheriam. *Você pode dar terras e perdão para eles, mas o povo livre escolhe seus próprios reis, e foi Mance quem eles escolheram, não você.*

Bowen Marsh aproximou sua montaria da de Jon.

– Este é um dia que nunca esperei ver.

O Senhor Intendente diminuíra notadamente desde que sofrera um ferimento na cabeça na Ponte das Caveiras. Parte de uma orelha havia se perdido. *Já não se parece tanto com uma romã*, Jon pensou. Marsh disse:

– Sangramos para parar os selvagens na Garganta. Bons homens morreram lá, amigos e irmãos. E para quê?

– O reino vai amaldiçoar todos nós por isso – declarou Sor Alliser Thorne, em tom venenoso. – Todo homem honesto de Westeros vai virar a cara e cuspir à qualquer menção da Patrulha da Noite.

O que você sabe sobre homens honestos?

– Silêncio nas fileiras.

Sor Alliser tornara-se mais circunspecto desde que Lorde Janos perdera a cabeça, mas a malícia ainda estava lá. Jon brincara com a ideia de dar a ele o comando que Slynt recusara, mas queria manter o homem por perto. Ele sempre fora o mais perigoso dos dois. Em vez disso, enviara um intendente grisalho da Torre Sombria para comandar a Guardagris.

Ele esperava que as duas novas guarnições fizessem diferença. *A Patrulha pode fazer o povo livre sangrar, mas no fim não podemos ter a esperança de pará-lo*. Entregar Mance Rayder ao fogo não mudara a verdade disso. *Ainda somos poucos e eles ainda são muitos, e sem patrulheiros somos tão bons quanto cegos. Tenho que enviar homens. Mas se fizer isso, eles voltarão?*

O túnel através da Muralha era estreito e sinuoso, e muitos dos selvagens eram velhos ou estavam doentes ou feridos, então o percurso era dolorosamente lento. No momento em que o último deles dobrou o joelho, a noite havia caído. A pira queimava baixo, e a sombra do rei na Muralha encolhera a um quarto da altura original. Jon Snow podia ver sua respiração no ar. *Frio*, ele pensou, *e ficando mais frio. Este espetáculo de pantomimeiros já foi longe demais.*

Dois grupos de cativos permaneciam na paliçada. Quatro gigantes estavam entre eles, maciças criaturas peludas, com ombros inclinados, pernas tão largas quanto troncos de árvore e enormes pés espalmados. Grandes como eram, ainda podiam atravessar a Muralha, mas um deles não queria deixar seu mamute, e os outros não o deixariam. O resto dos que permaneceram tinha estatura humana. Alguns estavam mortos, outros morrendo; a maioria era parente ou amigo próximo, dispostos a não abandoná-los, mesmo que perdessem a sopa de cebola.

Alguns tremendo, outros entorpecidos demais para tremer, eles ouviram a voz do rei retumbando na Muralha:

– Vocês são livres para ir – disse Stannis. – Digam ao seu povo o que testemunharam. Digam para eles que viram o rei verdadeiro e que eles são bem-vindos ao meu reino, enquanto mantiverem minha paz. De outro modo, é melhor que fujam ou se escondam. Não admitirei mais ataques à minha Muralha.

– *Um reino, um deus, um rei!* – gritou a Senhora Melisandre.

Os homens da rainha repetiram o grito, batendo a coronha de suas lanças contra os escudos.

– Um reino, um deus, um rei! *STANNIS! STANNIS! UM REINO, UM DEUS, UM REI!*

Val não se juntou ao cântico, ele viu. Nem os irmãos da Patrulha da Noite. Durante o tumulto, os poucos selvagens que sobraram sumiram entre as árvores. Os gigantes foram os últimos a ir, dois montados em mamutes, os outros dois a pé. Apenas os mortos foram deixados para trás. Jon viu Stannis descer da plataforma, com Melisandre ao seu lado. *Sua sombra vermelha. Ela nunca o deixa por muito tempo.* A guarda de honra do rei os cercou; Sor Godry, Sor Clayton e uma dúzia de outros cavaleiros, todos homens da rainha. A lua brilhava na armadura deles, e o vento balançava suas capas.

– Senhor Intendente – Jon disse para Marsh –, quebre a paliçada e use a madeira para queimar os corpos.

– Ao seu comando, meu senhor. – Marsh gritou as ordens, e um enxame de seus intendentes deixou as fileiras para atacar as paredes de madeira. O Senhor Intendente olhava a cena com a testa franzida. – Esses selvagens... acha que manterão a fé, senhor?

– Alguns, sim. Não todos. Temos nossos covardes e nossos velhacos, nossos fracos e nossos tolos, e eles também.

– Nossos votos... juramos proteger o reino...

– Uma vez que o povo livre se estabeleça na Dádiva, se tornará parte do reino. – Jon declarou. – Estes são dias desesperados, e ainda ficarão mais desesperados. Temos que encarar nosso real inimigo, um rosto branco morto com brilhantes olhos azuis. Temos uma causa em comum com os selvagens.

– Uma causa comum contra um inimigo comum, eu poderia concordar com isso – disse Bowen Marsh –, mas isso não significa que devemos permitir que dezenas de milhares de selvagens semimortos de fome atravessem a Muralha. Deixe eles voltarem para suas vilas e lutarem com os Outros lá, enquanto selamos os portões. Não seria difícil, Othell me disse. Precisamos apenas encher o túnel com pedaços de pedra e jogar água pelos vãos. A Muralha faria o resto. O frio, o peso... em uma volta da lua, seria como se o portão nunca tivesse existido. Qualquer inimigo teria que escavar seu caminho.

– Ou escalar.

– Improvável – disse Bowen Marsh. – Esses não são saqueadores, exceto para roubar uma esposa e fazer alguma pilhagem. Tormund deve ter mulheres idosas com ele, crianças, rebanhos de ovelhas e de cabras, e até mesmo mamutes. Ele precisa de um portão, e só restam três. E se enviar escaladores, bem, defender-se contra escaladores é tão simples quanto espetar um peixe em um caldeirão.

Peixes nunca escalam o caldeirão e espetam uma lança na sua barriga. Jon já havia escalado a Muralha.

Marsh continuou:

– Os arqueiros de Mance Rayder devem ter perdido dez mil flechas conosco, a julgar pelo número de hastes que recolhemos. Menos de uma centena alcançou nossos homens no topo da Muralha, a maioria desviada por alguma rajada errante de vento. Alyn Vermelho da Mata de Rosas foi o único homem que morreu lá em cima, e foi a queda que o matou, não a flecha espetada em sua perna. Donal Noye morreu para proteger o portão. Um ato nobre, sim... mas se o portão tivesse sido selado, nosso bravo armeiro ainda estaria conosco. Mesmo se encararmos uma centena de inimigos ou cem mil deles, enquanto estivermos no topo da Muralha e eles embaixo, eles não podem nos ameaçar.

Ele não está errado. A tropa de Mance Rayder quebrara contra a Muralha como uma onda sobre uma costa rochosa, embora os defensores não fossem mais do que um punhado de homens velhos, rapazes inexperientes e aleijados. Mesmo assim, o que Bowen sugeria ia contra todos os instintos de Jon.

– Se selarmos os portões, não poderemos enviar patrulheiros – observou. – Seremos tão bons quanto cegos.

– A última patrulha de Lorde Mormont custou um quarto dos homens da Patrulha, senhor. Precisamos conservar as forças que nos restam. Cada morte nos diminui, e já estamos tão reduzidos... Pegue o ponto alto e vença a batalha, meu tio costumava dizer. Nenhum ponto é mais alto do que a Muralha, Senhor Comandante.

– Stannis prometeu terra, comida e justiça para qualquer selvagem que dobrar os joelhos. Ele não permitirá que os portões sejam selados.

Marsh hesitou.

– Lorde Snow, não gosto de espalhar histórias, mas estão dizendo que você está se tornando muito... muito amistoso com Lorde Stannis. Alguns até sugerem que você é... um...

Um rebelde e um vira-casaca, sim, e um bastardo e um warg *também.* Janos Slynt pode ter partido, mas suas mentiras permaneceram.

– Eu sei o que dizem. – Jon ouvira os sussurros e vira homens se afastarem quando ele cruzava o pátio. – O que eles queriam que eu fizesse? Que pegasse em armas contra Stannis e contra os selvagens? Sua Graça tem três vezes os homens que nós temos e, além disso, é nosso hóspede. As leis da hospitalidade o protegem. E nós temos uma dívida com ele.

– Lorde Stannis nos ajudou quando precisamos de ajuda – Marsh disse obstinadamente –, mas ele ainda é um rebelde, e sua causa está condenada. Tão condenada quanto estaremos se o Trono de Ferro nos considerar traidores. Devemos ter certeza de não escolher o lado perdedor.

– Não pretendo escolher lado algum – disse Jon –, mas não estou tão certo do resultado desta guerra como você parece estar, senhor. Não com Lorde Tywin morto. – Se os relatos vindos pela estrada do rei têm algum fundo de verdade, a Mão do Rei fora assassinada por seu filho anão enquanto estava sentado na latrina. Jon tivera um breve contato com Tyrion Lannister. *Ele pegou minha mão e me chamou de amigo.* Era difícil acreditar que o homenzinho tivesse a capacidade de matar o próprio pai, mas o fato de que Lorde Tywin estava morto parecia fora de dúvida. – O leão em Porto Real é um filhote, e o Trono de Ferro é conhecido por fazer homens crescidos em pedaços.

– Ele pode ser um menino, senhor, mas... o Rei Robert era bastante amado, e a maioria dos homens ainda aceita que Tommen é seu filho. Quanto mais eles veem Lorde Stannis, menos o amam, e gostam ainda menos da Senhora Melisandre, com seus fogos e seu sombrio deus vermelho. Eles reclamam.

– Eles reclamavam do Senhor Comandante Mormont também. Homens adoram reclamar das esposas e dos senhores, ele me disse uma vez. Aqueles sem esposa reclamam duas vezes mais de seus senhores. – Jon Snow olhou na direção da paliçada. – Deixarei você terminar aqui, Bowen. Assegure-se de que todos os cadáveres sejam queimados. Obrigado pelos conselhos. Prometo que pensarei em tudo o que me disse.

Fumaça e cinzas flutuantes ainda pairavam no ar sobre o fosso enquanto Jon trotava de volta para o portão. Lá desmontou, para andar com o garrano através do gelo até o lado sul. Edd Doloroso ia na frente com uma tocha. A chama lambia o teto, e lágrimas geladas caíam sobre eles a cada passo.

– Foi um alívio ver aquele berrante queimar, senhor – Edd disse. – Noite passada sonhei que estava mijando na Muralha quando alguém decidiu tocar o berrante. Não que esteja reclamando. Este sonho é melhor do que o antigo que eu tinha, no qual Harma Cabeça de Cão me dava de comida para os porcos.

– Harma está morta – disse Jon.

– Mas não os porcos. Eles olham para mim como o Matador costumava olhar para o presunto. Não quero dizer que os selvagens pretendam nos prejudicar. Sim, fizemos seus deuses em pedaços e os queimamos, mas nós demos sopa de cebola para eles. O que é um deus comparado a uma boa tigela de sopa de cebola? Eu poderia fazer o mesmo.

Os odores de fumaça e carne queimada ainda se agarravam à roupa de Jon. Ele sabia que tinha que comer, mas era companhia que desejava, não comida. *Uma taça de vinho com Meistre Aemon, algumas palavras tranquilas com Sam, umas risadas com Pyp, Grenn e Sapo.* Aemon e Sam haviam partido, e seus outros amigos...

– Jantarei com os homens esta noite.

– Carne ensopada e beterrabas. – Edd Doloroso sempre parecia saber o que cozinhavam. – Mas Hobb disse que está sem aipo-rábano. Qual a graça de carne ensopada sem rábano?

Desde que os selvagens queimaram o velho salão comum, os homens da Patrulha da Noite faziam suas refeições no porão de pedra embaixo do arsenal, um espaço cavernoso dividido por duas fileiras de pilares de pedra quadrados, com tetos abobadados e grandes tonéis de vinho e cerveja ao longo das paredes. Quando Jon entrou, quatro construtores estavam jogando damas na mesa mais próxima das escadas. Perto do fogo estava um grupo de patrulheiros e uns poucos homens do rei, conversando calmamente.

Os homens mais jovens estavam reunidos em outra mesa, onde Pyp esfaqueava um nabo.

– A noite é escura e cheia de nabos – anunciou, em voz solene. – Vamos todos rezar pela carne de veado, meus filhos, com algumas cebolas e um pouco de molho saboroso.

Seus amigos riram; Grenn, Sapo, Cetim, todo o grupo.

Jon Snow não se juntou ao riso.

– Zombar das orações de outro homem é trabalho de tolo, Pyp. E perigoso.

– Se o deus vermelho ficou ofendido, deixe ele me derrubar.

Todos os sorrisos haviam morrido.

– Era da sacerdotisa que ríamos – disse Cetim, um jovem ágil e bonito que fora prostituto em Vilavelha. – Estávamos só brincando, senhor.

– Vocês têm seus deuses e ela tem os dela. Deixem-na.

– Ela não deixa nossos deuses – argumentou Sapo. – Ela chama os Sete de falsos deuses, senhor. Os antigos deuses também. Ela fez os selvagens queimarem galhos de represeiro. Você viu.

– A Senhora Melisandre não está sob meu comando. Vocês estão. Não terei sangue ruim entre os homens do rei e os meus.

Pyp colocou uma mão no braço de Sapo.

– Não coaxe mais, bravo Sapo, pois nosso Grande Lorde Snow falou. – Ficou em pé num pulo só e fez uma mesura zombeteira para Jon. – Peço perdão. De agora em diante não vou nem abanar minhas orelhas sem o consentimento de Sua Senhoria.

Ele acha que tudo isso é algum tipo de jogo. Jon quis chacoalhá-lo para ver se algum juízo entrava na cabeça dele.

– Abane as orelhas o quanto quiser. É quando abana a língua que causa problema.

– Eu cuidarei para que ele seja mais cuidadoso – Grenn prometeu – e vou esmurrá-lo se ele não for. – Hesitou – Senhor, vai jantar conosco? Owen, chega mais para lá e dá espaço para o Jon.

Jon não queria mais nada. *Não*, ele teve que dizer para si mesmo, *esses dias se foram*. A compreensão retorceu sua barriga como uma faca. Eles o escolheram para governar. A Muralha era dele, assim como a vida deles. *Um senhor deve amar os homens que comanda*, ele podia ouvir o senhor seu pai dizendo, *mas não pode ser amigo deles. Um dia ele pode ter que julgá-los ou enviá-los para a morte*.

– Outro dia – o Senhor Comandante mentiu. – Edd, é melhor que veja seu jantar. Tenho trabalho para terminar.

O ar do lado de fora parecia mais frio do que antes. Do outro lado do castelo, podiam-se ver luzes de velas brilhando nas janelas da Torre do Rei. Val estava no topo da torre, olhando para a Muralha. Stannis a mantinha por perto, em aposentos abaixo dos seus, mas permitia que ela andasse pelas ameias para se exercitar. *Ela parece solitária*, Jon pensou. *Solitária e adorável*. Ygritte fora bonita do seu jeito, com seu cabelo vermelho beijado pelo fogo, mas era seu sorriso que fazia o rosto tornar-se vivo. Val não precisava sorrir; ela teria virado a cabeça dos homens em qualquer corte do mundo.

Apesar disso, a princesa selvagem não era amada por seus carcereiros. Desprezava todos eles como "ajoelhadores" e tentara fugir três vezes. Quando um homem em armas se descuidou na presença dela, ela arrebatou a adaga da bainha dele e o apunhalou no pescoço. Um centímetro para a esquerda e ele teria morrido.

Solitária, adorável e letal, Jon Snow refletiu, *e eu poderia tê-la tido. Ela, Winterfell e o nome do senhor meu pai*. Em vez disso, escolhera a capa negra e a parede de gelo. Em vez disso, escolhera a honra. *Um tipo bastardo de honra*.

A Muralha assomava à direita, enquanto ele cruzava o pátio. O gelo alto brilhava pálido, mas embaixo tudo era sombra. No portão, uma tênue luz laranja indicava o lugar em que os guardas se refugiavam do vento. Jon podia ouvir o barulho das correntes, enquanto a gaiola balançava e raspava contra o gelo. No topo, os sentinelas deveriam estar encolhidos em torno do calor de um braseiro, gritando para que suas vozes fossem ouvidas com o vento. Ou, então, teriam se cansado do esforço e cada homem teria mergulhado em sua piscina de silêncio. *Eu deveria estar andando no gelo. A Muralha é minha*.

Caminhava entre os restos da Torre do Senhor Comandante, depois do lugar onde Ygritte morrera em seus braços, quando Fantasma apareceu ao lado dele, seu hálito quente fumegando no frio. Sob a luz do luar, os olhos vermelhos do lobo brilhavam como piscinas de fogo. O gosto de sangue quente encheu a boca de Jon, e ele soube que Fantasma matara aquela noite. *Não*, pensou. *Sou um homem, não um lobo*. Esfregou a boca com a mão enluvada e cuspiu.

Clydas ainda ocupava os aposentos embaixo do viveiro das aves. Quando Jon bateu, ele veio, atrapalhado com uma vela na mão, e abriu uma fresta na porta.

– Atrapalho? – Jon perguntou.

– Nem um pouco. – Clydas abriu mais a porta. – Estava preparando um vinho. Meu senhor tomaria uma taça?

– Com prazer. – Suas mãos estavam duras de frio. Tirou as luvas e flexionou os dedos.

Clydas voltou à lareira para agitar o vinho. *Ele já deve ter uns sessenta. Um homem velho. Só parecia jovem quando comparado com Aemon*. Baixo e redondo, tinha os olhos opacos rosados de uma criatura noturna. Alguns fios brancos se agarravam ao couro cabeludo. Quando serviu a bebida, Jon segurou a taça com as duas mãos, cheirando as especiarias e tomando um gole. O calor se espalhou pelo seu peito. Bebeu novamente, um gole longo e profundo, para lavar o gosto de sangue da boca.

– Os homens da rainha estão dizendo que o Rei-para-lá-da-Muralha morreu como covarde. Que gritou por misericórdia e negou que era rei.

– Foi isso mesmo. A Luminífera estava mais brilhante do que eu já tinha visto. Tão brilhante quanto o sol. – Jon levantou sua taça. – Para Stannis Baratheon e sua espada mágica. – O vinho tinha um gosto amargo em sua boca.

– Sua Graça não é um homem fácil. Poucos são, os que usam uma coroa. Muitos homens bons foram maus reis, Meistre Aemon costumava dizer, e alguns homens maus foram bons reis.

– Ele sabia. – Aemon Targaryen vira nove reis sobre o Trono de Ferro. Fora filho de um rei, irmão de um rei, tio de um rei. – Eu olhei o livro que Meistre Aemon me deixou. O *Compêndio de Jade*. As páginas que falam de Azor Ahai. Luminífera era a espada dele. Temperada com o sangue de sua esposa, se é possível acreditar em Votar. Depois disso, Luminífera nunca foi fria ao toque, mas quente como Nissa Nissa havia sido quente. Em batalha, a lâmina queimava ardente em fogo. Uma vez Azor Ahai lutou com um monstro. Quando enfiou a espada pela barriga da criatura, o sangue do monstro começou a ferver. Fumaça e vapor saíram de sua boca, os olhos derreteram e escorreram pela sua face, e seu corpo explodiu em chamas.

Clydas piscou.

– Uma espada que faz seu próprio calor...

– ... seria uma coisa boa na Muralha. – Jon colocou a taça de vinho de lado e vestiu as luvas negras de pele de toupeira. – Uma pena que a espada que Stannis empunha é fria. Fico curioso para ver como sua Luminífera se comportaria em batalha. Obrigado pelo vinho. Fantasma, comigo. – Jon Snow levantou o capuz da capa e abriu a porta. O lobo branco o seguiu de volta à noite.

O arsenal estava escuro e silencioso. Jon acenou para os guardas antes de fazer o caminho pelas silenciosas fileiras de lanças até seus aposentos. Pendurou o cinturão em um gancho ao lado da porta e sua capa em outro. Quando tirou as luvas, as mãos estavam duras e frias. Levou um bom tempo até conseguir acender as velas. Fantasma enrolou-se em seu tapete e se preparou para dormir, mas Jon ainda não podia descansar. A mesa de pinho riscado estava coberta de mapas da Muralha e das terras além, uma relação de patrulheiros e uma carta da Torre Sombria escrita por Sor Denys Mallister de próprio punho.

Leu a carta da Torre Sombria novamente, afiando uma pena, e destampou um pote de grossa tinta negra. Escreveu duas cartas, a primeira para Sor Denys, a segunda para Cotter Pyke. Ambos estavam atrás dele por mais homens. Despachava Halder e Sapo para oeste, até a Torre Sombria, Grenn e Pyp para Atalaialeste do Mar. A tinta não fluía adequadamente, e todas as suas palavras pareciam secas, cruas e desajeitadas, mas persistiu assim mesmo.

Quando finalmente baixou a pena, o quarto estava escuro e gelado, e ele podia sentir as paredes se fechando. Pousado sobre a janela, o corvo do Velho Urso olhava para ele com astutos olhos negros. *Meu último amigo*, Jon pensou com tristeza. *E é melhor que eu sobreviva a você, ou você vai comer meu rosto também.* Fantasma não contava. Fantasma era mais próximo do que um amigo. Fantasma era parte dele.

Jon se levantou e subiu os degraus até a cama estreita que uma vez fora de Donal Noye. *Esta é minha sina,* ele percebeu enquanto se despia, *a partir de agora e até o final dos meus dias.*

Daenerys

– O que é? – ela exclamou, quando Irri a sacudiu gentilmente pelo ombro. A noite estava escura lá fora. *Algo está errado,* ela soube imediatamente. – É Daario? O que aconteceu? – Em seu sonho, eles eram marido e mulher, pessoas simples que viviam uma vida simples em uma casa de pedra alta com uma porta vermelha. No sonho, ele a beijava inteira; sua boca, seu pescoço, seus seios.

– Não, *Khaleesi* – Irri murmurou. – É o eunuco Verme Cinzento e os homens carecas. Pode recebê-los?

– Sim. – O cabelo dela estava desgrenhado, e a roupa de cama era um emaranhado, Dany percebeu. – Ajude-me a me vestir. Também quero uma taça de vinho. Para clarear a mente. – *E afogar meus sonhos.* Ouviu um suave som de soluços. – Quem está chorando?

– Sua escrava Missandei. – Jhiqui tinha uma vela nas mãos.

– Minha serva. Não tenho escravos. – Dany não entendeu. – Por que chora?

– Por aquele que era seu irmão – Irri contou.

O restante ela saberia por Skahaz, Reznak e Verme Cinzento, quando foram levados à presença dela. Dany percebeu que as notícias eram ruins antes que qualquer palavra fosse dita. Uma olhada na cara feia do Cabeça-Raspada foi suficiente para lhe dizer isso.

– Os Filhos da Harpia?

Skahaz assentiu. Sua boca estava sinistra.

– Quantos mortos?

Reznak torceu as mãos.

– N-nove, Magnificência. Trabalho sujo é o que foi, e perverso. Uma noite terrível, terrível.

Nove. A palavra era uma adaga no coração de Daenerys. A cada noite a guerra sombria era travada novamente sob as pirâmides de Meereen. A cada manhã, o sol se levantava sobre cadáveres frescos, com harpias desenhadas em sangue nos ladrilhos ao lado deles. Qualquer homem liberto que se tornasse muito próspero ou muito franco era marcado para morrer. *Mas nove em uma noite...* aquilo a assustava.

– Conte-me.

Verme Cinzento respondeu:

– Seus servos foram atacados quando faziam a ronda pelas ruas de Meereen, para manter a paz de Vossa Graça. Todos estavam bem armados, com lanças, escudos e espadas curtas. Dois em dois eles andavam, e dois em dois morreram. Seus servos Punho

Negro e Cetherys foram assassinados com dardos de besta no Labirinto de Mazdhan. Seus servos Mossador e Duran foram esmagados por pedras que caíram da muralha do rio. Seus servos Eladon Cabelo-Dourado e Lança Leal foram envenenados na taverna em que estavam acostumados a parar a cada noite durante suas rondas.

Mossador. Dany apertou o punho. Missandei e seus irmãos foram tirados de casa, em Naath, por corsários das Ilhas Basilisco, e vendidos como escravos em Astapor. Jovem como era, Missandei havia mostrado tamanho dom para línguas que os Bons Mestres a fizeram uma escriba. Mossador e Marselen não tiveram tanta sorte. Foram castrados e feitos Imaculados.

– Algum dos assassinos foi capturado?

– Seus servos prenderam o dono da taverna e suas filhas. Eles alegam inocência e imploram por misericórdia.

Todos eles alegavam inocência e imploravam por misericórdia.

– Deixe-os com Cabeça-Raspada. Skahaz, mantenha-os separados e interrogue-os.

– Será feito, Vossa Veneração. Devo interrogá-los suavemente ou bruscamente?

– Suavemente, no início. Ouça as histórias que contarem e os nomes que darão a você. Pode ser que não estejam envolvidos. – Ela hesitou. – Nove, o nobre Renzak disse. Quem mais?

– Três libertos, assassinados em suas casas – o Cabeça-Raspada disse. – Um agiota, um sapateiro e a harpista Rylona Rhee. Eles cortaram os dedos dela antes de a matarem.

A rainha vacilou. Rylona Rhee tocava harpa com tanta doçura quanto a Donzela. Quando era escrava em Yunkai, tocara para cada família de alto nascimento da cidade. Em Meereen, tornou-se uma líder entre os libertos yunkaítas, a voz deles no conselho de Dany.

– Não temos outros prisioneiros além deste taverneiro?

– Nenhum, este um lamenta confessar. Pedimos seu perdão.

Misericórdia, pensou Dany. *Eles terão a misericórdia do dragão.*

– Skahaz, mudei de ideia. Interrogue-os rudemente.

– Farei isso. Ou posso interrogar as filhas rudemente enquanto o pai assiste. Isso deve arrancar alguns nomes deles.

– Faça como achar melhor, mas me traga um nome. – A fúria era fogo em seu estômago. – Não terei mais Imaculados assassinados. Verme Cinzento, mande seus homens de volta aos quartéis. De agora em diante, eles guardarão meus muros, meus portões e minha pessoa. Daqui para a frente, os meereeneses manterão a paz em Meereen. Skahaz, crie uma nova patrulha, formada por partes iguais de cabeças-raspadas e libertos.

– Às suas ordens. Quantos homens?

– Tantos quantos precise.

Reznak mo Reznak engasgou.

– Magnificência, de onde virá o dinheiro para pagar os salários de tantos homens?

– Das pirâmides. Chame de imposto de sangue. Terei cem peças de ouro de cada pirâmide, para cada liberto que os Filhos da Harpia mataram.

Aquilo trouxe um sorriso ao rosto do Cabeça-Raspada.

– Será feito – disse –, mas Vossa Iluminada deve saber que os Grandes Mestres de Zhak e Merreq estão fazendo preparativos para deixar suas pirâmides e sair da cidade.

Daenerys estava cansada até a morte de Zhak e Merreq; estava cansada de todos os meereeneses, grandes e pequenos.

– Deixe-os ir, mas assegure-se de que não partam com mais do que as roupas do corpo. Tenha certeza de que todo o ouro deles ficará para nós. Seus estoques de comida também.

– Magnificência – murmurou Reznak mo Reznak –, não sabemos se esses grandes nobres pretendem se juntar aos seus inimigos. Mas como eles estão simplesmente mudando-se para suas propriedades nas montanhas...

– Então não se importarão se mantivermos seu ouro a salvo. Não há nada para comprar nas montanhas.

– Eles temem por seus filhos – Reznak disse.

Sim, Daenerys pensou, *e eu também*.

– Podemos mantê-los a salvo, também. Manterei comigo dois filhos de cada um deles. Das outras pirâmides também. Um menino e uma menina.

– Reféns – disse Skahaz alegremente.

– Pajens e copeiros. Se os Grandes Mestres fizerem objeções, explique para eles que em Westeros é uma grande honra a uma criança ser escolhida para servir na corte. – Ficou sem dizer o resto. – Vão e façam como ordenei. Tenho meu morto para lamentar.

Quando retornou para seus aposentos no topo da pirâmide, encontrou Missandei chorando suavemente em seu catre, tentando fazer o melhor possível para abafar o som dos soluços.

– Venha dormir comigo – disse à pequena escriba. – O amanhecer ainda levará horas para chegar.

– Vossa Graça é muito gentil com esta aí. – Missandei escorregou sob os lençóis. – Ele era um bom irmão.

Dany passou os braços em volta da garota.

– Fale-me dele.

– Ele me ensinou a subir nas árvores quando éramos pequenos. Podia pegar um peixe com as mãos. Uma vez eu o encontrei dormindo no nosso jardim com uma centena de borboletas voando sobre ele. Ele parecia tão bonito esta manhã, esta aí... quero dizer, eu o amava.

– Como ele amava você – Dany acariciou o cabelo da garota. – Diga uma palavra, minha querida, e eu tiro você deste lugar horrível. De alguma forma encontrarei um navio para mandar você para casa. Para Naath.

– Eu prefiro ficar. Em Naath, teria medo. E se os traficantes de escravos viessem novamente? Sinto-me segura ao seu lado.

Segura. A palavra fez os olhos de Dany se encherem de lágrimas.

– Quero manter você segura. – Missandei era apenas uma criança. Com ela, Dany se sentia como se também pudesse ser uma criança. – Ninguém jamais me manteve em segurança quando eu era pequena. Bem, Sor Willem manteve, mas então ele morreu, e Viserys... Eu quero proteger você, mas... é tão difícil. Ser forte. Eu nem sempre sei o que devo fazer. *Preciso saber*, no entanto. Sou tudo o que eles têm. Sou a rainha... a... a...

– ... mãe – sussurrou Missandei.

– Mãe de dragões. – Dany estremeceu.

– Não. Mãe de todos nós. – Missandei a abraçou mais apertado. – Vossa Graça deve dormir. A manhã chegará logo, e a audiência.

– Ambas dormiremos e sonharemos com dias melhores. Feche os olhos. – Quando ela fechou, Dany beijou suas pálpebras e a fez rir.

Os beijos vieram com mais facilidade do que o sono, contudo. Dany fechou os olhos e tentou pensar em casa, em Pedra do Dragão e Porto Real, e em todos os outros lugares sobre os quais Viserys falara para ela, em uma terra mais gentil do que aquela... mas seu pensamento continuava voltando para a Baía dos Escravos, como navios pegos por algum vento amargo. Quando Missandei pareceu adormecida, Dany escorregou dos braços dela, e caminhou para o ar que antecedia o amanhecer e se debruçou sobre o parapeito de tijolo gelado para contemplar toda a cidade. Mil telhados se estendiam sob ela, pintados em tons de marfim e prata pela lua.

Em algum lugar sob esses telhados, os Filhos da Harpia estavam reunidos, tramando meios de matá-la e a todos aqueles que a amavam e de acorrentar novamente seus filhos. Em algum lugar lá embaixo uma criança faminta estava chorando por leite. Em algum lugar uma idosa estava morrendo. Em algum lugar um homem e uma donzela se abraçavam, avançando um sobre as roupas do outro com mãos ansiosas. Mas ali em cima havia apenas o brilho do luar sobre as pirâmides e os poços, sem nenhum indício do que ocorria abaixo. Ali em cima era apenas ela, sozinha.

Ela era o sangue do dragão. Ela podia matar os Filhos da Harpia, e os filhos dos filhos, e os filhos dos filhos dos filhos. Mas um dragão não podia alimentar uma criança faminta, nem impedir a dor de uma mulher morrendo. *E quem ousaria amar um dragão?*

Ela se pegou pensando novamente em Daario Naharis, Daario com seu dente de ouro e sua barba em forma de tridente, suas fortes mãos repousando sobre o *arak* combinado com punhal, cujo punho de ouro tinha o formato de uma mulher nua. No dia em que partira, enquanto ela se despedia, ele passava o dedo suavemente sobre o punho, para a frente e para trás. *Estou com ciúmes de um punho de espada*, ela percebeu, *de mulheres feitas de ouro*. Mandá-lo para os Homens-Ovelha havia sido sábio. Ela era uma rainha, e ele não tinha o estofo dos reis.

– Já faz tanto tempo – ela dissera para Sor Barristan, no dia anterior. – E se Daario me traiu e passou para o lado dos meus inimigos? – *Três traições você conhecerá*. – E se ele conheceu outra mulher, alguma princesa lhazarena?

O velho cavaleiro não gostava nem confiava em Daario, ela sabia. Mesmo assim, ele respondera galantemente.

– Não há mulher mais adorável do que Vossa Graça. Apenas um cego poderia pensar o contrário, e Daario Naharis não é cego.

Não, ela pensou. *Seus olhos são de um azul profundo, quase púrpura, e seus dentes de ouro brilham quando ele sorri para mim.*

Sor Barristan tinha certeza de que ele voltaria. Dany só podia rezar para que estivesse certo.

Um banho vai me ajudar a relaxar. Caminhou descalça pela grama até a piscina do terraço. A água estava fria contra sua pele, causando arrepios. Pequenos peixes mordiscavam seus braços e pernas. Ela fechou os olhos e deixou-se flutuar.

Um suave farfalhar a fez abrir os olhos novamente. Sentou-se com um leve respingo.

– Missandei? – chamou. – Irri? Jhiqui?

– Elas estão dormindo – veio a resposta.

Uma mulher estava sob o pé de caqui, vestindo uma túnica com capuz que arrastava pela grama. Sob o capuz, seu rosto parecia duro e brilhante. *Está vestindo uma máscara*, Dany percebeu, *um máscara de madeira com acabamento em laca vermelho-escura.*

– Quaithe? Estou sonhando? – ela se beliscou e fez uma careta de dor. – Sonhei com você em Balerion, na primeira vez que chegamos a Astapor.

– Você não sonhou. Nem naquela ocasião, nem agora.

– O que está fazendo aqui? Como passou pelos meus guardas?

– Vim por outro caminho. Seus guardas nunca me viram.

– Se eu os chamar, eles a matarão.

– Eles vão jurar que não estou aqui.

– Você está aqui?

– Não. Escute-me, Daenerys Targaryen. As velas nos vidros estão queimando. Logo virá a égua descorada e, depois dela, os outros. A lula gigante e a chama escura, o leão e o grifo, o filho do sol e o dragão do pantomimeiro. Não acredite em nenhum deles. Lembre-se dos Imortais. Cuidado com o senescal perfumado.

– Reznak? Por que eu deveria temê-lo? – Dany se levantou da piscina. A água escorria por suas pernas e os braços estavam arrepiados no ar frio da noite. – Se tem algum aviso para me dar, fale claramente. O que você quer de mim, Quaithe?

O luar brilhou nos olhos da mulher.

– Mostrar-lhe o caminho.

– Eu lembro o caminho. Vou para o norte para ir ao sul, leste para ir ao oeste, para trás para seguir adiante. E para tocar a luz, tenho que passar sob a sombra. – Ela espremeu a água do cabelo prateado. – Estou meio enjoada dos enigmas. Em Qarth eu era uma pedinte, mas aqui sou a rainha. Eu ordeno...

– *Daenerys*. Lembre-se dos Imortais. Lembre-se de quem você é.

– O sangue do dragão. – *Mas meus dragões estavam rugindo na escuridão*. – Eu me lembro dos Imortais. Filha de três, eles me chamaram. Prometeram-me três montarias, três fogueiras e três traições. Uma por sangue, uma por ouro e uma por...

– Vossa Graça? – Missandei estava parada na porta dos aposentos da rainha, com uma lanterna na mão. – Com quem está falando?

Dany olhou para trás, em direção ao pé de caqui. Não havia nenhuma mulher ali. Nenhuma túnica com capuz, nenhuma máscara laqueada, nada de Quaithe.

Uma sombra. Uma memória. Ninguém. Ela era do sangue do dragão, mas Sor Barristan a avisara de que esse sangue tinha uma mácula. *Estarei ficando louca?* Eles haviam chamado o pai dela de louco certa vez.

– Estava rezando – disse para a garota naathi. – Logo vai amanhecer. É melhor que eu coma algo antes da audiência.

– Trarei comida para quebrar seu jejum.

Sozinha novamente, Dany caminhou pela pirâmide na esperança de encontrar Quaithe, além das árvores queimadas e da terra chamuscada onde seus homens tinham tentado capturar Drogon. Mas o único som era o do vento nas árvores frutíferas, e as únicas criaturas nos jardins eram algumas traças sem cor.

Missandei retornou com um melão e uma tigela de ovos cozidos, mas Dany descobriu que estava sem apetite. Como o céu clareava e as estrelas sumiam uma a uma, Irri e Jhiqui a ajudaram a vestir um *tokar* de seda violeta com franjas de ouro.

Quando Reznak e Skahaz apareceram, ela se pegou olhando para eles de soslaio, com as três traições em mente. *Cuidado com o senescal perfumado*. Ela cheirou Reznak mo Reznak, desconfiada. *Eu poderia ordenar que Cabeça-Raspada o prendesse e o interro-*

gasse. Isso evitaria a profecia? Ou algum outro traidor tomaria seu lugar? *Profecias são traiçoeiras*, ela lembrou a si mesma, *e Reznak pode não ser mais do que aparenta.*

No salão púrpura, Dany encontrou em seu banco de ébano uma pilha de almofadas de cetim. A visão lhe trouxe um leve sorriso aos lábios. *Trabalho de Sor Barristan*, ela sabia. O velho cavaleiro era um bom homem, mas algumas vezes muito literal. *Era só uma brincadeira, sor*, ela pensou, mas mesmo assim sentou-se em uma das almofadas.

Sua noite insone logo se fez sentir. Em pouco tempo estava lutando contra os bocejos, enquanto Reznak tagarelava sobre as guildas de artesãos. Os escultores estavam indignados com ela, parecia. E os pedreiros também. Certos ex-escravos estavam esculpindo pedras e assentando tijolos, roubando trabalho tanto dos artífices quanto dos mestres das guildas.

– Os libertos trabalham muito mais barato, Magnificência – disse Reznak. – Alguns se intitulam artífices ou até mestres, títulos que pertencem por direito somente aos artesãos das guildas. Os escultores e pedreiros respeitosamente pedem a Vossa Graça que garanta seus antigos direitos e costumes.

– Os libertos trabalham mais barato porque estão com fome – Dany apontou. – Se proibir que esculpam pedras ou assentem tijolos, os merceeiros, os tecelãos e os ourives logo estarão na minha porta pedindo que os libertos sejam excluídos de seus negócios também. – Ela considerou um momento. – Deixe escrito que daqui em diante apenas membros das guildas poderão intitular-se artífices ou mestres... desde que as guildas abram suas listas para qualquer liberto que demonstre as habilidades necessárias.

– Assim será proclamado – disse Reznak. – Agradaria Vossa Senhoria ouvir o nobre Hizdahr zo Loraq?

Ele nunca vai admitir a derrota?

– Deixe-o dar um passo adiante.

Hizdahr não usava um *tokar* naquele dia. Em vez disso, vestira uma simples túnica cinza e azul. Estava bem despojado. *Está barbeado e cortou o cabelo*, ela percebeu. O homem não se tornara um cabeça-raspada, não ainda, mas pelo menos aquelas absurdas asas tinham desaparecido.

– Seu barbeiro o tem servido bem, Hizdahr. Espero que tenha vindo me mostrar o trabalho dele e não me atormentar novamente com as arenas de luta.

Ele fez uma profunda reverência.

– Vossa Graça, temo ser obrigado a isso.

Dany fez uma careta. Nem mesmo seu pessoal lhe dava descanso sobre o tema. Reznak mo Reznak salientava o dinheiro a ser arrecadado com impostos. A Graça Verde dizia que reabrir as arenas agradaria aos deuses. O Cabeça-Raspada achava que com isso ela ganharia apoio contra os Filhos da Harpia.

– Deixe eles lutarem! – grunhira Belwas, o Forte, que certa vez fora campeão nas arenas. Sor Barristan sugerira um torneio em vez disso; seus órfãos podiam cavalgar em justas e lutar corpo a corpo com armas cegas, dissera, uma sugestão que Dany sabia ser tão desesperada quanto bem-intencionada. Era sangue que os meereeneses ansiavam por ver, não habilidade. Caso contrário, os escravos lutadores teriam usado armaduras. Apenas a pequena escriba Missandei parecia compartilhar as dúvidas da rainha.

– Já lhe neguei seis vezes – Dany recordou a Hizdahr.

– Vossa Iluminada tem sete deuses, então talvez olhe para meu sétimo apelo com complacência. Hoje não vim sozinho. Ouvirá meus amigos? São sete também. – Ele os apresentou um a um. – Aqui está Khrazz. Aqui Barsena Cabelo Negro, sempre valente. Aqui Camarron da Conta e Goghor, o Gigante. Este é Gato Malhado, e este Ithoke Destemido. Por último, Belaquo Quebra-Osso. Eles vieram unir suas vozes à minha e pedir que Vossa Graça reabra as arenas de luta.

Dany conhecia os sete, de nome se não de vista. Todos estavam entre os mais famosos escravos lutadores de Meereen... e haviam sido os escravos lutadores, libertos de suas amarras pelos ratos de esgoto dela, que lideraram o levante que ganhou a cidade para ela. Tinha uma dívida de sangue com eles.

– Ouvirei vocês – concordou.

Um por um, cada um deles pediu para ela reabrir as arenas.

– Por quê? – ela exigiu saber, quando Ithoke terminou. – Vocês não são mais escravos, condenados a morrer pelo capricho de seus mestres. Eu libertei vocês. Por que querem terminar a vida sobre as areias escarlate?

– Treino desde os três anos – disse Goghor, o Gigante. – Mato desde os seis. Mãe de Dragão diz, sou livre. Por que não livre para lutar?

– Se é lutar que você quer, lute por mim. Jure sua espada aos Homens da Mãe, aos Irmãos Livres ou aos Escudos Robustos. Ensine meus outros libertos a lutar.

Goghor abanou a cabeça.

– Antes, eu lutava pelo mestre. Você diz, lutar por você. Eu digo, lutar por mim. – O homem enorme bateu no peito com um punho tão grande quanto um presunto. – Por ouro. Por glória.

– Goghor fala por todos nós. – O Gato Malhado vestia uma pele de leopardo sobre um ombro. – Da última vez em que fui vendido, o preço era trezentas mil honras. Quando era escravo, dormia sobre peles e comia carne vermelha no osso. Agora que sou livre, durmo na palha e como peixe salgado, quando consigo.

– Hizdahr promete que todos os vencedores vão dividir metade das moedas coletadas nos portões – disse Khrazz. – *Metade*, ele prometeu, e Hizdahr é um homem honrado.

Não, um homem astuto. Daenerys se sentia presa em uma armadilha.

– E os perdedores? O que receberão?

– Seus nomes serão gravados nos Portões do Destino, entre outros valentes caídos – declarou Barsena. Dizia-se que, por oito anos, matara cada mulher enviada contra ela. – Todos os homens devem morrer, e as mulheres também... mas nem todos serão lembrados.

Dany não tinha resposta para isso. *Se é realmente o que meu povo deseja, tenho o direito de negar-lhes? Era a cidade deles antes de ser minha, e é a própria vida que desejam desperdiçar.*

– Vou considerar o que disseram. Obrigada pelo conselho de vocês. – Ela se ergueu. – Continuaremos amanhã.

– *Todos de joelhos para Daenerys Nascida da Tormenta, a Não Queimada, Rainha de Meereen, Rainha dos Ândalos, dos Roinares e dos Primeiros Homens, Khaleesi do Grande Mar de Grama, Rompedora de Algemas e Mãe de Dragões* – Missandei convocou.

Sor Barristan a escoltou de volta para seus aposentos.

– Conte-me uma história, sor – Dany disse, enquanto subiam. – Alguma história de valor com um final feliz. – Ela sentia necessidade de finais felizes. – Conte-me como escapou do Usurpador.

– Vossa Graça. Não há valor em correr pela própria vida.

Dany sentou-se sobre uma almofada, cruzou as pernas e olhou para ele.

– Por favor. Foi o Jovem Usurpador quem o afastou da Guarda Real...

– Joffrey, sim. Eles usaram minha idade como motivo, mas a verdade era outra. O garoto queria um manto branco para seu cão, Sandor Clegane, e a mãe dele queria que o Regicida fosse Senhor Comandante. Quando me disseram, eu... eu tirei meu manto como ordenado, joguei minha espada aos pés de Joffrey e falei imprudentemente.

– O que você disse?

– A verdade... mas a verdade nunca foi bem-vinda na corte. Saí da sala do trono com a cabeça erguida, embora não soubesse para onde estava indo. Não tinha outra casa que não a Torre da Espada Branca. Meus primos poderiam encontrar um lugar para mim em Solar da Colheita, eu sei, mas não queria atrair o desagrado de Joffrey sobre eles. Estava reunindo minhas coisas quando percebi que aquilo acontecera por minha culpa, por aceitar o perdão de Robert. Ele era um bom cavaleiro, mas um mau rei, por não ter nenhum direito ao trono que ocupava. Foi quando soube que, para me redimir, eu deveria encontrar o verdadeiro rei e servi-lo lealmente com todas as forças que ainda me restavam.

– Meu irmão Viserys.

– Essa era minha intenção. Quando deixei os estábulos, os mantos dourados tentaram me prender. Joffrey havia me oferecido uma torre para morrer, mas como eu recusara o presente, ele agora pretendia me oferecer um calabouço. O comandante da Patrulha da Cidade me confrontou em pessoa, encorajado pela minha bainha vazia, mas tinha apenas três homens com ele e eu ainda tinha minha faca. Cortei o rosto de um dos homens, quando colocou as mãos sobre mim, e cavalguei por entre os outros. Enquanto me lançava em direção aos portões, ouvia Janos Slynt gritando para irem atrás de mim. Uma vez fora da Fortaleza Vermelha, as ruas estavam congestionadas, de outra forma, teria ido embora ileso. Em vez disso, me pegaram no Portão do Rio. Os mantos dourados que me perseguiam do castelo gritaram para os que estavam no portão me pararem, então eles cruzaram as lanças para barrar meu caminho.

– E você sem sua espada? Como conseguiu passar por eles?

– Um verdadeiro cavaleiro vale dez guardas. Os homens no portão foram pegos de surpresa. Desmontei um, arrancando sua lança, e já atravessei a garganta do perseguidor mais próximo com ela. O outro desistiu quando eu já estava no portão, então fiz o cavalo galopar seguindo a margem do rio, até perder a cidade de vista. Naquela noite, troquei meu cavalo por um punhado de moedas e uns trapos e, na manhã seguinte, me juntei à multidão de camponeses que ia para Porto Real. Eu havia saído pelo Portão da Lama, então retornei pelo Portão dos Deuses, com sujeira na cara, barba por fazer e nenhuma arma além de um bastão de madeira. Com aquelas roupas rústicas e as botinas com lama seca, não era mais do que um velho fugindo da guerra. Os mantos dourados me tomaram um veado de prata e me deixaram passar. Porto Real estava repleta de camponeses que buscavam refúgio dos combates. Perdi-me entre eles. Eu tinha um pouco de prata, mas precisava pagar minha passagem para atravessar o Mar Estreito, então dormia nos septos e nos becos e comia nas casas de pasto. Deixei minha barba crescer e me camuflei na idade. No dia que Lorde Stark perdeu a cabeça, eu estava lá, assistindo. Depois daquilo, fui para o Grande Septo e agradeci aos sete deuses por Joffrey ter tirado meu manto.

– Stark era um traidor que encontrou o fim de um traidor.

– Vossa Graça – disse Selmy –, Eddard Stark tomou parte na queda de seu pai, mas não fez nenhum mal a você. Quando o eunuco Varys nos contou que você esperava uma criança, Robert queria vê-la morta, mas Lorde Stark se opôs a isso. Em vez de aprovar o infanticídio, ele disse a Robert que encontrasse outra Mão.

– Você se esqueceu da Princesa Rhaenys e do Príncipe Aegon?

– Nunca. Isso foi trabalho dos Lannister, Vossa Graça.

– Lannister ou Stark, qual a diferença? Viserys costumava chamá-los de *cães do Usurpador*. Se uma criança é atacada por uma matilha de cães, faz diferença qual deles rasgou sua garganta? Todos os cães são igualmente culpados. A culpa... – A palavra ficou presa em sua garganta. *Hazzea*, ela pensou, e subitamente se ouviu dizendo: – Preciso ver o poço – em uma voz tão baixa quanto o sussurro de uma criança. – Leve-me até lá, sor, se puder.

Um lampejo de desaprovação cruzou o rosto do velho, mas não era do feitio dele questionar sua rainha.

– Às suas ordens.

A escada dos servos era a maneira mais rápida de descer; não era comprida, mas íngreme, estreita e apertada. Sor Barristan levava uma lanterna, para que ela não caísse. Tijolos de vinte cores diferentes pesavam em volta deles, desvanecendo-se em cinza e negro além da luz da lanterna. Três vezes eles passaram por guardas Imaculados, em pé como se tivessem sido esculpidos em pedra. O único som era o suave raspar de seus pés nas pedras.

No nível do solo, a Grande Pirâmide de Meereen era um lugar abafado, cheio de poeira e sombras. As paredes externas tinham mais de nove metros de espessura. Dentro delas, os sons ecoavam em arcos de tijolos de muitas cores, e entre os estábulos, baias e depósitos. Passaram sob três arcos maciços, por uma rampa iluminada com tochas até os salões debaixo da pirâmide, após cisternas, masmorras e câmaras de tortura onde escravos haviam sido açoitados, esfolados e queimados com ferro em brasa. Finalmente chegaram diante de duas enormes portas de ferro com dobradiças enferrujadas, guardadas por um Imaculado.

Ao comando dela, o Imaculado pegou uma chave de ferro. A porta se abriu, enquanto as dobradiças gritavam. Daenerys Targaryen avançou até o âmago quente da escuridão e parou na beirada de um poço profundo. Doze metros abaixo, seus dragões levantaram as cabeças. Quatro olhos queimando contra as sombras; dois de ouro fundido e dois de bronze.

Sor Barristan a segurou pelo braço.

– Não tão perto.

– Acha que *me* machucarão?

– Não sei, Vossa Graça, mas não arriscarei sua pessoa para descobrir a resposta.

Quando Rhaegal rugiu, um clarão de chama amarela transformou a escuridão em dia por meio segundo. O fogo lambeu as paredes, e Dany sentiu o calor em seu rosto, como a explosão de um forno. Do outro lado da cova, Viserion desdobrou as asas, agitando o ar viciado. Tentou voar até ela, mas as correntes se esticaram quando ele se ergueu e fizeram-no cair de barriga. Elos tão grossos quanto punhos de um homem prendiam a pata do animal ao solo. A coleira de ferro em seu pescoço estava presa à parede atrás dele. Rhaegal usava correntes iguais. Sob a luz da lanterna de Selmy, as escamas do dragão brilhavam como jade. Fumaça saía por entre seus dentes. Ossos estavam espalhados no chão aos seus pés, rachados, queimados e fragmentados. O ar era desconfortavelmente quente e cheirava a enxofre e a carne queimada.

– Estão maiores. – A voz de Dany ecoou nas paredes de pedra queimadas. Uma gota de suor escorreu de sua testa e caiu entre os seios. – É verdade que dragões nunca param de crescer?

– Se tiverem comida suficiente e espaço para crescer. Acorrentados aqui, no entanto...

Os Grandes Mestres haviam usado o poço como prisão. Era grande o suficiente para comportar quinhentos homens... e mais do que amplo para os dois dragões. *Mas por quanto tempo? O que acontecerá quando crescerem demais para o tamanho do poço? Vão se virar um contra o outro com chamas e garras? Crescerão abatidos e fracos, com flancos murchos e asas encolhidas? O fogo deles sumirá antes do final?*

Que tipo de mãe deixa os filhos apodrecerem na escuridão?

Se olhar para trás, estou condenada, Dany disse para si mesma... mas como não olhar para trás? *Eu devia ter percebido. Estava tão cega, ou fechei os olhos propositadamente para não ter que ver o preço do poder?*

Viserys havia contado todas aquelas histórias quando ela era pequena. Ele adorava falar sobre dragões. Ela sabia como Harrenhal caíra. Sabia sobre o Campo de Fogo e a Dança dos Dragões. Um dos antepassados dela, o terceiro Aegon, havia visto a própria mãe ser devorada pelo dragão do tio. E havia canções além da conta sobre vilas e reinos que eram atemorizados por esses animais até que algum bravo matador de dragões os salvasse. Em Astapor, os olhos dos traficantes de escravos haviam derretido. Na estrada para Yunkai, quando Daario jogara as cabeças de Sallor, o Calvo, e Prendahl na Ghezn aos pés dela, seus filhos se banquetearam. Dragões não temiam o homem. E dragões grandes o suficiente para devorar uma ovelha podiam facilmente fazer o mesmo com uma criança.

O nome dela havia sido Hazzea. Tinha quatro anos. *A menos que o pai tenha mentido. Ele pode ter mentido.* Ninguém vira o dragão além dele. A prova que apresentara foram ossos queimados, mas ossos queimados não provavam nada. Ele mesmo poderia ter matado a garotinha e a queimado depois. Não seria o primeiro pai a dispor de uma indesejada filha mulher, o Cabeça-Raspada afirmara. *Os Filhos da Harpia podem ter feito isso e arranjado para parecer trabalho de dragão e a cidade me odiar.* Dany queria acreditar nisso... mas, se fosse isso, por que o pai de Hazzea esperara até a audiência estar quase vazia para se apresentar? Se o propósito dele fosse inflamar os meereeneses contra ela, teria contado sua história quando o salão estava cheio de ouvidos para escutar.

O Cabeça-Raspada pedira que ela mandasse o homem para a morte.

– Ao menos arranque sua língua. A mentira deste homem pode destruir a todos nós, Magnificência.

Em vez disso, Dany escolheu pagar o preço do sangue. Ninguém soube dizer o valor de uma filha, então ela estabeleceu como cem vezes o preço de um cordeiro.

– Eu lhe daria Hazzea de volta se pudesse – disse ao pai –, mas algumas coisas estão além do poder até mesmo de uma rainha. Os ossos dela descansarão no Templo das Graças, e cem velas queimarão dia e noite por sua memória. Venha até mim a cada ano, no dia do nome dela, e seus outros filhos não passarão necessidades... mas esta história nunca deve sair de seus lábios novamente.

– As pessoas vão perguntar – o pai de luto dissera. – Vão me perguntar onde está Hazzea e como ela morreu.

– Ela morreu de uma picada de cobra – Reznak mo Reznak insistiu. – Um lobo voraz a devorou. Uma doença repentina a levou. Fale o que quiser, mas nunca fale sobre dragões.

As garras de Viserion rasparam nas pedras, e as imensas correntes sacudiram quando ele tentou ir até ela novamente. Quando não conseguiu, deu um rugido, virou a cabeça para trás o máximo que conseguiu e cuspiu uma chama dourada contra a parede atrás de si. *Quanto tempo até que seu fogo fique quente o suficiente para rachar a pedra e derreter o ferro?*

Uma vez, havia não muito tempo, ele montara sobre o ombro dela, com a cauda enrolada em seu braço. Outra vez ela o alimentara colocando pedaços de carne torrada em sua própria mão. Ele fora o primeiro a ser acorrentado. Daenerys o levara até o poço e o trancara lá dentro com vários bois. Quando ele se fartou, caiu adormecido. Foi acorrentado enquanto dormia.

Rhaegal fora mais difícil. Talvez pudesse ouvir o irmão irado no poço, apesar das paredes de tijolos e pedras entre eles. No fim, tiveram que cobri-lo com uma pesada rede de correntes de ferro, enquanto ele se aquecia no terraço, e ele lutara tão ferozmente que foram necessários três dias para arrastá-lo pela escadaria dos servos, torcendo e encaixando o dragão. Seis homens haviam sido queimados na luta.

E Drogon...

A sombra alada, o pai em luto o chamara. Ele era o maior dos três, o mais feroz, o mais selvagem, com escamas tão negras como a noite e olhos como poços de fogo.

Drogon caçava longe, mas, quando se saciava, gostava de se aquecer ao sol no ápice da Grande Pirâmide, onde uma vez estivera a harpia de Meereen. Três vezes tentaram tirá-lo de lá, e três vezes falharam. Dois grupos de seus homens mais corajosos haviam se arriscado tentando capturá-lo. Quase todos sofreram queimaduras e quatro morreram. A última vez que ela vira Drogon fora ao pôr do sol da noite, na terceira tentativa. O dragão negro voara para o Norte, através do Skahazadhan, em direção à grama alta do Mar Dothraki. Não retornara.

Mãe de dragões, Daenerys pensou. *Mãe de monstros. O que eu desencadeei sobre o mundo? Sou uma rainha, mas meu trono é feito de ossos queimados e repousa sobre areia movediça.* Sem os dragões, como poderia esperar manter Meereen e muito menos retomar Westeros? *Sou o sangue do dragão*, ela pensou. *Se eles são monstros, eu também sou.*

Fedor

O rato gritou quando ele o mordeu, contorcendo-se descontroladamente em suas mãos, frenético para fugir. A barriga era a parte mais macia. Ele rasgou a carne fresca, o sangue morno escorrendo por seus lábios. Era tão bom que trazia lágrimas aos olhos. Seu estômago roncou e ele engoliu. Na terceira mordida, o rato parou de lutar, e ele se sentiu quase satisfeito.

Então ouviu o som de vozes do lado de fora da porta do calabouço.

Parou imediatamente, com medo até de mastigar. Sua boca estava cheia de sangue, carne e pelos, mas não ousava cuspir ou engolir. Ouvia aterrorizado, paralisado como pedra, o roçar das botas e o tilintar das chaves de ferro. *Não,* pensou, *não, por favor, deuses, não agora, não agora.* Demorara tanto tempo para pegar o rato. *Se me pegarem com esse bicho, vão tirá-lo de mim e vão contar para Lorde Ramsay e ele vai me machucar.*

Ele sabia que tinha que esconder o rato, mas estava com *tanta fome.* Já fazia dois dias desde que comera, talvez três. Ali embaixo, na escuridão, era difícil dizer. Embora os braços e as pernas estivessem finos como juncos, sua barriga estava inchada e vazia, e doía tanto que ele não conseguia dormir. Cada vez que fechava os olhos, começava a se lembrar da Senhora Hornwood. Depois do casamento, Lorde Ramsay a trancara em uma torre e a deixara morrer de fome. No final, ela comera os próprios dedos.

Agachou-se no canto da cela, apertando o prêmio contra o queixo. Sangue escorria pelos cantos da boca, enquanto mordiscava o rato com o que restara de seus dentes, tentando engolir o máximo de carne morna que conseguisse antes que a cela se abrisse. A carne estava fibrosa, mas tão suculenta que ele pensou que talvez estivesse doente. Mastigou e engoliu, pegando pequenos ossos dos buracos na gengiva de onde seus dentes haviam sido arrancados. Doía mastigar, mas estava com tanta fome que não podia parar.

Os sons estavam ficando mais altos. *Por favor, deuses, ele não está vindo por mim,* orou, arrancando uma das pernas do rato. Fazia um longo tempo desde que alguém viera até ele. Havia outras celas, outros prisioneiros. Algumas vezes ele os ouvia gritar, mesmo pelas grossas paredes de pedra. As mulheres sempre gritavam mais alto. Chupou a carne crua e tentou cuspir o osso da perna, mas o osso só escorregou por seus lábios e se enroscou na barba. *Vá embora,* rezou, *vá embora, passe por mim, por favor, por favor.*

Mas os passos pararam justamente quando ficaram mais altos, e as chaves retiniram do lado de fora da porta. O rato caiu de seus dedos. Ele limpou os dedos ensanguentados no calção.

– Não – murmurou. – Nããäooo. – Seus calcanhares rasparam na palha, quando tentou empurrar o próprio corpo contra o canto da cela, nas frias e úmidas paredes de pedra.

O som da trava se abrindo era o mais terrível de todos. Quando a luz bateu em cheio em seu rosto, ele soltou um grito. Teve que cobrir os olhos com as mãos. Ele os arranharia se ousasse, sua cabeça latejava muito.

– Tirem ele daqui, mas façam no escuro, por favor, oh, por favor.

– Não é ele – disse uma voz de garoto. – Olhe para ele. Estamos na cela errada.

– Última cela da esquerda – outro garoto respondeu. – Esta é a última cela da esquerda, não é?

– Sim. – Uma pausa. – O que ele está dizendo?

– Acho que não gosta da luz.

– Você gostaria, se fosse parecido com *isso*? – O garoto pigarreou e cuspiu. – E o cheiro dele. Estou ficando sufocado.

– Ele esteve comendo ratos – disse o segundo garoto. – Olhe.

O primeiro garoto riu.

– É verdade. Que engraçado.

Tive que fazer isso. Os ratos o mordiam quando ele dormia, roendo seus dedos das mãos e dos pés e até seu rosto, então, quando colocou as mãos em um, não hesitou. Comer ou ser comido, essas eram suas únicas escolhas.

– Eu comi – ele murmurou –, eu comi, eu comi, eu comi ele, eles faziam o mesmo comigo, por favor...

Os garotos se aproximaram, a palha sendo triturada suavemente sob seus pés.

– Fale comigo – disse um deles. Era o menor dos dois, um garoto magro mas esperto. – Você se lembra de quem é?

O medo borbulhou dentro dele, e ele gemeu.

– Fale comigo. Diga-me seu nome.

Meu nome. Um grito ficou preso na garganta. Eles tinham lhe ensinado seu nome, eles tinham, eles *tinham*, mas fazia tanto tempo que ele esquecera. *Se eu disser algo errado, ele vai me tirar outro dedo, ou pior, ele vai, ele vai...* Ele não pensaria naquilo, ele não podia pensar naquilo. Havia agulhas em sua mandíbula, em seus olhos. Sua cabeça latejava.

– Por favor – ele guinchou, com uma voz fina e fraca. Soava como se tivesse cem anos. Talvez tivesse. *Há quanto tempo estou aqui?* – Vão – ele murmurou, os dentes quebrados e os dedos quebrados, os olhos fechados apertados contra a terrível luz brilhante. – Por favor, você pode levar o rato, não me machuque...

– *Fedor* – disse o maior dos garotos. – Seu nome é Fedor. Lembra? – Ele estava com uma tocha. O menor levava o molho de chaves de ferro.

Fedor? Lágrimas correram por seu rosto.

– Lembro. Eu me chamo assim. – Sua boca se abriu e se fechou. – Meu nome é Fedor. Rima com licor. – No escuro, ele não precisava de um nome, então era fácil esquecer. *Fedor, Fedor, meu nome é Fedor.* Ele não nascera com aquele nome. Em outra vida ele fora outra pessoa, mas, ali, agora, seu nome era Fedor. Ele se lembrava.

Lembrava-se dos garotos também. Estavam vestidos em gibões de lã de cordeiro iguais, cinza-prateados com acabamento azul-escuro. Ambos eram escudeiros, ambos tinham oito anos e ambos eram Walder Frey. *Grande Walder e Pequeno Walder, sim.* Só que o maior era o Pequeno e o menor era o Grande, o que divertia os meninos e confundia o resto do mundo.

– Eu conheço vocês – murmurou através dos lábios rachados. – Sei seus nomes.

– Você vem conosco – disse Pequeno Walder.

– Sua senhoria precisa de você – disse Grande Walder.

O medo o atravessou como uma faca. *São apenas crianças*, pensou. *Dois garotos de oito anos*. Podia derrotá-los, certamente. Mesmo tão fraco como estava, podia pegar a tocha, tomar as chaves, tirar a adaga pendurada no quadril de Pequeno Walder e escapar. *Não. Não, está fácil demais. É uma armadilha. Se eu fugir, ele vai me tirar outro dedo ou mais alguns dos meus dentes.*

Ele fugira antes. Anos atrás, parecia, quando ainda restava alguma força nele, quando ainda era desafiador. Daquela vez fora Kyra com as chaves. Ela lhe dissera que as roubara e que conhecia um portão traseiro que nunca era vigiado.

– Leve-me de volta a Winterfell, senhor – ela implorara, pálida e tremendo. – Não sei o caminho. Não posso fugir sozinha. Venha comigo, por favor.

E ele foi. O carcereiro estava desmaiado de bêbado em uma poça de vinho, com os calções abaixados até os tornozelos. A porta do calabouço estava aberta e o portão traseiro vazio, bem como ela dissera. Esperaram que a lua ficasse atrás de uma nuvem, então deslizaram para fora do castelo e chapinharam pelas Águas Chorosas, tropeçando nas pedras, semicongelados pelo fluxo gelado. Do outro lado, ele a beijara.

– Você nos salvou – dissera. *Tolo. Tolo.*

Fora tudo uma armadilha, um jogo, uma brincadeira. Lorde Ramsay adorava perseguições e preferia caçar presas de duas pernas. Durante toda a noite, eles correram pela floresta sombria, mas quando o sol apareceu, o som distante de um berrante chegou fraco por entre as árvores, e eles ouviram os latidos de uma matilha de cães de caça.

– Devemos nos separar – dissera para Kyra, quando os cães pareceram mais próximos. – Eles não conseguirão seguir nós dois. – A garota, enlouquecida pelo medo, recusou-se a sair do lado dele, mesmo quando ele jurou que reuniria uma tropa de homens de ferro e voltaria por ela, se ela fosse a única a ser seguida.

Dentro de uma hora, foram capturados. Um cão o derrubou no chão, e um segundo mordeu Kyra na perna quando ela se arrastou até uma encosta. Os outros os cercaram, latindo e rosnando, avançando sobre eles cada vez que se moviam, prendendo-os até que Ramsay Snow chegou com seus caçadores. Ele, então, ainda era um bastardo, e não um Bolton.

– Aí estão vocês – disse, sorrindo de cima da cela. – Vocês me magoam, vagando por aí assim. Cansaram-se da minha hospitalidade tão cedo? – Foi quando Kyra pegou uma pedra e atirou na cabeça dele. Errou por quase meio metro e Ramsay sorriu. – Você precisa ser punida.

Fedor se lembrava do olhar desesperado e assustado de Kyra. Ela nunca parecera tão jovem quanto naquele momento, ainda meio menina, mas não havia nada que ele pudesse fazer. *Ela trouxe eles até nós*, ele pensou. *Se tivéssemos nos separado como eu queria, um de nós podia ter fugido.*

A lembrança tornava difícil respirar. Fedor se afastou da tocha com lágrimas nos olhos. *O que ele quer de mim desta vez?*, pensou, desesperado. *Por que não me deixa em paz? Não fiz nada errado, não desta vez, por que ele simplesmente não me deixa na escuridão?* Ele tinha um rato, um rato gordo, quente e se contorcendo...

– Devemos lavar ele? – perguntou Pequeno Walder.

– Sua senhoria gosta dele fedendo – disse Grande Walder. – Foi por isso que o chamou de Fedor.

Fedor. Meu nome é Fedor, rima com temor. Ele tinha que se lembrar disso. *Sirva, obedeça e lembre-se de quem você é, e nenhum outro mal acontecerá. Ele prometeu, sua senhoria prometeu.* Mesmo se quisesse resistir, não tinha forças. As forças o abandonaram quando fora açoitado, passara fome e fora esfolado. Quando Pequeno Walder o levantou e Grande Walder levou a tocha até ele, para guiá-lo para fora da cela, seguiu tão dócil quanto um cão. Se tivesse um rabo, estaria enfiado entre as pernas.

Se eu tivesse um rabo, o Bastardo teria cortado ele fora. O pensamento veio espontaneamente, um pensamento vil, perigoso. Sua senhoria não era mais um bastardo. *Bolton, não Snow.* O rei menino do Trono de Ferro legitimara Lorde Ramsay, dando a ele o direito de usar o nome do pai. Chamá-lo de Snow o recordava de sua ilegitimidade e o fazia ficar com uma raiva negra. Devia se lembrar disso. E do seu nome, tinha que lembrar seu nome. Por meio segundo, esqueceu como se chamava, e isso o assustou tanto que tropeçou nos degraus da escadaria do calabouço e rasgou os calções na pedra, sangrando. Pequeno Walder teve que enfiar a tocha nele, para que ficasse em pé e andasse novamente.

No pátio, a noite caía sobre Forte do Pavor, e uma lua cheia subia pela muralha ocidental do castelo. Sua pálida luz lançava as sombras dos altos merlões triangulares através do chão congelado, uma linha de afiados dentes negros. O ar estava frio e úmido e repleto de cheiros meio esquecidos. *O mundo,* Fedor disse para si mesmo, *é assim que o mundo cheira.* Não sabia por quanto tempo estivera no calabouço, mas fora por, pelo menos, meio ano. *Esse tanto, ou ainda mais. E se foram cinco anos, ou dez, ou vinte? Como eu saberia? E se fiquei louco lá embaixo e metade da minha vida se foi?* Não, isso era tolice. Não fora tanto tempo. Os garotos ainda eram garotos. Se dez anos tivessem se passado, já seriam homens. Tinha que se lembrar disso. *Não posso deixar ele me enlouquecer. Ele pode levar meus dedos das mãos e dos pés, pode arrancar meus olhos e fatiar minhas orelhas, mas não pode tirar meu juízo, a menos que eu deixe.*

Pequeno Walder seguiu na frente com a tocha na mão. Fedor o seguiu mansamente, com Grande Walder bem atrás dele. Os cães nos canis latiram quando passaram. O vento rodopiava no pátio, atravessando o fino trapo imundo que ele vestia e causando arrepios em sua pele. O ar da noite estava frio e úmido, mas ele não via nenhum sinal de neve, embora o inverno devesse estar bem próximo. Fedor se perguntava se estaria vivo para ver a neve chegar. *Quantos dedos terei nas mãos? E quantos nos pés?* Quando levantou uma mão, ficou chocado em ver como estava branca, como estava sem carne. *Pele e ossos,* pensou. *Tenho a mão de um velho.* Poderia estar errado a respeito dos garotos? E se não fossem Pequeno Walder e Grande Walder, afinal, mas os *filhos* dos meninos que conhecera?

O grande salão estava escuro e esfumaçado. Fileiras de tochas queimavam à esquerda e à direita, presas por esqueletos de mãos humanas que pendiam das paredes. Bem no alto de suas cabeças havia vigas de madeira escurecidas pela fumaça e um teto abobadado perdido nas sombras. O ar estava pesado com os cheiros de vinho, cerveja e carne assada. O estômago de Fedor roncou ruidosamente com aqueles odores e sua boca começou a salivar.

Pequeno Walder o empurrou aos tropeções pelas longas mesas onde os homens da guarnição comiam. Podia sentir os olhares sobre ele. Os melhores lugares, perto do estrado, estavam ocupados pelos favoritos de Ramsay, os Rapazes do Bastardo. Ben Ossos, o velho que mantinha os amados cães de caça de sua senhoria. Damon, chamado Damon-Dance-para-Mim, cabelos louros e cara de menino. Grunhido, que perdera a língua por falar sem pensar nos ouvidos de Lorde Roose. Alyn Azedo. Peleiro. Caralho Amarelo. Mais afastados, estavam outros que Fedor conhecia de vista, mas não de nome; espadas juramentadas e oficiais, soldados, carcereiros e torturadores. Mas havia estranhos também, rostos que nunca vira. Alguns franziam o nariz quando ele passava, enquanto outros riam ao vê-lo. *Convidados*, Fedor pensou, *amigos de sua senhoria, e fui trazido para a diversão deles*. Um arrepio de medo passou por ele.

Na mesa mais elevada, o Bastardo de Bolton estava sentado na cadeira do senhor seu pai, bebendo na taça paterna. Dois velhos dividiam a mesa com ele, e Fedor soube com um único olhar que ambos eram senhores. Um deles era magro, olhos impiedosos, uma comprida barba branca, e o rosto tão duro quanto uma geada de inverno. Seu gibão era uma pele de urso esfarrapada, gasta e gordurosa. Por baixo, usava uma cota de malha longa, mesmo à mesa. O segundo senhor também era magro, mas torto onde o primeiro era reto. Um de seus ombros era muito mais alto que o outro, e ele se debruçava sobre seu trincho como um abutre sobre a carniça. Seus olhos eram cinzentos e gananciosos, os dentes amarelos, a barba bifurcada um emaranhado de neve e cinza. Apenas poucos tufos de cabelo branco se penduravam em seu crânio manchado, mas o manto que usava era macio e fino, de lã cinza debruada com zibelina negra, preso ao ombro com uma estrela forjada em prata batida.

Ramsay estava vestido de preto e rosa; botas pretas, cinto e bainha pretos, um justilho de couro preto sobre um gibão de veludo rosa e cetim vermelho-escuro. Em sua orelha direita brilhava uma granada cortada na forma de uma gota de sangue. Apesar de todo o esplendor da vestimenta, ainda era um homem feio, com grandes ossos e ombros inclinados e uma corpulência que sugeria que no futuro ficaria gordo. A pele era rosada e manchada, o nariz largo, a boca pequena, o cabelo longo, escuro e seco. Os lábios eram grandes e carnudos, mas a primeira coisa que as pessoas notavam nele eram os olhos. Ele tinha os olhos do senhor seu pai: pequenos, juntos, estranhamente claros. *Cinza-fantasma*, alguns homens diziam nas sombras, mas na verdade seus olhos eram quase sem cor, como dois pedaços de gelo sujo.

Ao ver Fedor, deu um sorriso com os lábios úmidos. – Aí está ele. Meu velho amigo azedo. – Para os homens ao lado dele, disse. – Fedor está comigo desde que eu era menino. O senhor meu pai me deu ele, como símbolo de seu amor.

Os dois senhores trocaram um olhar.

– Tinha ouvido dizer que seu servo estava morto – disse o dos ombros inclinados. – Assassinado pelos Stark, disseram.

Lorde Ramsay riu. – Os homens de ferro diriam para você que o que está morto não pode morrer, mas volta a se erguer, mais duro e mais forte. Como Fedor. Embora ele cheire a túmulo, isso eu garanto.

– Ele cheira a excrementos e vômito velho. – O velho senhor do ombro caído jogou o osso que estivera roendo e limpou os dedos na toalha da mesa. – Há alguma razão para que você nos imponha a presença dele enquanto estamos comendo?

O segundo senhor, o velho de costas eretas e cota de malha longa, estudou Fedor com olhos impiedosos.

– Olhe novamente – pediu ao outro. – O cabelo está branco e ele está uns vinte quilos mais magro, sim, mas este não é nenhum servo. Você se esqueceu?

O senhor corcunda olhou novamente e deu uma fungada súbita.

– *Ele?* Será possível? O protegido de Stark. Sorrindo, sempre sorrindo.

– Ele sorri com menos frequência agora – Lorde Ramsay confessou. – Posso ter quebrado alguns de seus belos dentes brancos.

– Teria feito melhor se tivesse cortado a garganta dele – disse o senhor em cota de malha. – Um cão que se volta contra seu dono não serve para nada, só para ser esfolado.

– Ah, ele está sendo esfolado, em um lugar ou noutro – disse Ramsay.

– Sim, meu senhor. Eu fui mau, senhor, insolente e... – Ele passou a língua pelos lábios, tentando pensar o que mais havia feito. *Servir e obedecer,* disse a si mesmo, *e ele o deixará viver e manter as partes que você ainda tem. Servir, obedecer e lembrar seu nome. Fedor, fedor, rima com amor.* –... mau e...

– Há sangue em sua boca – Ramsay observou. – Você andou roendo seus dedos novamente, Fedor?

– Não. Não, senhor, eu juro. – Fedor tentara arrancar o próprio dedo com uma mordida, certa vez, para parar a dor depois que tiraram a pele. Lorde Ramsay nunca cortava simplesmente o dedo de um homem. Preferia esfolá-lo e deixar a carne exposta secar, rachar e inflamar. Fedor havia sido chicoteado, torturado e cortado, mas nenhuma dor trazia a metade do sofrimento daquela que seguia o esfolamento. Era o tipo de dor que levava os homens à loucura, e não podia ser suportada por muito tempo. Cedo ou tarde a vítima gritava: – Por favor, não mais, não mais, pare a dor, *corte fora* – e Lorde Ramsay era obrigado a fazê-lo. Era um jogo. Fedor aprendera as regras, como suas mãos e pés podiam testemunhar, mas naquela vez ele se esquecera e tentara acabar com a dor por conta própria, com os dentes. Ramsay não ficara satisfeito, e a ofensa custara a Fedor outro dedo.

– Comi um rato – murmurou.

– Um rato? – Os olhos claros de Ramsay brilharam com a luz das tochas. – Todos os ratos em Forte do Pavor pertencem ao senhor meu pai. Como você ousa comer um deles sem minha permissão?

Fedor não sabia o que dizer, então não disse nada. Uma palavra errada podia custar outro dedo da mão, talvez um do pé. Até agora, perdera dois dedos da mão esquerda e o mindinho da direita, mas somente um dedinho do pé direito, contra três do esquerdo. Algumas vezes, Ramsay fazia piadas sobre desequilibrá-lo. *Meu senhor está apenas brincando,* tentou dizer para si mesmo. *Ele não quer me machucar, ele me disse, só faz isso quando dou motivo.* Seu senhor era misericordioso e gentil. Ele poderia ter esfolado seu rosto por algumas coisas que Fedor dissera, antes de aprender seu nome verdadeiro e seu lugar.

– Isto está ficando tedioso – disse o senhor na cota de malha. – Mate-o e acabe com isso.

Lorde Ramsay encheu o copo com cerveja.

– Isso estragaria nossa celebração, senhor. Fedor, tenho boas novas para você. Vou me casar. O senhor meu pai está me trazendo uma garota Stark. A filha de Lorde Eddard, Arya. Você se lembra da pequena Arya, não?

Arya Debaixo dos Pés, ele quase disse. *Arya Cara de Cavalo.* A irmã mais nova de Robb, cabelo castanho, rosto comprido, magra como uma varinha, sempre suja. *Sansa era a bonita.* Lembrava-se de uma época em que pensava que Lorde Eddard Stark pudesse casá-lo com Sansa e assumi-lo como filho, mas isso fora apenas fantasia de criança. Arya, porém...

– Lembro-me dela. Arya.

– Ela deverá ser a Senhora de Winterfell, e eu, seu senhor.

Ela é somente uma menina.

– Sim, meu senhor. Congratulações.

– Você estará presente ao meu casamento, Fedor?

Ele hesitou.

– Se desejar, senhor.

– Ah, eu desejo.

Ele hesitou novamente, se perguntando se era alguma armadilha cruel.

– Sim, meu senhor. Se agradá-lo. Ficarei honrado.

– Temos que tirá-lo daquele calabouço vil, então. Esfregá-lo até você ficar rosado novamente, arranjar roupas limpas e alguma comida. Algum mingau suave, gostaria disso? Talvez uma torta de ervilhas com bacon. Tenho uma pequena tarefa para você, e para me servir você precisará recuperar as forças. Você quer me servir, eu sei.

– Sim, meu senhor. Mais do que qualquer coisa. – Um arrepio atravessou seu corpo. – Sou seu Fedor. Por favor, deixe-me servi-lo. Por favor.

– Já que você pede tão gentilmente, como posso negar? – Ramsay Bolton sorriu. – Eu cavalgo para a guerra, Fedor. E você virá comigo, para me ajudar a trazer para casa minha noiva virgem.

Bran

Alguma coisa no jeito que o corvo gritou fez um arrepio percorrer a espinha de Bran. *Sou quase homem feito*, teve que lembrar a si mesmo. *Tenho que ser corajoso agora.*

Mas o ar estava cortante, frio e cheio de medo. Até mesmo Verão estava assustado. O pelo em seu pescoço estava eriçado. Sombras cresciam contra a encosta, negras e famintas. Todas as árvores estavam dobradas e torcidas pelo peso da neve que carregavam. Algumas nem pareciam mais árvores. Queimadas da raiz à copa pela neve congelada, amontoavam-se na colina como gigantes, criaturas monstruosas e disformes, curvadas contra o vento gelado.

– Estão aqui. – O cavaleiro desembainhou sua espada longa.

– Onde? – A voz de Meera estava abafada.

– Perto. Não sei. Em algum lugar.

O corvo gritou novamente.

– Hodor – suspirou Hodor. Ele tinha as mãos enfiadas embaixo das axilas. Pingentes de gelo tomavam conta da sarça marrom em que se transformara sua barba, e seu bigode tinha um pedaço de ranho congelado que brilhava avermelhado na luz do pôr do sol.

– Os lobos estão por perto também – Bran avisou. – Aqueles que vêm nos seguindo. Verão consegue farejá-los sempre que o vento está a favor.

– Lobos são o menor dos nossos problemas – disse Mãos Frias. – Temos que escalar. Logo estará escuro. Será bom se vocês já estiverem dentro quando a noite vier. O calor de seus corpos vai atraí-los. – Ele olhou para oeste, onde a luz do sol poente podia ser vagamente vista através das árvores, como o brilho de um fogo distante.

– É a única maneira?

– A porta de trás está quinze quilômetros ao norte, dentro de um sumidouro.

Isso era tudo o que tinha a dizer. Nem mesmo Hodor poderia descer em um sumidouro com Bran nas costas, e Jojen não conseguiria andar mais quinze quilômetros do que correria mil.

Meera olhou morro acima.

– O caminho parece livre.

– *Parece* – O cavaleiro murmurou sombriamente. – Sente o frio? Há algo aqui. *Onde estão?*

– Dentro da caverna? – sugeriu Meera.

– A caverna é protegida. Eles não podem entrar – o cavaleiro usou a espada para apontar. – Dá para ver a entrada ali. A meio caminho do topo, entre os represeiros, aquela fenda na rocha.

– Estou vendo – disse Bran. Corvos voavam para dentro e para fora.

Hodor deslocou o peso de uma perna para a outra.

– Hodor.

– Uma prega na rocha, é tudo o que vejo – disse Meera.

– Há uma passagem ali. Íngreme e sinuosa no início, um túnel através da rocha. Se conseguirem alcançá-lo, estarão seguros.

– E você?

– A caverna é protegida.

Meera estudou a fenda na encosta.

– Não pode ser mais do que mil metros daqui até lá.

Não, pensou Bran, *mas todos esses metros são para cima*. O morro era íngreme e densamente arborizado. A neve parara de cair havia três dias, mas ainda não derretera. Sob as árvores, o chão estava coberto de branco, ainda intocado.

– Não há ninguém aqui – Bran disse, corajosamente. – Olhe para a neve. Não há pegadas.

– Os caminhantes brancos andam suavemente na neve – o cavaleiro disse. – Você não encontrará pegadas que marquem a passagem deles – um corvo pousou em seu ombro. Apenas uma dúzia das grandes aves negras permanecia com ele. O resto perecera ao longo do caminho; a cada manhã, quando surgiam, havia menos delas. *Venha*, a ave gritou. *Venha, venha.*

O corvo de três olhos, pensou Bran. *O vidente verde.*

– Não está longe – disse. – Uma pequena escalada e estaremos a salvo. Talvez possamos fazer fogo – todos estavam gelados e úmidos, com exceção do cavaleiro, e Jojen Reed estava fraco demais para caminhar sem ajuda.

– Vocês vão – Meera Reed abaixou-se ao lado do irmão. Ele estava encostado no tronco de um carvalho, com os olhos fechados, tremendo violentamente. O pouco de seu rosto que podia ser visto sob o capuz e o cachecol estava tão sem cor quanto a neve ao redor, mas a respiração ainda inflava suas narinas toda vez que ele expirava. Meera o carregara o dia todo. *Comida e fogo o farão ficar bem novamente*, Bran tentava dizer para si mesmo, embora não tivesse certeza disso.

– Não posso lutar e carregar Jojen ao mesmo tempo, a subida é muito íngreme – Meera estava dizendo. – Hodor, leve Bran até a caverna.

– Hodor – Hodor bateu palmas.

– Jojen só precisa comer – disse Bran, miseravelmente. Havia doze dias o alce caíra pela terceira e última vez, e Mãos Frias ajoelhara ao lado do animal em um monte de neve e murmurara uma bênção em algum idioma estranho enquanto cortava sua garganta. Bran chorara como uma menininha quando o sangue brilhante escorreu. Nunca se sentira tão aleijado quanto naquele momento, olhando impotente enquanto Meera Reed e Mãos Frias fatiavam o bravo animal que os levara tão longe. Dissera a si mesmo que não comeria, que era melhor ficar com fome do que se banquetear com a carne de um amigo, mas no final comera duas vezes, uma em sua própria pele, outra na de Verão. Apesar de o alce estar magro e faminto, os bifes que o cavaleiro cortou os sustentaram por sete dias, até que terminaram na última vez que se encolheram em volta de uma fogueira, nas ruínas de uma fortificação.

– Ele precisa comer – Meera concordou, alisando a testa do irmão. – Todos precisamos, mas não tem comida aqui. Vá.

Bran piscou quando sentiu uma lágrima que escorreu e congelou em seu rosto. Mãos Frias segurou Hodor pelo braço.

– A luz está acabando. Se não estão aqui agora, logo estarão. Vão.

Sem palavras dessa vez, Hodor bateu a neve das pernas e começou a subida por entre montes de neve, com Bran nas costas. Mãos Frias seguia atrás deles, com a lâmina na mão negra. Verão vinha na sequência. Em alguns lugares, a neve era muito alta, e o grande lobo gigante tinha que parar e se sacudir para livrar-se dela depois de afundar quase todo o corpo na fina crosta gelada. Enquanto subiam, Bran se virou desajeitadamente no cesto para ver Meera deslizando um braço por trás do irmão para ajudá-lo a levantar. *Ele é muito pesado para ela. Ela está meio faminta, não é tão forte quanto antes.* Ela pegou o tridente com a outra mão, espetando os dentes na neve para conseguir um pouco mais de apoio. Meera apenas começara a subir a colina, meio arrastando e meio carregando o irmãozinho, quando Hodor passou por entre duas árvores e Bran os perdeu de vista.

O morro ficou mais íngreme. Montes de neve quebravam sob as botas de Hodor. Uma rocha moveu-se embaixo de seus pés, ele escorregou para trás e quase caiu morro abaixo. O cavaleiro o pegou pelo braço e o salvou.

– Hodor – disse Hodor.

Cada rajada de vento enchia o ar com um pó branco fino que brilhava como vidro na última luz do dia. Corvos batiam as asas em torno deles. Um deles voou adiante e desapareceu dentro da caverna. *Somente setenta metros agora,* pensou Bran, *não é tão longe, no final das contas.*

Verão parou de repente, na base de um trecho íngreme de neve branca intocada. O lobo gigante virou a cabeça, farejou o ar e rosnou. Com o pelo eriçado, começou a recuar.

– Hodor, pare – disse Bran. – Hodor. *Espere.* – Alguma coisa estava errada. Verão farejara, e ele também. *Algo mau. Algo próximo.* – Hodor, não, volte.

Mãos Frias ainda estava subindo, e Hodor queria seguir.

– Hodor, hodor, hodor – resmungou em voz alta, para abafar as reclamações de Bran. Sua respiração estava difícil. Uma névoa clara enchia o ar. Ele deu um passo e depois outro. A neve estava quase na altura da sua cintura e a encosta era muito íngreme. Hodor estava inclinado para a frente, agarrando-se a pedras e árvores com as mãos enquanto subia. Um passo. Outro. A neve que Hodor deslocou causou uma pequena avalanche.

Cinquenta metros. Bran esticou-se para o lado, para ver melhor a caverna. Viu algo mais.

– Uma fogueira! – Na pequena fenda entre os represeiros, havia um brilho cintilante, uma luz avermelhada chamando através da penumbra. – Olhe, alguém...

Hodor gritou. Girou, tropeçou e caiu.

Bran sentiu o mundo deslizar para o lado conforme o grande cavalariço rodopiava. Um violento impacto tirou-lhe a respiração. Sua boca estava cheia de sangue, e Hodor se debatia e rolava, esmagando o garoto aleijado embaixo dele.

Algo segurou sua perna. Por meio segundo, Bran pensou que talvez uma raiz tivesse se enroscado em seu tornozelo... até que a raiz se moveu. *Uma mão,* ele viu, enquanto o resto da criatura surgia por entre a neve.

Hodor chutou a coisa, batendo com o calcanhar coberto de neve bem na cara da criatura, mas o morto não pareceu sentir. Então os dois estavam lutando, chutando e arranhando um ao outro, escorregando morro abaixo. A boca e o nariz de Bran se encheram de neve conforme viravam, mas meio segundo mais tarde ele estava rolando novamente. Algo bateu contra sua cabeça, uma pedra, um pedaço de gelo ou o punho do morto, não saberia dizer, e se viu fora da cesta, esparramado na encosta, cuspindo neve, com a mão enluvada cheia de cabelo que arrancara da cabeça de Hodor.

Em volta dele, criaturas se levantavam por debaixo da neve.

Dois, três, quatro. Bran perdeu a conta. Eles surgiam violentamente entre nuvens repentinas de neve. Alguns usavam mantos negros, outros peles ásperas, e alguns não usavam nada. Todos tinham a pele pálida e as mãos negras. Seus olhos brilhavam como claras estrelas azuis.

Três deles atacaram o cavaleiro. Bran viu Mãos Frias cortar um no rosto. A coisa continuou avançando, conduzindo-o de costas até os braços de outra criatura. Dois outros iam atrás de Hodor, descendo desajeitadamente a encosta. Meera subia na direção deles, Bran percebeu, sentindo-se aterrorizadamente impotente. Bateu na neve e gritou um aviso.

Algo o agarrou.

Foi quando seu grito se transformou em um berro. Bran encheu a mão de neve e a atirou, mas a criatura apenas piscou. Uma mão negra tateou seu rosto, outra sua barriga. Seus dedos pareciam de ferro. *Ele vai arrancar minhas entranhas.*

De repente, Verão estava entre eles. Bran vislumbrou a pele ser rasgada como roupa barata, ouviu a fragmentação de ossos. Viu uma mão e um pulso soltos, com dedos brancos se contorcendo, uma manga desbotada de tecido áspero e negro. *Negro*, pensou, *ele vestia negro, era da Patrulha.* Verão jogou o braço de lado, virou-se e cravou os dentes no pescoço do morto, bem abaixo do queixo. Quando levantou a cabeça, levou a maior parte da garganta da criatura, em uma explosão de carne branca e podre.

A mão decepada ainda se movia. Bran rolou para longe dela. Olhando por cima da barriga, viu as árvores, pálidas e cobertas de neve, e o brilho alaranjado entre elas.

Quarenta metros. Se pudesse se arrastar quarenta metros, as criaturas não conseguiriam pegá-lo. A umidade atravessou suas luvas, conforme agarrava raízes e pedras, arrastando-se em direção à luz. *Um pouco mais, só um pouco mais. Então você poderá descansar ao lado do fogo.*

A última luz do dia desaparecera entre as árvores. A noite caíra. Mãos Frias retalhava e cortava os mortos que o cercavam. Verão rasgava um que derrubara, o rosto da criatura entre seus dentes. Ninguém prestava atenção em Bran. Ele rastejou um pouco mais, arrastando as pernas inúteis atrás de si. *Se eu alcançar a caverna...*

– Hoooodor – veio um gemido, de algum lugar mais embaixo.

E, de repente, ele não era Bran, o garoto aleijado se arrastando na neve, de repente ele era Hodor, a meio caminho da encosta, com uma criatura tentando arrancar seus olhos. Rugindo, saiu cambaleando, atirando a coisa violentamente para o lado. Caiu sob um joelho e começou a se levantar novamente. Bran sacou a espada de Hodor do cinto. Bem no fundo, ouvia o pobre Hodor ainda gemendo, mas do lado de fora ele era dois metros de fúria com ferro antigo nas mãos. Levantou a espada e deixou-a cair sobre o morto, grunhindo enquanto a lâmina atravessava lã molhada, cota de malha enferrujada e couro apodrecido, causando estragos nos ossos e na carne que estavam por baixo.

– *HODOR!* – ele gritou e cortou novamente. Dessa vez, arrancou a cabeça da criatura do pescoço e, por meio segundo, exultou... até que um par de mãos mortas vieram tateando às cegas até sua garganta.

Bran recuou, sangrando, e Meera Reed estava lá, enfiando seu tridente nas costas da criatura.

– Hodor – Bran rugiu novamente, acenando para ela, encosta acima. – *Hodor, hodor.* – Jojen estava se torcendo debilmente onde a irmã o deitara. Bran foi até ele, deixou a espada de lado, pegou o menino nos braços de Hodor e se levantou novamente. – *HODOR!* – gritou.

Meera liderou a subida da encosta, espetando quando as criaturas se aproximavam. As coisas não podiam ser feridas, mas eram lentas e desajeitadas.

– Hodor – pronunciava seu nome a cada passo. – Hodor, hodor. – Bran se perguntava o que Meera pensaria se, de repente, Hodor pudesse dizer que a amava.

Logo acima deles, figuras em chamas dançavam na neve.

As criaturas, Bran percebeu. *Alguém pôs fogo nas criaturas.*

Verão rosnava e mordia, enquanto dançava ao redor da mais próxima, uma grande ruína de homem envolta em um turbilhão de chamas. *Ele não devia chegar tão perto. O que está fazendo?* Então viu a si mesmo, com a cara estatelada na neve. Verão tentava levar a coisa para longe dele. *O que aconteceria se ele me matasse?*, o menino se perguntou. *Eu seria Hodor daqui pra frente? Voltaria para a pele de Verão? Ou simplesmente morreria?*

O mundo moveu-se vertiginosamente ao redor dele. Árvores brancas, céu negro, chamas vermelhas, tudo estava rodopiando, deslocando-se, girando. Sentiu-se tropeçar. Podia ouvir a voz de Hodor gritando:

– Hodor, hodor, hodor, hodor. Hodor, hodor, hodor, hodor. Hodor, hodor, hodor, hodor, hodor.

Uma nuvem de corvos saiu da caverna, e ele viu uma garotinha com uma tocha na mão, correndo para lá e para cá. Por um momento, Bran pensou que fosse sua irmã, Arya... um pensamento louco, pois sabia que sua irmãzinha estava a mil léguas de distância, ou morta. E mesmo assim lá estava ela, uma coisa esquelética, áspera, selvagem, com o cabelo emaranhado. Lágrimas encheram os olhos de Hodor e congelaram.

Tudo virou do avesso, depois de cabeça para baixo, e Bran se encontrou de volta à sua pele, meio enterrado na neve. A criatura queimando pairava sobre ele, gravado contra as árvores em sua mortalha de neve. Era uma das que estavam nuas, Bran notou, e no instante seguinte a árvore mais próxima sacudiu a neve que a cobria, e caiu tudo sobre sua cabeça.

A próxima coisa que percebeu é que estava deitado em uma cama de agulhas de pinheiro, embaixo de um teto de pedra escura. *A caverna. Estou na caverna.* A boca ainda tinha gosto de sangue, onde mordera a língua, mas um fogo queimava à sua direita, o calor lambia seu rosto, e ele nunca sentira algo tão bom. Verão estava ali, farejando ao redor dele, e Hodor, encharcado. Meera embalava a cabeça de Jojen no colo. E a "coisa Arya" estava sobre eles, segurando uma tocha.

– A neve – disse Bran – caiu em mim. Enterrou-me.

– Escondeu você. Eu puxei você para fora. – Meera apontou para a garota. – Foi ela quem nos salvou, no entanto. A tocha... fogo os mata.

– O fogo os *queima*. O fogo está sempre com fome.

Aquela não era a voz de Arya, nem a voz de nenhuma criança. Era a voz de uma mulher, alta e doce, com uma estranha melodia diferente de tudo o que já ouvira e uma tristeza que ele pensou que fosse partir seu coração. Bran apertou os olhos para vê-la melhor. *Era* uma garota, mas menor do que Arya, tinha a pele manchada como uma corça e vestia um manto de folhas. Os olhos dela eram estranhos; largos e líquidos, dourados e verdes, puxados como os olhos de um gato. *Ninguém tem olhos assim.* O cabelo era um emaranhado de castanho, vermelho e dourado, as cores do outono, com videiras, galhos e flores murchas entremeados neles.

– Quem é você? – Meera Reed perguntou.

Bran sabia.

– Ela é uma filha. Uma filha da floresta. – Tremia tanto de admiração quanto de frio. Haviam caído em um dos contos da Velha Ama.

– Os Primeiros Homens nos chamavam de filhos – a pequena mulher disse. – Os gigantes nos chamavam de *woh dak nag gran*, o povo esquilo, porque éramos pequenos, rápidos e gostávamos de árvores, mas não somos nem esquilos nem filhos. Nosso nome na Língua Verdadeira significa *aqueles que cantam a canção da terra*. Antes que sua Língua Antiga fosse sequer falada, nós cantávamos nossas canções há dez mil anos.

Meera disse:

– Você fala a Língua Comum agora.

– Por ele. O menino Bran. Nasci no tempo do dragão, e por duzentos anos andei no mundo dos homens, para ver, ouvir e aprender. Poderia estar andando ainda, mas minhas pernas estavam doloridas e meu coração, cansado, então voltei meus pés para casa.

– Duzentos anos? – disse Meera.

A filha sorriu.

– Homens... eles são os filhos.

– Você tem um nome? – perguntou Bran.

– Quando preciso de um. – Ela moveu a tocha em direção à rachadura negra na parede de trás da caverna. – Nosso caminho é para baixo. Precisam vir comigo agora.

Bran estremeceu novamente.

– O cavaleiro...

– Ele não pode vir.

– Vão matá-lo.

– Não. Eles já o mataram há muito tempo. Venham agora. Está mais quente lá embaixo e ninguém vai machucá-los. Ele está esperando por você.

– O corvo de três olhos? – perguntou Meera.

– O vidente verde. – E com isso ela saiu, e não tiveram outra escolha que não segui-la. Meera ajudou a colocar Bran nas costas de Hodor, embora a cesta estivesse meio destruída e molhada pela neve derretida. Depois deslizou um braço ao redor do irmão e o ajudou a ficar em pé mais uma vez. Jojen abriu os olhos.

– O quê? – disse. – Meera? Onde estamos? – Então viu o fogo e sorriu. – Tive o sonho mais estranho de todos.

O caminho era apertado e sinuoso, e tão baixo que Hodor logo estava agachado. Bran curvava-se o máximo que podia, mas mesmo assim o topo de sua cabeça raspava e batia contra o teto. Terra solta desmoronava a cada toque e caía em seus olhos e cabelo, e uma vez ele bateu a testa em uma grossa raiz branca que crescia da parede do túnel, com gavinhas e teias de aranha penduradas.

A filha seguia na frente com a tocha na mão, seu manto de folhas sussurrando atrás dela, mas o túnel era tão sinuoso que Bran logo a perdeu de vista. Então a única luz era a refletida nas paredes. Depois de seguirem por pequenas passagens, a caverna se dividiu, mas um dos túneis era escuro como breu, então Hodor não teve problemas em seguir a tocha em movimento no outro lado.

O modo como as sombras se moviam dava a impressão de que as paredes estivessem se movendo também. Bran via grandes serpentes brancas deslizando para dentro e para fora da terra ao redor dele, e seu coração batia de medo. Ele se perguntava se haviam tropeçado em um ninho de cobras-leite ou de vermes de túmulo gigantes. Vermes de túmulo têm dentes.

Hodor também vira.

– Hodor – choramingou, relutante em seguir. Mas quando a filha da floresta parou para que eles a alcançassem, a luz da tocha se estabilizou, e Bran percebeu que as serpentes eram apenas raízes brancas como aquela na qual batera a cabeça.

– São raízes de represeiros – disse. – Lembra da árvore-coração no bosque sagrado, Hodor? A árvore branca com as folhas vermelhas? Uma árvore não pode ferir você.

– Hodor. – Hodor avançou, correndo atrás da filha e sua tocha, cada vez mais fundo na terra. Passaram por outra ramificação, e outra, e então chegaram a uma caverna quase do mesmo tamanho do grande salão em Winterfell, com dentes de rocha pendendo do teto e outros que saíam do chão. A filha no manto de folhas tecia o caminho ziguezagueando entre eles. De tempos em tempos, ela parava e movia a tocha na direção deles, impaciente. *Por aqui*, parecia dizer, *por aqui, por aqui, mais rápido.*

Encontraram mais passagens laterais depois daquela, e mais câmaras, e Bran ouvia água pingando em algum lugar à sua direita Quando olhou para aquela direção, viu olhos sobre ele, olhos de gato que brilhavam no escuro, refletindo a luz da tocha. *Mais filhos*, disse para si mesmo, *a menina não é a única*, mas o conto da Velha Ama sobre os filhos de Gendel também voltou para ele.

As raízes estavam por todo lado, torcidas entre terra e rochas, fechando algumas passagens e segurando o teto em outras. *Todas as cores se foram*, Bran percebeu repentinamente. O mundo era terra negra e madeira branca. A árvore-coração em Winterfell tinha raízes tão grossas quanto as pernas de um gigante, mas essas ali eram ainda mais grossas. E Bran nunca vira tantas. *Deve haver um bosque inteiro de represeiros crescendo acima de nós.*

A luz diminuiu novamente. Pequena como era, a filha-que-não-era-criança movia-se rapidamente quando queria. Quando Hodor estancou atrás dela, algo foi triturado sob seus pés. Sua parada foi tão repentina que Meera e Jojen quase se chocaram contra as costas do cavalariço.

– Ossos – disse Bran. – São ossos. – O chão da passagem estava cheio de ossos de aves e animais. Mas havia outros ossos também, uns grandes que deviam ser de gigantes, e outros pequenos que deviam ser de crianças. De cada lado deles, em nichos esculpidos em pedras, crânios olhavam para eles. Bran viu um crânio de urso, meia dúzia de crânios humanos e quase essa quantidade de crânios de gigantes. Todos os demais eram pequenos e com formato estranho. *Filhos da Floresta*. As raízes haviam crescido ao redor e através de cada um deles. Alguns corvos estavam empoleirados nos crânios, observando-os passar com brilhantes olhos negros.

A última parte de sua escura jornada foi a mais íngreme. Hodor fez a descida final sobre o traseiro, batendo e escorregando caminho abaixo em meio ao ruído de ossos quebrados, terra solta e pedregulhos. A filha os aguardava, em pé na extremidade de uma ponte natural sobre um abismo. Lá embaixo, na escuridão, Bran ouviu o som de água corrente. *Um rio subterrâneo.*

– Temos que cruzar? – Bran perguntou, enquanto os Reed chegavam deslizando logo atrás deles. A perspectiva o assustava. Se Hodor escorregasse na ponte estreita, cairiam e cairiam.

– Não, garoto – disse a filha. – Atrás de você. – Ela levantou a tocha para o alto, e a luz pareceu se deslocar e mudar. Em um momento, as chamas queimavam laranja e amarelo, enchendo a caverna com um brilho avermelhado; então todas as cores desbotaram, deixando apenas o negro e o branco. Atrás deles, Meera engasgou. Hodor se virou.

Ali perto, um pálido senhor, com enfeites de ébano, estava sentado, sonhando, em um ninho de raízes emaranhadas, um trono tecido de represeiros que abraçava seus membros atrofiados como uma mãe faz com o filho.

O corpo era tão esquelético e as roupas tão apodrecidas que inicialmente Bran pensou que fosse outro cadáver, um morto apoiado por tanto tempo que as raízes cresceram sobre ele, embaixo dele e através dele. A pele cadavérica do senhor era branca, exceto por uma mancha sangrenta que subia do pescoço até o rosto. O cabelo branco era fino e longo o suficiente para tocar o chão de terra. Raízes enrolavam-se em suas pernas como serpentes de madeira. Uma delas atravessava seus calções, pela carne desidratada de sua coxa, para emergir novamente do ombro. Um chumaço de folhas vermelho-escuras brotava do crânio, e cogumelos cinza salpicavam sua testa. Um pouco de pele permanecia esticada contra o rosto, dura e firme como couro branco, mas até isso estava se desgastando, e aqui e ali osso marrom e amarelo aparecia por baixo.

– Você é o corvo de três olhos? – Bran se ouviu dizendo. *Um corvo de três olhos deveria ter três olhos. Ele tem só um, e é vermelho.* Bran podia sentir o olho o encarando, brilhando como uma poça de sangue sob a luz da tocha. Onde o outro olho estivera, uma raiz fina crescera do buraco vazio, descendo por seu rosto, em direção ao pescoço.

– Um... corvo? – A voz do pálido senhor era seca. Os lábios moviam-se vagarosamente, como se tivessem desaprendido a formar as palavras. – Certa vez, sim. Negro de trajes e negro de sangue. – As roupas que vestia estavam apodrecidas e desbotadas, manchadas com musgo e meio comidas por vermes, mas um dia tinham sido negras. – Tenho sido muitas coisas, Bran. Agora sou como você me vê, e agora entenderá por que eu não podia ir até você... exceto em sonhos. Observei-o por um longo tempo, observei-o com mil olhos e com um. Vi você nascer, e o senhor seu pai antes de você. Vi seus primeiros passos, ouvi sua primeira palavra, fiz parte de seu primeiro sonho. Estava observando quando caiu. E agora finalmente você veio até mim, Brandon Stark, embora a hora seja tardia.

– Estou aqui – disse Bran –, só que estou quebrado. Você... você vai me consertar... minhas pernas, quero dizer?

– Não – disse o pálido senhor. – Isso está além dos meus poderes.

Os olhos de Bran se encheram de lágrimas. *Viemos de tão longe.* A câmara ecoava com o som do rio negro.

– Você nunca andará novamente, Bran – os pálidos lábios prometeram –, mas você voará.

Tyrion

Por um longo tempo não se mexeu, imóvel sobre a pilha de sacos velhos que usava como cama, ouvindo o vento nas velas e o bater das águas do rio no casco.

Uma lua cheia flutuava sobre o mastro. *Está me seguindo rio abaixo, me olhando como se fosse algum olho gigante.* Apesar do calor das peles mofadas que o cobriam, um arrepio percorreu o homenzinho. *Preciso de uma taça de vinho. De uma dúzia de taças de vinho.* Mas a lua piscaria antes que o filho da puta do Griff o deixasse matar a sede. Em vez disso, bebia água e estava condenado a noites insones e dias de suores e tremores.

O anão se sentou, segurando a cabeça com as mãos. *Eu sonhei?* Qualquer lembrança de sonho sumira. As noites nunca haviam sido gentis com Tyrion Lannister. Dormia mal até mesmo nos macios colchões de penas. No *Donzela Tímida*, fizera sua cama sobre o teto da cabine, com um rolo de corda de cânhamo como travesseiro. Gostava mais dali do que do apertado porão do barco. O ar era mais fresco, e o som do rio, mais doce do que os roncos de Pato. Mas havia um preço a ser pago por tais desfrutes: o teto era duro, e ele acordava travado e irritado, com câimbras e dores nas pernas.

Elas estavam latejando, as panturrilhas duras como madeira. Ele as massageou com os dedos, tentando mandar a dor embora, mas, quando se levantou, a dor ainda era suficiente para que fizesse uma careta. *Preciso de um banho.* Suas roupas de menino fediam, e lá foi ele. Os outros se banhavam no rio, mas Tyrion não se juntara a eles. Algumas tartarugas que vira nas águas rasas pareciam grandes o suficiente para mordê-lo pela metade. *Tartarugas-aligatores*, Pato as chamara. Além disso, não queria que Lemore o visse nu.

Uma escada de madeira descia do teto da cabine. O anão calçou as botas e desceu para o convés, onde Griff estava sentado com um manto de pele de lobo, ao lado de um braseiro de ferro. O mercenário ficava com a vigia da noite, levantando-se quando o restante do grupo se preparava para ir para a cama e retirando-se quando o sol nascia.

Tyrion se agachou diante dele e esquentou as mãos sobre as brasas. Do outro lado da água, rouxinóis cantavam.

– Logo amanhece – disse para Griff.

– Não tão logo. Precisamos estar em curso. – Se dependesse de Griff, o *Donzela Tímida* continuaria rio abaixo noite e dia, mas Yandry e Ysilla se recusavam a arriscar o barco no escuro. O Alto Roine era cheio de percalços e obstáculos, e um deles poderia destroçar o casco do *Donzela Tímida*. Griff não queria saber. O que ele queria era Volantis.

Os olhos do mercenário estavam sempre se movendo, procurando na noite por... pelo quê? *Piratas? Homens de pedra? Caçadores de escravos?* O rio tinha riscos, o anão sabia, mas Griff parecia para Tyrion mais perigoso do que qualquer um deles. Fazia Tyrion se lembrar de Bronn, apesar de Bronn ter o humor negro dos mercenários e Griff não ter humor algum.

– Eu mataria por uma taça de vinho – murmurou Tyrion.

Griff não respondeu. *Você morrerá antes de beber,* seus olhos claros pareciam dizer. Tyrion bebera até cair em sua primeira noite no *Donzela Tímida.* No dia seguinte, acordou com dragões lutando dentro do seu crânio. Griff o viu debruçando-se para fora do barco para vomitar e disse:

– Nada mais de bebida para você.

– O vinho me ajuda a dormir – Tyrion protestara. *O vinho afoga meus sonhos,* poderia ter dito.

– Então fique acordado – Griff replicara, implacável.

No leste, a primeira luz clara da manhã inundou o céu sobre o rio. As águas do Roine lentamente passaram de negro para azul, para combinar com o cabelo e a barba do mercenário. Griff levantou-se.

– Os outros logo levantarão. O convés é seu.

Quando os rouxinóis ficaram em silêncio, as cotovias começaram seu canto. Garças chapinhavam entre os juncos e deixavam rastros ao longo dos bancos de areia. As nuvens pareciam incandescentes, variando entre rosa e roxo, castanho-avermelhado e ouro, pérola e açafrão. Uma delas tinha forma de dragão. *Uma vez que um homem veja um dragão em voo, deixe-o ficar em casa, satisfeito, cuidando do seu jardim,* alguém escrevera, *pois neste mundo não há maravilha maior.* Tyrion coçou sua cicatriz, tentando lembrar o nome do autor. Dragões ocupavam muitos dos seus pensamentos ultimamente.

– Bom dia, Hugor. – Septã Lemore surgiu com sua túnica branca presa à cintura por um cinto tecido com sete cores. Seu cabelo caía solto sobre os ombros. – Como dormiu?

– Irregularmente, boa senhora. Sonhei com você novamente. – *Um sonho acordado.* Ele não conseguia dormir, então levara a mão entre as pernas e imaginara a septã sobre ele, os seios balançando.

– Um sonho mau, sem dúvida. Você é um homem mau. Rezará comigo e pedirá perdão por seus pecados?

Somente se rezássemos à moda das Ilhas do Verão.

– Não, mas dê um longo e doce beijo na Donzela por mim.

Rindo, a septã caminhou para a proa do barco. Tinha o costume de banhar-se no rio todas as manhãs.

– É fácil perceber que o nome deste barco não foi em sua homenagem – disse Tyrion quando ela se despiu.

– A Mãe e o Pai nos fizeram à imagem deles, Hugor. Devemos glorificar nosso corpo, por ser trabalho dos deuses.

Os deuses deviam estar bêbados quando me fizeram. O anão viu Lemore deslizar na água. A visão sempre o deixava duro. Havia algo maravilhosamente obsceno na ideia de livrar a septã de sua casta túnica branca e abrir suas pernas. *Inocência desperdiçada,* pensou... embora Lemore estivesse longe da inocência que se pressupunha. Ela tinha estrias na barriga que só podiam ter vindo de uma gravidez.

Yandry e Ysilla se levantaram com o sol e estavam cuidando de seus assuntos. Yandry dava uma espiada na Septã Lemore de vez em quando, enquanto verificava as velas. Sua pequena esposa escura, Ysilla, parecia não notar. Depois de alimentar o braseiro do convés com algumas lascas de madeira, despertou as brasas com uma lâmina enegrecida e começou a sovar a massa dos biscoitos matinais.

Quando Lemore subiu de volta ao convés, Tyrion saboreou a visão da água escorrendo entre seus seios, a pele lisa brilhando dourada na luz da manhã. Ela já tinha mais de quarenta, era mais charmosa do que bonita, mas ainda fácil de ser olhada. *Ficar excitado é a segunda melhor coisa, depois de ficar bêbado,* o anão decidiu. Fazia-o sentir-se vivo ainda.

– Viu a tartaruga, Hugor? – a septã lhe perguntou, torcendo a água do cabelo. – A grande almiscarada?

As manhãs eram o melhor momento para ver tartarugas. Durante o dia, permaneciam no fundo do rio, ou escondidas em algum recorte das margens, mas quando o sol acabava de nascer, vinham à superfície. Algumas gostavam de nadar ao lado do barco. Tyrion vislumbrara uma dúzia de tipos; grandes e pequenas, cágados e tartarugas-do-ouvido-vermelho, tartarugas-de-casco-mole e tartarugas-aligatores, tartarugas marrons, verdes, negras, tartarugas com garras, tartarugas com chifres, tartatugas cujos cascos tinham padrões com espirais de ouro, jade e creme. Algumas eram tão imensas que podiam carregar um homem nas costas. Yandry jurava que os príncipes roinares costumavam montar nesses animais pelo rio. Ele e sua esposa eram nascidos no Sangueverde, um par de dornenses órfãos que retornara à Mãe Roine.

– Perdi a almiscarada. – *Estava olhando a mulher nua.*

– Fico triste por você. – Lemore deslizou a túnica pela cabeça. – Sei que só se levanta cedo na esperança de ver as tartarugas.

– Gosto de ver o sol nascer também. – Era como assistir a uma donzela saindo nua do banho. Algumas podiam ser mais bonitas do que outras, mas eram todas cheias de promessas. – As tartarugas têm seu charme, vou concordar. Nada me delicia tanto quanto ver um belo par bem torneado de... conchas.

Septã Lemore riu. Como todos a bordo do *Donzela Tímida,* ela tinha seus segredos. Era bem-vinda entre eles. *Não quero conhecê-la, só quero fodê-la.* Ela sabia disso também. Enquanto pendurava o cristal de septã no pescoço, para aninhá-lo entre os seios, ela o provocava com um sorriso.

Yandry levantou a âncora, deslizou um dos longos mastros do teto da cabine e o empurrou. Duas garças levantaram a cabeça para ver o *Donzela Tímida* deixando a margem, em direção à correnteza. Lentamente o barco começou a se mover rio abaixo. Yandry foi para o leme. Ysilla estava virando os biscoitos. Colocou uma panela de ferro sobre o braseiro e jogou toicinho nela. Alguns dias ela cozinhava biscoitos e toicinho; noutros eram toicinho e biscoitos. A cada quinze dias podia ter um peixe, mas não aquele dia.

Quando Ysilla virou as costas, Tyrion apanhou um biscoito do braseiro, tirando a mão bem na hora de evitar um tapa da temível colher de madeira dela. Eram melhores quando comidos quentes, pingando mel e manteiga. O cheiro do toicinho cozinhando logo fez Pato vir para fora. Ele cheirou o braseiro, levou uma colherada de Ysilla e foi dar a mijada matinal fora da popa.

Tyrion bamboleou para se juntar a ele.

– Eis uma coisa para se ver – brincou enquanto esvaziavam as bexigas –, um anão e um pato, tornando o poderoso Roine mais poderoso ainda.

Yandry bufou contra o escárnio.

– A Mãe Roine não precisa da sua água, Yollo. É o maior rio do mundo.

Tyrion sacudiu as últimas gotas.

– Grande o suficiente para afogar um anão, garanto. O Mander é tão grande quanto. E também o Tridente, perto de sua embocadura. O Água Negra é mais profundo.

– Você não conhece o rio. Espere e verá.

O toicinho ficou crocante, os biscoitos, dourado-escuros. O Jovem Griff subiu ao convés, bocejando.

– Bom dia para todos.

O rapaz era menor do que Pato, mas sua constituição esguia sugeria que ainda cresceria mais. *Esse garoto imberbe poderia ter qualquer donzela dos Sete Reinos, com ou sem cabelo azul. Esses olhos as derreteriam.* Como o pai, o Jovem Griff tinha olhos azuis, mas enquanto os olhos paternos eram claros, os do filho eram escuros. À luz do lampião tornavam-se negros, e à luz do crepúsculo pareciam violeta. Seus cílios eram tão longos quanto os de qualquer mulher.

– Sinto cheiro de toicinho – o rapaz disse, colocando as botas.

– Bom toicinho – disse Ysilla. – Sente-se.

Ela os alimentou na popa, enfiando biscoitos com mel no Jovem Griff e batendo na mão de Pato com a colher todas as vezes que ele tentava agarrar mais toicinho. Tyrion separou dois biscoitos, colocou toicinho neles, e levou um para Yandry no leme. Depois, ajudou Pato a levantar a grande vela triangular do *Donzela Tímida*. Yandry os levou para o centro do rio, onde a correnteza era mais forte. O *Donzela Tímida* era um bom barco. O casco era tão raso que conseguia atravessar até o menor dos afluentes do rio, passando por bancos de areia que atolariam barcos maiores, e, com a vela levantada e uma correnteza sob ela, alcançava boas velocidades. Isso podia significar vida ou morte no curso superior do Roine, afirmara Yandry.

– Não há lei acima dos Sofrimentos, não por mil anos.

– Nem *pessoas*, pelo que vejo. – Ele vislumbrara algumas ruínas ao longo das margens, pilhas de alvenaria cobertas de trepadeiras, musgos e flores, mas nenhum outro sinal de habitações humanas.

– Você não conhece o rio, Yollo. Um barco pirata pode espreitar em qualquer curso de água, e escravos fugidos frequentemente se escondem entre as ruínas. Os caçadores de escravos raramente vêm tão ao norte.

– Caçadores de escravos seriam uma mudança bem-vinda das tartarugas. – Sem ser um escravo fugitivo, Tyrion não precisava temer ser capturado. E nenhum pirata se incomodaria com um barco a vela descendo o rio. Os bens valiosos subiam o rio, vindos de Volantis.

Quando o toicinho acabou, Pato deu um soco no ombro do Jovem Griff.

– Hora de ganhar alguns hematomas. Espadas, acho.

– Espadas? – o Jovem Griff sorriu. – Será ótimo.

Tyrion o ajudou a se vestir para a peleja, com calções pesados, gibão acolchoado e uma chapa de peito de aço marcada por antigos combates. Sor Rolly deu de ombros em sua cota de malha e couro fervido. Ambos usavam elmos sobre a cabeça, e escolheram espadas longas cegas entre as disponíveis no baú de armas. Foram para a popa, enfrentando-se vigorosamente enquanto o resto do grupo assistia.

Quando lutavam com maça ou machado de cabo longo sem fio, a vantagem de tamanho e a força de Sor Rolly o faziam rapidamente dominar o inimigo; com espada, as disputas eram mais equilibradas. Nenhum dos dois usava escudo naquela manhã, então era um jogo de atacar e desviar, para a frente e para trás pelo convés. O rio fazia a trilha sonora do combate. O Jovem Griff desferia mais golpes, embora os de Pato fossem mais duros. Depois de um tempo, o homem maior começou a se cansar. Seus ataques ficaram um pouco mais lentos, sua guarda um pouco mais baixa. O Jovem Griff percebeu e começou um furioso ataque que forçou Sor Rolly a recuar. Quando chegaram à popa, o rapaz cruzou sua lâmina com a do oponente e chocou seu ombro contra o de Pato, e o homenzarrão caiu no rio.

Emergiu cuspindo e xingando, implorando para que alguém o tirasse da água antes que uma tartaruga comesse suas partes íntimas. Tyrion jogou uma corda para ele.

– Patos deveriam nadar melhor que isso – disse, enquanto ele e Yandry puxavam o cavaleiro para bordo do *Donzela Tímida*.

Sor Rolly agarrou Tyrion pelo colarinho.

– Vamos ver como anões nadam – disse, lançando-o de cabeça no Roine.

O anão riu por último; podia nadar razoavelmente bem, e o fez... até que suas pernas começaram a ter câimbras. O Jovem Griff estendeu um mastro para ele.

– Você não é o primeiro a tentar me afogar – contou para Pato, enquanto tirava água das botas. – Meu pai me jogou em um poço no dia em que nasci, mas eu era tão feio que a bruxa da água que vivia lá me cuspiu de volta. – Tirou a outra bota e deu uma cambalhota no convés, espirrando água em todos eles.

O Jovem Griff riu.

– Onde aprendeu isso?

– Os pantomimeiros me ensinaram – mentiu. – Minha mãe me amava mais do que a seus outros filhos, porque eu era pequeno. Ela me amamentou no peito até que eu tivesse sete anos. Meus irmãos ficaram com ciúmes, então me enfiaram em um saco e me venderam a uma trupe de pantomimeiros. Quando tentei fugir, o mestre pantomimeiro cortou meu nariz, então não tive alternativa senão ficar com eles e aprender a ser divertido.

A verdade era bem diferente. Seu tio lhe ensinara um pouco de saltos acrobáticos quando ele tinha seis ou sete anos. Tyrion aprendeu aquilo com avidez. Por meio ano, fez todos os caminhos por Rochedo Casterly dando cambalhotas, trazendo sorrisos aos rostos dos septões, dos escudeiros e dos servos. Até mesmo Cersei sorrira uma ou duas vezes ao vê-lo.

Tudo isso terminou abruptamente no dia que seu pai retornou depois de um período em Porto Real. Naquela noite, no jantar, Tyrion surpreendeu-o caminhando sobre as mãos por todo o comprimento da mesa. Lorde Tywin não ficou satisfeito.

– Os deuses o fizeram um anão. Você precisa ser um tolo também? Você nasceu um leão, não um macaco.

E você é um cadáver, pai, então vou dar tantas cambalhotas quanto quiser.

– Você tem o dom de fazer os homens sorrirem – Septã Lemore disse a Tyrion enquanto ele secava os dedos dos pés. – Deve agradecer ao Pai de Cima. Ele dá dons para todos os seus filhos.

– Ele dá – concordou gentilmente. *E quando eu morrer, por favor, me enterre com uma besta, então eu agradecerei ao Pai de Cima pelos seus dons da mesma maneira que agradeci ao pai de baixo.*

Sua roupa ainda estava encharcada pelo mergulho involuntário, agarrando-se aos braços e às pernas de maneira desconfortável. Enquanto o Jovem Griff seguia a Septã Lemore para ser instruído nos mistérios da Fé, Tyrion tirou as roupas molhadas e vestiu outras, secas. Pato deu uma boa gargalhada quando ele voltou para o convés. Não podia culpá-lo. Vestido como estava, fazia uma figura cômica. Seu gibão era dividido ao meio: o lado esquerdo de veludo púrpura, com tachas em bronze, o direito de lã amarela bordada em padrões florais verdes. Seus calções eram divididos de modo similar: a perna direita era verde, a esquerda listrada de vermelho e branco. Um dos baús de Illyrio trazia roupas de criança, mofadas, mas bem feitas. Septã Lemore havia separado várias partes de roupas, costurando-as depois, unindo metade disso com metade daquilo, formando um traje tosco de bufão. Griff insistira para que Tyrion a ajudasse no corte e costura. Sem dúvida, fizera aquilo como forma de humilhação, mas Tyrion gostara do trabalho com agulhas. Lemore era sempre uma companhia agradável, apesar de sua inclinação em repreendê-lo sempre que ele dizia algo grosseiro sobre os deuses. *Se Griff quer me escalar como tolo, jogarei o jogo.* Em algum lugar, ele sabia, Lorde Tywin Lannister estaria horrorizado, e isso tirava qualquer desprazer que pudesse sentir.

Seu outro dever era tudo menos tolo. *Pato tem sua espada, eu minha pena e pergaminhos.* Griff lhe ordenara que registrasse tudo o que sabia sobre dragões. Era uma tarefa formidável, mas o anão trabalhou nela dia após dia, rabiscando o melhor que podia, sentado com as pernas cruzadas sobre o teto da cabine.

Tyrion lera muito, e ainda mais sobre dragões, ao longo dos anos. A maior parte desses relatos eram contos inúteis e não podiam ser levados a sério, e os livros que Illyrio providenciara não eram aqueles que queria. O que ele realmente desejava era o texto completo de *As Chamas do Domínio*, a história de Valíria contada por Galendro. Contudo, nenhuma cópia completa era conhecida em Westeros; mesmo do exemplar existente na Cidadela faltavam vinte e sete pergaminhos. *Certamente deve existir uma biblioteca na Antiga Volantis. Encontrarei uma cópia melhor lá, se conseguir passar pela Muralha Negra até o coração da cidade.*

Estava menos esperançoso a respeito do *Dragões, Cocatrizes e Serpes: Uma História Antinatural*, do Septão Barth. Barth fora um filho de ferreiro que chegara a Mão do Rei, durante o reinado de Jaehaerys, o Conciliador. Seus inimigos sempre alegaram que ele era mais feiticeiro do que septão. Quando chegou ao Trono de Ferro, Baelor, o Abençoado, ordenou que todos os escritos de Barth fossem destruídos. Dez anos antes, Tyrion lera um fragmento da *História Antinatural* que escapara ao Amado Baelor, mas duvidava que qualquer trabalho de Barth tivesse encontrado caminho através do mar estreito. E, é claro, havia ainda menos chances de encontrar o fragmentário, anônimo e ensanguentado tomo chamado algumas vezes de *Sangue e Fogo*, outras de *A Morte dos Dragões*. A única cópia sobrevivente estava supostamente trancada em uma catacumba sob a Cidadela.

Quando o Meiomeistre apareceu no convés, bocejando, o anão estava escrevendo o que conseguia recordar a respeito dos hábitos de acasalamento dos dragões, assunto sobre o qual Barth, Munkun e Thomax tinham pontos de vista marcadamente divergentes. Haldon caminhou até a popa para mijar na água, onde o sol brilhava, interrompendo o jato a cada sopro de vento.

– Devemos chegar ao entroncamento com o Noine à noite, Yollo – o Meiomeistre anunciou.

Tyrion levantou os olhos de seus escritos.

– Meu nome é Hugor. Yollo está escondido em meus calções. Devo soltá-lo para que brinque?

– Melhor não. Você pode assustar as tartarugas. – O sorriso de Haldon era tão afiado quanto a lâmina de uma adaga. – Qual era mesmo o nome da rua em que você nasceu em Lannisporto, Yollo?

– Era um beco. Não tinha nome. – Tyrion tinha um prazer cáustico em inventar os detalhes da pitoresca vida de Hugor Hill, também conhecido como Yollo, um bastardo de Lannisporto. *As melhores mentiras são temperadas com uma pitada de verdade.* O anão sabia que falava como um homem do oeste, e bem-nascido, então Hugor precisava ser algum tipo de fidalgote. Nascido em Lannisporto porque conhecia a cidade melhor do que Vilavelha, Porto Real ou as cidades onde a maioria dos anões ia parar, incluindo aqueles paridos pela Boa Esposa Caipira no canteiro dos nabos. O campo não tinha espetáculos grotescos ou de pantomimeiros... embora tivesse poços suficientes para engolir gatinhos indesejados, bezerros de três cabeças e bebês como ele.

– Vejo que tem estragado mais pergaminho bom, Yollo. – Haldon amarrou os calções.

– Nem todos podemos ser metade de um meistre. – A mão de Tyrion estava com câimbras. Colocou a pena de lado e flexionou os dedos atarracados. – Gostaria de outra partida de *cyvasse*? – O Meiomeistre sempre o derrotava, mas era uma maneira de passar o tempo.

– Mais tarde. Vai se juntar a nós para a aula do Jovem Griff?

– Por que não? Alguém precisa corrigir os erros de vocês.

Havia quatro cabines no *Donzela Tímida*. Yandry e Ysilla repartiam uma, Griff e o Jovem Griff, outra. Septã Lemore tinha uma cabine para si, assim como Haldon. A cabine do Meiomeistre era a maior das quatro. Uma parede era coberta com estantes e caixas empilhadas com antigos pergaminhos; outra tinha prateleiras repletas de unguentos, ervas e poções. Uma luz dourada atravessava o vidro amarelo ondulado da janela redonda. O mobiliário incluía um beliche, uma escrivaninha, uma cadeira, um banco e o tabuleiro de *cyvasse* do Meiomeistre, com peças esculpidas em madeira.

A aula começou com idiomas. O Jovem Griff falava a Língua Comum como se tivesse nascido em Westeros e era fluente em Alto Valiriano, nos dialetos baixos de Pentos, Myr e Lys, e na língua comercial dos marinheiros. O dialeto volantino era tão novo para ele quanto era para Tyrion, então todos os dias aprendiam algumas palavras novas enquanto Haldon corrigia seus erros. Meereenese era mais difícil; tinha raiz no valiriano também, mas na árvore linguística havia sido enxertada a dura e feia língua da Velha Ghis.

– Você precisa de uma abelha sobre o nariz para falar Ghiscari corretamente – Tyrion reclamou. O Jovem Griff riu, mas o Meiomeistre só disse "De novo". O garoto obedeceu, embora virasse os olhos juntamente com os zzzzs dessa vez. *Ele tem um ouvido melhor do que o meu*, Tyrion foi abrigado a admitir, *embora eu aposte que minha língua ainda é mais ágil.*

Geometria seguiu idiomas. Aí o garoto era menos hábil, mas Haldon era um professor paciente, e Tyrion foi capaz de fazer-se útil também. Aprendera o mistério dos quadrados, círculos e triângulos dos meistres de seu pai em Rochedo Casterly, e a lembrança veio mais rápida do que poderia imaginar.

No momento em que se voltaram para História, o Jovem Griff estava ficando impaciente.

– Estávamos discutindo a história de Volantis – disse Haldon para ele. – Pode dizer a Yollo a diferença entre um tigre e um elefante?

– Volantis é a mais antiga das Nove Cidades Livres, a primeira filha de Valíria – o rapaz respondeu, em um tom de voz entediado. – Após a Condenação, os volantinos se consideraram herdeiros do Domínio e legítimos governantes do mundo, mas estavam divididos sobre como conquistar esse domínio. O Sangue Antigo era a favor da espada, enquanto os comerciantes e agiotas defendiam o comércio. Na medida em que disputavam o controle da cidade, as facções ficaram conhecidas como tigres e elefantes, respectivamente.

– Os tigres dominaram por quase um século após a Condenação de Valíria. Por um tempo tiveram sucesso. A frota volantina tomou Lys, o exército capturou Myr, e por duas gerações as três cidades foram governadas de dentro das Muralhas Negras. Isso acabou quando os tigres tentaram engolir Tyrosh. Pentos entrou na guerra ao lado dos tyroshinos, juntamente com o Rei da Tempestade westerosi. Bravos forneceu aos exilados lisenos uma centena de navios de guerra, Aegon Targaryen voou de Pedra do Dragão no Temor Negro, e Myr e Lys se levantaram em rebeliões. A guerra devastou as Terras Disputadas e libertou Lys e Myr do jugo volantino. Os tigres sofreram outras derrotas também. A frota que enviaram para reclamar Valíria pereceu no Mar Fumegante. Qohor e Norvos quebraram o poder volantino no Roine quando as galeras de fogo lutaram no Lago Adaga. Do leste vieram os dothrakis, expulsando os camponeses de seus casebres e nobres de suas propriedades, até que sobrassem apenas grama e ruínas desde a floresta de Qohor até a cabeceira do Selhoru. Depois de um século de guerra, Volantis estava quebrada, na bancarrota e despovoada. Foi quando os elefantes se levantaram. Eles governam a cidade desde essa época. Em alguns anos, os tigres elegem um membro da tríade, noutros, não, mas nunca mais do que um, então os elefantes governam a cidade há trezentos anos.

– Muito bem – disse Haldon. – E a tríade atual?

– Malaquo é um tigre, Nyessos e Doniphos são elefantes.

– E que lição tiramos da história volantina?

– Se quer conquistar o mundo, é melhor ter dragões.

Tyrion não pôde deixar de rir.

Mais tarde, quando o Jovem Griff foi para o convés ajudar Yandry com as velas e os mastros, Haldon montou o tabuleiro de *cyvasse*. Tyrion o olhou com seus olhos tortos e disse:

– O garoto é brilhante. Fez um bom trabalho com ele. Metade dos senhores de Westeros não é tão culto, triste dizer. Idiomas, história, música, somas... um guisado inebriante para o filho de um mercenário.

– Um livro pode ser mais perigoso do que uma espada, nas mãos certas – disse Haldon. – Tente me proporcionar uma batalha melhor desta vez, Yollo. Você joga tão mal quanto corre.

– Estou tentando enganá-lo com um falso senso de confiança – disse Tyrion, enquanto arrumavam as peças em cada lado do tabuleiro entalhado na madeira. – Você acha que me ensinou a jogar, mas as coisas não são sempre como parecem. Talvez eu tenha aprendido o jogo com o queijeiro, já considerou isso?

– Illyrio não joga *cyvasse*.

Não, pensou o anão, *ele joga o jogo dos tronos, e você, Griff e Pato são apenas peças para serem movidas ao desejo dele, ou sacrificadas se necessário, exatamente como ele sacrificou Viserys.*

– A culpa deve cair sobre você, então. Se jogo mal, é porque você me ensinou mal.

O Meiomeistre riu.

– Yollo, sentirei sua falta quando os piratas cortarem sua garganta.

– Onde estão esses famosos piratas? Estou começando a pensar que você e Illyrio inventaram tudo.

– É mais provável que apareçam no trecho do rio entre Ar Noy e os Sofrimentos. Acima das ruínas de Ar Noy, os qohoriks governam o rio e, abaixo dos Sofrimentos, as galeras de Volantis dominam, mas nenhuma cidade reclamou as águas entre esses dois pontos, então os piratas dominaram o pedaço. O Lago Adaga é cheio de ilhas onde eles se escondem, em cavernas e fortalezas secretas. Está pronto?

– Para você? Sem dúvida. Para os piratas? Nem tanto.

Haldon removeu a tela. Cada um contemplou o movimento inicial do outro.

– Está aprendendo – disse o Meiomeistre.

Tyrion quase agarrou o dragão dele, mas pensou melhor. Da última vez que tinham jogado, pegara a peça rápido demais e a perdera para uma catapulta.

– Se encontrarmos esses lendários piratas, posso me juntar a eles. Direi que meu nome é Hugor Meiomeistre. – Ele moveu seu cavalo leve em direção às montanhas de Haldon.

Haldon respondeu com um elefante.

– Hugor Meiointeligente seria melhor para você.

– Só preciso de metade da minha inteligência para competir com você. – Tyrion moveu seu cavalo pesado para apoiar o leve. – Talvez você queira apostar o resultado?

O Meiomeistre levantou uma sobrancelha.

– Quanto?

– Não tenho dinheiro. Jogaremos por segredos.

– Griff cortaria minha língua.

– Está com medo? Eu estaria, se fosse você.

– No dia em que você me derrotar no *cyvasse* sairão tartarugas da minha bunda. – O Meiomeistre moveu sua lança. – Tem sua aposta, homenzinho.

Tyrion estendeu a mão para mover seu dragão.

Três horas mais tarde, o homenzinho finalmente subiu ao convés para esvaziar a bexiga. Pato ajudava Yandry a recolher as velas, enquanto Ysilla comandava o leme. O sol descia sobre os canaviais ao longo da margem oriental, enquanto o vento começava a soprar em lufadas. *Preciso daquele odre de vinho,* o anão pensou. Suas pernas estavam adormecidas pela longa permanência no banco, e ele se sentia tão mareado que teve sorte de não cair no rio.

– Yollo – chamou Pato. – Onde está Haldon?

– Está indo para a cama, com algum desconforto. Havia tartarugas saindo de sua bunda. – Deixou o cavaleiro sem entender e se arrastou escada acima até o teto da cabine. Para o leste, a escuridão surgia por detrás de uma ilha rochosa.

Septã Lemore o encontrou lá.

– Pode sentir a tempestade no ar, Hugor Hill? O Lago Adaga está na nossa frente, com piratas à espreita. E, além disso, estão os Sofrimentos.

Não os meus. Carrego meus próprios sofrimentos para onde quer que vá. Ele pensou em Tysha e se perguntou para onde as putas vão. *Por que não para Volantis? Talvez a encontre lá. Um homem deve se agarrar à esperança.* Ele se perguntava o que diria para ela. *Sinto muito ter deixado que a estuprassem, meu amor. Pensei que você era uma puta. Pode encontrar perdão para mim em seu coração? Quero voltar para nossa casa, do jeito que foi quando éramos marido e mulher.*

Atrás deles, a ilha se afastava. Tyrion viu ruínas surgindo ao longo da margem ocidental; muralhas tortas e torres caídas, cúpulas quebradas e fileiras de pilares de madeira apodrecidos, ruas sufocadas pela lama e cobertas com musgo púrpura. *Outra cidade morta, dez vezes maior do que Ghoyan Drohe.* Tartarugas viviam lá agora, grandes tartarugas-aligatores. O anão podia vê-las tomando sol, montes marrons e negros com sulcos irregulares no centro de suas carapaças. Algumas viram o *Donzela Tímida* e mergulharam na água, deixando ondulações no caminho. Este não era um bom lugar para mergulhar.

Então, através das árvores torcidas e meio afogadas e das largas ruas molhadas, ele vislumbrou um brilho prateado da luz do sol sobre a água. *Outro rio,* percebeu imediatamente, *correndo em direção ao Roine.* As ruínas ficaram mais altas enquanto a terra ficava mais estreita, até que a cidade terminou em uma península onde estavam os restos de um colossal palácio de mármore rosa e verde, com as cúpulas caídas e pináculos quebrados ameaçadoramente grandes sobre uma coluna de arcadas cobertas. Tyrion viu mais tartarugas-aligatores dormindo nas docas onde meia centena de navios algum dia atracara. Ele sabia onde estavam. *Aquele era o palácio de Nyméria, e isso é tudo o que sobrou de Ny Sar, a cidade dela.*

– Yollo – gritou Yandry, enquanto o *Donzela Tímida* passava pela península –, me fale novamente sobre aqueles rios westerosis tão grandes quanto a Mãe Roine.

– Eu não sabia – gritou de volta. – Nenhum rio nos Sete Reinos tem a metade da largura deste. – O novo rio que se juntara a eles era quase duas vezes maior do que o que estavam navegando, e sozinho era quase do tamanho do Mander ou do Tridente.

– Esta é Ny Sar, onde a Mãe recebe sua Filha Selvagem, Noyne – disse Yandry –, mas ela não vai alcançar seu ponto mais largo até que receba suas outras filhas. No Lago Adaga, Qhoyne chega correndo, a Filha Escura, cheia de ouro e âmbar do Machado e pinhas da Floresta de Qohor. Mais ao sul, a Mãe se encontra com Lhoruhu, a Filha Sorridente dos Campos Dourados. Onde elas se juntam, uma vez esteve Chroyane, a cidade do festival, onde as ruas eram feitas de água e as casas, de ouro. Então, ao sul e ao leste segue por muitas léguas, até que finalmente chega se arrastando Selhoru, a Filha Tímida que esconde seu curso entre os juncos. Então a Mãe Roine fica tão larga que um homem em um barco no centro do seu leito não pode ver a margem em nenhum dos dois lados. Você verá, meu amiguinho.

Eu verei, o anão estava pensando, quando viu uma ondulação na água, a menos de seis metros do barco. Estava a ponto de apontá-la para Lemore, quando veio à superfície com um jorro de água que jogou o *Donzela Tímida* para o lado.

Era outra tartaruga, uma tartaruga chifruda gigantesca, com o casco verde-escuro mesclado de marrom e coberto com musgo e uma crosta de moluscos negros de rio. Ela levantou a cabeça e berrou, um rugido do fundo da garganta vibrando mais alto do que qualquer berrante de guerra que Tyrion já tivesse ouvido.

– Estamos abençoados. – Ysilla chorava em voz alta, com lágrimas correndo pelo rosto. – Estamos abençoados, estamos abençoados.

Pato assobiava, e o Jovem Griff também. Haldon saiu para o convés para ver a causa da comoção... mas era tarde demais. A tartaruga gigante havia desaparecido sob a água.

– Qual foi a causa de tanta confusão? – o Meiomeistre perguntou.

– Uma tartaruga – disse Tyrion. – Uma tartaruga maior do que este barco.

– Era ele – gritou Yandry. – O Velho Homem do Rio.

E por que não? Tyrion sorriu. *Deuses e maravilhas sempre aparecem para marcar o nascimento dos reis.*

Davos

O *Parteira Feliz* atracou em Porto Branco com a maré da noite, a vela remendada ondulando a cada rajada de vento.

Era um barco de pesca velho, e nem mesmo na juventude devia ter sido considerado bonito. Sua escultura de proa mostrava uma mulher sorrindo segurando um bebê pelo pé, mas o rosto da mulher e o traseiro da criança tinham buracos de vermes. Incontáveis camadas de um marrom enfadonho cobriam o casco; as velas eram cinzentas e esfarrapadas. Não era um barco para o qual alguém olhava uma segunda vez, exceto para se perguntar como flutuava ainda. O *Parteira Feliz* também era conhecido em Porto Branco. Por anos, exercia um humilde comércio entre esta cidade e Vilirmã.

Não era o tipo de desembarque que Davos Seaworth antecipara quando zarpou com Salla e sua frota. Tudo parecera mais simples então. Como os corvos não haviam levado para o Rei Stannis notícias de aliança com Porto Branco, Sua Graça mandaria um enviado tratar com Lorde Manderly em pessoa. Em uma demonstração de força, Davos chegaria a bordo da galé *Valiriana* de Salla, com o resto da frota lisena atrás dele. Todos os cascos eram listrados: negro e amarelo, rosa e azul, verde e branco, púrpura e dourado. Os lisenos amavam matizes brilhantes, e Salladhor Saan era o mais colorido de todos. *Salladhor, o Esplêndido*, pensou Davos, *mas as tempestades puseram um fim naquilo tudo.*

Em vez disso, teve que entrar disfarçado na cidade, como teria feito vinte anos antes. Até saber como andavam as coisas, era mais prudente fazer-se passar por um marinheiro comum, em vez de um lorde.

As muralhas de pedra caiada de Porto Branco erguiam-se diante deles, na costa ocidental, onde a Faca Branca mergulhava no estuário. Algumas defesas da cidade haviam sido reforçadas desde a última vez que Davos estivera ali, havia seis anos. O cais que dividia os portos interior e exterior fora fortificado com uma longa parede de pedra, com quase dez metros de altura e um quilômetro e meio de comprimento, com torres a cada cem metros. Fumaça saía de Pedra da Foca também, onde tempos atrás havia só ruínas. *Isso pode ser bom ou mau, dependendo do lado que Lorde Wyman escolher.*

Davos sempre fora apaixonado por aquela cidade, desde a primeira vez que fora como grumete no *Gato da Calçada*. Embora pequena, se comparada a Vilavelha ou Porto Real, era limpa e bem ordenada, com ruas calçadas retas e amplas que tornavam fácil para qualquer um encontrar seu caminho. As casas eram construídas em pedra caiada, com telhados íngremes de ardósia cinza-escuro. Roro Uhoris, o velho e excêntrico capitão do

Gato da Calçada, afirmava ser capaz de distinguir um porto do outro apenas pelo cheiro. Cidades são como mulheres, insistia, cada uma tem um cheiro único. Vilavelha era floral como uma viúva perfumada. Lannisporto era como uma mulher que trabalhava na ordenha, fresca e terrosa, com os cabelos defumados. Porto Real fedia como uma puta sem se lavar. Já o cheiro de Porto Branco era penetrante e salgado, com um leve odor a peixe.

– Cheira como uma sereia deve cheirar. – Roro dizia. – Os odores do mar.

Ainda cheira assim, pensou Davos, embora também pudesse sentir o odor de fumaça de trufas vindo de Pedra das Focas. As pedras marítimas dominavam a aproximação do porto exterior, uma maciça e intimidadora elevação cinza-esverdeada, quinze metros acima da água. O topo era coroado com um círculo de pedras desgastadas, um forte dos Primeiros Homens que permanecera desolado e abandonado por centenas de anos. Não estava abandonado agora. Davos podia ver balestras e lança-chamas atrás das ameias, e arqueiros espreitando entre elas. *Deve ser frio lá em cima, e úmido.* Em todas as visitas anteriores, focas podiam ser vistas se aquecendo nas pedras quebradas abaixo. O Bastardo Cego sempre o obrigava a contá-las quando o *Gato da Calçada* zarpava de Porto Branco: quanto mais focas houvesse, dizia Roro, mais sorte teriam na viagem. Não havia focas ali. A fumaça e os soldados as assustaram. *Um homem sábio veria um aviso nisso. Se eu tivesse um pingo de juízo, teria ido com Salla.* Poderia ter feito seu caminho de volta para o Sul, para Marya e seus filhos. *Perdi quatro filhos a serviço do rei, e meu quinto serve como escudeiro real. Eu deveria ter o direito de cuidar dos dois garotos que me restam. Faz muito tempo desde que os vi.*

Em Atalaialeste, os irmãos negros lhe disseram que não havia amor entre os Manderly de Porto Branco e os Bolton de Forte do Pavor. O Trono de Ferro dera a Roose Bolton o título de Protetor do Norte, o que era uma razão para que Wyman Manderly se declarasse por Stannis. *Porto Branco não pode ficar só. A cidade precisa de um aliado, de um protetor. Lorde Wyman precisa do Rei Stannis tanto quanto Stannis precisa dele.* Ou assim parecera em Atalaialeste.

Vilirmã minara essas esperanças. Se Lorde Borrell dissera a verdade, se os Manderly pretendiam unir suas forças aos Bolton e aos Frey... não, ele não se alongaria nessa possibilidade. Saberia a verdade em breve. E rezava para que não tivesse chegado tarde demais.

O quebra-mar esconde o porto interior, percebeu, enquanto o *Parteira Feliz* baixava as velas. O porto exterior era maior, mas o porto interior oferecia ancoragem melhor, protegido pela muralha da cidade de um lado e pela imponente massa da Toca do Lobo de outro, e também pelo quebra-mar. Em Atalaialeste do Mar, Cotter Pyke dissera a Davos que Lorde Wyman estava construindo galés de guerra. Podia haver uma frota de navios escondida atrás daquelas muralhas, esperando apenas o comando para se lançar ao mar.

Atrás das grossas muralhas brancas da cidade, o Castelo Novo erguia-se orgulhoso e claro sobre a encosta. Davos também podia ver o teto abobadado do Septo Nevado, encimado por altas estátuas dos Sete. Os Manderly trouxeram a Fé para o Norte quando vieram da Campina. Porto Branco também tinha seu bosque sagrado, um emaranhado de raízes, arbustos e pedras trancado atrás das muralhas em ruínas da Toca do Lobo, uma antiga fortaleza que passou a servir como prisão. Mas, para a maioria, os septões ditavam as regras religiosas.

O tritão da Casa Manderly estava em evidência em todos os lugares, flutuando nas torres do Castelo Novo, acima do Portão das Focas e ao longo das muralhas da cidade.

Em Atalaialeste, os nortenhos insistiam que Porto Branco nunca abandonaria a aliança com Winterfell, mas Davos não via sinal do lobo gigante dos Stark. *Tampouco há leões. Lorde Wyman não deve ter se declarado por Tommen ainda, ou teria colocado seu estandarte.*

As docas fervilhavam. Uma desordem de pequenos barcos estava atracada ao longo do mercado de peixes, descarregando as capturas do dia. Também viu três barcos fluviais, longos e esbeltos, construídos para enfrentar a correnteza rápida e a rebentação pedregosa da Faca Branca. Mas eram os navios marítimos que chamavam mais sua atenção; um par de caravelas tão sem graça e esfarrapadas quanto o *Parteira Feliz*, a galé mercante *Dançarino da Tempestade*, os barcos de pesca *Bravo Magíster* e *Cornucópia*, uma galé de Bravos com casco púrpura e velas...

... e, logo depois, o navio de guerra.

Essa visão foi como uma faca em suas esperanças. O casco era negro e dourado, a figura de proa, um leão com uma pata levantada. *Leão Estrelado*, diziam as letras em sua popa, e embaixo um estandarte com as armas do rei menino no Trono de Ferro. Um ano antes, Davos não teria sido capaz de ler aquilo, mas Meistre Pylos o ensinara algumas letras quando ainda estavam em Pedra do Dragão. Pela primeira vez, a leitura não lhe era agradável. Estivera rezando para que a galé tivesse se perdido nas mesmas tempestades que assolaram a frota de Salla, mas os deuses não foram tão bons. Os Frey estavam ali, e ele teria que encará-los.

O *Parteira Feliz* atracou no fim de um píer de madeira gasta no porto exterior, bem distante do *Leão Estrelado*. Enquanto a tripulação amarrava o barco e descia a prancha, o capitão foi conversar com Davos. Casso Mogat era um mestiço do mar estreito, filho de uma prostituta de Vilirmã com um baleeiro ibenês. Com pouco mais de um metro e meio de altura e muito hirsuto, tingia o cabelo e as suíças de verde musgo. Isso lhe dava a aparência de um toco de árvore com botas amarelas. Apesar de sua aparência, parecia ser um bom marinheiro, embora fosse um capitão duro com a tripulação.

– Quanto tempo pretende ficar?

– Um dia, pelo menos. Talvez mais. – Davos descobrira que lordes gostavam de se fazer esperar. Faziam isso para deixar o visitante ansioso, suspeitava, e para demonstrar poder.

– O *Parteira* ficará aqui três dias. Não mais que isso. Esperam-me de volta em Vilirmã.

– Se as coisas forem bem, poderei voltar amanhã.

– E se as coisas forem mal?

Poderei não voltar nunca.

– Não precisa esperar por mim.

Um par de aduaneiros subia a bordo enquanto ele descia pela prancha, mas nenhum dos dois reparou nele. Estavam ali para ver o capitão e inspecionar o porão; marinheiros comuns não lhes diziam respeito, e poucos homens pareciam tão comuns quanto Davos. De estatura mediana, tinha o rosto astuto de um camponês, endurecido pelo vento e pelo sol, barba grisalha e o cabelo castanho também salpicado de cinza. Sua vestimenta também era comum: botas velhas, calções marrons e túnica azul, um manto de lã não tingida, preso com uma fivela de madeira. Usava um par de luvas de couro gastas para esconder os dedos da mão que Stannis cortara, anos antes. Davos dificilmente pareceria um senhor, muito menos a Mão do Rei. Era uma situação favorável, pelo menos até que descobrisse como estavam as coisas.

Caminhou ao longo do cais e através do mercado de peixes. O *Bravo Magíster* descarregava hidromel. Os barris eram empilhados de quatro em quatro no píer. Atrás de uma pilha, vislumbrou três marinheiros jogando dados. Mais adiante, vendedoras de peixes gritavam a mercadoria do dia, e um garoto marcava o tempo em um tambor enquanto um velho urso ensebado dançava em círculos em um anel feito de canoas. Dois lanceiros de guarda no Portão da Foca, com o brasão da Casa Manderly no peito, estavam mais preocupados em flertar com uma puta do cais do que em prestar qualquer atenção em Davos. O portão estava aberto, a ponte levadiça baixada. Ele se juntou ao tráfego que passava.

Dentro havia uma praça calçada com uma fonte no centro. Um tritão de pedra se erguia das águas, seis metros de altura da cauda à coroa. Sua barba encaracolada era verde e branca de liquens, e um dos prolongamentos do tridente devia ter quebrado antes que Davos nascesse, mas ainda assim a imagem era impressionante. *Velho Pedepeixe*, era como os locais chamavam a escultura. A praça fora nomeada em homenagem a algum senhor já falecido, mas todos a conheciam apenas como Pátio Pedepeixe.

O Pátio estava cheio naquela tarde. Uma mulher lavava roupas íntimas na fonte Pedepeixe e as pendurava no tridente para secar. Sob os arcos da colunata do mascate, escribas e cambistas se estabeleciam para fazer negócio, juntamente com alguns feiticeiros, uma vendedora de ervas e um malabarista muito ruim. Um homem vendia maçãs em um carrinho de mão, e uma mulher oferecia arenque com cebola picada. Galinhas e crianças estavam por toda parte. As imensas portas de carvalho e ferro do Velho Manancial sempre estavam fechadas nas outras vezes que Davos estivera no Pátio Pedepeixe, mas desta vez estavam abertas. Dentro, podia vislumbrar centenas de mulheres, crianças e velhos, amontoados no chão em pilhas de peles. Alguns tinham pequenas fogueiras para cozinhar.

Davos parou debaixo da colunata e trocou algumas moedas por uma maçã.

– As pessoas estão vivendo no Velho Manancial? – perguntou ao vendedor de maçãs.

– Não têm outro lugar pra viver. Camponeses do alto da Faca Branca, a maioria. Gente de Hornwood também. Com o Bastardo de Bolton correndo à solta, querem estar dentro da muralha. Não sei o que sua senhoria pretende fazer com todos eles. A maioria chegou só com os trapos do corpo.

Davos sentiu uma pontada de culpa. *Eles vieram aqui atrás de refúgio, para a cidade intocada pelas batalhas, e aqui estou eu para arrastá-los de volta à guerra.* Deu uma mordida na maçã, e se sentiu culpado também por isso.

– Como eles comem?

O vendedor de maçãs encolheu os ombros.

– Alguns mendigam. Outros roubam. Muitas meninas se vendem, do jeito que garotas sempre fazem quando são tudo o que têm para vender. Qualquer menino com mais de um metro e meio de altura pode encontrar um lugar no quartel de sua senhoria, desde que consiga segurar uma lança.

Ele está arregimentando homens, então. Isso podia ser bom... ou mau, dependendo. A maçã estava seca e farinhenta, mas Davos se obrigou a dar outra mordida.

– Lorde Wyman pretende se juntar ao Bastardo?

– Bem – disse o vendedor de maçãs –, da próxima vez que sua senhoria vier aqui embaixo implorando por uma maçã, vou me lembrar de perguntar a ele.

– Ouvi dizer que a filha dele vai se casar com um Frey.

– A neta. Também ouvi isso, mas sua senhoria se esqueceu de me convidar para o casamento. Escuta, você vai comer isso? Eu fico com o resto. As sementes são boas.

Davos jogou de volta para ele o miolo da fruta. *Uma maçã ruim, mas valeu cada moeda saber que Manderly está arregimentando homens.* Fez seu caminho em torno do Velho Pedepeixe, passando por uma jovem que vendia leite fresco de cabra. Lembrava-se mais da cidade, agora que estava ali. Um pouco abaixo do local para o qual o tridente do Velho Pedepeixe apontava, havia um beco onde vendiam bacalhau frito, crocante e dourado por fora e branco e escamoso por dentro. Logo depois havia um bordel, mais limpo do que a maioria, e onde um marinheiro podia desfrutar de uma mulher sem ter medo de ser assaltado ou morto. Um pouco para lá, em uma daquelas casas presas às paredes da Toca do Lobo como cracas em um casco velho, havia uma cervejaria que fazia uma cerveja preta tão espessa e saborosa que um barril podia custar tanto quanto um vinho dourado da Árvore em Bravos e no Porto de Ibben, isso se os frequentadores deixassem alguma coisa para o cervejeiro vender.

Era vinho, no entanto, o que ele queria; azedo, escuro e carregado. Atravessou o pátio e desceu uma escadaria, até uma adega chamada Enguia Preguiçosa, sob um armazém cheio de peles de ovelhas. Em seus dias de contrabandista, a Enguia era renomada por oferecer as putas mais velhas e o vinho mais vil de Porto Branco, junto com tortas de carne cheias de gordura e cartilagem, intragáveis nos melhores dias e tóxicas nos piores. Com um cardápio desses, a maioria dos habitantes locais evitava o lugar, deixando-o para marinheiros que não conheciam nada melhor. Um guarda da cidade ou um funcionário da alfândega nunca seria visto na Enguia Preguiçosa.

Algumas coisas nunca mudam. Dentro da Enguia, o tempo parara. O teto abobadado estava manchado com fuligem negra, o chão era de terra batida, o ar cheirava a fumaça, carne estragada e vômito antigo. As velas de sebo nas mesas faziam mais fumaça do que iluminavam, e o vinho que Davos pediu parecia mais marrom do que vermelho na penumbra. Quatro prostitutas estavam sentadas próximas à porta, bebendo. Uma lhe deu um sorriso esperançoso quando ele entrou. Quando Davos abanou a cabeça, a mulher disse algo que fez suas companheiras rirem. Depois disso, nenhuma delas prestou atenção nele.

Além das prostitutas e do proprietário, Davos tinha a Enguia para si. A adega era grande, cheia de recantos e alcovas sombrias onde um homem podia ficar sozinho. Ele levou seu vinho para um desses lugares e se sentou de costas para a parede para esperar.

Algum tempo depois, pegou-se encarando a lareira. A mulher vermelha podia ver o futuro nas chamas, mas tudo o que Davos Seaworth já vira eram sombras do passado: navios queimando, a corrente em chamas, as sombras verdes brilhando por toda a baía, até as nuvens, e a Fortaleza Vermelha pairando sobre todos eles. Davos era um homem simples, que chegara até aquele ponto graças ao acaso, à guerra e a Stannis. Ele não entendia por que os deuses levariam quatro rapazes tão jovens e fortes como seus filhos, poupando o pai cansado. Algumas noites, pensava que havia sido poupado para poder resgatar Edric Storm... mas agora o bastardo do Rei Robert já estava a salvo, em Passopedra, e Davos ainda continuava por ali. *Os deuses terão outras tarefas para mim?*, ele se perguntava. *Se for assim, talvez Porto Branco seja parte disso.* Experimentou o vinho e, em seguida, derramou meia taça no chão, ao lado do pé.

Conforme o crepúsculo caía, os bancos da Enguia começaram a se encher de marinheiros. Davos pediu outra taça para o proprietário. Quando o homem veio, trouxe consigo uma vela.

– Quer comida? – perguntou. – Temos torta de carne.

– Que tipo de carne?

– O tipo normal. É boa.

As prostitutas riram.

– É cinza, ele quer dizer – uma delas disse.

– Cale essa maldita boca. Você comeu dela.

– Eu como qualquer merda. Não quer dizer que goste.

Davos apagou a vela assim que o proprietário se afastou e recostou-se na sombra. Marinheiros eram os maiores fofoqueiros do mundo quando o vinho fluía, mesmo um vinho barato como aquele. Tudo o que precisava fazer era ouvir.

A maior parte do que ouviu, no entanto, já havia escutado em Vilirmã, de Lorde Godric ou dos habitantes da Barriga da Baleia. Tywin Lannister estava morto, assassinado por seu filho anão; seu cadáver fedia tanto que ninguém era capaz de entrar no Grande Septo de Baelor dias mais tarde; a Senhora do Ninho da Águia fora assassinada por um cantor; Mindinho governava o Vale agora, mas Bronze Yohn Royce jurara derrubá-lo; Balon Greyjoy estava morto também, e seus irmãos lutavam pela Cadeira da Pedra do Mar; Sandor Clegane tornara-se um fora da lei e estava saqueando e matando nas terras ao longo do Tridente; Myr, Lys e Tyrosh estavam envolvidas em outra guerra; no leste, uma revolta de escravos estava no auge.

Outras novidades eram mais interessantes. Robett Glover estava na cidade e tentara arregimentar homens, com pouco sucesso. Lorde Manderly ignorara seus apelos. Porto Branco estava cansado de guerra, fora a resposta dele, segundo relatos. Isso era ruim. Os Ryswell e os Dustin haviam surpreendido homens de ferro no Rio Febril e colocado fogo em seus navios. Isso era pior. E agora o Bastardo de Bolton cavalgava para o Sul com Hother Umber para juntar-se a eles em um ataque a Fosso Cailin.

– O Terror-das-Rameiras em pessoa – exclamou um homem do rio que descera o Faca Branca com um carregamento de couro e madeiras –, com trezentos lanceiros e uma centena de arqueiros. Alguns homens de Hornwood se juntaram a eles também, assim como Cerwyn. – Isso era o pior de tudo.

– Lorde Wyman deveria mandar alguns homens para a luta, se sabe o que é bom para ele – disse um velho no outro lado da mesa. – Lorde Roose é o Protetor agora. A honra de Porto Branco obriga a cidade a responder ao seu chamado.

– O que algum Bolton já soube sobre honra? – disse o proprietário da Enguia, enquanto enchia as canecas com mais vinho.

– Lorde Wyman não vai a lugar nenhum. Está mais gordo que um porco.

– Ouvi dizer que está doente. Tudo o que faz é dormir e chorar, dizem. Na maior parte dos dias não consegue nem levantar da cama, de tão doente.

– De tão *gordo*, quer dizer.

– Gordo ou magro, não há nada que possa fazer – disse o proprietário da Enguia. – Os leões estão com o filho dele.

Ninguém falava sobre o Rei Stannis. Ninguém nem parecia saber que Sua Graça viera ao Norte defender a Muralha. Selvagens, criaturas e gigantes eram os assuntos de Atalaialeste, mas ali ninguém parecia pensar neles.

Davos inclinou-se em direção à luz.

– Pensei que os Frey tivessem matado o filho dele. Foi o que ouvi em Vilirmã.

– Eles mataram Sor Wendel – disse o proprietário. – Seus ossos repousam no Septo Nevado com velas ao redor, se quiser dar uma olhada. Já Sor Wylis ainda é cativo.

Isso está cada vez pior. Ele sabia que Lorde Wyman tinha dois filhos, mas pensava que ambos estavam mortos. *Se o Trono de Ferro tem um refém...* Davos tinha sete filhos também, e perdera quatro na Água Negra. Ele sabia que faria o que os deuses e os homens exigissem dele para proteger os outros três. Steffon e Stannis estavam a milhares de quilômetros da batalha, seguros e aquecidos, mas Devan estava em Castelo Negro, um escudeiro do rei. *O rei cuja causa pode ter sucesso ou fracasso com Porto Branco.*

Seus companheiros de bebida falavam sobre dragões agora.

– Você é um louco maldito – disse um remador do *Dançarino da Tempestade*. – O Rei Pedinte está morto há anos. Algum senhor de cavalo dothraki cortou a cabeça dele.

– Foi o que nos disseram – disse o velho. – Talvez estivessem mentindo. Ele morreu há meio mundo daqui, se é que morreu. Quem é que disse? Se um rei quer me ver morto, talvez eu seja obrigado a fingir ser um cadáver. Nenhum de nós viu o corpo dele.

– Nunca vi o cadáver de Joffrey, nem o de Robert – resmungou o proprietário do Enguia. – Talvez estejam vivos também. Talvez Baelor, o Abençoado, esteja só tirando uma soneca todos esses anos.

O velho fez uma careta.

– O Príncipe Viserys não era o único dragão, era? Tem certeza de que mataram o filho do Príncipe Rhaegar? Era um bebê.

– Não tinha uma princesa também? – perguntou uma prostituta. Era a mesma que dissera que a carne era cinza.

– Duas – disse o velho. – Uma era filha de Rhaegar, outra era irmã dele.

– Daena – disse o homem do rio. – Essa era a irmã. Daena de Pedra do Dragão. Ou era Daera?

– Daena era a velha esposa do Rei Baelor – disse o remador. – Trabalhei em um navio que tinha o nome dela. O *Princesa Daena*.

– Se ela era a esposa de um rei, ela era rainha.

– Baelor nunca teve uma rainha. Ele era piedoso.

– Não quer dizer que nunca tenha se casado com sua irmã – disse a prostituta. – Ele só não dormiu com ela, foi isso. Quando eles o fizeram rei, ele a trancou em uma torre. As outras irmãs dele também. Eram três.

– Daenela – disse o proprietário espalhafatosamente. – Esse era o nome dela. Da filha do Rei Louco, quero dizer, não da maldita esposa do Baelor.

– *Daenerys* – disse Davos. – Ela recebeu o nome em homenagem a Daenerys que se casou com o Príncipe de Dorne, durante o reinado de Daeron II. Não sei o que aconteceu com ela.

– Eu sei – disse o homem que começara a falar de dragões, um remador bravosi em um casaco de lã escuro. – Quando paramos em Pentos, atracamos ao lado de um navio mercante chamado *Donzela de Olhos Negros*, e saí para beber com o intendente do capitão. Ele me contou uma bela história sobre uma garota que veio a bordo em Qarth, para tentar passagem para Westeros para ela e seus três dragões. Tinha o cabelo prateado e olhos púrpura. "Levei ela para o capitão", o intendente me jurou, "mas ele não quis nem saber. Há mais lucros em cravo e açafrão, ele me disse, e especiarias não vão incendiar suas velas".

Risos tomaram conta da adega. Davos não se juntou a eles. Ele sabia o que acontecera ao *Donzela de Olhos Negros*. Os deuses eram cruéis em deixar um homem navegar metade do mundo e então fazê-lo seguir uma falsa luz quando estava quase em casa. *Este capitão foi mais ousado do que eu*, pensou, enquanto seguia para a porta. Uma viagem para o leste, e um homem podia viver tão rico quanto um lorde o resto de seus dias. Quando era mais jovem, Davos sonhara em fazer essa viagem, mas os anos dançaram como mariposas ao redor de uma chama, e a época certa nunca chegou. *Um dia*, disse para si mesmo. *Um dia, quando a guerra acabar e o Rei Stannis sentar no Trono de Ferro e não precisar mais de cavaleiros das cebolas. Levarei Devan comigo. Steff e Stanny também, se tiverem idade suficiente. Veremos dragões e todas as maravilhas do mundo.*

Do lado de fora, o vento soprava em rajadas, fazendo tremular as chamas das lâmpadas de óleo que iluminavam o pátio. Ficara mais frio desde que o sol se pusera, mas Davos se lembrava de Atalaialeste e de como o vento vinha uivando pela Muralha, à noite, penetrando até mesmo no manto mais quente para congelar o sangue de um homem nas veias. Em comparação, Porto Branco era um banho tépido.

Havia outros lugares onde ele podia afiar os ouvidos; uma pousada famosa pela torta de lampreia, um cervejaria onde os fabricantes de lã e os aduaneiros tomavam suas bebidas, um teatro de pantomimeiros onde se podia conseguir entretenimento obsceno por algumas moedas. Mas Davos sentia que já ouvira o bastante. *Cheguei tarde demais.* Velhos hábitos o fizeram levar a mão ao peito, onde antigamente mantinha os ossos dos dedos em um pequeno saco, amarrados com uma tira de couro. Não havia nada ali. Ele perdera sua boa sorte no incêndio na Água Negra, quando perdera o navio e os filhos.

O que devo fazer agora? Ele apertou o manto de encontro ao corpo. *Subir a encosta e me apresentar nos portões do Castelo Novo, para fazer um apelo inútil? Retornar para Vilirmã? Voltar para Marya e os meninos? Comprar um cavalo e seguir pela estrada do rei para dizer a Stannis que ele não tem amigos em Porto Branco, nem esperanças?*

A Rainha Selyse dera um banquete para Salla e seus capitães na noite anterior à partida da frota. Cotter Pyke se juntara a eles, assim como outros quatro alto oficiais da Patrulha da Noite. A Princesa Shireen tinha sido autorizada a participar também. Enquanto o salmão era servido, Sor Axell Florent entretivera a mesa com uma história de um principezinho Targaryen que tinha um macaco de estimação. O príncipe gostava de vestir o animal com as roupas do irmão falecido e fingia que ele era uma criança – contou Sor Axell – e, de tempos em tempos, propunha casamentos para o macaco. Os senhores, honrados, sempre declinavam polidamente, mas é claro que declinavam.

– Mesmo vestido com sedas e veludos, um macaco continua sendo um macaco – disse Sor Axell. – Um príncipe mais esperto saberia que não se manda um macaco para fazer o trabalho de um homem.

A rainha rira, e vários presentes olharam para Davos. *Não sou um macaco*, ele pensara. *Sou tão senhor quanto você e um homem melhor*. Mas a lembrança ainda o incomodava.

O Portão da Foca estava fechado naquela noite. Davos não poderia voltar para o *Parteira Feliz* até o amanhecer. Teria que passar a noite ali. Olhou para o Velho Pedepeixe com seu tridente quebrado. *Atravessei chuva, ruína e tempestade para chegar aqui. Não vou embora sem fazer o que vim fazer, não importa quão desesperançado pareça.* Podia ter perdido os dedos e a sorte, mas não era um macaco vestido de veludo. Era a Mão do Rei.

Passo do Castelo era uma rua com degraus, um largo caminho de pedra branca que levava da Toca do Lobo, pela água, até Castelo Novo, em sua colina. Sereias de mármore, com vasilhames de óleo de baleia queimando aninhados nos braços, iluminavam o percurso enquanto Davos subia. Quando alcançou o topo, virou-se para olhar para trás. De onde estava, podia ver os portos. Ambos. Atrás do quebra-mar, o porto interno estava repleto de galés de guerra. Davos contou vinte e três. Lorde Wyman era gordo, mas não era negligente, ao que parecia.

Os portões do Castelo Novo estavam fechados, mas um portão lateral se abriu quando ele chamou, e um guarda apareceu para perguntar o que queria. Davos mostrou para ele a fita negra e dourada que trazia os selos reais.

– Preciso ver Lorde Manderly imediatamente – disse. – Meu assunto é com ele, e só com ele.

Daenerys

Os dançarinos brilhavam, seus lustrosos corpos depilados cobertos com uma fina camada de óleo. Tochas acesas passavam de mão em mão, acompanhando o bater de tambores e o trinado de uma flauta. Sempre que duas tochas cruzavam o ar, uma garota nua saltava entre elas, rodopiando. A luz das tochas brilhava em seus membros, peitos e nádegas oleosos.

Três homens tinham ereções. A visão da excitação deles era excitante, embora Daenerys Targaryen também achasse um pouco cômico. Os homens eram todos altos, com longas pernas e barrigas achatadas, cada músculo perfeitamente desenhado, como se esculpido em pedra. De algum modo, seus rostos pareciam iguais... o que era estranho, já que um tinha a pele escura como ébano, o segundo era branco como leite e o terceiro brilhava como cobre polido.

Será que querem me excitar? Dany agitou-se contra suas almofadas de seda. De costas para os pilares, seus Imaculados permaneciam como estátuas, com seus capacetes espigados e as faces lisas sem expressão. Não estavam assim todos os homens. Reznak mo Reznak estava de boca aberta, e seus lábios brilhavam, úmidos, enquanto assistia. Hizdahr zo Loraq dizia algo para o homem ao seu lado, mas seus olhos não saíam de cima das dançarinas. A cara feia e oleosa do Cabeça-Raspada estava tão séria quanto sempre, mas não perdia nada.

Era difícil saber o que seu honorável convidado achava de tudo aquilo. O homem pálido, magro e de rosto aquilino que dividia a mesa com ela estava resplandecente na túnica de seda marrom e samito, sua careca brilhando sob a luz das tochas enquanto comia um figo com mordidas pequenas, precisas e elegantes. Opalas brilhavam ao longo do nariz de Xaro Xhoan Daxos conforme ele virava a cabeça para acompanhar os dançarinos.

Em homenagem a ele, Daenerys usava um vestido qarteno, uma confeção pura de samito violeta, cortado de modo a deixar seu seio esquerdo de fora. O cabelo ouro-prateado dela fora penteado até cair suavemente sobre os ombros, quase alcançando um mamilo. Metade dos homens no salão olhava disfarçadamente para ela, mas não Xaro. *Em Qarth era a mesma coisa.* Ela não atraía o príncipe mercador dessa forma. *De algum jeito, no entanto, eu mexo com ele.* Ele viera de Qarth na galé *Nuvem Sedosa*, seguido por outros treze navios, uma frota que era uma oração respondida. O comércio de Meereen recuara a quase nada desde que ela acabara com a escravidão, mas Xaro tinha o poder de restaurá-lo.

Com os tambores aumentando em um *crescendo*, três garotas saltaram sobre as chamas, rodopiando no ar. Dançarinos as pegaram pela cintura, e as deslizaram até seus membros. Dany viu como as mulheres arquearam as costas e enrolaram as pernas em seus parceiros, enquanto as flautas choravam e os homens se arremetiam contra elas no ritmo da música. Ela já vira o ato sexual; os dothrakis copulavam abertamente, como suas éguas e seus garanhões. Mas esta era a primeira vez que via luxúria em forma de música.

O rosto dela estava quente. *O vinho*, disse para si mesma. E, mesmo assim, se pegou pensando em Daario Naharis. O mensageiro dele chegara naquela manhã. Os Corvos Tormentosos retornavam de Lhazar. Seu capitão voltava para ela, trazendo a amizade dos Homens-Ovelha. *Comida e comércio*, ela recordou-se. *Ele não falhou comigo, nem falhará. Daario vai me ajudar a salvar a cidade*. A rainha desejava ver o rosto dele, acariciar sua barba de três pontas, contar-lhe seus problemas... mas os Corvos Tormentosos estavam a muitos dias de distância, além do Passo Khyzai, e ela tinha um reino para governar.

Fumaça pairava entre os pilares púrpura. Os dançarinos se ajoelharam, cabisbaixos.

– Estavam esplêndidos – Dany lhes disse. – Raramente vi tamanha graça, tamanha beleza. – Acenou para Reznak mo Reznak, e o senescal correu para o lado dela. Gotas de suor salpicavam sua careca brilhante. – Acompanhe nossos convidados até as salas de banho, para que possam se refrescar, e lhes dê comida e bebida.

– Será uma grande honra, Magnificência.

Daenerys estendeu sua taça para que Irri a enchesse. O vinho era doce e forte, impregnado com o cheiro de especiarias orientais, muito superior ao ralo vinho ghiscari que ela tomava ultimamente. Xaro examinou os frutos na travessa que Jhiqui ofereceu para ele e escolheu um caqui. A pele laranja do fruto era da mesma cor do coral no nariz dele. Deu uma mordida e apertou os lábios.

– Ácido.

– Talvez o senhor preferisse algo mais doce?

– A doçura enjoa. Frutas ácidas e mulheres ácidas dão sabor à vida. – Xaro deu outra mordida, mastigou e engoliu. – Daenerys, doce rainha, não consigo expressar o prazer que me dá estar mais uma vez em sua presença. Uma criança partiu de Qarth, tão perdida quando adorável. Temi que a criança navegasse para a perdição, mas, em vez disso, a encontro aqui, entronada, senhora de uma antiga cidade, cercada por um exército poderoso que tirou de seus sonhos.

Não, ela pensou, *tirei do sangue e do fogo*.

– Estou feliz que tenha vindo. É bom ver seu rosto novamente, meu amigo. – *Não vou confiar em você, mas preciso de você. Preciso dos seus Treze, de seus navios, preciso de seu comércio*.

Por séculos, Meereen e suas cidades-irmãs, Yunkai e Astapor, haviam sido os pontos centrais do comércio de escravos, os locais onde os *khals* dothrakis e os corsários das Ilhas Basilisco vendiam seus cativos e o resto do mundo vinha para comprá-los. Sem escravos, Meereen tinha pouco a oferecer aos mercadores. As colinas ghiscaris estavam repletas de cobre, mas o metal já não era tão valioso como quando o bronze governava o mundo. Os cedros que certa vez cresciam ao longo da costa, já não estavam mais lá, derrubados a machadadas pelo Velho Império ou consumidos pelo fogo de dragão quando Ghis entrou em guerra contra Valíria. Depois que as árvores desapareceram, o solo cozinhou sob o sol escaldante e rachou em vários pedaços vermelhos.

– Foram essas calamidades que transformaram meu povo em comerciante de escravos – Galazza Galare contara para ela, no Templo da Graça. *E eu serei a calamidade que vai transformar esses comerciantes de escravos em pessoas novamente*, Dany jurara a si mesma.

– Eu tinha que vir – Xaro disse em tom lânguido. – Mesmo na distante Qarth histórias assustadoras chegavam aos meus ouvidos. Chorei ao ouvi-las. Dizem que seus inimigos prometeram riqueza, glória e uma centena de escravas virgens para qualquer homem que assassinar você.

– Os Filhos da Harpia. – *Como ele sabia disso?* – Eles rabiscam as paredes à noite e cortam as gargantas de libertos honestos enquanto dormem. Quando o sol nasce, escondem-se como baratas. Temem minhas Bestas de Bronze. – Skahaz mo Kandaq organizara a nova patrulha que ela pedira, feita com igual número de libertos e de cabeças-raspadas meereeneses. Eles andavam pelas ruas da cidade dia e noite, com capuzes escuros e máscaras de bronze. Os Filhos da Harpia haviam prometido uma morte terrível para qualquer traidor que ousasse servir a rainha dragão, e para seus amigos e parentes também, então os homens do Cabeça-Raspada eram chacais, corujas e outros animais, que mantinham suas identidades ocultas. – Eu teria medo dos Filhos se eles me pegassem andando sozinha pela rua, mas só se fosse noite e eu estivesse nua e desarmada. São criaturas covardes.

– A faca de um covarde pode matar uma rainha tanto quanto a de um herói. Eu dormiria mais profundamente se soubesse que o deleite do meu coração mantém seus ferozes senhores dos cavalos por perto. Em Qarth, você tinha três companheiros de sangue que nunca saíam do seu lado. Onde eles estão?

– Aggo, Jhoqo e Rakharo ainda me servem. – *Ele está jogando comigo.* Dany também podia jogar. – Sou apenas uma garota e sei pouco sobre essas coisas, mas homens mais velhos e mais sábios me disseram que para manter Meereen devo controlar o interior, toda a terra a oeste de Lhazar e ao sul até as colinas yunkaítas.

– O interior não é precioso para mim. Você é. Se algum mal lhe sucedesse, o mundo perderia o sabor.

– Meu senhor é bom em se preocupar tanto, mas estou bem protegida. – Dany fez um gesto em direção ao local em que Barristan Selmy permanecia com uma mão sobre o cabo da espada. – Ele é conhecido como Barristan, o Ousado. Por duas vezes me salvou de assassinos.

Xaro fez uma inspeção rápida em Selmy.

– Barristan, o Ousado, você diz? Seu cavaleiro urso era mais jovem e devotado a você.

– Não quero falar sobre Jorah Mormont.

– Certamente. O homem era grosseiro e peludo. – O príncipe mercador se debruçou sobre a mesa. – Falemos, em vez disso, de amor, de sonhos, de desejos e de Daenerys, a mais bela mulher deste mundo. Estou embriagado só de olhá-la.

Ela não era estranha às cortesias exageradas de Qarth.

– Se está embriagado, culpe o vinho.

– Nenhum vinho é tão embriagante quanto sua beleza. Minha mansão parece tão vazia quanto uma tumba desde que Daenerys partiu, e todos os prazeres da Rainha das Cidades têm sido como cinzas em minha boca. Por que me abandonou?

Eu era perseguida em sua cidade e temia por minha vida.

– Já era hora. Qarth queria que eu partisse.

– Quem? Os Puronatos? Eles têm águas nas veias. A Antiga Guilda das Especiarias? Eles têm coalhada entre as orelhas. E os Imortais estão todos mortos. Você devia ter se casado comigo. Estou quase certo de ter pedido sua mão. Implorado, inclusive.

– Somente meia centena de vezes. – Dany provocou. – Você desistiu muito facilmente, senhor. *Devo* casar, todos concordam.

– Uma *khaleesi* deve ter um *khal* – disse Irri, enquanto enchia a taça da rainha mais uma vez. – Isso é sabido.

– Devo pedir novamente? – perguntou-se Xaro. – Não, conheço esse sorriso. É uma rainha cruel que corta o coração dos homens. Mercadores humildes como eu não são mais do que pedras sob suas sandálias repletas de joias. – Uma única lágrima escorreu lentamente pelo rosto branco dele.

Dany o conhecia bem demais para se comover. Homens qartenos podiam chorar à vontade.

– Ah, pare com isso. – Ela pegou uma cereja da tigela sobre a mesa e atirou no nariz dele. – Posso ser uma garota jovem, mas não sou tão tola a ponto de casar com um homem que acha uma travessa de frutas mais atraente do que meus seios. Vi quais dançarinos você olhava.

Xaro limpou a lágrima.

– Os mesmos que Vossa Graça olhava, acredito. Você pode ver, somos iguais. Se você não me quer para seu marido, me contento em ser seu escravo.

– Não quero escravos. Liberto você. – O nariz incrustado de joias dele era um alvo tentador. Dessa vez, Dany jogou um damasco nele.

Xaro pegou a fruta no ar e deu uma dentada nela.

– De onde veio essa loucura? Devo me considerar afortunado por você não ter libertado meus escravos quando foi minha convidada em Qarth?

Eu era uma rainha pedinte, e você era Xaro dos Treze, pensou Dany, *e tudo o que você queria eram meus dragões.*

– Seus escravos pareciam bem tratados e contentes. Foi só em Astapor que meus olhos se abriram. Você sabe como os Imaculados são obtidos e treinados?

– Cruelmente, não tenho dúvidas. Quando um ferreiro faz uma espada, ele enfia a lâmina no fogo, bate nela com um martelo e então a mergulha em água gelada para temperar o aço. Se quer saborear o gosto doce da fruta, tem que irrigar a árvore.

– Essa árvore era irrigada com sangue.

– De que outra maneira, para fazer um soldado? Vossa Iluminada apreciou meus dançarinos. Ficaria surpresa em saber que são escravos, criados e treinados em Yunkai? Eles dançam desde que tiveram idade suficiente para andar. De que outra maneira chegariam a essa perfeição? – Ele tomou um gole de vinho. – São especialistas em todas as artes eróticas também. Eu tinha pensado em presentear Vossa Graça com eles.

– De toda maneira – Dany não estava surpresa –, vou libertá-los.

Aquilo o fez estremecer.

– E o que eles fariam com essa liberdade? É o mesmo que dar uma cota de malha a um peixe. Foram feitos para dançar.

– Feitos por quem? Pelos mestres deles? Talvez seus dançarinos teriam preferido construir, fazer pães ou plantar. Já perguntou a eles?

– Talvez seus rouxinóis teriam preferido ser elefantes. Em vez de um canto doce, as noites de Meereen estariam cheias de trombas retumbantes, e suas árvores cairiam sob o peso de suas grandes aves cinzentas. – Xaro suspirou. – Daenerys, minha querida, atrás desses seios doces e jovens bate um coração tenro... mas aceite o conselho de alguém mais velho e mais sábio. As coisas não são sempre como parecem. Muito do que parece mau pode ser bom. Considere a chuva.

– Chuva? – *Ele me considera uma tola, ou apenas uma criança?*

– Nós amaldiçoamos a chuva que cai em nossas cabeças, mas sem ela estaríamos famintos. O mundo *precisa* de chuva... e de escravos. Você faz careta, mas é verdade. Considere Qarth. Na arte, na música, no comércio, em tudo o que nos faz mais do que animais, Qarth está acima do resto da humanidade, como você no topo desta pirâmide... mas no fundo, em vez de tijolos, a magnificência da Rainha das Cidades é construída sobre as costas dos *escravos*. Pergunte a si mesma, se todos os homens tivessem que escavar a terra por comida, como alguns levantariam os olhos para contemplar as estrelas? Se cada um de nós tivesse que arrebentar as costas para construir um casebre, quem levantaria os templos para glorificar os deuses? Para alguns homens serem grandes, outros devem ser escravizados.

Ele era muito eloquente para ela. Dany não tinha resposta, só o nó em seu estômago.

– Escravidão não é o mesmo que chuva – ela insistiu. – Já tomei chuva, e já fui vendida. Não é o mesmo. Nenhum homem quer ser propriedade de alguém.

Xaro deu de ombros languidamente.

– Acontece que quando cheguei a sua doce cidade, tive a chance de ver um homem à margem do rio que, certa vez esteve como convidado em minha mansão, um mercador que lidava com especiarias raras e vinhos especiais. Estava nu da cintura para cima, vermelho e descamando, e parecia estar cavando um buraco.

– Não é um buraco. É um canal, para levar água do rio para os campos. Pretendemos plantar feijões. Os campos de feijão precisam de água.

– Que gentil da parte do meu velho amigo ajudar a cavar. E como isso se parece pouco com ele. É possível que ele não tenha tido outra escolha? Não, certamente não. Você não tem escravos em Meereen.

Dany corou.

– Seu amigo está sendo pago com comida e abrigo. Não posso devolver a riqueza dele. Meereen precisa mais de feijão do que de especiarias raras, e feijões precisam de água.

– Você colocará meus dançarinos para cavar canais também? Doce rainha, quando meu velho amigo me viu, caiu de joelhos e implorou para que eu o comprasse como escravo e o levasse de volta a Qarth.

Ela sentiu como se ele a tivesse esbofeteado.

– Compre-o, então.

– Se lhe agradar. Sei que agradaria a *ele*. – Colocou a mão sobre o braço dela. – Há verdades que apenas um amigo pode dizer. Eu a ajudei quando você chegou a Qarth como pedinte, e percorri muitos quilômetros e mares tormentosos para ajudá-la novamente. Há algum lugar onde possamos falar francamente?

Dany podia sentir o calor dos dedos dele. *Ele foi caloroso em Qarth também*, lembrava-se, *até o dia em que não teve mais uso para mim*. Ela se levantou.

– Venha – disse, e Xaro a seguiu cruzando os pilares, até a ampla escadaria de mármore que levava aos aposentos privados dela, no topo da pirâmide.

– Oh, mais bela das mulheres – disse Xaro quando começaram a subir os degraus –, há passos atrás de nós. Estamos sendo seguidos.

– Meu velho cavaleiro não assusta você, certamente. Sor Barristan é jurado para manter meus segredos.

Ela o levou para o terraço do qual era possível ver toda a cidade. Uma lua cheia nadava no céu negro sobre Meereen.

– Podemos andar? – Dany deslizou o braço no dele. O ar estava pesado com o cheiro das flores noturnas. – Você falou em ajuda. Negocie comigo, então. Meereen tem sal para vender, e vinho...

– Vinho ghiscari? – Xaro fez uma cara azeda. – O mar providencia todo o sal que Qarth precisa, mas eu ficaria feliz em levar todas as azeitonas que você pudesse me vender. Azeite de oliva também.

– Não tenho nenhum para oferecer. Os senhores de escravos queimaram as árvores. – Oliveiras cresciam ao longo da costa da Baía dos Escravos havia séculos, mas os meereeneses incendiaram as antigas plantações enquanto o exército de Dany avançava em direção à cidade, fazendo-a atravessar um deserto enegrecido. – Nós replantamos, mas uma oliveira leva sete anos até que comece a dar frutos, e trinta até que possa ser considerada realmente produtiva. Que tal cobre?

– Um metal bonito, mas inconstante como uma mulher. Já ouro... ouro é sincero. Qarth ficaria feliz em lhe dar ouro... em troca de escravos.

– Meereen é uma cidade livre de homens livres.

– Uma cidade pobre, que já foi rica. Uma cidade com fome, e que já foi farta. Uma cidade sangrenta, que já foi pacífica.

As acusações dele doeram. Havia verdade demais nelas.

– Meereen será rica, farta e pacífica novamente, e também livre. Procure os dothrakis se precisa de escravos.

– Os dothrakis fazem escravos, os ghiscaris os treinam. E, para chegar a Qarth, os senhores dos cavalos precisam levar seus cativos através do deserto vermelho. Centenas morreriam, se não milhares... e muitos cavalos também, motivo pelo qual nenhum *khal* se arriscaria. E também há outra coisa: Qarth não quer *khalasares* próximos de suas muralhas. O fedor de todos aqueles cavalos... sem ofensa, *khaleesi*.

– Um cavalo tem cheiro honesto. É mais do que pode ser dito a respeito de alguns grandes senhores e príncipes mercadores.

Xaros não tomou conhecimento do ataque.

– Daenerys, deixe-me ser honesto com você, como convém a um amigo. Você não vai tornar Meereen rica, opulenta e pacífica. Você só a levará à destruição, como fez com Astapor. Está ciente de que há uma batalha acontecendo no Chifre de Hazzat? O Rei Açougueiro fugiu para seu palácio, com seus novos Imaculados nos calcanhares.

– Isso é sabido. – Ben Mulato Plumm trouxera notícias da batalha. – Os yunkaítas contrataram novos mercenários, e duas legiões de Nova Ghis estão lutando agora com vontade ao lado deles.

– Duas que logo serão quatro, e então dez. E enviados yunkaítas foram mandados para Myr e Volantis, para conseguir mais espadas. A Companhia do Gato, as Longas

Lanças e os Soprados pelo Vento. Alguns dizem que os Sábios Mestres contrataram a Companhia Dourada também.

Certa vez, seu irmão Viserys oferecera um banquete para os capitães da Companhia Dourada, na esperança de que pudessem apoiar sua causa. *Eles comeram sua comida, ouviram seus apelos e riram dele.* Dany era apenas uma garotinha, mas se lembrava.

– Tenho mercenários também.

– Duas companhias. Os yunkaítas mandarão vinte contra você, se puderem. E, quando marcharem, não marcharão sozinhos. Tolos e Mantarys fizeram uma aliança.

Essas eram más notícias, se fossem verdadeiras. Daenerys enviara missões a Tolos e Mantarys, esperando encontrar novos amigos no oeste para equilibrar a inimizade com Yunkai ao sul. Os enviados nunca retornaram.

– Meereen fez aliança com Lhazar.

Aquilo só o fez rir.

– Os senhores dos cavalos dothrakis chamam os lhazarenos de Homens-Ovelha. Você pode tosquiá-los, e tudo o que fazem é balir. Não são um povo guerreiro.

Um amigo pacato é melhor do que nenhum.

– Os Sábios Mestres deviam seguir o exemplo deles. Poupei Yunkai uma vez, mas não cometerei esse erro novamente. Se eles ousarem me atacar, desta vez porei a Cidade Amarela deles no chão.

– E, enquanto estiver arrasando Yunkai, meu doce, Meereen se levantará atrás de você. Não feche os olhos aos perigos, Daenerys. Seus eunucos são excelentes soldados, mas são poucos para enfrentar os exércitos que Yunkai mandará contra você, assim que Astapor cair.

– Meus libertos... – começou Dany.

– Escravos de cama, barbeiros e oleiros não ganham batalhas.

Ele estava errado quanto a isso, ela esperava. Os libertos eram gente do povo, mas ela organizara os homens em idade de batalha em companhias e ordenara a Verme Cinzento que os transformasse em soldados. *Deixe-o pensar o que quiser.*

– Você se esqueceu? Tenho dragões.

– Tem? Em Qarth, você raramente era vista sem um dragão no ombro... e no entanto agora percebo que seu ombro bem torneado está tão nu quanto seu doce seio.

– Meus dragões cresceram, meus ombros não. Eles estão percorrendo os campos, caçando. – *Hazzea, me perdoe.* Ela se perguntava quanto Xaro sabia, que sussurros teria escutado. – Pergunte aos Bons Mestres de Astapor sobre meus dragões, se duvida deles. – *Vi os olhos de um comerciante de escravos derreter e escorrer por seu rosto.* – Diga-me a verdade, velho amigo, o que deseja de mim, se não quer negociar?

– Trazer um presente para a rainha do meu coração.

– Diga. – *Que armadilha é essa, agora?*

– O presente que me implorou em Qarth. Navios. Há treze galés na baía. Suas, se as desejar. Trouxe uma frota para você, para levá-la a Westeros.

Uma frota. Era mais do que ela podia esperar, então é claro que ficou desconfiada. Em Qarth, Xaro oferecera trinta navios para ela... por um dragão.

– E qual o preço por esses navios?

– Nenhum. Não desejo mais dragões. Vi o trabalho deles em Astapor, no meu caminho para cá, quando meu *Nuvem Sedosa* parou para reabastecer. Os navios são seus, doce rainha. Treze galés, e homens para puxar os remos.

Treze. Certamente. Xaro era um dos Treze. Sem dúvida, havia convencido cada um dos companheiros de irmandade a dar um navio.

Ela conhecia o príncipe mercador bem demais para imaginar que ele sacrificaria treze de seus próprios navios.

– Preciso pensar nisso. Posso inspecionar esses navios?

– Ficou desconfiada, Daenerys.

Sempre.

– Fiquei prudente, Xaro.

– Inspecione o que desejar. Quando estiver satisfeita, me jure que voltará para Westeros imediatamente, e os navios são seus. Jure por seus dragões, pelo seu deus de sete faces e pelas cinzas de seus antepassados, e vá.

– E se eu decidir esperar um ano, ou três?

Um olhar triste cruzou o rosto de Xaro.

– Isso me faria muito infeliz, meu doce deleite... por mais jovem e forte que pareça, você não viverá muito. Não aqui.

Ele oferece favos de mel com uma mão e mostra o chicote com a outra.

– Os yunkaítas não são tão temíveis assim.

– Nem todos os seus inimigos estão na Cidade Amarela. Tenha cuidado com homens de coração frio e lábios azuis. Você tinha saído de Qarth havia menos de quinze dias quando Pyat Pree partiu com três feiticeiros para procurá-la em Pentos.

Dany achou isso mais divertido do que assustador.

– Ainda bem que mudei de caminho, então. Pentos está a meio mundo de Meereen.

– É verdade – ele concordou –, mesmo assim, cedo ou tarde eles saberão da rainha dragão da Baía dos Escravos.

– Isso deveria me assustar? Vivi no medo por catorze anos, senhor. Acordei assustada cada manhã, e fui dormir com medo cada noite... Mas meus medos desapareceram no dia em que emergi das chamas. Apenas uma coisa me assusta agora.

– E o que a assusta, doce rainha?

– Sou apenas uma jovem tola – Dany se levantou na ponta dos pés e deu-lhe um beijo no rosto. – Mas não tão tola para lhe contar isso. Meus homens olharão esses navios. Aí você terá minha resposta.

– Como desejar. – Ele tocou o seio nu dela suavemente e sussurrou – Deixe-me ficar e ajudá-la a se persuadir.

Por um momento, ela ficou tentada. Talvez os dançarinos tivessem mexido com ela no final das contas. *Eu fecharia os olhos e fingiria estar com Daario.* Um Daario imaginado seria mais seguro do que o real. Mas ela deixou a ideia de lado.

– Não, senhor. Agradeço, mas não. – Dany deslizou dos braços dele. – Em outra noite, talvez.

– Em outra noite. – Sua boca estava triste, mas seus olhos pareciam mais aliviados do que desapontados.

Se eu fosse um dragão, poderia voar até Westeros, ela pensou quando ele se foi. *Não precisaria de Xaro ou de seus navios.* Dany se perguntou quantos homens treze galés podiam levar. Foram necessárias três para levá-la, juntamente com seu *khalasar*, de Qarth até Astapor, mas isso foi antes de ela ter oito mil Imaculados, mil mercenários e uma vasta horda de libertos. *E os dragões, o que farei com eles?*

– Drogon – ela sussurrou suavemente –, onde está você? – Por um momento, quase pôde vê-lo varrendo o céu, as asas negras engolindo as estrelas.

Ela virou as costas para a noite, para onde Barristan Selmy permanecia em silêncio nas sombras.

– Certa vez, meu irmão me contou um enigma westerosi. Quem ouve tudo e, mesmo assim, não escuta nada?

– Um cavaleiro da Guarda Real. – A voz de Selmy era solene.

– Ouviu a oferta de Xaro?

– Ouvi, Vossa Graça. – O velho cavaleiro se esforçava para não olhar o seio desnudo dela enquanto conversavam.

Sor Jorah não teria tirado os olhos. Ele me amava como mulher, enquanto Sor Barristan me ama apenas como sua rainha. Mormont fora um informante, reportando-se aos inimigos dela, em Westeros, mas mesmo assim lhe dera bons conselhos.

– O que você acha disso? Dele?

– Dele, pouco e ainda menos. Dos navios, no entanto... Vossa Graça, com esses navios poderemos estar em casa antes do final do ano.

Dany nunca conhecera uma casa. Em Bravos havia uma casa com portas vermelhas, mas isso era tudo.

– Cuidado com presentes vindos de qartenos, especialmente mercadores dos Treze. Há alguma armadilha aí. Talvez os navios estejam estragados ou...

– Se fossem incapazes de navegar, não teriam atravessado o mar de Qarth até aqui – Sor Barristan apontou –, mas Vossa Graça foi sábia em insistir em uma inspeção. Irei com o Almirante Groleo até as galés na primeira hora da manhã, com os capitães e duas equipes de marinheiros dele. Podemos varrer cada centímetro daqueles navios.

Era um bom conselho.

– Sim, faça isso. – Westeros. Lar. Mas, se ela partisse, o que aconteceria com a cidade? *Meereen nunca foi sua cidade*, a voz do irmão parecia sussurrar. *Suas cidades estão do outro lado do mar. Seus sete reinos, onde seus inimigos esperam por você. Você nasceu para servir--lhes sangue e fogo.*

Sor Barristan limpou a garganta e disse:

– Esse feiticeiro sobre o qual o mercador falou...

– Pyat Pree. – Ela tentou lembrar-se do rosto dele, mas tudo o que via eram seus lábios. O vinho dos feiticeiros tornava os lábios azuis. A bebida era chamada *sombra-da--noite*. – Se o encanto de um feiticeiro pudesse me matar, estaria morta agora. Transformei o palácio deles em cinzas. Drogon me salvou quando tentaram drenar minha vida. Drogon queimou todos eles.

– Como diz, Vossa Graça. Mesmo assim. Eu serei cuidadoso.

Ela o beijou no rosto.

– Sei que será. Venha, me acompanhe de volta ao banquete.

Na manhã seguinte, Dany acordou tão esperançosa quanto estivera ao chegar à Baía dos Escravos.

Daario logo estaria ao seu lado e, juntos, navegariam até Westeros. *Para casa.* Uma de suas jovens hóspedes lhe trouxe a refeição matinal, uma menina rechonchuda e tímida chamada Mezzara, cujo pai governava a pirâmide de Merreq. Dany lhe deu um abraço, feliz, e lhe agradeceu com um beijo.

– Xaro Xhoan Daxos me ofereceu treze galés – contou para Irri e Jhiqui enquanto a vestiam para a corte.

– Treze é um número mau, *Khaleesi* – murmurou Jhiqui, na língua dothraki. – Isso é sabido.

– É sabido – concordou Irri.

– Trinta teria sido melhor – Daenerys concordou. – Trezentas, melhor ainda. Mas treze podem ser suficientes para nos levar a Westeros.

As duas garotas Dothraki trocaram um olhar.

– A água envenenada é amaldiçoada, *Khaleesi* – disse Irri. – Cavalos não podem ingeri-la.

– Não pretendo bebê-la – Dany prometeu.

Apenas quatro peticionários aguardavam por ela naquela manhã. Como sempre, Lorde Ghael foi o primeiro a se apresentar, parecendo ainda mais miserável do que de costume.

– Vossa Iluminada – gemeu, ao cair no mármore, sob os pés dela –, os exércitos dos yunkaítas descem sobre Astapor. Eu imploro, vá ao sul com toda a sua força.

– Eu avisei ao seu rei de que essa guerra era uma insensatez – Dany recordou. – Ele não me ouviu.

– O Grande Cleon pretendia apenas destruir os vis comerciantes de escravos de Yunkai.

– O Grande Cleon é um comerciante de escravos também.

– Eu sei que a Mãe de Dragões não nos abandonará na hora em que estamos em perigo. Mande seus Imaculados defenderem nossas muralhas.

E, se eu fizer isso, quem defenderá minhas muralhas?

– Muitos dos meus libertos eram escravos em Astapor. Talvez alguns deles desejem ajudar a defender seu rei. É escolha deles, como homens livres. Dei liberdade para Astapor. Vocês devem defendê-la.

– Estamos todos mortos, então. Você nos deu a morte, não liberdade. – Ghael ficou em pé em um salto e cuspiu no rosto dela.

Belwas, o Forte, o agarrou pelo ombro e o atirou contra o mármore com tanta força que Dany ouviu os dentes dele quebrarem. O Cabeça-Raspada teria feito pior, mas ela o impediu.

– Basta – disse, limpando o rosto com a ponta do *tokar*. – Ninguém jamais morreu por uma cuspida. Levem-no daqui.

Eles o arrastaram pelos pés, deixando vários dentes quebrados e um rastro de sangue. Dany ficaria satisfeita em dispensar os outros peticionários... mas ainda era a rainha, então escutou cada um deles e fez o melhor para que tivessem justiça.

No final daquela tarde, o Almirante Groleo e Sor Barristan retornaram da inspeção das galés. Dany reuniu seu conselho para ouvi-los. Verme Cinzento estava lá pelos Imaculados, Skahaz mo Kandaq pelas Bestas de Bronze. Na ausência de seus companheiros de sangue, um encarquilhado *jaqqa rhan* chamado Rommo, vesgo e de pernas arqueadas, falava pelos dothrakis. Seus libertos eram representados pelos capitães das três companhias que ela formara: Mollono Yos Dob dos Escudos Robustos, Symon Costas-Listradas dos Irmãos Livres e Marselen dos Homens da Mãe. Reznak mo Reznak permanecia sentado ao lado da rainha e Belwas, o Forte, estava em pé atrás dela, com os enormes braços cruzados. Dany não teria falta de conselhos.

Groleo tornara-se o homem mais infeliz do mundo desde que seu navio fora destruído no cerco que tomara Meereen. Dany tentara consolá-lo nomeando-o Senhor Almirante, mas era uma honra vazia; a frota meereenese partira para Yunkai quando as forças de Dany se aproximaram da cidade, então o velho pentoshi era um almirante sem navios. No entanto, agora ele sorria por detrás da barba manchada de sal de uma maneira que a rainha quase não se lembrava.

– Os navios são sólidos, então? – ela perguntou, esperançosa.

– Sólidos o suficiente, Vossa Graça. São navios velhos, sim, mas a maioria bem-conservada. O casco do *Princesa Purossangue* está carcomido. Eu não gostaria de levá-lo para longe da costa. O *Narraqqa* pode precisar de novos lemes e linhadas, e o *Lagarto Listrado* tem alguns remos rachados, mas vão servir. Os remadores são escravos, mas, se oferecermos um pagamento honesto, a maioria ficará com a gente. Remar é tudo o que sabem fazer. E os que partirem podem ser substituídos pela minha tripulação. É uma longa e difícil viagem até Westeros, mas esses navios são sólidos o bastante para nos levar até lá, acredito.

Reznak mo Reznak deu um gemido comovente.

– Então é verdade. Vossa Adoração pretende nos abandonar. – Torceu as mãos. – Os yunkaítas vão trazer os Grandes Mestres de volta no momento em que partir, e aqueles que a serviram fielmente serão passados pela espada, nossas doces esposas e filhas donzelas serão estupradas e escravizadas.

– Não as minhas – grunhiu Skahaz Cabeça-Raspada. – Eu mato elas antes, com minhas próprias mãos. – Deu um tapa no cabo da espada.

Dany sentiu como se o tapa tivesse sido em seu rosto.

– Se teme o que pode acontecer quando eu partir, venha comigo para Westeros.

– Aonde quer que a Mãe de Dragões vá, os Homens da Mãe também irão – anunciou Marselen, o irmão que restava de Missandei.

– Como? – questionou Symon Costas-Listradas, que recebeu esse nome pelo emaranhado de cicatrizes entrelaçadas em suas costas e ombros, uma lembrança das chicotadas que recebeu quando era escravo em Astapor. – Treze navios... não são suficientes. Cem navios podem não ser suficientes.

– Cavalos de madeira não são bons – objetou Rommo, o velho *jaqqa rhan*. – Os dothrakis vão cavalgando.

– Estes aqui podem marchar por terra, ao longo da costa – sugeriu Verme Cinzento. – Os navios podem manter o ritmo e reabastecer a coluna.

– Isso daria certo até alcançar as ruínas de Bhorash – disse o Cabeça-Raspada. – Depois disso, os navios teriam que voltar-se para sul, passar Tolos e a Ilha de Cedros, e contornar Valíria, enquanto as forças a pé continuariam até Mantarys pelo velho caminho do dragão.

– *Caminho do demônio*, é chamado agora – disse Mollono Yos Dob. O roliço comandante dos Escudos Robustos parecia mais um escriba do que um soldado, com as mãos manchadas de tinta e a pesada pança, mas era bem esperto. – Muitos de nós vão morrer.

– Os que forem deixados para trás, em Meereen, vão invejar essa morte fácil – gemeu Reznak. – Eles nos *escravizarão*, ou nos jogarão nas arenas. Tudo será como antes, ou pior.

– Onde está a coragem de vocês? – Sor Barristan atacou. – Vossa Graça os libertou das correntes. É para vocês afiarem as espadas e defenderem sua liberdade quando ela partir.

– Bravas palavras, de alguém que pretende navegar para o pôr do sol – Symon Costas-Listradas rosnou de volta. – Vai olhar para trás para ver nossa morte?

– Vossa Graça...

– Magnificência...

– Vossa Adoração...

– *Basta*! – Dany bateu na mesa. – Ninguém será deixado para morrer. Vocês todos são meu povo. – Seus sonhos de lar e amor a tinham cegado. – Não abandonarei Meereen ao destino de Astapor. Sinto muito dizer, mas Westeros deve esperar.

Groleo ficou horrorizado.

– *Devemos* aceitar esses navios. Se recusarmos esse presente...

Sor Barristan ajoelhou-se diante dela.

– Minha rainha, seu reino precisa de você. Você não é bem-vinda aqui, mas em Westeros os homens se juntarão aos seus estandartes aos milhares, grandes senhores e nobres cavaleiros. "Ela está de volta", gritarão uns para os outros, em vozes alegres. "A irmã do Príncipe Rhaegar voltou para casa finalmente."

– Se me amam tanto, esperarão por mim. – decidiu Dany. – Reznak, convoque Xaro Xhoan Daxos.

Ela recebeu o príncipe mercador sozinha, sentada em seu banco de ébano polido, com as almofadas que Sor Barristan trouxera para ela. Quatro marujos qartenos o acompanhavam, carregando uma tapeçaria enrolada sobre os ombros.

– Trouxe outro presente para a rainha do meu coração – Xaro anunciou. – Está nos cofres da minha família desde antes da Condenação que assolou Valíria.

Os marujos desenrolaram a tapeçaria pelo chão. Era velha, empoeirada, desbotada... e enorme. Dany teve que ir para o lado de Xaro para que o desenho ficasse claro.

– Um mapa? É lindo. – Cobria metade do chão. Os mares eram azuis, as terras, verdes, as montanhas, negras e marrons. Cidades eram mostradas como estrelas bordadas com fios dourados ou prateados. *Não há Mar Fumegante*, ela percebeu. *Valíria não era ainda uma ilha.*

– Aqui você vê Astapor, Yunkai e Meereen. – Xaro apontou para as três estrelas prateadas ao lado do azul da Baía dos Escravos. – Westeros está... em algum lugar ali. – Sua mão acenou vagamente em direção ao final do salão. – Você virou para o norte quando devia ter continuado para sul e para oeste, através do Mar de Verão, mas com meu presente logo estará no lugar ao qual pertence. Aceite minhas galés com o coração alegre e vire seus remos para o oeste.

Eu iria, se pudesse.

– Senhor, eu alegremente aceitaria esses navios, mas não posso lhe fazer a promessa que pediu. – Ela pegou a mão dele. – Me dê essas galés, e eu juro que Qarth terá a amizade de Meereen até as estrelas se apagarem. Deixe-me negociar com eles, e terá boa parte dos lucros.

O belo sorriso de Xaro morreu em seus lábios.

– O que está me dizendo? Está me dizendo que não partirá?

– Não posso partir.

Lágrimas brotaram dos olhos dele, escorrendo pelo nariz, passando por esmeraldas, ametistas e diamantes negros.

– Eu disse aos Treze que você prestaria atenção à minha sabedoria. Me entristece saber que estava enganado. Pegue esses navios e navegue para longe, ou certamente morrerá gritando. Você não tem ideia de quantos inimigos fez.

Sei que um está diante de mim agora, chorando lágrimas de crocodilo. Perceber isso a deixou triste.

– Quando fui ao Salão dos Mil Tronos e implorei por sua vida, disse que você não era mais do que uma criança – continuou Xaro –, mas Egon Emeros, o Requintado, levantou-se e disse: "Ela é uma criança tola, louca, imprudente e muito perigosa para viver". Quando seus dragões eram pequenos, eram uma maravilha. Crescidos, são morte e devastação, uma espada flamejante sobre o mundo. – Ele limpou as lágrimas. – Eu devia ter matado você em Qarth.

– Eu era uma convidada sob seu teto, comi de sua comida e bebi seu hidromel – ela disse. – Em memória a tudo o que você fez por mim, perdoarei essas palavras... uma vez... Mas nunca mais pense em me ameaçar novamente.

– Xaro Xhoan Daxos não ameaça. Ele promete.

A tristeza dela se transformou em fúria.

– E eu prometo que se você não partir antes que o sol nasça, saberemos quantas lágrimas de mentira são necessárias para aplacar fogo de dragão. Deixe-me, Xaro. Imediatamente.

Ele saiu, mas deixou seu mapa-múndi para trás. Dany sentou-se no banco novamente e olhou através do mar de seda azul, em direção à distante Westeros. *Um dia,* prometeu para si mesma.

Na manhã seguinte a galé de Xaro havia partido, mas o "presente" que ele trouxera ficara na Baía dos Escravos. Longas flâmulas vermelhas tremulavam nos mastros das treze galés qartenas, contorcendo-se ao vento. E, quando Daenerys desceu para as audiências do dia, um mensageiro dos navios a aguardava. Não disse palavra alguma, mas colocou sob os pés dela uma almofada de cetim negro, na qual repousava uma luva ensanguentada.

– O que é isso? – Skahaz exigiu saber. – Uma luva ensanguentada...

– ... Significa guerra – disse a rainha.

Jon

– Cuidado com os ratos, senhor – Edd Doloroso levava Jon escada abaixo, com uma lanterna na mão. – Fazem um barulho horrível se você pisa neles. Minha mãe costumava fazer um ruído igual quando eu era menino. Devia ter algo de rato nela, agora que pensei nisso. Cabelos castanhos, pequenos olhos redondos, gostava de queijo. Ela devia ter uma cauda também, mas nunca olhei.

Todo o Castelo Negro era conectado por baixo do solo por um labirinto de túneis que os irmãos chamavam de "caminhos de minhoca". O subterrâneo era escuro e úmido, então os caminhos de minhoca eram pouco usados no verão, mas, quando os ventos do inverno começavam a soprar e a neve começava a cair, os túneis se tornavam a forma mais rápida de se mover pelo castelo. Os intendentes já vinham fazendo uso deles. Jon viu velas queimando em vários nichos nas paredes enquanto percorriam o túnel, seus passos ecoando além deles.

Bowen Marsh aguardava no ponto em que quatro túneis se cruzavam. Tinha Wick Whittlestick com ele, alto e magro como uma lança.

– Essas são as contas de três turnos atrás – Marsh disse para Jon, oferecendo-lhe um grosso maço de papéis –, para comparar com nossos estoques atuais. Podemos começar pelos celeiros?

Moveram-se na penumbra cinzenta sob a terra. Cada sala de estocagem tinha uma sólida porta de carvalho fechada com um cadeado do tamanho de um prato de sopa.

– A pilhagem é um problema? – Jon perguntou.

– Ainda não – disse Bowen Marsh. – Mas, assim que o inverno chegar, Vossa Senhoria seria sábia em colocar guardas aqui embaixo.

Wick Whittlestick levava as chaves em um aro pendurado no pescoço. Pareciam todas iguais para Jon, e ainda assim Wick encontrava a chave certa para cada porta. Uma vez lá dentro, tirou um giz do tamanho de um punho de sua bolsa e começou a marcar cada barrica, saco e barril, conforme os contava, enquanto Marsh comparava a nova contagem com a antiga.

Nos celeiros, havia aveia, trigo e cevada, além de barris de farinha moída. Nos armazéns, réstias de cebola e alho pendiam das vigas, e sacos de cenoura, chirivia, rabanetes e nabos brancos e amarelos enchiam as prateleiras. Em uma das salas de estocagem havia queijos tão grandes que seriam necessários dois homens para movê-los. Na seguinte, barricas de carne salgada, porco salgado, cordeiro salgado e bacalhau salgado estavam empilhados até alcançar três metros de altura. Trezentos presuntos e três mil chouriços podiam ser vistos pendurados nas vigas do teto, embaixo do defumador. No armário de especiarias, encontraram grãos de pimenta, cravo, canela, sementes de mostarda, sálvia, sálvia esclareia, salsa e blocos de sal. Em outros lugares havia barris de maçãs e peras, ervilhas secas, figos secos, sacos de nozes, de castanhas, de amêndoas, filés de salmão defumados e secos, jarros de barro cheios de azeitonas em conserva e selados com cera. Um depósito guardava lebres envasadas, pernil de veado no mel, repolho em conserva, beterraba em conserva, cebola em conserva, ovos em conserva e arenque em conserva.

Enquanto iam de um depósito ao outro, os caminhos de minhoca pareciam ficar mais frios. Em pouco tempo, Jon conseguia ver sua respiração congelando na luz da lanterna.

– Estamos sob a Muralha.

– E logo estaremos dentro dela – disse Marsh. – A carne não apodrece no frio. Para estocagens longas, é melhor do que salgar.

A porta era de ferro enferrujado. Atrás dela havia um lance de degraus de madeira. Edd Doloroso seguiu na frente com sua lanterna. No alto estava um túnel tão comprido quanto o grande salão de Winterfell, embora não fosse mais largo do que os caminhos de minhoca. As paredes aqui eram de gelo, cheias de ganchos de ferro. Em cada gancho estava pendurada uma carcaça: cervos e alces sem couro, metades de bois, porcas enormes balançando do teto, ovelhas e cabras sem cabeça, até mesmo cavalos e ursos. A geada cobrira tudo.

Enquanto os intendentes faziam a contagem, Jon tirou a luva da mão esquerda e tocou o pedaço de carne mais próximo. Podia sentir os dedos grudarem; quando os puxou, perdeu um pouco de pele. As pontas de seus dedos estavam dormentes. *O que você esperava? Há uma montanha de gelo sobre sua cabeça, mais toneladas do que Bowen Marsh seria capaz de contar.* Mesmo assim, a sala parecia mais fria do que deveria.

– É pior do que eu temia, senhor – Marsh anunciou quando terminaram. Parecia mais sombrio do que Edd Doloroso.

Jon estava justamente pensando que estavam cercados por toda a carne do mundo. *Você não sabe nada, Jon Snow.*

– Como assim? Isso me parece um bocado de comida.

– Foi um longo verão. As colheitas foram abundantes, os senhores, generosos. Temos o suficiente para passar três anos de inverno. Quatro, com um pouco de racionamento. Agora, se tivermos que alimentar todos esses homens do rei, homens da rainha e selvagens... Vila Toupeira sozinha tem mil bocas inúteis, e mais ainda virão. Mais três apareceram ontem nos portões, uma dúzia no dia anterior. Não dá para continuar. Estabelecer essas pessoas na Dádiva está bem e é bom, mas é tarde demais para plantar. Passaremos a nabos e mingau de ervilha antes de o ano acabar. E, depois disso, beberemos o sangue dos nossos cavalos.

– Hummm... – declarou Edd Doloroso. – Não há nada melhor do que uma taça quente de sangue de cavalo em uma noite fria. Gosto da minha com uma pitada de canela em cima.

O Senhor Intendente não lhe deu atenção.

– Haverá doenças também – continuou –, gengivas sangrando e perda de dentes. Meistre Aemon costumava dizer que suco de limão e carne fresca curam isso, mas nossos limões se foram há um ano e não temos forragem suficiente para manter o rebanho e ter carne fresca. Teremos que abater todos os animais, exceto alguns poucos pares férteis.

O tempo está passando. Em invernos passados, a comida podia ser trazida do Sul pela estrada do rei, mas com a guerra... Ainda é outono, eu sei, mas eu aconselharia a começar o racionamento para o inverno, se for do agrado do senhor.

Os homens vão adorar isso.

– Se é o que devemos fazer. Vamos reduzir a porção de cada homem em um quarto.

Se meus irmãos reclamam de mim agora, o que dirão quando estiverem comendo neve e pasta de bolotas?

– Isso vai ajudar, senhor. – Mas o tom do Senhor Intendente indicava que ele não achava que fosse ajudar o suficiente.

Edd Doloroso disse:

– Agora entendi por que o Rei Stannis deixou os selvagens atravessarem a Muralha. Ele pretende que nós os comamos.

Jon teve que sorrir.

– Não chegaremos a tanto.

– Ah, bom... – disse Edd. – Eles parecem muito fibrosos, e meus dentes não são mais tão afiados como quando eu era jovem.

– Se tivéssemos dinheiro suficiente, poderíamos comprar comida no Sul e trazê-la de navio – o Senhor Intendente disse.

Podíamos, pensou Jon, *se tivéssemos dinheiro e alguém disposto a nos vender comida.* Ambos estavam em falta. *Nossa melhor esperança seria o Ninho da Águia.* O Vale de Arryn era famoso pela fertilidade e permanecera intocado durante as batalhas. Jon se perguntava como a irmã da Senhora Catelyn se sentiria em alimentar o bastardo do Ned Stark. Quando era menino, ele frequentemente sentia como se a senhora se ressentisse dele a cada mordida.

– Sempre podemos caçar, se preciso – Wick Whittlestick colocou. – Ainda há animais na floresta.

– E selvagens, e coisas mais sombrias – disse Marsh. – Eu não mandaria caçadores, senhor. Não mandaria.

Não. Você fecharia nossos portões para sempre e os selaria com pedras e gelo. Metade do Castelo Negro concordava com o ponto de vista do Senhor Intendente, ele sabia. A outra metade desdenhava dele.

– Sele nossos portões e plante nossos gordos traseiros negros na Muralha, sim, e o povo livre vem fervilhando da Ponte das Caveiras ou através de algum portão que você pensou estar fechado há quinhentos anos – o velho patrulheiro Dywen declarara em voz alta durante o jantar, duas noites antes. – Não temos homens para vigiar a mais de quinhentos quilômetros da Muralha. Tormund Terror dos Gigantes e o maldito Chorão sabem disso também. Já viu um pato congelado em um lago, com os pés no gelo? Funciona do mesmo jeito para os corvos.

A maioria dos patrulheiros fez eco com Dywen, enquanto os intendentes e os construtores se inclinavam para Bowen Marsh.

Mas isso foi dilema para outro dia. Aqui e agora, o problema era comida.

– Não poderemos deixar o Rei Stannis e seus homens morrerem de fome, mesmo se quisermos – disse Jon. – Se for necessário, ele simplesmente tomará tudo isso na ponta da espada. Não temos homens para detê-lo. Os selvagens também precisam ser alimentados.

– Como, senhor? – perguntou Bowen Marsh.

Eu gostaria de saber.

– Encontraremos um meio.

Quando retornaram para a superfície, as sombras da tarde já estavam crescendo. Nuvens riscavam o céu como estandartes esfarrapados, cinza, brancas e despedaçadas. O pátio do lado de fora do arsenal estava vazio, mas dentro Jon encontrou o escudeiro do rei esperando por ele. Devan era um rapaz magrelo de uns doze anos, de cabelos e olhos castanhos. Eles o encontraram congelando ao lado da forja, sem ousar se mover enquanto Fantasma o farejava de cima a baixo.

– Ele não machucará você – disse Jon, mas o garoto se encolheu ao som da voz dele, e aquele movimento repentino fez o lobo gigante mostrar os dentes. – Não! – gritou Jon. – Fantasma, deixe-o. Fora. – O lobo esgueirou-se para seu osso de boi, o silêncio em quatro patas.

Devan parecia tão branco quanto Fantasma, o rosto molhado de suor.

– S-senhor. Sua Graça o-ordena sua presença. – O garoto usava o dourado e negro dos Baratheon, com o coração em chamas dos homens da rainha costurado sobre o seu próprio.

– Você quer dizer *solicita* – disse Edd Doloroso. – Sua Graça *solicita* a presença do Senhor Comandante. É como você deve dizer isso.

– Deixe, Edd. – Jon não estava com disposição para disputas desse tipo.

– Sor Richard e Sor Justin retornaram – disse Devan. – Você vem, senhor?

Os cavaleiros do caminho-errado. Massey e Horpe haviam cavalgado para o Sul, não para o Norte. O que quer que tivessem descoberto, não era do interesse da Patrulha da Noite, mas Jon estava curioso do mesmo jeito.

– Se for do agrado de Sua Graça. – Seguiu o jovem escudeiro através do pátio. Fantasma foi atrás dele, até que Jon disse – Não. Fica! – Em vez disso, o lobo saiu correndo.

Na Torre do Rei, Jon foi despojado de suas armas e admitido na presença real. O solar estava quente e lotado. Stannis e seus capitães estavam debruçados sobre o mapa do Norte. Os cavaleiros do caminho-errado estavam entre eles. Sigorn estava ali também, o jovem Magnar de Thenn, vestido em uma cota de malha recoberta de escamas de bronze. Camisa de Chocalho estava sentado, coçando o pulso com uma unha amarela quebrada. Uma sombra de barba marrom cobria seu rosto encovado e seu queixo retraído, e fios de cabelo sujo caíam em direção aos olhos.

– E aí está ele – disse quando viu Jon –, o bravo rapaz que assassinou Mance Rayder quando ele estava enjaulado e amarrado. – A grande gema quadrada que adornava seu punho brilhou vermelha. – Gosta do meu rubi, Snow? Um símbolo de amor da Senhora Vermelha.

Jon o ignorou e se ajoelhou.

– Vossa Graça – anunciou o escudeiro Devan –, trouxe-lhe Lorde Snow.

– Posso ver. Senhor Comandante. Você conhece meus cavaleiros e capitães, acredito.

– Tive a honra. – Ele fizera questão de aprender tudo o que podia sobre os homens ao redor do rei. Homens da rainha, todos. Parecia estranho a Jon que não houvesse homens do rei com o rei, mas esse parecia ser o caminho. Os homens do rei haviam sofrido com a ira de Stannis em Pedra do Dragão, se as conversas que ouvira eram verdadeiras.

– Temos vinho. Ou água fervida com limões.

– Obrigado, mas não.

– Como desejar. Tenho um presente para você, Lorde Snow. – O rei acenou com a mão para Camisa de Chocalho. – Ele.

A Senhora Melisandre sorriu.

– Você disse que precisava de homens, Lorde Snow. Acredito que nosso Senhor dos Ossos ainda é qualificado.

Jon estava horrorizado.

– Vossa Graça, esse homem não é de confiança. Se eu o mantiver aqui, alguém cortará a garganta dele. Se o mandar em patrulha, ele simplesmente voltará para os selvagens.

– Não eu. Estou cansado desses malditos tolos. – Camisa de Chocalho tocou no rubi em seu punho. – Pergunte para sua bruxa vermelha, bastardo.

Melisandre falou suavemente em uma língua estranha. O rubi na garganta dela pulsava lentamente e Jon viu que a pedra menor no pulso de Camisa de Chocalho ficava mais clara e mais escura também.

– Enquanto ele usar essa joia, ele pertence a mim, de sangue e alma – a sacerdotisa vermelha disse. – Esse homem o servirá fielmente. As chamas não mentem, Lorde Snow.

Elas talvez não, pensou Jon, *mas você, sim.*

– Vou patrulhar para você, bastardo – Camisa de Chocalho declarou. – Darei conselhos sábios, ou cantarei canções bonitas, o que preferir. Até lutarei por você. Só não me peça para usar esse seu manto.

Você não é digno de um, Jon pensou, mas segurou a língua. Nada de bom viria de disputas na frente do rei.

O Rei Stannis disse:

– Lorde Snow, fale-me sobre Mors Umber.

A Patrulha da Noite não toma partido, Jon pensou, mas outra voz dentro dele disse, *palavras não são espadas.*

– O mais velho dos tios de Grande-Jon, Papa-Corvos, é chamado. Um corvo uma vez o tomou por morto e picou seu olho. Ele pegou a ave com uma mão e arrancou sua cabeça com uma mordida. Quando Mors era jovem, era um lutador temido. Seus filhos homens morreram no Tridente, sua esposa, no parto. Sua única filha foi sequestrada por selvagens, trinta anos atrás.

– É por isso que ele quer a cabeça – disse Harwood Fell.

– Esse Mors é de confiança? – perguntou Stannis.

Teria Mors Umber dobrado o joelho?

– Vossa Graça deveria fazê-lo jurar diante de sua árvore-coração.

Godry, o Matador de Gigantes, gargalhou.

– Eu tinha esquecido que vocês, nortenhos, veneram árvores.

– Que tipo de deus permite ser mijado por cães? – perguntou o companheiro de Farring, Clayton Suggs.

Jon preferiu ignorá-los.

– Vossa Graça, posso saber se os Umber se declararam por você?

– Metade deles, e só se eu pagar o preço desse Papa-Corvos – disse Stannis, em um tom irritado. – Ele quer o crânio de Mance Rayder para servir de copo, e quer o perdão para seu irmão, que cavalgou para o Sul para se unir a Bolton. É chamado de Terror das Rameiras.

Sor Godry divertia-se com isso também.

– Que nomes esses nortenhos têm! Será que esse arrancou a cabeça de alguma puta?

Jon olhou-o friamente.

– Pode-se dizer que sim. Uma prostituta que tentou roubá-lo, cinquenta anos atrás, em Vilavelha. – Por mais estranho que parecesse, o velho Hoarfrost Umber em algum momento acreditou que seu filho mais novo tinha os ingredientes de um meistre. Mors adorava se gabar sobre o corvo que tirara seu olho, mas a história de Hother só era contada aos sussurros... em grande parte porque a prostituta que ele destripara era um homem. – Outros senhores se declararam por Bolton também?

A sacerdotisa vermelha deslizou para mais perto do rei.

– Vi uma cidade com muralhas de madeira, ruas de madeira, cheia de homens. Estandartes se agitavam sobre suas muralhas: um alce, um machado de batalha, três pinheiros, machados de cabos longos cruzados sob uma coroa, uma cabeça de cavalo com olhos flamejantes.

– Hornwood, Cerwyn, Tallhart, Ryswell e Dustin – informou Sor Clayton Suggs. – Traidores, todos. Cãezinhos de estimação dos Lannister.

– Os Ryswell e os Dustin são ligados à Casa Bolton pelo casamento – Jon informou. – Os outros perderam seus senhores em batalha. Não sei quem os lidera agora. Papa-Corvos não é um cãozinho, no entanto. Vossa Graça deveria aceitar os termos dele.

Stannis rangeu os dentes.

– Ele me informa que um Umber não lutará contra outro Umber, não importa a causa.

Jon não estava surpreso.

– Se chegarem às espadas, veja onde o estandarte de Hother está e coloque Mors na outra ponta da linha.

O Matador de Gigantes discordou.

– Você faz Sua Graça parecer fraco. Eu digo, mostre nossa força. Queime Lar Derradeiro e vá para a guerra com a cabeça do Papa-Corvos espetada em uma lança, como uma lição para o próximo senhor que pretender oferecer meia-vassalagem.

– Um ótimo plano, se você quer cada mão do Norte contra você. Metade é mais do que nada. Os Umber não têm amor pelos Bolton. Se o Terror das Rameiras se uniu ao Bastardo, só pode ser porque os Lannister mantêm Grande-Jon cativo.

– Esse é o pretexto, não a razão – afirmou Sor Godry. – Se o sobrinho morrer acorrentado, esses tios podem clamar suas terras e títulos para eles próprios.

– Grande-Jon tem tanto filhos quanto filhas. No Norte, os filhos de um homem ainda vêm antes de seus tios, sor.

– A menos que morram. Crianças morrem em todos os lugares.

– Sugira isso aos ouvidos de Mors Umber, Sor Godry, e aprenderá mais sobre morte do que teria desejado.

– Eu matei um gigante, garoto. Por que deveria temer um nortenho pulguento que pinta um gigante em seu brasão?

– O gigante estava fugindo. Mors não estará.

O grande cavaleiro corou.

– Você tem uma língua ousada no solar do rei, garoto. No pátio, cantou uma canção diferente.

– Ah, deixe pra lá, Godry – disse Sor Justin Massey, um cavaleiro carnudo e de pernas moles, com um sorriso fácil e tufos de cabelos loiros. Massey era um dos cavaleiros do caminho-errado. – Todos nós sabemos que espada grande você tem, estou certo disso. Não precisa agitá-la em nossa cara de novo.

– A única coisa agitada aqui é sua língua, Massey.

– Silêncio – Stannis exigiu. – Lorde Snow, preste atenção. Demorei-me aqui na esperança de que os selvagens fossem tolos o suficiente para tentar outro ataque sobre a Muralha. Como eles não fizeram isso, é hora de lidar com meus outros inimigos.

– Entendo. – O tom de Jon era cauteloso. *O que ele quer de mim?* – Não tenho nenhum amor por Lorde Bolton ou por seu filho, mas a Patrulha da Noite não pode pegar em armas contra eles. Nossos votos proíbem...

– Sei tudo sobre seus votos. Me poupe de sua retidão, Lorde Snow, sou forte o suficiente sem você. Tenho em mente marchar contra o Forte do Pavor. – Quando viu o choque no rosto de Jon, o rei sorriu. – Isso o surpreende? Bom. O que surpreende um Snow pode surpreender o outro. O Bastardo de Bolton está indo para o Sul, levando Hother Umber com ele. Sobre isso Mors Umber e Arnolf Karstark estão de acordo. Isso só pode significar um ataque a Fosso Cailin, para abrir caminho para que o pai dele retorne ao Norte. O bastardo deve pensar que estou muito ocupado com os selvagens para atormentá-lo. Muito bem. O garoto me mostrou a garganta. Pretendo cortá-la. Roose Bolton pode reconquistar o Norte, mas quando o fizer descobrirá que seu castelo, seu rebanhos e suas colheitas pertencem a mim. Se eu tomar o Forte do Pavor de surpresa...

– Você não vai – Jon deixou escapar.

Foi como se cutucasse um vespeiro com uma vara. Um dos homens da rainha riu, um cuspiu, outro murmurou uma maldição, e todos os outros tentaram falar ao mesmo tempo.

– O garoto tem leite aguado nas veias – disse Sor Godric, o Matador de Gigantes. E Lorde Sweet bufou:

– O covarde vê um bandido atrás de cada folha de grama.

Stannis levantou a mão, exigindo silêncio.

– Explique-se.

Por onde começar? Jon foi até o mapa. Velas haviam sido colocadas nos cantos, para segurá-lo no lugar. Um dedo de cera morna escorria pela Baía das Focas, lento como um glaciar.

– Para alcançar o Forte do Pavor, Vossa Graça precisa viajar pela estrada do rei até passar o Rio Último, virar para sudeste e cruzar as Colinas Solitárias. – Ele apontou. – Essas são terras dos Umber, e eles conhecem cada árvore e cada pedra. A estrada do rei segue por suas marcas orientais por centenas de quilômetros. Mors fará suas forças em pedaços, a menos que aceite os termos dele e o conquiste para sua causa.

– Muito bem. Digamos que eu faça isso.

– Isso o levará ao Forte do Pavor – disse Jon –, mas, a menos que suas forças possam marchar mais rápido do que um corvo ou passar despercebidas pelas tochas dos faróis, o castelo saberá de sua aproximação. E será fácil para Ramsay Bolton cortar sua retaguarda e deixá-lo longe da Muralha, sem comida ou abrigo, cercado por seus inimigos.

– Só se ele abandonar o cerco ao Fosso Cailin.

– O Fosso Cailin cairá antes que você alcance o Forte do Pavor. Uma vez que Lorde Roose una suas forças às de Ramsay, eles serão superiores na proporção de cinco para um.

– Meu irmão venceu batalhas em condições piores.

– Você presume que o Fosso Cailin cairá facilmente, Snow – objetou Justin Massey –, mas os homens de ferro são lutadores valentes, e ouvi dizer que o Fosso nunca foi tomado.

– *Do sul.* Uma pequena guarnição no Fosso Cailin pode destruir qualquer exército que venha pela passagem, mas as ruínas são vulneráveis pelo norte e pelo leste. – Jon virou-se para Stannis: – Majestade, esse é um golpe ousado, mas o risco... – *A Patrulha da Noite não toma partido. Baratheon ou Bolton devem ser o mesmo para mim.* – Se Roose Bolton pegá-lo sob suas muralhas com sua força principal, será o fim para todos vocês.

– O risco é parte da guerra – declarou Sor Richard Horpe, um cavaleiro magro, com o rosto devastado, cujo gibão acolchoado mostrava três borboletas-caveira em um campo de cinzas e ossos. – Cada batalha é uma aposta, Snow. O homem que não faz nada também se arrisca.

– Há riscos e riscos, Sor Richard. Este... é muito grande, muito precoce e muito longe. Conheço o Forte do Pavor. É um castelo fortificado, todo de pedra, com muralhas grossas e torres maciças. Com o inverno chegando, vocês o encontrarão com boas provisões. Séculos atrás, a Casa Bolton se levantou contra o Rei do Norte, e Harlon Stark comandou um cerco ao Forte do Pavor. Levou dois anos até deixá-los famintos. Para ter qualquer esperança de tomar o castelo, Vossa Graça precisaria de armas de cerco, torres, aríetes...

– Torres de cerco podem ser erguidas, se for necessário – disse Stannis. – Árvores podem ser derrubadas para servirem de aríetes, se aríetes forem necessários. Arnolf Karstark escreveu que menos de cinquenta homens permanecem no Forte do Pavor, metade deles servos. Um castelo forte, mantido fracamente, é fraco.

– Cinquenta homens dentro de um castelo equivalem a quinhentos do lado de fora.

– Isso depende dos homens – disse Richard Horpe. – Esses serão anciãos e garotos inexperientes, homens que esse bastardo não considerou aptos para a batalha. Nossos próprios homens sangraram e foram testados na Água Negra, e são liderados por cavaleiros.

– Você viu como se saíram contra os selvagens. – Sor Justin empurrou para trás uma mecha de cabelo loiro. – Os Karstark juraram se unir a nós no Forte do Pavor, e teremos nossos selvagens também. Trezentos homens em idade de lutar. Lorde Harwood fez a conta enquanto passavam pelo portão. As mulheres deles lutam bem também.

Stannis lhe deu um olhar azedo.

– Não para mim, sor. Não quero choros de viúvas quando despertar. As mulheres permanecem aqui, com os velhos, os feridos e as crianças. Servirão como reféns para garantir a lealdade de seus maridos e pais. Os homens selvagens formarão minha vanguarda. O Magnar os comandará, com seus próprios chefes como oficiais. Mas primeiro precisamos armá-los.

Ele pretende saquear nosso arsenal, Jon percebeu. *Comida, roupas, terras, castelos e, agora, armas. Ele me leva mais para o fundo a cada dia. Palavras podem não ser espadas, mas espadas são espadas.*

– Eu poderia encontrar trezentas lanças – disse, relutantemente. – Elmos também, se puderem ser velhos, amassados e vermelhos de ferrugem.

– Armaduras? – perguntou o Magnar. – Chapas? Cotas de malha?

– Quando Donal Noye morreu, perdemos nosso armeiro. – O resto Jon deixou sem ser dito. *Dê cota de malha aos selvagens e eles serão um perigo dobrado para o reino.*

– Couro fervido será o suficiente – disse Sor Godry. – Depois que experimentarem a batalha, os sobreviventes podem pilhar os mortos.

Os poucos que viverem tanto. Se Stannis colocasse o povo livre na vanguarda, a maioria pereceria rapidamente.

– Beber no crânio de Mance Rayder pode agradar a Mors Umber, mas ver selvagens em suas terras, não. O povo livre tem invadido os Umber desde a Aurora dos Dias, cruzando a Baía das Focas atrás de ouro, ovelhas e mulheres. Uma dessas capturadas foi a *filha* do Papa-Corvos. Vossa Graça, deixe os selvagens aqui. Levá-los só serviria para voltar os vassalos do meu pai contra o senhor.

– Os vassalos do seu pai parecem não se importar com minha causa, de qualquer maneira. Devo assumir que eles me veem como... como foi que me chamou, Lorde Snow? *Outro impostor condenado?* – Stannis encarou o mapa. Por um longo tempo, o único som era o do rei rangendo os dentes. – Deixem-me. Todos vocês. Lorde Snow, fique.

A despedida brusca não agradou Justin Massey, mas ele não tinha escolha senão sorrir e se retirar. Horpe o seguiu, não sem antes medir Jon com um olhar. Clayton Suggs esvaziou seu copo e murmurou algo para Harwood Fell que fez o homem mais jovem rir. *Rapaz* foi tudo o que Jon ouviu. Suggs era um cavaleiro andante, tão rude quanto forte. O último homem a sair foi Camisa de Chocalho. Na porta, fez uma reverência irônica para Jon, sorrindo com uma boca cheia de dentes marrons e quebrados.

Todos vocês não parecia incluir a Senhora Melisandre. *A sombra vermelha do rei.* Stannis pediu mais água com limão para Devan. Quando o copo estava cheio, o rei bebeu e disse:

– Horpe e Massey aspiram à cadeira de seu pai. Massey quer a princesa selvagem também. Ele certa vez serviu meu irmão Robert como escudeiro e adquiriu o seu apetite por carne feminina. Horpe se casaria com Val se eu ordenasse, mas é a batalha o que ele deseja. Como escudeiro, sonhava com o manto branco, mas Cersei Lannister falou contra ele, e Robert o deixou de lado. Talvez tenha acertado. Sor Richard gosta muito de matar. Qual deles você colocaria como Senhor de Winterfell, Snow? O sorridente ou o matador?

Jon disse:

– Winterfell pertence à minha irmã Sansa.

– Já ouvi tudo o que precisava ouvir sobre a Senhora Lannister e seu direito. – O rei colocou o copo de lado. – *Você* pode trazer o Norte para mim. Os vassalos do seu pai se reuniriam pelo filho de Eddard Stark. Até mesmo o Senhor Gordo-Demais-para-Subir-em-um-Cavalo. Porto Branco me daria uma fonte de suprimentos e uma base segura para onde me retirar, se necessário. Não é tarde demais para reparar sua tolice, Snow. Ajoelhe-se, jure essa espada bastarda para mim e levante-se como Jon Stark, Senhor de Winterfell e Protetor do Norte.

Quantas vezes ele me fará dizer isso?

– Minha espada é juramentada à Patrulha da Noite.

Stannis o olhou desgostoso.

– Seu pai era um homem teimoso também. Honra, ele chamava. Bem, honra tem seu custo, como Lorde Eddard aprendeu para sua tristeza. Se lhe dá qualquer consolo, Horpe e Massey estão condenados à decepção. Estou mais inclinado a dar Winterfell para Arnolf Karstark. Um bom nortenho.

– Um nortenho. – *Melhor um Karstark do que um Bolton ou um Greyjoy,* Jon disse para si mesmo, mas o pensamento lhe trouxe pouco consolo. – Os Karstark abandonaram meu irmão entre seus inimigos.

– Depois que seu irmão cortou a cabeça de Lorde Rickard. Arnolf estava a milhares de quilômetros de distância. Ele tem sangue Stark nele. Sangue de Winterfell.

– Não mais do que metade das outras casas do Norte.

– Essas outras casas não se declararam por mim.

– Arnolf Karstark é um velho com as costas tortas e, mesmo em sua juventude, nunca foi o lutador que Lorde Rickard era. Os rigores da campanha bem podem matá-lo.

– Ele tem herdeiros – Stannis rebateu. – Dois filhos, seis netos, algumas filhas. Se Robert tivesse sido pai de filhos legítimos, muitos dos que estão mortos ainda viveriam.

– Vossa Graça ficaria melhor com Mors Papa-Corvos.

– O Forte do Pavor será a prova disso.

– Quer dizer que vai seguir em frente com esse ataque?

– Apesar do conselho do grande Lorde Snow? Sim. Horpe e Massey podem ser ambiciosos, mas não estão errados. Não ouso ficar sentado enquanto a estrela de Roose Bolton cresce e a minha diminui. Devo atacar e mostrar ao Norte que ainda sou um homem para ser temido.

– O tritão de Manderly não estava entre os estandartes que a Senhora Melisandre viu em suas chamas – disse Jon. – Se tivesse Porto Branco e os cavaleiros de Lorde Wyman...

– *Se* é uma palavra para tolos. Não tive notícias de Davos. Talvez ele nunca tenha chegado a Porto Branco. Arnolf Karstark escreveu que as tempestades têm sido ferozes no mar estreito. Seja como for, não tenho tempo para me lamentar, nem para esperar os caprichos de um Senhor Gordo-Demais. Devo considerar Porto Branco perdido para mim. Sem um filho de Winterfell ao meu lado, só posso esperar ganhar o Norte pela batalha. Isso requer roubar uma folha do livro do meu irmão. Não que Robert alguma vez tenha lido um. Devo dar aos meus inimigos um golpe mortal, antes que eles saibam que estou sobre eles.

Jon percebeu que suas palavras tinham sido desperdiçadas. Stannis tomaria o Forte do Pavor. Ou morreria tentando. *A Patrulha da Noite não toma partido,* uma voz disse, mas a outra respondeu, *Stannis luta pelo reino, os homens de ferro lutam por escravos e pilhagem.*

– Vossa Graça, sei onde pode encontrar mais homens. Dê-me os selvagens, e ficarei contente em lhe dizer onde e como.

– Eu lhe dei Camisa de Chocalho. Contente-se com ele.

– Quero todos eles.

– Alguns dos seus Irmãos Juramentados me fizeram crer que você é meio selvagem. É verdade?

– Para você eles são apenas ponta de lança. Posso fazer um uso melhor deles sobre a Muralha. Se os der para mim, para que eu faça o que quiser com eles, eu lhe mostrarei onde encontrar sua vitória... e homens também.

Stannis esfregou a nuca.

– Você barganha como uma velha com um bacalhau, Lorde Snow. Por acaso seu pai fez você com alguma peixeira? Quantos homens?

– Dois mil. Talvez três.

– Três *mil*? Que tipo de homens são esses?

– Orgulhosos. Pobres. Espinhosos quando sua honra está em questão, mas combatentes ferozes.

– É melhor que isso não seja truque de um bastardo. Se eu troco trezentos lutadores por três mil? Sim, eu troco. Não sou um tolo completo. Se eu deixar a garota com você também, tenho sua palavra de que manterá nossa princesa por perto?

Ela não é uma princesa.

– Como desejar, Vossa Graça.

– Preciso fazê-lo jurar diante de uma árvore?

– Não. – *Isso é uma brincadeira?* Com Stannis, era difícil dizer.

– Feito, então. Agora, onde estão esses homens?

– Você os encontrará aqui. – Jon espalhou sua mão queimada por todo o mapa, na região a oeste da estrada do rei e ao sul da Dádiva.

– Nessas montanhas? – Stannis pareceu suspeitar. – Não vejo castelos marcados aí. Nem estradas, nem cidades, nem vilas.

– O mapa não é a terra, meu pai sempre dizia. Homens vivem nos altos vales e nos prados das montanhas há milhares de anos, governados pelos chefes dos clãs. Senhores menores, vocês os chamariam, embora eles não usem esses títulos entre si. Os campeões dos clãs lutam com enormes espadas montantes, enquanto os demais usam atiradeiras e se batem com bastões de freixo da montanha. Um povo briguento, deve-se dizer. Quando não estão lutando uns contra os outros, eles criam seus rebanhos, pescam na Baía do Gelo e criam a montaria mais dura que alguém já cavalgou.

– E você acha que eles lutarão por mim?

– Se o senhor pedir a eles.

– Por que devo implorar pelo que é meu por direito?

– Pedir, eu disse, não *implorar*. – Jon tirou a mão do mapa. – Não é bom enviar mensagens. Vossa Graça precisa ir em pessoa. Coma o pão e o sal deles, beba sua cerveja, ouça seus flautistas, louve a beleza de suas filhas e a coragens de seus filhos, e terá suas espadas. Os clãs não veem um rei desde que Torrhen Stark se ajoelhou. Sua visita os honrará. *Ordene* que lutem por você, e eles olharão um para o outro e dirão: "Quem é este homem? Ele não é nenhum rei para mim".

– De quantos clãs você está falando?

– Dois grupos, pequenos e grandes. Flint, Wull, Norrey, Liddle... ganhe o Velho Flint e o Grande Balde e o resto seguirá.

– Grande *Balde*?

– O Wull. Ele tem a maior barriga das montanhas, e entre a maioria dos homens. Os Wull pescam na Baía do Gelo e ameaçam suas crianças dizendo-lhes que os homens de ferro as levarão se não se comportarem. Mas, para chegar até lá, Vossa Graça precisa atravessar as terras dos Norrey. Eles vivem mais perto da Dádiva, e sempre foram bons amigos da Patrulha. Eu poderia lhe fornecer guias.

– Poderia? – Stannis perdia pouca coisa. – Ou vai?

– Vou. Você precisará deles. E de alguns garranos de bom passo também. Os caminhos lá em cima são pouco mais do que trilhas de cabras.

– Trilhas de cabras? – Os olhos do rei se estreitaram. – Eu falo em me mover rapidamente, e você desperdiça meu tempo em *trilhas de cabras*?

– Quando o Jovem Dragão conquistou Dorne, ele usou uma trilha de cabra para contornar as guaritas dornenses no Caminho do Espinhaço.

– Conheço muito bem essa história, mas Daeron fez barulho demais com isso naquele livro ufanista dele. Navios venceram aquela guerra, não trilhas de cabras. O Punho de Carvalho quebrou Vila Tabueira e varreu meio caminho do Sangueverde, enquanto a força principal dornense estava presa no Passo do Príncipe. – Stannis tamborilou os dedos no mapa. – Esses senhores da montanha não vão dificultar minha passagem?

– Apenas com banquetes. Eles vão tentar superar um ao outro com sua hospitalidade. O senhor meu pai dizia que nunca comia tão bem como quando visitava os clãs.

– Por três mil homens, imagino que possa suportar algumas flautas e um pouco de mingau – o rei disse, embora seu tom ainda fosse de má vontade.

Jon se virou para Melisandre.

– Minha senhora, um aviso. Os velhos deuses são fortes nessas montanhas. Os homens dos clãs não aceitarão insultos contra suas árvores-coração.

Aquilo pareceu diverti-la.

– Não tema, Jon Snow, não vou causar problemas aos seus selvagens das montanhas e seus deuses obscuros. Meu lugar é aqui com você e seus bravos irmãos.

Essa era a última coisa pela qual Jon Snow podia esperar, mas antes que pudesse fazer qualquer objeção, o rei disse:

– E para onde devo liderar esses robustos homens, se não contra o Forte do Pavor?

Jon deu uma olhada no mapa.

– Bosque Profundo. – Bateu no mapa com o dedo. – Se Bolton pretende lutar contra os homens de ferro, então você também deve. Bosque Profundo é um castelo antigo, no meio de uma floresta densa, fácil de ser alcançado sem ser percebido. Um castelo de madeira, defendido por diques de terra e paliçada de toras. O percurso será mais lento pelas montanhas, admito, mas lá em cima seus homens podem se mover sem ser vistos, até emergirem quase nos portões do Bosque.

Stannis coçou o queixo.

– Quando Balon Greyjoy se levantou pela primeira vez, eu bati os homens de ferro no mar, onde eles são mais ferozes. Em terra, pegos de surpresa... sim. Eu venci os selvagens de seu Rei-para-lá-da-Muralha. Posso esmagar os homens de ferro também, e o Norte saberá que tem um rei novamente.

E eu terei mil selvagens, pensou Jon, *e nenhuma maneira de alimentar metade desse pessoal.*

Tyrion

O *Donzela Tímida* movia-se pela neblina como um homem cego tateando seu caminho em um salão desconhecido.

Septã Lemore rezava. As névoas encobriam o som de sua voz, fazendo-a parecer pequena e abafada. Griff caminhava pelo convés, a cota de malha soando suavemente por baixo da capa de pele de lobo. De tempos em tempos, ele tocava a espada, como que para certificar-se de que ainda estava ao seu lado. Rolly Patodocampo empurrava o remo a estibordo, Yandry a bombordo. Ysilla estava no leme.

– Não gosto deste lugar – murmurou Meiomeistre Haldon.

– Com medo de um pouco de neblina? – provocou Tyrion, embora na verdade fosse muita neblina. Na proa do *Donzela Tímida,* o Jovem Griff estava no terceiro remo, para afastá-los dos perigos que pudessem aparecer por entre a névoa. As lanternas foram acesas na frente e atrás do barco, mas a neblina era tão espessa que tudo o que o anão podia ver do centro do convés era uma luz flutuando à sua frente, e outra às suas costas. Sua tarefa era manter o braseiro e assegurar-se de que o fogo não apagaria.

– Esta não é uma neblina comum, Hugor Hill – insistiu Ysilla. – Fede a bruxaria, como você notaria se tivesse um nariz para cheirar. Muitos viajantes se perderam aqui, barcos de pesca, piratas e até grandes galés fluviais. Eles vagueiam desamparados pela névoa, procurando por um sol que não conseguem encontrar até que a loucura ou a fome clame por suas vidas. Aqui, há espíritos sem descanso no ar e almas atormentadas sob a água.

– Há uma agora – disse Tyrion. Do lado de fora, a estibordo, uma mão grande o bastante para esmagar o barco se erguia das profundezas escuras. Apenas as pontas de dois dedos emergiam da superfície do rio, mas enquanto o *Donzela Tímida* passava por eles, era possível ver o resto da mão embaixo d'água e um rosto pálido olhando para cima. Apesar do tom do anão ser leve, ele estava inquieto. Esse era um lugar mau, cheio de desespero e morte. *Ysilla não está errada. Esta neblina não é natural.* Algo abominável crescia nas águas ali e inflamava o ar. *Não é à toa que os homens de pedra ficam loucos.*

– Você não devia zombar – avisou Ysilla. – Os mortos sussurrantes odeiam o que é morno e rápido, e sempre procuram mais almas condenadas para se juntar a eles.

– Duvido que tenham uma mortalha do meu tamanho. – O anão mexeu no carvão com um atiçador.

– O ódio não agita os homens de pedra tanto quanto a fome. – Meiomeistre Haldon havia enrolado um lenço amarelo em volta da boca e do nariz, abafando a voz. – Nenhum homem são comeria o que cresce nesta neblina. Três vezes por ano, a tríade de Volantis envia uma galé rio acima com provisões, mas os navios misericordiosos chegam atrasados com frequência, e algumas vezes trazem mais bocas do que comida.

O Jovem Griff disse:

– Deve haver peixe no rio.

– Eu não comeria nenhum peixe vindo destas águas – disse Ysilla. – Não, mesmo.

– Faríamos bem em não respirar a neblina também – disse Haldon. – A Maldição de Garin está toda sobre nós.

A única maneira de não respirar a neblina é não respirar.

– A Maldição de Garin é apenas escamagris – disse Tyrion. A maldição era vista frequentemente em crianças, especialmente em climas úmidos e frios. A carne atacada endurecia, calcificava e rachava, embora o anão tivesse lido que o progresso do escamagris podia ser interrompido com limões, cataplasmas de mostarda e banhos quentes escaldantes (os meistres diziam) ou por orações, sacrifícios e jejuns (diziam os septões). Quando a doença passava, deixava as vítimas desfiguradas mas vivas. Meistres e septões concordavam em que crianças marcadas pelo escamagris nunca seriam tocadas pela forma mais rara e mortal da doença, nem por seu primo terrível e veloz, a peste cinza. – Dizem que a umidade é a culpada. Humores putrefatos no ar. Não maldições.

– Os conquistadores também não acreditavam, Hugor Hill – disse Ysilla. – Os homens de Volantis e Valíria penduraram Garin em uma gaiola de ouro e zombaram dele enquanto ele chamava a Mãe para destruí-los. Naquela noite as águas se levantaram e afogaram todos eles, e desse dia em diante não tiveram descanso. Ainda estão sob a água, eles que uma vez foram senhores do fogo. Seu hálito frio sobe da escuridão para formar esta neblina, e sua carne se transformou em pedra, assim como seus corações.

O toco do nariz de Tyrion coçava ferozmente. Ele coçou. *A velha pode estar certa. Este lugar não é bom. Sinto como se estivesse na latrina novamente, vendo meu pai morrer.* Ele também ficaria louco se tivesse que passar dias nesse caldo cinzento enquanto sua carne e seus ossos se transformavam em pedra.

O Jovem Griff não parecia compartilhar suas apreensões.

– Deixe-os tentar nos perturbar, e mostraremos para eles do que somos feitos.

– Somos feitos de sangue e ossos, à imagem do Pai e da Mãe – disse Septã Lemore. – Não ostente vaidade, eu imploro. Orgulho é um pecado grave. Os homens de pedra eram orgulhosos também, e o Senhor da Mortalha era o mais orgulhoso de todos.

O calor das brasas trouxe um pouco de rubor ao rosto de Tyrion.

– Existe um Senhor da Mortalha? Ou é só uma história?

– O Senhor da Mortalha governa estas névoas desde a época de Garin – disse Yandry. – Alguns dizem que ele é Garin em pessoa, que se levantou do túmulo.

– Os mortos não se levantam – insistiu Meiomeistre Haldon –, e nenhum homem vive mil anos. Sim, há um Senhor da Mortalha. Houve vários deles. Quando um morre, outro toma seu lugar. O atual é um corsário das Ilhas Basílicas que acredita que o Roine pode oferecer pilhagens mais ricas do que o Mar do Verão.

– Sim, eu ouvi isso também – disse Pato –, mas existe outra história da qual gosto mais. Aquela que diz que ele não é como os outros homens de pedra, mas que era uma estátua até que uma mulher cinza veio da neblina e o beijou com seus lábios frios como gelo.

– *Chega!* – disse Griff. – Silêncio, todos vocês.

Septã Lemore prendeu a respiração.

– *O que foi aquilo?*

– Onde? – Tyrion não via nada além da neblina.

– Algo se moveu. Vi a água ondulando.

– Uma tartaruga – o príncipe anunciou alegremente. – Uma grande tartaruga-aligator, é o que era. – Colocou o remo na frente do barco e empurrou-os para longe de um alto obelisco verde.

A neblina se agarrava a eles, úmida e fria. Um templo submerso apareceu por entre a névoa cinza, enquanto Yandry e Pato se inclinavam sobre seus remos, movendo-os lentamente da proa para a popa, empurrando. Passaram por uma escada de mármore que da lama subia em espiral e terminava no ar. Além dela, meio ocultas, havia outras formas: torres destruídas, estátuas sem cabeça, árvores com raízes maiores do que o barco deles.

– Esta era a cidade mais bonita do rio, e a mais rica – disse Yandry. – Chroyane, a cidade do festival.

Tão rica, pensou Tyrion, *tão bonita. Nunca foi sábio provocar dragões.* A cidade afogada estava ao redor deles. Uma forma meio oculta passou por sobre suas cabeças, pálidas asas de couro batendo no nevoeiro. Tyrion esticou a cabeça para ver melhor, mas a coisa sumira tão repentinamente quanto aparecera.

Algum tempo depois, outra luz flutuou à vista deles.

– Barco – a voz chamou através da água, fracamente. – Quem são vocês?

– *Donzela Tímida* – Yandry gritou de volta.

– *Pescador do Rei.* Rio acima ou rio abaixo?

– Abaixo. Peles e mel, cerveja e sebo.

– Acima. Facas e agulhas, rendas e linho, vinho temperado.

– O que me diz da velha Volantis? – Yandry perguntou.

– Guerra – disse a voz no outro barco.

– Onde? – Griff gritou. – Quando?

– Na passagem do ano – veio a resposta. – Nyessos e Malaquo andam de mãos dadas e os elefantes mostram listras. – A voz desapareceu conforme o outro barco se afastou. Viram a luz piscar e desaparecer.

– É sábio gritar pela neblina para barcos que não podemos ver? – perguntou Tyrion. – E se fossem piratas? – Tiveram sorte na ocasião em que eram mesmo piratas, quando deslizavam pelo Lago Adaga à noite, sem serem vistos nem molestados. Em um determinado momento, Pato vislumbrou um casco que insistiu ser de Urho, o Sembanho. Mas o *Donzela Tímida* estava contra o vento, e Urho – se é que era Urho – não demostrou interesse neles.

– Os piratas não navegam aqui nos Sofrimentos – disse Yandry.

– Elefantes com listras? – Griff murmurou. – O que é isso? Nyessos e Malaquo? Illyrio pagou o tríade Nyessos o suficiente para tê-lo por oito vezes.

– Em ouro ou queijo? – brincou Tyrion.

Griff o rodeou.

– A menos que possa cortar esta neblina com sua próxima gracinha, mantenha-a para você.

Sim, pai, o anão quase disse. *Vou ficar quieto. Obrigado.* Não conhecia esses volantinos, mas parecia que elefantes e tigres tinham boas razões para fazer causa comum diante de dragões. *Pode ser que o queijeiro tenha avaliado mal a situação. Você pode comprar um homem com ouro, mas só sangue e aço o seguram de verdade.*

O homenzinho mexeu nos carvões novamente e soprou-os para fazê-los queimar. *Odeio isso. Odeio esta neblina, odeio este lugar e não gosto nem um pouco de Griff.* Tyrion ainda tinha os cogumelos venenosos que arrancara dos jardins da mansão de Illyrio, e já havia dias que estava terrivelmente tentado a colocá-los no jantar de Griff. O problema era que Griff dificilmente parecia comer.

Pato e Yandry empurraram os remos. Ysilla virou o leme. O Jovem Griff conduziu o *Donzela Tímida* para longe de uma torre quebrada cujas janelas apontavam para baixo como negros olhos cegos. Sobre suas cabeças, a vela pendia flácida e pesada. A água era profunda sob o casco, até que os remos não puderam alcançar o fundo, mas a corrente ainda os levava rio abaixo, até que...

Tudo o que Tyrion pôde ver foi algo maciço que se erguia do rio, corcunda e ameaçador. Julgou que fosse o morro de alguma ilha arborizada ou uma rocha colossal coberta de musgos e samambaias e escondida pela neblina. Conforme o *Donzela Tímida* se aproximou, no entanto, a forma ficou mais clara. Uma fortaleza de madeira podia ser vista ao lado da água, apodrecida e coberta de mato. Torres esguias se projetavam para cima, algumas delas agarradas à construção como lanças quebradas. Torres sem teto apareciam e desapareciam, apontando cegamente para cima. Salões e galerias passavam à deriva; contrafortes graciosos, arcos delicados, colunas caneladas, terraços e caramanchões.

Tudo em ruínas, tudo desolado, tudo abandonado.

O musgo cinza crescia em grossas camadas, cobrindo as pedras caídas em grandes montes e incrustando-se em todas as torres. Cipós negros rastejavam para dentro e para fora das janelas, através das portas e sobre os arcos, subindo pelas altas paredes de pedra. A neblina ocultava três quartos do palácio, mas o que vislumbraram era mais do que suficiente para que Tyrion soubesse que essa construção um dia tivera dez vezes o tamanho da Fortaleza Vermelha e fora cem vezes mais bonita. Sabia onde estavam.

– O Palácio do Amor – disse, suavemente.

– Esse era o nome roinar – disse Meiomeistre Haldon –, mas por mil anos tem sido o Palácio dos Sofrimentos.

A ruína era triste o bastante, mas saber disso a fez parecer ainda mais triste. *Havia risos aqui antigamente,* pensou Tyrion. *Havia jardins repletos de flores e fontes que brilhavam douradas ao sol. Estes degraus alguma vez percutiram os passos de amantes, e atrás deste domo quebrado casamentos além da conta foram selados com um beijo.* Seus pensamentos se voltaram para Tysha, que havia sido sua esposa por tão pouco tempo. *Foi Jaime,* ele pensou, desesperado. *Era meu próprio sangue, meu irmão mais velho e mais forte. Quando eu era pequeno, ele me trazia brinquedos, barris de aros, blocos e um leão escavado na madeira. Ele me deu meu primeiro pônei e me ensinou a cavalgá-lo. Quando ele disse que havia comprado você para mim, nunca duvidei. Por que o faria? Era Jaime, e você era apenas uma garota fazendo seu papel. Eu tive medo desde o começo, desde o momento em que você me deu o primeiro sorriso e me deixou tocar sua mão. Meu próprio pai não me amava. Por que você me amaria, se não por ouro?*

Através dos longos dedos cinzentos da neblina, ele ouviu novamente o som da corda da besta estremecendo, o grunhido que Lorde Tywin fez quando a seta atravessou sua barriga, a batida de suas nádegas na pedra quando se sentou para morrer. "Aonde as putas forem", ele dissera. *E onde é isso?* Tyrion queria perguntar para ele. *Para onde Tysha foi, pai?*

– Quanto tempo mais teremos que aguentar esta neblina?

– Mais uma hora e devemos nos livrar dos Sofrimentos – disse Meiomeistre Haldon. – A partir daí, devemos ter uma viagem agradável. Há vilas em todas as curvas do baixo Roine. Pomares, vinhedos e campos de cereais sob o sol, pescadores na água, banhos quentes e doces vinhos. Selhorys, Valysar e Volon Therys são vilas muradas tão grandes que poderiam ser cidades nos Sete Reinos. Acredito que...

– Luz adiante – avisou o Jovem Griff.

Tyrion também viu. Pescador do Rei *ou outro barco de pesca,* disse para si mesmo, mas de algum modo sabia que aquilo não estava certo. Seu nariz coçava. Ele o esfregou freneticamente. A luz verde ficava mais brilhante conforme o *Donzela Tímida* se aproximava. Uma estrela suave na distância, que brilhava fracamente pela neblina, acenando para eles. Logo a luz se transformou em duas, então em três; uma fileira irregular de lanternas elevando-se da água.

– A Ponte dos Sonhos – disse Griff. – Teremos homens de pedra pela frente. Alguns podem começar a lamentar quando nos aproximarmos, mas não devem nos molestar. A maioria dos homens de pedra são criaturas fracas, desajeitadas, pesadas e estúpidas. Perto do fim, tornam-se loucos, e é quando se tornam mais perigosos. Se for necessário, usem as tochas para expulsá-los. Em nenhuma hipótese os deixem tocar em vocês.

– Talvez nem nos vejam – disse Meiomeistre Haldon. – A neblina nos esconderá até que estejamos quase na ponte, e só quando passarmos por eles saberão que estamos aqui.

Olhos de pedra são olhos cegos, pensou Tyrion. A forma mortal do escamagris começava nas extremidades, ele sabia: o formigamento na ponta de um dedo da mão, uma unha do pé se enegrecia, perda de sensibilidade. Conforme a dormência tomava a mão, ou atravessava o pé e subia pela perna, a carne endurecia e ficava fria e a pele da vítima assumia uma tonalidade acinzentada, parecida com pedra. Ele ouvira dizer que havia três boas curas para escamagris: o machado, a espada e o facão. Cortar partes afetadas algumas vezes impedia que a doença se espalhasse, Tyrion sabia, mas nem sempre. Muitos homens sacrificavam um braço ou um pé, só para descobrir outro membro ficando cinza. Uma vez que isso acontecia, a esperança era perdida. Cegueira era comum quando a pedra chegava ao rosto. No estágio final, a maldição se virava para dentro, atacando músculos, ossos e órgãos internos.

Diante deles, a ponte crescia. *A Ponte dos Sonhos,* Griff a chamara, mas este sonho estava esmagado e partido. Arcos de pedras claras avançavam pela neblina, saindo do Palácio dos Sofrimentos em direção à margem oriental. Metade deles havia caído, pressionados pelo peso do musgo cinza que os cobria e pelos grossos cipós negros que serpenteavam até eles da água. A ampla arcada de madeira da ponte havia apodrecido completamente, mas algumas das lâmpadas que iluminavam o caminho ainda estavam acesas. Conforme o *Donzela Tímida* se aproximava, Tyrion podia ver as silhuetas dos homens de pedra movendo-se na luz, caminhando a esmo ao redor das lâmpadas, como lentas mariposas cinzentas. Alguns estavam nus, outros vestidos com mortalhas.

Griff desembainhou sua espada longa.

– Yollo, acenda as tochas. Rapaz, leve Lemore para a cabine e fique com ela.

O Jovem Griff deu um olhar teimoso para o pai.

– Lemore sabe onde fica a cabine dela. Quero ficar.

– Juramos proteger você – Lemore disse suavemente.

– Não preciso ser protegido. Posso usar uma espada tão bem quanto Pato. Sou quase um cavaleiro.

– E quase um garoto – disse Griff. – Faça o que lhe foi dito. Agora.

O garoto amaldiçoou em voz baixa e jogou o remo no convés. O som ecoou estranhamente na neblina, e por um momento era como se remos estivessem caindo ao redor deles.

– Por que tenho que fugir e me esconder? Haldon vai ficar, e Ysilla. Até Hugor.

– Sim – disse Tyrion –, mas sou pequeno o bastante para me esconder atrás de um pato. – Ele empurrou meia dúzia de tochas nos carvões brilhantes do braseiro e assistiu aos trapos oleados pegarem fogo. *Não encare o fogo,* disse para si mesmo. *As chamas o deixariam com cegueira noturna.*

– Você é um anão – o Jovem Griff disse com desprezo.

– Meu segredo foi revelado – disse Tyrion, concordando. – Sim, e menos da metade de Haldon, e ninguém dá um peido se eu viver ou morrer. – *Muito menos eu.* – Já você... você é tudo.

– Anão – disse Griff –, eu o avisei...

Um lamento veio tremendo pela neblina, primeiro suave e depois mais alto.

Lemore se virou, tremendo.

– Sete, salvem-nos!

A ponte quebrada aparecia por inteiro, cinco metros adiante. Ao redor do cais, a água ondulava, branca como a espuma da boca de um louco. Doze metros acima, os homens de pedra gemiam e murmuravam sob as lâmpadas bruxuleantes. A maioria não tomou mais conhecimento do *Donzela Tímida* do que de um toco de madeira. Tyrion agarrou firme sua tocha, e percebeu que estava prendendo a respiração. Então, passaram sob a ponte, pesadas paredes brancas cobertas de fungo cinza agigantando-se de ambos os lados, a água agitando-se ferozmente ao redor deles. Por um momento, pareceu que iam se chocar contra o lado direito do cais, mas Pato levantou o remo e os empurrou de volta para o centro do canal, e alguns segundos mais tarde estavam livres.

Tyrion ainda não tinha soltado o fôlego quando o Jovem Griff o agarrou pelo braço.

– O que você quer dizer? Sou *tudo*? O que você quis dizer com isso? Por que sou tudo?

– Porque – disse Tyrion –, se os homens de pedra levassem Yandry, Griff ou nossa adorável Lemore, nós sentiríamos por eles e seguiríamos. Se perdermos você, toda essa jornada acabou, todos aqueles anos de febril conspiração do queijeiro e do eunuco seriam por nada... não é verdade?

O garoto olhou para Griff.

– Ele sabe quem sou.

Se não soubesse antes, saberia agora. Nesse momento, o *Donzela Tímida* já havia descido o rio e passado pela Ponte dos Sonhos. Tudo o que restava era uma luz tremulando atrás deles, e que logo sumiria também.

– Você é o Jovem Griff, filho de Griff, o mercenário – disse Tyrion. – Ou talvez seja o Guerreiro encarnado. Deixe-me olhar mais de perto. – Ele levantou a tocha para iluminar o rosto do Jovem Griff.

– Deixe disso – ordenou Griff –, ou vai desejar ter deixado.

O anão o ignorou.

– Os cabelos azuis fazem seus olhos parecerem azuis, isso é bom. E a história que pinta eles em homenagem à sua falecida mãe tyroshi foi tão tocante que quase me fez chorar. Mesmo assim, um homem curioso poderia se perguntar por que o filhote de um mercenário precisaria de uma septã encardida para instruí-lo na Fé, ou de um meistre sem correntes para ensiná-lo história e idiomas. E um homem mais esperto poderia questionar por que seu pai contrataria um cavaleiro andante para treiná-lo nas armas, em vez de simplesmente enviá-lo como aprendiz em uma das companhias livres. É quase como se alguém quisesse mantê-lo escondido enquanto o prepara para... o quê? Agora há perplexidade, mas estou certo de que com o tempo a resposta virá até mim. Devo admitir, você tem nobres características para um menino morto.

O rapaz corou.

– *Não estou morto.*

– Como não? O senhor meu pai enrolou seu cadáver em um manto carmesim e colocou-o juntamente com o corpo de sua irmã aos pés do Trono de Ferro, o presente dele para o novo rei. Aqueles que tiveram estômago para levantar o manto disseram que metade de sua cabeça tinha sumido.

O rapaz deu um passo para trás, confuso.

– Seu...

– ... *pai*, sim. Tywin da Casa Lannister. Talvez já tenha ouvido falar nele.

O Jovem Griff hesitou.

– *Lannister*? Seu pai...

– ... está morto. Por minhas mãos. Se agrada Vossa Graça me chamar Yollo ou Hugor, que assim seja, mas saiba que nasci Tyrion da Casa Lannister, filho legítimo de Tywin e Joanna, ambos mortos por mim. As pessoas dirão para você que sou um regicida, um parricida e um mentiroso, e tudo isso é verdade... mas, então, somos uma companhia de mentirosos, não somos? Veja seu suposto pai. *Griff*, não é? – O anão riu. – Você deve agradecer aos deuses por Varys, a Aranha, ser parte desse seu enredo. *Griff* não teria enganado o bruxo despirocado nem por um instante, não mais do que enganou a mim. *Não, senhor*, vossa senhoria diz, *não sou um cavaleiro*. E eu não sou um anão. Não basta dizer uma coisa para que ela se torne verdade. Quem melhor para criar o bebê do Príncipe Rhaegar do que o querido amigo do Príncipe Rhaegar, Jon Connington, certa vez Lorde de Poleiro do Grifo e Mão do Rei?

– Fique quieto. – A voz de Griff era ansiosa.

A bombordo do barco, uma imensa mão de pedra era visível sob a água. Dois dedos saíam para a superfície. *Quantos desses há por aqui?*, Tyrion se perguntou. Um filete de suor escorreu por sua espinha e o fez estremecer. Os Sofrimentos passavam por eles. Espreitando pela névoa, ele vislumbrou uma torre quebrada, um herói sem cabeça, uma antiga árvore arrancada do chão e virada, com enormes raízes se enrolando pelo telhado e pelas janelas de um domo quebrado. *Por que tudo isso parece tão familiar?*

Adiante, uma escada de mármore claro se elevava para fora da água escura em uma espiral graciosa, terminando abruptamente três metros acima da cabeça deles. *Não*, pensou Tyrion, *isso não é possível.*

– Lá na frente. – A voz de Lemore estava trêmula. – Uma luz.

Todos olharam. Todos viram.

– *Pescador do Rei* – disse Griff. – Ou algum outro barco como ele. – Mas desembainhou a espada novamente.

Ninguém disse uma palavra. O *Donzela Tímida* se movia com a correnteza. Sua vela não havia sido içada desde que entraram nos Sofrimentos. Não tinha outro jeito de mover o barco, que não fosse com o rio. Pato apertou os olhos, segurando o remo com as duas mãos. Depois de um tempo, até Yandry parou de empurrar. Todos os olhos estavam voltados para a luz distante. Conforme ela se aproximava, transformou-se em duas. Então em três.

– A Ponte dos Sonhos – disse Tyrion.

– Inconcebível – disse Meiomeistre Haldon. – Deixamos a ponte para trás. Rios só correm em um sentido.

– A Mãe Roine corre para onde ela quer – murmurou Yandry.

– Sete, salvem-nos – disse Lemore.

Sobre suas cabeças, homens de pedra nas arcadas começaram a lamentar. Alguns apontavam para eles.

– Haldon, leve o príncipe para baixo – ordenou Griff.

Era tarde demais. A correnteza segurava-os com suas garras. Foram levados inexoravelmente em direção à ponte. Yandry dava estocadas com o remo, para impedir que se chocassem contra o cais. O impulso os empurrou para o lado, através de uma cortina de musgo cinza-claro. Tyrion sentiu ramos de gavinhas contra sua face, suaves como os dedos de uma puta. Então sentiu uma pancada atrás dele, e o convés inclinou-se tão de repente que ele quase perdeu o pé e foi lançado para o lado.

Um homem de pedra caíra dentro do barco.

Ele aterrizou no teto da cabine tão pesadamente que o *Donzela Tímida* pareceu virar, e rugiu uma palavra para eles em uma língua que Tyrion não conhecia. Um segundo homem de pedra o seguiu, caindo ao lado do leme. As placas reforçadas racharam com o impacto, e Ysilla soltou um grito.

Pato estava mais perto dela. O grande homem não perdeu tempo procurando sua espada. Em vez disso, balançou o remo, acertando no peito do homem de pedra e arremessando-o para dentro do rio, onde ele afundou sem um som.

Griff estava sobre o segundo homem no instante em que ele cambaleou para baixo do teto da cabine. Com a espada na mão direita e a tocha na esquerda, fez com que a criatura recuasse. Enquanto a correnteza levava o *Donzela Tímida* por baixo da ponte, suas sombras inconstantes dançavam sobre as paredes de musgo. Quando o homem de pedra foi para trás, Pato bloqueou seu caminho, com o remo na mão. Quando tentou ir adiante, Meiomeistre Haldon agitou uma segunda tocha em sua direção e o fez recuar. Não tinha alternativa senão seguir em direção a Griff. O capitão deslizou para o lado, a lâmina cintilando. Uma faísca voou de onde o aço acertou a cinzenta carne calcificada do homem de pedra, mas seu braço caiu no convés no mesmo instante. Griff chutou o membro de lado. Yandry e Pato vieram com os remos. Juntos, forçaram a criatura a virar de lado, caindo nas águas negras do Roine.

A essa altura, o *Donzela Tímida* já tinha atravessado a ponte quebrada.

– Pegamos todos eles? – Pato perguntou. – Quantos pularam?

– Dois – disse Tyrion, com calafrios.

– Três – disse Haldon. – Atrás de você.

O anão se virou, e lá ficou.

Ao saltar, o homem de pedra tinha quebrado uma perna, e um pedaço irregular de osso branco se projetava pelo tecido podre de seus calções e da carne cinza que estava por baixo. O osso quebrado estava manchado de sangue marrom, mas mesmo assim ele avançou, alcançando o Jovem Griff. Sua mão era cinza e dura, mas o sangue escorria entre seus dedos enquanto tentava fechá-los. O rapaz ficou olhando, imóvel, como se também fosse feito de pedra. Sua mão estava no cabo da espada, mas parecia ter esquecido o porquê.

Tyrion chutou a perna do rapaz para desequilibrá-lo e pulou sobre ele quando caiu, empurrando a tocha no rosto do homem de pedra para fazê-lo recuar mancando com a perna quebrada e evitando as chamas com as duras mãos cinza. O anão bamboleou atrás dele, agitando a tocha, apontando-a em direção aos olhos do homem de pedra. *Um pouco mais. Para trás, mais um passo, outro.* Estavam na beira do convés quando a criatura lançou-se sobre ele, agarrou a tocha e a arrancou de suas mãos. *Estou perdido*, pensou Tyrion.

O homem de pedra jogou a tocha longe. Foi possível ouvir um silvo suave enquanto as águas negras apagavam as chamas. O homem de pedra uivou. Antes, fora um homem da Ilha do Verão; seu queixo e metade de seu rosto tinham se transformado em pedra, mas sua pele, onde não era cinza, era negra como a meia-noite. Onde agarrara a tocha, a pele rachara e se partira. Sangue escorria pelas juntas de seus dedos, embora ele parecesse não sentir. Essa era uma pequena misericórdia, supôs Tyrion. Embora fatal, o escamagris não era doloroso.

– *Afaste-se!* – alguém gritou de longe, e outra voz disse – O príncipe! Proteja o garoto! – O homem de pedra avançou com as mãos estendidas e sôfregas.

Tyrion acertou a criatura com o ombro.

Foi como bater contra a muralha de um castelo, mas esse castelo estava sobre uma perna quebrada. O homem de pedra foi para trás, agarrando Tyrion enquanto caía. Eles atingiram o rio com uma forte pancada na água, e a Mãe Roine engoliu os dois.

O súbito baque gelado atingiu Tyrion como um martelo. Enquanto afundava, sentia uma mão de pedra tateando seu rosto. Outra estava em volta de seu braço, arrastando--o para a escuridão. Cego, com o nariz cheio do rio, engasgado, afundando, ele chutou, se contorceu e lutou para abrir os dedos que cercavam seu braço, mas os dedos de pedra eram inflexíveis. Bolhas de ar saíam de seus lábios. O mundo era negro e estava ficando mais negro ainda. Ele não podia respirar.

Há maneiras piores de se morrer do que afogado. E, verdade seja dita, ele perecera havia muito tempo, em Porto Real. Fora apenas sua alma penada que restara, o pequeno fantasma vingativo que estrangulara Shae e atravessara uma seta de besta nos intestinos do grande Lorde Tywin. Nenhum homem lamentaria a coisa na qual ele se tornara. *Vou assombrar os Sete Reinos*, pensou, afundando cada vez mais. *Não me amaram em vida, então vão me temer na morte.*

Quando abriu a boca para amaldiçoar todos eles, a água negra encheu seus pulmões e a escuridão o cercou.

Davos

– Sua senhoria vai recebê-lo, contrabandista.

O cavaleiro vestia armadura prateada, com as grevas e manoplas embutidas em nigelo, sugerindo harmoniosos grupos de algas marinhas. O elmo sob seu braço era a cabeça de um rei bacalhau, com uma coroa de madrepérola e uma barba protuberante de azeviche e jade. Sua própria barba era cinzenta como o mar de inverno.

Davos se ergueu.

– Posso saber seu nome, sor?

– Sor Marlon Manderly. – Ele era uma cabeça mais alto do que Davos e uns vinte quilos mais pesado, com olhos cor de ardósia cinza e um jeito arrogante de falar. – Tenho a honra de ser primo de Lorde Wyman e comandante de sua guarnição. Siga-me.

Davos fora a Porto Branco como enviado, mas haviam feito dele um cativo. Seus aposentos eram grandes, arejados e elegantemente mobiliados, mas havia guardas do lado de fora das portas. De sua janela, podia ver as ruas de Porto Branco além das muralhas do castelo, mas não tinha permissão de andar por elas. Via o porto também, e assistira ao *Parteira Feliz* sair pelo estuário. Casso Mogat esperara quatro dias, em vez de três, antes de partir. Mais duas semanas se passaram depois disso.

A guarda pessoal de Lorde Manderly vestia manto de lã azul-esverdeado, e levava tridentes de prata, em vez de lanças comuns. Um caminhava na frente dele, um atrás e mais um de cada lado. Passaram por estandartes desbotados, escudos quebrados e espadas enferrujadas de uma centena de vitórias antigas, e por um grupo de figuras de madeira, rachadas e com buracos de cupins, que só podiam ter adornado algumas proas de navio.

Dois tritões de mármore ladeavam a corte de sua senhoria, primos menores do Pedepeixe. Enquanto os guardas abriam as portas, um arauto bateu a vara contra uma velha tábua no chão.

– *Sor Davos da Casa Seaworth* – anunciou, com voz ressonante.

Nas outras vezes que visitara Porto Branco, Davos não pusera os pés no Castelo Novo, muito menos na Corte do Tritão. As paredes, o chão e o teto eram feitos de tábuas de madeira entalhadas cuidadosamente e decoradas com todas as criaturas do mar. Enquanto se aproximava do palanque, Davos pisava em caranguejos, mariscos e estrelas-do-mar, meio ocultos entre ramos retorcidos de algas marinhas e ossos de marinheiros afogados. Nas paredes de ambos os lados, tubarões brancos rondavam as profundezas pintadas de azul-esverdeado, enquanto enguias e polvos deslizavam entre rochas e navios naufragados. Cardumes de arenques e grandes bacalhaus nadavam entre as altas janelas arqueadas. Mais para cima, perto de onde velhas redes de pesca pendiam do forro, a superfície do mar fora retratada. À direita, uma galé de guerra deslizava serena contra o sol nascente; à esquerda, um velho e surrado barco de pesca enfrentava uma tempestade com velas esfarrapadas. Atrás do palanque, uma lula gigante e um leviatã cinzento travavam uma batalha entre ondas pintadas.

Davos esperava falar com Wyman Manderly a sós, mas encontrou a corte lotada. Junto às paredes, as mulheres superavam os homens na proporção de cinco para um; os poucos homens que viu tinham longas barbas cinzentas, ou pareciam jovens demais para se barbear. Havia septões também, e irmãs santas em túnicas brancas e cinza. Perto da parte mais alta do salão, estava uma dúzia de homens no azul e cinza-prateado da Casa Frey. Seus rostos tinham uma semelhança que até um cego poderia ver; muitos vestiam o emblema das Gêmeas, duas torres conectadas por uma ponte.

Davos aprendera a ler o rosto dos homens muito antes de Meistre Pylos o ensinar a ler palavras em um papel. *Estes Frey me veriam morto de bom grado*, percebeu com um olhar.

Tampouco encontrou algum sinal de boas-vindas nos olhos azul-claros de Wyman Manderly. O trono almofadado de sua senhoria era amplo o bastante para acomodar três homens de circunferência comum e, mesmo assim, Manderly ameaçava transbordar do assento. Sua senhoria sentava-se largado, os ombros caídos, as pernas abertas, as mãos descansando nos braços da cadeira como se o peso delas fosse demais para suportar. *Deuses, sejam bons*, pensou Davos ao ver o rosto de Lorde Wyman, *este homem parece quase um cadáver*. Sua pele estava pálida, com certa tonalidade cinza.

Reis e cadáveres sempre precisam de ajuda, dizia o velho ditado. Assim era com Manderly. À esquerda de sua cadeira estava um meistre tão gordo quanto o senhor que ele servia, um homem de rosto rosado, com lábios grossos e a cabeça cheia de cachos dourados. Sor Marlon tinha o lugar de honra do lado direito de sua senhoria. Em um banquinho almofadado aos seus pés empoleirava-se uma gorda senhora rosada. Atrás de Lorde Wyman estavam duas mulheres jovens, aparentemente irmãs. A mais velha tinha cabelos castanhos presos em uma longa trança. A mais jovem, com não mais de quinze anos, tinha uma trança ainda mais comprida, tingida de um verde gritante.

Ninguém resolveu honrar Davos com seu nome. O meistre foi o primeiro a falar.

– Você está diante de Wyman Manderly, Senhor de Porto Branco e Protetor da Faca Branca, Escudo da Fé, Defensor dos Despossuídos, Senhor Marechal do Mander e Cavaleiro da Ordem da Mão Verde – disse. – Na Corte do Tritão é costume que vassalos e peticionários se ajoelhem.

O cavaleiro das cebolas teria dobrado o joelho, mas Mão do Rei, não; fazer isso sugeria que o rei que ele servia era menos do que esse gordo senhor.

– Não vim como peticionário – Davos respondeu. – Tenho uma série de títulos também. Senhor da Matadechuva, Almirante do Mar Estreito, Mão do Rei.

A mulher gorda no banco revirou os olhos.

– Um almirante sem navios, uma mão sem dedos, a serviço de um rei sem trono. É um cavaleiro que vem diante de nós, ou a resposta para uma charada de criança?

– Ele é um mensageiro, boa filha – disse Lorde Wyman –, uma cebola de mau agouro. Stannis não gostou da resposta que os corvos levaram para ele, então enviou este...

este *contrabandista*. – Olhou para Davos com os olhos semienterrados pelas bolsas de gordura. – Você visitou nossa cidade antes, imagino, pegando moedas de nossos bolsos e comida de nossas mesas. Quanto roubou de mim, me pergunto?

Não o suficiente para que você perdesse uma refeição.

– Paguei pelo meu contrabando em Ponta Tempestade, senhor. – Davos tirou a luva e levantou a mão esquerda, com seus quatro dedos encurtados.

– Quatro pontas de dedos por uma vida de roubo? – disse a mulher no banco. O cabelo dela era amarelo, o rosto redondo, rosado e carnudo. – Você saiu barato, cavaleiro das cebolas.

Davos não negava isso.

– Se for do agrado do senhor, eu desejaria uma audiência privada.

Não era do agrado do senhor.

– Não escondo segredos da minha família, nem de meus leais senhores e cavaleiros, todos bons amigos.

– Senhor – disse Davos –, não quero que minhas palavras sejam ouvidas pelos inimigos de Sua Graça... ou pelos de vossa senhoria.

– Talvez Stannis tenha inimigos neste salão. Eu não tenho.

– Nem mesmo os homens que assassinaram seu filho? – Davos apontou. – Estes Frey estavam entre os participantes do Casamento Vermelho.

Um dos Frey deu um passo adiante, um cavaleiro comprido e de membros magros, rosto barbeado com exceção de um bigode tão fino quanto um estilete de Myr.

– O Casamento Vermelho foi obra do Jovem Lobo. Ele se transformou em um animal diante de nossos olhos e destroçou a garganta do meu primo Guizo, um simplório inofensivo. E teria assassinado o senhor meu pai também, se Sor Wendel não tivesse se colocado no caminho.

Lorde Wyman piscou, com os olhos cheios de lágrimas.

– Wendel sempre foi um rapaz corajoso. Não me surpreende saber que morreu como herói.

A enormidade da mentira fez Davos engasgar.

– Está afirmando que *Robb Stark* matou Wendel Manderly? – perguntou para o Frey.

– E muitos outros. Meu próprio filho, Tytos, estava entre eles, e o marido de minha filha. Quando Stark se transformou em lobo, os nortenhos fizeram o mesmo. A marca da besta estava em todos eles. *Wargs* transformam outras pessoas em *wargs* com uma mordida, como é sabido. Eram todos meus irmãos e eu os abati antes que matassem a todos nós.

O homem estava *sorrindo* enquanto contava a história. Davos queria arrancar seus lábios com uma faca.

– Sor, posso saber seu nome?

– Sor Jared, da Casa Frey.

– Jared da Casa Frey, eu o chamo de mentiroso.

Sor Jared pareceu divertir-se.

– Alguns homens choram quando descascam cebolas, mas eu nunca tive essa fraqueza. – O aço soou contra o couro enquanto ele desembainhava a espada. – Se você é realmente um cavaleiro, sor, defenda esta calúnia com seu corpo.

Os olhos de Lorde Wyman repentinamente se abriram.

– Não terei derramamento de sangue na Corte do Tritão. Guarde sua espada, Sor Jared, ou terei que pedir que deixe minha presença.

Sor Jared guardou a espada.

– Sob o telhado de vossa senhoria, a palavra de vossa senhoria é lei... mas vou querer um ajuste de contas com este senhor das cebolas antes que ele deixe a cidade.

– *Sangue!* – uivou a mulher no banco. – É isto o que esta cebola podre quer de nós, senhor. Veja como provoca brigas? Mande-o embora, eu imploro. Ele quer o sangue de seu povo, o sangue de seus bravos filhos. Mande-o embora. Se a rainha souber que recebemos este traidor em audiência, ela pode questionar nossa lealdade. Ela poderia... ela iria... ela...

– Isso não acontecerá, boa filha – disse Lorde Wyman. – O Trono de Ferro não tem qualquer motivo para duvidar de nós.

Davos não gostou de como aquilo soou, mas não tinha feito todo esse caminho para segurar a língua.

– O garoto no Trono de Ferro é um usurpador – disse –, e eu não sou um traidor, mas a Mão de Stannis Baratheon, o Primeiro de Seu Nome, o legítimo Rei de Westeros.

O gordo meistre limpou a garganta.

– Stannis Baratheon era irmão do nosso falecido Rei Robert, que o Pai o julgue com justiça. Tommen é a descendência do sangue de Robert. As leis da sucessão são claras neste caso. Um filho deve vir antes de um irmão.

– Meistre Theomore fala a verdade – disse Lorde Wyman. – Ele é conhecedor de todos esses assuntos e sempre me deu bons conselhos.

– Um filho legítimo vem antes de um irmão – Davos concordou –, mas Tommen-dito-Baratheon é um bastardo, como foi seu irmão Joffrey antes dele. Eles foram gerados pelo Regicida, em desafio a todas as leis dos deuses e dos homens.

Outro dos Frey falou.

– Ele comete traição com os próprios lábios, senhor. Stannis tirou seus dedos ladrões. Deveríamos tirar sua língua mentirosa.

– Corte sua cabeça, em vez disso – sugeriu Sor Jared. – Ou deixe-o me encontrar no campo da honra.

– O que um Frey sabe sobre honra? – Davos retrucou.

Quatro dos Frey se adiantaram, até que Lorde Wyman os interrompeu erguendo uma das mãos.

– Para trás, meus amigos. Eu vou ouvi-lo antes de... antes de lidar com ele.

– Pode oferecer alguma prova desse incesto, sor? – Meistre Theomore perguntou, apoiando as mãos macias sobre a barriga.

Edric Storm, pensou Davos, *mas eu o enviei para longe, no mar estreito, para mantê-lo a salvo dos fogos de Melisandre.*

– Tem a palavra de Stannis Baratheon de que tudo o que eu disse é verdade.

– Palavras são vento – disse a jovem mulher atrás da cadeira de Lorde Wyman, a bonita com a longa trança castanha. – E homens mentem para conseguir o que querem, como qualquer mulher poderá lhe dizer.

– Provas requerem mais do que a palavra sem base de algum senhor – declarou Meistre Theomore. – Stannis Baratheon não seria o primeiro homem a mentir para conquistar um trono.

A mulher rosada apontou um dedo gorducho para Davos.

– Não queremos fazer parte desta traição. Somos boas pessoas em Porto Branco, seguimos a lei e somos leais. Não coloque mais veneno em nossos ouvidos, ou meu bom pai o enviará para a Toca do Lobo.

Como eu ofendi esta mulher?

– Posso ter a honra de saber o nome da senhora?

A mulher rosada deu uma fungada raivosa e deixou o meistre responder.

– A Senhora Leona é esposa do filho de Lorde Wyman, Sor Wylis, atualmente um cativo dos Lannister.

Ela fala com medo. Se Porto Branco se declarasse por Stannis, o marido dela responderia com a própria vida. *Como posso pedir a Lorde Wyman para condenar o próprio filho à morte? O que eu faria no lugar dele, se Devan fosse um refém?*

– Senhor – disse Davos –, rezo para que nenhum mal aconteça ao seu filho, ou a qualquer homem em Porto Branco.

– Outra mentira – disse a Senhora Leona, de seu banco.

Davos achou melhor ignorá-la.

– Quando Robb Stark tomou armas contra o bastardo Joffrey-dito-Baratheon, Porto Branco marchou com ele. Lorde Stark caiu, mas sua guerra continua.

– Robb Stark era meu senhor suserano – disse Lorde Wyman. – Quem é esse tal de Stannis? Por que nos atormenta? Ele nunca sentiu necessidade de vir ao Norte antes, se bem me lembro. E agora ele aparece, um vira-latas derrotado com o elmo na mão, implorando esmolas.

– Ele veio para salvar o reino, senhor. – Davos insistiu. – Para defender suas terras contra os homens de ferro e os selvagens.

Próximo ao trono, Sor Marlon Manderly deu um suspiro de desdém.

– Já se passaram séculos desde que Porto Branco viu algum selvagem, e os homens de ferro nunca causaram problemas nesta costa. Lorde Stannis pretende nos defender de *snarks* e dragões também?

Risadas explodiram na Corte do Tritão, mas aos pés de Lorde Wyman, a Senhora Leona começou a soluçar.

– Homens de ferro das ilhas, selvagens de Para-lá-da-muralha... e agora este senhor traidor com seus fora da lei, rebeldes e feiticeiros. – Apontou o dedo para Davos. – Sabemos sobre sua bruxa vermelha, ah, sim. Ela quer que viremos as costas aos Sete e nos curvemos a um demônio de fogo!

Davos não tinha nenhum amor pela sacerdotisa vermelha, mas não ousava deixar a Senhora Leona sem resposta.

– A Senhora Melisandre é uma sacerdotisa do deus vermelho. A Rainha Selyse adotou a fé dela, juntamente com muitos outros, mas a maioria dos seguidores de Sua Graça ainda tem fé nos Sete. Eu entre eles. – Rezou para que ninguém pedisse explicações sobre o septo em Pedra do Dragão, ou sobre o bosque sagrado em Ponta Tempestade. *Se me perguntarem, terei que contar. Stannis não gostaria que eu mentisse.*

– Os Sete defendem Porto Branco – a Senhora Leona declarou. – Não tememos sua rainha vermelha e o deus dela. Que ela envie os feitiços que desejar. As orações dos homens piedosos nos protegerão contra o mal.

– De fato. – Lorde Wyman deu um tapinha no ombro da Senhora Leona. – Lorde Davos, se é que é um lorde, eu sei o que o seu pretenso rei quer de mim. Aço, prata e um joelho dobrado. – Jogou o peso do corpo para se apoiar em um cotovelo. – Antes de ser assassinado, Lorde Tywin ofereceu perdão total a Porto Branco pelo apoio que demos ao Jovem Lobo. Ele prometeu que meu filho voltaria para mim, depois que eu pagasse um resgate de três mil dragões e provasse minha lealdade acima de qualquer suspeita. Roose Bolton, que foi nomeado Protetor do Norte, exige que eu desista da minha pretensão sobre as terras e o castelo de Lorde Hornwood, mas jura que minhas outras posses permanecerão intactas. Walder Frey, o bom pai destes aqui, oferece uma de suas filhas para ser minha esposa, e maridos para as filhas de meu filho, aqui atrás de mim. Esses termos parecem generosos para mim, uma boa base para uma paz justa e duradoura. Você quer que eu despreze tudo isso. Então eu lhe pergunto, cavaleiro das cebolas, o que Lorde Stannis oferece em contrapartida à minha aliança?

Guerra, miséria e os gritos dos homens queimando, Davos poderia ter dito.

– A chance de cumprir seu dever – respondeu, em vez disso. Essa era a resposta que Stannis teria dado a Wyman Manderly. A Mão deve falar com a voz do rei.

Lorde Wyman afundou em sua cadeira.

– Dever. Sei.

– Porto Branco não é forte o suficiente para ficar sozinho. Você precisa de Sua Graça tanto quanto ele precisa de você. Juntos, podem se defender dos inimigos em comum.

– Senhor – disse Sor Marlin, em sua ornamentada armadura de prata –, me permite fazer algumas perguntas para Lorde Davos?

– Como quiser, primo. – Lorde Wyman fechou os olhos.

Sor Marlon virou-se para Davos.

– Quantos senhores nortenhos se declararam por Stannis? Nos diga isso.

– Arnolf Karstark prometeu juntar-se a Sua Graça.

– Arnolf não é um senhor de verdade, apenas um castelão. Que castelos Lorde Stannis tem neste momento?

– Sua Graça tomou Fortenoite como sua base. No sul, comanda Ponta Tempestade e Pedra do Dragão.

Meistre Theomore limpou a garganta.

– Somente por pouco tempo. Ponta Tempestade e Pedra do Dragão são fracamente protegidos e devem cair logo. E o Fortenoite é uma ruína assombrada, um lugar lúgubre e terrível.

Sor Marlon continuou.

– Quantos homens Stannis consegue pôr em campo, pode nos dizer isso? Quantos cavaleiros cavalgam por ele? Quantos arqueiros, quantos mercenários, quantos homens em armas?

Poucos, Davos sabia. Stannis chegara ao Norte com não mais do que mil e quinhentos homens... Mas, se ele dissesse isso, sua missão estaria condenada. Procurou as palavras, mas não encontrou nenhuma.

– Seu silêncio é toda a resposta de que preciso, sor. Seu rei só nos traz inimigos. – Sor Marlon virou-se para o senhor seu primo. – Vossa senhoria perguntou ao cavaleiro das cebolas o que Stannis nos oferece. Deixe-me responder. Ele nos oferece derrota e morte. Quer que montemos em um cavalo de ar e entremos em batalha com espadas de vento.

O gordo senhor abriu os olhos lentamente, como se o esforço fosse quase demasiado para ele.

– Meu primo corta no osso, como sempre. Você tem algo mais para me dizer, cavaleiro das cebolas, ou podemos pôr um fim a esta farsa? Estou ficando cansado da sua cara.

Davos sentiu uma pontada de desespero. *Sua Graça deveria ter enviado outro homem, um lorde, um cavaleiro ou um meistre, alguém que pudesse falar sem tropeçar nas palavras.*

– Morte – ele se ouviu dizendo –, haverá mortes, sim. Vossa senhoria perdeu um filho no Casamento Vermelho. Eu perdi quatro na Água Negra. E por quê? Porque os Lannister roubaram o trono. Vá para Porto Real e veja Tommen com seus próprios olhos, se duvida de mim. Um cego poderia ver. O que Stannis oferece? Vingança. Vingança pelos meus filhos e pelo seus, por seus maridos, seus pais e seus irmãos. Vingança pelo seu senhor assassinado, pelo seu rei assassinado, pelos seus príncipes massacrados. *Vingança*!

– Sim – levantou-se a voz de uma garota, fina e alta. Pertencia à criança meio crescida, com sobrancelhas loiras e a longa trança verde. – Eles mataram Lorde Eddard, a Senhora Catelyn e o Rei Robb – disse. – Ele era nosso rei! Era bravo e bom, e os Frey o *mataram*. Se Lorde Stannis vai vingá-lo, devemos nos juntar a Lorde Stannis.

Manderly a puxou para perto.

– Wylla, cada vez que você abre a boca tenho vontade de mandá-la para as irmãs silenciosas.

– Eu só disse...

– Ouvimos o que você disse – falou a garota mais velha, irmã dela. – Tolices de uma criança. Não fale mal de nossos amigos Frey. Um deles será seu senhor e marido em breve.

– Não – declarou a garota, abanando a cabeça. – Não me casarei com um deles. Jamais. Eles mataram o *rei*.

Lorde Wyman corou.

– Você vai. Quando o dia marcado chegar, fará seus votos nupciais, ou então se juntará às irmãs silenciosas e nunca mais falará novamente.

A pobre garota parecia arrasada.

– Vovô, *por favor*...

– Quieta, menina – disse a Senhora Leona. – Você ouviu seu avô. *Quieta*! Você não sabe nada.

– Eu sei da promessa – insistiu a garota. – Meistre Theomore, fale para eles! Mil anos antes da Conquista, foi feita uma promessa, e votos foram jurados na Toca do Lobo, diante dos velhos deuses e dos novos. Quando estávamos feridos e sem amigos, expulsos de nossas casas e com nossas vidas em perigo, os lobos nos acolheram, nos alimentaram e nos protegeram contra nossos inimigos. Esta cidade foi construída sobre as terras que eles nos deram. Em troca, juramos que seríamos sempre homens deles. Homens dos *Stark*!

O meistre tocou a corrente em volta do pescoço.

– Votos solenes foram jurados para os Starks de Winterfell, sim. Mas Winterfell caiu e a Casa Stark está extinta.

– Porque eles *mataram todos*!

Outro Frey falou:

– Lorde Wyman, posso?

Wyman Manderly acenou com a cabeça.

– Rhaegar. Sempre ficamos satisfeitos em ouvir seus nobres conselhos.

Rhaegar Frey reconheceu o cumprimento com uma reverência. Tinha cerca de trinta anos, ou um pouco mais, redondo de ombros e de barriga, mas ricamente vestido com um gibão de suave lã de cordeiro cinza, com acabamento em samito prateado. Seu manto era de samito prateado também, com uma gola de pele presa no pescoço e um broche no formato das torres gêmeas.

– Senhora Wylla – disse para a garota de trança verde –, lealdade é uma virtude. Espero que seja leal ao Pequeno Walder quando se unirem pelos laços do matrimônio. Quanto aos Stark, a Casa se extinguiu apenas pela linhagem masculina. Os filhos de Lorde Eddard estão mortos, mas suas filhas vivem, e a garota mais jovem está vindo ao Norte para se casar com o bravo Ramsay Bolton.

– Ramsay *Snow* – Wylla Manderly devolveu.

– Que assim seja. Qualquer que seja o nome, ele logo estará casado com Arya Stark. Se você quer ser fiel à promessa, faça aliança com ele, pois ele será o Senhor de Winterfell.

– Ele jamais será *meu* senhor! Ele obrigou a Senhora Hornwood a se casar com ele, então a trancou em um calabouço e a fez comer seus *dedos*.

Um murmúrio tomou conta da Corte do Tritão.

– A donzela diz a verdade – declarou um homem atarracado, em branco e púrpura, cujo manto era preso por um par de chaves de bronze cruzadas. – Roose Bolton é frio e astuto, sim, mas um homem pode lidar com Roose. Todos conhecemos piores. Mas esse filho bastardo dele... dizem que é louco e cruel, um monstro.

– *Dizem?* – Rhaegar Frey ostentava uma barba sedosa e um sorriso sarcástico. – Seus *inimigos* dizem, sim... mas era o Jovem Lobo que era o monstro. Mais animal do que rapaz, aquele rapaz, estufado de orgulho e desejo de sangue. E era infiel, como o senhor meu avô aprendeu em sua tristeza. – Abriu as mãos. – Não culpo Porto Branco por apoiá-lo. Meu avô cometeu o mesmo grave erro. Em todas as batalhas do Jovem Lobo, Porto Branco e as Gêmeas lutaram lado a lado, sob seus estandartes. Robb Stark traiu a todos nós. Abandonou o Norte à cruel misericórdia dos homens de ferro para esculpir um reino mais justo para si mesmo ao longo do Tridente. Então abandonou os senhores do rio, que tanto arriscaram por ele, quebrando seu pacto de casamento com meu avô e se casando com a primeira meretriz do oeste sobre a qual colocou os olhos. O Jovem Lobo? Era um cão vil, e morreu como um.

O burburinho na Corte do Tritão aumentou. Davos podia sentir o frio no ar. Lorde Wyman olhava para Rhaegar como se fosse uma barata que precisasse de uma sapatada, mas então, abruptamente, fez um aceno tão forte com a cabeça, que balançou a gordura sob seu queixo.

– Um cão, sim. Ele nos trouxe somente dor e morte. Um cão vil, de fato. Bem colocado.

Rhaegar Frey continuou.

– Dor e morte, sim... e esse senhor das cebolas lhe trará mais com essa conversa de vingança. Abra seus olhos, como o senhor meu avô fez. A Guerra dos Cinco Reis está acabada. Tommen é nosso rei, nosso *único* rei. Devemos ajudá-lo a curar as feridas desta guerra triste. Como filho legítimo de Robert, herdeiro do veado e do leão, o Trono de Ferro é seu por direito.

– Palavras sábias e verdadeiras – disse Lorde Wyman Manderly.

– *Não* são – Wylla Manderly bateu o pé.

– Fique quieta, menina miserável – repreendeu a Senhora Leona. – Jovens garotas devem ser um enfeite para os olhos, não um machado para o ouvido. – Agarrou a menina pela trança e saiu arrastando-a pelo salão. *Lá se vai minha única aliada neste salão*, pensou Davos.

– Wylla sempre foi uma criança voluntariosa – disse sua irmã, como desculpa. – Temo que será uma esposa obstinada.

Rhaegar encolheu os ombros.

– O casamento vai amolecê-la, não tenho dúvidas. Uma mão firme e uma palavra tranquilizadora.

– Caso contrário, há as irmãs silenciosas. – Lorde Wyman se mexeu na cadeira. – E quanto a você, cavaleiro das cebolas, ouvi traições suficientes por um dia. Quer que eu arrisque minha cidade por um falso rei e um falso deus. Quer que eu sacrifique meu único filho vivo para que Stannis Baratheon possa colocar sua bunda enrugada em um trono sobre o qual não tem nenhum direito. Não farei isso. Não por você. Não pelo seu senhor. Não por homem algum. – O Senhor de Porto Branco se levantou. O esforço fez seu pescoço ficasse vermelho. – Você ainda *é* um contrabandista, sor, que veio para roubar meu ouro e meu sangue. Você tomaria a cabeça de meu filho. Acho que devo tomar a sua, em vez disso. Guardas! Levem este homem!

Antes que Davos pudesse pensar em se mexer, foi cercado por tridentes de prata.

– Senhor – disse –, sou um enviado.

– É? Você veio sorrateiramente para a minha cidade, como um contrabandista. Digo que não é um senhor, não é um cavaleiro, não é um enviado, apenas um ladrão e um espião, um mascate de mentiras e traições. Eu deveria arrancar sua língua com pinças quentes e enviá-lo para o Forte do Pavor, para que fosse esfolado. Mas a Mãe é misericordiosa, e eu também. – Acenou para Sor Marlon. – Primo, leve esta criatura para a Toca do Lobo e corte sua cabeça e suas mãos. Quero-as aqui antes do jantar. Não serei capaz de dar nem uma mordida na comida enquanto não vir a cabeça desse contrabandista em uma lança, com uma cebola enfiada entre seus dentes mentirosos.

Fedor

Eles lhe deram um cavalo, um estandarte, um gibão de lã macia e uma capa quente de pele e o deixaram solto. E, pela primeira vez, ele não fedia.

– Volte com aquele castelo – disse Damon-Dance-para-Mim enquanto ajudava Fedor a subir trêmulo na sela –, ou vá embora e veja o quão longe consegue ir antes que apanhemos você. Ele gostaria disso, ele gostaria. – Sorrindo, Damon deu uma chicotada na traseira do cavalo, e o velho pangaré relinchou e se pôs a caminho.

Fedor não ousava olhar para trás, com medo de que Damon, Caralho Amarelo, Grunhido e o resto deles o seguissem, que tudo aquilo fosse mais uma das brincadeiras de Lorde Ramsay, algum teste cruel para ver o que faria se lhe dessem um cavalo e o libertassem. *Acham que eu fugiria?* O pangaré no qual montava era uma coisa miserável, com joelhos tortos e meio morto de fome; ele nunca esperaria ultrapassar os finos cavalos de Lorde Ramsay e de seus caçadores em uma corrida. E Ramsay adorava soltar suas garotas para que latissem nas trilhas, atrás de alguma presa fresca.

Além do mais, para onde fugiria? Atrás dele estavam os acampamentos, cheios de homens do Forte do Pavor e aqueles que Ryswell havia trazido dos Regatos, com as tropas de Vila Acidentada entre eles. Ao sul de Fosso Cailin, outro exército subia a estrada, um exército de Boltons e Freys marchando sob os estandartes do Forte do Pavor. A leste da estrada havia uma costa desolada e árida e um gelado mar salgado; a oeste, os brejos e os atoleiros do Gargalo, infestados de serpentes, lagartos-leões e demônios do pântano com suas flechas envenenadas.

Ele não fugiria. Não podia fugir.

Entregarei o castelo para ele. Eu vou. Eu devo.

Era um dia cinzento, molhado e enevoado. O vento vinha do sul, úmido como um beijo. As ruínas de Fosso Cailin eram visíveis ao longe, mergulhadas na névoa da manhã. Seu cavalo se moveu em direção a elas, os cascos fazendo um leve som de chapinhado enquanto saíam da lama verde-acinzentada.

Já fiz este caminho antes. Era um pensamento perigoso, do qual se arrependeu imediatamente.

– Não – disse –, não, esse era outro homem, foi antes de você saber seu nome. – O nome dele era Fedor. Tinha que se lembrar disso. *Fedor, Fedor, que rima com licor.*

Quando aquele outro homem fizera este caminho, um exército o seguia de perto, a grande tropa do Norte cavalgando para a guerra sob o estandarte cinza e branco da Casa

Stark. Fedor cavalgava sozinho, carregando um estandarte de paz em um ramo de pinheiro. Quando aquele outro homem fizera este caminho, montava um corcel, rápido e vigoroso. Fedor cavalgava um pangaré quebrado, todo pele, ossos e costelas, e cavalgava devagar, com medo de que o animal caísse. O outro homem fora um bom cavaleiro, mas Fedor se agarrava inseguro no lombo do cavalo. Fora havia tanto tempo. Ele não era um cavaleiro. Não era nem mesmo um homem. Era uma criatura de Lorde Ramsay, menos que um cão, um verme em forma humana.

– Você vai fingir ser um príncipe – Lorde Ramsay dissera para ele na noite passada, enquanto Fedor era mergulhado em uma banheira de água escaldante –, mas sabemos a verdade. Você é Fedor. Sempre será Fedor, não importa o quão cheiroso esteja. Seu nariz pode mentir para você. Lembre-se de seu nome. Lembre-se de quem você é.

– Fedor – ele respondera. – Seu Fedor.

– Faça essa coisinha para mim, e poderá ser meu cão e comer carne todos os dias – Lorde Ramsay prometera. – Você ficará tentado a me trair. A fugir, a lutar ou a se juntar aos nossos inimigos. Não, quieto, não quero ouvir você negando isso. Minta para mim, e arranco sua língua. Um homem se voltaria contra mim no seu lugar, mas sabemos o que você é, não é? Me traia se quiser, não importa... mas conte seus dedos primeiro, você sabe o preço.

Fedor sabia o preço. *Sete*, pensou, *sete dedos. Um homem pode se contentar com sete dedos. Sete é um número sagrado.* Ele se lembrava do quanto doera quando Lorde Ramsay ordenara que Peleiro esfolasse seu dedo anelar.

O ar estava úmido e pesado, e piscinas rasas de água pontilhavam o chão. Fedor abria caminho entre elas cuidadosamente, seguindo os restos da estrada de troncos e tábuas que a vanguarda de Robb Stark fizera no solo macio para apressar a passagem das tropas. Onde certa vez existira uma muralha coberta, sobravam apenas pedras espalhadas, blocos de basalto negro tão grandes que deviam ter sido colocados no lugar por uma centena de homens. Alguns haviam afundado tão profundamente no pântano que somente uma ponte era vista; outros permaneciam jogados como brinquedos abandonados de algum deus, rachados e se desintegrando, manchados de líquen. A chuva da noite anterior deixara as enormes pedras molhadas e reluzentes; a luz do sol da manhã fazia que parecessem revestidas de uma fina camada de óleo negro.

Um pouco além estavam as torres.

A Torre do Bêbado inclinava-se como se estivesse prestes a cair, exatamente como estivera por quinhentos anos. A Torre dos Filhos erguia-se para o céu, tão reta quanto uma lança, mas sua parte superior estava aberta para o vento e para a chuva. A Torre do Portão, atarracada e espaçosa, era a maior das três, coberta de musgo, com uma árvore retorcida crescendo nas pedras, na face norte, e fragmentos da muralha quebrada ainda no leste e no oeste. *Os Karstark tomaram a Torre do Bêbado e os Umber, a Torre dos Filhos*, ele se lembrava. *Robb exigira a Torre do Portão para si.*

Se fechasse os olhos, podia ver os estandartes em sua mente, agitando-se bravamente no vivo vento norte. *Todos se foram agora, todos caíram.* O vento em seu rosto soprava do sul, e o único estandarte sobre as ruínas de Fosso Cailin mostrava uma lula gigante dourada em um campo negro.

Estava sendo observado. Podia sentir os olhares. Quando olhou para cima, vislumbrou rostos pálidos espiando por trás das ameias da Torre do Portão e através da alvenaria quebrada que coroava a Torre dos Filhos, onde, segundo a lenda, os filhos da floresta certa vez invocaram o martelo das águas para partir as terras de Westeros em dois.

O único caminho seco através do Gargalo era a estrada, e as torres do Fosso Cailin ficavam em sua extremidade norte como uma rolha em uma garrafa. A estrada era estreita, as ruínas posicionadas de modo a obrigar que os inimigos que viessem do sul passassem por baixo e entre elas. Para assaltar qualquer uma das três torres, um atacante teria que expor sua retaguarda às flechas das outras duas, enquanto escalava paredes de pedra úmida cobertas de pele-de-fantasma, um musgo branco e viscoso. As terras pantanosas ao redor da estrada eram intransitáveis, um atoleiro sem fim de redemoinhos sugadores, areia movediça e reluzentes gramados verdes que pareciam sólidos para olhos incautos, mas que se transformavam em água no instante em que se pisava neles, tudo ali completamente infestado de serpentes, flores venenosas e monstruosos lagartos-leões com dentes que eram como adagas. Tão perigosos quanto as pessoas que viviam ali, raramente vistas, mas sempre à espreita, os moradores do pântano, os comedores de sapo, os homens lama. Fenn, Reed, Peat, Boggs, Cray, Quagg, Greengood e Blackmyre, era esse tipo de nome que davam a si mesmos. Os homens de ferro os chamavam de *demônios do pântano*.

Fedor passou pela carcaça podre de um cavalo, com uma flecha espetada no pescoço. Uma serpente longa e branca deslizou da órbita vazia do olho do animal quando o homem se aproximou. Atrás do cavalo, pôde ver o cavaleiro, ou o que restara dele. Os corvos haviam arrancado a carne do seu rosto, e um cão feroz havia escavado sob a cota de malha para comer suas entranhas. Mais adiante, outro corpo afundara tanto na lama que era possível ver apenas o rosto e os dedos.

Mais perto das torres, cadáveres estavam espalhados por todos os lados. Vermes brotavam das feridas abertas, como pálidas flores cujas pétalas gordas e úmidas eram como os lábios de uma mulher.

A guarnição nunca me reconhecerá. Alguns poderiam se lembrar do garoto que fora antes de aprender seu nome, mas Fedor seria um estranho para eles. Fazia muito tempo desde que olhara em um espelho, mas sabia como devia parecer velho. Seu cabelo se tornara branco; a maior parte caíra, mas o que restara estava duro e seco como palha. Os calabouços o haviam deixado fraco como uma mulher velha e tão magro que um vento forte podia derrubá-lo.

E as mãos dele... Ramsay lhe dera luvas, luvas finas de couro negro, macias e flexíveis, recheadas com lã para esconder os dedos que faltavam, mas se alguém olhasse de perto poderia ver que três de seus dedos não dobravam.

– *Não se aproxime*! – uma voz gritou. – O que você quer?

– Conversar. – Ele avançou com o pangaré, agitando o estandarte de paz para que ninguém deixasse de vê-lo. – Vim desarmado.

Ninguém respondeu. Dentro das muralhas, sabia, os homens de ferro discutiam se deviam deixá-lo entrar ou se enchiam seu peito de flechas. Não fazia diferença. Uma morte rápida seria cem vezes melhor do que retornar para Lorde Ramsay como um fracassado.

Então os portões foram escancarados.

– Rápido.

Fedor estava se virando em direção ao som quando a flecha o atingiu. Veio de algum lugar à sua direita onde pedaços quebrados da parede estavam meio submersos no pântano. A seta rasgou as dobras de seu estandarte e ficou pendurada, a menos de um palmo de seu rosto. Ele se assustou tanto que derrubou o estandarte de paz e caiu da sela.

– Para dentro – a voz gritou –, rápido, idiota, *rápido*!

Fedor se arrastou escada acima com as mãos e os joelhos enquanto outra flecha passava sobre sua cabeça. Alguém o agarrou e o puxou para dentro, e ele ouviu a porta se fechando. Foi colocado em pé e arremessado contra uma parede. Então havia uma faca em sua garganta e um rosto barbudo tão próximo que podia contar os pelos do nariz do homem.

– Quem é você? O que quer aqui? Rápido, ou farei o mesmo que fiz com ele. – O guarda acenou com a cabeça em direção a um corpo apodrecendo no chão ao lado da porta, a carne esverdeada e coberta de vermes.

– Sou um homem de ferro – Fedor respondeu, mentindo. O rapaz que ele fora no passado havia sido um homem de ferro, é verdade, mas Fedor viera ao mundo nos calabouços do Forte do Pavor. – Olhe para meu rosto. Sou o filho de Lorde Balon. Seu príncipe. – Ele poderia ter dito o nome, mas de alguma forma as palavras ficaram presas em sua garganta. *Fedor, sou Fedor, que rima com clamor*. Mas teria que se esquecer disso por enquanto. Nenhum homem se renderia a uma criatura como Fedor, não importa quão desesperada fosse sua situação. Devia fingir ser um príncipe novamente.

O captor olhou para seu rosto, apertando os olhos, a boca torta com a suspeita. Os dentes eram marrons e o hálito fedia a cerveja e cebola.

– Os filhos de Lorde Balon foram mortos.

– Meus irmãos. Não eu. Lorde Ramsay me fez cativo depois de Winterfell. Me mandou aqui para negociar com vocês. Você comanda aqui?

– Eu? – O homem abaixou a faca e deu um passo para trás, quase tropeçando sobre o cadáver. – Eu não, senhor. – Sua cota de malha estava enferrujada, seus couros, apodrecidos. Nas costas de uma das mãos, uma ferida aberta sangrava. – Ralf Kenning está no comando. O capitão disse. Eu estou na porta, só isso.

– E quem é este? – Fedor deu um chute no cadáver.

O guarda encarou o morto como se o visse pela primeira vez.

– Ele... ele bebeu a água. Tive que cortar a garganta dele, para que parasse de gritar. Intestino ruim. Não podemos beber água. Por isso tomamos cerveja. – O guarda esfregou o rosto, os olhos vermelhos e inflamados. – Costumávamos arrastar os mortos para as adegas. Todos os porões estão inundados aqui. Ninguém quer se dar ao trabalho agora, então os deixamos onde eles caem.

– A adega é um lugar melhor para eles. Devem ser dados para a água. Para o Deus Afogado.

O homem riu.

– Não há deuses aqui, senhor. Apenas ratos e cobras-d'água. Coisas brancas, grossas como sua perna. Algumas vezes elas deslizam escada acima e o mordem enquanto você dorme.

Fedor se lembrou dos calabouços sob o Forte do Pavor, o rato se contorcendo entre seus dentes, o gosto de sangue quente nos lábios. *Se eu falhar, Ramsay vai me mandar de volta para lá, mas primeiro vai esfolar a pele de outro dedo.*

– Quantos sobraram da guarnição?

– Alguns – disse o homem de ferro. – Não sei. Menos do que antes. Há alguns na Torre do Bêbado também. Nenhum na Torre dos Filhos. Dagon Codd esteve lá há poucos dias. Apenas dois homens estavam vivos, disse, e estavam comendo os mortos. Ele matou ambos, se é que se pode acreditar nisso.

Fosso Cailin caiu, Fedor percebeu, *só que ninguém se deu ao trabalho de avisá-los.* Esfregou a boca para esconder os dentes quebrados e disse:

– Preciso falar com seu comandante.

– Kenning? – O guarda pareceu confuso. – Ele não tem muito a dizer nestes dias. Está morrendo. Talvez já esteja morto. Não vejo ele desde... não lembro quando...

– Onde ele está? Leve-me até ele.

– E quem vai guardar a porta?

– Ele. – Fedor deu um chute no cadáver.

Aquilo fez o homem rir.

– Sim. Por que não? Venha comigo, então. – Tirou a tocha de um candeeiro da parede e a agitou até que a chama ficasse brilhante e quente. – Por aqui. – O guarda o levou através de uma porta e por uma escada em espiral, a luz da tocha iluminando as paredes de pedra negra enquanto subiam.

A câmara no topo dos degraus estava escura, esfumaçada e opressivamente quente. Uma pele esfarrapada havia sido pendurada na janela estreita para manter a umidade do lado de fora, e um pedaço de turfa ardia lentamente em um braseiro. O cheiro no quarto era desagradável, uma mistura de mofo, urina e excrementos, de fumaça e doença. Juncos sujos cobriam o chão, enquanto um monte de palha num canto passava por uma cama.

Ralf Kenning tremia sob uma montanha de peles. Suas armas estavam empilhadas ao lado: espada e machado, cota de malha, elmo de ferro. Seu escudo trazia a mão do rei da tempestade entre nuvens, soltando relâmpagos de seus dedos sobre um mar agitado, mas a pintura estava desbotada e descascada, e a madeira embaixo começava a apodrecer.

Ralf estava apodrecendo também. Embaixo das peles, estava nu e febril, a pele pálida e inchada coberta com feridas abertas e crostas. A cabeça estava disforme, uma bochecha grotescamente inchada, o pescoço tão cheio de sangue que ameaçava engolir seu rosto. O braço do mesmo lado estava grande como uma tora e coberto de vermes brancos. Pela sua aparência, ninguém o banhava ou o barbeava havia dias. Um olho vazava pus e a barba estava incrustada de vômito seco.

– O que aconteceu com ele? – perguntou Fedor.

– Ele estava nos parapeitos e algum demônio do pântano acertou uma flecha nele. Foi só um arranhão, mas... eles envenenam as setas, esfregam as pontas na merda ou em coisas piores. Jogamos vinho fervente na ferida, mas não fez diferença.

Não posso tratar com esta coisa.

– Mate-o – Fedor disse ao guarda. – Seu juízo já se foi. Ele está cheio de sangue e vermes.

O homem olhou para ele, boquiaberto.

– O capitão o colocou no comando.

– Você derrubaria um cavalo moribundo.

– Que cavalo? Nunca tive um cavalo.

Eu já. A lembrança veio de repente. Os gritos de Sorridente soaram quase humanos. Com a crina em chamas, ele se levantara sobre as patas traseiras, cego de dor, atacando com os cascos. *Não, não. Não era meu, ele não era meu, Fedor nunca teve um cavalo.*

– Eu o matarei para você. – Fedor pegou a espada de Ralf Kenning de onde ela se apoiava contra o escudo. Ainda tinha dedos suficientes para segurar o cabo. Quando pressionou a ponta da lâmina contra a garganta inchada da criatura sobre a palha, a pele se abriu em uma gota de sangue negro e pus amarelo. Kenning se sacudiu violentamente, depois ficou imóvel. Um cheiro horrível tomou o quarto. Fedor correu para as escadas. O ar estava úmido e frio ali, mas muito mais limpo em comparação. O homem de ferro tropeçou atrás dele, pálido e se segurando para não vomitar. Fedor o agarrou pelo braço.

– Quem era o segundo em comando? Onde está o resto dos homens?

– Nas ameias ou no salão. Dormindo, bebendo. Levo você até eles, se quiser.

– Faça isso agora. – Ramsay só lhe dera um dia.

O salão era de pedra escura, o teto alto e com correntes de ar, cheio de fumaça e com enormes manchas de líquen claro nas paredes. Um fogo de turfa queimava lentamente em um forno enegrecido por chamas mais quentes de anos passados. Uma mesa maciça de pedra esculpida enchia a câmara, havia séculos. *Foi ali que sentei na última vez que estive aqui*, lembrou-se. *Robb estava na cabeceira da mesa, com Grande-Jon à sua direita e Roose Bolton à sua esquerda. Os Glover estavam sentados perto de Helman Tallhart. Karstark e seus filhos estavam na frente deles.*

Duas dúzias de homens de ferro estavam sentados à mesa, bebendo. Quando entrou, poucos olharam para ele, dirigindo-lhe um olhar entediado. Os demais o ignoraram. Todos os homens eram estranhos para ele. Muitos usavam capas presas por broches no formato de bacalhaus de prata. Os Codd não eram bem vistos nas Ilhas de Ferro; dizia-se que os homens eram ladrões e covardes, e as mulheres, devassas que se deitavam com seus pais e irmãos. Não o surpreendia que seu tio tivesse decidido deixar esses homens para trás quando a Frota de Ferro foi para casa. *Isso tornará minha tarefa muito mais fácil.*

– Ralf Kenning está morto – disse. – Quem comanda aqui?

Os bebedores o encararam fixamente. Um riu. Outro cuspiu. Finalmente, um dos Codd disse:

– Quem quer saber?

– O filho de Lorde Balon. – *Fedor, meu nome é Fedor, e rima com sabor.* – Estou aqui sob comando de Ramsay Bolton, Lorde de Hornwood e herdeiro do Forte do Pavor, que me capturou em Winterfell. A tropa dele está ao norte daqui, a de seu pai vem do sul, mas Lorde Ramsay está disposto a ser misericordioso se vocês entregarem Fosso Cailin antes que o sol se ponha. – Pegou a carta que lhe tinham dado e jogou na mesa, diante dos bebedores.

Um deles pegou-a e ficou virando-a nas mãos, cutucando a cera rosa que a selava. Depois de um momento, disse:

– Pergaminho. Quem quer isso? É de queijo que precisamos, e carne.

– Aço, você quer dizer – falou o homem que estava atrás dele, um de barba cinzenta cujo braço esquerdo terminava em um toco. – Espadas. Machados. Sim, e arcos, mais de cem arcos, e homens para atirar flechas.

– Os homens de ferro não se rendem – disse uma terceira voz.

– Diga isso ao meu pai. Lorde Balon ajoelhou-se quando Robert arrebentou suas muralhas. De outra forma, teria morrido. Como acontecerá com vocês, se não se renderem. – Apontou para o pergaminho. – Quebre o selo. Leia as palavras. Isso é um salvo-conduto, escrito pela própria mão de Lorde Ramsay. Abaixem as espadas e venham comigo, e sua senhoria os alimentará e os deixará marchar sem serem molestados até a Costa Rochosa, onde encontrarão navios que os levem para casa. De outra forma, morrerão.

– Isso é uma ameaça? – Um dos Codd se levantou. Um homem grande, mas de olho arregalado e boca larga, com carne branca morta. Parecia que seu pai o gerara em um peixe, mas mesmo assim tinha uma espada longa. – Dagon Codd não se rende a ninguém.

Não, por favor, vocês têm que escutar. O pensamento do que Ramsay faria se ele se arrastasse de volta ao acampamento sem a rendição da guarnição era quase suficiente para fazê-lo mijar nos calções. *Fedor, Fedor, que rima com terror.*

– É esta a sua resposta? – As palavras soaram debilmente em seus ouvidos. – Esse bacalhau fala por todos vocês?

O guarda que o encontrara na porta parecia menos seguro.

– Victarion ordenou a todos nós que esperássemos. Ouvi com meus próprios ouvidos. *Fiquem aqui até eu retornar*, ele disse para Kenning.

– Sim – disse o homem de um braço só. – Foi o que ele disse. A assembleia de homens livres o chamou, mas ele jurou que voltaria, com uma coroa de madeira do mar na cabeça e mil homens com ele.

– Meu tio nunca voltará – Fedor contou para eles. – A assembleia de homens livres coroou seu irmão Euron, e o Olho de Corvo tem outras guerras para lutar. Vocês pensam que meu tio valoriza vocês? Não valoriza. Vocês são aqueles que ele deixou para trás, para morrer. Livrou-se de vocês do mesmo jeito que se livra da lama em suas botas quando vem para terra firme.

As palavras os atingiram em cheio. Podia ver nos olhos deles, no jeito que olhavam uns para os outros, ou franziam a testa sobre seus copos. *Todos temiam ter sido abandonados, e tive que transformar esse medo em certeza.* Esses homens não eram parentes de capitães famosos, nem tinham o sangue das grandes Casas das Ilhas de Ferro. Eram filhos de escravos e de esposas de sal.

– Se nos rendermos, poderemos ir embora? – disse o homem de um braço. – É isso que você diz que está escrito aqui? – Cutucou o rolo de pergaminho, o selo de cera ainda intacto.

– Leia você mesmo – ele respondeu, embora tivesse quase certeza de que nenhum deles sabia ler. – Lorde Ramsay trata seus cativos de maneira honrada, enquanto permanecerem fiéis a ele. – *Ele só tirou os dedos dos pés e das mãos e aquela outra coisa, quando podia ter arrancado minha língua ou esfolado minhas pernas do calcanhar até a coxa.* – Rendam suas espadas, e viverão.

– Mentiroso. – Dagon Codd desembainhou sua espada. – Você é aquele que chamam de vira-casaca. Por que deveríamos acreditar em suas promessas?

Ele está bêbado, Fedor percebeu. *A cerveja está falando.*

– Acredite no que quiser. Eu trouxe a mensagem de Lorde Ramsay. Agora preciso voltar para ele. Jantaremos javalis e nabos, regados com vinho tinto forte. Aqueles que vierem comigo serão bem-vindos ao banquete. O restante vai morrer em um dia. O Senhor do Forte do Pavor está trazendo cavaleiros estrada acima, enquanto seu filho lidera seus próprios homens para cá, vindos do norte. Nenhuma instalação está garantida. Aqueles que morrerem lutando serão os sortudos. Os que viverem serão entregues aos demônios dos pântanos.

– *Chega!* – rosnou Dagon Codd. – Acha que pode assustar os homens de ferro com *palavras?* Vá embora. Corra para seu mestre antes que eu abra sua barriga, puxe suas tripas para fora e faça você comê-las.

Ele poderia ter dito mais, mas de repente seus olhos se arregalaram. Um machado de arremesso atingiu o centro de sua testa com um sólido impacto. A espada de Codd caiu de seus dedos. Ele estremeceu como um peixe em um anzol e caiu de cara sobre a mesa.

Fora o homem de um braço só que arremessara o machado. E, enquanto se levantava, já tinha outro nas mãos.

– Quem mais quer morrer? – perguntou para os outros bebedores. – Fale, que providencio. – Finas correntes de sangue se espalhavam pela mesa, saindo da poça de sangue onde a cabeça de Dagon Codd caíra. – Pretendo viver, e isso não significa ficar aqui para apodrecer.

Um homem tomou um gole de cerveja. Outro virou seu copo para lavar o sangue que escorria, antes que alcançasse o lugar em que estava sentado. Ninguém falou. Quando o homem de um braço guardou o machado de arremesso no cinto, Fedor sabia que tinha vencido. Quase se sentiu um homem novamente. *Lorde Ramsay ficará satisfeito comigo.*

Arrancou o estandarte da lula gigante com as duas mãos, um pouco desajeitado por causa dos dedos que faltavam, mas graças aos dedos que Lorde Ramsay lhe permitira manter. Foi necessária grande parte da tarde para que os homens de ferro se aprontassem para partir.

Havia mais soldados do que ele imaginara: quarenta e sete na Torre do Portão e outros dezoito na Torre do Bêbado. Dois deles estavam tão próximos da morte que não havia mais esperança, e outros cinco estavam fracos demais para andar. Com isso, ainda restavam cinquenta e oito com força suficiente para lutar. Fracos como estavam, mesmo se fossem três vezes esse número, Lorde Ramsay teria tomado as ruínas. *Ele fez bem em me mandar*, Fedor disse para si mesmo enquanto montava no pangaré para liderar a esfarrapada coluna através dos campos pantanosos, até o acampamento dos nortenhos.

– Deixem suas armas aqui – disse aos prisioneiros. – Espadas, arcos, adagas. Homens armados serão mortos imediatamente.

Levaram três vezes mais tempo para percorrer a distância que Fedor havia feito sozinho. Macas rústicas foram feitas para quatro dos homens que não conseguiam andar; o quinto foi carregado pelo filho, nas costas. Era uma caminhada lenta, e todos os homens de ferro estavam cientes do quão expostos se encontravam, bem na mira dos arcos dos demônios dos pântanos e suas flechas envenenadas. *Se morrer, morri.* Fedor só rezava para que o arqueiro soubesse o que estava fazendo, e que sua morte fosse rápida e limpa. *A morte de um homem, não o fim que Ralf Kenning sofreu.*

O homem de um braço andava na frente da procissão, mancando muito. Seu nome, disse, era Adrack Humble, e tinha uma esposa de pedra e três esposas de sal que o esperavam na Grande Wyk.

– Três das quatro estavam barrigudas quando saí de lá – se gabou –, e os Humble costumam ter gêmeos. A primeira coisa que preciso fazer quando voltar para casa é contar meus novos filhos. Talvez dê seu nome para um deles, senhor.

Sim, chame-o de Fedor, ele pensou, e, *quando ele for mau, você pode cortar os dedos dele e dar para os ratos comerem*. Virou a cabeça e cuspiu, e se perguntou se Ralf Kenning não teria sido o sortudo do grupo.

Uma garoa leve começara a cair do céu cinza-ardósia no momento em que o acampamento de Lorde Ramsay apareceu na frente deles. Uma sentinela os viu passar em silêncio. O ar estava cheio de fumaça das fogueiras afogadas pela chuva. Uma coluna de cavaleiros veio logo atrás, liderada por um fidalgote com uma cabeça de cavalo em seu escudo. *Um dos filhos de Lorde Ryswell,* Fedor soube. *Roger, ou talvez Rickard.* Ele não sabia quem era quem quando estavam separados.

– Estes são todos? – o cavaleiro perguntou, do alto de um garanhão castanho.

– Todos os que não estavam mortos, senhor.

– Achei que seriam mais. Nós os atacamos três vezes, e três vezes eles nos repeliram.

Somos homens de ferro, pensou, com um súbito clarão de orgulho, e por meio segundo era um príncipe novamente, o filho de Lorde Balon, o sangue de Pyke. Mas até mesmo pensar era perigoso. Tinha que lembrar seu nome. *Fedor, meu nome é Fedor, que rima com rancor.*

Estavam do lado de fora do acampamento quando os latidos de um bando de cães de caça indicou a aproximação de Lorde Ramsay. O Terror das Rameiras estava com ele, juntamente com meia dúzia de seus favoritos, Peleiro, Alyn Azedo, Damon-Dance-para--Mim e os Walder, o Grande e o Pequeno também. Os cães se juntaram ao redor deles, mordendo e rosnando para os estranhos. *As garotas do Bastardo,* Fedor pensou, antes de se lembrar que nunca, nunca, *nunca* deveria usar essa palavra na presença de Ramsay.

Fedor desceu da sela e se ajoelhou.

– Senhor, Fosso Cailin é seu. Aqui estão os últimos defensores.

– Tão poucos. Eu esperava mais. Estes são os tais inimigos teimosos. – Os olhos claros de Lorde Ramsay brilharam. – Vocês devem estar famintos. Damon, Alyn, cuidem deles. Vinho, cerveja e toda a comida que possam comer. Peleiro, mostre os feridos para nossos meistres.

– Sim, senhor.

Alguns dos homens de ferro murmuraram agradecimentos antes de cambalearem em direção às fogueiras no centro do acampamento. Um dos Codd até tentou beijar o anel de Lorde Ramsay, mas os cães o afastaram antes que se aproximasse, e Alison arrancou um pedaço de sua orelha. Mesmo com o sangue escorrendo pelo pescoço, o homem acenava, inclinava-se e louvava a misericórdia de sua senhoria.

Quando o último deles se foi, Ramsay Bolton voltou seu sorriso para Fedor. Agarrou--o pela nuca, puxou seu rosto para perto, beijou-o na face e sussurrou:

– Meu velho amigo, Fedor. Eles realmente o tomaram pelo príncipe deles? Que malditos tolos, esses homens de ferro. Os deuses estão rindo.

– Tudo o que querem é ir para casa, senhor.

– E o que *você* quer, meu doce Fedor? – Ramsay murmurou, tão suavemente quanto um amante. Seu hálito cheirava a vinho quente e cravo, tão doce. – Serviço tão valoroso merece uma recompensa. Não posso devolver seus dedos das mãos e dos pés, mas certamente há algo que você deve ter de mim. Devo libertá-lo, em vez disso? Liberá-lo de meu serviço? Quer ir com eles, voltar para suas ermas ilhas no frio mar cinzento e ser um príncipe novamente? Ou prefere ficar como meu leal servidor?

Uma faca fria percorreu sua espinha. *Tenha cuidado,* disse para si mesmo, *tenha muito, muito cuidado.* Não gostava do sorriso de sua senhoria, do jeito que seus olhos brilhavam, da saliva reluzente no canto da boca. Vira esses sinais antes. *Você não é um príncipe. Você é Fedor, somente Fedor, que rima com torpor. Dê a resposta que ele quer.*

– Senhor – disse –, meu lugar é aqui, com você. Sou seu Fedor. Só quero servi-lo. Tudo o que peço... um odre de vinho, isso seria recompensa suficiente para mim... vinho tinto, o mais forte que tiver, todo o vinho que um homem possa beber...

Lorde Ramsay riu.

– Você não é um homem, Fedor. É apenas minha criatura. Mas terá seu vinho. Walder, providencie isso. E não tema, você não voltará para os calabouços, tem minha palavra como um Bolton. Faremos de você um cão, em vez disso. Carne todos os dias, e eu ainda lhe deixarei dentes suficientes para que coma. Você pode dormir entre minhas garotas. Ben, temos uma coleira para ele?

– Farei uma, senhor – disse o velho Ben Ossos.

O velho fez melhor do que isso. Naquela noite, além da coleira, havia um cobertor esfarrapado e meia galinha. Fedor teve que lutar com os cães pela carne, mas era a melhor refeição que tivera desde Winterfell.

E o vinho... o vinho era escuro e azedo, mas *forte*. De cócoras entre os cães de caça, Fedor bebeu até a cabeça girar, vomitou, limpou a boca e bebeu mais um pouco. Depois, deitou-se de costas e fechou os olhos. Quando acordou, um cão lambia o vômito de sua barba e nuvens escuras cobriam a lua em formato de foice. Em algum lugar na noite, homens gritavam. Ele afastou o cachorro, virou-se e voltou a dormir.

Na manhã seguinte, Lorde Ramsay despachou três cavaleiros pela estrada, para avisar ao senhor seu pai que o caminho estava livre. O homem esfolado da Casa Bolton estava hasteado sobre a Torre do Portão, de onde Fedor havia arrancado a lula gigante dourada de Pyke. Ao longo da estrada de placas apodrecidas, estacas de madeira haviam sido enfiadas profundamente no solo pantanoso; lá cadáveres se decompunham, vermelhos e pingando. *Sessenta e três*, ele sabia, *são sessenta e três deles*. Um não tinha metade de um braço. Outro tinha um pergaminho enfiado entre os dentes, o selo de cera ainda intocado.

Três dias mais tarde, a vanguarda da tropa de Roose Bolton atravessou as ruínas e passou pela fileira de sentinelas macabras; quatrocentos Frey montados, vestidos de azul e cinza, as pontas de suas lanças brilhando todas as vezes que o sol saía de trás das nuvens. Dois dos filhos do velho Lorde Walder lideravam a frente.

Um deles era forte, com uma maciça mandíbula saliente e grossos braços musculosos. O outro tinha olhos famintos, muito próximos, o nariz pontudo, uma barba rala castanha que não chegava a esconder o queixo fraco, e a cabeça careca. *Hosteen* e *Aenys*. Ele se lembrou deles antes de saber seus nomes. Hosteen era um touro, difícil de se irritar, mas implacável depois que sua ira era despertada, e tinha a reputação de ser o mais feroz guerreiro de Lorde Walder. Aenys era mais velho, mais cruel e mais esperto; um comandante, não um espadachim. Ambos eram soldados experientes.

Os nortenhos seguiam atrás da vanguarda, com dificuldade, seus estandartes esfarrapados agitando-se ao vento. Fedor os viu passar. A maioria estava a pé, e havia muito poucos deles. Lembrava-se da grande tropa que marchara para o Sul com o Jovem Lobo, sob o lobo gigante de Winterfell. Vinte mil espadas e lanças haviam partido para a guerra com Robb, ou algo próximo disso, mas apenas dois em cada dez estavam voltando, e a maioria eram homens do Forte do Pavor.

Atrás, onde a força era mais concentrada, cavalgava um homem de armadura cinza-escura, por sobre uma túnica acolchoada de couro vermelho-sangue. Seus medalhões eram forjados no formato de cabeças humanas, com as bocas abertas em um grito de agonia. Dos ombros pendia uma capa de lã rosa, bordada com gotículas de sangue. Longas franjas de seda vermelha jorravam do alto do elmo fechado. *Nenhum cranogmano matará Roose Bolton com uma flecha envenenada,* Fedor pensou assim que o viu. Um carroção fechado gemia atrás dele, puxado por seis fortes cavalos de lida e defendido por arqueiros, na frente e na retaguarda. Cortinas de veludo azul-escuro escondiam os ocupantes do veículo de olhos observadores.

Mais atrás vinha o comboio de bagagem; carroças pesadas carregadas com provisões e pilhagens obtidas na guerra e carretas lotadas de feridos e aleijados. E, na traseira, mais Freys. Pelo menos mil deles, talvez mais: arqueiros, lanceiros, camponeses armados com foices e paus afiados, mercenários, arqueiros montados e mais uma centena de cavaleiros para comandá-los.

Com a coleira, acorrentado e envolto em trapos novamente, Fedor seguia com os outros cães nos calcanhares de Lorde Ramsay quando sua senhoria foi adiante para cumprimentar o pai. Mas, assim que o cavaleiro na armadura escura tirou o elmo, o rosto que surgiu não era o de ninguém que Fedor conhecesse. O sorriso de Ramsay se distorceu à visão, e a raiva assomou seu rosto.

– O que é isso? Alguma zombaria?

– Apenas precaução – murmurou Roose Bolton, enquanto saía de trás das cortinas do carroção fechado.

O Senhor de Forte do Pavor não tinha muita semelhança com seu filho bastardo. O rosto era bem barbeado, de pele lisa, comum, mas não tão simples. Embora Roose tivesse estado em batalhas, não mostrava cicatrizes. E, mesmo que tivesse passado dos quarenta, ainda não tinha rugas, com escassas linhas para mostrar a passagem do tempo. Seus lábios eram tão finos que, quando os pressionava, pareciam desaparecer. Havia algo sem idade nele, uma quietude; no rosto de Roose Bolton, raiva e alegria eram muito parecidas. Tudo o que ele e Ramsay tinham em comum eram os olhos. *Seus olhos são feitos de gelo.* Fedor se perguntava se Roose Bolton alguma vez chorara. *Se chorou, será que as lágrimas correram geladas sobre sua face?*

Certa vez, um rapaz chamado Theon Greyjoy se divertira zombando de Bolton quando ele se sentara no conselho com Robb Stark, ironizando sua voz suave e fazendo graça com suas sanguessugas. *Ele devia estar louco. Este não é um homem com quem se deva brincar.* Bastava olhar para Bolton para perceber que havia mais crueldade em seu dedinho do pé do que em todos os Frey juntos.

– Pai. – Lorde Ramsay se ajoelhou diante de seu senhor.

Lorde Roose o estudou por um momento.

– Pode se levantar. – E se virou para ajudar duas jovens mulheres a sair do carroção.

A primeira era baixa e muito gorda, com um rosto redondo e três queixos balançando sob uma capa de zibelina.

– Minha nova esposa – disse Roose Bolton. – Senhora Walda, este é meu filho natural. Beije a mão de sua madrasta, Ramsay. – Ele beijou. – E estou certo de que se lembra da Senhora Arya. Sua prometida.

A garota era mais magra e mais alta do que Fedor se lembrava, mas isso era de se esperar. *Meninas crescem rápido nessa idade.* O vestido dela era de lã cinza, debruado com cetim branco; sobre ele, usava uma capa de arminho bordada com a cabeça de um lobo em prata. O cabelo castanho-escuro caía até a metade de suas costas. E seus olhos...

Essa não é a filha de Lorde Eddard.

Arya tinha os olhos do pai, os olhos cinzentos dos Stark. Uma garota da idade dela podia deixar o cabelo crescer, adicionar uns centímetros à altura, ver os seios aumentarem, mas não podia mudar a cor dos olhos. *Esta é a amiguinha de Sansa, a filha do intendente. Jeyne, esse era seu nome. Jeyne Poole.*

– Lorde Ramsay. – A garota se curvou. Isso estava errado também. A verdadeira Arya teria cuspido na cara dele. – Rezo para ser uma boa esposa e lhe dar filhos fortes que possam segui-lo.

– Você vai – prometeu Ramsay –, e logo.

Jon

A vela tinha escorrido em uma poça de cera, mas a luz da manhã brilhava pelas venezianas da janela. Jon adormecera sobre o trabalho novamente. Livros cobriam a mesa, altas pilhas deles. Ele mesmo os trouxera, depois de passar metade da noite procurando em celas empoeiradas sob a luz da lanterna. Sam estava certo, os livros precisavam desesperadamente ser classificados, listados e colocados em ordem, mas essa não era tarefa para intendentes que não sabiam ler ou escrever. Seria necessário esperar o retorno de Sam.

Se ele retornar. Jon temia por Sam e Meistre Aemon. Cotter Pyke escrevera de Atalaialeste para reportar que o *Corvo da Tempestade* vira destroços de uma galé ao longo da costa de Skagos. Se o navio destroçado era o *Melro*, um dos navios mercenários de Stannis Baratheon ou algum barco mercante de passagem, a tripulação do *Corvo da Tempestade* não era capaz de dizer. *Eu queria mandar Goiva e o bebê para algum lugar seguro. Será que, em vez disso, mandei-os para seus túmulos?*

O jantar da noite anterior, ao lado de seu cotovelo, estava congelado e pouco tocado. Edd Doloroso enchera sua tigela até quase transbordar, para que o infame ensopado de três carnes de Hobb Três Dedos amolecesse o pão velho. A brincadeira entre os irmãos era que as três carnes eram carneiro, carneiro e carneiro, mas cenoura, cebolas e nabo estariam mais perto da verdade. Uma camada de gordura gelada brilhava sobre os restos do ensopado.

Bowen Marsh insistira para que se mudasse para os antigos aposentos do Velho Urso, na Torre do Rei, depois que Stannis os desocupara, mas Jon declinara. Mudar-se para as câmaras do rei poderia facilmente significar que não esperava que o rei retornasse.

Uma estranha apatia tomara conta de Castelo Negro desde que Stannis marchara para o Sul, como se o povo livre e os irmãos negros estivessem segurando a respiração, esperando para ver o que viria em seguida. Os pátios e a sala de jantar estavam mais vazios do que cheios, a Torre do Senhor Comandante era uma casca vazia, o velho salão comum, uma pilha de madeira enegrecida, e a Torre de Hardin parecia prestes a cair sob a próxima rajada de vento. O único sinal de vida que Jon conseguia ouvir era o leve bater de espadas vindo do pátio do lado de fora do arsenal. Emmett de Ferro gritava com Salto de Pisco para manter o escudo erguido. *Todos nós faríamos bem em manter os escudos erguidos.*

Jon lavou-se, vestiu-se e deixou o arsenal, parando no pátio externo o tempo suficiente para dizer algumas palavras de encorajamento para Salto de Pisco e outros comandados de Emmett. Recusou a oferta de Ty de escolta, como sempre. Teria homens suficientes consigo hoje; se resultasse em sangue, dois a mais dificilmente fariam diferença. Mas levava Garralonga, e Fantasma seguia em seus calcanhares.

No momento em que chegou ao estábulo, Edd Doloroso já tinha o palafrém do senhor comandante selado e com freios, aguardando por ele. As carroças estavam sendo carregadas, sob o olhar vigilante de Bowen Marsh. O Senhor Intendente trotava pela coluna, apontando e agitando-se, o rosto vermelho de frio. Quando viu Jon, ficou mais vermelho ainda.

– Senhor comandante. Ainda pretende seguir com essa...

– ... loucura? – completou Jon. – Por favor, me diga que não estava prestes a dizer *loucura*, senhor. Sim, pretendo. Já discutimos isso. Atalaialeste precisa de mais homens. A Torre Sombria precisa de mais homens. Guardagris e Marcagelo também, não tenho dúvidas, e temos catorze outros castelos ainda vazios, muitos quilômetros da Muralha que permanecem sem vigilância e sem defesa.

Marsh apertou os lábios:

– O Senhor Comandante Mormont...

– ... está morto. E não pelas mãos dos selvagens, mas pelas mãos de seus Irmãos Juramentados, aqueles em quem confiava. Nem você nem eu sabemos o que ele teria ou não teria feito no meu lugar. – Jon deu uma volta com seu cavalo. – Chega de conversa. Vamos.

Edd Doloroso ouvira toda a conversa. Conforme Bowen Marsh trotava para fora, fez um aceno com a cabeça em direção às costas do Senhor Intendente e disse:

– Romãs. Todas aquelas sementes. Um homem pode sufocar até a morte. Eu preferia ter um nabo. Nunca se soube de um nabo que tivesse feito mal a um homem.

Era em momentos como esse que Jon mais sentia falta de Meistre Aemon. Clydas cuidava bem dos corvos, mas não tinha um décimo do conhecimento ou da experiência de Aemon Targaryen, muito menos sua sabedoria. Bowen era um bom homem, do jeito dele, mas o ferimento que sofrera na Ponte das Caveiras endurecera sua postura, e a única canção que cantava agora era o familiar refrão sobre fechar os portões. Othell Yarwyck era tão impassível e sem imaginação quanto taciturno, e os Primeiros Patrulheiros pareciam morrer tão logo eram nomeados. *A Patrulha da Noite perdeu muitos de seus melhores homens*, Jon refletiu, quando as carroças começaram a se mover. *O Velho Urso, Qhorin Meia-Mão, Donal Noye, Jarmen Buckwell, meu tio...*

Uma neve fina começou a cair enquanto as colunas seguiam para o sul pela estrada do rei, uma comprida fileira de carroças passando por campos, córregos e encostas arborizadas, escoltadas por uma dúzia de lanceiros e uma dúzia de arqueiros. Nas últimas poucas viagens para Vila Toupeira tinham surgido alguns problemas, um pouco de empurra-empurra, algumas maldições murmuradas, muitos olhares mal-encarados. Bowen Marsh achava melhor não arriscar e, pela primeira vez, ele e Jon concordavam. Estavam a oitocentos metros do Castelo Negro, quando Edd levou seu garrano para perto de Jon e disse:

– Senhor? Olhe aquilo. O grande bêbado da colina.

O bêbado era um freixo, torcido para o lado por séculos de vento. E agora tinha um rosto. Uma boca solene, um galho quebrado no lugar do nariz, dois olhos esculpidos no tronco, olhando ao norte da estrada do rei, em direção ao castelo e à Muralha.

Os selvagens trouxeram seus deuses com ele, no final das contas. Jon não estava surpreso. Os homens não abrem mão de seus deuses com tanta facilidade. Todo o espetáculo que a Senhora Melisandre orquestrara além da Muralha repentinamente parecia tão vazio quanto uma apresentação de pantomimeiros.

– Parece um pouco com você – disse, tentando amenizar o fato.

– Sim, senhor. Não tenho folhas crescendo do nariz, mas o resto... a Senhora Melisandre não ficará feliz.

– Ela não gostaria de ver isso. Assegure-se de que ninguém contará para ela.

– Mas ela vê coisas naquelas chamas.

– Fumaça e cinzas.

– E pessoas queimando. Eu, por exemplo. Com folhas no nariz. Sempre tive medo de ser queimado, mas esperava morrer primeiro.

Jon olhou novamente para o rosto, perguntando-se quem o teria esculpido ali. Colocara guardas ao redor de Vila Toupeira, tanto para manter seus corvos longe das mulheres selvagens, quanto para evitar que o povo livre escapulisse para o Sul para pilhar. Quem quer que tivesse esculpido o freixo claramente havia enganado as sentinelas. E se um homem era capaz de escapar ao cerco, outros também poderiam. *Posso dobrar a guarda,* pensou, amargurado. *Desperdiçar duas vezes mais homens. Homens que estariam andando pela Muralha.*

As carroças continuaram seu lento trajeto para o Sul na lama congelada e na neve que soprava. Um quilômetro e meio adiante, encontraram um segundo rosto, esculpido em um castanheiro que crescia ao lado de um córrego gelado, e seus olhos olhavam para a velha ponte que passava por cima do fluxo de água.

– Duas vezes mais problemas – anunciou Edd Doloroso.

O castanheiro estava sem folhas e esquelético, mas os galhos nus não estavam vazios. Em um ramo baixo suspenso sobre o córrego, um corvo sentava-se encurvado, as penas eriçadas pelo frio. Quando viu Jon, abriu as asas e deu um grito. Quando Jon levantou o punho e assobiou, a grande ave negra veio voando e gritando, *Grão, grão, grão.*

– Grão para o povo livre – Jon disse a ele. – Não para você. – Perguntava-se se acabariam comendo os corvos antes que o inverno terminasse seu curso.

Os irmãos nas carroças também haviam visto esse rosto, Jon não tinha dúvidas. Ninguém falou nada, mas a mensagem era claramente lida pelos olhos de qualquer homem. Jon certa vez ouvira Mance Rayder dizer que a maioria dos ajoelhadores são ovelhas.

– Agora, um cão pode pastorear um rebanho de ovelhas – dissera o Rei-para-lá-da-Muralha –, mas o povo livre, bem, alguns são linces negros e alguns são rochas. O primeiro tipo vai vagar por onde quiser e vai fazer seus cães em pedaços. O outro não se moverá a menos que você o chute. – Nem linces nem pedras estavam dispostos a abandonar os deuses que veneraram por toda a vida para se curvar diante de outro que mal conheciam.

Um pouco ao norte de Vila Toupeira, chegaram a um terceiro observador, esculpido em um imenso carvalho que marcava o perímetro da vila, seus olhos profundos fixos na estrada do rei. *Esse não é um rosto amigável,* Jon Snow refletiu. Os rostos que os Primeiros Homens e os filhos da floresta haviam esculpido nos represeiros em geral tinham aspectos sisudos ou selvagens, mas o grande carvalho parecia especialmente zangado, como se estivesse prestes a arrancar as raízes do chão e sair rugindo atrás deles. *Suas feridas são tão recentes quanto as feridas do homem que o esculpiu.*

Vila Toupeira sempre fora maior do que parecia; a maior parte era subterrânea, protegida do frio e da neve. Isso agora era mais verdade do que nunca. O Magnar de Thenn queimara a vila vazia em seu caminho para atacar o Castelo Negro, e apenas montes de vigas enegrecidas e velhas pedras queimadas permaneciam sobre o solo... mas, embaixo do chão congelado, as caves, os túneis e as celas profundas ainda permaneciam, e fora aí que o povo livre se refugiara, amontoados no escuro como as toupeiras que davam nome à vila.

As carroças fizeram um semicírculo em frente ao que uma vez fora a oficina do ferreiro da vila. Ali perto, um bando de crianças com os rostos vermelhos construía um forte de neve, mas se espalhou ao ver os irmãos de capa negra, desaparecendo em um buraco ou em outro. Alguns momentos depois, os adultos começaram a emergir da terra. Um odor desagradável veio com eles, o cheiro de corpos sem lavar e de roupas sujas, de excrementos e urina. Jon viu um de seus homens franzir o nariz e dizer algo para o que estava ao seu lado. *Alguma piada sobre o cheiro da liberdade*, adivinhou. Muitos de seus irmãos faziam piadas sobre o fedor dos selvagens em Vila Toupeira.

Santa ignorância, pensou Jon. O povo livre não era diferente dos homens da Patrulha da Noite; alguns eram limpos, outros sujos, mas a maioria era limpa em alguns momentos e suja em outros. Esse fedor era somente o cheiro de milhares de pessoas que lotavam adegas e túneis que haviam sido feitos para comportar não mais do que uma centena.

Os selvagens já haviam feito esta dança. Sem palavras, colocaram-se em filas atrás das carroças. Havia três mulheres para cada homem, muitas delas com crianças, pálidas coisas magras se agarrando às suas saias. Jon viu poucos bebês de colo. *Os bebês de colo morreram durante a marcha*, percebeu, *e aqueles que sobreviveram à batalha morreram nas paliçadas do rei.*

Os guerreiros se saíram melhor. Trezentos homens em idade de luta, Justin Massey afirmara no conselho. Lorde Harwood Fell os contara. *Deve haver esposas de lança também. Cinquenta, sessenta, talvez cem.* A contagem de Fell incluíra homens que sofreram ferimentos, Jon sabia. Ele vira alguns desses: homens em muletas rústicas, homens com mangas vazias ou sem mãos, homens com um olho ou com metade do rosto, um homem sem pernas carregado por dois amigos. Todos magros e pálidos. *Homens quebrados*, pensou. *As criaturas não são o único tipo de mortos-vivos.*

Nem todos os guerreiros estavam quebrados, no entanto. Meia dúzia de thenns em armaduras de escamas de bronze formava um grupo perto de uma das escadas das caves, observando sombriamente e sem fazer qualquer tentativa de se juntar aos demais. Nas ruínas da velha oficina do ferreiro da cidade, Jon vira a grande careca de um homem que reconheceu como Halleck, irmão de Harma Cabeça de Cão. Os porcos de Harma haviam sumido. *Comidos, sem dúvida.* Aqueles dois vestidos de peles eram homens cornopés, tão selvagens quanto magros, descalços mesmo na neve. *Ainda há lobos entre as ovelhas.*

Val o lembrara disso, na última visita que ele lhe fizera.

– Povo livre e ajoelhadores têm mais semelhanças do que diferenças, Jon Snow. Homens são homens e mulheres são mulheres, não importa de que lado da Muralha tenham nascido. Homens bons e maus, heróis e vilões, homens honrados, mentirosos, covardes, brutos... temos vários, assim como vocês.

Ela não estava errada. O truque era saber qual era qual, separando ovelhas de cabras.

Os irmãos negros começaram a distribuir a comida. Haviam trazido pedaços de carne salgada dura, bacalhau seco, feijão seco, nabo, cenoura, sacos de farinha de cevada e de trigo, ovos em conserva, barris de cebola e maçãs.

– Você pode levar uma cebola ou uma maçã – Jon ouviu Hal Peludo dizer a uma mulher –, mas não ambos. Tem que escolher.

A mulher parecia não ter entendido.

– Preciso de dois de cada. Um de cada para mim, e os outros para meu menino. Ele está doente, mas uma maçã vai deixar ele bom.

Hal abanou a cabeça.

– Ele tem que vir pegar a própria maçã. Ou a cebola. Não ambos. O mesmo para você. Agora, vai ser uma maçã ou uma cebola? Decida logo, tem mais gente esperando.

– Uma maçã – ela disse, e ele lhe deu uma, uma coisa velha e seca, pequena e enrugada.

– Vamos em frente, mulher – gritou um homem três lugares atrás. – Está frio aqui fora.

A mulher não prestou atenção ao grito.

– Outra maçã – disse para Hal Peludo. – Para meu filho. Por favor. Ele é tão pequeno.

Hal olhou para Jon. Jon sacudiu a cabeça. Logo as maçãs acabariam. Se começassem a dar duas para todos os que quisessem duas, os retardatários ficariam sem nada.

– Sai da frente – disse a garota que estava atrás da mulher. E então a empurrou pelas costas. A mulher tropeçou, derrubou a maçã e caiu. Os outros alimentos em seus braços voaram. Os feijões se espalharam, um nabo rolou para dentro de uma poça de lama, um saco de farinha se abriu e derramou o precioso conteúdo na neve.

Vozes zangadas se elevaram, na Língua Antiga e na Comum. Mais empurrões começaram em outra carroça.

– Não é o suficiente – um velho rosnou. – Vocês, corvos malditos, estão nos matando de fome.

A mulher que fora derrubada se arrastava de joelhos atrás de sua comida. Jon viu o clarão de aço nu a poucos metros de distância. Seus próprios arqueiros colocavam flechas nos arcos.

Virou-se em sua sela.

– Rory. Cale-os.

Rory levou o grande berrante aos lábios e soprou.

AAAAhoooooooooooooooooooooooooooooooooooooooooo!

O tumulto e os empurrões pararam. Cabeças se viraram. Uma criança começou a chorar. O corvo de Mormont passou do ombro esquerdo de Jon para o direito, balançando a cabeça e resmungando *Snow, snow, snow.*

Jon esperou até que os últimos ecos desaparecessem e moveu seu palafrém para a frente, para onde todos pudessem vê-lo.

– Estamos alimentando vocês da melhor maneira possível, tanto quanto temos disponível. Maçãs, cebolas, nabos, cenouras... há um longo inverno diante de todos nós, e nossos estoques não são inesgotáveis.

– Seus corvos comem o suficiente. – Halleck se adiantou.

Por enquanto.

– Nós guardamos a Muralha. A Muralha protege o reino... e vocês, agora. Vocês conhecem o inimigo que enfrentamos. Sabemos o que vem por aí. Alguns de vocês já os enfrentaram. Criaturas e caminhantes brancos, coisas mortas com olhos azuis e mãos negras. Eu os vi também, lutei com eles e mandei alguns para o inferno. Eles matam, e então mandam seus mortos contra vocês. Os gigantes não foram capazes de resistir a eles, nem vocês, thenns, clãs do rio gelado, cornopés, povo livre... e conforme os dias ficam mais curtos e as noites mais frias, eles ficam mais fortes. Vocês deixaram suas casas e vieram para o sul às centenas e aos milhares... por que, se não para escapar deles? Para ficar seguros. Bem, é a Muralha que os mantém a salvo. Somos nós quem os mantemos seguros, os corvos negros que vocês desprezam.

– Seguros e famintos – disse uma mulher atarracada, com o rosto queimado pelo vento, com a aparência de uma esposa de lança.

– Querem mais comida? – Jon perguntou. – A comida é para os lutadores. Ajudem-nos a guardar a Muralha e comerão tão bem quanto qualquer corvo. – *Ou tão mal quanto, quando a comida ficar escassa.*

Um silêncio caiu sobre eles. Os selvagens trocavam olhares desconfiados. *Comer*, resmungou o corvo. *Grão, grão.*

– Matar por você? – a voz tinha um sotaque acentuado. Sigorn, o jovem Magnar de Thenn, falava uma Língua Comum hesitante, na melhor das hipóteses. – Não lutar por você. Matar você melhor. Matar todos vocês.

O corvo bateu as asas. *Matar, matar.*

O pai de Sigorn, o velho Magnar, havia sido esmagado por uma escada que caíra durante o ataque ao Castelo Negro. *Eu sentiria o mesmo se alguém me pedisse para me unir aos Lannister*, Jon disse para si mesmo.

– Seu pai tentou nos matar – ele lembrou Sigorn. – O Magnar era um homem corajoso e mesmo assim falhou. E se tivesse tido êxito... quem guardaria a Muralha? – Afastou-se dos thenns. – As muralhas de Winterfell eram fortes também, mas Winterfell está em ruínas agora, queimada e destruída. Uma muralha é tão boa quanto os homens que a defendem.

Um velho com um nabo embalado contra o peito disse:

– Vocês nos mataram, nos deixam famintos e agora querem fazer de nós escravos.

Um homem com um robusto rosto vermelho gritou, concordando.

– Prefiro andar pelado a usar um desses trapos pretos nas costas.

Uma das esposas de lança riu.

– Nem sua esposa quer ver *você* pelado, Bitucas.

Uma dezena de vozes começou a falar ao mesmo tempo. Os thenns gritavam na Língua Antiga. Um menininho começou a chorar. Jon Snow esperou até que todos se calassem, virou-se para Hal Peludo e disse:

– Hal, o que você disse para esta mulher?

Hal pareceu confuso.

– Sobre a comida, quer dizer? Uma maçã ou uma cebola? Foi tudo o que disse. Eles têm que escolher.

– *Vocês têm que escolher* – Jon Snow repetiu. – Todos vocês. Ninguém está pedindo que façam nossos votos, e não me importo quais deuses vocês veneram. Meus próprios deuses são os deuses antigos, os deuses do Norte, mas vocês podem se converter ao deus vermelho, ou aos Sete, ou a qualquer outro deus que escute as preces de vocês. São de lanças que precisamos. De arcos. De olhos ao longo da Muralha. Aceitarei qualquer menino com mais de doze anos que saiba segurar uma lança ou usar um arco. Aceitarei seus velhos, seus feridos e seus aleijados, mesmo aqueles que não podem mais lutar. Há outras tarefas que podem fazer. Preparar flechas, ordenhar cabras, recolher lenha, retirar o esterco dos estábulos... o trabalho não tem fim. E sim, aceitarei suas mulheres também. Não preciso de donzelas tímidas esperando para ser protegidas, mas aceitarei todas as esposas de lança que vierem.

– E meninas? – uma garota perguntou. Parecia tão jovem quanto Arya, na última vez que Jon a vira.

– Dezesseis ou mais velhas.

– Você está aceitando meninos de doze.

Nos Sete Reinos, meninos de doze anos frequentemente eram pajens ou escudeiros; muitos haviam sido treinados nas armas havia anos. Garotas de doze eram crianças. *Mas essas são selvagens.*

– Como quiser. Meninos e meninas a partir dos doze anos. Mas apenas aqueles que saibam obedecer ordens. Isso vale para todos vocês. Nunca pedirei que se ajoelhem para mim, mas terei capitães acima de vocês, e oficiais que dirão quando devem se levantar e quando podem dormir, onde comer, quando beber, o que vestir, quando embainhar suas espadas e abaixar seus arcos. Os homens da Patrulha da Noite servem por toda a vida. Não pedirei isso a vocês, mas, enquanto estiverem na Muralha, estarão sob meu comando. Desobedeçam uma ordem, e cortarei a cabeça de vocês. Perguntem aos meus irmãos se não faço isso. Eles já me viram fazendo.

Cortar, gritou o corvo do Velho Urso. *Cortar, cortar, cortar.*

– A escolha é de vocês – Jon Snow lhes disse. – Aqueles que quiserem nos ajudar a guardar a Muralha, retornem para Castelo Negro comigo e lhes darei armas e comida. Os demais peguem seus nabos e suas cebolas e rastejem para dentro de seus buracos.

A garota foi a primeira a se apresentar.

– Posso lutar. Minha mãe era uma esposa de lança.

Jon concordou. *Ela não deve ter nem doze*, pensou, enquanto a menina se contorcia entre um par de velhos, mas não recusaria sua única recruta.

Dois rapazes a seguiram, meninos com não mais de catorze. Depois, um homem marcado por cicatrizes e sem um olho.

– Eu os vi também, os mortos. Até os corvos são melhores que aquilo.

Uma esposa de lança alta, um velho de muletas, um garoto de rosto redondo que tinha um braço atrofiado, um homem jovem cujo cabelo vermelho fez que Jon se lembrasse de Ygritte.

E então, Halleck.

– Não gosto de você, corvo – rosnou –, mas nunca gostei de Mance também, não mais do que minha irmã gostava. E, mesmo assim, lutamos por ele. Por que não lutar por você?

E então a barreira se rompeu. Halleck era um homem a ser seguido. *Mance não estava errado.*

– O povo livre não segue nomes, ou pequenos animais costurados em uma túnica – o Rei-para-lá-da-Muralha dissera para ele. – Não dançam por moedas, não se importam com como você se veste, com que tal corrente significa ou com quem era seu avô. Eles seguem a força. Seguem o homem.

Os primos de Halleck o seguiram, depois um dos porta-estandartes de Harma, e então homens que haviam lutado com ela, e outros que escutaram histórias das proezas deles. Anciãos e rapazes inexperientes, homens de combate no auge, homens feridos e aleijados, um bom grupo de esposas de lança e até mesmo os três cornopés.

Mas nenhum thenn. O Magnar se virou e desapareceu dentro dos túneis, e foi seguido de perto por seus asseclas vestidos de bronze.

Quando a última maçã foi distribuída, as carroças estavam lotadas de selvagens, e eles tinham uma força com sessenta e três a mais do que quando a coluna deixara o Castelo Negro naquela manhã.

– O que faremos com eles? – Bowen Marsh perguntou para Jon no percurso de volta pela estrada do rei.

– Treiná-los, armá-los e separá-los. Mandá-los aonde forem necessários. Atalaialeste, Torre Sombria, Marcagelo, Guardagris. Pretendo abrir três outros fortes, além desses.

O Senhor Intendente olhou para trás.

– Mulheres também? Nossos irmãos não estão acostumados a ter mulheres entre eles, senhor. Os votos deles... haverá lutas, estupros...

– Essas mulheres têm facas e sabem como usá-las.

– E na primeira vez que uma dessas esposas de lança cortar o pescoço de um de nossos irmãos, o que faremos?

– Perderemos um homem – disse Jon –, mas acabamos de ganhar sessenta e três. Você é bom em contas, senhor. Corrija-me se estiver errado, mas meus cálculos ainda nos deixam uma margem de sessenta e dois.

Marsh não estava convencido.

– Você adicionou sessenta e três bocas, senhor... Mas quantos são guerreiros, e de que lado lutarão? Se os Outros estiverem nos portões, a maioria ficará conosco, posso garantir... Mas e se Tormund Terror dos Gigantes ou o Chorão vierem chamando com dez mil uivos assassinos, então como vai ser?

– Aí veremos. Vamos esperar que isso nunca aconteça.

Tyrion

Ele sonhou com o senhor seu pai e com o Senhor da Mortalha. Sonhou que os dois eram a mesma pessoa e, quando seu pai envolveu os braços de pedra ao redor dele e se inclinou para lhe dar um beijo cinza, acordou com a boca seca e com gosto de sangue, e o coração martelando no peito.

– Nosso anão morto está voltando – disse Haldon.

Tyrion balançou a cabeça, para limpar as teias do sonho. *Os Sofrimentos. Eu estava perdido nos Sofrimentos.*

– Não estou morto.

– Isso pode ser visto. – O Meiomeistre estava sobre ele. – Pato, seja uma ave gentil e ferva um pouco de caldo para nosso amiguinho aqui. Ele deve estar faminto.

Estava no *Donzela Tímida*, Tyrion percebeu, embaixo de um cobertor áspero que cheirava a vinagre. Os Sofrimentos haviam ficado para trás. *Foi só um sonho que tive que estava me afogando.*

– Por que estou fedendo a vinagre?

– Lemore tem lavado você com vinagre. Alguns dizem que ajuda a prevenir escamagris. Estou inclinado a duvidar disso, mas não há mal algum em tentar. Foi Lemore quem expulsou a água de seus pulmões depois que Griff o puxou para fora. Você estava frio como gelo e seus lábios estavam azuis. Yandry disse que deveríamos jogá-lo de volta, mas o rapaz proibiu.

O príncipe. A lembrança voltou com tudo; o homem de pedra agarrando-o com as mãos cinza rachadas, o sangue escorrendo da junta dos dedos. *Era pesado como uma pedra, me puxando para baixo.*

– Griff me trouxe de volta? – *Ele deve me odiar, senão teria me deixado morrer.* – Quanto tempo estive dormindo? Onde estamos?

– Selhorys. – Haldon tirou uma faquinha da manga. – Aqui – disse, jogando-a sorrateiramente na direção de Tyrion.

O anão se encolheu. A faca caiu entre seus pés e ficou tremendo no convés. Ele a pegou de volta.

– O que é isto?

– Tire suas botas. Fure cada dedo do pé e da mão.

– Isso parece... doloroso.

– Espero que sim. Faça.

Tyrion arrancou uma bota, depois a outra, tirou as meias e olhou de soslaio para os dedos do pé. Não pareciam piores ou melhores do que o usual. Cutucou lentamente seu dedão com a faca.

– Mais forte – ordenou Meiomeistre Haldon.

– Quer que eu sangre?

– Se for necessário.

– Vou ficar com uma cicatriz em cada dedo do pé.

– O propósito do exercício não é contar seus dedos. Quero ver você estremecer. Enquanto as picadas causarem dor, você estará seguro. Só quando não for capaz de sentir a lâmina é que terá motivos de temor.

Escamagris. Tyrion estremeceu. Cutucou outro dedo, xingando enquanto uma gota de sangue brotava ao redor da ponta da faca.

– Isso dói. Está feliz?

– Dançando de alegria.

– Seu pé cheira pior que o meu, Yollo. – Pato trouxe uma caneca de caldo. – Griff avisou para não encostar nos homens de pedra.

– Sim, mas ele esqueceu de avisar o homem de pedra para não encostar em mim.

– Enquanto você se fura, procure manchas cinza de pele morta, unhas que começam a ficar negras – disse Haldon. – Se notar um desses sinais, não hesite. É melhor perder um dedo do que um pé. Melhor perder um braço do que passar o resto dos seus dias gemendo na Ponte dos Sonhos. Agora o outro pé, se for do seu agrado. E, depois, os dedos das mãos.

O anão cruzou as pernas atrofiadas e começou a furar os dedos do outro pé.

– Devo furar meu pau também?

– Não faria mal.

– Não faria mal para *você*, quer dizer. Embora eu devesse fatiá-lo por todo o uso que faço dele.

– Sinta-se à vontade. Podemos curti-lo, recheá-lo e vendê-lo por uma fortuna. Um pau de anão tem poderes mágicos.

– Tenho dito isso para todas as mulheres, há anos. – Tyrion levou a ponta da adaga para o polegar, viu o sangue gotejar e chupou o dedo. – Quanto tempo preciso continuar a me torturar? Quando terei certeza de estar limpo?

– Honestamente? – disse o Meiomeistre. – Nunca. Você engoliu metade do rio. Pode estar ficando cinza agora mesmo, transformando-se em pedra internamente, começando com seu coração e pulmões. Se for assim, furar seus dedos e banhá-lo com vinagre não o salvarão. Quando terminar, tome um pouco de caldo.

O caldo estava bom, embora Tyrion notasse que o Meiomeistre mantinha a mesa entre eles enquanto comia. O *Donzela Tímida* estava atracado em um píer na margem leste do Roine. Dois píeres mais abaixo, uma galé fluvial volantina descarregava soldados. Lojas, barracas e armazéns empilhavam-se sob uma muralha de arenito. As torres e as cúpulas da cidade eram visíveis além da muralha, avermelhadas pela luz do sol poente.

Não, não é uma cidade. Selhorys ainda era considerada uma simples vila, e era governada pela Antiga Volantis. Isso não era Westeros.

Lemore surgiu no convés com o príncipe atrás dela. Quando viu Tyrion, correu por todo o convés para abraçá-lo.

– A Mãe é misericordiosa. Rezamos por você, Hugor.

Você rezou, pelo menos.

– Não vou usar isso contra você.

A saudação do Jovem Griff foi menos efusiva. O jovem príncipe estava de mau humor, zangado por ter sido obrigado a permanecer no *Donzela Tímida*, em vez de ir para terra firme com Yandry e Ysilla.

– Só queremos mantê-lo a salvo – Lemore disse para ele. – Estes são tempos incertos.

Meiomeistre Haldon explicou:

– No caminho dos Sofrimentos para Selhorys, por três vezes vislumbramos homens a cavalo indo para o sul pela costa ocidental do rio. Dothrakis. Uma vez estiveram tão perto que pudemos ouvir os sinos tilintando em suas tranças, e em algumas noites as fogueiras deles podiam ser vistas além das colinas ocidentais. Passamos por navios de guerra também, galés fluviais volantinas, abarrotadas de soldados escravos. A tríade claramente teme um ataque a Selhorys.

Tyrion entendeu a situação rapidamente. Sozinha entre as principais vilas dos rios, Selhorys erguia-se na costa ocidental do Roine, o que a tornava muito mais vulnerável aos senhores dos cavalos do que as cidades-irmãs do outro lado do rio. *Mesmo assim, é um prêmio pequeno. Se eu fosse um khal, simularia um ataque contra Selhorys, deixaria que os volantinos corressem para defendê-la, viraria para o sul e cavalgaria forte até a própria Volantis.*

– Sei usar uma espada – o Jovem Griff insistia.

– Até mesmo o mais corajoso dos seus antepassados manteve a Guarda Real por perto em épocas de perigo – Lemore trocara a túnica de septã por trajes mais condizentes com os da esposa ou filha de um mercador próspero. Tyrion a observou mais de perto. Havia farejado a verdade sob os cabelos tingidos de azul de Griff e do Jovem Griff facilmente, e Yandry e Ysilla pareciam ser mais do que afirmavam ser, enquanto Pato era um pouco menos. Já Lemore... *Quem é ela, na verdade? Por que está aqui? Não é por ouro, posso dizer. O que o príncipe é para ela? É uma septã verdadeira?*

Haldon também percebeu a mudança do visual.

– O que fizemos para essa súbita perda de fé? Prefiro você em sua túnica de septã, Lemore.

– Prefiro ela nua – disse Tyrion.

Lemore lhe deu um olhar de reprovação.

– Isso porque você tem uma alma perversa. A túnica de septã grita por Westeros, e não devemos chamar atenção sobre nós – ela se virou para o Príncipe Aegon. – Você não é o único que precisa se esconder.

O rapaz não parecia apaziguado. *O príncipe perfeito, mas ainda quase um menino diante de tudo isso, com quase nenhuma experiência do mundo e de seus infortúnios.*

– Príncipe Aegon – disse Tyrion –, já que estamos presos neste barco, talvez me desse a honra de uma partida de *cyvasse* para passar o tempo?

O príncipe lhe deu um olhar cauteloso.

– Estou cansado de *cyvasse*.

– Cansado de perder para um anão, quer dizer?

Aquilo cutucou o orgulho do rapaz, como Tyrion sabia que faria.

– Pegue o tabuleiro e as peças. Desta vez pretendo esmagar você.

Jogaram no convés, sentados de pernas cruzadas atrás da cabine. O Jovem Griff dispôs seu exército para o ataque, com dragão, elefantes e cavalaria pesada na frente. *A formação de um homem jovem, tão ousada quanto tola. Ele arrisca tudo por uma morte rápida.* Deixou o príncipe fazer o primeiro movimento. Haldon ficou atrás deles, observando a partida.

Quando o príncipe avançou com o dragão, Tyrion mostrou a garganta.

– Eu não faria isso se fosse você. É um erro entregar seu dragão tão cedo. – Sorriu inocentemente. – Seu pai conheceu os perigos de ser ousado demais.

– Você conheceu meu pai verdadeiro?

– Bem, eu o vi duas ou três vezes, mas eu tinha apenas onze quando Robert o matou, e meu próprio pai me escondia sob uma rocha. Não, não posso dizer que conheci o Príncipe Rhaegar. Não como seu falso pai conheceu. Lorde Connington era o amigo mais querido do príncipe, não era?

O Jovem Griff afastou uma mecha de cabelos azuis dos olhos.

– Eles foram escudeiros juntos em Porto Real.

– Um amigo verdadeiro, nosso Lorde Connington. Deve ser, para permanecer tão ferozmente leal ao neto do rei que tomou suas terras, seus títulos e o mandou para o exílio. Uma pena isso. De outro modo, o amigo do Príncipe Rhaegar poderia estar por perto quando meu pai saqueou Porto Real, para salvar o precioso filho do Príncipe de ter seu cérebro real escorrendo pela parede.

O rapaz corou.

– Não era eu. Eu disse para você. Aquele era o filho de algum curtidor da Curva do Mijaguado cuja mãe morreu no parto. O pai dele o vendeu para Lorde Varys por um jarro do vinho dourado da Árvore. Ele tinha outros filhos, mas nunca provara o dourado da Árvore. Varys deu o menino de Mijaguado para minha mãe e me levou embora.

– Sim – Tyrion moveu seus elefantes. – E quando o príncipe mijaguado estava seguramente morto, o eunuco contrabandeou você através do mar estreito até seu gordo amigo, o queijeiro, que o colocou em um barco de pesca e encontrou um lorde exilado disposto a se autodenominar seu pai. Essa é uma história magnífica, e os cantores falarão muito de sua fuga depois que você retomar o Trono de Ferro... assumindo que nossa justa Daenerys o aceite como consorte.

– Ela vai. Ela deve.

– *Deve?* – Tyrion estalou os lábios em reprovação. – Esta não é uma palavra que rainhas gostam de ouvir. Você é o príncipe perfeito para ela, concordo; brilhante, ousado e belo como qualquer donzela poderia desejar. Mas Daenerys Targaryen não é uma donzela. Ela é viúva de um *khal* dothraki, mãe de dragões e saqueadora de cidades, Aegon, o Conquistador, de tetas. Ela pode não estar tão disposta quanto você deseja.

– Ela estará disposta. – O Príncipe Aegon parecia chocado. Estava claro que nunca considerara a possibilidade daquela esposa prometida recusá-lo. – Você não a conhece. – Ele pegou o cavalo e o derrubou com um baque.

O anão encolheu os ombros.

– Sei que ela passou a infância no exílio, empobrecida, vivendo de sonhos e planos, fugindo de uma cidade para outra, sempre com medo, nunca segura, sem outro amigo além de um irmão que, pelo que se sabe, era meio louco... Um irmão que vendeu a virgindade dela para os dothrakis pela promessa de um exército. Sei que em algum lugar do caminho os dragões dela nasceram, assim como ela própria. Sei que é orgulhosa. Como não? O que mais restou para ela, além de orgulho? Sei que é forte. Como não? Os dothrakis desprezam a fraqueza. Se Daenerys tivesse sido fraca, teria perecido com Viserys. Sei que é feroz. Astapor, Yunkai e Meereen são provas suficientes disso. Ela cruzou as pradarias e o deserto vermelho, sobreviveu a assassinos e a conspiradores, derrotou feiticeiros, chorou por um irmão, um marido e um filho, reduziu as cidades dos escravos a pó sob seus delicados pés calçados em sandálias. Agora, como acha que esta rainha reagirá quando você chegar com uma tigela de pedinte na mão e disse, *Bom-dia, tia. Sou seu sobrinho Aegon e retornei da morte. Estive escondido em um barco de pesca durante toda a minha vida, mas agora tirei a tinta azul do cabelo e gostaria de um dragão, por favor... ah, e eu mencionei que minha pretensão ao Trono de Ferro é mais forte que a sua?*

A boca de Aegon se contorceu em fúria.

– Não irei até minha tia como pedinte. Irei até ela como um parente, com um exército.

– Um pequeno exército. – *Aí, isso o deixa bem irritado.* O anão não pôde deixar de pensar em Joffrey. *Tenho um presente para príncipes irritados.* – A Rainha Daenerys já tem um exército grande, e não graças a você. – Tyrion moveu seus besteiros.

– Diga o que quiser. Ela será minha noiva, Lorde Connington providenciará isso. Acredito nele como se fosse de meu próprio sangue.

– Talvez você devesse ser o bobo no meu lugar. *Não acredite em ninguém,* meu príncipe. Nem no seu meistre sem correntes, nem em seu falso pai, nem no galante Pato, nem na adorável Lemore, nem nesses outros amigos que o viram crescer. E, acima de tudo, não acredite no queijeiro, nem na Aranha, nem nessa pequena rainha dragão com quem quer casar. Toda essa desconfiança vai azedar seu estômago e deixá-lo acordado durante a noite, é verdade, mas é melhor do que o longo sono que não tem fim. – O anão empurrou seu dragão negro através de uma cadeia de montanhas. – Mas o que eu sei? Seu falso pai é um grande senhor, e eu sou apenas um pequeno homem-macaco torto. Mesmo assim, eu faria as coisas de um jeito diferente.

Aquilo atraiu a atenção do garoto.

– Diferente como?

– Se eu fosse você? Iria para oeste em vez de leste. Chegaria em Dorne e levantaria meus estandartes. Os Sete Reinos nunca estiveram mais propensos a ser conquistados do que agora. Um rei garoto ocupa o Trono de Ferro. O Norte está o caos, o Tridente é uma devastação, rebeldes mantêm Ponta Tempestade e Pedra do Dragão. Quando o inverno chegar, o reino estará faminto. E quem restará para lidar com tudo isso, quem governa o pequeno rei que governa os Sete Reinos? Minha querida irmã. Não há mais ninguém. Meu irmão Jaime foi feito para batalhas, não para o poder. Ele fugiu de toda chance que teve de governar. Meu tio Kevan teria sido um regente razoavelmente bom, se alguém lhe impusesse o dever, mas ele nunca irá atrás disso. Os deuses o moldaram para ser um seguidor, não um líder. – *Bem, os deuses e o senhor meu pai.* – Mace Tyrell agarraria o cetro de bom grado, mas minha família não vai se afastar e dá-lo para ele. E todo mundo odeia Stannis. Quem sobra? Apenas Cersei. Westeros está dilacerado e sangrando, e não duvido que até agora minha doce irmã esteja colocando ataduras nas feridas... com sal. Cersei é tão gentil quanto o Rei Maegor, tão abnegada quanto Aegon, o Indigno, e tão sábia quanto o Louco Aerys. Ela nunca esquece uma desfeita, real ou imaginada. Confunde cuidado com covardia, divergência com desafio. E é gananciosa. Gananciosa por poder, por honrarias e por amor. O governo de Tommen é reforçado por todas as alianças que o senhor meu pai construiu tão cuidadosamente, mas logo ela as destruirá, cada uma delas. Desembarque lá e levante seus estandartes, e os homens se juntarão à sua causa. Grandes senhores e pequenos, e o povo simples também. Mas não espere muito, meu príncipe. O momento não durará. A maré que sobe agora logo retrocederá. Assegure-se de chegar a Westeros antes que minha irmã caia e alguém mais competente tome o lugar dela.

– Mas – disse o Príncipe Aegon –, sem Daenerys e seus dragões, como posso esperar vencer?

– Você não *precisa* vencer – Tyrion falou para ele. – Tudo o que precisa é levantar seus estandartes, reunir seus apoiadores e esperar até que Daenerys chegue para unir as forças dela às suas.

– Você disse que ela pode não me querer.

– Talvez eu tenha exagerado. Ela pode ter pena de você quando você chegar pedindo a mão dela. – O anão encolheu os ombros. – Você quer apostar seu trono nos caprichos de uma mulher? Já se for para Westeros... ah, então você será um rebelde, não um pedinte. Ousado, temerário, um verdadeiro herdeiro da Casa Targaryen, refazendo os passos de Aegon, o Conquistador. Um *dragão*. Eu disse para você, conheço nossa pequena rainha. Deixe-a escutar que o filho morto de seu irmão Rhaegar ainda está vivo e que esse corajoso rapaz ergueu o estandarte do dragão dos antepassados dela em Westeros mais uma vez, que está lutando uma guerra desesperada para vingar seu pai e reclamar o Trono de Ferro para a Casa Targaryen, duramente pressionado por todos os lados... e ela correrá para seu lado tão rápido quanto o vento e a água puderem levá-la. Você é o último da linhagem dela, e essa Mãe de Dragões, essa Rompedora de Correntes é, acima de tudo, uma salvadora. A garota que afogou as cidades dos traficantes de escravos em sangue em vez de deixar estranhos em suas correntes dificilmente abandonaria o filho de seu próprio irmão na hora do perigo. E quando ela chegar a Westeros e estiver com você pela primeira vez, vocês se encontrarão como iguais, homem e mulher, não rainha e suplicante. Como ela poderá ajudá-lo sem amá-lo, eu lhe pergunto?

Sorrindo, pegou seu dragão e voou com ele através do tabuleiro.

– Espero que Vossa Graça me perdoe. Seu rei está preso. Morte em quatro.

O príncipe encarou o tabuleiro.

– Meu dragão...

– ... está longe demais para salvá-lo. Você deveria tê-lo movido para o centro da batalha.

– Mas você disse...

– Eu menti. *Não acredite em ninguém*. E mantenha seu dragão por perto.

O Jovem Griff sacudiu os pés e chutou o tabuleiro. Peças de *cyvasse* voaram em todas as direções, saltando e rolando por todo o convés do *Donzela Tímida*.

– Pegue essas peças – o garoto ordenou.

Ele bem pode ser um Targaryen, no final das contas.

– Se for do agrado de Vossa Graça. – Tyrion se apoiou nas mãos e nos joelhos e começou a rastejar pelo convés, recolhendo as peças.

Estava perto do entardecer quando Yandry e Ysilla retornaram ao *Donzela Tímida*. Um carregador os seguia, empurrando um carrinho de mão com altas pilhas de provisões: sal e farinha, manteiga recém-batida, pedaços de toicinho embrulhados em linho, sacos de laranja, maçã e pera. Yandry levava um barril de vinho em um dos ombros, enquanto Ysilla carregava um lúcio pendurado nos seus. O peixe era tão grande quanto Tyrion.

Quando viu o anão em pé no final da prancha, Ysilla parou tão repentinamente que Yandry tropeçou nela, e o lúcio quase escorregou para o rio. Pato ajudou a resgatar o peixe. Ysilla encarou Tyrion e fez um gesto peculiar de apunhalá-lo com três dedos. *Um sinal para afastar o mal.*

– Deixe-me ajudar com o peixe – o anão disse para Pato.

– Não – retrucou Ysilla. – Fique longe. Não toque na comida, além daquela que você for comer.

Tyrion levantou as duas mãos.

– Como quiser.

Yandry colocou o barril de vinho no convés.

– Onde está Griff? – perguntou para Haldon.

– Dormindo.

– Então o acorde. Temos notícias que ele deve escutar. O nome da rainha está em cada boca de Selhorys. Dizem que ainda está em Meereen, tomada de aflição. Se o que dizem nos mercados é verdade, a Antiga Volantis logo se juntará à guerra contra ela.

Haldon apertou os lábios.

– Fofocas de peixeiros não devem ser levadas a sério. Ainda assim, imagino que Griff queira ouvi-las. Sabe como ele é. – O Meiomeistre desceu.

A garota nunca partiu para o oeste. Sem dúvidas, tinha bons motivos. Entre Meereen e Volantis havia três mil quilômetros de desertos, montanhas, pântanos e ruínas, além de Mantarys com sua reputação sinistra. *Uma cidade de monstros, dizem, mas, se ela marchar por terra, onde mais conseguirá comida e água? O mar poderia ser mais rápido, mas se ela não tem navios...*

Quando Griff apareceu no convés, o lúcio estava pingando e crepitando sobre o braseiro, enquanto Ysilla espremia um limão sobre ele. O mercenário vestia cota de malha e a capa de pele de lobo, suaves luvas de couro, calções de lã escura. Se ficou surpreso ao ver Tyrion acordado, não deu nenhum sinal além de sua costumeira carranca. Levou Yandry para o leme, onde falaram em voz baixa, baixa demais para que o anão pudesse ouvir.

Finalmente Griff acenou para Haldon.

– Precisamos saber a verdade sobre esses rumores. Vá para terra firme e descubra o que puder. Qavo saberá, se puder encontrá-lo. Tente o Homem do Rio e a Tartaruga Pintada. Você conhece os outros lugares que ele costuma frequentar.

– Sim. Levarei o anão comigo. Quatro ouvidos escutam mais do que dois. E você sabe como Qavo é a respeito de seu *cyvasse*.

– Como quiser. Volte antes do nascer do sol. Se, por algum motivo, se atrasar, faça seu caminho até a Companhia Dourada.

Ele fala como um senhor. Tyrion manteve o pensamento para si.

Haldon vestiu uma capa com capuz, e Tyrion trocou sua roupa caseira colorida por algo monótono e cinza. Griff deu a cada um deles uma bolsa com prata dos baús de Illyrio.

– Para soltar línguas.

O crepúsculo dava lugar à escuridão, enquanto faziam seu caminho ao longo da beira-rio. Alguns dos navios pelos quais passaram pareciam desertos, com as pranchas erguidas. Outros estavam cheios de homens armados que olharam para eles com suspeita. Sob as muralhas da vila, lanternas de pergaminho haviam sido acesas sobre os estábulos, derramando poças de luzes coloridas no caminho de paralelepípedos. Tyrion viu o rosto de Haldon ficar verde, depois vermelho e então púrpura. Além da cacofonia de línguas estrangeiras, ouvia estranhas músicas tocando em algum lugar adiante e uma suave flauta aguda acompanhada por tambores. Um cão latia também, por trás deles.

E as putas estavam do lado de fora. Rio ou mar, um porto é um porto; onde quer que os marinheiros estejam, as putas também estarão. *É isso que meu pai queria dizer? É para aí que as putas vão, para o mar?*

As putas de Lannisporto e de Porto Real eram mulheres livres. Suas irmãs de Selhorys eram escravas, cuja servidão era indicada pelas lágrimas tatuadas embaixo do olho direito. *Velhas como o pecado e duas vezes mais feias, a maioria delas.* Era quase suficiente para que um homem desistisse da putaria. Tyrion sentia os olhos delas sobre si enquanto caminhava bamboleando, e as ouvia sussurrando umas para as outras e rindo por trás das mãos. *Dá para pensar que elas nunca viram um anão antes.*

Um esquadrão de lanceiros volantinos permanecia de guarda na ponte do rio. A luz das tochas brilhava sobre as garras de aço que saíam de suas manoplas. Seus elmos eram máscaras de tigre, e os rostos eram marcados por listras verdes tatuadas em ambas as bochechas. Os soldados escravos de Volantis eram ferozmente orgulhosos de suas listras de tigre, Tyrion sabia. *Será que anseiam por liberdade?*, ele se perguntou. *O que fariam se essa rainha criança os libertasse? O que eles são, se não tigres? E o que eu sou, se não um leão?*

Um dos tigres espiou o anão e disse algo que fez os demais rirem. Quando Tyrion e Haldon alcançaram o portão, o guarda tirou a manopla com garras e a luva suada que usava por baixo, trancou um braço ao redor do pescoço do anão e esfregou sua cabeça rudemente. Tyrion estava muito assustado para reagir. Estava tudo acabado em um piscar de olhos.

– Há alguma razão para isso? – perguntou ao Meiomeistre.

– Ele diz que dá sorte esfregar a cabeça de um anão – Haldon disse, depois de conversar com o guarda na língua dele.

Tyrion se obrigou a sorrir para o homem.

– Diga para ele que dá mais sorte ainda chupar o pau de um anão.

– Melhor não. Tigres são conhecidos por terem dentes afiados.

Outro guarda fez sinal para eles do outro lado do portão, acenando impaciente com a tocha. Meiomeistre Haldon seguiu adiante, entrando em Selhorys, com Tyrion bamboleando cautelosamente em seus calcanhares.

Uma grande praça se abriu diante deles. Mesmo a essa hora, estava lotada, barulhenta e iluminada. Havia lanternas penduradas em correntes de ferro sobre as portas das estalagens e das casas de prazer, mas dentro dos portões eram feitas de vidro colorido, não de pergaminho. À direita deles, uma fogueira noturna queimava do lado de fora de um templo de pedra vermelha. Um sacerdote de túnica escarlate estava no balcão do templo, discursando para a pequena multidão que se juntara ao redor das chamas. Mais além, viajantes sentados jogavam *cyvasse* diante de uma estalagem, soldados bêbados entravam e saíam do que, obviamente, era um bordel, e uma mulher levava uma mula para fora de um estábulo. Um carrinho de duas rodas passou estrondosamente por eles, puxado por um elefante anão branco. *Este é outro mundo*, pensou Tyrion, *mas não tão diferente do mundo que conheço.*

A praça era dominada por uma estátua de mármore branco de um homem sem cabeça em uma armadura exageradamente ornada, montado em um cavalo de batalha arreado da mesma maneira.

– Quem poderia ser? – perguntou-se Tyrion.

– Tríade Horonno. Um herói volantino do Século do Sangue. Foi reconduzido como tríade todos os anos por quarenta anos, até que se cansou das eleições e se declarou tríade por toda a vida. Os volantinos não ficaram contentes. Ele foi condenado à morte logo depois. Amarrado entre dois elefantes e rasgado ao meio.

– A estátua parece ter perdido a cabeça.

– Ele era um tigre. Quando os elefantes chegaram ao poder, seus seguidores vieram em alvoroço, arrancando as cabeças das estátuas daqueles a quem culpavam por todas as guerras e mortes. – Deu de ombros. – Isso foi em outra era. Venha, é melhor ouvirmos o que o sacerdote está dizendo. Juro que ouvi o nome de Daenerys.

Do outro lado da praça, juntaram-se à multidão crescente do lado de fora do templo vermelho. Cercado de habitantes locais, todos muito mais altos do que ele, o homenzinho achou difícil ver muito além de um monte de traseiros. Podia ouvir a maioria das palavras que o sacerdote dizia, mas isso não queria dizer que entendesse alguma coisa.

– Você entende o que ele está falando? – perguntou para Haldon na Língua Comum.

– Entenderia, se não tivesse um anão buzinando no meu ouvido.

– Eu não buzino. – Tyrion cruzou os braços e olhou para trás, estudando os rostos dos homens e das mulheres que haviam parado para ouvir. Em todos os lados via tatuagens. *Escravos. Quatro em cada cinco deles são escravos.*

– O sacerdote está chamando os volantinos para a guerra – disse o Meiomeistre –, mas do lado certo, como soldados do Senhor da Luz, R'hllor, que fez o sol e as estrelas e que luta eternamente contra a escuridão. Nyessos e Malaquo se afastaram da luz, ele diz, e os corações deles foram escurecidos pelas harpias amarelas do leste. Ele diz...

– *Dragões*. Entendi essa palavra. Ele diz dragões.

– Sim. Os dragões vieram para levá-la para a glória.

– Ela. Daenerys?

Haldon assentiu.

– Benerro enviou a palavra de Volantis. A vinda dela é o cumprimento de uma antiga profecia. Da fumaça e do sal ela nascerá, para fazer um mundo novo. Ela é Azor Ahai retornado... e o triunfo dela sobre a escuridão trará um verão sem fim... a morte dobrará os joelhos, e aqueles que morrerem lutando pela causa dela renascerão.

– Tenho que renascer neste mesmo corpo? – perguntou Tyrion. A multidão aumentava. Ele se sentia pressionado por todos os lados. – Quem é Benerro?

Haldon levantou uma sobrancelha.

– Alto sacerdote do templo vermelho de Volantis. Chama da Verdade, Luz da Sabedoria, Primeiro Servo do Senhor da Luz, Escravo de R'hllor.

O único sacerdote vermelho que Tyrion conhecera era Thoros de Myr, o corpulento e simpático fanfarrão manchado de vinho, que passava o tempo na corte de Robert bebendo os melhores vinhos do rei e participando de torneios com uma espada em chamas.

– Me dê sacerdotes que são gordos, corruptos e cínicos – disse para Haldon –, o tipo que gosta de se sentar em almofadas de cetim macias, mordiscando frutas cristalizadas e enganando garotinhos. São os únicos que acreditam que deus causa o problema.

– Talvez possamos usar esse problema a nosso favor. Sei onde podemos encontrar respostas. – Haldon o levou passando pelo herói sem cabeça, até uma grande pousada de pedra de frente para a praça. A carapaça rígida de uma tartaruga imensa estava pendurada sobre a porta, pintada de cores berrantes. Dentro, uma centena de sombrias velas vermelhas brilhava como estrelas distantes. O cheiro de carne assada e especiarias enchia o ar. Uma escrava com uma tartaruga tatuada no rosto servia um vinho verde-claro.

Haldon parou na porta.

– Lá. Aqueles dois.

Na alcova, dois homens sentavam-se diante de um tabuleiro de *cyvasse* esculpido em pedra, olhando as peças iluminadas por uma vela vermelha. Um era magro e pálido, com cabelo preto e nariz afilado. O outro tinha ombros largos e a barriga redonda, com cachos de cabelo que caíam abaixo do colarinho. Nenhum dos dois se dignou a olhar para eles, até que Haldon colocou uma cadeira entre os jogadores e disse:

– Meu anão joga *cyvasse* melhor do que vocês dois juntos.

O homem maior levantou os olhos para olhar os intrusos com desagrado, e disse alguma coisa na língua da Antiga Volantis, rápido demais para que Tyrion tivesse a esperança de entender. O mais magro se recostou na cadeira.

– Ele está à venda? – perguntou, na Língua Comum de Westeros. – O espetáculo grotesco da tríade precisa de um anão jogador de *cyvasse*.

– Yollo não é escravo.

– Que pena. – O homem magro moveu um elefante ônix.

Do outro lado do tabuleiro, o homem atrás de um exército de alabastro apertou os lábios em desaprovação. Moveu seu cavalo pesado.

– Um erro – disse Tyrion. Ele também tinha um papel a desempenhar.

– Exatamente – disse o homem magro. Respondeu com seu próprio cavalo pesado. Um turbilhão de rápidos movimentos se seguiu, até que finalmente ele sorriu e disse: – Morto, meu amigo.

O homem grande olhou com raiva para o tabuleiro, levantou-se e resmungou alguma coisa em seu próprio idioma. Seu oponente riu.

– Qual é. O anão não cheira tão mal quanto isso. – Mostrou a cadeira vazia para Tyrion. – Agora é com você, homenzinho. Coloque sua prata na mesa, e veremos quão bem você joga.

Qual jogo?, Tyrion poderia ter perguntado. Pulou em cima da cadeira.

– Jogo melhor com a barriga cheia e uma taça de vinho na mão. – O homem magro virou amavelmente e pediu para a escrava que trouxesse comida e bebida.

Haldon disse:

– O nobre Qavo Nogarys é funcionário da alfândega aqui em Selhorys. Eu nunca o derrotei no *cyvasse*.

Tyrion entendeu.

– Talvez eu tenha mais sorte. – Abriu sua bolsa e empilhou moedas de prata sobre o tabuleiro, uma sobre a outra, até que finalmente Qavo sorriu.

Enquanto os dois jogadores arrumavam suas peças atrás da tela do *cyvasse*, Haldon disse:

– Quais são as notícias do baixo rio? Teremos guerra?

Qavo deu de ombros.

– Os yunkaítas querem. Eles se autodenominam Sábios Mestres. Não posso falar da sabedoria deles, mas não lhes falta astúcia. Seus enviados vieram até nós com baús repletos de ouro e pedras preciosas e duzentos escravos, garotas núbeis e meninos de pele lisa treinados à maneira dos sete suspiros. Disseram-me que suas festas são memoráveis e suas propinas, generosas.

– Os yunkaítas compraram seus tríades?

– Apenas Nyessos – Qavo removeu a tela e estudou a posição do exército de Tyrion. – Malaquo pode ser velho e sem dentes, mas ainda é um tigre, e Doniphos não será reconduzido tríade. A cidade tem sede de guerra.

– Por quê? – perguntou Tyrion. – Meereen está há muitos quilômetros por mar. Como esta doce rainha criança ofendeu a Antiga Volantis?

– Doce? – Qavo riu. – Se metade das histórias que vem da Baía dos Escravos é verdadeira, esta *criança* é um monstro. Dizem que tem sede de sangue, que aqueles que falam contra ela são empalados em estacas para ter uma morte lenta. Dizem que é uma feiticeira que alimenta seus dragões com a carne de bebês recém-nascidos, uma quebradora de promessas que zomba dos deuses, ignora tréguas, ameaça enviados e vira-se contra aqueles que a serviram lealmente. Dizem que a luxúria dela não pode ser saciada, que acasala com homens, mulheres, eunucos e até com cães e crianças, e pobre do amante que falhar em satisfazê-la. Ela dá seu corpo para os homens e toma as almas deles para servi-la.

Ah, bem, pensou Tyrion. *Se ela der seu corpo para mim, será bem-vinda à minha alma, mesmo que pequena e atrofiada.*

– Eles dizem – falou Haldon. – Por *eles*, você quer dizer os mercadores de escravos, os exilados que ela expulsou de Astapor e Meereen. Meras calúnias.

– As melhores calúnias são temperadas com a verdade – sugeriu Qavo –, mas o verdadeiro pecado da garota não pode ser negado. Essa criança arrogante tomou para si a tarefa de esmagar o tráfico de escravos, mas o tráfico nunca esteve confinado à Baía dos Escravos. Era parte do mar do comércio que se espalhou pelo mundo, e a rainha dragão tem turvado as águas. Atrás das Muralhas Negras, senhores de sangue antigo dormem mal, ouvindo seus escravos de cozinha afiarem longas facas. Escravos plantam nossa comida, limpam nossas ruas, ensinam nossos jovens. Eles guardam nossas muralhas, remam nossas galés, lutam nossas batalhas. E agora, quando olham para o leste, veem essa jovem rainha brilhando de longe, essa *rompedora de correntes*. O Sangue Antigo não pode sofrer isso. Homens pobres a odeiam também. Mesmo o pedinte mais vil está acima de um escravo. Essa rainha dragão quer tirar esse consolo dele.

Tyrion avançou seu lanceiro. Qavo respondeu com seu cavalo leve. Tyrion moveu seus besteiros um quadro para cima e disse:

– O sacerdote vermelho lá fora parece pensar que Volantis deveria lutar por essa rainha prateada, não contra ela.

– Os sacerdotes vermelhos seriam sábios em segurar suas línguas – disse Qavo Nogarys. – Já estão ocorrendo lutas entre os seguidores deles e aqueles que veneram outros deuses. As bobagens de Benerro só servirão para trazer ira selvagem sobre sua cabeça.

– Que bobagens? – o anão perguntou, brincando com suas peças.

O volantino acenou com a mão.

– Em Volantis, milhares de escravos e libertos lotam a praça do templo todas as noites para ouvir Benerro gritar a respeito de estrelas sangrando e uma espada de fogo que irá purificar o mundo. Ele vem pregando que Volantis certamente queimará se a tríade pegar em armas contra a rainha prateada.

– Esta é uma profecia que até eu poderia ter feito. Ah, a ceia.

A ceia consistia em um prato de cabrito assado servido sobre uma cama de cebolas fatiadas. A carne estava temperada e cheirosa, bem passada por fora e vermelha e suculenta por dentro. Tyrion arrancou um pedaço. Estava tão quente que queimou seus dedos, mas estava tão boa que não pôde deixar de pegar outro pedaço. Empurrou para baixo com um licor volantino verde-claro, a coisa mais próxima que tomava de um vinho em séculos.

– Muito bom – disse, arrancando com seu dragão. – A peça mais poderosa do jogo – anunciou, enquanto removia um dos elefantes de Qavo. – E dizem que Daenerys Targaryen tem três.

– Três – Qavo concordou – contra três vezes três mil inimigos. Grazdan no Eraz não foi o único enviado da Cidade Amarela. Quando os Sábios Meistres seguirem contra Meereen, as legiões de Nova Ghis lutarão ao lado deles. Tosolinos. Ellyrianos. Até mesmo os dothrakis.

– Vocês têm dothrakis do lado de fora de seus portões – Haldon disse.

– Khal Pono. – Qavo moveu a mão pálida em sinal de rejeição. – Os senhores dos cavalos vêm, damos presentes para eles, os senhores dos cavalos vão. – Moveu sua catapulta novamente, aproximando a mão do dragão de alabastro de Tyrion e o removendo do tabuleiro.

O resto foi abate, embora o anão tenha conseguido fazer mais uma dúzia de movimentos.

– Chegou o tempo de lágrimas amargas – Qavo disse por fim, recolhendo a pilha de prata. – Outra partida?

– Não há necessidade – disse Haldon. – Meu anão teve sua lição de humildade. Acho que devemos voltar para nosso barco.

Do lado de fora, na praça, a fogueira noturna ainda queimava, mas o sacerdote havia ido e a multidão se dispersara. O brilho de velas resplandecia das janelas do bordel. De dentro, vinha o som de risos de mulheres.

– A noite ainda é uma criança – disse Tyrion. – Qavo pode não ter nos contado tudo. E putas escutam muito e ainda mais dos homens aos quais servem.

– Está tão necessitado de uma mulher, Yollo?

– Um homem se cansa de não ter outras amantes além de seus dedos. – *Selhorys pode ser o lugar para onde as putas vão. Tysha pode estar lá dentro agora, com lágrimas tatuadas no rosto.* – Eu quase me afoguei. Um homem precisa de uma mulher depois de algo assim. Além disso, preciso ter certeza de que meu pau não virou pedra.

O Meiomeistre riu.

– Esperarei por você na taverna perto do portão. Não demore muito.

– Ah, não se preocupe com isso. A maioria das mulheres prefere acabar comigo o mais rápido possível.

O bordel era modesto, se comparado com aqueles que o anão frequentara em Lanisporto ou em Porto Real. O proprietário parecia não falar nenhum idioma que não volantino, mas entendia bem o retinir da prata e levou Tyrion através de uma arcada até um comprido salão com cheiro de incenso, onde quatro escravas entediadas recostavam-se em variados estados de nudez. Duas deviam ter ao menos quarenta dias de seu nome ou mais, ele imaginava; a mais jovem tinha talvez quinze ou dezesseis. Nenhuma delas era tão horrenda quanto as putas que vira trabalhando no cais, embora nenhuma fosse muito bonita. Uma delas estava claramente grávida. Outra era apenas gorda e ostentava aros de ferro pendurados nos dois mamilos. Todas as quatro tinham lágrimas tatuadas sob um olho.

– Você tem uma garota que fale a língua de Westeros? – perguntou Tyrion. O proprietário olhou sem entender, então repetiu a pergunta em Alto Valiriano. Dessa vez ele pareceu entender uma ou duas palavras e respondeu em Volantino.

– Garota do pôr do sol – foi tudo o que o anão entendeu da resposta. Considerou que isso significava uma garota dos Reinos do Pôr do Sol.

Havia apenas uma dessas na casa, e não era Tysha. Ela tinha o rosto sardento e cachos vermelhos sobre a cabeça, o que significava a promessa de seios sardentos e cabelos vermelhos entre as pernas.

– Ela serve – disse Tyrion –, e quero uma jarra também. Vinho tinto e carne vermelha. – A puta olhava para seu rosto sem nariz com repulsa nos olhos. – Eu ofendo você, querida? Sou uma criatura ofensiva, como meu pai ficaria feliz em lhe dizer se não estivesse morto e apodrecendo.

Embora parecesse westerosi, a garota não falava uma palavra da Língua Comum. *Talvez tenha sido capturada por algum traficante de escravos quando criança.* Seu quarto era pequeno, mas havia um tapete de Myr no chão e um colchão recheado de penas, em vez de palha. *Já vi piores.*

– Vai me dizer seu nome? – ele perguntou, enquanto pegava uma taça de vinho com ela. – Não? – O vinho era forte, azedo e não precisava de tradução. – Suponho que terei que me contentar com sua boceta. – Limpou a boca com as costas da mão. – Já se deitou com um monstro antes? Agora é um momento tão bom quanto qualquer outro. Tire as roupas e deite-se de costas, se for de seu agrado. Ou não.

Ela olhou para ele sem compreender, até que ele tirou o jarro da mão dela e arrancou sua saia por sobre a cabeça. Depois disso, ela entendeu o que ele queria, embora não fosse a mais animada das parceiras. Tyrion passara tanto tempo sem mulher que jorrou dentro dela na terceira arremetida.

Rolou de lado e se sentiu mais envergonhado do que satisfeito. *Isso foi um erro. Que criatura miserável me tornei.*

– Você conhece uma mulher chamada Tysha? – perguntou, enquanto olhava a semente dele escorrendo para fora dela até a cama. A puta não respondeu. – Você sabe para onde as putas vão? – Ela não respondeu novamente. As costas dela eram cobertas de cicatrizes. *Esta garota é como morta. Acabo de foder um cadáver.* Até os olhos dela pareciam mortos. *Ela não tem forças nem para me odiar.*

Ele precisava de vinho. Muito vinho. Pegou o jarro com as duas mãos e levou-o até os lábios. O vinho escorreu, vermelho. Pela sua garganta, pelo seu queixo. Pingou até o colchão, embebendo as penas. Sob a luz das velas, parecia tão escuro quanto o vinho que envenenara Joffrey. Quando terminou, jogou o jarro de lado, e meio rolou, meio cambaleou para o chão, procurando um penico. Não havia nenhum. Seu estômago revirou, e ele se pegou ajoelhado, vomitando no tapete, naquele maravilhoso tapete de Myr, tão reconfortante quanto mentiras.

A puta gritou, angustiada. *Eles a culparão por isso,* ele percebeu, envergonhado.

– Corte minha cabeça e leve para Porto Real – Tyrion pediu para ela. – Minha irmã fará de você uma senhora, e ninguém vai chicoteá-la novamente. – Ela não entendeu isso também, então ele abriu as suas pernas, rastejou entre elas e a tomou mais uma vez. Pelo menos isso ela compreendia.

Depois que o vinho acabou e ele também, o anão bamboleou até as roupas da garota e as jogou para a porta. Ela entendeu o recado e foi embora, deixando-o sozinho na escuridão, afundado profundamente na cama de penas. *Estou fedendo a bêbado.* Não ousava fechar os olhos, com medo de adormecer. Além do véu dos sonhos, os Sofrimentos esperavam por ele. Degraus de pedra ascendentes e sem fim, íngremes, escorregadios e traiçoeiros, e em algum lugar lá em cima estava o Senhor da Mortalha. *Não quero encontrar o Senhor da Mortalha.* Tyrion se arrastou de volta até suas roupas e tateou o caminho até a escada. *Griff vai me esfolar. Bem, por que não? Se algum anão já mereceu ser esfolado, esse sou eu.*

Na metade dos degraus, perdeu o equilíbrio. De alguma maneira conseguiu evitar a queda com as mãos e dar uma cambalhota desajeitada. As putas na sala embaixo olharam atonitamente quando ele aterrizou no pé da escada. Tyrion rolou para ficar em pé e fez uma mesura.

– Sou mais ágil quando estou bêbado. – Virou-se para o proprietário. – Sinto ter arruinado seu tapete. A garota não tem culpa. Deixe-me pagar. – Pegou um punhado de moedas e jogou para o homem.

– *Duende* – disse uma voz profunda, atrás dele.

No canto da sala, um homem sentava-se nas sombras, com uma puta se contorcendo em seu colo. *Não vi essa garota. Se tivesse visto, teria subido com ela, em vez da sardenta.* Era mais jovem do que as outras, magra e bonita, com longos cabelos prateados. Lisena, provavelmente... mas o homem no colo de quem ela se sentava era dos Sete Reinos. Corpulento e de ombros largos, quarenta, se tivesse um dia de seu nome, ou talvez mais velho. Metade da cabeça era careca, mas restolho grosso cobria seu rosto e queixo, e pelos grossos cresciam nos braços, brotando até mesmo dos nós dos dedos.

Tyrion não gostou do olhar dele. Gostou menos ainda do grande urso negro em sua armadura. *Lã. Está vestindo lã, neste calor. Quem mais, além de um cavaleiro, seria tão louco?*

– Que agradável ouvir a Língua Comum tão longe de casa – obrigou-se a dizer –, mas temo que tenha me confundido com alguém. Meu nome é Hugor Hill. Posso pagar-lhe uma taça de vinho, meu amigo?

– Estou bêbado o suficiente. – O cavaleiro colocou a puta de lado e se levantou. O cinturão com a bainha estava pendurado em um gancho ao lado dele. Ele o pegou e desembainhou a lâmina. O aço murmurou contra o couro. As putas assistiam avidamente, a luz das velas brilhando nos olhos delas. O proprietário desaparecera. – Você é meu, *Hugor.*

Tyrion não podia fugir dele mais do que poderia lutar com ele. Bêbado como estava, não podia nem tentar ser mais esperto do que o cavaleiro. Estendeu as mãos.

– E o que você pretende fazer comigo?

– Entregar você – disse o cavaleiro – para a rainha.

Daenerys

Galazza Galare chegou à Grande Pirâmide assistida por uma dúzia de Graças Brancas, garotas de nascimento nobre que ainda eram jovens demais para ter servido um ano nos jardins do prazer do templo. Formavam um bonito retrato, a orgulhosa mulher mais velha, toda de verde, cercada por garotinhas com túnicas e véus brancos, blindadas em sua inocência.

A rainha as recebeu calorosamente e depois chamou Missandei para que providenciasse comida e diversão para as meninas, enquanto ela compartilhava uma ceia privada com a Graça Verde.

As cozinheiras haviam preparado uma refeição magnífica de cordeiro no mel, aromatizado com hortelã esmagada e servido com os pequenos figos verdes que Dany tanto gostava. Dois de seus reféns favoritos serviam a comida e mantinham as taças cheias: uma pequena garota de olhos de corça chamada Qeza e um menino magrelo chamado Grazhar. Os dois eram irmãos e primos da Graça Verde, que os cumprimentou com beijos quando entrou e perguntou-lhes se estavam se comportando bem.

– São muito doces, os dois – Dany assegurou a ela. – Qezza canta para mim de vez em quando. Tem uma voz adorável. E Sor Barristan está instruindo Grazhar e os outros garotos nos caminhos da cavalaria ocidental.

– Eles são meu sangue – disse a Graça Verde, enquanto Qezza enchia a taça dela com um vinho tinto escuro. – É bom saber que agradam Vossa Iluminada. Espero poder fazer o mesmo. – O cabelo da velha mulher era branco e a pele era fina como pergaminho, mas os anos não haviam esmaecido seus olhos. Eram tão verdes quanto suas vestes; olhos tristes, cheios de sabedoria. – Se me perdoa dizer isso, Vossa Iluminada parece... cansada. Tem dormido?

Dany fez tudo o que podia para não rir.

– Não muito bem. Na noite passada três galés qartenas subiram o Skahazadhan sob o manto da escuridão. Os Homens da Mãe lançaram flechas incendiárias nas velas deles e arremessaram barris de piche fervente nos conveses, mas as galés deslizaram rapidamente e não sofreram danos permanentes. Os qartenos pretendem fechar o rio para nós, assim como fecharam a baía. E não estão mais sozinhos. Três galés de Nova Ghis se uniram a eles, e um galeão de Tolos. – Os tolosinos haviam respondido ao pedido de aliança declarando-a uma prostituta e exigindo que devolvesse Meereen para os Grandes Mestres. Mesmo isso era preferível à resposta de Mantarys, que chegou em uma caravana, dentro de uma arca de cedro. Lá, ela encontrou a cabeça de seus três enviados em conserva. – Talvez seus deuses possam nos ajudar. Peça para mandarem uma tempestade capaz de varrer as galés da baía.

– Vou orar e fazer sacrifícios. Talvez os deuses de Ghis me escutem. – Galazza Galare tomou um gole de vinho, mas seus olhos não deixaram Dany. – Tormentas arrebentam dentro das muralhas, tanto quanto fora. Mais libertos morreram noite passada, pelo que soube.

– Três. – Dizer isso deixava um gosto amargo em sua boca. – Os covardes atacaram algumas tecelãs, libertas que nunca fizeram mal a ninguém. Tudo o que faziam era criar coisas bonitas. Tenho uma tapeçaria que me deram, pendurada sobre minha cama. Os Filhos da Harpia quebraram seus teares e as estupraram antes de cortar suas gargantas.

– Foi isso o que ouvimos. E mesmo assim Vossa Iluminada encontrou a coragem de responder ao massacre com misericórdia. Não feriu nenhuma das crianças nobres que tomou como refém.

– Não até agora. – Dany havia se afeiçoado aos seus jovens encargos. Alguns eram tímidos e outros ousados, alguns eram doces e outros mal-humorados, mas eram todos inocentes. – Se eu matar meus copeiros, quem servirá meu vinho e minha ceia? – disse, tentando amenizar a situação.

A sacerdotisa não sorriu.

– O Cabeça-Raspada teria alimentado seus dragões com eles, é o que se diz. Uma vida por uma vida. Para cada Besta de Bronze abatida, ele teria uma criança morta.

Dany empurrou a comida no prato. Não ousava olhar para onde Grazhar e Qezza estavam, com medo de chorar. *O Cabeça-Raspada tem um coração mais duro que o meu.* Eles haviam discutido por causa dos reféns meia dúzia de vezes.

– Os Filhos da Harpia estão rindo em suas pirâmides – Skahaz dissera, justamente naquela manhã. – Para que servem os reféns se não quer arrancar suas cabeças? – Aos olhos dele, ela era apenas uma mulher fraca. *Hazzea já foi o bastante. O que há de bom em uma paz que precisa ser paga como o sangue de criancinhas?*

– Esses assassinatos não são obra deles – disse Dany para a Graça Verde, debilmente. – Não sou uma rainha carniceira.

– E Meereen agradece por isso – disse Galazza Galare. – Ouvimos dizer que o Rei Açougueiro de Astapor está morto.

– Morto por seus próprios soldados, quando lhes ordenou marchar e atacar os yunkaítas. – As palavras eram amargas em sua boca. – O cadáver nem esfriou antes que outro tomasse seu lugar, chamando a si mesmo de Cleon, o Segundo. Esse durou oito dias antes que sua garganta fosse aberta. Então o assassino reivindicou a coroa. Assim como a concubina do primeiro Cleon. Rei Cortagarganta e Rainha Puta, os astapori os chamam. Seus seguidores estão travando batalhas nas ruas, enquanto os yunkaítas e seus mercenários aguardam do lado de fora das muralhas.

– Estes são tempos difíceis. Vossa Iluminada, posso ter a presunção de lhe oferecer meu conselho?

– Você sabe que valorizo muito sua sabedoria.

– Então preste atenção em mim agora, e se case.

– Ah! – Dany já esperava por isso.

– Frequentemente ouço você dizer que é apenas uma jovem garota. Olhando para você, ainda parece meio criança, muito jovem e frágil para enfrentar tais provações sozinha. Precisa de um rei ao seu lado, para ajudar a arcar com esses encargos.

Dany cortou um pedaço de cordeiro, deu uma mordida e mastigou lentamente.

– Diga-me, pode esse rei encher as bochechas de ar e soprar as galés de Xaro de volta para Qarth? Pode bater palmas e quebrar o cerco a Astapor? Pode colocar comida nas barrigas dos meus filhos e trazer a paz de volta às minhas ruas?

– Você pode? – perguntou a Graça Verde. – Um rei não é um deus, mas ainda há muito que um homem forte pode fazer. Quando meu povo olha para você, eles veem uma conquistadora de além-mar, que veio para nos matar e escravizar nossos filhos. Um rei pode mudar isso. Um rei de alto nascimento, um puro-sangue ghiscari, poderia reconciliar a cidade às suas leis. De outro modo, temo que seu reino termine como começou, em sangue e fogo.

Dany empurrou a comida no prato.

– E quem os deuses de Ghis gostariam que eu tomasse como meu rei e consorte?

– Hizdahr zo Loraq – Galazza Galare disse com firmeza.

Dany não se preocupou em fingir surpresa.

– Por que Hizdahr? Skahaz também é de nascimento nobre.

– Skahaz é Kandaq, Hizdahr, Loraq. Vossa Iluminada vai me perdoar, mas apenas quem não é ghiscari não entende a diferença. Frequentemente ouço dizer que você é do sangue de Aegon, o Conquistador, de Jaehaerys, o Sábio, e de Daeron, o Dragão. O nobre Hizdahr é do sangue de Mazdhan, o Magnífico, de Hazrak, o Belo, e de Zharaq, o Libertador.

– Os antepassados dele estão tão mortos quanto os meus. Hizdahr levantará suas sombras para defender Meereen contra seus inimigos? Preciso de um homem com navios e espadas. Você me oferece ancestrais.

– Somos um povo antigo. Ancestrais são importantes para nós. Case-se com Hizdahr zo Loraq e tenha um filho dele, um filho cujo pai é a harpia e cuja mãe é o dragão. Nele, as profecias serão cumpridas, e seus inimigos derreterão como neve.

Ele será o garanhão que vai montar o mundo. Dany conhecia profecias. São feitas de palavras, e palavras são vento. Não haveria um filho para Loraq, nenhum herdeiro para unir dragão e harpia. *Quando o sol nascer no oeste e se puser no leste, quando os mares secarem e as montanhas forem levadas pelo vento como folhas.* Somente então o ventre dela despertaria uma vez mais...

... mas Daenerys Targaryen tinha outros filhos, dezenas de milhares que a saudaram como sua mãe quando ela quebrou as correntes deles. Pensou em Escudo Robusto, no irmão de Missandei, na mulher Rylona Rhee, que tocava a harpa tão belamente. Nenhum casamento os traria de volta à vida, mas um marido poderia ajudar a colocar um fim na matança, então ela devia isso para seus mortos. Devia se casar.

Se me casar com Hizdahr, isso fará que Skahaz se volte contra mim? Ela confiava em Skahaz mais do que em Hizdahr, mas o Cabeça-Raspada seria um desastre como rei. Era muito rápido para a ira, muito lento para o perdão. Ela não via nenhum ganho em se casar com um homem tão odiado quanto ela. Hizdahr era bem respeitado, até onde ela podia ver.

– O que meu futuro marido pensa disso? – perguntou para a Graça Verde. – *O que ele acha de mim?*

– Vossa Graça só precisa perguntar para ele. O nobre Hizdahr aguarda lá embaixo. Envie alguém até lá, se lhe agradar.

Você presume demais, sacerdotisa, a rainha pensou, mas engoliu a raiva e se obrigou a sorrir.

– Por que não? – Virou-se para Sor Barristan e pediu ao velho cavaleiro que trouxesse Hizdahr até ela. – É uma longa subida. Leve um Imaculado para ajudá-lo.

Quando o nobre chegou, a Graça Verde havia terminado de comer.

– Se for do agrado de Vossa Magnificência, me despedirei. Você e o nobre Hizdahr terão muito para conversar, sem dúvida. – A velha mulher limpou um pouco de mel dos lábios, deu um beijo de despedida nas testas de Qezza e Grazhar e prendeu o véu de seda no rosto. – Retornarei para o Templo das Graças e rezarei para que os deuses mostrem para minha rainha o curso da sabedoria.

Quando ela saiu, Dany deixou que Qezza enchesse sua taça novamente, dispensou as crianças e ordenou que Hizdahr zo Loraq fosse trazido à sua presença. *E, se ele ousar falar uma palavra sobre suas preciosas arenas de luta, posso arremessá-lo do terraço.*

Hizdahr vestia uma túnica verde simples, por baixo de um colete acolchoado. Curvou-se ao entrar, o rosto solene.

– Nenhum sorriso para mim? – Dany lhe perguntou. – Sou assim tão terrível?

– Sempre serei solene na presença de tal beleza.

Era um bom começo.

– Beba comigo. – Dany encheu a taça dele. – Você sabe por que está aqui. A Graça Verde parece achar que se eu tomá-lo como meu marido, todos os meus inimigos desaparecerão.

– Eu nunca faria afirmação tão ousada. Homens são feitos para lutar e sofrer. Nossos inimigos só desaparecem quando morremos. Posso ser de alguma ajuda, no entanto. Tenho ouro, amigos e influência, e o sangue da Velha Ghis flui em minhas veias. Embora nunca tenha me casado, tenho dois filhos naturais, um menino e uma menina, então posso dar-lhe herdeiros. Posso reconciliar a cidade à sua lei e colocar um fim nos massacres noturnos nas ruas.

– Pode? – Dany estudou os olhos deles. – Por que os Filhos da Harpia abaixariam suas facas por você? Você é um deles?

– Não.

– Me contaria se fosse?

Ele riu.

– Não.

– O Cabeça-Raspada tem meios de descobrir a verdade.

– Não tenho dúvida de que Skahaz logo me faria confessar. Um dia com ele, e eu serei um dos Filhos da Harpia. Dois dias, e eu serei a Harpia. Três, e me tornarei o assassino de seu pai também, de volta aos Reinos do Pôr do Sol quando eu ainda era um menino. Então, ele me empalará em uma estaca e você me verá morrer... mas depois disso, as mortes vão continuar. – Hizdahr inclinou-se para mais perto. – Ou você pode se casar comigo e deixar que eu tente pará-las.

– Por que você quer me ajudar? Pela coroa?

– Uma coroa cairia bem em mim, não negarei isso. É mais que isso, contudo. É tão estranho que queira proteger minha própria gente, como você protege seus libertos? Mereen não durará outra guerra, Vossa Iluminada.

Esta era uma boa resposta, uma resposta honesta.

– Nunca quis guerra. Derrotei os yunkaítas uma vez, e poupei a cidade quando a poderia ter saqueado. Recusei me unir ao Rei Cleon quando ele marchou contra Yunkai. Mesmo agora, com Astapor sitiada, não me envolvi. E Qarth... nunca causei dano aos qartenos.

– Não intencionalmente, mas Qarth é uma cidade de mercadores, e eles amam o tinido das moedas de prata, o brilho amarelo do ouro. Quando você quebrou o comércio de escravos, o golpe foi sentido de Westeros a Asshai. Qarth depende de seus escravos. Assim como Tolos, Nova Ghis, Lyz, Tyrosh, Volantis... A lista é longa, minha rainha.

– Deixe que venham. Encontrarão em mim um adversário mais duro que Cleon. Prefiro morrer lutando a ver meus filhos voltarem à servidão.

– Pode haver uma alternativa. Os yunkaítas podem ser persuadidos a permitir que todos os seus libertos permaneçam livres, creio, se Vossa Veneração concordar que a Cidade Amarela negocie e treine escravos sem ser molestada desse dia em diante. Nenhum sangue precisa correr.

– Exceto o sangue desses escravos que os yunkaítas vão negociar e treinar – disse Dany, mas, mesmo assim, reconheceu a verdade nas palavras dele. *Este pode ser um final melhor do que poderíamos esperar.* – Você não disse que me amava.

– Direi, se for do agrado de Vossa Iluminada.

– Essa não é a resposta de um homem apaixonado.

– O que é o amor? Desejo? Nenhum homem com todas as suas partes poderia olhar para você e não desejá-la, Daenerys. Contudo, não é por isso que quero me casar com você. Antes de você chegar, Meereen estava morrendo. Nossos governantes eram velhos com paus murchos e anciãs cujas bocetas enrugadas estavam secas como pó. Eles se sentavam no alto de suas pirâmides, tomando vinho de damasco e falando das glórias do Antigo Império, enquanto os séculos passavam e os tijolos da cidade desmoronavam ao redor deles. Os costumes e a cautela eram como mãos de aço sobre nós, até que você nos despertou com fogo e sangue. Um novo tempo chegou, e novas coisas são possíveis. Case-se comigo.

Ele não é tão duro quanto parece, Dany disse para si mesma, *e tem o linguajar de um rei.*

– Beije-me – ela ordenou.

Ele pegou a mão dela novamente e beijou seus dedos.

– Não desse jeito. Beije-me como se fosse sua esposa.

Hizdahr a tomou pelos ombros tão ternamente como se ela fosse um filhote de pássaro. Inclinando-se para a frente, pressionou seus lábios nos dela. O beijo dele era leve, seco e rápido. Dany não sentiu nenhuma agitação.

– Devo... beijá-la novamente? – ele perguntou, quando acabou.

– Não. – No terraço, na piscina de banho, peixinhos beliscavam as pernas dela quando ela se molhava. Até os beijos deles eram mais fervorosos do que os de Hizdahr zo Loraq. – Não amo você.

Hizdahr encolheu os ombros.

– Isso pode vir com o tempo. Sabe-se que isso acontece.

Não conosco, ela pensou. *Não enquanto Daario está tão perto. É ele quem eu desejo, não você.*

– Um dia retornarei para Westeros, para exigir os Sete Reinos que eram do meu pai.

– Um dia todos os homens devem morrer, mas não há nada de bom em se debruçar sobre a morte. Prefiro viver cada dia como ele vem.

Dany cruzou as mãos.

– Palavras são vento, mesmo palavras como *amor* e *paz*. Confio mais em ações. Nos meus Sete Reinos, cavaleiros saem em missões para provar a si mesmos que são dignos da donzela que amam. Procuram espadas mágicas, baús de ouro e coroas roubadas de hordas de dragões.

Hizdahr levantou uma sobrancelha.

– Os únicos dragões que conheço são seus, e espadas mágicas são ainda mais escassas. Eu alegremente a presentearei com anéis, coroas e baús de ouro, se esse for seu desejo.

– Paz é meu desejo. Você diz que pode me ajudar a acabar com a matança noturna em minhas ruas. Eu digo: *faça*. Coloque um fim nesta guerra sombria, senhor. Esta é sua missão. Me dê noventa dias e noventa noites sem uma morte, e saberei que é digno do trono. Pode fazer isso?

Hizdahr olhou pensativo.

– Noventa dias e noventa noites sem um cadáver, e no nonagésimo-primeiro dia nos casamos?

– Talvez – disse Dany, com um olhar tímido. – Embora jovens garotas sejam conhecidas por serem inconstantes. Ainda quero uma espada mágica.

Hizdahr riu.

– Então você deverá ter isso também, Iluminada. Seu desejo é uma ordem. Melhor dizer para seu senescal começar os preparativos para nosso casamento.

– Nada agradará mais ao nobre Reznak. – Se Meereen soubesse que um casamento estava a caminho, esse fato sozinho podia lhe garantir algumas noites de trégua, mesmo que os esforços de Hizdahr não dessem em nada. *O Cabeça-Raspada não ficará feliz comigo, mas Reznak mo Reznak dançará de alegria.* Dany não sabia qual das duas reações a preocupava mais. Precisava de Skahaz e das Bestas de Bronze, e desconfiava de todos os conselhos de Reznak. *Cuidado com o senescal perfumado. Teria Reznak se unido a Hizdahr e à Graça Verde para preparar uma armadilha contra mim?*

Mal Hizdahr zo Loraq havia deixado sua presença, Sor Barristan apareceu atrás dela com sua longa capa branca. Anos de serviço na Guarda Real haviam ensinado o cavaleiro branco a permanecer discreto enquanto ela estava entretida, mas ele nunca ficava longe. *Ele sabe*, ela viu imediatamente, *e desaprova*. As linhas ao redor de sua boca estavam mais fundas.

– Então – disse para ele –, parece que me casarei novamente. Está feliz por mim, sor?

– Se esta for sua ordem, Vossa Graça.

– Hizdahr não é o marido que você teria escolhido para mim.

– Não estou em posição de lhe escolher um marido.

– Não está – ela concordou –, mas é importante para mim que você entenda. Meu povo está sangrando. Morrendo. Uma rainha não pertence a si mesma, mas ao reino. Casamento ou carnificina, essas são minhas opções. Um casamento ou uma guerra.

– Vossa Graça, posso falar com franqueza?

– Sempre.

– Há uma terceira opção.

– Westeros?

Ele concordou com a cabeça.

– Jurei servir Vossa Graça e mantê-la em segurança onde quer que vá. Meu lugar é ao seu lado, seja aqui, seja em Porto Real... mas seu lugar é de volta a Westeros, no Trono de Ferro que era do seu pai. Os Sete Reinos nunca aceitarão Hizdahr zo Loraq como rei.

– Não mais do que Meereen aceitará Daenerys Targaryen como rainha. A Graça Verde está certa nisso. Preciso de um rei ao meu lado, um rei do antigo sangue ghiscari. De outro modo, sempre me verão como uma bárbara inculta que arrebentou os portões da cidade deles, empalou seus parentes em estacas e roubou sua riqueza.

– Em Westeros você será a filha perdida que retorna para alegrar o coração de seu pai. Seu povo dará vivas quando você chegar, e todos os homens de boa vontade a amarão.

– Westeros está muito longe.

– Permanecer aqui não vai fazê-lo ficar mais perto. Quanto antes deixarmos este lugar...

– Eu sei. Sei *mesmo*. – Dany não sabia como fazê-lo enxergar. Ela queria Westeros tanto quanto ele, mas primeiro precisava curar Meereen. – Noventa dias é um tempo longo. Hizdahr falhará. E, quando isso acontecer, ele tentará conseguir mais tempo. Tempo para fazer alianças, para fortalecer minhas defesas, para...

– E se ele não falhar? O que Vossa Graça fará então?

– O dever dela. – As palavras pareceram geladas sobre sua língua. – Você viu o casamento do meu irmão Rhaegar. Me diga, ele se casou por amor ou por dever?

O velho cavaleiro hesitou.

– A Princesa Elia era uma boa mulher, Vossa Graça. Era gentil e inteligente, com um coração manso e uma sagacidade doce. Sei que o príncipe tinha muita afeição por ela.

Afeição, pensou Dany. A palavra significava muito. *Posso me afeiçoar por Hizdahr zo Loraq com o tempo. Talvez.*

Sor Barristan continuou.

– Vi o casamento de seu pai e sua mãe também. Me perdoe, mas não havia carinho ali, e o reino pagou caro por isso, minha rainha.

– Por que se casaram se não amavam um ao outro?

– Seu avô ordenou. Uma bruxa do bosque dissera para ele que o príncipe prometido nasceria da linhagem deles.

– Uma bruxa do bosque? – Dany estava atônita.

– Ela chegou à corte com Jenny de Pedrantiga. Uma coisa atrofiada, grotesca de se ver. Uma anã, a maioria das pessoas diria, apesar de cara à Senhora Jenny, que sempre afirmou que a mulher era uma das filhas da floresta.

– O que aconteceu com ela?

– Solar de Verão. – As palavras estavam cheias de condenação.

Dany suspirou.

– Deixe-me agora. Estou muito cansada.

– Como desejar. – Sor Barristan se curvou e virou-se para ir. Mas parou na porta. – Perdoe-me. Vossa Graça tem um visitante. Devo dizer para retornar pela manhã?

– Quem é?

– Naharis. Os Corvos Tormentosos voltaram à cidade.

Daario. O coração dela deu um pulo no peito.

– Há quanto tempo...? Quando ele...? – Ela não conseguia colocar as palavras para fora.

Sor Barristan pareceu entender.

– Vossa Graça estava com a sacerdotisa quando ele chegou. Eu sabia que não queria ser incomodada. As notícias do capitão podem esperar até amanhã.

– Não. – *Como posso esperar dormir, sabendo que meu capitão está tão perto?* – Traga-o aqui imediatamente. E... não precisarei mais de seus serviços esta noite. Estarei segura com Daario. Ah, e mande Irri e Jhiqui, por gentileza. E Missandei. – *Preciso me trocar, para ficar bonita.*

Disse isso para as servas, quando elas chegaram.

– O que Vossa Graça deseja vestir? – perguntou Missandei.

Luz das estrelas e espuma do mar, Dany pensou, *um punhado de seda que deixe meu seio esquerdo desnudo para deleite de Daario. Ah, e flores para meus cabelos.* Desde a primeira vez que se encontraram, o capitão levou flores para ela todos os dias, por todo o caminho de Yunkai até Meereen.

– Traga o vestido de linho cinza, com pérolas no corpete. Oh, e minha pele de leão branco. – Ela sempre se sentia mais segura com a pele de leão de Drogo.

Daenerys recebeu o capitão no terraço, sentada em um banco esculpido em pedra sob uma pereira. Uma meia-lua flutuava no céu da cidade, cercada por milhares de estrelas. Daario Naharis entrou caminhando emproado. *Ele é presunçoso mesmo quando está parado.* O capitão vestia calças listradas enfiadas em botas de couro púrpura, uma camisa de seda branca e um colete de anéis dourados. Sua barba em forma de tridente estava púrpura, seu extravagante bigode, dourado, e os longos cachos tingidos em partes iguais de ambas as cores. Em um lado do quadril, portava um punhal; no outro, um *arakh* dothraki.

– Brilhante rainha – disse –, ficou ainda mais bela em minha ausência. Como isto é possível?

A rainha estava acostumada a tais elogios, mas de alguma forma o cumprimento significava mais vindo de Daario do que aqueles de Reznak, Xaro ou Hizdahr.

– Capitão. Nos disseram que você fez um bom trabalho em Lhazar. – *Senti tanto a sua falta.*

– Seu capitão vive para servir sua cruel rainha.

– Cruel?

A luz da lua reluziu nos olhos dele.

– Ele correu à frente de todos os seus homens, para ver o rosto dela mais cedo, só para ser deixado definhando, enquanto ela comia cordeiro e figos com alguma velha ressequida.

Nunca me disseram que você estava aqui, Dany pensou, *senão eu teria feito papel de boba e recebido você imediatamente.*

– Estava ceando com a Graça Verde. – Parecia melhor não mencionar Hizdahr. – Precisava urgentemente de um sábio conselho dela.

– Eu tenho apenas uma necessidade urgente: Daenerys.

– Devo pedir comida? Deve estar faminto.

– Não como há dois dias, mas, agora que estou aqui, é suficiente para mim me banquetear em sua beleza.

– Minha beleza não vai encher sua barriga. – Arrancou uma pera e jogou-a para ele. – Coma isso.

– Se minha rainha ordena. – Deu uma mordida na pera, seu dente de ouro brilhando. O caldo escorreu pela barba púrpura.

A garota nela queria tanto beijá-lo que até doía. *Os beijos dele devem ser duros e cruéis,* disse para si mesma, *e ele não se importaria se eu gritasse ou se lhe ordenasse parar.* Mas a rainha nela sabia que aquilo seria tolice.

– Conte-me de sua viagem.

Ele deu de ombros descuidado.

– Os yunkaítas mandaram algumas espadas contratadas para fechar o Passo Khyzai. Os Longas Lanças, eles se autodenominam. Descemos sobre eles à noite e mandamos alguns para o inferno. Em Lhazar, matei dois dos meus próprios oficiais por conspirar para roubar as pedras preciosas e o ouro que minha rainha havia confiado a mim como presentes para os Homens-Ovelha. Fora isso, tudo correu como eu havia prometido.

– Quantos homens perdeu em combate?

– Nove – disse Daario –, mas uma dúzia de Longas Lanças decidiu que era melhor ser um Corvo Tormentoso do que um cadáver, então estamos com três na frente. Eu disse para eles que viveriam mais lutando com seus dragões do que contra eles, e eles viram sabedoria em minhas palavras.

Aquilo a fez cautelosa.

– Eles podem espionar para Yunkai.

– São estúpidos demais para serem espiões. Você não os conhece.

– Nem você. Acredita neles?

– Acredito em todos os meus homens. Tão longe quanto possa cuspir. – Ele cuspiu uma semente e sorriu para ela com suspeita. – Devo trazer as cabeças deles para você? Trarei, se ordenar. Um é careca, dois têm tranças e um tinge a barba de quatro cores diferentes. Que espião usaria uma barba dessas, lhe pergunto? O lançador consegue acertar uma pedra entre os olhos de um mosquito a quarenta passos, e o feio tem muito jeito com cavalos, mas se minha rainha diz que devem morrer...

– Não disse isso. Eu apenas... Assegure-se de manter os olhos neles, é tudo. – Ela se sentia tola dizendo isso. Sempre se sentia um pouco tola quando estava com Daario. *Desajeitada, infantil e de raciocínio lento. O que ele deve pensar de mim?* Mudou de assunto. – Os Homens-Ovelha nos mandarão comida?

– Os grãos descerão o Skahazadhan de barcaça, minha rainha, e outros bens virão de caravana, pelo Khyzai.

– Não o Skahazadhan. O rio está fechado para nós. Os mares também. Você deve ter visto os navios na baía. Os qartenos expulsaram um terço da nossa frota pesqueira e apreenderam outro terço. Os outros estão assustados demais para deixar o porto. Todo o pequeno comércio que ainda tínhamos foi cortado.

Daario jogou fora o cabo da pera.

– Os qartenos têm leite nas veias. Deixe-os ver seus dragões, e eles fugirão.

Dany não queria falar sobre dragões. Fazendeiros ainda vinham às audiências com ossos queimados, reclamando de ovelhas perdidas, embora Drogon não tivesse retornado à cidade. Alguns afirmaram tê-lo visto ao norte do rio, sobre a grama do Mar Dothraki. Lá embaixo, nos poços, Viserion arrebentara uma de suas correntes; ele e Rhaegal cresciam mais selvagens a cada dia. Uma vez, as portas de ferro haviam brilhado vermelhas de tão quentes, os Imaculados lhe contaram, e ninguém ousou tocar nelas por um dia.

– Astapor está sob cerco também.

– Isso eu sabia. Um dos Longas Lanças viveu o suficiente para nos contar que os homens estavam comendo uns aos outros na Cidade Vermelha. Disse que a vez de Meereen chegaria logo, então cortei a língua dele e dei para um cachorro amarelo. Nenhum cão come a língua de um mentiroso. Quando o cão amarelo comeu a dele, soube que o homem falava a verdade.

– Tenho guerra dentro da cidade também. – Contou para ele sobre os Filhos da Harpia e as Bestas de Bronze, e sobre o sangue nos ladrilhos. – Meus inimigos estão ao meu redor, dentro e fora da cidade.

– Ataque – ele disse de uma vez. – Um homem cercado por inimigos não pode se defender. Tente, e o machado o acertará pelas costas enquanto estiver rebatendo a espada. Não. Quando confrontado por muitos inimigos, escolha o mais fraco, mate-o, passe por cima dele e escape.

– E para onde posso escapar?

– Para minha cama. Para meus braços. Para meu coração. – Os punhos do *arakh* e do punhal de Daario tinham a forma de mulheres douradas, nuas e lascivas. Ele passou os dedos sobre elas de um jeito extremamente obsceno e deu um sorriso perverso.

Dany sentiu o sangue subir à sua face. Era quase como se a estivesse acariciando. *Ele me achará muito devassa se eu puxá-lo para minha cama?* Ele a fazia querer ser sua devassa. *Eu nunca deveria tê-lo visto sozinha. É muito perigoso tê-lo perto de mim.*

– A Graça Verde diz que eu devo ter um rei ghiscari – ela disse, nervosa. – Ela me pede para casar com o nobre Hizdahr zo Loraq.

– Aquele um? – Daario riu. – Por que não Verme Cinzento, se quer um eunuco em sua cama? Você quer um rei?

Quero você.

– Quero paz. Dei noventa dias para Hizdahr acabar com as mortes. Se ele conseguir, o tomarei como meu marido.

– Tome a mim como seu marido. Faço em nove dias.

Você sabe que não posso fazer isso, ela quase disse.

– Está lutando contra sombras, quando deveria lutar contra os homens que as projetam. – Daario continuou. – Mate-os e pegue todos os tesouros deles, eu digo. Sussurre a ordem, e seu Daario fará uma pilha com as cabeças deles mais alta do que esta pirâmide.

– Se eu soubesse quem são...

– Zhak, Pahl e Merreq. Eles, e todos os demais. Os Grandes Mestres. Quem mais seria?

Ele é tão ousado quanto sanguinário.

– Não temos provas de que isso seja trabalho deles. Você quer que eu massacre meus próprios súditos?

– Seus próprios súditos a massacrariam alegremente.

Ele havia ficado tanto tempo longe, que Dany quase esquecera o que ele era. *Mercenários são traiçoeiros por natureza,* lembrou a si mesma. *Volúveis, infiéis, brutais. Ele nunca será mais do que é. Ele nunca terá a matéria-prima dos reis.*

– As pirâmides são fortes – explicou para ele. – Poderíamos tomá-las apenas a um grande custo. No momento em que atacarmos uma, as outras se levantarão contra nós.

– Então os atraia para fora das pirâmides com algum pretexto. Um casamento poderia servir. Por que não? Prometa sua mão para Hizdahr e todos os Grandes Mestres virão ver você se casar. Quando se reunirem no Templo das Graças, solte-nos sobre eles.

Dany estava estarrecida. *Ele é um monstro. Um monstro galante, mas ainda um monstro.*

– Você acha que sou o Rei Açougueiro?

– Melhor ser açougueiro do que a carne. Todos os reis são açougueiros. As rainhas são diferentes?

– Esta rainha é.

Daario encolheu os ombros.

– A maior parte das rainhas não tem outro propósito além de aquecer a cama de algum rei e enchê-lo de filhos. Se é esse tipo de rainha que você pretende ser, melhor se casar com Hizdahr.

A raiva dela flamejou.

– Você esqueceu quem eu sou?

– Não. Você esqueceu?

Viserys teria cortado a cabeça dele por essa insolência.

– Sou o sangue do dragão. Não tenha a presunção de me ensinar lições. – Quando Dany ficou em pé, a pele de leão escorregou de seus ombros e caiu no chão. – Deixe-me.

Daario fez uma mesura completa.

– Vivo para obedecer.

Quando ele se foi, Daenerys chamou Sor Barristan de volta.

– Quero os Corvos Tormentosos de volta ao campo.

– Vossa Graça? Eles acabaram de voltar...

– Quero que *partam*. Deixe-os patrulhar o interior yunkaíta e dar proteção a qualquer caravana que venha pelo Passo Khyzai. Doravante, Daario fará os relatórios dele para você. Dê a ele todas as honras que lhe são devidas e assegure-se de que seus homens sejam bem pagos, mas em hipótese alguma ele deve ser admitido em minha presença.

– Como quiser, Vossa Graça.

Naquela noite ela não pôde dormir, mas se virou e revirou na cama, sem descanso. Chegou até mesmo a convocar Irri, na esperança de que suas carícias pudessem ajudá-la a repousar, mas depois de um momento empurrou a garota dothraki para longe. Irri era doce, macia e bem disposta, mas não era Daario.

O que eu fiz?, ela pensou, encolhida na cama vazia. *Esperei tanto tempo para que ele voltasse e agora o mando embora.*

– Ele teria feito de mim um monstro – sussurrou –, uma rainha açougueira. – Mas então pensou em Drogon, longe, e nos dragões no poço. *Há sangue em minhas mãos também, e no meu coração. Não somos tão diferentes, Daario e eu. Somos ambos monstros.*

O Senhor Perdido

Não deveria demorar tanto, Griff disse para si mesmo enquanto caminhava pelo convés do *Donzela Tímida*. Teriam perdido Haldon como perderam Tyrion Lannister? Os volantinos o teriam levado? *Devia ter mandado Patodocampo com ele*. Haldon sozinho não era de confiança, havia provado isso em Selhorys, quando deixara o anão escapar.

O *Donzela Tímida* estava amarrado em uma das seções mais fracas da beira-rio longa e caótica, entre uma fila de barcos de pesca que não deixavam o píer havia anos e a barca alegremente pintada dos pantomimeiros. Os pantomimeiros eram barulhentos e animados, sempre fazendo discursos uns para os outros e frequentemente bêbados.

O dia estava quente e pegajoso, como todos os dias desde que deixaram os Sofrimentos. Um feroz sol meridional batia sobre a beira-rio lotada de Volon Therys, mas o calor era a última e a menor das preocupações de Griff. A Companhia Dourada estava acampada a cinco quilômetros ao sul da cidade, bem ao norte de onde esperava que estivessem, e o Tríade Malaquo viera ao norte com cinco mil homens a pé e mil a cavalo, para cortá-los no delta da estrada. Daenerys Targaryen permanecia a um mundo de distância, e Tyrion Lannister... bem, podia estar em qualquer lugar. Se os deuses fossem bons, a cabeça decepada de Lannister estaria a meio caminho de Porto Real agora mesmo, mas era mais provável que o anão estivesse saudável e inteiro em algum lugar ali perto, cheirando a bêbado e tramando alguma nova infâmia.

– Onde, pelos sete infernos, está Haldon? – Griff reclamou para a Senhora Lemore. – Quanto tempo demora para comprar três cavalos?

Ela encolheu os ombros.

– Senhor, não seria mais seguro deixar o garoto aqui no barco?

– Mais seguro, sim. Mais sábio, não. Ele é um homem crescido agora, e este é o caminho que ele nasceu para trilhar. – Griff não estava com paciência para essa discussão. Estava cansado de se esconder, cansado de esperar, cansado de cautela. *Não tenho tempo suficiente para cautela.*

– Fizemos grandes esforços para manter o Príncipe Aegon escondido todos esses anos – Lemore o recordou. – Chegará o momento de ele lavar o cabelo e se declarar, eu sei, mas o momento não é agora. Não em um acampamento de mercenários.

– Se Harry Strickland quiser prejudicá-lo, escondê-lo no *Donzela Tímida* não vai protegê-lo. Strickland tem dez mil espadas sob seu comando. Temos Pato. Aegon é tudo o que se poderia esperar de um príncipe. Eles precisam ver isso, Strickland e os demais. Esses são seus próprios homens.

– São dele porque foram comprados e pagos. Dez mil estranhos armados, mais parasitas e seguidores de acampamentos. Só precisamos de um para nos arruinar a todos. Se a cabeça de Hugor valia as honras de um senhor, quanto Cersei Lannister pagará pelo legítimo herdeiro do Trono de Ferro? Você não conhece esses homens, senhor. Já faz uma dúzia de anos desde que cavalgou com a Companhia Dourada, e seu velho amigo está morto.

Coração Negro. Myles Toyne estava tão cheio de vida na última vez que Griff o deixara, que era difícil aceitar que se fora. *Um crânio dourado sobre um mastro, e Harry Sem-Teto Strickland está em seu lugar.* Lemore não estava errada, ele sabia. O que quer que seus pais e avós tivessem sido em Westeros antes do exílio, os homens da Companhia Dourada eram mercenários agora, e nenhum mercenário era de confiança. Mesmo assim...

Na noite passada, sonhara novamente com o Septo de Pedra. Sozinho, com uma espada na mão, corria de casa em casa, derrubando portas, pulando de telhado em telhado, enquanto seus ouvidos captavam o som distante de sinos. Profundas badaladas de bronze e carrilhões de prata soavam dentro de seu crânio, em uma cacofonia enlouquecedora que ficava cada vez mais alta, até que sua cabeça parecia explodir.

Dezessete anos haviam se passado desde a Batalha dos Sinos, e até hoje o som do badalar ainda causava um nó em seu estômago. Outros poderiam dizer que o reino foi perdido quando o Príncipe Rhaegar caiu sob o martelo de guerra de Robert, no Tridente, mas a Batalha do Tridente nunca teria sido travada se o grifo tivesse matado o veado no Septo de Pedra. *Os sinos dobraram por todos nós naquele dia. Por Aerys e sua rainha, por Elia de Dorne e sua filhinha, por todo homem verdadeiro e mulher honesta dos Sete Reinos. E por meu príncipe de prata.*

– O plano era revelar o Príncipe Aegon apenas quando estivéssemos com a Rainha Daenerys – Lemore estava dizendo.

– Isso era quando acreditávamos que a garota vinha para oeste. A rainha dragão queimou nossos planos até virarem cinzas, e graças àquele gordo tolo em Pentos, agarramos a mulher dragão pela cauda e queimamos nossos dedos até os ossos.

– Illyrio não podia imaginar que a garota escolheria ficar na Baía dos Escravos.

– Não mais do que sabia que o Rei Pedinte morreria jovem, ou que Khal Drogo o seguiria para a sepultura. Muito pouco do que o gordo antecipou realmente aconteceu. – Griff bateu no cabo de sua espada longa com a mão enluvada. – Dancei pela música do gordo por anos, Lemore. O que ganhamos com isso? O príncipe é um homem crescido. É tempo dele...

– *Griff* – Yandry chamou em voz alta, acima do tinir dos sinos dos pantomimeiros. – É Haldon.

E assim era. O Meiomeistre parecia encalorado e sujo por ter feito todo o caminho da beira-mar até o pé do píer. O suor deixara anéis escuros embaixo dos braços na túnica de linho leve, e ele tinha o mesmo olhar azedo que carregava em Selhorys ao voltar para o *Donzela Tímida* para confessar que o anão havia desaparecido. Apesar disso, levava três cavalos, e isso era tudo o que importava.

– Traga o rapaz – Griff disse para Lemore. – Veja se ele está pronto.

– Como quiser – ela respondeu, infeliz.

Então que seja. Tinha muita afeição por Lemore, mas isso não queria dizer que precisasse da sua aprovação. A tarefa dela era instruir o príncipe nas doutrinas da Fé, e ela havia feito isso. Mas nem toda a oração do mundo o colocaria sobre o Trono de Ferro. Esta era a tarefa de Griff. Falhara com o Príncipe Rhaegar uma vez. Não falharia com seu filho, não enquanto tivesse vida em seu corpo.

Os cavalos de Haldon não o agradaram.

– Estes foram os melhores que conseguiu encontrar? – reclamou para o Meiomeistre.

– Foram – disse Haldon, em tom irritado –, e é melhor não perguntar quanto nos custaram. Com os dothrakis do outro lado do rio, metade da população de Volon Therys decidiu que em breve estarão em outro lugar, então a carne de cavalo fica mais cara a cada dia.

Eu mesmo devia ter ido. Depois de Selhorys, havia encontrado dificuldade em confiar em Haldon como antes. *Ele deixou o anão seduzi-lo com aquela lábia toda. Deixou-o entrar sozinho em um prostíbulo enquanto permanecia como um idiota na praça.* O dono do bordel insistira que o homenzinho havia sido levado na ponta da espada, mas Griff não sabia se podia acreditar. O Duende era esperto o suficiente para ter conspirado a própria fuga. O captor bêbado do qual as prostitutas falaram poderia ser algum homem de confiança contratado por ele. *Eu divido a culpa. Depois que o anão se colocou entre Aegon e o homem de pedra, baixei a guarda. Devia ter cortado a sua garganta na primeira vez que deitei meus olhos sobre ele.*

– Servirão bem o bastante, suponho – disse para Haldon. – O acampamento está só a cinco quilômetros para o sul. – O *Donzela Tímida* faria o percurso mais rapidamente, mas preferia manter Harry Strickland ignorante de onde ele e o príncipe tinham estado. Tampouco se entusiasmava com a possibilidade dos respingos nos baixios para atravessar algum banco de rio lamacento. Esse tipo de entrada podia servir para um mercenário e seu filho, mas não para um grande senhor e seu príncipe.

Quando o rapaz saiu da cabine com Lemore ao seu lado, Griff o examinou cuidadosamente da cabeça aos pés. O príncipe usava espada e adaga, botas negras polidas até resplandecerem e uma capa negra forrada com seda vermelho-sangue. Com o cabelo lavado, cortado e recém-pintado de um azul profundo e escuro, seus olhos também pareciam azuis. Na garganta, usava três imensos rubis quadrados em uma corrente de ferro negra, um presente do Magíster Illyrio. *Vermelho e negro. As cores do Dragão.* Isso era bom.

– Você parece um príncipe bastante adequado – disse para o garoto. – Seu pai ficaria orgulhoso se pudesse vê-lo.

O Jovem Griff passou os dedos pelos cabelos.

– Estou cansado deste azul. Deveríamos lavá-lo.

– Em breve. – Griff ficaria feliz em voltar à sua cor verdadeira também, embora seus cabelos antes vermelhos houvessem se tornado grisalhos. Bateu no ombro do rapaz. – Vamos? Seu exército aguarda sua chegada.

– Gosto de como isso soa. Meu exército. – Um sorriso iluminou seu rosto e então desapareceu. – São meus homens, afinal? São mercenários. Yollo me avisou para não confiar em ninguém.

– Há sabedoria nisso – Griff admitiu. Seria outra coisa se Coração Negro ainda comandasse, mas Myles Toyne morrera havia quatro anos, e Harry Sem-Teto Strickland era um tipo distinto de homem. Mas não podia dizer isso ao rapaz. O anão já havia plantado dúvidas suficientes em sua jovem cabeça. – Nem todo homem é o que parece, e um príncipe, especialmente, tem bons motivos para ser cauteloso... Mas vá muito longe por esse caminho e a desconfiança vai envenenar você, torná-lo amargo e com medo. – *O Rei Aerys foi assim. No fim, até Rhaegar viu isso claramente.* – Você faria melhor em conseguir um meio-termo. Deixe os homens conquistarem sua confiança com serviço leal... mas, quando o fizerem, seja generoso e tenha o coração aberto.

O garoto balançou a cabeça.

– Eu me lembrarei.

Deram ao príncipe o melhor dos três cavalos, um grande castrado cinza, tão claro que era quase branco. Griff e Haldon cavalgavam ao lado dele, em montarias menores. A estrada seguia para o sul, sob as muralhas brancas de Volon Therys por uns oitocentos metros. Então deixaram a cidade para trás, seguindo o curso sinuoso do Roine através de bosques de salgueiros e campos de papoulas, passando por um moinho de madeira cujas pás rangiam como ossos velhos quando giravam.

Encontraram a Companhia Dourada ao lado do rio, quando o sol estava se pondo no oeste. Era um acampamento que talvez até Arthur Dayne tivesse aprovado: compacto, ordenado, defensível. Uma vala profunda fora cavada ao redor, com estacas afiadas dentro. As tendas estavam em filas com amplas avenidas entre elas. As latrinas haviam sido colocadas ao lado do rio, então a corrente levava os dejetos. As linhas dos cavalos estavam ao norte, e atrás delas duas dúzias de elefantes pastavam ao lado da água, erguendo juncos com suas trombas. Griff olhou para os grandes animais cinzentos com aprovação. *Não há um cavalo de guerra em toda Westeros que possa enfrentá-los.*

Altos estandartes de batalha de samito dourado agitavam-se em cima de elevados postes ao longo do perímetro do acampamento. Sob eles, sentinelas de armadura faziam suas rondas com lanças e bestas, observando qualquer aproximação. Griff tivera receio que a companhia tivesse relaxado sob o comando de Harry Strickland, que sempre parecera mais preocupado em fazer amigos do que em garantir a disciplina, mas parecia que suas preocupações eram infundadas.

No portão, Haldon disse alguma coisa para o oficial dos guardas, e um mensageiro foi enviado para encontrar um capitão. Quando ele apareceu, estava tão feio quanto na última vez que Griff deitara os olhos nele. Um homem barrigudo e brutamontes, o mercenário tinha o rosto atravessado por antigas cicatrizes. Sua orelha direita parecia ter sido mastigada por um cachorro e a esquerda sumira.

– Eles o fizeram capitão, Flowers? – disse Griff. – Eu achava que a Companhia Dourada tinha padrões.

– É pior que isso, seu tipinho – disse Franklyn Flowers. – Me sagraram cavaleiro também. – Agarrou Griff pelo antebraço e puxou-o para um abraço esmagador. – Você parece horrível, mesmo para um homem que esteve morto por uma dúzia de anos. Cabelo azul, é isso mesmo? Quando Harry me disse que você estava voltando, quase me caguei. E Haldon, seu pau no cu, é bom ver você também. Ainda tem aquela bengala na bunda? – Virou-se para o Jovem Griff. – E este seria...

– Meu escudeiro. Rapaz, este é Franklyn Flowers.

O príncipe o cumprimentou com um aceno de cabeça.

– Flowers é um nome bastardo. Você vem da Campina.

– Sim. Minha mãe era uma lavadeira no Solar da Sidra, até que um dos filhos do senhor a estuprou. Isso me torna um tipo de maçã marrom de Fossoway, é como me vejo.

– Flowers os levou pelo portão. – Venham comigo. Strickland chamou todos os oficiais para a tenda dele. Conselho de guerra. Os malditos volantinos estão agitando suas lanças e exigindo conhecer nossas intenções.

Os homens da Companhia Dourada estavam fora de suas tendas, jogando dados, bebendo e espantando moscas. Griff se perguntava quantos deles sabiam quem ele era. *Poucos demais. Doze anos é um longo tempo.* Até mesmo os homens que cavalgaram com ele podiam não reconhecer o exilado Lorde Jon Connington de flamejante barba vermelha no rosto alinhado e barbeado e nos cabelos azuis do mercenário Griff. No que dizia respeito a eles, Connington tinha se acabado de tanto beber em Lys, depois de ter sido expulso da companhia em desgraça, por ter roubado o baú de guerra. A vergonha da mentira ainda estava atravessada em sua garganta, mas Varys insistira em que era necessário.

– Não queremos canções sobre o exílio galante – o eunuco dissera, rindo suavemente, naquela voz amaneirada. – Aqueles que morrem mortes heroicas são lembrados por muito tempo; ladrões, bêbados e covardes são logo esquecidos.

O que um eunuco sabe sobre a honra de um homem? Griff havia levado o plano da Aranha adiante para a segurança do menino, mas isso não significava que gostasse da ideia. *Deixe-me viver tempo suficiente para ver o garoto sentado no Trono de Ferro e Varys pagará por essa desfeita, e muito mais. Então veremos quem é logo esquecido.*

A tenda do capitão-general era feita de samito dourado e cercada por um anel de estacas cobertas com crânios dourados. Um crânio era maior que os demais, grotescamente malformado. Embaixo havia um segundo, não maior do que o punho de uma criança. *Maelys, o Monstruoso, e seu irmão sem nome.* Os outros crânios eram parecidos com aqueles, embora muitos estivessem quebrados e estilhaçados pelos golpes que os mataram, e um deles tivesse uma fileira de dentes pontiagudos.

– Qual deles é Myles?– Griff se pegou perguntando.

– Aqui. No fim. – Flowers apontou. – Espere. Vou anunciar você. – Ele andou para dentro da tenda, deixando Griff a contemplar o crânio dourado de seu velho amigo. Em vida, Sor Myles Toyne era tão feio quanto o pecado. Seu famoso antepassado, o cruel e impetuoso Torrence Toyne, sobre quem os bardos cantavam, havia sido tão bonito de rosto que nem mesmo a amante do rei pôde resistir a ele, mas Myles tinha orelhas de abano, a mandíbula torta e o maior nariz que Jon Connington já vira. Mas, quando sorria, nada disso importava. Coração Negro, seus homens o apelidaram, pelo símbolo em seu escudo. Myles amara o nome e tudo o que estava implícito nele.

– Um capitão-general precisa ser temido, tanto pelos amigos quanto pelos inimigos – confessara uma vez. – Se os homens acharem que sou cruel, melhor. – A verdade era outra. Soldado até os ossos, Toyne era feroz mas sempre justo, um pai para seus homens e sempre generoso com o exilado Lorde Jon Connington.

A morte lhe roubara as orelhas, o nariz e todo o seu calor. O sorriso permanecera, transformado em um sorriso largo, dourado e brilhante. Todos os crânios sorriam, mesmo o de Açoamargo, na alta estaca no centro. *Do que ele sorri? Morreu derrotado e sozinho, um homem quebrado em uma terra estrangeira.* Em seu leito de morte, Sor Aegor Rivers ordenara a seus homens que fervessem seu crânio para retirar a carne, mergulhassem-no em ouro e o carregassem diante deles quando cruzassem o mar para retomar Westeros. Seus sucessores haviam seguido o exemplo.

Jon Connington podia ter sido um desses sucessores, se seu exílio tivesse sido diferente. Passara cinco anos na companhia, ascendendo das fileiras para um lugar de honra do lado direito de Toyne. Se tivesse ficado, bem que poderia ter sido ele a assumir o lugar de Myles, após sua morte, em vez de Harry Strickland. Mas Griff não se arrependia do caminho que escolhera. *Quando eu voltar para Westeros, não será como um crânio sobre uma estaca.*

Flowers saiu da tenda.

– Entrem.

Os oficiais de alto escalão da Companhia Dourada se levantaram dos bancos e cadeiras de campanha quando eles entraram. Velhos amigos cumprimentaram Griff com sorrisos e abraços, os homens novos mais formalmente. *Nem todos estão tão felizes em me ver como queriam que eu acreditasse.* Sentia facas atrás de alguns sorrisos. Até bem recentemente, a maioria deles acreditava que Lorde Jon Connington estava seguramente em seu túmulo, e sem dúvida muitos achavam que aquele era um bom lugar para ele, um homem que rouba seus irmãos em armas. Griff se sentiria do mesmo jeito se estivesse na posição deles.

Sor Franklin fez as apresentações. Alguns dos capitães mercenários carregavam nomes bastardos, assim como Flowers: Rivers, Hill, Stone. Outros se arrogavam nomes que certa vez tiveram grande importância na história dos Sete Reinos; Griff contou dois Strong, três Peake, um Mudd, um Mandrake, um Lothston, um par de Cole. Nem todos eram verdadeiros, ele sabia. Nas companhias livres, um homem podia chamar a si mesmo do jeito que quisesse. Independente do nome, os mercenários mostravam um esplendor rude. Como muitos outros nesse ramo, mantinham as riquezas mundanas sobre suas pessoas: espadas com joias, armaduras incrustadas, pesadas *torcs* e seda fina em muita evidência, e cada homem usava o resgate de um senhor em braceletes de ouro. Cada bracelete significava um ano a serviço da Companhia Dourada. Marq Mandrake, cujo rosto marcado de varíola tinha um buraco em uma bochecha que havia sido queimada para eliminar uma marca de escravo, usava uma corrente de crânios dourados também.

Nem todos os capitães tinham sangue westerosi. Balaq Negro, um ilhéu de Verão com a pele escura como fuligem, comandava os arqueiros da companhia desde a época de Coração Negro. Vestia uma capa com penas verdes e laranja, magníficas de serem vistas. O cadavérico volantino Gorys Edoryen substituíra Strickland como mestre da moeda. Uma pele de leopardo pendia pregueada de um ombro, e seu cabelo vermelho-sangue caía pelos ombros em cachos oleosos, embora a barba pontuda fosse negra. O mestre dos espiões era novo para Griff; um liseno chamado Lysono Maar, com olhos lilases, cabelo branco-dourado e lábios que fariam inveja a uma prostituta. Em um primeiro passar de olhos, Griff quase o tomara por mulher. As unhas da mão eram pintadas de púrpura e os lóbulos das orelhas carregavam pérolas e ametistas.

Fantasmas e mentirosos, Griff pensou, enquanto examinava seus rostos. *Espectros de guerras esquecidas e rebeliões fracassadas, uma irmandade de fracassados e caídos, os desgraçados e deserdados. Este é meu exército. É nossa melhor esperança.*

Virou-se para Harry Strickland.

Harry Sem-Teto parecia pouco com um guerreiro. Corpulento, com uma grande cabeça redonda, suaves olhos cinza e um cabelo rarefeito que escovava para o lado para esconder a careca, Strickland estava sentado em uma cadeira de acampamento, com os pés mergulhados em uma bacia de água salgada.

– Vai me perdoar por não levantar – disse, à guisa de cumprimento. – Nossa marcha foi cansativa e meus dedos são propensos a bolhas. Uma maldição.

É um sinal de fraqueza. Você parece uma velha. Os Strickland faziam parte da Companhia Dourada desde sua fundação, quando o bisavô de Harry perdera suas terras e se unira ao Dragão Negro durante a primeira Rebelião Blackfyre.

– Dourados por quatro gerações – Harry costumava se vangloriar, como se quatro gerações de exílio e derrota fossem motivo de orgulho para alguém.

– Posso fazer um unguento para isso – disse Haldon –, há certos sais minerais que endurecem a pele.

– É muita gentileza sua. – Strickland acenou para seu escudeiro. – Watkyn, vinho para nossos amigos.

– Obrigado, mas não – disse Griff. – Beberemos água.

– Como preferir. – O capitão-general sorriu para o príncipe. – E este deve ser seu filho.

Ele sabe? Griff se perguntou. *Quanto Myles contou para ele?* Varys tinha sido inflexível sobre a necessidade de sigilo. Os planos que ele e Illyrio haviam feito com Coração Negro eram conhecidos só por eles. O restante da companhia fora mantido na ignorância. O que não sabiam não deixariam escapar.

Esse tempo se fora, no entanto.

– Nenhum homem podia pedir por filho mais digno – disse Griff –, mas este rapaz não é meu sangue, e o nome dele não é Griff. Senhores, apresento-lhes Aegon Targaryen, filho primogênito de Rhaegar, Príncipe de Pedra do Dragão e da Princesa Elia de Dorne... Logo, com a ajuda de vocês, ele será Aegon, o Sexto de Seu Nome, Rei dos Ândalos, dos Reinares e dos Primeiros Homens, e Senhor dos Sete Reinos.

Silêncio se seguiu ao seu anúncio. Alguém limpou a garganta. Um dos Cole tornou a encher sua taça de vinho do garrafão. Gorys Edoryen brincava com o saca-rolhas e murmurou algo em uma língua que Griff não entendeu. Laswell Peake tossiu, Mandrake e Lothston trocaram um rápido olhar. *Eles sabem*, Griff percebeu. *Sempre souberam.* Voltou seu olhar para Harry Strickland.

– Quando contou para eles?

O capitão-general torcia os dedos dos pés com bolhas na bacia.

– Quando alcançamos o rio. A companhia estava inquieta, e com boas razões. Saímos de uma campanha fácil nas Terras Disputadas, e para quê? Então podíamos sufocar nesse calor dos infernos, vendo nossas moedas derreterem e nossas lâminas enferrujarem, enquanto eu recusava ricos contratos?

Aquelas notícias fizeram a pele de Griff se arrepiar.

– Quem?

– Os homens de Yunkai. O enviado que mandaram para cortejar Volantis já despachou três companhias livres para a Baía dos Escravos. Queria que fôssemos a quarta, e nos ofereceu duas vezes o que Myr estava nos pagando, mais um escravo para cada homem na companhia, dez para cada oficial e cem donzelas escolhidas, todas para mim.

Maldito.

– Isso exigiria milhares de escravos. Onde os yunkaítas esperam conseguir tantos?

– Em Meereen. – Strickland acenou para seu escudeiro. – Watkyn, uma toalha. Esta água está ficando gelada, e meus dedos estão enrugados como passas. Não, não aquela toalha... a macia.

– Você recusou – disse Griff.

– Disse que iria pensar na proposta dele. – Harry estremeceu quando o escudeiro começou a secar seus pés. – Seja gentil com os dedos. Pense neles como uvas de casca fina, rapaz. Você quer secá-los sem esmagá-los. *Afague-os*, não esfregue. Sim, desse jeito. – Virou-se para Griff. – Uma recusa brusca teria sido imprudente. Os homens poderiam, com razão, perguntar se eu havia perdido o juízo.

– Vocês terão trabalho para suas lâminas em breve.

– Teremos? – perguntou Lysono Maar. – Acredito que saiba que a garota Targaryen não começou seu caminho para o oeste?

– Ouvimos esse boato em Selhorys.

– Não é boato. É a simples verdade. O porquê disso é mais difícil de entender. Saquear Meereen, sim, por que não? Eu teria feito o mesmo no lugar dela. As cidades dos escravos exalam a ouro, e a conquista exige dinheiro. Mas por que permanecer? Medo? Loucura? Preguiça?

– O porquê não importa. – Harry Strickland desenrolou um par de meias de lã listradas. – Ela está em Meereen e nós estamos aqui, onde os volantinos ficam a cada dia mais descontentes com nossa presença. Viemos levantar um rei e uma rainha que nos liderariam para casa, em Westeros, mas essa garota Targaryen parece mais preocupada em plantar oliveiras do que em reclamar o trono de seu pai. Enquanto isso, seus inimigos se reúnem. Yunkai, Nova Ghis, Tolos. Barbassangrenta e o Príncipe Esfarrapado estão ambos indo a campo contra ela... e logo as frotas da Antiga Volantis descerão sobre ela também. E o que ela tem? Escravos de cama com bastões?

– Imaculados – disse Griff. – E dragões.

– Dragões, sim – disse o capitão-general –, mas ainda jovens, dificilmente mais do que filhotes. – Strickland passou as meias pelas bolhas até os tornozelos. – Qual será a utilidade deles quando todos esses exércitos inimigos se fecharem sobre a cidade dela como um punho?

Tristan Rivers tamborilou os dedos no joelho.

– Tudo isso são motivos para irmos até ela rapidamente, eu digo. Se Daenerys não vem até nós, devemos ir até Daenerys.

– Podemos andar pelas ondas, sor? – perguntou Lysono Maar. – Eu lhe digo novamente, não podemos chegar até a rainha prateada por mar. Me meti em Volantis, vestido de comerciante, para saber quantos navios teríamos disponíveis. O porto fervilha de galés, barcos pesqueiros e naus de todos os tipos e tamanhos, e mesmo assim me peguei andando com contrabandistas e piratas. Temos dez mil homens na companhia, como estou certo de que Lorde Connington se lembra de seus anos de serviço para nós. Cinco mil cavaleiros, cada um com três cavalos. Cinco mil escudeiros, com uma montaria cada. E elefantes, não podemos esquecer os elefantes. Um navio pirata não será suficiente. Precisamos de uma *frota* pirata... e, mesmo se encontrarmos uma, as notícias que vêm da Baía dos Escravos dão conta de que Meereen está fechada por um bloqueio.

– Podíamos fingir aceitar a oferta de Yunkai – exortou Gorys Edoryen. – Permitir que os yunkaítas nos transportem até o leste, e então devolver o ouro deles sob as muralhas de Meereen.

– Um contrato quebrado é suficiente para manchar a honra da companhia – Harry Sem-Teto Strickland interrompeu, segurando na mão o pé cheio de bolhas. – Deixe-me lembrar vocês, foi Myles Toyne quem colocou seu selo neste pacto secreto, não eu. Eu honraria seu acordo se pudesse, mas como? Parece claro para mim que a garota Targaryen nunca virá para oeste. Westeros era o reino do pai dela. Meereen é o dela. Se ela conseguir derrotar os yunkaítas, será a Rainha da Baía dos Escravos. Se não, morrerá muito antes de termos a esperança de alcançá-la.

As palavras dele não eram nenhuma surpresa para Griff. Harry Strickland sempre fora um homem afável, melhor martelando contratos do que martelando inimigos. Tinha faro para ouro, mas se tinha estômago para batalha era outra questão.

– Há a rota terrestre – sugeriu Franklyn Flowers.

– O caminho do demônio é a morte. Perderemos metade da companhia por deserção se tentarmos essa marcha e enterraremos a metade que sobrar ao lado da estrada. Me entristece dizer isso, mas o Magíster Illyrio e seus amigos podem ter sido imprudentes em colocar tanta esperança nessa rainha criança.

Não, pensou Griff, *foram muito imprudentes em colocar as esperanças deles em você.*

O Príncipe Aegon falou.

– Então coloquem suas esperanças em mim – disse. – Daenerys é irmã do Príncipe Rhaegar, mas eu sou filho dele. Sou o único dragão do qual vocês precisam.

Griff colocou a mão enluvada sobre o ombro do Príncipe Aegon.

– Palavras corajosas – disse –, mas pense no que você está dizendo.

– Eu pensei – o rapaz insistiu. – Por que devo correr até minha tia como se fosse um pedinte? Minha pretensão é melhor do que a dela. Deixe-a vir até mim... em Westeros.

Franklyn Flowers riu.

– Gosto disso. Navegar para oeste, não para leste. Deixar a pequena rainha com suas oliveiras e colocar o Príncipe Aegon sobre o Trono de Ferro. O garoto tem bolas, isso tem.

O capitão-general olhou como se alguém o tivesse estapeado no rosto.

– O sol coalhou seu cérebro, Flowers? Precisamos da garota. Precisamos do casamento. Se Daenerys aceitar nosso príncipe e tomá-lo como seu consorte, os Sete Reinos farão o mesmo. Sem ela, os senhores zombarão da pretensão dele e o estigmatizarão como uma fraude e um fingidor. E como pretende ir até Westeros? Você ouviu Lysono. Não há navios.

Este homem está com medo de lutar, Griff percebeu. *Como eles o escolheram para o lugar de Coração Negro?*

– Não há navios para a Baía dos Escravos. Westeros é outra coisa. O leste está fechado para nós, não o mar. Os tríades ficarão felizes em ver nossa partida, não tenho dúvidas. Podem até nos ajudar a conseguir passagem de volta para os Sete Reinos. Nenhuma cidade quer um exército em seus portões.

– Ele não está errado – disse Lysono Maar.

– Neste momento, o leão certamente já sentiu o cheiro do dragão – disse um dos Cole –, mas a atenção de Cersei deve estar voltada para Meereen e essa outra rainha. Ela não sabe nada sobre nosso príncipe. E, uma vez que cheguemos a terra firme e levantemos nossos estandartes, muitos e muitos mais se unirão a nós.

– Alguns – concordou Harry Sem-Teto –, não *muitos*. A irmã de Rhaegar tem *dragões*. O filho de Rhaegar não tem. Não temos força para tomar o reino sem Daenerys e o exército dela. Seus Imaculados.

– O primeiro Aegon tomou Westeros sem eunucos – disse Lysono Maar. – Por que o sexto Aegon não faria o mesmo?

– O plano...

– Que plano? – disse Tristan Rivers. – O plano do gordo? Aquele que muda com as fases da lua? Primeiro Viserys Targaryen se juntaria a nós com cinquenta mil gritadores dothrakis atrás dele. Então o Rei Pedinte foi morto, e era a irmã dele, uma jovem e maleável criança que estaria a caminho de Pentos com três dragões recém-eclodidos. Em vez disso, a garota se virou para a Baía dos Escravos e deixou uma trilha de cidades queimadas em seu caminho, e o gordo decidiu que deveríamos encontrá-la em Volantis. Agora esse plano está arruinado também. Já tive planos suficientes de Illyrio. Robert Baratheon conquistou o Trono de Ferro sem a ajuda de dragões. Podemos fazer o mesmo. E se eu estiver errado e o reino não se levantar conosco, sempre poderemos recuar através do mar estreito, como Açoamargo fez uma vez, e outros depois dele.

Strickland sacudiu a cabeça, obstinadamente.

– O risco...

– ... não é o que era, agora que Tywin Lannister está morto. Os Sete Reinos nunca estiveram tão maduros para a conquista. Outro rei garoto senta no Trono de Ferro, ainda mais jovem que o último, e rebeldes aumentam no solo como folhas de outono.

– Mesmo assim – disse Strickland –, sozinhos, não podemos esperar...

Griff ouvira o bastante da covardia do capitão-general.

– Não estaremos sozinhos. Dorne se unirá a nós, *deve* se unir a nós. O Príncipe Aegon é filho de Elia tanto quanto de Rhaegar.

– É isso – disse o garoto –, e quem está em Westeros para se opor a nós? Uma mulher.

– Uma mulher *Lannister* – insistiu o capitão-general. – A puta terá o Regicida ao seu lado, contem com isso, e terão toda a riqueza de Rochedo Casterly atrás deles. E Illyrio diz que o rei menino é prometido à garota Tyrell, o que significa que enfrentaremos o poder de Jardim de Cima também.

Laswell Peake bateu os nós dos dedos na mesa.

– Mesmo depois de um século, alguns de nós ainda têm amigos na Campina. O poder de Jardim de Cima pode não ser o que Mace Tyrell imagina.

– Príncipe Aegon – disse Tristan Rivers –, somos seus homens. É seu desejo que naveguemos para oeste em vez de para leste?

– É, sim! – Aegon respondeu apaixonadamente. – Se minha tia quer Meereen, que faça bom proveito. Clamarei o Trono de Ferro eu mesmo, com suas espadas e sua fidelidade. Se nos movermos rápido e atacarmos forte, poderemos ter algumas vitórias fáceis antes que os Lannister sequer saibam da nossa presença no continente. Isso trará outros para nossa causa.

Rivers estava sorrindo de aprovação. Outros trocavam olhares pensativos. Então Peake disse:

– Prefiro morrer em Westeros a morrer no caminho do demônio.

Marq Mandrake riu e respondeu:

– Eu prefiro viver, conquistar terras e algum grande castelo.

Franklyn Flowers bateu no cabo da sua espada e disse:

– Enquanto eu puder matar alguns Fossoway, estou nessa.

Quando todos começaram a falar ao mesmo tempo, Griff soube que a maré tinha virado. *Este é um lado de Aegon que nunca vi antes.* Não era um caminho prudente, mas ele estava cansado de prudência, enfermo de segredos, exausto de esperar. Ganhando ou perdendo, veria Poleiro do Grifo novamente antes de morrer, e seria enterrado na tumba ao lado de seu pai.

Um por um, os homens da Companhia Dourada se levantaram, ajoelharam-se e colocaram as espadas aos pés de seu jovem príncipe. O último a fazer isso foi Harry Sem-Teto Strickland, com os pés cheios de bolhas e tudo.

O sol avermelhado no céu ocidental pintava sombras escarlate nos crânios dourados no topo das lanças quando deixaram a tenda do capitão-general. Franklyn Flowers se ofereceu para dar uma volta com o príncipe pelo acampamento e apresentá-lo a alguns que chamava de *os rapazes*. Griff deu seu consentimento.

– Mas lembre-se, por mais que a companhia esteja envolvida, ele deve continuar a ser o Jovem Griff até que atravessemos o mar estreito. Em Westeros lavaremos seu cabelo e o deixaremos usar sua armadura.

– Sim, entendido. – Flowers deu um tapinha nas costas do Jovem Griff. – Venha comigo. Começaremos com os cozinheiros. Bons homens para se conhecer.

Quando os dois saíram, Griff se virou para o Meiomeistre.

– Cavalgue de volta ao *Donzela Tímida* e retorne para cá com a Senhora Lemore e Sor Rolly. Precisaremos dos baús de Illyrio também. Todas as moedas, todas as armaduras. Dê nossos agradecimentos a Yandry e Ysilla. A parte deles nisso está acabada. Eles não serão esquecidos quando Sua Graça chegar ao seu reino.

– Como desejar, senhor.

Griff o deixou ali e entrou na tenda que Harry Sem-Teto havia destinado para ele.

A estrada diante deles era cheia de perigos, ele sabia, mas e daí? Todos os homens têm que morrer. Tudo o que ele pedia era tempo. Esperara tanto, certamente os deuses lhe garantiriam mais alguns anos, tempo suficiente para ver o garoto que chamava de filho sentado no Trono de Ferro. Para reclamar suas terras, seu nome, sua honra. Para acalmar os sinos que ainda tocavam tão alto em seus sonhos todas as vezes que fechava os olhos para dormir.

Sozinho na tenda, enquanto os raios dourados e escarlate do sol poente brilhavam pela abas abertas, Jon Connington tirou a capa de pele de lobo, escorregou a camisa de cota de malha por sobre a cabeça, sentou-se em um banco de acampamento e tirou a luva da mão direita. A unha de seu dedo médio tinha se tornado tão negra quanto azeviche, ele via, e o cinza subira até quase a primeira articulação. A ponta do dedo anelar também começava a escurecer e, quando ele a tocava com a ponta da adaga, não sentia nada.

Morte, sabia, *mas lenta. Ainda tenho tempo. Um ano. Dois anos. Cinco. Alguns homens de pedra vivem dez. Tempo suficiente para cruzar o mar, para ver Poleiro do Grifo novamente. Para acabar com a linhagem do Usurpador de uma vez por todas e colocar o filho de Rhaegar no Trono de Ferro.*

Então Lorde Jon Connington poderia morrer feliz.

O SOPRADO PELO VENTO

A notícia atravessou o acampamento como vento quente. *Ela está vindo. Suas tropas estão em marcha. Está seguindo para o sul, para Yunkai, a fim de passar a cidade na tocha e as pessoas pela espada, e estamos indo para o norte encontrá-la.*

Sapo ouvira de Pau Fino, que ouvira do Velho Osso Bill, que ouvira de um pentoshi chamado Myrio Myrakis, que tinha um primo que servia como copeiro do Príncipe Esfarrapado.

– O primo ouviu isso na tenda do comandante, dos lábios do próprio Caggo – Pau Fino insistiu. – Marcharemos antes do dia nascer, vejam se não.

Aquilo provou ser verdade. O comando saiu do Príncipe Esfarrapado, passou pelos capitães e chegou até os oficiais: desarmem as tendas, carreguem as mulas, selem os cavalos, marcharemos para Yunkai ao amanhecer.

– Não que os bastardos yunkaítas nos queiram dentro da Cidade Amarela, farejando ao redor das filhas deles – previu Baqq, o besteiro de olhos estreitos de Myr, cujo nome significava Feijões. – Pegaremos provisões em Yunkai, talvez cavalos descansados, e então seguiremos para Meereen para dançar com a rainha dragão. Então salte rápido, Sapo, e dê uma boa afiada na espada de seu mestre. Ele precisará dela em breve.

Em Dorne, Quentyn Martell tinha sido um príncipe, em Volantis, um homem do mercador, mas nas margens da Baía dos Escravos era apenas Sapo, escudeiro do grande cavaleiro careca dornense, o mercenário chamado Tripaverde. Os homens dos Soprados pelo Vento usavam os nomes que queriam, e os trocavam por capricho. Eles o apelidaram de *Sapo*, porque saltava rápido quando o grandão gritava uma ordem.

Até mesmo o comandante dos Soprados pelo Vento mantinha seu nome verdadeiro para si. Algumas companhias livres haviam surgido durante o século de sangue e caos que se seguiu à Condenação de Valíria. Outras se formaram no dia anterior e desapareceriam no dia seguinte. Os Soprados pelo Vento já tinham completado trinta anos, e durante todo esse tempo conheceram apenas um único comandante, um nobre pentoshi de olhos tristes e fala mansa conhecido como Príncipe Esfarrapado. Seu cabelo e sua cota de malha eram cinza-prateado, mas sua capa esfarrapada era feita de tiras de tecido de muitas cores: azul, cinza, púrpura, vermelho, dourado, verde, magenta, vinho e azul-celeste, todas desbotadas pelo sol. Quando o Príncipe Esfarrapado tinha vinte e três, Pau Fino contara a história, os magísteres de Pentos o escolheram para ser o novo príncipe, horas depois de cortar a cabeça do antigo príncipe. Em vez disso, ele prendeu a espada ao cinturão, montou em seu cavalo favorito e partiu para as Terras Disputadas, para nunca mais voltar. Cavalgou com os Segundos Filhos, com os Escudos de Ferro, com os Homens da Donzela, até juntar cinco irmãos em armas e formar os Soprados pelo Vento. Desses seis fundadores, apenas ele sobreviveu.

Sapo não tinha ideia do quanto disso era verdade. Depois de assinar com os Soprados pelo Vento em Volantis, vira o Príncipe Esfarrapado apenas a distância. Os dornenses eram mãos novas, recrutas inexperientes, ponta de flecha, três entre dois mil. Seu comandante tinha companhias de nível mais alto.

– Não sou escudeiro – Quentyn protestara quando Gerris Drinkwater sugeriu o plano. Gerris era conhecido agora como Gerrold Dornense, para distingui-lo de Gerrold Costas Vermelhas e de Negro Gerrold, e algumas vezes como Drink, desde que o grandão escorregara e o chamara dessa maneira. – Ganhei minhas esporas em Dorne. Sou tão cavaleiro quanto vocês.

Mas Gerris estava certo nisso; ele e Arch estavam ali para proteger Quentyn, e isso significava mantê-lo ao lado do grandão.

– Arch é o melhor lutador de nós três – Drinkwater comentara –, mas apenas você pode esperar se casar com a rainha dragão.

Casar com ela ou lutar contra ela, de qualquer modo, logo estaremos cara a cara. Quanto mais Quentyn ouvia sobre Daenerys Targaryen, mais temia tal encontro. Os yunkaítas afirmavam que ela alimentava seus dragões com carne humana e que se banhava no sangue de virgens para manter a pele suave e flexível. Feijões ria disso, mas gostava das histórias sobre a promiscuidade dela.

– Um de seus capitães vem de uma linhagem na qual os homens têm membros com um metro de comprimento – contou para eles –, mas nem isso é grande o suficiente para ela. Ela cavalgou com os dothrakis e cresceu acostumada a ser fodida por garanhões, então agora nenhum homem pode preenchê-la.

E Livros, o esperto espadachim volantino que sempre parecia estar com o nariz enfiado em algum pergaminho farelento, achava que a rainha dragão era assassina e louca.

– O khal matou o irmão dela para que ela fosse rainha. Então ela matou o khal para se tornar *khaleesi*. Ela pratica sacrifício de sangue, mente com tanta facilidade quanto respira, se volta contra ela mesma por um capricho. Rompe tréguas, tortura enviados... o pai dela era louco também. Isso corre no sangue.

Isso corre no sangue. O Rei Aerys II *era* louco, toda Westeros sabia disso. Havia exilado duas de suas Mãos e queimado uma terceira. *Se Daenerys é tão assassina quanto seu pai, ainda devo me casar com ela?* O Príncipe Doran nunca falara sobre essa possibilidade.

Sapo ficaria feliz em deixar Astapor para trás. A Cidade Vermelha era a coisa mais próxima do inferno que já esperara conhecer. Os yunkaítas haviam fechado os portões arrebentados para manter os mortos e os que estavam morrendo dentro da cidade, mas as visões que tivera cavalgando por aquelas ruas de tijolos vermelhos assombrariam Quentyn Martell para sempre. Um rio entupido de cadáveres. A sacerdotisa em sua túnica rasgada, empalada em uma estaca e cercada por uma nuvem de brilhantes moscas verdes. Homens à beira da morte cambaleando pelas ruas, sangrentos e deteriorados. Crianças brigando por filhotes meio cozidos. O último rei livre de Astapor, gritando nu na arena onde foi colocado com um bando de cães famintos. E fogo, fogo por toda parte. Fechava os olhos e ainda podia ver; chamas se contorcendo nas pirâmides de tijolos, maiores do que qualquer castelo que já vira, nuvens de fumaça gordurosa subindo em espiral como grandes serpentes negras.

Quando o vento soprava do sul, o ar cheirava a fumaça mesmo aqui, a cinco quilômetros da cidade. Atrás das muralhas vermelhas se desintegrando, Astapor ainda ardia, embora a maior parte dos grandes incêndios já estivesse extinta. Cinzas voavam preguiçosas na brisa, como grandes flocos de neve cinzentos. Seria bom partir.

O grandão concordava.

– Tempos passados – disse, quando Sapo o encontrou jogando dados com Feijões, Livros e Velho Osso Bill, e perdendo novamente. Os mercenários amavam Tripaverde, que apostava tão ferozmente quanto lutava, mas com muito menos sucesso. – Vou querer minha armadura, Sapo. Você esfregou aquele sangue da minha cota de malha?

– Sim, Sor. – A cota de malha de Tripaverde era velha e pesada, remendada e remendada novamente, muito usada. O mesmo era verdade no que tocava ao seu elmo, ao gorjal, às grevas e às manoplas e ao resto da placa de aço desemparelhada que ele tinha. O conjunto do Sapo era só ligeiramente melhor, e o de Sor Gerris era notavelmente pior. *Aço da companhia*, dissera o armeiro. Quentyn não perguntara quantos homens a vestiram antes, ou quantos morreram com ela. Haviam deixado suas armaduras refinadas em Volantis, junto com seu ouro e seus nomes verdadeiros. Cavaleiros ricos de antigas casas honradas não cruzavam o mar estreito para vender suas espadas, a menos que tivessem sido exilados por alguma infâmia. – Prefiro passar por pobre a passar por vil – Quentyn declarara, quando Gerris explicara o plano a eles.

Levou menos de uma hora para os Soprados pelo Vento desmontarem o acampamento.

– Agora, cavalgamos – o Príncipe Esfarrapado proclamou de seu imenso cavalo de batalha cinzento, em Alto Valiriano clássico que era a coisa mais próxima que tinham de um idioma da companhia. Os quartos traseiros malhados de seu garanhão estavam cobertos com faixas rasgadas de tecido retirado das capas dos homens que seu mestre matara. A capa do príncipe era feita do mesmo material. Era um homem velho, com mais de sessenta, mas ainda se sentava alto e ereto na sela, e sua voz era forte o suficiente para chegar a todos os cantos do acampamento. – Astapor foi só um aperitivo – disse –, Meereen será o banquete – e os mercenários comemoraram com alegria selvagem. Flâmulas de seda azul voavam em suas lanças, enquanto estandartes de duas pontas, azuis e brancos, agitavam-se sobre a cabeça deles, os estandartes dos Soprados pelo Vento.

Os três dornenses comemoraram com todos os outros. O silêncio teria chamado a atenção. Mas conforme os Soprados pelo Vento seguiam para o norte pela estrada da costa, um pouco atrás de Barbassangrenta e a Companhia do Gato, Sapo se aproximou de Gerrold Dornense.

– Logo – disse na Língua Comum de Westeros. Havia outros westerosis na companhia, mas não muitos e nenhum por perto. – Temos que fazer logo.

– Não aqui – avisou Gerris, com o sorriso vazio de um mímico. – Falaremos sobre isso à noite, quando acamparmos.

Eram mais de quinhentos quilômetros de Astapor até Yunkai pela antiga estrada costeira ghiscari, e mais duzentos e cinquenta de Yunkai até Meereen. As companhias livres, bem montadas, podiam alcançar Yunkai em seis dias de cavalgada dura, ou oito, em ritmo mais lento. As legiões da Antiga Ghis levariam metade desse tempo, a pé, e os yunkaítas e seus soldados-escravos...

– Com os generais deles, é de espantar que não marchem para dentro do mar – dizia Feijões.

Os yunkaítas não tinham falta de comandantes. Um velho herói chamado Yurkhaz zo Yunzak tinha o supremo comando, embora os homens dos Soprados pelo Vento só o tivessem vislumbrado de longe, indo e vindo em uma liteira tão grande que eram necessários quarenta escravos para carregá-la.

Mas não podiam deixar de ver seus subordinados. Os senhores yunkaítas corriam para todos os lados, como baratas. Metade deles parecia chamar Ghazdan, Grazdan, Mazdhan ou Ghaznak; diferenciar um nome ghiscari do outro era uma arte que poucos Soprados pelo Vento dominavam, então davam aos yunkaítas apelidos zombeteiros.

O principal deles era Baleia Amarela, um homem obscenamente gordo que sempre usava *tokar* de seda amarela com franjas douradas. Muito pesado para ficar em pé sem ajuda, não conseguia segurar a bexiga, então sempre cheirava a mijo, um odor tão acentuado que nem mesmo os fortes perfumes que usava conseguiam esconder. Mas dizia-se que era o homem mais rico de Yunkai e que tinha paixão pelo grotesco; seus escravos incluíam um menino com patas de cabra, uma mulher barbada, um monstro de duas cabeças de Mantarys e uma hermafrodita que aquecia sua cama à noite.

– Tem tanto pau quanto boceta – Pau Fino contou para eles. –Baleia costumava ter um gigante também, e gostava de ver ele fodendo suas meninas escravas. Então ele morreu. Ouvi dizer que Baleia daria um saco de ouro por um novo.

Havia também a General Menina, que cavalgava um cavalo branco com a crista vermelha e comandava uma centena de soldados-escravos robustos que ela mesma havia criado e treinado, todos jovens, magros, com músculos bem definidos e vestidos apenas com tanga, capa amarela e longo escudo de bronze com incrustações eróticas. Seus amantes não tinham mais de dezesseis anos, e ela se imaginava a própria Daenerys Targaryen de Yunkai.

A Pombinha não era um anão, mas poderia passar por um sob luz fraca. Apesar disso, andava por aí como se fosse um gigante, dando amplos passos com suas perninhas gordas e estufando o peito rechonchudo. Seus soldados eram os mais altos que qualquer um dos Soprados pelo Vento já havia visto; os menores tinham mais de dois metros de altura, os maiores quase dois metros e meio. Todos tinham rosto comprido e longas pernas, e as pernas de pau incorporadas às ornamentadas armaduras que usavam os faziam parecer maiores. Escamas esmaltadas rosa cobriam o torso deles; na cabeça, traziam elmo alongado que terminava em bicos pontiagudos de aço, com uma crista de penas rosa balançando. Cada homem usava uma espada longa curva sobre o quadril e levava uma lança tão alta quanto ele, com lâmina em forma de folha no final.

– A Pombinha os cria – Pau Fino os informou. – Compra escravos altos de todas as partes do mundo, acasala os homens com as mulheres e fica com as proles mais altas para as Garças. Um dia ele espera ser capaz de dispensar as pernas de pau.

– Algumas sessões de tortura no cavalete poderiam apressar o processo – sugeriu o grandão.

Gerris Drinkwater riu.

– Um grupo terrível. Nada me assusta mais do que alguém numa perna de pau com escamas rosa e penas. Se um deles estivesse atrás de mim, eu riria tanto que minha bexiga não aguentaria.

– Alguns dizem que garças são majestosas – disse Velho Osso Bill. – Só se reis comem rãs enquanto ficam parados em uma perna.

– Garças são covardes – o grandão comentou. – Uma vez, eu, Drink e Cletus estávamos caçando e vimos essas garças pernaltas na água rasa, banqueteando-se com girinos e pequenos peixes. Eram bonitas de se ver, sim, mas quando um falcão passou por cima delas, todas saíram voando como se tivessem visto um dragão. Agitaram tanto vento que caí do cavalo, mas Cletus colocou uma flecha no arco e derrubou uma. Tem gosto de pato, mas não tão gorduroso.

Até mesmo a Pombinha e suas Garças esmaeciam ao lado da loucura dos irmãos que os mercenários chamavam de Senhores Tinidores. Da última vez que os soldados-escravos de Yunkai deram de cara com os Imaculados da rainha dragão, eles se separaram e fugiram. Os Senhores Tinidores desenvolveram um estratagema para prevenir isso: acorrentaram suas tropas em grupos de dez, pulso com pulso, tornozelo com tornozelo.

– Nenhum dos pobres bastardos pode correr, a menos que todos corram – Pau Fino explicou, rindo. – E se todos correrem, não correrão muito rápido.

– Eles não marcham muito rápido também – observou Feijões. – Dá para ouvir as correntes tinindo a cinquenta quilômetros de distância.

Havia outros, quase tão loucos ou piores; Lorde Balançabochecha, o Conquistador Bêbado, o Bestamestre, o Cara-de-Pudim, o Coelho, o Cocheiro, o Herói Perfumado. Alguns tinham vinte soldados, outros duzentos ou dois mil, todos escravos que eles mesmos haviam treinado e equipado. Todos eram ricos, todos eram arrogantes e todos eram capitães e comandantes, que não respondiam a ninguém que não Yurkhaz zo Yunkai, desdenhavam os mercenários simples, e eram propensos a disputas sobre prioridades que eram tão sem fim quanto incompreensíveis.

No tempo em que os Soprados pelo Vento percorreram cinco quilômetros, os yunkaítas haviam ficado quatro quilômetros para trás.

– Um bando de tolos amarelos fedidos – Feijões reclamou. – Ainda estão tentando descobrir por que os Corvos Tormentosos e os Segundos Filhos passaram para o lado da rainha dragão.

– Por ouro, acreditam – disse Livros. – Por que você acha que estão nos pagando tão bem?

– Ouro é doce, mas a vida é mais doce – falou Feijões. – Dançamos com aleijados em Astapor. Quer encarar Imaculados de verdade com esse bando ao seu lado?

– Lutamos com Imaculados em Astapor – disse o grandão.

– Eu falei Imaculados *de verdade*. Cortar fora as bolas de alguns meninos com o cutelo de açougueiro e entregar para ele um chapéu pontudo não faz dele um Imaculado. A rainha dragão tem o artigo verdadeiro, o tipo que não desiste e corre quando você peida na direção de seus generais.

– Tem eles, e dragões também. – Pau Fino olhou de relance para o céu, como se a simples menção de dragões pudesse ser o suficiente para atraí-los sobre a companhia. – Mantenham suas espadas afiadas, rapazes, teremos nossa verdadeira luta em breve.

Uma verdadeira luta, pensou Sapo. As palavras ficaram presas em sua garganta. A luta junto às muralhas de Astapor pareceu bastante verdadeira para ele, embora soubesse que os mercenários pensavam diferente.

– Aquilo foi um massacre, não uma batalha – dissera o guerreiro bardo Denzo D'han depois que acabou. Denzo era capitão e veterano de uma centena de batalhas. A experiência de Sapo estava limitada à prática no pátio e aos campos de torneio, então não achava que estava em posição de discutir o veredicto de um guerreiro tão experiente.

Parecia uma batalha quando começou, no entanto. Lembrava-se de como suas tripas se fecharam quando acordou aos chutes, no amanhecer, com o grandão ameaçador sobre ele.

– Para a armadura, dorminhoco – trovejou. – O Açougueiro está vindo nos dar batalha. Levante-se, a menos que pretenda ser a carne dele.

– O Rei Açougueiro está morto – Sapo protestou, com sono. Essa era a história que todos ouviram enquanto estavam sendo chacoalhados nos navios que os levavam da Antiga Volantis. Um segundo Rei Cleon tomara a coroa e morrera na sequência, supostamente, e agora os astaporis eram governados por uma prostituta e um barbeiro louco cujos seguidores lutavam uns contra os outros para controlar a cidade.

– Talvez tenham mentido – o grandão respondera. – Ou então esse é outro açougueiro. Pode ser o primeiro que voltou gritando de seu túmulo para matar alguns yunkaítas. Não importa, Sapo. *Coloque sua armadura.* – Dormiam dez na tenda, e todos estavam em pé agora, contorcendo-se para dentro do calção e das botas, escorregando longas cotas de malha pelos ombros, prendendo placas de peito, afivelando as tiras das grevas ou das brúnias, agarrando elmos, escudos e cinturões de espada. Gerris, rápido como sempre, foi o primeiro a ficar totalmente vestido, Arch um pouco depois. Juntos, ajudaram Quentyn a colocar sua armadura.

A trezentos metros dali, os novos Imaculados de Astapor fluíam pelos portões da cidade e formavam filas sob as muralhas de tijolos vermelhos em ruínas, com a luz do amanhecer refletindo nos elmos de bronze espigados e na ponta de suas longas lanças.

Os três dornenses saíram juntos da tenda para se unir aos combatentes que corriam para os cavalos. *Batalha.* Quentyn treinava com lança, espada e escudo desde que tinha idade suficiente para andar, mas isso não significava nada agora. *Guerreiro, me faça corajoso,* Sapo rezou, enquanto os tambores soavam ao longe, *BOOM boom BOOM boom BOOM boom.* O grandão mostrou o Rei Açougueiro para Sapo, sentado reto e alto sobre um cavalo blindado, vestido com uma armadura de escamas de cobre que reluziam sob o sol da manhã. Lembrou-se de Gerris esgueirando-se pouco antes da luta começar.

– Fique perto de Arch, aconteça o que acontecer. Lembre-se, você é o único de nós que pode conseguir a garota.

Nesse momento, os astaporis avançaram.

Vivo ou morto, o Rei Açougueiro ainda pegou os Sábios Mestres desprevenidos. Os yunkaítas ainda estavam correndo em seus *tokars* esvoaçantes, tentando colocar seus soldados-escravos meio treinados em alguma formação ordenada, quando as lanças dos Imaculados romperam sobre suas linhas de cerco. Não fosse pelos aliados e pelos mercenários que tanto desprezavam, teriam sido esmagados, mas os Soprados pelo Vento e a Companhia do Gato chegaram a cavalo em minutos, e vieram trovejando nos flancos astaporis, enquanto uma legião de Nova Ghis atravessava o campo yunkaíta pelo outro lado para lutar contra os Imaculados lança com lança e escudo com escudo.

O resto foi carnificina, mas dessa vez com o Rei Açougueiro do lado errado do facão. Foi Caggo quem finalmente o acertou, passando pelos protetores do rei no seu monstruoso cavalo de batalha e abrindo Cleon, o Grande, do ombro até o quadril com um golpe de seu *arakh* valiriano curvo. Sapo não viu, mas aqueles que estavam por perto afirmaram que a armadura de cobre de Cleon rasgou como seda, e de dentro veio um cheiro horrível e centenas de vermes de túmulo se contorcendo. Cleon estava morto, no final das contas. Os desesperados astaporis tiraram o cadáver do rei de sua tumba, o colocaram na armadura e o amarraram sobre um cavalo para dar ânimo aos Imaculados.

A queda do falecido Cleon colocou um fim a tudo isso. Os novos Imaculados jogaram suas lanças e escudos e correram, apenas para encontrar os portões de Astapor fechados atrás deles. Sapo fez sua parte na matança que se seguiu, cavalgando para cima dos assustados eunucos com os outros Soprados pelo Vento. Sem sair do lado do grandão, avançou, cortando para a direita e para a esquerda enquanto a linha de frente atravessava os Imaculados como uma ponta de lança. Quando romperam para o outro lado, o Príncipe Esfarrapado levou seus homens ao redor deles e os atacou novamente. Só quando retrocederam que Sapo pôde dar uma boa olhada nos rostos sob os capacetes espigados de bronze e percebeu que a maioria não era mais velha do que ele. *Garotos inexperientes gritando por suas mães*, pensou, mas os matou do mesmo jeito. Quando deixou a batalha, sua espada estava vermelha de sangue e seu braço tão cansado que mal podia erguê-lo.

Ainda assim não foi uma batalha de verdade, pensou. *A batalha de verdade estará sobre nós em breve e temos que ir embora antes que ela chegue, ou nos veremos lutando do lado errado.*

Naquela noite, os Soprados pelo Vento acamparam perto da costa da Baía dos Escravos. Sapo ficou com o primeiro turno e foi enviado para guardar os cavalos. Gerris foi ao seu encontro assim que o sol se pôs, enquanto uma meia-lua brilhava sobre as águas.

– O grandão devia estar aqui também – disse Quentyn.

– Ele foi procurar Velho Osso Bill e perder o resto de sua prata – disse Gerris. – Deixe-o fora disso. Ele fará o que dissermos, mesmo que não goste muito.

– Não. – Havia muita coisa nisso tudo de que o próprio Quentyn não gostava. Viajar em um navio superlotado, jogado pelo vento e pelo mar, comer pão duro infestado de carunchos, beber um rum negro como breu até o doce esquecimento, dormir em pilhas de palha mofada com o cheiro de estranhos em suas narinas... tudo isso ele esperara quando assinou aquele pedaço de pergaminho em Volantis, comprometendo sua espada e seu serviço por um ano ao Príncipe Esfarrapado. Essas eram dificuldades para ser suportadas, a matéria-prima de qualquer aventura.

Mas o que viria em seguida era clara traição. Os yunkaítas os trouxeram da Antiga Volantis para lutar pela Cidade Amarela, mas agora os dornenses pretendiam virar casaca e ir para o outro lado. Aquilo significava abandonar seus novos irmãos em armas também. Os Soprados pelo Vento não eram o tipo de companhia que Quentyn teria escolhido, mas havia cruzado o mar com eles, dividido comida e bebida com eles, lutado ao seu lado, contado histórias para os poucos com os quais conseguia se comunicar. E se todas as suas histórias eram mentiras, bem, esse era o preço da passagem para Meereen.

Não é algo que possa ser chamado de honrado, Gerris os avisara quando ainda estavam na Casa do Mercador.

– Daenerys pode estar a meio caminho de Yunkai agora mesmo, com um exército atrás dela – disse Quentyn, enquanto andavam entre os cavalos.

– Pode ser – disse Gerris –, mas não está. Ouvimos essa conversa antes. Os astaporis estavam convencidos de que Daenerys estava vindo para o sul com os dragões, para quebrar o cerco. Ela não veio daquela vez e não está vindo agora.

– Não sabemos isso, não com certeza. Precisamos partir em segredo antes que terminemos lutando contra a mulher que eu deveria pedir em casamento.

– Espere até Yunkai. – Gerris gesticulou em direção às colinas. – Essas terras pertencem aos yunkaítas. Ninguém vai querer alimentar ou abrigar três desertores. Já o norte de Yunkai é terra de ninguém.

Ele não estava errado. Ainda assim, Quentyn se sentia desconfortável.

– O grandão fez muitos amigos. Ele sabe que o plano sempre foi escapar e fazer nosso caminho até Daenerys, mas não vai se sentir bem em abandonar os homens com os quais lutou. Se esperarmos muito, ele vai sentir como se os desertasse na véspera da batalha. Nunca fará isso. Você o conhece tão bem quanto eu.

– É deserção, não importa quando – argumentou Gerris –, e o Príncipe Esfarrapado tem uma péssima opinião sobre desertores. Ele mandará caçadores atrás de nós, e os Sete nos salvem se nos capturarem. Com sorte, apenas cortam nossos pés para se assegurarem de que nunca mais fugiremos novamente. Se tivermos azar, nos darão para Bela Meris.

Aquilo fez Quentyn parar. Bela Meris o assustava. Uma mulher westerosi, bem mais alta do que ele, com mais de um metro e oitenta. Depois de vinte anos entre as companhias livres, não havia nada belo nela, por dentro ou por fora.

Gerris o pegou pelo braço.

– Espere. Mais alguns dias, é tudo. Cruzamos metade do mundo, seja paciente por mais alguns quilômetros. Em algum lugar ao norte de Yunkai nossa oportunidade virá.

– Se você diz – falou Sapo, em dúvida...

... mas dessa vez os deuses estavam ouvindo, e a chance deles veio muito mais cedo do que isso.

Aconteceu dois dias depois. Hugh Vaudefome parou junto do fogo em que estavam cozinhando e disse:

– Dornenses. Você são esperados na tenda do comandante.

– Qual de nós? – perguntou Gerris. – Somos todos dornenses.

– Todos vocês, então. – Azedo e sombrio, com uma das mãos mutilada, Vaudefome havia sido mestre da moeda por um tempo, até que o Príncipe Esfarrapado o pegou roubando seus cofres e removeu três de seus dedos. Agora, era apenas um oficial.

O que poderia ser? Até esse momento, Sapo não tinha ideia de que seu comandante sabia de sua existência. Mas Vaudefome já tinha se afastado, então não havia tempo para perguntas. Tudo o que podiam fazer era pegar o grandão e se apresentar como havia sido ordenado.

– Não admitir nada e estar preparado para lutar – disse Quentyn para seus amigos.

– Sempre estou preparado para lutar – respondeu o grandão.

O grande pavilhão cinza que o Príncipe Esfarrapado gostava de chamar de seu "castelo de lona" estava lotado quando os dornenses chegaram. Levou apenas um momento para Quentyn perceber que a maioria dos reunidos ali era dos Sete Reinos, ou se gabava de ter sangue westerosi. *Exilados ou filhos de exilados.* Pau Fino afirmava que havia três grupos westerosis na companhia; um bom terço deles estava aqui, incluindo o próprio Pau, Hugh Vaudefome, Bela Meris e o loiro Lewis Lanster, o melhor arqueiro da companhia.

Denzo D'han estava ali também, com o imenso Caggo ao lado dele. *Caggo Matacadáver*, os homens o chamavam agora, embora não na frente dele; era um homem fácil de se irritar, e aquela espada negra curvada era tão desagradável quanto seu dono. Havia centenas de espadas longas valirianas no mundo, mas apenas um punhado de *arakhs* valirianos. Nem Caggo nem D'han eram westerosis, mas eram capitães, e o Príncipe Esfarrapado tinha ambos em alta conta. *Seu braço direito e seu braço esquerdo. Algo grande está acontecendo.*

Foi o próprio Príncipe Esfarrapado que fez o discurso.

– Ordens vieram de Yurkhaz – disse. – Os astaporis que sobreviveram vieram rastejando de seus esconderijos, parece. Nada foi deixado em Astapor além de cadáveres, então eles estão saindo para o campo, centenas deles, talvez milhares, todos famintos e doentes. Os yunkaítas não os querem perto da Cidade Amarela. Recebemos ordens de caçá-los e mandá-los embora, de volta a Astapor ou para o norte até Meereen. Se a rainha dragão quiser aceitá-los, que faça bom proveito. Metade deles está com fluxo sangrento, e mesmo os saudáveis são bocas para alimentar.

– Yunkai está mais perto do que Meereen – objetou Hugh Vaudefome. – E se eles não quiserem voltar, senhor?

– É por isso que vocês têm espadas e lanças, Hugh. Embora arcos possam servir melhor. Fiquem longe dos que mostrarem sinais do fluxo. Estou mandando metade de nossa força para as colinas. Cinquenta patrulhas, vinte cavaleiros em cada. Barbassangrenta recebeu a mesma ordem, então os Gatos estarão em campo também.

Os homens trocaram olhares, e alguns murmuravam palavras ininteligíveis. Embora os Soprados pelo Vento e a Companhia do Gato tivessem sido ambos contratados por Yunkai, as duas companhias estiveram em lados opostos da linha de batalha no ano anterior, nas Terras Disputadas, e o ódio ainda permanecia. Barbassangrenta, o selvagem comandante dos Gatos, era um gigante vociferador com um feroz apetite por matar e que não fazia segredo de seu desdém pelos "velhos anciãos em farrapos".

Pau Fino limpou a garganta.

– Me perdoe, mas aqui somos todos nascidos nos Sete Reinos. Meu senhor nunca separou a companhia por sangue ou idioma antes. Por que nos mandar todos juntos?

– Uma questão razoável. Vocês vão cavalgar para leste, por entre as colinas, e então virarão em Yunkai, em direção a Meereen. Se encontrarem algum astapori, levem para o norte ou matem... mas esse não é o propósito da missão de vocês. Além da Cidade Amarela, vocês devem encontrar alguma patrulha da rainha dragão. Segundos Filhos ou Corvos Tormentosos. Qualquer um deles serve. Vão até eles.

– Ir até eles? – disse o cavaleiro bastardo, Sor Orson Stone. – Está nos dizendo para virarmos nossas casacas?

– Estou – disse o Príncipe Esfarrapado.

Quentyn Martell quase soltou uma gargalhada. *Os deuses estão loucos.*

Os westerosis se mexeram, inquietos. Alguns encaravam suas taças de vinho, como se esperassem encontrar alguma sabedoria ali. Hugh Vaudefome franziu o cenho.

– Acha que a Rainha Daenerys vai nos receber em...

– Acho.

– ... mas, se ela fizer isso, e daí? Somos espiões? Assassinos? Enviados? Está pensando em mudar de lado?

Caggo fez uma careta.

– Isso é para o príncipe decidir, Vaudefome. Sua parte é fazer o que lhe é dito.

– Sempre. – Vaudefome levantou sua mão com dois dedos.

– Vamos ser francos – disse Denzo D'ha, o guerreiro bardo. – Os yunkaítas não inspiram confiança. Qualquer que seja o resultado desta guerra, os Soprados pelo Vento devem repartir os espólios da vitória. Nosso príncipe é sábio em manter todos os caminhos abertos.

– Meris comandará vocês – disse o Príncipe Esfarrapado. – Ela sabe o que penso disso... e Daenerys Targaryen será mais receptiva à outra mulher.

Quentyn olhou de relance para Bela Meris. Quando os olhos frios dela encontraram os dele, sentiu um calafrio. *Não gosto disso.*

Pau Fino também tinha dúvidas.

– A garota será uma tola se acreditar em nós. Mesmo com Meris. *Especialmente* com Meris. Caramba, eu não confio em Meris, e fodi ela algumas vezes – sorriu ironicamente, mas ninguém riu. Muito menos Bela Meris.

– Acho que está enganado, Pau – falou o Príncipe Esfarrapado. – Vocês são todos westerosis. Amigos de casa. Falam a mesma língua, louvam os mesmos deuses. Com motivo, todos vocês sofreram horrores em minhas mãos. Pau, açoitei você mais do que qualquer outro homem da companhia, e você tem suas costas para provar isso. Hugh perdeu três dedos com a minha disciplina. Meris foi estuprada por metade da companhia. Não por *esta* companhia, é verdade, mas não precisamos mencionar isso. Will da Mata, bem, você é apenas lixo. Sor Orson me culpa por despachar seu irmão para os Sofrimentos, e Sor Lúcifer ainda está fervendo de ódio por causa da escrava que Caggo tirou dele.

– Ele podia ter me devolvido ela depois – Longo Lúcifer reclamou. – Não tinha motivo para matá-la.

– Ela era feia – disse Caggo. – Isso é motivo suficiente.

O Príncipe Esfarrapado continuou como se ninguém tivesse falado.

– Webber, você sonha reivindicar as terras perdidas em Westeros. Lanster, eu matei aquele menino pelo qual você era tão afeiçoado. Vocês três, dornenses, acham que menti para vocês. A pilhagem em Astapor foi muito menor do que prometeram para vocês em Volantis, e eu fiquei com a parte do leão.

– A última parte é verdade – disse Sor Orson.

– Os melhores engodos sempre têm alguma semente de verdade – disse o Príncipe Esfarrapado. – Cada um de vocês tem várias razões para querer me abandonar. E Daenerys Targaryen sabe que mercenários são inconstantes. Seus próprios Segundos Filhos e Corvos Tormentosos pegaram ouro yunkaíta, mas não hesitaram em se unir a ela quando os rumos da batalha mudaram.

– Quando devemos partir? – perguntou Lewis Lanster.

– Imediatamente. Desconfiem dos Gatos e de qualquer Longa Lança que encontrarem. Ninguém, além das pessoas que estão nesta tenda, saberá que a deserção de vocês é falsa. Entrem no jogo muito cedo e serão mutilados como desertores ou destripados como vira-casacas.

Os três dornenses permaneceram em silêncio enquanto deixavam a tenda do comandante. *Vinte batedores, todos falando a Língua Comum,* pensou Quentyn. *Segredar acaba de ficar um negócio mais perigoso.*

O grandão bateu nas costas dele com força.

– Então. Isso é encantador, Sapo. Uma caça ao dragão.

A noiva rebelde

Asha Greyjoy estava sentada no grande salão de Galbart Glover, bebendo o vinho de Galbart Glover, quando o meistre de Galbart Glover trouxe uma carta para ela.

– Senhora. – A voz do meistre estava ansiosa, como em todas as vezes que falava com ela. – Uma ave de Vila Acidentada. – Empurrou o pergaminho, como se não pudesse esperar para se ver livre dele. Estava firmemente enrolado e selado com um botão de cera dura rosa.

Vila Acidentada. Asha tentava se lembrar quem governava Vila Acidentada. *Algum senhor nortenho, que não é meu amigo.* E o selo... os Bolton do Forte do Pavor iam para a batalha sob estandartes rosa salpicados com pequenas gotas de sangue. Só havia uma razão para que usassem selos de cera rosa também.

É veneno isso que seguro, ela pensou. *Deveria queimá-lo.* Em vez disso, rompeu o lacre. Um pedaço de pele voou até seu colo. Quando leu as secas palavras marrons, seu estado de espírito sombrio ficou ainda mais sombrio. *Asas escuras, palavras escuras.* Os corvos nunca traziam notícias boas. A última mensagem enviada de Bosque Profundo fora de Stannis Baratheon, exigindo obediência. Esta era pior.

– Os nortenhos tomaram Fosso Cailin.

– O Bastardo de Bolton? – perguntou Qarl, ao lado dela.

– *Ramsay Bolton, Senhor de Winterfell,* ele assina. Mas há outros nomes também. – Senhora Dustin, Senhora Cerwyn e quatro Ryswells haviam anexado suas assinaturas embaixo da dele. Ao lado estava o desenho grosseiro de um gigante, a marca de algum Umber.

As assinaturas haviam sido feitas com tinta de meistre, fabricada com fuligem e alcatrão de carvão, mas a mensagem acima fora rabiscada em marrom, com uma caligrafia imensa e pontiaguda. Falava da queda de Fosso Cailin, do retorno triunfante do Protetor do Norte aos seus domínios, de um casamento que se realizaria em breve. As primeiras palavras eram *Escrevo esta carta com o sangue dos homens de ferro,* e as últimas: *Envio para cada um de vocês um pedaço do príncipe. Demorem em minhas terras e partilharão o destino dele.*

Asha acreditara que seu irmãozinho estava morto. *Melhor morto do que isso.* O pedaço de pele caíra em seu colo. Ela o levou até a vela e viu a fumaça subir em espirais, até que a última parte foi consumida e as chamas lamberam seus dedos.

O meistre de Galbart Glover estava ao seu lado, aguardando.

– Não haverá resposta – ela informou.

– Posso compartilhar essas notícias com a Senhora Sybelle?

– Como quiser. – Se Sybelle Glover encontraria alguma alegria na queda de Fosso Cailin, Asha não sabia dizer. A Senhora Sybelle vivia em seu bosque sagrado, rezando pelos filhos e pelo retorno a salvo de seu marido. *Outra oração que ficará sem resposta. Sua árvore-coração é tão surda e cega quanto nosso Deus Afogado.* Robert Glover e seu irmão Galbart haviam seguido para o sul com o Jovem Lobo. Se as histórias que ouviram sobre o Casamento Vermelho eram ao menos meio verdadeiras, eles não retornariam ao Norte. *Os filhos dela estão vivos, pelo menos, e isso graças a mim.* Asha os deixara nas Dez Torres aos cuidados de suas tias. A filha mais nova da Senhora Sybelle ainda era amamentada, e ela julgara a menina muito delicada para ser exposta aos rigores de outra travessia tempestuosa. Asha empurrou a carta para as mãos do meistre. – Aqui. Deixe-a encontrar algum consolo, se puder. Tem minha permissão para ir.

O meistre inclinou a cabeça e partiu. Depois que ele se foi, Tris Botley virou-se para Asha.

– Se Fosso Cailin caiu, Praça Torrhen logo cairá. E então será nossa vez.

– Não por enquanto. O Boca Fendida os fará sangrar. – Praça Torrhen não era uma ruína como Fosso Cailin, e Dagmer era de ferro até os ossos. Morreria antes de ceder.

Se meu pai ainda vivesse, Fosso Cailin nunca teria caído. Balon Greyjoy sabia que o Fosso era a chave para controlar o Norte. Euron sabia disso também; mas simplesmente não se importava. Não mais do que se importava com o que pudesse acontecer com Bosque Profundo ou Praça Torrhen.

– Euron não tem interesse nas conquistas de Balon. Meu tio está fora, perseguindo dragões. – O Olho de Corvo convocara todas as forças das Ilhas de Ferro para Velha Wyk e navegara para as profundezas do mar do Pôr do Sol, com o irmão Victarion seguindo atrás como um vira-lata açoitado. Não sobrara ninguém em Pyke para quem apelar, exceto o senhor seu marido. – Estamos sozinhos.

– Dagmer vai esmagá-los – insistiu Cromm, que nunca conhecera uma mulher que ele amasse tanto quanto amava a batalha. – São apenas lobos.

– Os lobos foram todos assassinados. – Asha cutucou a cera rosa com a unha. – Esses são os esfoladores que os mataram.

– Devemos ir para Praça Torrhen e nos juntar à luta – exortou Quenton Greyjoy, um primo distante e capitão do *Rapariga Salgada*.

– Sim – disse Dagon Greyjoy, um primo ainda mais distante. Dagon, o Bêbado, os homens o chamavam, mas, bêbado ou sóbrio, ele amava lutar. – Por que o Boca Fendida deve ficar com todas as glórias?

Dois servos de Galbart Glover trouxeram o assado, mas aquele pedaço de pele tirara o apetite de Asha. *Meus homens desistiram de toda esperança de vitória,* percebeu melancolicamente. *Tudo o que procuram agora é uma boa morte.* E os lobos lhes dariam isso, ela não tinha dúvida. *Cedo ou tarde, virão retomar este castelo.*

O sol mergulhava atrás dos altos pinheiros da Matadelobos enquanto ela subia os degraus de madeira para o quarto de dormir que certa vez fora de Galbart Glover. Bebera vinho demais e sua cabeça martelava. Asha Greyjoy amava seus homens, tanto os capitães quanto os tripulantes, mas metade deles era tola. *Tolos corajosos, mas tolos mesmo assim. Ir até Boca Fendida, sim, como se pudéssemos...*

Entre Bosque Profundo e Dagmer estendiam-se muitos quilômetros, montanhas escarpadas, matas espessas, rios selvagens e mais nortenhos do que gostaria de contemplar.

Asha tinha quatro dracares e não exatamente duzentos homens... incluindo Tristifer Botley, com quem não podia contar. Com toda a conversa de amor de Tris ela não conseguia imaginá-lo correndo até Praça Torrhen para morrer com Dagmer Boca Fendida.

Qarl a seguiu até o quarto de dormir de Galbart Glover.

– Saia daqui – disse para ele. – Quero ficar sozinha.

– O que você quer sou eu. – Ele tentou beijá-la.

Asha o empurrou.

– Encoste em mim novamente e irei...

– O quê? – Ele puxou a adaga. – Tire a roupa, garota.

– Vá se foder, seu garoto imberbe.

– Prefiro foder você. – Um corte rápido e desatou o justilho dela. Asha apanhou o machado, mas Qarl soltou a faca e agarrou seu punho, torcendo o braço da moça para trás até que a arma caiu de seus dedos. Empurrou-a para a cama de Glover, beijando-a com violência e rasgando sua túnica para deixar seus seios à mostra. Quando ela tentou dar uma joelhada na virilha dele, Qarl se desvencilhou e usou os joelhos para forçar suas pernas a se abrirem. – Vou ter você agora.

– Faça isso – ela cuspiu –, e mato você enquanto estiver dormindo.

Asha estava molhada quando ele a penetrou.

– Maldito – ela disse. – Maldito, maldito, maldito.

Ele sugou seus mamilos até que ela gritou, meio de dor, meio de prazer. Sua boceta tornou-se o centro do mundo. Asha se esqueceu de Fosso Cailin, de Ramsay Bolton e do pequeno pedaço de pele, esqueceu-se da assembleia de homens livres, esqueceu seu fracasso, esqueceu seu exílio, seus inimigos e seu marido. Apenas as mãos dele importavam, apenas sua boca, os braços dele em volta dela, seu pau dentro dela. Qarl a fodeu até que ela gritou, e então novamente, até que ela chorou, antes de finalmente derramar sua semente no ventre dela.

– Sou uma mulher casada – ela o recordou, depois de tudo. – Você me despojou, seu garoto imberbe. O senhor meu marido cortará suas bolas e o colocará em um vestido.

Qarl rolou de cima dela.

– Se ele puder se levantar da cadeira.

O quarto estava frio. Asha levantou-se da cama de Galbart Glover e pegou suas roupas rasgadas. O justilho precisava apenas de laços novos, mas a túnica estava destruída. *Não gostava dela mesmo.* Atirou a peça de roupa nas chamas. O restante ficou em um monte ao lado da cama. Seus seios estavam doloridos e a semente de Qarl escorria por sua coxa. Precisaria fazer um pouco de chá da lua, ou corria o risco de trazer outra lula gigante ao mundo. *O que importa? Meu pai está morto, minha mãe está morrendo, meu irmão está sendo esfolado e não há nada que eu possa fazer a respeito. E estou casada. Casada e deflorada... embora não pelo mesmo homem.*

Quando se meteu novamente sob as peles, Qarl estava adormecido.

– Agora sua vida é minha. Onde coloquei minha adaga? – Ela pressionou o corpo contra as costas dele e deslizou os braços sobre ele. Nas ilhas, ele era conhecido como Qarl, o Donzel, em parte para distingui-lo de Qarl Pastor, de Estranho Qarl Kenning, de Qarl Machadoveloz e de Qarl, o Escravo, mas principalmente por seu rosto suave. Quando Asha o conheceu, Qarl estava tentando deixar a barba crescer. – Penugem de pêssego – ela chamara os pelos do rosto dele, rindo. Qarl confessara que nunca vira um pêssego, então Asha lhe disse que ele deveria juntar-se a ela na próxima viagem para o sul.

Isso acontecera ainda no verão; Robert sentava-se no Trono de Ferro, Balon fazia planos na Cadeira de Pedra do Mar e os Sete Reinos estavam em paz. Asha seguiu com o *Vento Negro* pela costa, fazendo comércio. Passaram por Ilha Leal e Lannisporto e por vários portos menores antes de chegar à Árvore, onde os pêssegos eram sempre imensos e doces.

– Veja – ela dissera na primeira vez que segurou um pêssego contra o rosto de Qarl. Asha o fez dar uma mordida na fruta, o suco escorreu pelo queixo dele, e ela teve que beijá-lo para limpar.

Passaram aquela noite devorando pêssegos e um ao outro; quando a luz do dia retornou Asha estava saciada e pegajosa, tão feliz quanto jamais estivera. *Isso fora seis anos atrás, ou sete?* O verão era uma lembrança que se desvanecia, e já fazia três anos desde que apreciara um pêssego pela última vez. Mas ainda apreciava Qarl. Os capitães e os reis podiam não querê-la, mas ele a queria.

Asha conhecera outros amantes; alguns dividiram sua cama por meio ano, alguns por meia noite. Qarl a satisfazia mais do que todos os demais juntos. Ele podia se barbear apenas uma vez a cada quinze dias, mas uma barba desgrenhada não faz um homem. Ela gostava de sentir a pele macia e suave dele sob seus dedos. Gostava do jeito que os longos cabelos lisos dele roçavam em seus ombros. Gostava do jeito que ele a beijava. Gostava do jeito que sorria quando ela passava os polegares pelos mamilos dele. O cabelo entre as pernas de Qarl era um tom de areia mais escuro do que o cabelo em sua cabeça, mas agradável se comparado com a moita grossa e preta ao redor de seu próprio sexo. Ela gostava daquilo também. Ele tinha um corpo de nadador, longo e magro, sem nenhuma cicatriz.

Um sorriso tímido, braços fortes, dedos espertos e duas espadas garantidas. O que mais uma mulher pode querer? Ela teria se casado com Qarl alegremente, mas era a filha de Lorde Balon e ele era alguém do povo, o neto de um escravo. *Um nascimento muito baixo para se casar comigo, mas não baixo demais para que eu chupe seu pau.* Bêbada, sorrindo, ela se arrastou por baixo das peles e o colocou na boca. Qarl agitou-se em seu sono, e depois de um momento ele começou a enrijecer. Em pouco tempo, ela o tinha duro novamente, Qarl estava acordado e ela, molhada. Asha envolveu as peles ao redor dos ombros nus e montou nele, afundando-o tão profundamente dentro dela que não podia dizer quem tinha o pau e quem tinha a boceta. Dessa vez os dois chegaram ao clímax juntos.

– Minha doce senhora – ele murmurou depois, em uma voz ainda fraca de sono. – Minha doce rainha.

Não, Asha pensou, *não sou rainha, nem jamais serei.*

– Volte a dormir. – Beijou o rosto dele, atravessou o quarto de Galbart Glover e abriu as persianas. A lua estava quase cheia, a noite tão clara que era possível ver as montanhas e seus picos coroados de neve. *Frio, desolado e inóspito, mas belo ao luar.* Os cumes brilhavam claros e irregulares, como uma fileira de dentes afiados. O sopé e os montes menores estavam perdidos nas sombras.

O mar estava mais perto, apenas trinta quilômetros ao norte, mas Asha não podia vê-lo. Muitas montanhas estavam no caminho. *E árvores, tantas árvores.* A Matadelobos era como os nortenhos chamavam a floresta. Na maior parte das noites, era possível ouvir os lobos chamando uns aos outros na escuridão. *Um oceano de folhas. Podia ser um oceano de água.*

Bosque Profundo estava mais perto do mar do que Winterfell, mas ainda estava longe demais para o gosto dela. O ar cheirava a pinheiro, em vez de sal. A nordeste daquelas montanhas cinzentas e sombrias erguia-se a Muralha, onde Stannis Baratheon levantara seus estandartes. *O inimigo do meu inimigo é meu amigo*, diziam, mas o outro lado da moeda era *o inimigo do meu amigo é meu inimigo*. Os homens de ferro eram inimigos dos senhores nortenhos, dos quais este pretendente Baratheon precisava desesperadamente. *Eu poderia oferecer meu corpo jovem para ele*, ela pensou, afastando uma mecha de cabelo dos olhos, mas Stannis era casado e ela também, e ele e os homens de ferro eram inimigos antigos. Durante a primeira rebelião de seu pai, ele esmagara a Frota de Ferro na Ilha Leal e subjugara Grande Wyk em nome do irmão.

As muralhas cheias de musgo de Bosque Profundo encerravam um monte amplo e arredondado, com o topo achatado, coroado por um longo salão cavernoso com uma torre de vigia na ponta, que se elevava quinze metros acima da colina. Abaixo estava o pátio – com os estábulos, cercados para cavalos, poço e currais –, defendido por um fosso profundo, um dique de terra inclinado e uma paliçada de toras. As defesas externas formavam uma figura oval, seguindo o contorno da terra. Havia dois portões, cada um deles protegido por um par de torres quadradas de madeira, e adarves por todo o perímetro. No lado sul do castelo, o musgo crescia espesso sobre a paliçada e rastejava até metade das torres. Para leste e oeste havia campos vazios. Aveia e cevada cresciam lá quando Asha tomara o castelo, apenas para ser pisoteadas durante o ataque. Uma série de fortes geadas haviam matado as sementes que plantaram depois disso, deixando apenas lama e cinzas, além de talos murchos em decomposição.

Era um castelo antigo, mas não um castelo forte. Ela o tomara dos Glover e o Bastardo de Bolton o tomaria dela. Mas não a esfolaria. Asha Greyjoy não pretendia ser pega com vida. Morreria como viveu, com um machado nas mãos e um sorriso nos lábios.

O senhor seu pai lhe dera trinta dracares para capturar Bosque Profundo. Restavam quatro, contando seu próprio *Vento Negro*, e um dos que pertencia a Tris Botley, que se juntara a ela quando todos os seus outros homens tinham fugido. *Não. Isso não é justo. Eles navegaram para casa para prestar homenagem ao rei. Se alguém fugiu, fui eu*. A lembrança ainda a envergonhava.

– Vá – o Leitor a instara, enquanto os capitães carregavam seu tio Euron para o sopé do monte de Nagga para colocar nele a coroa feita de madeira trazida pelo mar.

– Disse o corvo para a gralha. Venha comigo. Preciso de você para levantar os homens de Harlaw. – Naquela época, ela pretendia lutar.

– Os homens de Harlaw estão aqui. Aqueles que contam. Alguns gritavam o nome de Euron. Não colocarei Harlaw contra Harlaw.

– Euron é louco. E perigoso. Aquele berrante do inferno...

– Eu escutei. *Vá*, Asha. Assim que Euron estiver coroado, ele a procurará. Não ouse deixá-lo colocar os olhos sobre você.

– Se eu ficar com meus outros tios...

– ... você morrerá como pária, com todas as mãos contra você. Quando colocou seu nome diante dos capitães, você se submeteu ao julgamento deles. Não pode ir contra esse julgamento agora. Apenas uma vez a escolha da assembleia de homens livres foi revogada. Leia Haereg.

Apenas Rodrik, o Leitor, falaria de um livro velho enquanto suas vidas estavam sob o fio da espada.

– Se você vai permanecer, também vou – ela respondeu, teimosamente.

– Não seja tola. Euron mostrou para o mundo seu olho sorridente esta noite, mas vem o amanhã... Asha, você é filha de Balon, e sua reivindicação é mais forte do que a dele. Enquanto você respirar, será um perigo para ele. Se ficar, será morta ou vai se casar com o Remador Vermelho. Não sei o que poderia ser pior. Vá. Você não terá outra chance.

Asha deixara o *Vento Negro* no outro lado da ilha para esse tipo de eventualidade. Velha Wyk não era grande. Poderia estar a bordo de seu navio antes do nascer do sol, a caminho de Harlaw antes que Euron percebesse que desaparecera. Mesmo assim, hesitava, até que o tio disse:

– Faça isso pelo amor que tem por mim, filha. Não me faça ver você morrer.

Então ela se foi. Primeiro para Dez Torres, para despedir-se de sua mãe.

– Pode demorar um longo tempo até que eu volte – Asha a avisou. A Senhora Alannys não entendeu.

– Onde está Theon? – ela perguntou. – Onde está meu menino?

A Senhora Gwynesse só queria saber quando Lorde Rodrik voltaria.

– Sou sete anos mais velha do que ele. Dez Torres deveria ser minha.

Asha ainda estava em Dez Torres, pegando provisões, quando as notícias de seu casamento chegaram.

– Minha sobrinha rebelde precisa ser domada – disseram que Olho de Corvo afirmara –, e conheço um homem para domá-la.

Casou-a com Erik Ironmaker e nomeou o Quebra-Bigorna para governar as Ilhas de Ferro enquanto ele perseguia dragões. Erik fora um grande homem em sua época, um corsário destemido que podia se vangloriar de ter navegado com o trisavô dela, o mesmo Dagon Greyjoy que dera o nome a Dagon, o Bêbado. As velhas mulheres da Ilha Leal ainda assustavam seus netos com as histórias de Lorde Dagon e seus homens. *Feri o orgulho de Erik na assembleia de homens livres,* Asha refletiu. *Ele não vai esquecer isso.*

Ela devia dar o justo valor ao tio. Com um único golpe, Euron transformara um rival em um aliado, assegurara as ilhas em sua ausência e removera Asha como uma ameaça. *E dera uma boa gargalhada com isso tudo também.* Tris Botley disse que o Olho de Corvo usara uma foca no lugar dela, no casamento.

– Espero que Erik não tenha insistido na consumação – ela comentara.

Não posso ir para casa, pensou, *mas não ouso ficar aqui muito mais.* O silêncio da floresta a enervava. Asha passara sua vida nas ilhas ou em navios. O mar nunca estava em silêncio. O som das ondas batendo contra uma costa rochosa estava em seu sangue, mas não havia ondas em Bosque Profundo... apenas árvores, árvores sem fim, pinheiros marciais e árvores sentinelas, faias, freixos e antigos carvalhos, castanheiros, acácias e abetos. O som que faziam era mais suave do que o do mar, e Asha o escutava apenas quando o vento soprava; então o suspiro parecia vir de todos os lados, como se as árvores estivessem sussurrando umas para as outras em algum idioma que não entendia.

Esta noite o sussurro parecia mais alto do que antes. *A agitação de folhas mortas marrom,* Asha disse para si mesma, *galhos nus estalando ao vento.* Afastou-se da janela, para longe da floresta. *Preciso de um convés sob meus pés novamente. Ou, na falta disso, de alguma comida em meu estômago.* Tomara muito vinho esta noite, mas comera pouco pão e nada daquele grande assado sangrento.

O luar estava brilhante o suficiente para que encontrasse suas roupas. Vestiu grossas calças pretas, uma túnica forrada e um justilho de couro verde coberto com placas de aço. Deixando Qarl com seus sonhos, desceu a escada exterior da fortaleza, os degraus rangendo sob os pés descalços. Um dos homens de sentinela nas muralhas espiou sua descida e levantou a lança para ela. Ela assobiou de volta. Enquanto cruzava o pátio interno em direção às cozinhas, os cães de Galbart Glover começaram a latir. *Bom,* pensou. *Eles abafarão o som das árvores.*

Estava cortando uma fatia de queijo amarelo de uma esfera tão grande quanto a roda de uma carroça quando Tris Botley entrou na cozinha, enrolado em uma grossa capa de pele.

– Minha rainha.

– Não zombe de mim.

– Você sempre governará meu coração. Nenhum bando de tolos gritando em uma assembleia de homens livres pode mudar isso.

O que devo fazer com este rapaz? Asha não podia duvidar da devoção dele. Ele não só fora seu campeão no monte de Nagga e gritara o nome dela, mas cruzara o mar para se juntar a ela depois de tudo, abandonando seu rei, seus parentes e sua casa. *Não que tenha ousado desafiar Euron na cara.* Quando o Olho de Corvo levou a frota para o mar, Tris simplesmente ficou para trás, mudando de curso apenas quando perdeu os outros navios de vista. Mas mesmo isso requeria certa coragem; ele nunca poderia voltar para as ilhas.

– Queijo? – ela perguntou. – Temos presunto também, e mostarda.

– Não é comida que quero, senhora. Você sabe disso – Tris deixara crescer uma espessa barba marrom no Bosque Profundo. Dizia que ajudava a manter seu rosto aquecido. – Vi você da torre de vigia.

– Se está de vigia, o que faz aqui?

– Cromm está lá em cima, e Hagen, o Corno. Quantos olhos precisamos para vigiar folhas sussurrando ao luar? Precisamos conversar.

– De novo? – ela suspirou. – Você conhece a filha de Hagen, aquela de cabelo vermelho. Conduz um navio tão bem quanto qualquer homem, e tem um rosto bonito. Dezessete, e eu a vi olhando para você.

– Não quero a filha de Hagen. – Ele quase a tocou, mas pensou melhor. – Asha, é hora de partir. Fosso Cailin era a única coisa segurando a maré. Se ficarmos aqui, os nortenhos nos matarão a todos, você sabe disso.

– Quer que eu fuja?

– Quero que viva. Amo você.

Não, ela pensou, *você ama alguma donzela inocente que vive apenas em sua cabeça, uma criança assustada que precisa da sua proteção.*

– Não amo você – ela disse sem rodeios – e não fujo.

– O que há aqui para agarrar com tanta força, além de pinheiros, lama e inimigos? Temos nossos navios. Navegue comigo, e faremos nossa vida no mar.

– Como piratas? – Era quase tentador. *Deixar os bosques sombrios para os lobos e retomar o mar aberto.*

– Como comerciantes – ele insistiu. – Viajaremos para leste, como Olho de Corvo fez, mas traremos sedas e especiarias, em vez de um chifre de dragão. Uma viagem para o Mar de Jade e seremos tão ricos quanto os deuses. Podemos ter uma mansão em Vilavelha ou em uma das Cidades Livres.

– Você, eu e Qarl? – Ela o viu recuar à menção do nome de Qarl. – A garota de Hagen gostaria de navegar para o Mar de Jade com você. Eu ainda sou a filha da lula gigante. Meu lugar é...

– ... *onde?* Você não pode retornar às ilhas. A menos que pretenda se submeter ao senhor seu marido.

Asha tentou se imaginar na cama com Erik Ironmaker, esmagada sob seu corpo pesado, sofrendo com seus abraços. *Melhor ele do que o Remador Vermelho ou Lucas Mão-Esquerda Codd.* O Quebra-Bigornas fora um gigante vociferador, assustadoramente forte, ferozmente leal, absolutamente sem medo. *Pode não ser tão ruim. Ele pode morrer na primeira vez que tentar cumprir seu dever de marido.* Isso a tornaria viúva de Erik, em vez de esposa de Erik, o que poderia ser um negócio melhor ou pior, dependendo dos netos dele. *E do meu tio. No final, todos os ventos me levam de volta a Euron.*

– Tenho reféns em Harlaw – ela recordou. – E ainda há Ponta do Mar do Dragão... se não posso ter o reino do meu pai, por que não fazer o meu próprio? – Nem sempre Ponta do Mar do Dragão fora tão pouco povoada quanto agora. Antigas ruínas ainda podiam ser encontradas entre as colinas e os pântanos, remanescentes dos antigos fortes dos Primeiros Homens. Nos locais mais altos havia círculos de represeiros deixados pelos Filhos da Floresta.

– Está se agarrando à Ponta do Mar do Dragão da mesma maneira que um afogado se apega a um pedaço de destroço. O que o Mar do Dragão tem que alguém possa querer? Não há minas, nenhum ouro ou prata, nem mesmo trigo ou milho.

Não planejo plantar trigo ou milho.

– O que há lá? Direi para você. Duas grandes linhas costeiras, com uma centena de enseadas escondidas, lontras nos lagos, salmões nos rios, mariscos ao longo da costa, colônias de focas em alto-mar e altos pinheiros para a construção de embarcações.

– E quem construirá esses navios, minha rainha? Onde Vossa Graça encontrará súditos para seu reino, se os nortenhos a deixarem tomar o lugar? Ou você pretende governar um reino de focas e lontras?

Ela deu uma risada triste.

– Lontras podem ser mais fáceis de governar do que homens, garanto para você. E focas são mais espertas. Não, você está certo. Minha melhor opção ainda pode ser retornar a Pyke. Há pessoas em Harlaw que gostariam do meu retorno. Em Pyke também. E Euron não conquistou amigos em Pretamare quando matou Lorde Baelor. Posso encontrar meu tio Aeron e levantar as ilhas. – Ninguém vira Cabelo-Molhado desde a assembleia de homens livres, mas seus Homens Afogados afirmavam que estava escondido em Grande Wyk e que logo voltaria para invocar a indignação do Deus Afogado contra Olho de Corvo e seus asseclas.

– O Quebra-Bigorna está procurando por Cabelo-Molhado também. Está perseguindo os Homens Afogados. O Cego Beron Blacktyde foi preso e interrogado. Até mesmo o Velho Gaivota Cinza foi algemado. Como você encontrará o sacerdote quando nenhum dos homens de Euron conseguiu?

– Ele é do meu sangue. Irmão do meu pai. – Era uma resposta fraca, e Asha sabia.

– Sabe o que eu acho?

– Estou prestes a saber, imagino.

– Acho que Cabelo-Molhado está morto. Acho que o Olho de Corvo cortou a garganta dele. A busca dos homens de ferro é só para nos fazer acreditar que o sacerdote escapou. Euron tem medo de ser visto como um assassino de parentes.

– Nunca deixe meu tio escutar isso que você falou. Se disser que Olho de Corvo tem medo de assassinar um parente, ele matará um de seus próprios filhos só para provar que você está errado. – Asha se sentia quase sóbria com ele. Tristifer Botley tinha esse efeito sobre ela.

– Mesmo se encontrasse seu tio Cabelo-Molhado, vocês dois fracassariam. Ambos *participaram* da assembleia de homens livres, então não podem dizer que o chamado foi ilegal, como Torgon fez. Vocês estão submetidos à decisão da assembleia por todas as leis dos deuses e dos homens. Você...

Asha franziu a testa.

– Espere. Torgon? Que Torgon?

– Torgon, o Atrasado.

– Ele foi rei durante a Era dos Herois. – Ela lembrava pouco além disso. – O que tem ele?

– Torgon Greyjoy era o filho mais velho do rei. O rei era velho, mas Torgon era inquieto, então aconteceu que quando o pai morreu ele estava atacando sozinho o Mander de sua fortaleza no Escudocinza. Os irmãos não o avisaram, e em vez disso convocaram rapidamente uma assembleia de homens livres, imaginando que um deles seria escolhido para usar a coroa feita de madeira trazida do mar. Mas os capitães e os reis escolheram Urragon Goodbrother. A primeira coisa que o novo rei fez foi ordenar que todos os filhos do antigo rei fossem condenados à morte, e assim aconteceu. Depois disso, os homens o chamaram de *Irmão Mau*, embora na verdade não fosse parente de nenhum dos mortos. Ele governou por quase dois anos.

Asha se lembrava agora.

– Torgon voltou para casa...

– ... e disse que a assembleia de homens livres era ilegal, já que ele não estivera presente para fazer sua reivindicação. Irmão Mau já provara ser tão mesquinho quanto cruel e tinha poucos amigos nas ilhas. Os sacerdotes o denunciaram, os senhores se levantaram contra ele e seus próprios capitães o fizeram em pedaços. Torgon, o Atrasado, tornou-se rei e governou por quarenta anos.

Asha pegou Tris Botley pelas orelhas e o beijou na boca. Ele estava vermelho e sem fôlego quando ela o soltou.

– O que foi isso? – ele perguntou.

– Um beijo, assim é chamado. Me afogue por ser uma tola, Tris, eu devia ter lembrado... – Ela parou repentinamente. Quando Tris tentou falar, ela o calou, escutando. – É um berrante de guerra. Hagen. – Seu primeiro pensamento foi seu marido. Teria Erik Ironmaker vindo tão longe para reclamar sua noiva rebelde? – O Deus Afogado me ama afinal de contas. Eu estava aqui me perguntando o que fazer, e ele me manda inimigos com os quais lutar. – Asha levantou-se e colocou a faca de volta na bainha. – A batalha está vindo até nós.

Ela foi correndo até a muralha exterior do castelo, com Tris logo atrás dela, mas mesmo assim chegou tarde demais. A luta tinha acabado. Asha encontrou dois nortenhos sangrando na muralha leste, não muito longe do portão de trás, com Lorren Machadolongo, Harl Seis-Dedos e Linguacruel parados ao lado deles.

– Cromm e Hagen viram eles subindo pela muralha – Linguacruel explicou.

– Apenas estes dois? – perguntou Asha.

– Cinco. Matamos dois antes que conseguissem atravessar, e Harl matou outro no adarve. Esses dois conseguiram chegar ao pátio.

Um homem estava morto, sangue e cérebro incrustados no machado de cabo longo de Lorren, mas o segundo ainda respirava com dificuldade, embora a lança de Linguacruel o tivesse prendido ao solo em uma poça de sangue. Ambos usavam couro cozido e capas furta-cor em marrom, verde e negro, com galhos, folhas e arbustos costurados em suas cabeças e ombros.

– Quem é você? – perguntou Asha para o homem ferido.

– Um Flint. Quem é você?

– Asha da Casa Greyjoy. Este é meu castelo.

– Bosque Profundo pertence a Galbart Glover. Não é casa para lulas.

– Há mais de vocês? – Asha exigiu saber. Quando ele não respondeu, ela pegou a lança de Linguacruel e a girou, e o nortenho gritou de angústia, com mais sangue jorrando de sua ferida. – Qual é seu propósito aqui?

– A senhora – ele disse, estremecendo. – Deuses, pare. Viemos pela senhora. Para resgatá-la. Somos só cinco.

Asha olhou nos olhos dele. Quando viu falsidade ali, pegou novamente a lança e a virou.

– *Quantos mais?* – disse. – Diga, senão farei sua morte durar até o amanhecer.

– Muitos – ele finalmente soluçou, entre gritos. – *Milhares*. Três mil, quatro... *aieeeee*... por favor...

Ela arrancou a lança dele e a enterrou com as duas mãos em sua garganta mentirosa. O meistre de Galbart Glover sempre afirmara que os clãs das montanhas eram muito briguentos para lutarem juntos sem um Stark a liderá-los. *Talvez não estivesse mentindo. Talvez só estivesse enganado.* Asha aprendera o gosto *daquilo* na assembleia de homens livres de seu tio.

– Esses cinco foram enviados para abrir nossos portões antes do ataque principal – ela disse. – Lorren, Harl, busquem a Senhora Glover e seu meistre.

– Inteiros ou sangrando? – perguntou Lorren Machadolongo.

– Inteiros e sem ferimentos. Linguacruel, suba nesta torre três vezes maldita e diga para Cromm e Hagen manterem o olho afiado. Se virem uma lebre, eu quero saber.

Em pouco tempo, o pátio interno de Bosque Profundo estava cheio de pessoas assustadas. Seus próprios homens lutavam para entrar nas armaduras, ou subiam até o adarve. O pessoal de Galbart Glover olhava com rostos assustados, sussurrando uns para os outros. O intendente de Glover teve que ser carregado dos porões, pois perdera uma perna quando Asha tomou o castelo. O meistre protestou ruidosamente, até que Lorren o acertou no rosto com o punho fechado. A Senhora Glover saiu do bosque sagrado nos braços de sua aia.

– Eu a avisei de que este dia chegaria, senhora – ela disse, quando viu os cadáveres no chão.

O meistre adiantou-se, com sangue pingando do nariz quebrado.

– Senhora Asha, eu imploro, recolha seus estandartes e me deixe barganhar por sua vida. Você serviu-se de nós com justiça e com honra. Direi isso para eles.

– Trocaremos você pelas crianças. – Os olhos de Sybelle Glover estavam vermelhos, de lágrimas e de noites sem dormir. – Gawen tem quatro agora. Perdi o dia de seu nome. E minha doce menina... devolva meus filhos, e nenhum dano lhe acontecerá. Nem aos seus homens.

A última parte era uma mentira, Asha sabia. *Ela* podia ser trocada, talvez, embarcada de volta para as Ilhas de Ferro, para os adoráveis braços de seu marido. Seus primos podiam ser resgatados também, assim como Tris Botley e alguns dos companheiros dela, aqueles cujos parentes tivessem dinheiro suficiente para pagar por eles. Para os demais seria o machado, a forca ou a Muralha. *Ainda assim, eles têm o direito de escolher.*

Asha subiu em um barril, para que todos pudessem vê-la.

– Os lobos estão chegando sobre nós com seus dentes arreganhados. Estarão em nossos portões antes que o sol nasça. Devemos baixar nossas lanças e machados e implorar para que nos poupem?

– Não – Qarl, o Donzel, desembainhou sua espada.

– Não – ecoou Lorren Machadolongo.

– Não – trovejou Rolfe, o Anão, um homem que mais parecia um urso e era quase uma cabeça mais alto do que qualquer outro de sua tripulação. – Nunca.

E o berrante de Hagen ecoou novamente do alto, ressoando pelo pátio.

Ahoooooooooooooooooooooooo, gritou o berrante de guerra, longo e baixo, um som de coagular o sangue. Asha começara a odiar o som dos berrantes. Em Velha Wyk, o berrante do inferno de seu tio soprara uma sentença de morte nos sonhos dela, e agora Hagen soava o que podia ser sua última hora na terra. *Se devo morrer, morrerei com um machado na mão e uma maldição nos lábios.*

– Para as muralhas – disse Asha Greyjoy para seus homens. Dirigiu-se para a torre de vigia, com Tris Botley bem atrás dela.

A torre de vigia de madeira era a coisa mais alta desse lado das montanhas, erguendo-se seis metros acima das maiores árvores sentinelas e pinheiros marciais da floresta ao redor.

– Ali, capitã – disse Cromm, quando ela alcançou a plataforma. Asha viu apenas árvores e sombras, as colinas iluminadas pela lua e os picos nevados além delas. Então percebeu que as árvores arrastavam-se para mais perto.

– O-ho – riu –, essas cabras da montanha se camuflaram com galhos de pinheiro. – A floresta estava em movimento, rastejando em direção ao castelo como uma lenta maré verde. Lembrou-se de um conto que ouvira quando criança, sobre os Filhos da Floresta e suas batalhas contra os Primeiros Homens, quando os videntes verdes transformaram as árvores em guerreiros.

– Não podemos lutar contra tantos – disse Tris Botley.

– Podemos lutar com tantos quantos vierem, filhote – insistiu Cromm. – Quantos mais forem, maior a glória. Homens cantarão sobre nós.

Sim, mas cantarão sobre a coragem de vocês ou sobre minha tolice? O mar estava a quase trinta quilômetros de distância. Fariam melhor em permanecer e lutar atrás dos fossos e das muralhas de madeira de Bosque Profundo? *As muralhas de madeira de Bosque Profundo não foram muito úteis para os Glover quando tomei o castelo,* lembrou a si mesma. *Por que serviriam mais para mim?*

– Amanhã banquetearemos sob o mar. – Cromm acariciou seu machado, como se não pudesse esperar.

Hagen abaixou seu berrante.

– Se morrermos com os pés secos, como encontraremos o caminho para os salões molhados do Deus Afogado?

– Essas florestas estão cheias de pequenos riachos – Cromm assegurou. – Todos levam aos rios, e todos os rios, para o mar.

Asha não estava pronta para morrer. Não aqui, não ainda.

– Um homem vivo pode encontrar o mar com mais facilidade do que um morto. Deixem os lobos ficarem com suas florestas sombrias. Fomos feitos para os navios.

Ela se perguntava quem comandava seus inimigos. *Se fosse eu, tomaria a costa e passaria nossos dracares pela tocha antes de atacar Bosque Profundo.* Mas os lobos não pensariam nisso com tanta facilidade, não sem seus próprios dracares. Asha nunca atracava mais do que a metade de seus navios. A outra metade permanecia a salvo em alto-mar, com ordens de levantar velas e seguir para Ponta do Mar do Dragão se os nortenhos tomassem a costa.

– Hagen, toque seu berrante e faça a floresta chocalhar. Tris, vista uma cota de malha, é hora de testar essa sua doce espada. – Quando viu como ele estava pálido, beliscou sua bochecha. – Espalhe algum sangue sobre a lua comigo, e prometo um beijo por cada morto.

– Minha rainha – disse Tristifer –, aqui temos as muralhas, mas se alcançarmos o mar e descobrirmos que os lobos pegaram nossos navios ou os afundaram...

– ... nós morremos – ela completou alegremente –, mas pelo menos morreremos com os pés molhados. Homens de ferro lutam melhor com sal entrando em suas narinas e com o som das ondas às suas costas.

Hagen deu três sopros em sequência rápida, o sinal que enviaria os homens de ferro de volta para seus navios. De baixo vieram gritos, o tinir de lanças e espadas, o relinchar dos cavalos. *Poucos cavalos e poucos cavaleiros.* Asha se dirigiu para as escadas. No pátio, encontrou Qarl, o Donzel, esperando por ela com sua égua castanha, seu elmo de guerra e seus machados de arremesso. Homens de ferro conduziam cavalos dos estábulos de Galbart Glover.

– Um aríete! – uma voz gritou das muralhas. – *Eles têm um aríete!*

– Em qual portão? – perguntou Asha, montando.

– O norte! – De trás das muralhas de madeira com musgo de Bosque Profundo veio um repentino som de trombetas.

Trombetas? Lobos com trombetas? Aquilo estava errado, mas Asha não tinha tempo para pensar no assunto.

– Abram o portão sul – ordenou, enquanto o portão norte recebia o impacto do aríete. Ela sacou um machado de arremesso de cabo curto do cinturão em volta dos ombros. – A hora da coruja se foi, meus irmãos. Agora vem a hora da lança, da espada e do machado. Em formação. Estamos indo para casa.

De uma centena de gargantas vieram rugidos de *Casa!* e *Asha!* Tris Botley galopava ao lado dela em um alto garanhão castanho. No pátio, seus homens, juntos uns dos outros, fechavam-se, erguendo escudos e lanças. Qarl, o Donzel, não cavalgava, e tomou seu lugar entre Linguacruel e Lorren Machadolongo. Quando Hagen veio correndo pelos degraus da torre de vigia, uma flecha dos lobos o acertou na barriga, mandando-o de cabeça para o chão. Sua filha correu até ele, gemendo.

– Tragam-na – Asha comandou. Este não era momento para lamentar. Rolfe, o Anão, puxou a garota para seu cavalo, o cabelo vermelho dela esvoaçando. Asha pôde ouvir o portão norte ranger quando o aríete o acertou novamente. *Precisamos cortar nosso caminho através deles*, pensou, enquanto o portão sul foi aberto. O caminho estava limpo. *Por quanto tempo?*

– Mexam-se! – Asha apertou os calcanhares nos flancos do cavalo.

Tanto homens quanto montarias estavam trotando quando alcançaram as árvores, do outro lado do campo encharcado onde mudas mortas de trigo de inverno apodreciam sob a lua. Asha comandava seus cavaleiros por último, como uma retaguarda, para manter os retardatários em movimento e assegurar-se de que ninguém seria deixado para trás. Altos pinheiros marciais e antigos carvalhos retorcidos se fechavam em torno deles. Bosque Profundo era um nome apropriado. As árvores eram imensas e escuras, de algum modo ameaçadoras. Galhos agitavam-se uns contra os outros e estalavam com cada sopro de vento, e os ramos maiores arranhavam a face da lua. *Quanto antes sairmos daqui, melhor*, Asha pensou. *As árvores nos odeiam, do fundo de seus corações de madeira.*

Apressaram-se para sul e sudoeste, até que as torres de madeira de Bosque Profundo sumiram de vista e os sons das trombetas foram engolidos pela floresta. *Os lobos têm seu castelo de volta*, ela pensou, *talvez se contentem e nos deixem ir.*

Tris Botley trotava ao lado dela.

– Estamos indo para o lado errado – ele disse, apontando para a lua que parecia olhar para baixo através do dossel de ramos. – Precisamos virar para o norte, para os navios.

– Oeste primeiro – Asha insistiu. – Oeste até que o sol se levante. Então norte. – Virou-se para Rolfe, o Anão, e Roggon Barbaferrugem, seus melhores cavaleiros. – Patrulhem a frente e assegurem-se de que nosso caminho está limpo. Não quero surpresas quando alcançar a costa. Se encontrarem lobos, voltem para mim com notícias.

– Faremos isso – prometeu Roggon através de sua imensa barba vermelha.

Depois que os batedores desapareceram entre as árvores, os outros homens de ferro retomaram sua marcha, mas a movimentação era lenta. As árvores escondiam a lua e as estrelas, e o chão da floresta, sob as árvores, era escuro e traiçoeiro. Antes de percorrerem meio quilômetro, a égua de seu primo Quenton tropeçou em um buraco e arrebentou a pata dianteira. Quenton teve que cortar a garganta do animal, para que parasse de berrar.

– Devíamos acender tochas – sugeriu Tris.

– Fogo trará os nortenhos até nós – Asha xingou em voz baixa, perguntando-se se fora um erro deixar o castelo. *Não. Se tivéssemos ficado e lutado, estaríamos todos mortos agora.* Mas tampouco era bom andar às cegas na escuridão. *Essas árvores nos matariam se pudessem.* Ela tirou o elmo e empurrou o cabelo encharcado para trás. – O sol se levantará em algumas horas. Vamos parar aqui e descansar até o raiar do dia.

Parar foi simples; descansar era difícil. Ninguém dormiu, nem mesmo Dale Olhoprostrado, um remador que era conhecido por cochilar entre as batidas. Alguns homens repartiram um odre da sidra de Galbart Glover, passando o recipiente de mão em mão. Aqueles que trouxeram comida repartiram com os que não trouxeram. Os cavaleiros alimentaram os cavalos e lhes deram água. O primo de Asha, Quenton Greyjoy, mandou três homens para o alto das árvores, para observar qualquer sinal de tochas na floresta.

Cromm afiou seu machado e Qarl, o Donzel, sua espada. Os cavalos pastaram grama morta e marrom e ervas daninhas. A filha de cabelo vermelho de Hagen pegou Tris Botley pela mão para levá-lo para o meio das árvores. Quando ele a recusou, ela foi com Harl Seis-Dedos.

Gostaria de poder fazer o mesmo. Seria doce se perder nos braços de Qarl uma última vez. Asha tinha um mau pressentimento no estômago. Sentiria o convés de *Vento Negro* sob seus pés novamente? E, se sentisse, para onde navegaria? *As ilhas estão fechadas para mim, a menos que eu pretenda dobrar o joelho, abrir as pernas e sofrer com os abraços de Erik Ironmaker, e nenhum porto em Westeros vai saudar a filha da lula gigante.* Podia tornar-se comerciante, como Tris parecia querer, ou ir para Passopedra e se juntar aos piratas de lá. Ou...

– Envio para cada um de vocês um pedaço do príncipe – ela murmurou.

Qarl sorriu.

– Eu prefiro ter um pedaço de você – sussurrou, – o doce pedaço que...

Algo voou dos arbustos e caiu com um *baque* surdo no meio deles, batendo e saltando. Era redondo, escuro e molhado, com longos cabelos que chicoteavam enquanto rolava. Quando parou entre as raízes de um carvalho, Linguacruel disse:

– Rolfe, o Anão, já não é tão alto quanto antes.

Metade dos homens dela estava em pé nesse momento, pegando escudos, lanças e machados. *Eles também não acenderam tochas,* Asha teve tempo de pensar, *e conhecem estas florestas melhor do que jamais poderíamos.* Então as árvores explodiram ao redor deles, e os nortenhos fluíram aos gritos. *Lobos,* ela pensou, *eles uivam como malditos lobos. O grito de guerra do norte.* Seus homens de ferro gritaram em resposta, e a batalha começou.

Nenhum cantor jamais faria uma canção sobre aquela batalha. Nenhum meistre jamais escreveria um relato para um dos amados livros do Leitor. Nenhum estandarte voando, nenhum berrante de guerra gemendo, nenhum grande senhor reunindo os homens para falar vibrantes palavras finais. Lutaram na escuridão que antecedia a manhã, sombra contra sombra, tropeçando em raízes e pedras, com lama e folhas podres sob os pés. Os homens de ferro estavam vestidos com cotas de malha e couro curtido, os nortenhos em peles, couro cru e galhos de pinheiros. A lua e as estrelas assistiam à batalha, a luz clara atravessando o emaranhado de galhos nus torcidos sobre as cabeças dos guerreiros.

O primeiro homem que chegou até Asha Greyjoy morreu aos pés da moça com o machado de arremesso dela entre os olhos. Aquilo lhe deu tempo suficiente para deslizar o escudo para o braço.

– *Até mim!* – chamava, mas se clamava por seus próprios homens ou pelos inimigos nem mesmo Asha podia dizer com certeza. Um nortenho com um machado assomou diante dela, balançando-o com as duas mãos, enquanto gritava em fúria sem palavras. Asha levantou o escudo para bloquear o golpe, e então se aproximou para apunhalar sua barriga com uma adaga. O grito dele mudou de tom conforme sentiu a lâmina. Ela girou e encontrou outro lobo atrás dela, e cortou seu rosto sob o elmo. O golpe dele acertou-a embaixo do seio, mas a cota de malha a protegeu, e Asha levou a ponta de sua adaga até a garganta dele e o deixou afogar-se no próprio sangue. Uma mão agarrou seus cabelos, mas não o suficiente para que conseguisse puxar a cabeça dela para trás. Asha acertou o salto de sua bota no peito do pé dele e libertou-se enquanto ele gritava de dor. Mas assim que se virou, o homem estava caído e morrendo, ainda segurando um punhado do cabelo dela. Qarl estava sobre ele, com a espada longa pingando e a luz da lua brilhando em seus olhos.

Linguacruel contava os nortenhos, enquanto os matava, gritando "Quatro" quando um caiu e "Cinco" um segundo depois. Os cavalos relinchavam, davam coices e viravam os olhos de terror, enlouquecidos pelo massacre e pelo sangue... todos exceto o grande garanhão castanho de Tris Botley. Tris permanecia em sua sela, e sua montaria se erguia e girava enquanto ele atacava com a espada. *Posso dever um beijo ou três para ele antes que a noite acabe*, pensou Asha.

– Sete! – gritou Linguacruel, mas ao seu lado Lorren Machadolongo se estatelou, com uma perna torcida debaixo dele, e as sombras continuavam vindo, gritando e farfalhando. *Estamos lutando contra arbustos*, Asha pensou enquanto matava um homem que tinha mais folhas sobre si do que a maioria das árvores ao redor. Aquilo a fez rir. Sua risada atraiu mais lobos sobre ela, e ela os matou também, perguntando-se se deveria começar a própria contagem. *Sou uma mulher casada, e aqui está meu bebê de peito*. Empurrou sua adaga contra o peito de um nortenho, através de peles, lã e couro fervido. O rosto dele estava tão perto do dela que podia sentir o cheiro azedo de sua respiração, a mão dele estava em sua garganta. Asha sentiu ferro raspando contra osso enquanto sua lâmina deslizava sobre uma costela. Então o homem estremeceu e morreu. Quando ela o deixou, estava tão fraca que quase caiu sobre ele.

Mais tarde, ficou costas contra costas com Qark, ouvindo os grunhidos e maldições ao redor deles, de homens corajosos se arrastando pelas sombras, chorando por suas mães. Um arbusto foi em direção a ela, com uma lança longa o suficiente para atravessar sua barriga e as costas de Qarl também, prendendo-os juntos enquanto morriam. *Melhor do que morrer sozinha*, pensou, mas seu primo Quenton matou o lanceiro antes que ele chegasse até ela. Um segundo mais tarde outro arbusto matou Quenton, acertando um machado na base de seu crânio, por trás.

Atrás dela, Linguacruel gritou:

– Nove, e malditos sejam todos vocês.

A filha de Hagen surgiu nua por entre as árvores, com dois lobos em seus calcanhares. Asha agarrou um machado de arremesso, jogou-o na direção deles e acertou um pelas costas. Quando ele caiu, a filha de Hagen tropeçou, caindo de joelhos, pegou a espada do morto, acertou o segundo homem, levantou-se novamente, manchada de lama e sangue, com o longo cabelo vermelho desalinhado, e atirou-se na luta.

Em algum lugar no fluxo e refluxo da batalha, Asha perdeu Qarl, perdeu Tris, perdeu todos eles. Sua adaga sumira, assim como todos os seus machados de arremesso; em vez disso, tinha uma espada nas mãos, uma espada curta com uma lâmina grossa, quase como um cutelo de açougueiro. Por sua vida, ela não saberia dizer onde conseguira aquilo. Seu braço doía, a boca tinha gosto de sangue, as pernas tremiam, e feixes de luz clara do amanhecer atravessavam as árvores. *Já se passou tanto assim? Há quanto tempo estamos lutando?*

Seu último inimigo foi um nortenho com um machado, um homem grande, careca e barbudo, vestido em uma armadura de cota de malha enferrujada e remendada, que só podia significar que era um chefe ou um campeão. Ele não estava feliz em se encontrar lutando com uma mulher.

– Boceta! – rugia cada vez que a atingia, o cuspe acertando o rosto dela. – Boceta! Boceta!

Asha queria gritar de volta para ele, mas sua garganta estava tão seca que tudo o que podia fazer era grunhir. O machado dele fazia o escudo dela tremer, quebrando madeira a cada golpe, arrancando lascas cada vez que puxava a arma de volta. Logo ela teria apenas um emaranhado de gravetos nos braços. Recuou e se livrou do escudo destruído, então recuou mais um pouco e dançou para a esquerda e para a direita, e depois para a esquerda novamente, para evitar o machado que descia com tudo.

Então acertou as costas com força contra uma árvore e não pode mais dançar. O lobo ergueu o machado, pronto para partir a cabeça dela ao meio. Asha tentou deslizar para a direita, mas seu pé se enroscou em algumas raízes, prendendo-a. Ela se contorceu, perdeu o equilíbrio, e a face do machado triturou sua têmpora com um grito de aço sobre aço. O mundo ficou vermelho e negro, e vermelho novamente. A dor crepitava até sua perna, como um relâmpago distante, e ao longe ela ouviu o nortenho dizer:

– Boceta maldita – enquanto levantava o machado para o golpe que acabaria com ela.

Uma trombeta tocou.

Isso está errado, ela pensou. *Não há trombetas nos salões molhados do Deus Afogado. Sob as ondas, os badejos saúdam seu senhor soprando conchas.*

Ela sonhou com corações vermelhos queimando e um veado negro em um campo dourado, com uma chama saindo de seus chifres.

Tyrion

Quando chegaram a Volantis, o céu estava púrpura no oeste e negro no leste, e as estrelas começavam a aparecer. *As mesmas estrelas de Westeros,* Tyrion Lannister pensou.

Poderia ter tirado algum conforto disso, se não estivesse amarrado como um ganso e preso em uma sela. Desistira de se contorcer. Os nós que o prendiam estavam muito apertados. Em vez disso, soltara-se como um saco de farinha. *Para poupar minhas forças,* disse a si mesmo, embora não soubesse dizer para quê.

Volantis fechava os portões quando escurecia, e os guardas do portão norte resmungavam impacientemente para os retardatários. Juntaram-se à fila, atrás de uma carroça repleta de limões e laranjas. Os guardas sinalizaram para a carroça com as tochas, mas lançaram um olhar duro para o grande ândalo em seu cavalo de guerra, com espada longa e cota de malha. Um capitão foi convocado. Enquanto ele e o cavaleiro trocavam algumas palavras em volantino, um dos guardas tirou a manopla com garras e esfregou a cabeça de Tyrion.

– Estou cheio de boa fortuna – o anão disse para ele. – Solte-me, meu amigo, e me assegurarei de que seja bem recompensado.

Seu captor ouviu.

– Guarde suas mentiras para aqueles que falam sua língua, Duende – disse, quando os volantinos acenaram para que passassem.

Então estavam novamente em movimento, passando o portão e sob as maciças muralhas da cidade.

– Você fala minha língua. Posso influenciá-lo com promessas, ou está determinado a comprar sua senhoria com minha cabeça?

– Eu *era* um lorde, por direito de nascença. Não quero títulos vazios.

– Isso é tudo o que vai conseguir da minha doce irmã.

– E aqui ouvi que um Lannister sempre paga suas dívidas.

– Ah, cada moeda... Mas nunca uma moeda a mais, senhor. Você terá a refeição pela qual barganhar, mas não será temperada com gratidão e, no fim, não vai nutri-lo.

– Pode ser que tudo o que eu queira é que você pague por seus crimes. Os assassinos de parentes são amaldiçoados perante os olhos dos deuses e dos homens.

– Os deuses são cegos. E os homens só veem o que desejam.

– Vejo você bastante claro, Duende. – Algo sombrio tomou conta do tom do cavaleiro. – Fiz coisas das quais não me orgulho, coisas que trouxeram vergonha à minha casa e ao nome do meu pai... mas matar o próprio pai? Como um homem pode fazer isso?

– Dê-me uma besta e abaixe os calções que mostro para você. – *Alegremente.*

– Acha que isso é uma brincadeira?

– Acho que a vida é uma brincadeira. A sua, a minha, a de todo mundo.

Dentro das muralhas da cidade, passaram por guildas, mercados e casas de banho. Fontes jorravam e cantavam no centro de amplas praças onde homens se sentavam em tabuleiros de pedra, movendo peças de *cyvasse* e bebendo vinho em taças de vidro enquanto escravos acendiam lanternas ornamentadas para manter a escuridão na baía. Palmeiras e cedros cresciam ao longo das ruas pavimentadas, e monumentos eram encontrados em cada cruzamento. Muitas das estátuas não tinham cabeça, o anão notou, mas mesmo assim pareciam majestosas sob o crepúsculo púrpura.

Conforme o cavalo de guerra seguia lentamente para sul junto ao rio, as lojas ficavam menores e mais pobres, as árvores ao longo das ruas tornavam-se uma fileira de tocos. Os paralelepípedos deram lugar à erva-do-diabo sob os cascos do cavalo, e depois a uma lama úmida e mole, da cor de excrementos de bebê. As pequenas pontes que atravessavam os riachos que alimentavam o Roine rangiam sob o peso deles de forma alarmante. Onde uma vez existira um forte na margem do rio, agora havia um portão quebrado, escancarado como a boca sem dentes de um homem velho. Era possível vislumbrar cabras espiando sobre os parapeitos.

Antiga Volantis, primeira filha de Valíria, o anão devaneou. *Orgulhosa Volantis, rainha do Roine e amante do Mar de Verão, lar de nobres senhores e adoráveis senhoras do mais antigo sangue.* Não importavam os grupos de crianças nuas que percorriam os becos gritando em vozes estridentes, ou os espadachins parados nas portas das adegas, manejando o cabo de suas espadas, ou os escravos com as costas encurvadas e o rosto tatuado que corriam de um lado para outro como baratas. *Poderosa Volantis, a mais grandiosa e mais populosa das Nove Cidades Livres.* Contudo, grande parte da cidade havia sido despovoada por antigas guerras, e grandes áreas de Volantis começavam a afundar sob a lama em que estavam. *Bela Volantis, cidade de fontes e flores.* Mas metade das fontes estava seca, metade das piscinas, rachada e inativa. Trepadeiras floridas saíam de cada rachadura nas paredes ou no chão pavimentado, e jovens árvores lançavam raízes em paredes de lojas abandonadas e de templos sem telhado.

E havia o cheiro. Estava no ar úmido e quente, rico, rançoso, penetrante. *Tem cheiro de peixe e flores, assim como de excrementos de elefante. Algo doce, algo terroso, algo morto e podre.*

– Esta cidade cheira como puta velha – Tyrion anunciou. – Algo como uma mulher desleixada e flácida que encharcou suas partes íntimas para disfarçar o fedor entre as pernas. Não que eu esteja reclamando. Com putas, as mais jovens cheiram melhor, mas as mais velhas conhecem mais truques.

– Você deve ter mais experiência nisso do que eu.

– Ah, é claro. Aquele bordel onde nos encontramos, você pensou que era um septo? Era sua virginal irmã que se contorcia no seu colo?

Aquilo fez o cavaleiro fechar a cara.

– Dê um descanso à sua língua, a menos que prefira que eu dê um nó nela.

Tyrion engoliu sua resposta. Seus lábios ainda estavam inchados da última vez que fora longe demais. *Mãos duras e nenhum senso de humor fazem um péssimo casamento.*

Aprendera isso na estrada de Selhorys. Seus pensamentos foram para sua bota, para os cogumelos entre seus dedos. O captor não o havia revistado com tanto cuidado quanto deveria. *Sempre há essa fuga. Cersei não me terá vivo, pelo menos.*

Mais ao sul, os sinais de prosperidade começaram a reaparecer. Os prédios abandonados eram vistos com menos frequência, as crianças nuas desapareceram e os espadachins diante das portas pareciam mais suntuosamente vestidos. Algumas estalagens pelas quais passaram realmente pareciam lugares nos quais um homem podia dormir sem medo de ter a garganta cortada. Lanternas penduradas em postes de ferro ao longo da estrada do rio agitavam-se quando o vento soprava. As ruas ficaram mais largas, as construções mais imponentes. Algumas eram encimadas por grandes domos de vidro colorido. Na penumbra que se adensava, com as fogueiras acesas, os domos brilhavam em tons de azul, vermelho, verde e púrpura.

Mesmo assim, havia algo no ar que deixava Tyrion desconfortável. A oeste do Roine, ele sabia, o cais de Volantis fervilhava com marinheiros, escravos e comerciantes, além de adegas, estalagens e bordéis todos feitos para eles. A leste do rio, estranhos do outro lado do mar eram raramente vistos. *Não somos bem-vindos aqui*, Tyrion percebeu.

Da primeira vez que passaram por um elefante, Tyrion não pôde deixar de encarar. Havia um elefante no zoológico de Lannisporto quando era menino, mas o animal morrera quando ele tinha sete anos... Este grande gigante cinza parecia ter o dobro do tamanho.

Mais adiante, ficaram atrás de um pequeno elefante, branco como osso antigo, que puxava um carrinho enfeitado.

– É um carro de boi sem o boi? – perguntou Tyrion para seu captor. Quando o gracejo não teve resposta, voltou a ficar em silêncio, contemplando a traseira bamboleante do elefante branco diante deles.

Volantis era inundada de elefantes anões brancos. Quando se aproximaram da Muralha Negra e dos bairros lotados próximos à Grande Ponte, viram uma dúzia deles. Grandes elefantes cinzentos tampouco eram incomuns; animais imensos, com castelos nas costas. E, na meia-luz da noite, as carroças de esterco haviam surgido, levadas por escravos seminus cuja tarefa era recolher as pilhas fumegantes deixadas tanto por elefantes grandes quanto pelos pequenos. Enxames de moscas seguiam as carroças, por isso os escravos de esterco tinham moscas tatuadas no rosto, para marcar sua função. *Eis um ramo para minha doce irmã*, Tyrion ponderou. *Ela ficaria linda com uma pazinha e moscas tatuadas naquelas doces faces rosadas.*

Até então iam tão devagar que quase se arrastavam. A estrada do rio tinha tráfego pesado, quase todo indo para o sul. O cavaleiro foi com a multidão, uma tora presa na correnteza. Tyrion olhava a multidão que passava. Nove homens em cada dez levavam marcas de escravo no rosto.

– Tantos escravos... para onde estão indo todos?

– Os sacerdotes vermelhos acendem suas fogueiras noturnas ao pôr do sol. O Alto Sacerdote vai falar. Eu evitaria isso se pudesse, mas para alcançar a Grande Ponte temos que passar pelo templo vermelho.

Três quarteirões depois, a rua se abriu diante deles em uma imensa praça iluminada com tochas, e lá terminou. *Que os Sete me salvem, isso é três vezes maior que o Grande Septo de Baelor.* Com uma enormidade de pilares, degraus, contrafortes, pontes, domos e torres que fluíam para dentro umas das outras, como se tivessem sido esculpidas em uma única rocha colossal, o Templo do Senhor da Luz assomava como a Colina de Aegon. Uma centena de tons de vermelho, amarelo, dourado e laranja se encontravam e se fundiam nas paredes do templo, dissolvendo-se uns nos outros como nuvens ao entardecer. Suas torres delgadas retorciam-se para cima, como chamas congeladas que alcançavam o céu. *Fogo transformado em pedra.* Imensas fogueiras queimavam ao lado das escadas do templo e, entre elas, o Alto Sacerdote começara a falar.

Benerro. O sacerdote estava em um pilar de pedra vermelha, unido por uma estreita ponte de pedra a um terraço onde permaneciam os sacerdotes menores e os acólitos. Os acólitos trajavam túnicas amarelo-claras e laranja brilhante; os sacerdotes e as sacerdotisas usavam vermelho.

A grande praça diante deles estava tão lotada que a multidão parecia um único bloco sólido. Muitos adoradores usavam algum pedaço de tecido vermelho pendurado nas mangas ou amarrado ao redor da testa. Cada olhar estava direcionado ao Alto Sacerdote, exceto os deles.

– Abram caminho. – Os volantinos davam licença ressentidos, com murmúrios e olhares zangados.

A voz alta de Benerro se fazia ouvir bem. Alto e magro, tinha o rosto deformado e a pele branca como leite. Chamas haviam sido tatuadas nas bochechas, no queixo e na cabeça raspada, para formar uma brilhante máscara vermelha que crepitava sob seus olhos e circundava sua boca de lábios muito finos.

– Isso é uma tatuagem de escravo? – Tyrion perguntou.

O cavaleiro concordou.

– O Templo Vermelho os compra quando são crianças e faz deles sacerdotes, prostitutas ou guerreiros do templo. Olhe ali. – Apontou para os degraus, onde uma fila de homens em armaduras ornamentadas e mantos laranja permanecia diante das portas do templo, segurando lanças cujas pontas pareciam chamas se contorcendo. – A Mão Ardente. Os soldados sagrados do Senhor da Luz, defensores do templo.

Cavaleiros de fogo.

– E quantos dedos tem essa mão, posso saber?

– Mil. Nunca mais, nunca menos. Uma nova chama é acesa para cada uma que se apaga.

Benerro apontou um dedo para a lua, fechou a mão e depois a espalmou. Quando sua voz aumentou em um crescendo, chamas saíram de seus dedos com um clarão repentino que fez a multidão se sobressaltar. O sacerdote podia traçar letras ardentes no ar também. *Glifos valirianos.* Tyrion reconheceu talvez dois de dez; um era *Perdição* e o outro, *Escuridão.*

Gritos irromperam da multidão. Mulheres choravam e homens agitavam os punhos. *Tenho um mau pressentimento sobre isso.* O anão se lembrou do dia em que Myrcella partira para Dorne e a revolta que estourou enquanto voltavam para a Fortaleza Vermelha.

Meiomeistre Haldon falara em usar o sacerdote vermelho em benefício do Jovem Griff, Tyrion recordou. Agora que havia visto e ouvido o homem por si mesmo, aquilo parecia uma péssima ideia. Esperava que Griff tivesse mais bom-senso. *Alguns aliados são mais perigosos do que inimigos. Mas Lorde Connington terá que juntar essas peças por conta própria. Serei uma cabeça em uma lança.*

O sacerdote apontava a Muralha Negra atrás do templo, gesticulando na direção dos parapeitos, onde um punhado de guardas em armaduras olhava para baixo.

– O que ele está dizendo? – Tyrion perguntou ao cavaleiro.

– Que Daenerys está em perigo. O olho sombrio caiu sobre ela, e os asseclas da noite estão tramando sua destruição, rezando para falsos deuses em templos do engano... conspirando uma traição com forasteiros sem deuses...

Os cabelos na nuca de Tyrion se arrepiaram. *O Príncipe Aegon não encontrará amigos aqui.* O sacerdote vermelho falou sobre a antiga profecia, a profecia que predisse a chegada de um herói para livrar o mundo da escuridão. *Um herói. Não dois. Daenerys tem dragões, Aegon, não.* O anão não precisava ser um profeta para prever como Benerro e seus seguidores podiam reagir a um segundo Targaryen. *Griff verá isso também, certamente,* pensou, surpreso em descobrir o quanto se importava.

O cavaleiro forçou caminho pela maioria da multidão compacta no fundo da praça, ignorando os xingamentos que eram lançados enquanto passavam. Um homem parou diante deles, mas o captor de Tyrion agarrou o cabo da espada longa e desembainhou o suficiente para mostrar alguns centímetros de aço nu. O homem se afastou e, de repente, um beco se abriu diante deles. O cavaleiro instou a montaria ao trote, e deixaram a aglomeração para trás. Por um tempo, Tyrion ainda pôde ouvir a voz de Benerro, cada vez mais baixa, e os rugidos que suas palavras provocavam, repentinos como trovões.

Chegaram a um estábulo. O cavaleiro desmontou e esmurrou a porta até que um escravo encovado, com uma cabeça de cavalo na bochecha, chegou correndo. O anão foi arrancado bruscamente da sela e amarrado em um poste, enquanto seu captor acordava o dono do estábulo e discutia com ele sobre o preço do cavalo e da sela. *É mais barato vender um cavalo do que embarcar um para atravessar meio mundo.* Tyrion sentia um navio em seu futuro imediato. Talvez fosse um profeta, no final das contas.

Quando a barganha foi concluída, o cavaleiro pendurou suas armas, o escudo e a sacola por cima do ombro e pediu indicações de como chegar ao ferreiro mais próximo. A oficina estava fechada também, mas abriu rapidamente com o grito do cavaleiro. O ferreiro deu um olhar de soslaio para Tyrion, então acenou com a cabeça e aceitou um punhado de moedas.

– Venha aqui. – O cavaleiro disse para seu prisioneiro. Desembainhou sua adaga e cortou os nós que o prendiam.

– Meus agradecimentos – disse Tyrion, enquanto esfregava os pulsos, mas o cavaleiro apenas riu e disse:

– Guarde sua gratidão para quem a mereça, Duende. Você não gostará do próximo bocado.

Ele não estava errado.

As algemas eram de ferro negro, grossas e pesadas, cada uma com pelo menos um quilo, de acordo com a avaliação do anão. As correntes adicionavam ainda mais peso.

– Devo ser mais temível do que imaginava – Tyrion confessou, enquanto os últimos elos eram fechados a marteladas. Cada batida enviava uma onda de choque pelo braço, até quase o ombro. – Ou você tem medo que eu escape com essas minhas perninhas atrofiadas?

O ferreiro não fez mais do que olhar para seu trabalho, mas o cavaleiro riu sombriamente.

– É sua boca que me preocupa, não suas pernas. Em grilhões, você é um escravo. Ninguém escutará uma palavra do que diz, nem mesmo aqueles que falam a língua de Westeros.

– Não há necessidade disso – Tyrion protestou. – Serei um bom pequeno prisioneiro, serei, serei.

– Então prove e cale a boca.

Então ele baixou a cabeça e mordeu a língua, enquanto as correntes eram fixadas: pulso com pulso, pulso com tornozelo, tornozelo com tornozelo. *Essas coisas malditas pesam mais do que eu.* Pelo menos ainda respirava. Seu captor poderia facilmente ter cortado sua cabeça. Isso era tudo o que Cersei pedia, afinal. Não fazer isso imediatamente fora o primeiro erro de seu captor. *Há meio mundo entre Volantis e Porto Real, e muito mais pode acontecer ao longo do caminho, sor.*

O resto do caminho, fizeram a pé, com Tyrion tilintando e retinindo enquanto lutava para acompanhar os passos largos e impacientes de seu captor. Cada vez que ameaçava ficar para trás, o cavaleiro aproveitava os grilhões e o puxava rudemente, trazendo o anão tropeçando e saltando para seu lado. *Podia ser pior. Ele podia estar me apressando com um chicote.*

Volantis esparramava-se pela foz do Roine, onde o rio beijava o mar, suas duas metades unidas pela Grande Ponte. A parte mais velha e mais rica da cidade era o lado leste do rio, mas mercenários, bárbaros e outros forasteiros incultos não eram bem-vindos, então precisavam cruzar para oeste.

O portão da Grande Ponte era um arco de pedra negra esculpido com esfinges, manticoras, dragões e outras criaturas ainda mais estranhas. Além do arco, estendia-se a grande passagem que os valirianos construíram no auge de sua glória, o piso de pedra fundida suportado por pilares maciços. A estrada era larga o suficiente para duas carretas atravessarem lado a lado, mas toda vez que um carroção vindo do oeste se encontrava com um do leste, ambos tinham que reduzir a velocidade drasticamente.

Ainda bem que estavam a pé. A um terço do caminho, um carroção carregado com melões enroscou a roda em outro que levava altas pilhas de tapetes de seda e levou todo o tráfego em rodas a um impasse. Muito do tráfego a pé também parou para assistir aos motoristas xingarem e gritarem um para o outro, mas o cavaleiro agarrou as correntes de Tyrion e abriu caminho pelas pessoas aglomeradas. No meio da multidão, um garoto tentou alcançar sua bolsa, mas uma cotovelada forte colocou fim a isso e espalhou o sangue do nariz do ladrão por metade do seu rosto.

Construções erguiam-se nos dois lados; lojas e templos, tavernas e estalagens, salões de *cyvasse* e bordéis. A maioria tinha três ou quatro andares, cada andar pendendo sobre o de baixo. Os andares de cima de cada lado quase se beijavam. Cruzar a ponte era como atravessar um túnel de tochas acesas. Ao longo da passagem havia lojas e bancas de todos os tipos; tecelões e rendeiras mostravam seus produtos lado a lado com sopradores de vidro, fabricantes de velas e peixeiras que vendiam enguias e ostras. Cada ourives tinha um guarda em sua porta; cada vendedor de especiarias tinha dois, uma vez que suas mercadorias eram duas vezes mais preciosas. Aqui e acolá, entre as lojas, um viajante podia ter um vislumbre do rio que atravessavam. Para o norte, o Roine era uma ampla fita negra, resplandecendo com as estrelas, cinco vezes mais largo do que a Torrente do Água Negra, em Porto Real. Ao sul da ponte, o rio se abria para abraçar o mar salgado.

Na arcada central da ponte, várias mãos decepadas de ladrões e batedores de carteiras estavam penduradas como réstias de cebolas em ganchos de ferro ao longo do caminho. Três cabeças estavam em exposição também: dois homens e uma mulher, com seus crimes rabiscados em tábuas abaixo deles. Um par de lanceiros fazia a guarda, vestidos com elmos polidos e camisas de cota de malha de prata. Em suas bochechas estavam tatuadas listras de tigres, tão verdes quanto jade. De tempos em tempos, agitavam as lanças para espantar falcões, gaivotas e corvos carniceiros que cortejavam os falecidos. Momentos mais tarde, as aves estavam de volta.

– O que fizeram? – Tyrion inquiriu inocentemente.

O cavaleiro olhou as inscrições.

– A mulher era uma escrava que levantou a mão para sua patroa. O homem mais velho foi acusado de fomentar rebelião e de espionar para a rainha dragão.

– E o jovem?

– Matou o próprio pai.

Tyrion olhou novamente para a cabeça apodrecida. *Ora, é quase como se seus lábios estivessem sorrindo.*

Mais adiante, o cavaleiro fez uma breve pausa para considerar uma tiara cravejada de pedras exibida em uma almofada de veludo púrpura. Seguiu em frente, mas poucos passos adiante parou novamente para regatear um par de luvas na tenda de um coureiro. Tyrion estava grato por essas pausas. O ritmo impetuoso o deixara sem fôlego, e seus pulsos estavam em carne viva por causa das algemas.

Da extremidade da Grande Ponte, era apenas uma caminhada curta pelos apinhados bairros da margem ocidental do rio, por ruas iluminadas com tochas, repletas de marinheiros, escravos e foliões embriagados. Um elefante passou vagarosamente por eles, com uma dúzia de escravas seminuas que acenavam do castelo nas costas do animal, provocavam os transeuntes com vislumbres de seus seios e gritavam:

– Malaquo, Malaquo.

Eram uma visão tão fascinante que Tyrion quase bamboleou direto para uma pilha fumegante de estrume que o elefante deixara para marcar passagem. Foi salvo no último instante, quando o cavaleiro o arrebatou para o lado, puxando sua corrente com tanta força que o fez cambalear e pisar em falso.

– Quanto ainda falta? – o anão perguntou.

– É bem ali. Na Praça do Peixeiro.

O destino deles era a Casa do Mercador, uma monstruosidade de quatro andares, acocorada entre armazéns, bordéis e tavernas de beira de rio, como um enorme homem gordo cercado por crianças. O salão comum era maior do que os grandes salões de metade dos castelos de Westeros, um labirinto fracamente iluminado, com centenas de alcovas privadas e recantos escondidos, cujas vigas e teto enegrecidos ecoavam a balbúrdia feita por marinheiros, comerciantes, capitães, cambistas, carregadores e traficantes de escravos, mentindo, praguejando e enganando uns aos outros em meia centena de idiomas.

Tyrion aprovou a escolha da hospedagem. Cedo ou tarde, o *Donzela Tímida* chegaria a Volantis. Essa era a maior estalagem da cidade, a primeira escolha para carregadores, capitães e mercadores. Muitos negócios eram fechados nas tocas cavernosas do salão comum. Conhecia Volantis o suficiente para saber disso. Griff apareceria por aqui com Pato e Haldon, e ele estaria livre em pouco tempo.

Enquanto isso, devia ser paciente. Sua oportunidade chegaria.

Os quartos nos andares de cima se mostravam um pouco menos grandiosos, particularmente os mais baratos no quarto andar. Encravado em um dos cantos do edifício, sob um telhado inclinado, o quarto de dormir que seu captor alugara tinha o teto baixo, um colchão mole de penas com um cheiro desagradável e um piso de tábuas de madeira inclinado que fez Tyrion se lembrar de sua estadia no Ninho da Águia. *Pelo menos este quarto tem paredes.* Tinha janelas, também; esta era a principal comodidade do aposento, juntamente com um aro de ferro na parede, muito útil para acorrentar o escravo de alguém. Seu captor parou apenas o tempo suficiente para acender uma vela de sebo, antes de prender as correntes de Tyrion no aro.

– Isso é necessário? – o anão protestou, sacudindo a corrente debilmente. – Para onde acha que eu vou? Pular a janela?

– Você poderia.

– Estamos no quarto andar, e não sei voar.

– Você pode cair. Quero você vivo.

Sim, mas por quê? Cersei não vai se importar. Tyrion sacudiu as correntes.

– Eu sei quem você é, sor. – Não havia sido difícil juntar as peças. O urso em sua armadura, as armas no escudo, os títulos perdidos que ele mencionara. – Sei *o que* você é. E se você sabe quem sou, também sabe que fui Mão do Rei e sentei no conselho com a Aranha. Interessaria saber que foi o eunuco quem me despachou nesta jornada? – *Ele e Jaime, mas deixarei meu irmão fora disso.* – Sou criatura dele tanto quanto você. Não devemos estar em desacordo.

Aquilo não agradou ao cavaleiro.

– Recebi dinheiro da Aranha, não negarei isso, mas nunca fui criatura dele. E minha lealdade está em outro lugar agora.

– Com Cersei? Mais tolo você é. Tudo o que minha irmã exige é minha cabeça, e você tem uma boa espada afiada. Por que não acaba com esta farsa e poupa nós dois?

O cavaleiro riu.

– Isso é algum truque de anão? Implorar pela morte, na esperança de que o deixe viver? – Caminhou até a porta. – Trarei algo das cozinhas.

– Que gentileza a sua. Esperarei aqui.

– Sei que esperará. – Mesmo assim, quando saiu, o cavaleiro trancou a porta atrás de si com uma pesada chave de ferro. A Casa do Mercador era famosa por suas fechaduras. *Tão segura quanto uma prisão,* o anão pensou amargamente, *mas pelo menos tem janelas.*

Tyrion sabia que as chances de escapar das correntes eram muito pequenas, mas mesmo assim era obrigado a tentar. Seus esforços para escorregar a mão pela algema serviram somente para esfolar mais a pele e deixar seu pulso manchado de sangue, e nem todos os seus puxões e torções puderam arrancar o aro de ferro da parede. *Foda-se isso,* pensou, jogando-se para trás tão longe quanto suas correntes permitiam. Começou a sentir câimbras nas pernas. *Esta será uma noite desconfortável dos infernos. A primeira de muitas, não duvido.*

O quarto estava abafado, então o cavaleiro abrira as janelas para deixar entrar alguma brisa. Encravado no canto do prédio, sob os beirais, o quarto tinha a sorte de ter duas janelas. Uma dava para a Grande Ponte e para o coração de muralhas negras da Antiga Volantis do outro lado do rio. A outra se abria para a praça abaixo. A Praça do Peixeiro, Mormont a chamara. Ainda que suas correntes estivessem apertadas, Tyrion descobriu que podia olhar pela janela, inclinando-se para o lado e deixando que o aro de ferro suportasse seu peso. *Não é uma queda tão alta quanto a das celas do céu de Lysa Arryn, mas me mataria do mesmo jeito. Talvez, se eu estivesse bêbado...*

Mesmo àquela hora, a praça estava lotada, com marinheiros barulhentos, prostitutas à procura de clientes e mercadores fazendo negócios. Uma sacerdotisa vermelha passou correndo, cercada por uma dúzia de acólitos com tochas, suas túnicas se enroscando nos tornozelos. Em outro lugar, uma dupla de jogadores de *cyvasse* travava uma guerra do lado de fora de uma taverna. Um escravo permanecia ao lado da mesa, segurando uma lanterna sobre o tabuleiro. Tyrion podia ouvir uma mulher cantando. As palavras eram estranhas, a melodia, suave e triste. *Se eu soubesse o que ela está cantando, poderia chorar.* Mais perto, uma multidão se juntara ao redor de dois malabaristas que jogavam tochas acesas um para o outro.

Seu captor voltou logo, trazendo duas canecas de cerveja e um pato assado. Fechou a porta com um chute, rasgou o pato em dois e jogou metade para Tyrion. Ele teria apanhado a comida no ar, mas suas correntes impediram que esticasse os braços. Em vez disso, a ave acertou sua testa e escorregou quente e gordurosa por seu rosto. Ele teve que se agachar e se esticar para pegá-la, com os grilhões tilintando. Conseguiu na terceira tentativa, e rasgou a carne alegremente com os dentes.

– Alguma cerveja para empurrar para baixo?

Mormont passou-lhe uma caneca.

– A maioria de Volantis está se embebedando, por que não você?

A cerveja estava doce também. Tinha gosto de fruta. Tyrion tomou um bom gole e arrotou, feliz. A caneca era de estanho, muito pesada. *Posso esvaziar e jogar na cabeça dele,* pensou. *Se tiver sorte, posso rachar seu crânio. Se tiver mais sorte ainda, posso errar, e ele me socará até a morte.* Tomou outro gole.

– É algum dia sagrado?

– É o terceiro dia das eleições deles. Duram dez. Dez dias de loucura. Passeatas sob a luz de tochas, discursos, pantomimeiros, menestréis e dançarinos, espadachins em duelos até a morte, pela honra de seus candidatos, elefantes com os nomes dos candidatos à tríade pintados do lado. Esses malabaristas estão se apresentando por Methyso.

– Lembre-me de votar em outra pessoa. – Tyrion lambeu a gordura dos dedos. Embaixo, a multidão jogava moedas para os malabaristas. – Todos esses pretensos triarcas oferecem espetáculos de pantomimeiros?

– Fazem qualquer coisa que lhes tragam votos – disse Mormont. – Comida, bebida, espetáculos... Alios enviou uma centena de escravas jovens e bonitas para as ruas, para angariar votos.

– Voto nele – Tyrion decidiu. – Traga-me uma escrava!

– Elas são para os volantinos nascidos livres com propriedades suficientes para votar. Há poucos mas preciosos votos a oeste do rio.

– E isso dura dez dias? – Tyrion riu. – Vou gostar disso, embora três reis tenham dois sobrando. Estou tentando me imaginar governando os Sete Reinos com minha doce irmã e meu bravo irmão ao meu lado. Um de nós mataria os outros dois dentro de um ano. Estou surpreso que esses triarcas não façam o mesmo.

– Poucos tentaram. Talvez eles sejam os espertos, e nós os tolos. Volantis é conhecida por sua cota de tolices, mas nunca sofreu com um triarca menino. Sempre que um louco é eleito, seus colegas o restringem até que seu ano cumpra o curso. Pense nos mortos que ainda viveriam se o Louco Aerys tivesse dois reis companheiros para repartir o governo.

Em vez disso, ele teve meu pai, Tyrion pensou.

– Algumas das Cidades Livres pensam que somos todos selvagens no nosso lado do mar estreito – o cavaleiro prosseguiu. – Ou então acham que somos crianças, chorando pela mão forte de um pai.

– Ou de uma mãe? – *Cersei amará isso. Especialmente quando ele a presentear com minha cabeça.* – Você parece conhecer bem a cidade.

– Passei grande parte de um ano aqui. – O cavaleiro agitou a borra do fundo de sua caneca de cerveja. – Quando Stark me mandou para o exílio, parti para Lys com minha segunda esposa. Teria me adaptado melhor em Bravos, mas Lynesse queria algum lugar quente. Em vez de servir aos bravosis, lutei contra eles no Roine, mas, para cada moeda de prata que eu ganhava, minha esposa gastava dez. Quando voltei para Lys, ela tinha arranjado um amante, que me disse alegremente que eu seria escravizado por causa das dívidas, a menos que a deixasse e partisse da cidade. Foi assim que vim para Volantis... um degrau acima da escravidão, sem nenhuma posse que não minha espada e as roupas que cobriam meu corpo.

– E agora você quer ir para casa.

O cavaleiro tomou o último gole de cerveja.

– Pela manhã, encontrarei um navio para nós. A cama é minha. Você pode deitar em qualquer lugar do chão que suas correntes permitirem. Durma, se puder. Se não, conte seus crimes. Isso deve entretê-lo até de manhã.

Você tem crimes pelos quais responder, Jorah Mormont, o anão pensou, mas pareceu mais inteligente manter o pensamento para si.

Sor Jorah pendurou o cinturão da espada na viga da cama, arrancou as botas, puxou a cota de malha por sobre a cabeça e tirou a túnica de lã e couro manchada de suor, revelando um torso musculoso coberto de pelo escuro e marcado de cicatrizes. *Se pudesse esfolá-lo, poderia vender sua pele como casaco de pelos,* Tyrion pensou enquanto Mormont deitou no conforto ligeiramente malcheiroso da macia cama de penas.

Em pouco tempo o cavaleiro estava roncando, deixando seu prêmio sozinho com suas correntes. Com as duas janelas completamente abertas, a luz da lua minguante se esparramava pelo quarto de dormir. Barulhos vinham da praça abaixo; trechos de uma canção de bêbado, o miado de uma gata no cio, o ruído de metal contra metal. *Alguém está prestes a morrer,* pensou Tyrion.

Seu punho latejava onde a pele estava ferida, e os grilhões tornavam impossível para ele se sentar e muito menos se esticar. O melhor que podia fazer era se contorcer de lado para se apoiar contra a parede, e não muito depois começou a perder a sensação nas mãos. Quando as moveu para aliviar a tensão, a sensação voltou em forma de dor. Teve que trincar os dentes para não gritar. Perguntava-se quanto seu pai teria sofrido quando o dardo atravessara sua barriga, o que Shae sentira quando ele torcera a corrente ao redor de sua garganta mentirosa, o que Tysha sentira quando a estupraram. O sofrimento dele não era nada comparado aos deles, mas isso não fazia doer menos. *Apenas faça parar.*

Sor Jorah virou de lado, e tudo o que Tyrion podia ver dele eram as costas largas, peludas e musculosas. *Se eu pudesse escapar dessas correntes, teria que escalar sobre ele para alcançar o cinturão. Talvez se eu pudesse soltar a adaga...* Ou então podia pegar a chave, destrancar a porta, arrastar-se escada abaixo e através do salão comum... *e ir aonde? Não tenho amigos, não tenho dinheiro, nem sequer falo a língua local.*

A exaustão finalmente suplantou suas dores, e Tyrion mergulhou em um sono profundo. Mas cada vez que outra câimbra se enraizava em sua panturrilha e torcia o músculo, o anão gritava no sono, agitando as correntes. Acordou com cada músculo dolorido, e encontrou a manhã atravessando as janelas, brilhante e dourada como o leão dos Lannister. Lá embaixo, podia ouvir o grito dos peixeiros e o barulho das rodas de ferro nas ruas de paralelepípedo.

Jorah Mormont estava em pé acima dele.

– Se eu o soltar do aro, fará o que lhe for pedido?

– Envolverá dança? Posso ter dificuldade para dançar. Não sinto minhas pernas. Devem ter caído. De outro modo, sou sua criatura. Por minha honra como Lannister.

– Os Lannister não têm honra. – Sor Jorah soltou as correntes assim mesmo. Tyrion deu dois passos vacilantes e caiu. O sangue voltando para suas mãos trouxe lágrimas aos seus olhos. Mordeu o lábio e disse:

– Onde quer que estejamos indo, você terá que me rolar até lá.

Em vez disso, o grande cavaleiro o carregou, levantando-o pelas correntes entre seus pulsos.

O salão comum da Casa do Mercador era um labirinto sombrio de alcovas e grutas, construído ao redor de um pátio central onde uma treliça de trepadeiras floridas criava padrões intrincados por todo o chão de laje, e musgo verde e púrpura crescia entre as pedras. Escravas corriam pela luz e sombra, carregando galões de cerveja, vinho e uma bebida gelada e verde com cheiro de hortelã. Uma mesa a cada vinte estava ocupada àquela hora da manhã.

Uma delas estava ocupada por um anão. Barbeado e com as bochechas rosadas, de cabelo castanho arrepiado, testa carregada e nariz achatado, estava empoleirado em um banco alto com uma colher de madeira na mão, contemplando uma tigela de sopa de aveia arroxeada com os olhos vermelhos. *Pequeno bastardo feio,* Tyrion pensou.

O outro anão sentiu que estava sendo encarado. Quando levantou a cabeça e viu Tyrion, a colher escorregou de sua mão.

– Ele me viu – Tyrion avisou Mormont.

– E daí?

– Ele me *conhece*. Sabe quem sou.

– Eu deveria tê-lo colocado em um saco, para que ninguém o visse? – O cavaleiro tocou o cabo de sua espada longa. – Se ele pretende levá-lo, é bem-vindo para tentar.

Bem-vindo para morrer, quer dizer, pensou Tyrion. *Que ameaça ele poderia representar para um homem grande como você? É apenas um anão.*

Sor Jorah exigiu uma mesa em um canto tranquilo e pediu comida e bebida. Quebraram o jejum com pita macia e morna, ovas de peixe rosa, linguiças no mel e gafanhotos fritos, empurrados para baixo com uma cerveja preta agridoce. Tyrion comia como um homem à beira da morte de fome.

– Está com um apetite saudável esta manhã – o cavaleiro observou.

– Ouvi dizer que a comida no inferno é miserável – Tyrion olhou para a porta, onde um homem acabara de entrar. Alto e encurvado, tinha a barba pontuda tingida de um roxo manchado. *Algum mercador tyroshi.* Uma rajada de som veio com ele do lado de fora; os gritos das gaivotas, o riso de uma mulher, as vozes dos peixeiros. Por meio segundo, pensou ter vislumbrado Illyrio Mopatis, mas era apenas um daqueles elefantes anões brancos passando pela porta da frente.

Mormont espalhou um pouco de ovas de peixe em uma pita e deu uma mordida.

– Esperando alguém?

O anão encolheu os ombros.

– Nunca se sabe quem o vento pode trazer. Meu verdadeiro amor, o fantasma do meu pai, um pato. – Estourou um gafanhoto na boca e mastigou ruidosamente. – Nada mal. Para um inseto.

– Na noite passada a conversa aqui era toda sobre Westeros. Algum lorde exilado contratou a Companhia Dourada para reconquistar suas terras. Metade dos capitães de Volantis estão correndo rio acima até Volon Therys para oferecer seus navios a ele.

Tyrion acabara de engolir outro gafanhoto. Quase engasgou com ele. *Ele está zombando de mim? Quanto sabe sobre Griff e Aegon?*

– Merda – disse. – Eu pretendia contratar a Companhia Dourada para conquistar Rochedo Casterly. – *Seria algum truque de Griff, notícias falsas espalhadas deliberadamente? A menos que...* Teria o belo príncipe engolido a isca? Voltar-se para oeste em vez de leste, abandonar suas esperanças de casamento com a Rainha Daenerys? *Abandonar os dragões... Griff permitiria isso?* – Eu alegremente o contrataria também, sor. A cadeira de meu pai é minha por direito. Jure-me sua espada e, assim que eu conquistá-la, afogarei você em ouro.

– Vi um homem afogado certa vez. Não é uma visão bonita. Se você algum dia conseguir minha espada, será através de suas entranhas.

– Uma cura certa para a constipação – disse Tyrion. – Basta perguntar ao meu pai. – Alcançou sua caneca de cerveja e tomou um gole lento, para ajudar a esconder qualquer coisa que seu rosto estivesse mostrando. Devia ser um estratagema, planejado para acalmar as suspeitas dos volantinos. *Colocar os homens a bordo com esse falso pretexto e tomar os navios quando estiverem em alto-mar. É esse o plano de Griff?* Poderia funcionar. A Companhia Dourada tinha uma força de dez mil homens, experientes e disciplinados. *Entretanto, nenhum deles é marinheiro. Griff terá que manter uma espada em cada garganta, e devem entrar na Baía dos Escravos, e terão que lutar...*

A servente retornou.

– A viúva o verá em seguida, nobre sor. Trouxe um presente para ela?

– Sim. Obrigado. – Sor Jorah escorregou uma moeda na palma da mão da moça e a dispensou.

Tyrion franziu o cenho.

– Que viúva é essa?

– A viúva do cais. A leste de Roine, ainda a chamam de prostituta de Vogarro, mesmo que nunca diante dela.

O anão ainda não estava esclarecido.

– E Vogarro é...?

– Um elefante, sete vezes triarca, muito rico, um poder nas docas. Enquanto outros homens construíam navios e navegavam neles, ele construiu píeres, armazéns, intermediou cargas, fez câmbio de moedas e seguros para donos de navios contra os perigos do mar. Lidava com escravos também. E, quando ficou obcecado por uma escrava de cama treinada em Yunkai no caminho dos sete suspiros, foi um grande escândalo... e um escândalo maior ainda quando ele a libertou e a tomou por esposa. Depois que ele morreu, ela continuou os empreendimentos do marido. Nenhum liberto pode viver dentro da

Muralha Negra, então ela foi obrigada a vender a mansão de Vogarro. Passou a morar na Casa do Mercador. Isso foi há trinta e dois anos, e ela permanece aqui até hoje. É ela atrás de você, de costas para o pátio, dando audiência em sua mesa habitual. Não, não olhe. Há alguém com ela agora. Quando ele terminar, será nossa vez.

– E como essa velha megera o ajudará?

Sor Jorah se levantou.

– Espere e verá. Ele está partindo.

Tyrion pulou da cadeira com uma chocalhada de ferro. *Isso será esclarecedor.*

Havia algo astuto na maneira como a mulher se sentava no canto do pátio, algo reptiliano em seus olhos. Seu cabelo branco era tão fino que era possível ver o crânio rosado por baixo. Sob um olho, ela ainda tinha cicatrizes leves onde a faca removera suas lágrimas. Os restos de sua refeição matinal permaneciam na mesa; cabeças de sardinha, caroços de azeitona, pedaços de pita. Tyrion não pôde deixar de notar quão bem escolhida era sua "mesa habitual"; pedra sólida às suas costas, uma alcova de folhas em um lado, para entradas e saídas, uma visão perfeita da porta da frente da estalagem e, ainda assim, tão mergulhada nas sombras que ela mesma era quase invisível.

A visão dele fez a velha mulher sorrir.

– Um anão – ronronou, com uma voz tão sinistra quanto suave. Ela falava a Língua Comum com apenas um traço de sotaque. – Volantis foi invadida por anões ultimamente, parece. Esse aí faz truques?

Sim, Tyrion quis dizer. *Dê-me uma besta e lhe mostrarei meu favorito.*

– Não – respondeu Sor Jorah.

– Uma pena. Certa vez tive um macaco que fazia todo tipo de truques espertos. Seu anão me lembra ele. É um presente?

– Não. Eu lhe trouxe isto – Sor Jorah apresentou seu par de luvas e o colocou na mesa, ao lado dos outros presentes que a viúva havia recebido naquela manhã; uma taça de prata, um leque incrustado com folhas de jade translúcidas de tão finas e uma antiga adaga de bronze marcada com runas. Ao lado de tais tesouros, as luvas pareciam baratas e de mau gosto.

– Luvas para minhas pobres mãos enrugadas. Que gentil. – A viúva não fez nenhum movimento para tocá-las.

– Eu as comprei na Grande Ponte.

– Um homem pode comprar qualquer coisa na Grande Ponte. Luvas, escravos, macacos. – Os anos haviam dobrado sua coluna e colocado uma corcunda de anciã em suas costas, mas os olhos da viúva eram brilhantes e negros. – Agora diga para esta velha viúva como ela pode ser útil para você.

– Precisamos de passagem rápida para leste, para Meereen.

Uma palavra. O mundo de Tyrion Lannister virou de cabeça para baixo.

Uma palavra. *Meereen.* Ou ele teria ouvido mal?

Uma palavra. *Meereen, ele disse Meereen, está me levando para Meereen.* Meereen significava vida. Ou esperança de vida, pelo menos.

– Por que veio até mim? – disse a viúva. – Não tenho navios.

– Você tem muitos capitães em dívida.

Entregar-me para a rainha, ele disse. Sim, mas qual rainha? Ele não está me vendendo para Cersei. Está me dando para Daenerys Targaryen. É por isso que não cortou minha cabeça. Estamos indo para leste, e Griff e seu príncipe estão indo para oeste, malditos tolos.

Ah, aquilo era demais. *Trama dentro de trama, mas todas as estradas levam para dentro da goela do dragão.* Uma gargalhada explodiu de seus lábios e, de repente, Tyrion não podia parar de rir.

– Seu anão está tendo um ataque – a viúva observou.

– Meu anão ficará quieto, senão terei que amordaçá-lo.

Tyrion cobriu a boca com as mãos. *Meereen!*

A viúva do cais decidiu ignorá-lo.

– Podemos tomar algo? – ela perguntou. Poeira flutuava no ar enquanto a servente enchia duas taças de vidro verde para Sor Jorah e a viúva. A garganta de Tyrion estava seca, mas nenhuma taça foi servida para ele. A viúva tomou um gole, rodou o vinho pela boca e engoliu. – Todos os outros exilados estão navegando para oeste, ou assim esses velhos ouvidos escutaram. E todos os capitães em dívida comigo estão tombando uns sobre os outros para levá-los e sugar um pouco do ouro da Companhia Dourada. Nossos nobres triarcas prometeram uma dúzia de navios de guerra para a causa, para assegurar-se de que a frota chegará em segurança a Passopedra. Até o velho Doniphos deu seu consentimento. Que gloriosa aventura. E mesmo assim você quer ir para o outro lado, sor.

– Meus negócios estão no leste.

– E que negócios são esses, me pergunto? Não são escravos. A rainha de prata colocou um fim nisso. Ela também fechou as arenas de luta, então não pode ser pelo gosto do sangue. O que mais Meereen poderia oferecer a um cavaleiro westerosi? Tijolos? Oliveiras? *Dragões?* Ah, aí está. – O sorriso da velha mulher ficou selvagem. – Ouvi dizer que a rainha de prata os alimenta com a carne de crianças, enquanto ela mesma se banha no sangue de moças virgens e toma um amante diferente a cada noite.

A boca de Sor Jorah endureceu.

– Os yunkaítas estão despejando veneno em seus ouvidos. Minha senhora não deveria acreditar em tais sujeiras.

– Não sou senhora, mas até a prostituta de Vogarro conhece o gosto da falsidade. Uma coisa é verdade, porém... a rainha dragão tem inimigos... Yunkai, Nova Ghis, Tolos, Qarth... sim, e Volantis, muito em breve. Quer viajar para Meereen? Apenas espere um pouco, sor. Espadas logo serão necessárias, quando os navios de guerra virarem seus remos para leste, para derrubar a rainha dragão. Tigres amam mostrar suas garras, e até elefantes matarão se forem ameaçados. Malaquo tem fome pelo gosto de glória e Nyessos deve muito de sua riqueza ao comércio de escravos. Deixe Alios, Parquello ou Belicho ser eleito triarca, e as frotas navegarão.

Sor Jorah fez uma careta.

– Se Doniphos voltar...

– Vogarro voltará primeiro, e meu doce senhor tem estado morto nesses trinta anos.

Atrás deles, algum marinheiro reclamava em voz alta.

– Chamam isso de cerveja? *Que se fodam.* Um macaco mijaria cerveja melhor.

– E você beberia – outra voz respondeu.

Tyrion se virou para olhar, na esperança de estar ouvindo Pato e Haldon. Em vez disso, viu dois estranhos... e o anão, parado alguns metros para trás, encarando-o intensamente. De algum modo, parecia familiar.

A viúva tomou delicadamente um gole de seu vinho.

– Alguns dos primeiros elefantes eram mulheres – disse –, as que derrubaram os tigres e acabaram com as antigas guerras. Trianna foi reeleita quatro vezes. Isso foi há trezentos anos, infelizmente. Volantis não teve uma triarca mulher desde aquela época, embora algumas mulheres fossem votadas. Mulheres de bom nascimento, que vivem nos antigos palácios atrás da Muralha Negra, não criaturas como eu. O Sangue Antigo permitirá que os cães e as crianças votem antes dos libertos. Não, será Belicho, ou talvez Alios, mas de qualquer maneira haverá guerra. Ou assim eles pensam.

– E o que você acha? – Sor Jorah perguntou.

Bom, pensou Tyrion. *A pergunta certa.*

– Ah, também acho que teremos guerra, mas não a guerra que eles querem. – A velha mulher se inclinou para a frente, seus olhos negros brilhando. – Acho que aquele R'hllor vermelho tem mais seguidores nesta cidade do que todos os outros deuses juntos. Já ouviu o discurso de Benerro?

– Noite passada.

– Benerro pode ver o amanhã em suas chamas – a viúva disse. – Triarca Malaquo tentou contratar a Companhia Dourada, sabia? Pretendia despejar o templo vermelho e passar Benerro pela espada. Não ousou usar os capas de tigre. Metade deles é adoradora do Senhor da Luz também. Ah, estes são dias terríveis na Antiga Volantis, até mesmo para velhas viúvas enrugadas. Mas nem metade tão terrível quanto em Meereen, acho. Então me diga, sor... por que procura a rainha prateada?

– Isso é problema meu. Posso pagar por nossa passagem, e pagar bem. Tenho prata.

Tolo, pensou Tyrion. *Não é dinheiro que ela quer, é respeito. Você não ouviu uma palavra do que ela disse?* Olhou por cima do ombro novamente. O anão havia se aproximado da mesa deles. E parecia ter uma faca na mão. Os pelos de sua nuca começaram a se arrepiar.

– Fique com sua prata. Tenho ouro. E me poupe dos seus olhares sombrios, sor. Sou velha demais para ter medo de carrancas. Você é um homem duro, vejo, e não tenho dúvidas de que seja habilidoso com essa espada longa ao seu lado, mas este é meu reino. Basta eu dobrar um dedo e você se encontrará viajando para Meereen acorrentado ao remo no porão de uma galé. – Ela levantou o leque de jade e o abriu. Houve um farfalhar de folhas, e um homem deslizou do arco coberto à esquerda dela. O rosto dele era uma massa de cicatrizes, e uma mão segurava uma espada tão pequena e pesada quanto um cutelo.

– *Procure pela viúva do cais*, alguém lhe disse, mas também deveriam ter lhe avisado, *cuidado com os filhos da viúva*. Mas esta é uma manhã agradável, e eu perguntarei novamente. Por que procura Daenerys Targaryen, aquela que metade do mundo quer morta?

O rosto de Jorah Mormont estava sombrio de raiva, mas respondeu.

– Para servi-la. Defendê-la. Morrer por ela, se preciso.

Aquilo fez a viúva rir.

– Você quer resgatá-la, esse é o propósito de tudo isso? De mais inimigos do que posso nomear, com espadas além da conta... É nisso que você quer que essa pobre viúva acredite? Que você é um verdadeiro e nobre cavaleiro westerosi cruzando metade do mundo para ajudar essa... bem, ela não é uma donzela, embora ainda possa ser bonita. – Ela riu novamente. – Você acha que seu anão a agradará? Acha que ela se banhará no sangue dele ou se contentará em arrancar sua cabeça?

Sor Jorah hesitou.

– O anão é...

– Eu sei quem o anão é, e o que ele é. – Seus olhos negros se viraram para Tyrion, duros como pedra. – Assassino de parentes, regicida, assassino, vira-casacas. *Lannister*. – Falou a última palavra como se fosse uma maldição. – O que planeja oferecer para a rainha dragão, homenzinho?

Meu ódio, Tyrion quis dizer. Em vez disso, abriu as mãos tanto quanto os grilhões permitiram.

– O que quer que ela queira de mim. Conselhos sábios, sagacidade selvagem, um pouco de cambalhotas. Meu pau, se ela quiser. Minha língua, se não. Liderarei seus exércitos ou esfregarei seus pés, se ela desejar. E a única recompensa que peço é ter a permissão de estuprar e matar minha irmã.

Aquilo trouxe o sorriso de volta ao rosto da velha mulher.

– Este um ao menos é honesto – anunciou –, mas você, sor... Conheci uma dúzia de cavaleiros westerosis e mil aventureiros da mesma laia, mas nenhum tão puro quanto você pinta a si mesmo. Homens são animais, egoístas e brutais. Mesmo gentis com as palavras, eles têm sempre motivos obscuros por baixo. Não acredito em você, sor. – Ela abanou o leque na direção deles, como se não fossem mais do que moscas zumbindo ao redor de sua cabeça. – Se quer ir para Meereen, nade. Não tenho ajuda para lhe dar.

E então os sete infernos eclodiram de uma vez.

Sor Jorah começou a se levantar, a viúva fechou o leque, o homem marcado de cicatrizes deslizou para fora das sombras... e atrás deles uma garota gritou. Tyrion se virou justamente a tempo de ver o anão correndo na direção dele. *É uma garota*, percebeu de súbito, *uma garota vestida em roupas de homem. E pretende me estripar com aquela faca.*

Por meio segundo, Sor Jorah, a viúva e o homem marcado ficaram parados como pedra. Desocupados observavam das mesas próximas, tomando cerveja e vinho, mas ninguém se mexeu para interferir. Tyrion tentou mover as duas mãos de uma vez, mas suas correntes permitiram apenas que alcançasse o jarro sobre a mesa. Fechou o punho em torno dele, virou-se e jogou o conteúdo no rosto da anã que o atacava, enquanto se atirava de lado para evitar a faca dela. O jarro quebrou-se debaixo dele, enquanto o chão subia para esmagar sua cabeça. E então a garota estava sobre ele novamente. Tyrion rolou para o lado enquanto ela enfiou a faca nas tábuas do chão, puxou a arma de volta, levantou-se novamente...

... e repentinamente ela foi levantada acima do chão, pernas chutando descontroladamente, enquanto se debatia para escapar de Sor Jorah.

– Não – gemeu, na Língua Comum de Westeros. – Deixe-me! – Tyrion ouviu a túnica da anã se rasgar enquanto ela lutava para se libertar.

Mormont a segurava pelo pescoço com uma mão. Com a outra, arrancou a adaga de sua mão.

– Basta.

E então o proprietário apareceu, com um porrete na mão. Quando viu o jarro quebrado, proferiu uma maldição mal-humorada e exigiu saber o que acontecera.

– Briga de anões – respondeu o tyroshi com a barba roxa, rindo.

Tyrion olhou para cima, para a garota que se contorcia no ar.

– Por quê? – perguntou. – O que eu fiz para você?

– Eles o mataram. – Toda aquela luta fora demais para ela. Soltou-se mole, pendurada na mão de Mormont, enquanto seus olhos se enchiam de lágrimas. – Meu irmão. Eles o pegaram e mataram.

– Quem o matou? – perguntou Mormont.

– Marinheiros. Marinheiros dos Sete Reinos. Eram cinco deles, bêbados. Eles nos viram disputando justas na praça e nos seguiram. Quando perceberam que eu era uma garota me deixaram ir, mas levaram meu irmão e o mataram. *Cortaram a cabeça dele.*

Tyrion sentiu um choque súbito de reconhecimento. *Eles nos viram disputando justas na praça.* Ele sabia quem era a garota.

– Você cavalgava o porco? – perguntou para ela. – Ou o cachorro?

– O cachorro – ela soluçou. – Oppo sempre cavalgava o porco.

Os anões do casamento de Joffrey. Fora o espetáculo deles que começara toda a confusão daquela noite. *Que estranho, encontrá-la novamente a meio mundo de distância.* Embora talvez não fosse tão estranho assim. *Se tivessem metade da esperteza do porco, teriam fugido de Porto Real na noite em que Joff morreu, antes que Cersei pudesse lhes atribuir alguma culpa na morte do filho.*

– Deixe-a descer, sor – pediu para Sor Jorah Mormont. – Ela não nos causará nenhum dano.

Sor Jorah colocou a anã no chão.

– Sinto muito por seu irmão... mas não tivemos participação na morte dele.

– Ele teve. – A garota se ajoelhou, segurando a túnica rasgada e manchada de sangue sobre os seios claros. – Era ele quem eles queriam. Pensaram que Oppo era *ele*. – A garota estava chorando agora, implorando ajuda de qualquer um que pudesse ouvir. – Ele deve morrer, do jeito que meu pobre irmão morreu. Por favor. Alguém me ajude. Alguém o mate. – O proprietário a agarrou rudemente por um braço e a colocou novamente em pé, gritando em volantino, exigindo saber quem pagaria por seus prejuízos.

A viúva do cais deu um olhar gelado para Mormont.

– Cavaleiros defendem os fracos e protegem os inocentes, dizem. E eu sou a donzela mais bonita em toda Volantis. – Sua risada estava cheia de desprezo. – Como a chamam, filha?

– Merreca.

A velha mulher chamou o proprietário na língua da Antiga Volantis. Tyrion sabia o suficiente para entender que estava dizendo para ele levar a anã até seus aposentos, servir-lhe vinho e encontrar algumas roupas para ela vestir.

Quando foram embora, a viúva estudou Tyrion; seus olhos negros brilhavam.

– Monstros deveriam ser maiores, me parece. Você vale títulos e propriedades em Westeros, homenzinho. Aqui, temo, seu valor é um pouco menor. Mas acho que faço melhor em ajudar você, apesar de tudo. Parece que Volantis não é um lugar seguro para anões.

– Você é muito gentil. – Tyrion lhe deu seu sorriso mais doce. – Talvez possa ser mais gentil ainda e remover esses charmosos braceletes também? Este monstro tem apenas metade do nariz, e ele coça de modo abominável. As correntes são curtas demais para que eu possa coçá-lo. Posso presenteá-la com elas, alegremente.

– Que gentil. Mas já usei ferro no meu tempo e agora prefiro ouro e prata. É triste dizer, mas esta é Volantis, onde grilhões e correntes são mais baratos do que pão amanhecido e é proibido ajudar um escravo a escapar.

– Não sou escravo.

– Todo homem capturado por traficantes de escravos canta a mesma triste canção. Não ouso ajudá-lo... aqui. – Inclinou-se para a frente novamente. – Dois dias a partir de agora, o navio de pesca *Selaesori Qhoran* vai navegar para Qarth, passando por Nova Ghis, carregado de estanho e ferro, fardos de lã e rendas, cinquenta tapetes de Myr, um cadáver conservado em salmoura, vinte jarros de pimenta-dragão e um sacerdote vermelho. Estejam a bordo quando zarpar.

– Estaremos – disse Tyrion. E obrigado.

Sor Jorah franziu a testa.

– Qarth não é nosso destino.

– O navio nunca chegará a Qarth. Benerro viu nas chamas. – A anciã sorriu de maneira astuta.

– Como queira. – Tyrion sorriu. – Se eu fosse volantino, livre e tivesse o sangue, você teria meu voto para triarca, minha senhora.

– Não sou senhora – a viúva replicou –, apenas a prostituta de Vogarro. Vão querer ter partido antes que os tigres venham. Se alcançarem sua rainha, transmitam a ela uma mensagem dos escravos da Antiga Volantis. – Ela tocou a cicatriz desbotada no rosto enrugado, onde as lágrimas haviam sido removidas. – Diga que estamos esperando. Diga para ela vir logo.

Jon

Quando escutou a ordem, a boca de Sor Alliser torceu-se em algo que lembrava um sorriso, mas os olhos permaneceram frios e duros como sílex.

– Então o garoto bastardo vai me mandar para a morte.

Morte, gritou o corvo de Mormont. *Morte, morte, morte.*

Você não está ajudando. Jon espantou a ave.

– O garoto bastardo está mandando você para fora de alcance. Para encontrar nossos inimigos e matá-los, se necessário. Você é hábil com uma lâmina. Foi mestre de armas aqui e em Atalaialeste.

Thorne tocou o cabo de sua espada longa.

– Sim. Desperdicei um terço da minha vida tentando ensinar os rudimentos da esgrima para xucros, estúpidos e patifes. Pouco benefício aquelas florestas podem me trazer.

– Dywen irá com você, e outro patrulheiro experiente.

– Ensinaremos o que você precisa aprender, sor – Dywen disse para Thorne, gargalhando. – Ensinar você a limpar sua bunda bem-nascida com folhas, como um legítimo patrulheiro.

Kedge Olho-Branco riu daquilo, e Jack Negro Bulwer cuspiu. Sor Alliser apenas falou:

– Você gostaria que eu me recusasse. Então poderia cortar minha cabeça, do mesmo jeito que fez com Slynt. Não lhe darei esse prazer, bastardo. No entanto, você deveria rezar para que uma lâmina selvagem me mate. Aqueles que os Outros matam não permanecem mortos... e eles se lembram. Eu voltarei, Lorde Snow.

– Rezarei para que volte. – Jon nunca considerara Sor Alliser Thorne um de seus amigos, mas ainda era seu irmão. *Ninguém nunca disse que você tem que gostar de seus irmãos.*

Não era uma coisa fácil enviar os homens para campo, sabendo que as chances de nunca mais voltarem eram grandes. *São homens experientes,* Jon disse para si mesmo... mas seu tio Benjen e seus patrulheiros também eram homens experientes, e a floresta assombrada os engolira sem deixar vestígio. Quando dois deles finalmente vagaram de volta para a Muralha, haviam sido transformados em criaturas. Não pela primeira vez, nem pela última, Jon Snow se pegou imaginando o que teria acontecido com Benjen Stark. *Talvez os patrulheiros encontrem algum sinal dele,* disse para si mesmo, sem realmente acreditar.

Dywen lideraria uma patrulha, Jack Negro Bulwer e Kedge Olho-Branco as outras duas. Pelo menos, estavam ansiosos pelo dever.

– É bom ter um cavalo embaixo de mim novamente – disse Dywen no portão, sugando seus dentes de madeira. – Com seu perdão, senhor, mas estávamos com farpas na bunda de tanto ficar sentados. – Nenhum homem no Castelo Negro conhecia a floresta como ele, as árvores e os riachos, as plantas que podiam ser comidas, as trilhas dos predadores e das presas. *Thorne está em mãos melhores do que merece.*

Jon assistiu à partida dos patrulheiros do alto da Muralha; três pequenos destacamentos, cada um com três homens, cada um levando um par de corvos. Do alto de seus garranos, não pareciam maiores que formigas, e Jon não conseguia distinguir um patrulheiro do outro. Mas ele os conhecia. Cada nome estava gravado em seu coração. *Oito homens de bem*, pensou, *e um... bem, veremos.*

Quando o último patrulheiro desapareceu entre as árvores, Jon Snow entrou na gaiola de ferro com Edd Doloroso. Alguns flocos de neve esparsos caíam enquanto faziam sua lenta descida, dançando com o vento tempestuoso. Um deles seguiu a gaiola para baixo, mergulhando por entre as grades. Caía mais rápido do que eles desciam e, de tempos em tempos, desaparecia. Então uma rajada de vento o capturava e o empurrava para cima novamente. Jon poderia tê-lo alcançado pelas barras e o pegado, se quisesse.

– Tive um sonho assustador noite passada, senhor – Edd Doloroso confessou. – Você era meu intendente, buscando minha comida e limpando minhas sobras. Eu era o senhor comandante, sem nunca ter um momento de paz.

Jon não sorriu.

– Seu pesadelo, minha vida.

As galeras de Cotter Pyke relatavam um número cada vez maior de povo livre ao longo das costas arborizadas a nordeste da Muralha. Acampamentos haviam sido vistos, canoas meio construídas, e até mesmo um casco de um barco pesqueiro quebrado que alguém começara a consertar. Os selvagens sempre sumiam na floresta quando eram vistos, sem dúvida para reaparecer assim que os navios de Pyke passassem. Enquanto isso, Sor Denys Mallister ainda via fogueiras na noite ao norte da Garganta. Os dois comandantes pediam mais homens.

E onde vou conseguir mais homens? Jon enviara dez dos selvagens de Vila Toupeira para cada um deles; garotos inexperientes, velhos, alguns feridos e enfermos, mas todos capazes de realizar tarefas de um tipo ou de outro. Longe de ficarem gratos, tanto Pyke quanto Mallister escreveram para reclamar.

– Quando pedi homens, tinha em mente homens da Patrulha da Noite, treinados e disciplinados, cuja lealdade jamais teria motivo de duvidar – escrevera Sor Denys. Cotter Pyke fora mais direto: – Posso enforcá-los na Muralha como um aviso para que os outros selvagens fiquem afastados, mas não vejo outro uso para eles. – Meistre Harmune escrevera para ele: – Não confiaria neles para limpar meu penico, e *dez não são suficientes.*

A gaiola de ferro moveu-se para baixo, até o final de sua longa corrente, rangendo e batendo, até finalmente parar com um solavanco a trinta centímetros do chão na base da Muralha. Edd Doloroso abriu a porta e saltou para fora, suas botas quebrando a crosta de neve. Jon o seguiu.

Do lado de fora do arsenal, Emmett de Ferro ainda instava suas ordens no pátio. O som de aço contra aço despertou uma fome em Jon. Aquilo o fez se recordar de dias mais quentes e mais simples, quando era apenas um garoto em Winterfell, experimentando as lâminas com Robb, sob o olhar atento de Sor Rodrik Cassel. Sor Rodrik caíra também, assassinado por Theon Vira-Casaca e seus homens de ferro quando tentara retomar Winterfell. A grande fortaleza da Casa Stark era uma desolação queimada. *Todas as minhas memórias estão envenenadas.*

Quando Emmett de Ferro o viu, levantou a mão e o combate cessou.

– Senhor Comandante. Como posso servi-lo?

– Com seus três melhores.

Emmett sorriu.

– Arron. Emrick. Jace.

Cavalo e Salto de Pisco buscaram acolchoamento para o Senhor Comandante, juntamente com cota de malha para colocar por cima, grevas, armadura de pescoço e meio-elmo. Um escudo negro com acabamento de ferro para seu braço esquerdo, uma espada longa cega para sua mão direita. A espada brilhava cinza-prateado na luz do amanhecer, quase nova. *Uma das últimas vindas da forja de Donal. Uma pena que ele não tenha vivido o suficiente para colocar gume nela.* A lâmina era mais curta do que Garralonga, mas feita de aço comum, o que a tornava mais pesada. Seus golpes seriam um pouco mais lentos.

– Isso servirá. – Jon virou o rosto para seus inimigos. – Venham.

– Qual quer primeiro? – perguntou Arron.

– Os três. De uma única vez.

– Três de uma vez? – Jace estava incrédulo. – Isso não será leal. – Ele era um dos integrantes do último grupo de Conwy, filho de um sapateiro da Ilha Leal. Talvez isso explicasse.

– Verdade. Venha aqui.

Quando ele foi, a lâmina de Jon acertou o lado de sua cabeça, derrubando-o no chão. Em um piscar de olhos, o garoto tinha uma bota no peito e uma ponta de espada na garganta.

– A guerra nunca é leal – Jon lhe disse. – São dois contra um agora, e você está morto.

Quando ouviu o barulho de cascalho, soube que os gêmeos estavam vindo. *Esses dois ainda serão patrulheiros.* Ele girou, bloqueando o ataque de Arron com a ponta de seu escudo e encontrando a lâmina de Emrick com sua espada.

– Essas não são lanças – gritou. – Cheguem mais perto. – Foi para o ataque para mostrar a eles como deveria ser. Emrick primeiro. Golpeou sua cabeça e seus ombros, direita e esquerda, e direita novamente. O garoto levantou o escudo e tentou um contra-ataque desajeitado. Jon bateu seu próprio escudo no de Emrick e o derrubou com uma pancada na parte inferior da perna... não por muito tempo, porque Arron estava sobre ele, com um golpe esmagador na parte de trás de sua coxa que o fez cair de joelhos. *Isso vai deixar um hematoma.* Segurou o golpe seguinte com o escudo, então saltou para trás e ficou em pé, conduzindo Arron pelo pátio. *Ele é rápido,* pensou, enquanto as espadas longas se beijavam uma, duas, três vezes, *mas precisa ficar mais forte.* Quando viu alívio nos olhos de Arron, soube que Emrick estava atrás dele. Virou-se e o acertou com um golpe atrás dos ombros que o mandou de encontro ao irmão. Nesse momento, Jace se levantou, então Jon o derrubou novamente. – Odeio quando homens mortos se levantam. Você sentirá o mesmo no dia em que encontrar uma criatura. – Andando para trás, abaixou sua espada.

– O grande corvo pode bicar os corvinhos – resmungou uma voz atrás dele –, mas tem estômago suficiente para lutar com um homem?

Camisa de Chocalho estava encostado em uma parede. Uma grosseira barba por fazer cobria seu rosto sulcado, e fino cabelo castanho agitava-se sobre seus pequenos olhos amarelos.

– Você se lisonjeia – disse Jon.

– Sim, mas vou achatar você.

– Stannis queimou o homem errado.

– Não. – O selvagem sorriu para ele com a boca cheia de dentes marrons e quebrados. – Ele queimou o homem que tinha que queimar, para todo mundo ver. Fazemos o que temos que fazer, Snow. Até mesmo reis.

– Emmett, ache uma armadura para ele. Quero-o em aço, não em ossos velhos.

Uma vez vestido em cota de malha e placas, o Senhor dos Ossos parecia ter ficado um pouco mais ereto. Parecia mais alto também, seus ombros mais grossos e mais poderosos do que Jon teria imaginado. *É a armadura, não o homem,* disse para si mesmo. *Até mesmo Sam poderia parecer quase formidável, vestido da cabeça aos pés no aço de Donal Noye.* O selvagem afastou o escudo que Cavalo ofereceu para ele. Em vez disso, pediu uma espada de duas mãos.

– Ela tem um som doce – disse, golpeando o ar. – Bata as asas mais perto, Snow. Pretendo fazer suas penas voarem.

Jon o atacou com força.

Camisa de Chocalho deu um passo para trás e voltou à carga com um golpe com as duas mãos. Se Jon não tivesse interposto seu escudo, sua placa de peito seria destruída e metade de suas costelas, quebradas. A força do golpe o atordoou por um momento, e enviou um solavanco sólido por seu braço. *Ele bate mais forte do que eu imaginava.* Sua rapidez era outra surpresa desagradável. Eles circularam ao redor um do outro, trocando golpe por golpe. O Senhor dos Ossos dava tanto quanto recebia. Pela lógica, a grande espada de duas mãos teria sido algo mais incômodo do que a espada longa de Jon, mas o selvagem a empunhava com velocidade estonteante.

Os alunos de Emmett de Ferro aplaudiram o senhor comandante no início, mas o ataque implacável de Camisa de Chocalho logo os levou ao silêncio. *Ele não pode manter isso por muito tempo,* Jon disse para si mesmo enquanto aparava outro golpe. O impacto o fez gemer. Mesmo cega, a grande espada rachou o escudo de pinho e entortou o aro de ferro. *Ele se cansará logo. Tem que se cansar.* Jon golpeou na direção do rosto do selvagem, e Camisa de Chocalho afastou a cabeça para trás. Golpeou na direção da panturrilha de Camisa de Chocalho, apenas para que ele saltasse habilmente sobre a lâmina. A grande espada atingiu o ombro de Jon, com força suficiente para fazer sua espaldeira tinir e entorpecer o braço embaixo. Jon se afastou. O Senhor dos Ossos foi atrás, rindo. *Ele não tem escudo,* Jon lembrou a si mesmo, *e aquela espada monstruosa é muito desajeitada para defesas. Eu deveria estar dando dois golpes para cada um dele.*

Mas, de alguma maneira, não estava, e os golpes que dava não causavam efeito. O selvagem parecia estar sempre escapando ou escorregando para os lados, então a espada longa de Jon resvalava fora de um ombro ou de um braço. Em pouco tempo, ele se pegou dando mais área, tentando evitar os ataques do outro e falhando na metade das vezes. Seu escudo estava reduzido a gravetos. Jogou-o fora. O suor escorria pelo seu rosto e ardia seus olhos embaixo do elmo. *Ele é muito forte e muito rápido,* percebeu, *e com aquela espada grande tem peso e alcance.* Teria sido uma luta diferente se estivesse armado com Garralonga, mas...

Sua chance veio quando Camisa de Chocalho balançou a espada para trás. Jon atirou-se em sua direção, atracando-se ao outro homem, e eles caíram juntos, pernas entrelaçadas. Aço bateu contra aço. Os dois homens perderam suas espadas enquanto rolavam no chão. O selvagem levou um joelho entre as pernas do inimigo. Jon atacou com o punho cerrado. De alguma maneira, Camisa de Chocalho terminou por cima, com a cabeça de Jon entre as mãos. Ele a esmagou contra o chão, e abriu seu visor com violência.

– Se eu tivesse uma adaga, você estaria sem um olho agora – rosnou, antes que Cavalo e Emmett de Ferro o arrancassem de cima do peito do Senhor Comandante. – Me soltem, seus malditos corvos – rugiu.

Jon se esforçou para ficar sobre um joelho. Sua cabeça latejava e sua boca estava cheia de sangue. Cuspiu e disse:

– Boa luta.

– Você se lisonjeia, corvo. Eu nem suei.

– Na próxima vez, suará – disse Jon. Edd Doloroso o ajudou a ficar em pé e a tirar o elmo. Este havia adquirido várias marcas profundas que não estavam lá quando Jon o vestira. – Soltem-no. – Jon jogou o elmo para Salto de Pisco, que o deixou cair.

– Senhor – disse Emmett de Ferro –, ele ameaçou sua vida, todos ouvimos. Ele disse que se tivesse uma adaga...

– Ele tem uma adaga. Bem ali, no cinturão. – *Há sempre alguém mais rápido e mais forte,* Sor Rodrik dissera certa vez a Jon e Robb. *Esse é o homem que vocês querem enfrentar no pátio, antes que precisem encará-lo em um campo de batalha.*

– Lorde Snow? – disse uma voz suave.

Ele se virou para encontrar Clydas parado ao lado da arcada quebrada, com um pergaminho nas mãos.

– De Stannis? – Jon estivera esperando notícias do rei. A Patrulha da Noite não tomava partido, ele sabia, e ele não deveria se importar com qual rei triunfaria. Mas de alguma maneira, ele se importava. – É do Forte do Pavor?

– Não, senhor. – Clydas estendeu o pergaminho adiante. Estava firmemente enrolado e selado, com um botão de cera rosa dura. *Apenas o Forte do Pavor usa selo de cera rosa.* Jon tirou a manopla, pegou a carta e rompeu o selo. Quando viu a assinatura, esqueceu a surra que Camisa de Chocalho lhe dera.

Ramsay Bolton, Lorde de Hornwood, lia-se, em uma caligrafia imensa e pontiaguda. A tinta marrom se desfez em pedaços quando Jon passou o polegar sobre ela. Embaixo da assinatura de Bolton, Lorde Dustin, a Senhora Cerwyn e quatro Ryswell haviam adicionado suas próprias assinaturas. Uma mão grosseira desenhara o gigante da Casa Umber.

– Podemos saber o que diz, senhor? – perguntou Emmett de Ferro.

Jon não viu motivo para não contar.

– Fosso Cailin caiu. Os cadáveres esfolados dos homens de ferro foram pregados em postes ao longo da estrada do rei. Roose Bolton convoca todos os senhores leais para Vila Acidentada, para confirmar a lealdade ao Trono de Ferro e celebrar o casamento de seu filho com... – seu coração pareceu parar por um momento. *Não, isso não é possível. Ela morreu em Porto Real, com o pai.*

– Lorde Snow? – Clydas o observava de perto, com seus opacos olhos rosados. – Está... indisposto? Parece...

– Ele vai se casar com Arya Stark. Minha irmãzinha. – Jon quase podia vê-la naquele momento, rosto comprido, desajeitada, toda joelhadas e cotoveladas, com a cara suja e o cabelo emaranhado. Eles lavariam um e escovariam o outro, não duvidava, mas não podia imaginar Arya em um vestido de noiva, nem na cama de Ramsay Bolton. *Não importa o quão assustada esteja, ela não demonstrará. E se ele tentar colocar uma mão nela, ela lutará.*

– Sua irmã – disse Emmett de Ferro –, que idade ela...

Agora deve estar com onze, Jon pensou. *Ainda uma criança.*

– Não tenho irmã. Apenas irmãos. Apenas vocês. – A Senhora Catelyn se regozijaria em ouvir aquelas palavras, ele sabia. Aquilo não as tornava mais fáceis de serem ditas. Seus dedos se fecharam ao redor do pergaminho. *Gostaria de poder esmagar a garganta de Ramsay Bolton com a mesma facilidade.*

Clydas limpou a garganta.

– Haverá resposta?

Jon abanou a cabeça e saiu andando.

Ao cair da noite, as contusões que Camisa de Chocalho lhe dera estavam roxas.

– Ficarão amarelas antes de sumir – ele disse para o corvo de Mormont. – Parecerei tão doentio quanto o Senhor dos Ossos.

Ossos, a ave concordou. *Ossos, ossos.*

Ele podia ouvir um leve murmúrio de vozes vindo do lado de fora, embora o som fosse fraco demais para formar palavras. *Eles soam com se estivessem a centenas de quilômetros de distância.* Era a Senhora Melisandre e seus seguidores, nas fogueiras noturnas. Toda noite, a mulher vermelha comandava seus seguidores em suas orações do crepúsculo, pedindo ao deus vermelho que os guiasse pela escuridão. *Pois a noite é escura e cheia de terrores.* Com a partida de Stannis e da maioria dos homens da rainha, seu rebanho estava bem reduzido; meia centena do povo livre de Vila Toupeira, um punhado de guardas que o rei deixara para ela, talvez uma dúzia de irmãos negros que haviam tomado o deus vermelho para si.

Jon se sentia tão endurecido quanto um homem de sessenta anos. *Sonhos escuros*, pensou, *e culpa*. Seus pensamentos retornavam para Arya. *Não há maneira de ajudá-la. Coloquei todos os meus parentes de lado quando fiz meus votos. Se um de meus homens me dissesse que sua irmã estava em perigo, eu responderia que isso não lhe diz respeito.* Uma vez que um homem fazia seus votos, seu sangue era negro. *Negro como o coração de um bastardo.* Certa vez ele pedira a Mikken para fazer uma espada para Arya, uma lâmina de espadachim, feita num tamanho menor para caber na mão dela. *Agulha.* Ele se perguntava se ela ainda a possuía. *Espete neles a ponta aguçada,* dissera a ela, mas se ela tentasse espetar o Bastardo, isso poderia custar sua vida.

Snow, murmurou o corvo de Lorde Mormont. *Snow, snow.*

De repente, não podia sofrer por nem mais um momento.

Encontrou Fantasma do lado de fora da porta, roendo um osso de boi para alcançar o tutano.

– Quando você voltou? – O lobo gigante ficou em pé, abandonando o osso para seguir Jon.

Mully e Barricas permaneciam do lado de dentro das portas do arsenal, inclinados em suas lanças.

– Um frio cruel lá fora, senhor – avisou Mully, através de sua emaranhada barba laranja. – Vai demorar muito?

– Não. Só preciso de um pouco de ar. – Jon saiu para a noite. O céu estava cheio de estrelas, e o vento vinha em rajadas ao longo da Muralha. Até mesmo a lua parecia fria; a pele do seu rosto estava toda arrepiada. Então a primeira rajada de vento o atingiu, passando por camadas de lã e couro para deixá-lo batendo os dentes. Ele atravessou o pátio, no sentido contrário daquele vento forte. Sua capa agitava-se ruidosamente em seus ombros. Fantasma veio atrás. *Onde estou indo? O que estou fazendo?* Castelo Negro estava quieto e silencioso, seus salões e torres, escuras. *Meu assento,* Jon Snow refletiu. *Meu salão, minha casa, meu comando. Uma ruína.*

À sombra da Muralha, o lobo gigante roçou o corpo contra seus dedos. Por meio segundo, a noite ganhou vida com um milhão de odores, e Jon Snow ouviu o craquelar de uma crosta se quebrando em um trecho de neve antiga. Alguém estava atrás dele, percebeu repentinamente. Alguém que tinha um cheiro quente como um dia de verão.

Quando se virou, viu Ygritte.

Ela estava ao lado das pedras queimadas da Torre do Senhor Comandante, oculta na escuridão e na memória. A luz da lua estava em seus cabelos, seus cabelos vermelhos beijados pelo fogo. Quando viu aquilo, o coração de Jon foi parar em sua boca.

– Ygritte – disse.

– Lorde Snow. – A voz era de Melisandre.

A surpresa o fez afastar-se dela.

– Senhora Melisandre. – Deu um passo para trás. – Confundi você com outra pessoa. – *À noite, todas as vestes são cinza.* E subitamente a dela era vermelha. Ele não entendia como podia tê-la tomado por Ygritte. Era mais alta, mais magra, mais velha, embora o luar tirasse anos de seu rosto. Bruma saía das narinas dela e de suas pálidas mãos nuas na noite. – Você congelará com os dedos de fora – Jon avisou.

– Se esse for o desejo de R'hllor. Os poderes da noite não podem tocar aqueles cujo coração está banhado no fogo sagrado do deus.

– Seu coração não me diz respeito. Apenas suas mãos.

– O coração é tudo o que importa. Não se desespere, Lorde Snow. O desespero é a arma do inimigo, aquele cujo nome não pode ser dito. Sua irmã não está perdida para você.

– Não tenho irmã. – As palavras eram como facas. *O que você sabe sobre meu coração, sacerdotisa? O que sabe sobre minha irmã?*

Melisandre pareceu divertir-se.

– Qual o nome dela, dessa irmãzinha que você não tem?

– Arya. – A voz dele estava rouca. – Minha meio-irmã, na verdade...

– ... pois você é um bastardo. Não me esqueci disso. Eu vi sua irmã em minhas chamas, fugindo desse casamento que arranjaram para ela. Vindo para cá, para você. Uma garota de cinza, em um cavalo moribundo, vi isso tão claro quanto o dia. Não aconteceu ainda, mas acontecerá. – Ela olhou para Fantasma. – Posso tocar seu... lobo?

A ideia deixou Jon inquieto.

– Melhor não.

– Ele não me fará mal. Você o chama de Fantasma, certo?

– Sim, mas...

– Fantasma. – Melisandre transformou a palavra em música.

O lobo gigante caminhou na direção dela. Cauteloso, espreitava-a, andando ao redor dela, farejando. Quando ela esticou a mão para que a cheirasse também, ele esfregou o focinho contra seus dedos.

Jon soltou um suspiro branco.

– Ele nem sempre é tão...

– ... caloroso? Calor chama calor, Jon Snow. – Os olhos dela eram duas estrelas vermelhas, brilhando na escuridão. Em sua garganta, o rubi resplandecia, um terceiro olho ainda mais brilhante do que os outros. Jon viu os olhos do Fantasma ardendo, vermelhos do mesmo jeito, quando a luz caiu sobre eles.

– Fantasma – chamou. – Aqui.

O lobo gigante o olhou como se ele fosse um estranho.

Jon franziu a testa, em descrença.

– Isso é... estranho.

– Você acha? – Ela se ajoelhou e coçou Fantasma atrás da orelha. – Sua Muralha é um lugar estranho, mas há poder aqui, se você usá-lo. Poder em você e neste animal. Você resiste a isso, e esse é seu erro. Abrace-o. Use-o.

Não sou um lobo, ele pensou.

– E como eu faria isso?

– Posso mostrar a você. – Melisandre passou o braço fino ao redor de Fantasma, e o lobo gigante lambeu seu rosto. – O Senhor da Luz, em sua sabedoria, nos fez macho e fêmea, duas partes de um todo maior. Na nossa união há poder. Poder para criar vida. Poder para criar luz. Poder para projetar sombras.

– Sombras. – A palavra pareceu mais escura quando ele a falou.

– Todo homem que caminha sobre a terra projeta uma sombra no mundo. Algumas são finas e frágeis, outras são longas e escuras. Deve olhar atrás de você, Lorde Snow. A lua o beijou e projetou sua sombra com seis metros de altura sobre o gelo.

Jon olhou sobre seu ombro. A sombra estava ali, exatamente como ela dissera, projetada no luar contra a Muralha. *Uma garota de cinza em um cavalo moribundo*, pensou. *Vindo para cá, para você. Arya.* Voltou as costas para a sacerdotisa vermelha. Jon podia sentir o calor dela. *Ela tem poder*. O pensamento veio espontaneamente, agarrando-o com dentes de ferro, mas esta não era uma mulher com a qual ele se importava em ser grato, nem mesmo por sua irmãzinha.

– Certa vez, Dalla me disse uma coisa. A irmã de Val, esposa de Mance Rayder. Ela disse que a feitiçaria era uma espada sem cabo. Não há jeito seguro de pegá-la.

– Uma mulher sábia. – Melisandre se levantou, sua túnica vermelha movendo-se ao vento. – Mas uma espada sem cabo ainda é uma espada, e uma espada é uma coisa boa quando os inimigos estão por aí. Ouça-me, Jon Snow. Nove corvos voaram pela floresta branca para encontrar seus inimigos para você. Três deles estão mortos. Não estão mortos ainda, mas a morte está lá, esperando por eles, e eles cavalgarão ao encontro dela. Você os mandou adiante para serem seus olhos na escuridão, mas estarão sem olhos quando voltarem para você. Eu vi seus pálidos rostos mortos nas minhas chamas. Buracos vazios, chorando sangue. – Ela jogou o cabelo vermelho para trás, e seus olhos vermelhos brilharam. – Você não acredita em mim. Você acreditará. O custo desta crença será três vidas. Um preço pequeno para pagar pela sabedoria, alguns poderiam dizer... mas não o que você terá que pagar. Lembre-se disso quando encarar os rostos cegos e devastados de seus mortos. E quando esse dia chegar, pegue minha mão. – A névoa levantou-se de sua carne pálida e, por um momento, parecia que chamas suaves e mágicas brincavam em seus dedos. – Pegue minha mão – ela disse novamente –, e deixe-me salvar sua irmã.

Davos

Mesmo na escuridão da Toca do Lobo, Davos Seaworth podia sentir que algo estava errado naquela manhã.

Acordou com o som de vozes e arrastou-se até a porta de sua cela, mas a madeira era grossa demais para que pudesse distinguir as palavras. O amanhecer chegara, mas não o mingau que Garth lhe trazia todas as manhãs para quebrar seu jejum. Aquilo o deixou ansioso. Todos os dias eram parecidos na Toca do Lobo, e qualquer mudança era normalmente para pior. *Este pode ser o dia da minha morte. Garth pode estar sentado com uma pedra de amolar, preparando a Senhora Lu.*

O Cavaleiro das Cebolas não esquecera as últimas palavras de Wyman Manderly. *Leve essa criatura para a Toca do Lobo e corte sua cabeça e suas mãos,* o gordo senhor ordenara. *Não serei capaz de comer nem um bocado até ver a cabeça desse contrabandista em uma estaca, com uma cebola enfiada entre seus dentes mentirosos.* Todas as noites, Davos dormia com essas palavras na cabeça, e todas as manhãs acordava com elas. E se esquecesse, Garth sempre tinha prazer em lembrá-lo. *Homem morto* era o apelido que dera a Davos. Quando vinha pela manhã, era sempre "Aqui o mingau para o homem morto". E à noite era "Apague a vela, homem morto".

Certa vez, Garth trouxera suas senhoras para apresentá-las ao homem morto.

– A Puta não parece grande coisa – dissera, acariciando uma haste de frio ferro negro –, mas quando eu esquentar ela até ficar vermelha e encostar no seu pau, você chorará por sua mãe. E esta aqui é minha Senhora Lu. É com ela que cortarei sua cabeça e suas mãos, quando Lorde Wyman enviar a ordem.

Davos nunca vira um machado maior do que a Senhora Lu, nem nenhum com a lâmina tão afiada. Garth passava os dias amolando-a, o outro carcereiro lhe dissera. *Não implorarei por misericórdia,* Davos decidiu. Iria para a morte como um cavaleiro, pedindo apenas que cortassem sua cabeça antes das mãos. Nem mesmo Garth seria tão cruel para lhe negar isso, esperava.

Os sons que entravam pela porta eram fracos e abafados. Davos se levantou e caminhou pela cela. Ainda que fosse uma cela, o cômodo era grande e estranhamente confortável. Ele suspeitava que fora, em algum momento, o quarto de dormir de algum fidalgote. Era três vezes o tamanho de sua cabine de capitão no *Betha Negra*, e até mesmo maior do que a cabine que Salladhor Saan desfrutava em sua *Valiriana*. Ainda que a janela tivesse sido fechada com tijolos havia anos, uma parede ainda tinha uma lareira grande o suficiente para manter uma chaleira, e havia até mesmo uma latrina de verdade construída em um dos cantos. O chão era feito de tábuas deformadas, cheias de farpas, e seu catre de dormir tinha cheiro de mofo, mas os desconfortos eram leves, se comparados ao que Davos esperara.

A comida fora uma surpresa também. Em vez de sopa de aveia, pão amanhecido e carne podre, o cardápio usual dos calabouços, seus carcereiros lhe traziam peixe fresco, pão quente recém-saído do forno, carne de cordeiro temperada, nabos, cenouras e até caranguejos. Garth não gostava nem um pouco disso.

– Os mortos não deviam comer melhor do que os vivos – reclamou, mais de uma vez.

Davos tinha peles para mantê-lo aquecido à noite, madeira para alimentar o fogo, roupas limpas e uma vela de sebo gordurosa. Quando pediu papel, pena e tinta, Therry lhe trouxe no dia seguinte. Quando pediu um livro, para manter sua leitura, Therry retornou com a *Estrela de Sete Pontas*.

Apesar de todos esses confortos, a cela continuava sendo uma cela. As paredes eram de pedra sólida, tão espessas que não conseguia ouvir nada do mundo exterior. A porta era de carvalho e ferro, e seus carcereiros a mantinham trancada. Quatro conjuntos de pesados grilhões de ferro pendiam do teto, esperando pelo dia que Lorde Manderly decidisse acorrentá-lo e entregá-lo à Puta. *Hoje pode ser o dia. Da próxima vez que Garth abrir a porta, pode não ser para me trazer mingau.*

Sua barriga roncava, sinal certo de que a manhã se arrastava e ainda nenhum sinal de comida. A pior parte não era a morte, mas não saber quando ou como. Estivera dentro de algumas poucas prisões e calabouços em seus dias de contrabandista, mas todas as vezes dividira o espaço com outros prisioneiros, então sempre havia alguém com quem conversar, partilhar medos e esperanças. Não aqui. Além de seus carcereiros, Davos Seaworth tinha a Toca do Lobo para si.

Ele sabia que havia três calabouços nos porões do castelo; masmorras, câmaras de tortura e poços úmidos onde ratos imensos arranhavam na escuridão. Seus carcereiros afirmaram que estavam todos desocupados no momento.

– Apenas nós aqui, Cebolas. – Sor Bartimus lhe dissera. Era o carcereiro-chefe, um cavaleiro cadavérico de uma perna só, com o rosto marcado por cicatrizes e um olho cego. Quando Sor Bartimus abusava nos copos (e Sor Bartimus abusava mais nos copos a cada dia), gostava de se gabar sobre como salvara a vida de Lorde Wyman na Batalha do Tridente. A Toca do Lobo fora sua recompensa.

O restante do "nós" consistia em um cozinheiro que Davos nunca vira, seis guardas na caserna do primeiro piso, duas lavadeiras e os dois carcereiros que cuidavam do prisioneiro. Therry era o mais jovem, filho de uma das lavadeiras, um garoto de dez-e-quatro. O mais velho era Garth, imenso, careca e taciturno, que vestia o mesmo justilho de couro engordurado todos os dias e sempre parecia ter um olhar ameaçador no rosto.

Os anos como contrabandista deram a Davos Seaworth a sensibilidade para saber quando um homem era falso, e Garth era falso. O Cavaleiro das Cebolas tomava o cuidado de segurar a língua em sua presença. Com Therry e Sor Bartimus era menos reticente. Agradecia-os pela comida, encorajava-os a falar sobre suas esperanças e histórias, respondia às perguntas deles com polidez e nunca pressionava demais com suas próprias questões. Quando fazia pedidos, eram sempre pequenos; uma bacia com água e um pedaço de sabão, um livro para ler, mais velas. A maioria desses favores foi concedida e Davos ficou devidamente grato.

Nenhum dos homens falava sobre Lorde Manderly, sobre o Rei Stannis ou sobre os Frey, mas conversavam a respeito de outras coisas. Therry queria partir para a guerra quando tivesse idade suficiente, para lutar em batalhas e tornar-se cavaleiro. Gostava de reclamar de sua mãe também. Ela estava indo para a cama com dois guardas, confidenciou. Os homens eram de turnos diferentes, e nenhum sabia sobre o outro, mas um homem ou o outro podia juntar as peças e haveria sangue. Algumas vezes, o rapaz levava um odre de vinho para a cela e perguntava a Davos sobre a vida de contrabandista enquanto bebiam.

Sor Bartimus não tinha interesse pelo mundo externo nem por nada que acontecera desde que perdera a perna para um cavalo sem cavaleiro e para o serrote de um meistre. Mas amava a Toca do Lobo e não havia nada que gostasse mais do que falar sobre a história sangrenta do lugar. A Toca era muito mais antiga do que Porto Branco, o cavaleiro contou a Davos. Fora erguida pelo Rei Jon Stark para defender a foz do Faca Branca contra corsários vindos do mar. Muitos dos filhos mais jovens do Rei do Norte fizeram do lugar sua morada, muitos irmãos, muitos tios, muitos primos. Alguns passaram o castelo para seus próprios filhos e herdeiros, e ramificações de ramificações da Casa Stark surgiram; os Greystark tinham durado mais tempo, mantendo a Toca do Lobo por cinco séculos, até ousarem se juntar a Forte do Pavor em uma rebelião contra os Stark de Winterfell.

Após a queda deles, o castelo passara por várias outras mãos. A Casa Flint o mantivera por um século, a Casa Locke por quase dois. Slate, Long, Holt e Ashwood também dominaram o lugar, encarregados por Winterfell de manter o rio seguro. Saqueadores das Três Irmãs tomaram o castelo uma vez, transformando-o em base de apoio no Norte. Durante as guerras entre Winterfell e o Vale, a Toca foi cercada por Osgood Arry, o Velho Falcão, e queimada por seu filho, aquele que era lembrado como a Garra. Quando o velho Rei Edrick Stark estava enfraquecido demais para defender o reino, a Toca do Lobo foi capturada por traficantes de escravos de Passopedra. Marcavam seus cativos com ferro quente e os quebravam com o chicote antes de embarcá-los para o outro lado do mar, e tiveram essas mesmas pedras negras como testemunhas.

– Então, um longo e cruel inverno chegou – contou Sor Bartimus. – O Faca Branca endureceu, e até o estuário estava congelando. Os ventos vieram uivando do norte, e levaram os traficantes de escravo para dentro do castelo, amontoados em suas fogueiras, e enquanto se aqueciam o novo rei caiu sobre eles. *Brandon* Stark, era ele, o bisneto de Edrick Barba de Neve, aquele que os homens chamavam de Olhos de Gelo. Ele retomou Toca do Lobo, deixou os traficantes sem roupas e os entregou aos escravos que encontrou acorrentados nos calabouços. Dizem que os escravos libertos penduraram as entranhas dos traficantes nos galhos das árvore-coração, como uma oferenda aos deuses. Os *antigos* deuses, não esses novos do Sul. Seus Sete não conhecem o inverno, e o inverno não os conhece.

Davos não podia argumentar com a verdade daquilo. E, pelo que vira em Atalaialeste do Mar, ele também não fazia questão de conhecer o inverno.

– Que deuses você mantém? – perguntou ao cavaleiro de uma perna.

– Os antigos. – Quando Sor Bartimus sorria, parecia um caveira. – Eu e os meus que estiveram aqui antes dos Manderly. Provavelmente, meus próprios antepassados penduraram aquelas entranhas nas árvores.

– Nunca ouvi dizer que os nortenhos faziam sacrifício de sangue para suas árvores-coração.

– Há muito e ainda mais que vocês, sulistas, não sabem sobre o Norte. – Sor Bartimus respondeu.

Ele não estava errado. Davos sentou-se ao lado de sua vela e olhou as cartas que rabiscara palavra após palavra durante os dias de seu confinamento. *Eu fui um contrabandita melhor do que um cavaleiro*, escrevera para sua esposa, *um cavaleiro melhor do que Mão do Rei, uma Mão do Rei melhor do que um marido. Sinto muito. Maria, eu amei você. Por favor, perdoe os erros que cometi. Se Stannis perder a guerra, nossas terras estarão perdidas também. Leve os meninos através do mar estreito até Bravos e os ensine a pensar gentilmente em mim, se você puder. Se Stannis conquistar o Trono de Ferro, a Casa Seaworth sobreviverá e Devan permanecerá na corte. Ele a ajudará a encontrar um lugar para os outros meninos com nobres senhores, onde poderão servir como pajens e escudeiros, e até conquistar o direito de serem sagrados cavaleiros*. Era o melhor conselho que tinha para ela, embora quisesse que soasse mais sábio.

Também escrevera para cada um de seus três filhos sobreviventes, para ajudá-los a se lembrar do pai que comprara um nome para eles com as pontas dos dedos. Os bilhetes para Steffon e para o jovem Stannis eram curtos, duros e estranhos; verdade seja dita, ele não os conhecia nem metade tão bem quanto conhecera os filhos mais velhos, aqueles que queimaram ou se afogaram na Água Negra. Para Devan, escreveu mais, dizendo quão orgulhoso estava em ver seu próprio filho como escudeiro do rei e recordando-o que, como mais velho, era seu dever proteger a senhora sua mãe e seus irmãos mais novos. *Diga a Sua Graça que fiz meu melhor*, terminou. *Sinto ter falhado com ele. Perdi minha sorte quando perdi meus ossos dos dedos, no dia em que o rio queimou em Porto Real.*

Davos mexeu e remexeu nas cartas lentamente, lendo cada uma delas várias vezes, perguntando-se se deveria mudar uma palavra aqui ou adicionar outra ali. *Um homem deveria ter mais a dizer quando encara o fim de sua vida*, pensou, mas as palavras vinham com dificuldade. *Não me saí mal*, tentou dizer a si mesmo. *Comecei na Baixada das Pulgas e consegui ser Mão do Rei, e aprendi a ler e a escrever.*

Ainda estava debruçado sobre as cartas quando ouviu o som das chaves de ferro batendo no aro. Meio segundo depois, a porta da cela se abriu.

O homem que atravessou a porta não era um de seus carcereiros. Era alto e magro, com o rosto profundamente vincado e um grosso cabelo castanho-acizentado. Uma espada longa pendia de seu quadril, e seu manto tingido de escarlate estava preso no ombro com um pesado broche de prata com a forma de um punho fechado.

– Lorde Seaworth – disse –, não temos muito tempo. Por favor, venha comigo.

Davos olhou o estranho cautelosamente. O "por favor" o confundira. Tais cortesias não são oferecidas a homens prestes a perder a cabeça e as mãos.

– Quem é você?

– Robett Glover, ao seu dispor.

– Glover. Seu assento era Bosque Profundo.

– O assento de meu irmão Galbart. Era e é, graças ao seu Rei Stannis. Ele tomou Bosque Profundo da puta de ferro que o roubou e ofereceu devolvê-lo aos donos de direito. Muito e ainda mais aconteceu enquanto você estava confinado entre essas paredes, Lorde Davos. Fosso Cailin caiu e Roose Bolton retornou para o Norte com a filha mais nova de Ned Stark. Uma tropa dos Frey veio com ele. Bolton enviou sete corvos, convocando todos os senhores do Norte para Vila Acidentada. Exige homenagens e reféns... e testemunhas para o casamento de Arya Stark com seu bastardo Ramsay Snow, união que os Bolton pretendem usar para exigir Winterfell. Agora, virá comigo ou não?

– Que escolha tenho, senhor? Ir com você ou permanecer com Garth e a Senhora Lu.

– Quem é a Senhora Lu? Uma das lavadeiras? – Glover estava ficando impaciente. – Tudo será explicado se vier comigo.

Davos ficou em pé.

– Se eu morrer, imploro ao senhor que se assegure de que minhas cartas sejam entregues.

– Tem minha palavra quanto a isso... embora, se você morrer, não será pelas mãos dos Glover nem de Lorde Wyman. Rápido, agora, siga-me.

Glover o levou através de um longo salão escuro e desceu um lance de degraus desgastados. Cruzaram o bosque sagrado do castelo, onde a árvore-coração crescera tão imensa e emaranhada que estrangulara todos os carvalhos, olmos e bétulas, e enviara seus grossos galhos pálidos de encontro às paredes e janelas que olhavam para ela. Suas raízes tinham a grossura da cintura de um homem, o tronco tão largo que o rosto esculpido nele parecia gordo e zangado. Para lá do represeiro, Glover abriu um rústico portão de ferro e parou para acender uma tocha. Quando estava queimando vermelha e quente, fez Davos descer mais degraus até um porão abobadado, onde paredes chorosas estavam brancas com crostas de sal e a água do mar espirrava em poças sob seus pés a cada passo. Passaram por vários porões e filas de celas pequenas, úmidas e malcheirosas, muito diferentes do aposento em que Davos estivera confinado. Então encontraram uma parede de pedra branca que se moveu quando Glover a empurrou. Atrás dela havia um túnel longo e estreito e mais degraus. Estes levavam para cima.

– Onde estamos? – Davos perguntou enquanto subiam. Suas palavras ecoaram suavemente pela escuridão.

– Degraus sob degraus. A passagem passa por baixo do Castelo da Escada até o Castelo Novo. Um caminho secreto. Você não deve ser visto, meu senhor. Supostamente, está morto.

Mingau para um homem morto. Davos subiu.

Emergiram passando por outra parede, mas esta era forrada com ripas e gesso do lado de fora. A sala do outro lado era aconchegante, quente e confortavelmente mobiliada, com um tapete de Myr no chão e velas de cera de abelha queimando em uma mesa. Davos podia ouvir flautas e violinos tocando não muito distantes. Na parede estava pendurada uma pele de ovelha com o mapa no Norte pintado em cores desbotadas. Embaixo do mapa, sentava-se Wyman Manderly, o colossal Senhor de Porto Branco.

– Por favor, sente-se. – Lorde Manderly estava ricamente vestido. Seu gibão de veludo era de um suave azul-esverdeado, bordado com fios de ouro na bainha, nas mangas e na gola. Seu manto era de arminho, preso no ombro com um tridente dourado. – Está com fome?

– Não, meu senhor. Seus carcereiros me alimentaram bem.

– Temos vinho, se tiver sede.

– Tratarei com você, meu senhor. Meu rei me ordenou que fizesse isso. Não tenho que beber com você.

Lorde Wyman suspirou.

– Tratei você de maneira vergonhosa, eu sei. Tive minhas razões, mas... por favor, sente-se e beba, eu imploro. Beba ao retorno a salvo do meu menino. Wylis, meu filho mais velho e herdeiro. Ele está em casa. É o banquete de boas-vindas que você ouve. Na

Corte do Tritão, eles comem torta de lampreia e veado com castanhas assadas. Wynafryd está dançando com o Frey com quem se casará. Os outros Frey estão erguendo suas taças de vinho para brindar nossa amizade.

Sob a música, Davos podia ouvir o murmúrio de muitas vozes, o barulho de copos e pratos. Não disse nada.

– Acabo de vir da grande mesa – Lorde Wyman continuou. – Comi muito, como sempre, e toda Porto Branco sabe como meus intestinos são ruins. Meus amigos Frey não questionarão uma demorada visita às latrinas, esperamos. – Virou sua taça de cabeça para baixo. – Pronto. Você beberá e eu não. Sente-se. O tempo é curto e há muito sobre o que conversar. Robett, vinho para a Mão, se puder fazer a gentileza. Lorde Davos, você não sabe, mas está morto.

Robett Glover encheu uma taça de vinho e ofereceu a Davos. Ele pegou, cheirou e bebeu.

– Como morri, posso perguntar?

– Pelo machado. Sua cabeça e mãos foram colocadas sobre o Portão das Focas, com o rosto virado, para que seus olhos olhassem o porto. Agora você está bem apodrecido, embora tenhamos mergulhado sua cabeça em alcatrão antes de colocá-la na ponta de ferro. Dizem que corvos carniceiros e aves marítimas disputaram seus olhos.

Davos se mexeu, desconfortavelmente. Era uma sensação estranha estar morto.

– Se meu senhor não se importa, quem morreu em meu lugar?

– Faz diferença? Você tem um rosto comum, Lorde Davos. Espero que dizer isso não o ofenda. O homem tinha a sua cor de pele, um nariz com o mesmo formato, duas orelhas que não eram muito diferentes, uma longa barba que podia ser cortada e aparada como a sua. Pode estar certo de que colocamos bastante alcatrão nele, e a cebola entre os dentes serviu para distorcer as feições. Sor Bartimus assegurou-se de que os dedos da mão esquerda dele estivessem mais curtos, assim como os seus. O homem era um criminoso, se lhe dá algum consolo. Sua morte pode realizar um bem maior do que jamais fez enquanto vivo. Meu senhor, peço que não me deseje nenhum mal. O rancor que mostrei contra você na Corte do Tritão foi uma farsa, feita para agradar nossos amigos Frey.

– Meu senhor poderia ganhar a vida como ator – disse Davos. – Você e os seus foram muito convincentes. Sua boa filha parecia seriamente querer me ver morto, e a menininha...

– Wylla. – Lorde Wyman sorriu. – Viu como foi corajosa? Mesmo quando ameacei arrancar sua língua, ela me lembrou da dívida de Porto Branco com os Stark de Winterfell, uma dívida que nunca poderá ser paga. Wylla falou com o coração, assim como a Senhora Leona. Perdoe-a se puder, meu senhor. É uma mulher tola e assustada, e Wylis é a vida dela. Nem todos os homens podem ser Príncipe Aemon, o Cavaleiro do Dragão, ou Symeon Olhos-de-Estrela, e nem toda mulher pode ser corajosa como minha Wylla e sua irmã Wynafryd... que realmente sabiam, mas desempenharam seu papel sem medo. Ao tratar com mentirosos, até um homem honesto deve mentir. Eu não ousava desafiar Porto Real enquanto meu último filho vivo permanecia cativo. Lorde Tywin Lannister me escrevera pessoalmente para dizer que estava com Wylis. Se eu quisesse libertá-lo sem ferimentos, ele me disse, deveria me arrepender de minha traição, render minha cidade, declarar minha lealdade ao rei menino no Trono de Ferro... e dobrar meu joelho a Roose Bolton, seu Protetor do Norte. Se eu recusasse, Wylis morreria como traidor,

Porto Branco seria invadida e saqueada, e meu povo sofreria o mesmo destino dos Reyne de Castamere. Sou gordo, e por isso muitos pensam que sou fraco e tolo. Talvez Tywin Lannister fosse um desses. Enviei um corvo para ele dizendo que dobraria meu joelho e abriria meus portões *depois* que meu filho voltasse, não antes. Então o assunto parou quando Tywin morreu. Depois os Frey chegaram com os ossos de Wendel... para fazer a paz e selá-la com um pacto de casamento, alegaram, mas eu não estava disposto a dar o que queriam até que tivesse Wylis, salvo e inteiro, e eles não queriam me dar Wylis até que eu provasse minha lealdade. Sua chegada me deu os meios de fazer isso. Essa foi a razão para a descortesia que demonstrei com você na Corte do Tritão, e para a cabeça e as mãos apodrecendo no Portão das Focas.

– Assumiu um grande risco, meu senhor – disse Davos. – Se os Frey tivessem percebido o engano...

– Não assumi risco nenhum. Se algum dos Frey tivesse resolvido subir no meu portão para uma olhada de perto no homem com a cebola na boca, eu teria culpado meus carcereiros pelo erro e exposto você para apaziguá-los.

Davos sentiu um arrepio na espinha.

– Entendo.

– Espero que sim. Você também tem filhos, foi o que disse.

Três, pensou Davos, *embora tenha sido pai de sete*.

– Logo terei que retornar ao banquete para brindar com meus amigos Frey – Manderly continuou. – Eles me observam, sor. Dia e noite seus olhos estão sobre mim, narizes farejando algum sopro de traição. Você os viu, o arrogante Sor Jared e seu irmão Rhaegar, aquele verme sorridente que usa nome de dragão. Atrás dos dois está Symond, tilintando moedas. Aquele um comprou e pagou por vários de meus servos e dois dos meus cavaleiros. Uma das servas da esposa dele conseguiu se meter na cama do meu próprio bobo. Se Stannis se perguntava por que minhas cartas diziam tão pouco, é porque eu não ousava confiar nem mesmo em meu meistre. Theomore é todo cabeça e nada coração. Você o ouviu no meu salão. Espera-se que os meistres coloquem de lado velhas lealdades quando forjam suas correntes, mas não posso esquecer que Theomore é um Lannister de Lannisporto de nascimento, e alega algum parentesco distante com os Lannister de Rochedo Casterly. Inimigos e falsos amigos estão ao meu redor, Lorde Davos. Infestaram minha cidade como baratas, e à noite posso senti-los rastejando sobre mim. – Os dedos do homem gordo se dobraram fechando o punho, e todos os seus queixos tremiam. – Meu filho Wendel foi para as Gêmeas como convidado. Comeu o pão e o sal de Lorde Walder e pendurou sua espada na parede para banquetear com amigos. E eles o assassinaram. *Assassinaram*, eu digo, e que os Frey se engasguem com suas fábulas. Bebi com Jared, brinquei com Symond, prometi para Rhaegar a mão da minha amada neta... mas nunca pense que isso significa que me esqueci. O Norte se lembra, Lorde Davos. O Norte se lembra, e a farsa está quase no fim. Meu filho está em casa.

Alguma coisa na maneira que Lorde Wyman falou aquilo gelou Davos até os ossos.

– Se é justiça que procura, meu senhor, olhe para o Rei Stannis. Nenhum homem é mais justo.

Robett Glover interrompeu para acrescentar:

– Sua lealdade faz sua honra, meu senhor, mas Stannis Baratheon permanece sendo seu rei, não o nosso.

– O rei de vocês está morto – Davos recordou –, assassinado no Casamento Vermelho, ao lado do filho de Lorde Wyman.

– O Jovem Lobo está morto – Manderly concordou –, mas aquele corajoso garoto não era o único filho de Lorde Eddard. Robett, traga o rapaz.

– Imediatamente, meu senhor. – Glover deslizou pela porta.

O rapaz? Seria possível que um dos irmãos de Robb Stark tivesse sobrevivido à ruína de Winterfell? Manderly teria um herdeiro Stark escondido em seu castelo? Um menino encontrado ou um falso menino? O Norte se levantaria em ambos os casos, suspeitava... mas Stannis Baratheon nunca faria causa comum com um impostor.

O rapaz que seguiu Robett Glover pela porta não era um Stark, nem poderia esperar passar por um. Era mais velho do que os irmãos assassinados do Jovem Lobo, quatorze ou quinze anos se olhasse para ele, e seus olhos eram ainda mais velhos. Sob um emaranhado cabelo castanho-escuro, seu rosto era quase selvagem, com uma boca larga, o nariz afilado e o queixo pontudo.

– Quem é você? – Davos perguntou.

O garoto olhou para Robett Glover.

– Ele é mudo, mas temos lhe ensinado as letras. Ele aprende rápido. – Glover tirou a adaga de seu cinturão e a deu para o garoto. – Escreva seu nome para Lorde Seaworth.

Não havia pergaminho no aposento. O rapaz escavou as letras na viga de madeira da parede. *W... E... X.* Teve dificuldade com o *X.* Quando terminou, jogou a adaga no ar, pegou-a e ficou admirando seu trabalho.

– Wex é um homem de ferro. Era escudeiro de Theon Greyjoy. Wex estava em Winterfell. – Glover se sentou. – Quanto Lorde Stannis sabe a respeito do que aconteceu em Winterfell?

Davos tentou se lembrar das histórias que ouvira.

– Winterfell foi capturado por Theon Greyjoy, que fora protegido de Lorde Stark. Ele condenou os dois filhos mais jovens de Stark à morte e colocou suas cabeças sobre as muralhas do castelo. Quando os nortenhos vieram derrubá-lo, passou o castelo inteiro pela espada, até a última criança, antes de ser morto pelo bastardo de Lorde Bolton.

– Não morto – disse Glover. – Capturado e levado para Forte do Pavor. O Bastardo vem esfolando-o.

Lorde Wyman assentiu.

– A história que você ouviu é a que todos nós escutamos, tão cheia de mentiras quanto um pudim de passas. Foi o Bastardo de Bolton quem passou Winterfell pela espada... Ramsay Snow, ele se chamava então, antes do rei menino torná-lo um Bolton. Snow não matou todos. Poupou as mulheres, amarrou-as juntas e marchou com elas para o Forte do Pavor, para praticar seu esporte.

– Seu esporte?

– Ele é um grande caçador – disse Wyman Manderly –, e as mulheres são suas presas favoritas. Ele as deixa nuas e as solta na floresta. Elas têm meio dia de vantagem antes que ele vá atrás delas com cães de caça e berrantes. De tempos em tempos, alguma moça escapa e vive para contar a história. A maioria tem menos sorte. Quando Ramsay as apanha, ele as estupra, as esfola, dá seus cadáveres para os cães e leva suas peles para Forte do Pavor, como troféu. Se elas lhe proporcionaram uma boa caçada, ele corta suas gargantas antes de tirar suas peles. Caso contrário, ele as esfola vivas.

Davos empalideceu.

– Deuses, sejam bons. Como um homem pode...

– A maldade está no sangue – disse Robett Glover. – Ele é um bastardo nascido de um estupro. Um *Snow*, não importa o que o rei menino diga.

– Alguma neve já foi tão negra? – perguntou Lorde Wyman. – Ramsay tomou as terras de Lorde Hornwood forçando o casamento com a viúva, e então a trancou em uma torre e a esqueceu lá. Dizem que ela comeu a extremidade dos próprios dedos... e a noção de justiça real dos Lannister é recompensar esse assassino com a garotinha de Ned Stark.

– Os Bolton sempre foram tão cruéis quanto espertos, mas esse aí parece um animal em pele humana – disse Glover.

O Senhor de Porto Branco se inclinou para a frente.

– Os Frey não são melhores. Falam em *wargs* e troca-peles e asseguram que foi Robb Stark quem matou meu Wendel. Que arrogância! Eles não esperam que o Norte acredite em suas mentiras, não verdadeiramente, mas pensam que precisamos fingir acreditar, ou morreremos. Roose Bolton mente sobre sua participação no Casamento Vermelho, e seu bastardo mente sobre a queda de Winterfell. E enquanto mantiveram Wylis, não tive escolha senão comer toda essa merda e elogiar o sabor.

– E agora, meu senhor? – perguntou Davos.

Ele esperava ouvir Lorde Wyman falar, *E agora eu me declaro pelo Rei Stannis*, mas, em vez disso, o homem gordo sorriu um estranho sorriso cintilante e disse:

– Agora tenho um casamento para assistir. Sou gordo demais para subir em um cavalo, como qualquer homem com olhos pode ver claramente. Quando menino, eu amava montar, e, quando jovem, lidava com a montaria bem o suficiente para conseguir alguns pequenos elogios, mas esses dias se foram. Meu corpo tornou-se uma prisão mais lúgubre do que a Toca do Lobo. Mesmo assim, preciso ir para Winterfell. Roose Bolton me quer de joelhos, e sob o veludo da cortesia mostra a cota de malha de ferro. Preciso ir de barcaça e de liteira, cercado por uma centena de cavaleiros e por meus bons amigos das Gêmeas. Os Frey vieram pelo mar. Não têm cavalos com eles, então devo presentear cada um deles com um palafrém como presente de convidado. Os anfitriões ainda dão presentes de convidados no Sul?

– Alguns dão, meu senhor. No dia da partida dos convidados.

– Talvez você entenda, então. – Wyman Manderly balançou pesadamente os pés. – Venho construindo navios de guerra há mais de um ano. Alguns você viu, mas há muitos mais escondidos no Faca Branca. Mesmo com as perdas que sofri, ainda comando mais cavalos pesados do que qualquer outro senhor ao norte do Gargalo. Minhas muralhas são fortes e meus cofres estão cheios de prata. Castelovelho e Atalaia da Viúva seguirão minha liderança. Meus vassalos incluem uma dúzia de pequenos senhores e uma centena de cavaleiros com terras. Posso entregar ao Rei Stannis a fidelidade de todas as terras a leste do Faca Branca, de Atalaia da Viúva a Ariete, passando pela Serra do Sargo até a cabeceira do Ramo Partido. Tudo isso me comprometo a fazer, se você encontrar meu prêmio.

– Posso levar seus termos para o rei, mas...

Lorde Wyman o interrompeu.

– Se *você* encontrar meu prêmio, eu disse. Não Stannis. Não é de um rei que preciso, mas de um contrabandista.

Robett Glover assumiu o relato.

– Pode ser que nunca saibamos tudo o que aconteceu em Winterfell quando Sor Rodrick Cassel tentou retomar o castelo dos homens de ferro de Theon Greyjoy. O Bastardo de Bolton afirma que Greyjoy assassinou Sor Rodrick durante uma negociação. Wex diz que não. Até que aprenda mais letras, nunca saberemos metade da verdade... mas ele veio até nós sabendo *sim* e *não*, e é possível percorrer um longo caminho com isso, desde que você encontre as questões certas.

– Foi o Bastardo quem assassinou Sor Rodrick e os homens de Winterfell – disse Lorde Wyman. – Ele matou os homens de ferro de Greyjoy também. Wex viu homens derrotados tentando se render. Quando perguntamos como escapou, ele pegou um pedaço de giz e desenhou uma árvore com um rosto.

Davos pensou naquilo.

– Os velhos deuses o salvaram?

– De certo modo. Ele escalou a árvore-coração e se escondeu entre as folhas. Os homens de Bolton vasculharam o bosque sagrado duas vezes e mataram todos que encontraram por ali, mas ninguém pensou em subir nas árvores. Foi assim que aconteceu, Wex?

O garoto jogou a adaga de Glover no ar, pegou-a e assentiu.

Glover disse:

– Ficou em cima da árvore por muito tempo. Dormiu entre os galhos, sem ousar descer. Finalmente ouviu vozes embaixo dele.

– As vozes dos mortos – disse Wyman Manderly.

Wex levantou cinco dedos, tocou cada um deles com a adaga, então abaixou quatro e tocou no último dedo novamente.

– Seis deles – disse Davos. – Eram seis.

– Dois eram os filhos mortos de Ned Stark.

– Como um mudo pôde lhe contar isso?

– Com giz. Ele desenhou dois meninos... e dois lobos.

– O rapaz é um homem de ferro, então achou melhor não se mostrar – disse Glover. – Ficou ouvindo. Os seis não se demoraram muito entre as ruínas de Winterfell. Quatro foram por um caminho, dois por outro. Wex seguiu os dois, uma mulher e um garoto. Deve ter ficado contra o vento, então o lobo não pegou seu cheiro.

– Ele sabe para onde foram – Lorde Wyman disse.

Davos entendeu.

– Você quer o menino.

– Roose Bolton tem a filha de Lorde Eddard. Para impedi-lo, Porto Branco precisa ter o filho de Ned... e o lobo gigante. O lobo provará que o menino é quem dizemos que é, se Forte do Pavor tentar negar. Este é meu prêmio, Lorde Davos. Contrabandeie-me meu senhor suserano, e eu tomarei Stannis Baratheon como meu rei.

Os velhos instintos fizeram Davos Seaworth levar a mão à garganta. Os ossos dos dedos haviam sido sua sorte, e de alguma forma sentia que precisaria de sorte para fazer o que Wyman Manderly lhe pedia. Mas os ossos se foram, então ele disse:

– Você tem homens melhores ao seu serviço. Cavaleiros, senhores e meistres. Por que precisa de um contrabandista? Você tem navios.

– Navios – Lorde Wyman concordou –, mas minhas tripulações são de homens do rio, ou de pescadores que nunca navegaram além da Dentada. Para isso, preciso de um homem que tenha navegado em águas mais escuras e saiba como escapar dos perigos sem ser visto ou molestado.

– Onde está o menino? – De alguma forma, Davos sabia que não gostaria da resposta. – Para onde quer que eu vá, meu senhor?

Robett Glover disse:

– Wex. Mostre para ele.

O mudo jogou a adaga no ar, pegou-a e arremessou-a na extremidade do mapa de pele de carneiro que adornava a parede de Lorde Wyman. A adaga parou, balançando. Então o rapaz sorriu.

Por meio segundo, Davos considerou pedir que Wyman Manderly o mandasse de volta para a Toca do Lobo, para Sor Bartimus com suas histórias e Garth com suas senhoras letais. Na Toca, até os prisioneiros comiam mingau pela manhã. Mas havia outros lugares nesse mundo onde os homens eram conhecidos por quebrar o jejum com carne humana.

Daenerys

Todas as manhãs, dos parapeitos ocidentais, a rainha podia contar as velas na Baía dos Escravos.

Hoje contou vinte e cinco, embora algumas ainda estivessem distantes e em movimento, então era difícil ter certeza. Algumas vezes ela perdia um, ou contava duas vezes o mesmo. *O que importa? Um estrangulador só precisa de dez dedos.* Todo o comércio parara, e seus pescadores não tinham coragem de sair para a baía. Os mais ousados ainda atiravam algumas linhadas no rio; ainda que mesmo isso fosse perigoso; os demais permaneciam atracados sob as muralhas multicoloridas de Meereen.

Havia navios de Meereen na baía também, navios de guerra e galés comerciais cujos capitães os haviam levado para o mar quando as tropas de Dany fizeram o primeiro cerco à cidade e agora retornavam para aumentar as frotas de Qarth, Tolos e Nova Ghis.

O conselho do seu almirante se provara pior do que inútil.

– Deixe-os verem seus dragões – disse Groleo. – Deixe os yunkaítas provarem o gosto do fogo, e o comércio fluirá novamente.

– Esses navios estão nos estrangulando, e tudo o que meu almirante pode fazer é falar em dragões – falou Dany. – Você *é* meu almirante, não é?

– Um almirante sem navios.

– *Construa* navios.

– Navios de guerra não podem ser construídos de tijolos. Os traficantes de escravos queimaram cada carrinho de madeira num raio de cem quilômetros daqui.

– Então cavalgue cento e dez quilômetros. Eu lhe darei carroções, trabalhadores, mulas, tudo o que precisar.

– Sou um marinheiro, não um carpinteiro naval. Fui enviado para levar Vossa Graça de volta a Pentos. Em vez disso, você nos trouxe aqui e fez meu *Saduleon* em pedaços por alguns pregos e pedaços de madeira. Nunca verei novamente meu navio. Nunca verei minha casa novamente, nem minha velha esposa. Não fui eu quem recusou os navios que Daxos ofereceu. Não posso lutar contra os qartenos com barcos de pesca.

A amargura dele a consternou tanto, que Dany pegou-se perguntando a si mesma se o grisalho pentoshi podia ser um dos três traidores. *Não, ele é apenas um homem velho, longe de casa e doente de saudade.*

– Deve haver *algo* que possamos fazer.

– Sim, e eu lhe disse o quê. Aqueles navios são feitos de corda, piche e tela, pinus qohorik, teca de Sothoros, carvalho antigo de Grande Norvos, teixo, freixo e abeto. Madeira, Vossa Graça. Madeira queima. Os dragões...

– Não ouvirei mais nada sobre meus dragões. Deixe-me. Reze para seus deuses pentoshis por uma tempestade que afunde nossos inimigos.

– Nenhum marinheiro reza por tempestades, Vossa Graça.

– Estou cansada de ouvir o que você não fará. Vá.

Sor Barristan permaneceu.

– Nossos estoques estão lotados no momento – ele a recordou –, e Vossa Graça plantou feijões, uvas e trigo. Seus dothrakis têm atormentado os traficantes de escravos das colinas e golpeado os grilhões de seus escravos. Esses libertos estão plantando também e trarão suas colheitas para Meereen para vender. E você terá a amizade de Lhazar.

Daario conseguiu isso para mim, com todo o mérito.

– Os Homens-Ovelha. Essas ovelhas poderiam ter dentes.

– Isso deixaria os lobos mais cuidadosos, sem dúvida.

Aquilo a fez rir.

– Como vão seus órfãos, sor?

O velho cavaleiro sorriu.

– Bem, Vossa Graça. É bom que tenha perguntado. – Os meninos eram o orgulho dele. – Quatro ou cinco têm os ingredientes dos cavaleiros. Talvez até uma dúzia deles.

– Um seria o suficiente, se fosse tão verdadeiro quanto você. – Em breve poderia chegar o dia em que precisaria de cada cavaleiro.

– Eles disputarão justas para mim? Eu gostaria disso. – Viserys lhe contara histórias dos torneios que assistira nos Sete Reinos, mas Dany nunca vira uma justa com seus próprios olhos.

– Eles não estão prontos, Vossa Graça. Quando estiverem, terão prazer em demonstrar seu valor.

– Espero que esse dia chegue rápido. – Ela teria beijado o bom cavaleiro no rosto, mas Missandei apareceu sob a porta arqueada. – Missandei?

– Vossa Graça. Skahaz aguarda sua vontade.

– Mande-o subir.

O Cabeça-Raspada estava acompanhado de duas das suas Bestas de Bronze. Um usava máscara de falcão e o outro algo parecido com um chacal. Apenas seus olhos podiam ser vistos atrás do bronze.

– Vossa Iluminada, Hizdahr foi visto entrando na pirâmide de Zhak tarde passada. Não saiu de lá até bem depois do anoitecer.

– Quantas pirâmides ele já visitou? – perguntou Dany.

– Onze.

– E quanto tempo faz desde a última morte?

– Vinte e seis dias. – Os olhos do Cabeça-Raspada transbordavam de fúria. Fora sua a ideia de ter as Bestas de Bronze seguindo seu prometido e anotando todas as suas ações.

– Até agora Hizdahr está mantendo bem sua promessa.

– *Como?* Os Filhos da Harpia baixaram suas facas, mas por quê? Porque o nobre Hizdahr pediu gentilmente? Ele é um deles, eu lhe digo. É por isso que eles o obedecem. Ele bem pode ser a Harpia.

– Se é que há uma Harpia. – Skahaz estava convencido de que em algum lugar de Meereen os Filhos da Harpia tinham um senhor bem-nascido, um general secreto comandando um exército de sombras. Dany não compartilhava sua crença. As Bestas de Bronze haviam capturado dezenas de Filhos da Harpia, e aqueles que sobreviveram à prisão forneceram nomes quando duramente interrogados... nomes demais, lhe parecia. Teria sido agradável pensar que todas as mortes eram trabalho de um único inimigo, que poderia ser pego e morto, mas Dany suspeitava que a verdade era outra. *Meus inimigos são uma legião.* – Hizdahr zo Loraq é um homem persuasivo, com muitos amigos. E é rico. Talvez tenha comprado esta paz para nós com seu ouro, ou convencido os outros bem-nascidos de que nosso casamento será bom para os interesses deles.

– Se ele não é a Harpia, ele a conhece. Posso descobrir a verdade disso facilmente. Permita-me interrogar Hizdahr e lhe trarei uma confissão.

– Não – ela disse. – Não acredito nessas confissões. Você já me trouxe várias, todas elas sem valia.

– Vossa Iluminada...

– Não, eu disse.

A carranca do Cabeça-Raspada fez seu rosto ficar ainda mais feio.

– Um engano. O Grande Mestre Hizdahr trata Vossa Adoração como tola. Quer uma serpente em sua cama?

Quero Daario em minha cama, mas o mandei embora para o seu bem e o dos seus.

– Você pode continuar a observar Hizdahr zo Loraq, mas não deve lhe causar nenhum mal. Está entendido?

– Não sou surdo, Magnificência. Obedecerei. – Skahaz tirou um rolo de pergaminho da manga. – Vossa Veneração devia dar uma olhada nisso. Uma lista de todos os navios meereeneses no bloqueio, com seus capitães. Grandes Mestres, todos.

Dany estudou o inventário. Todas as famílias governantes de Meereen estavam na relação: Hazkar, Merreq, Quazzar, Zhak, Rhazdar, Ghazeen, Pahl e até Reznak e Loraq.

– O que eu farei com uma lista de nomes?

– Cada homem desta lista tem um parente na cidade. Filhos e irmãos, esposas e filhas, mães e pais. Deixe minhas Bestas de Bronze capturá-los. As vidas deles trarão aqueles navios de volta.

– Se eu mandar as Bestas de Bronze para dentro das pirâmides, isso significa declarar guerra dentro da cidade. Tenho que acreditar em Hizdahr. Tenho que esperar por paz. – Dany segurou o pergaminho sobre uma vela e assistiu aos nomes desaparecendo nas chamas, enquanto Skahaz a olhava com raiva.

Mais tarde, Sor Barristan lhe disse que seu irmão Rhaegar teria ficado orgulhoso dela. Dany recordou-se das palavras que Sor Jorah dissera em Astapor: *Rhaegar lutou valentemente, Rhaegar lutou com nobreza, Rhaegar lutou com honra. E Rhaegar* morreu.

Quando desceu para o salão de mármore púrpura, o encontrou quase vazio.

– Não há peticionários hoje? – Dany perguntou para Reznak mo Reznak. – Ninguém que implore por justiça ou prata por uma ovelha?

– Não, Vossa Veneração. A cidade está com medo.

– Não há nada a temer.

Mas havia muito e ainda mais a temer, como ela descobriu naquela noite. Enquanto seus jovens reféns Miklaz e Kezmya lhe serviam uma ceia simples de verduras de outono e sopa de gengibre, Irri veio dizer que Galazza Galare retornara com três Graças Azuis do templo.

– Verme Cinzento também veio, *khaleesi*. Eles imploram por umas palavras, o mais urgente possível.

– Traga-os ao meu salão. E convoque Reznak e Skahaz. A Graça Verde adiantou o assunto?

– Astapor – disse Irri.

Verme Cinzento começou a contar.

– Ele veio na névoa da manhã, um cavaleiro e um cavalo descorado, morrendo. Sua égua cambaleava conforme se aproximava dos portões da cidade, seu lado rosa com sangue e espuma, seus olhos virados de terror. O cavaleiro gritou: *Ela está queimando, ela está queimando*, e caiu da sela. Este um foi até lá e deu ordens para o cavaleiro ser levado para as Graças Azuis. Quando os servos o carregaram para dentro dos portões, ele gritou novamente: *Ela está queimando*. Embaixo do *tokar*, era um esqueleto, todo ossos e carne febril.

Uma das Graças Azuis continuou a história.

– Os Imaculados trouxeram esse homem para o templo, onde o despimos e o banhamos com água fria. Suas roupas estavam sujas, e minhas irmãs encontraram metade de uma flecha em sua coxa. Embora ele tivesse quebrado a haste, a ponta permanecia dentro dele, e a ferida tinha necrosado, enchendo-o de venenos. Ele morreu em uma hora, ainda gritando que ela estava queimando.

– Ela está queimando – Daenerys repetiu. – Quem é ela?

– Astapor, Vossa Iluminada – disse outra das Graças Azuis. – Ele disse, uma vez. Disse "*Astapor* está queimando".

– Pode ter sido a febre falando.

– Vossa Iluminada fala com sabedoria – falou Galazza Galare –, mas Ezzara viu algo mais.

A Graça Azul chamada Ezzara juntou as mãos.

– Minha rainha – murmurou –, a febre não foi causada pela flecha. Ele havia se sujado, não uma, mas muitas vezes. As manchas chegavam até os joelhos, e havia sangue em seus excrementos.

– O cavalo dele estava sangrando, Verme Cinzento disse.

– Isso é verdade, Vossa Graça – o eunuco confirmou. – A égua descorada estava sangrando por sua espora.

– Pode ser, Vossa Iluminada – disse Ezzara –, mas este sangue estava misturado com seu assento. Manchou suas roupas íntimas.

– Ele estava sangrando das entranhas – disse Galazza Galare.

– Não podemos ter certeza – respondeu Ezzara –, mas pode ser que Meereen tenha mais a temer do que as lanças dos yunkaítas.

– Devemos orar – disse a Graça Verde. – Os deuses enviaram esse homem para nós. Ele vem como um prenúncio. Ele vem como um sinal.

– Sinal de quê? – perguntou Dany.

– Um sinal de ira e ruína.

Ela não queria acreditar naquilo.

– Ele era um homem. Um homem doente com uma flecha na perna. Um cavalo o trouxe aqui, não um deus. – *Uma égua descorada*. Dany se levantou abruptamente. – Agradeço pelo conselho de vocês e por tudo o que fizeram por esse pobre homem.

A Graça Verde beijou os dedos de Dany antes de sair.

– Rezaremos por Astapor.

E por mim. Oh, reze por mim, minha senhora. Se Astapor caiu, nada restou para impedir que Yunkai se vire para o Norte.

Ela se dirigiu a Sor Barristan.

– Envie mensageiros para as colinas para encontrar meus companheiros de sangue. Chame Ben Mulato e os Segundos Filhos de volta também.

– E os Corvos Tormentosos, Vossa Graça?

Daario.

– Sim. Sim. – Há apenas três noites, ela sonhara com Daario morto ao lado da estrada, olhando para o vazio enquanto corvos brigavam sobre seu cadáver. Em outras noites, ela se agitava na cama, imaginando que ele a traíra, como uma vez traíra seus companheiros capitães dos Corvos Tormentosos. *Ele me trouxe as cabeças deles.* E se levou sua companhia de volta para Yunkai para vendê-la por um pote de ouro? *Ele não faria isso. Faria?* – Os Corvos Tormentosos também. Mande mensageiros atrás deles imediatamente.

Os Segundos Filhos foram os primeiros a retornar, oito dias depois que a rainha enviou sua convocação. Quando Sor Barristan lhe disse que seu capitão desejava ter algumas palavras com ela, Dany pensou por um momento que fosse Daario e seu coração disparou. Mas o capitão a quem ele se referia era Ben Mulato Plumm.

Ben Mulato tinha o rosto marcado e envelhecido, a pele da cor de teca antiga, cabelos brancos e rugas ao redor dos olhos. Dany estava tão contente em ver aquele rosto de couro marrom, que o abraçou. Seus olhos se apertaram, divertidos:

– Ouvi dizer que Vossa Graça estava tomando um marido – disse –, mas ninguém me disse que era eu. – Riram juntos enquanto Reznak engasgava, mas a risada cessou quando Ben Mulato disse: – Capturamos três astaporis. Vossa Veneração devia ouvir o que dizem.

– Traga-os.

Daenerys os recebeu na grandeza de seu salão, com altas velas queimando entre os pilares de mármore. Quando viu que os astaporis estavam meio famintos, providenciou comida imediatamente para eles. Esses três eram tudo o que restara de uma dúzia que partira da Cidade Vermelha; um oleiro, uma tecelã e um sapateiro.

– O que aconteceu com o resto do seu grupo? – a rainha perguntou.

– Assassinados – disse o sapateiro. – Mercenários de Yunkai percorrem as colinas ao norte de Astapor caçando aqueles que fugiram das chamas.

– A cidade caiu, então? Suas muralhas eram grossas.

– Isso elas eram – disse o oleiro, um homem curvado, com olhos remelentos –, mas eram velhas e estavam se desintegrando também.

A tecelã levantou a mão.

– Todos os dias dizíamos uns para os outros que a rainha dragão estava voltando. – A mulher tinha lábios finos e olhos mortos e sem brilho, em um rosto pequeno e comprido. – Cleon mandou chamá-la, dizia-se, e você estava vindo.

Ele mandou me chamar, pensou Dany. *Esse tanto é verdade, pelo menos.*

– Do lado de fora das nossas muralhas, os yunkaítas devoraram nossas plantações e abateram nossos rebanhos – o sapateiro continuou. – Do lado de dentro, estávamos famintos. Comemos gatos, ratos e couro. Uma pele de cavalo era um banquete. O Rei

Cortagarganta e a Rainha Puta acusavam um ao outro de se banquetear na carne dos mortos. Homens e mulheres se reuniam em segredo para tirar a sorte e devorar a carne daquele que pegasse a pedra negra. A pirâmide de Nakloz foi pilhada e incendiada por aqueles que afirmavam que Kraznys mo Nakloz era o culpado por todas as nossas desgraças.

– Outros culpavam Daenerys – disse a tecelã –, mas muitos de nós ainda a amavam. "Ela está a caminho", dizíamos uns para os outros. "Ela está vindo à frente de uma grande tropa, com comida para todos nós."

Mal posso alimentar meu próprio povo. Se tivesse marchado para Astapor, teria perdido Meereen.

O sapateiro contou para eles como o corpo do Rei Açougueiro havia sido exumado e vestido em uma armadura de cobre, depois que a Graça Verde de Astapor teve uma visão na qual ele iria livrá-los dos yunkaítas. Armado e fedendo, o cadáver de Cleon, o Grande, foi preso nas costas de um cavalo faminto para liderar os novos Imaculados remanescentes em uma sortida, mas eles cavalgaram diretamente para os dentes de ferro de uma legião de Nova Ghis e foram abatidos.

– Depois, a Graça Verde foi empalada em uma estaca na Praça da Punição e deixada lá até a morte. Na pirâmide de Ulhor, os sobreviventes fizeram um grande banquete que durou metade da noite, e empurraram o resto da comida para baixo com vinho envenenado para que ninguém precisasse acordar novamente na manhã seguinte. Logo depois vieram as doenças, um fluxo sangrento que matou três homens em cada quatro, até que uma multidão de homens moribundos enlouqueceu e assassinou os guardas no portão principal.

O velho oleiro interrompeu para dizer:

– Não. Isso foi trabalho de homens saudáveis, fugindo para escapar do fluxo.

– Isso importa? – perguntou o sapateiro. – Os guardas foram abatidos e os portões foram escancarados. As legiões de Nova Ghis se derramaram para dentro de Astapor, seguidas pelos yunkaítas e pelos mercenários em seus cavalos. A Rainha Puta morreu lutando com uma maldição nos lábios. O Rei Cortagarganta se rendeu e foi jogado em uma arena de luta para ser abatido por uma matilha de cães famintos.

– E mesmo então alguns diziam que você estava vindo – disse a tecelã. – Eles juravam que a haviam visto montada em um dragão, voando alto sobre os acampamentos dos yunkaítas. Todos os dias procurávamos você.

Eu não podia ir, a rainha pensou. *Eu não ousei.*

– E quando a cidade caiu? – exigiu saber Skahaz. – O que aconteceu então?

– O massacre começou. O Templo das Graças estava cheio de doentes que foram lá para pedir aos deuses que os curassem. As legiões selaram as portas e incendiaram o templo com tochas. Em uma hora o fogo queimava em todos os cantos da cidade. Conforme se espalhava, um incêndio se unia a outro. Multidões enchiam as ruas, correndo de um lado para o outro para escapar das chamas, mas não havia para onde fugir. Os yunkaítas fecharam os portões.

– E mesmo assim *vocês* escaparam – disse o Cabeça-Raspada. – Como isso foi possível?

O velho respondeu.

– Sou oleiro por ofício, como meu pai e o pai dele antes de mim. Meu avô construiu nossa casa apoiada nas muralhas da cidade. Foi fácil soltar alguns tijolos a cada noite. Quando contei para meus amigos, eles me ajudaram a fortalecer o túnel, para que não desabasse. Todos concordamos que podia ser bom ter nossa própria rota de fuga.

Eu os deixei com um conselho para governá-los, Dany pensou, *um curandeiro, um sábio e um sacerdote.* Ainda podia se lembrar da Cidade Vermelha como a vira pela primeira vez, seca e poeirenta atrás das muralhas de tijolos vermelhos, sonhando sonhos cruéis, ainda cheia de vida. *Havia ilhas no Verme onde amantes se beijavam, mas na Praça da Punição eles tiravam tiras de pele dos homens e deixavam-nas penduradas para as moscas.*

– É bom que tenham vindo – ela disse para os astaporis. – Estarão a salvo em Meereen.

O sapateiro a agradeceu por aquilo, e o velho oleiro beijou seus pés, mas a tecelã olhou para ela com olhos tão duros quanto ardósia. *Ela sabe que eu minto,* a rainha pensou. *Sabe que não posso mantê-los a salvo. Astapor está queimando e Meereen será a próxima.*

– Há mais vindo – Ben Mulato anunciou depois que os astaporis saíram. – Esses três tinham cavalos. A maioria está a pé.

– Quantos são? – perguntou Reznak.

Ben Mulato encolheu os ombros.

– Centenas. Milhares. Alguns doentes, alguns queimados, alguns feridos. Os Gatos e os Soprados pelo Vento cruzam as colinas com lanças e chicotes, mandando-os para o Norte e abatendo os retardatários.

– Bocas a pé. E *doentes,* você diz? – Reznak torceu as mãos. – Vossa Veneração não deve permiti-los entrar na cidade.

– Eu não permitiria – disse Ben Mulato Plumm. – Não sou meistre, notem, mas sei que temos que separar as maçãs podres das boas.

– Não são maçãs, Ben – falou Dany. – São homens e mulheres, doentes, famintos e assustados. – *Meus filhos.* – Eu deveria ter ido para Astapor.

– Vossa Graça não poderia tê-los salvo – disse Sor Barristan. – Você avisou o Rei Cleon sobre essa guerra contra Yunkai. O homem era um tolo, e as mãos dele estavam vermelhas de sangue.

E minhas mãos estão mais limpas? Ela se lembrou do que Daario dissera; que todos os reis devem ser açougueiros, ou carne.

– Cleon era o inimigo do nosso inimigo. Se eu tivesse me juntado a ele no Chifre de Hazzat, poderíamos ter esmagado os yunkaítas entre nós.

O Cabeça-Raspada discordou.

– Se você tivesse levado os Imaculados para o sul, até Hazzat, os Filhos da Harpia...

– Eu sei. Eu *sei.* É Eroeh tudo de novo.

Ben Mulato Plumm estava intrigado.

– Quem é Eroeh?

– Uma garota que pensei estar salvando do estupro e do tormento. Tudo o que fiz foi tornar seu fim ainda pior. E tudo o que fiz em Astapor foi criar dez mil Eroehs.

– Vossa Graça não poderia saber...

– Sou a rainha. É meu dever saber.

– O que está feito está feito – disse Reznak mo Reznak. – Vossa Veneração, eu imploro, tome o nobre Hizdahr como seu rei de uma vez por todas. Ele pode falar com os Sábios Mestres, negociar uma paz para nós.

– Em quais termos? – *Cuidado com o senescal perfumado,* Quaithe dissera. A mulher mascarada havia previsto a chegada da égua descorada, estaria certa sobre o nobre Reznak também? – Posso ser uma jovem garota inocente da guerra, mas não sou uma ovelha para balir na toca da Harpia. Ainda tenho meus Imaculados. Tenho os Corvos Tormentosos e os Segundos Filhos. E tenho três companhias de libertos.

– Eles... e dragões – disse Ben Mulato Plumm, com um sorriso.

– Nos poços, em correntes – lamentou Reznak mo Reznak. – Para que servem dragões que não podem ser controlados? Até mesmo os Imaculados têm cada vez mais medo quando precisam abrir as portas para alimentá-los.

– O quê? Os bichinhos de estimação da rainha? – Os olhos de Ben Mulato se apertaram, divertidos. O capitão dos Segundos Filhos era uma criatura das companhias livres, um mestiço com o sangue de uma dúzia de povos correndo em suas veias, mas sempre fora apaixonado pelos dragões, e eles por ele.

– Bichos de estimação? – gritou Reznak. – Monstros, melhor. Monstros que se alimentam de crianças. Não podemos...

– *Silêncio* – disse Daenerys. – Não falaremos sobre isso.

Reznak se encolheu, vacilando diante da fúria no tom de voz da rainha.

– Perdoe-me, Magnificência, eu não...

Ben Mulato Brown o interrompeu.

– Vossa Graça, os yunkaítas têm três companhias livres contra nossas duas, e dizem que um enviado foi a Volantis para trazer a Companhia Dourada. Esses bastardos chegam a dez mil. Os yunkaítas também têm três legiões ghiscaris, talvez mais, e ouvi dizer que mandaram cavaleiros pelo mar dothraki para talvez trazer algum grande *khalasar* sobre nós. Precisamos dos dragões, pelo que vejo.

Dany suspirou.

– Sinto muito, Ben. Não ouso soltar os dragões. – Ela podia ver que aquela não era a resposta que ele queria.

Plumm coçou o bigode manchado.

– Se não há dragões na balança, bem... devemos partir antes que os bastardos yunkaítas fechem a armadilha... só que, primeiro, temos que fazer os mercadores de escravos pagarem para nos verem pelas costas. Eles pagam os *khals* para deixarem suas cidades, por que não nós? Venda Meereen de volta para eles, e vamos para o oeste com as carroças cheias de ouro, pedras preciosas e coisas assim.

– Você quer que eu saqueie Meereen e fuja? Não, não farei isso. Verme Cinzento, meus libertos estão prontos para a batalha?

O eunuco cruzou os braços contra o peito.

– Não são Imaculados, mas não a envergonharão. Este um jurará isso pela lança e pela espada, Vossa Veneração.

– Bom. Isso é bom. – Daenerys olhou para os rostos dos homens ao seu redor. O Cabeça-Raspada, carrancudo. Sor Barristan, com seu rosto enrugado e tristes olhos azuis. Reznak mo Reznak, pálido, suando. Ben Mulato, cabelo brancos, pele dura como couro velho. Verme Cinzento, rosto liso, impassível, sem expressão. *Dario devia estar aqui, e meus companheiros de sangue*, pensou. *Se tiver uma batalha, o sangue do meu sangue deve estar comigo.* Sentia falta de Sor Jorah Mormont também. *Ele mentiu para mim, informou sobre mim, mas também me amava e sempre deu bons conselhos.* – Derrotei os yunkaítas antes. Eu os derrotarei novamente. Mas onde? Como?

– Pretende ir a campo? – A voz do Cabeça-Raspada estava rouca de descrença. – Isso seria tolice. Nossas muralhas são mais altas e mais grossas do que as muralhas de Astapor e nossos defensores são mais valentes. Os yunkaítas não tomarão esta cidade tão facilmente.

Sor Barristan discordou.

– Não acho que devemos permitir que invistam contra nós. As tropas deles são uma colcha de retalhos, na melhor das hipóteses. Esses mercadores de escravos não são soldados. Se os pegarmos desprevenidos...

– Pequena chance disso – falou o Cabeça-Raspada. – Os yunkaítas têm muitos amigos dentro da cidade. Eles saberão.

– Quão grande é o exército que podemos reunir? – Dany perguntou.

– Não grande o suficiente, com seu perdão real – disse Ben Mulato Plumm. – O que Naharis tem a dizer? Se estamos indo para uma batalha, precisamos de seus Corvos Tormentosos.

– Daario ainda está em campo. – *Oh, deuses, o que eu fiz? Será que o mandei para a morte?* – Ben, precisarei dos seus Segundos Filhos para observar nossos inimigos. Onde estão, quão rápido avançam, quantos homens têm e como estão dispostos.

– Precisaremos de provisões. Cavalos descansados também.

– Claro. Sor Barristan verá isso.

Ben Mulato coçou o queixo.

– Talvez pudéssemos fazer alguns deles mudarem de lado. Se Vossa Graça puder dispor de alguns sacos de ouro e pedras preciosas... só para dar uma amostra aos capitães deles, como se fosse... bem, quem sabe?

– Comprá-los, por que não? – disse Dany. Aquele tipo de coisa acontecia o tempo todo entre as companhias livres das Terras Disputadas, ela sabia. – Sim, muito bom. Reznak, veja isso. Assim que os Segundos Filhos partirem, feche os portões e dobre a vigilância sobre as muralhas.

– Será feito, Magnificência – disse Reznak mo Reznak. – E esses astaporis?

Meus filhos.

– Estão vindo por ajuda. Por socorro e proteção. Não podemos virar as costas para eles.

Sor Barristan franziu a testa.

– Vossa Graça, fiquei sabendo que o fluxo sangrento pode destruir exércitos inteiros quando se espalha sem controle. O senescal está certo. Não podemos receber os astaporis em Meereen.

Dany olhou para ele, impotente. Ainda bem que dragões não choravam.

– Será como diz, então. Nós os manteremos do lado de fora das muralhas até que essa... essa maldição siga seu curso. Faremos um acampamento para eles ao lado do rio, a oeste da cidade. Enviaremos a comida que pudermos. Talvez possamos separar os saudáveis dos doentes. – Todos estavam olhando para ela. – Terei que falar duas vezes? Vão e façam como ordenei. – Dany se levantou, passou por Ben Mulato e subiu os degraus até a doce solidão do seu terraço.

Mais de mil quilômetros separavam Meereen de Astapor, e ainda assim parecia para ela que o céu estava mais escuro a sudoeste, borrado e nebuloso com a fumaça saída da Cidade Vermelha. *Tijolos e sangue construíram Astapor, e tijolos e sangue fizeram seu povo.* O velho dito soava em sua cabeça. *Cinza e ossos são Astapor, e cinza e ossos são seu povo.* Ela tentou se lembrar do rosto de Eroeh, mas as feições da garota morta mantinham-se esfumaçadas.

Quando Daenerys finalmente se virou, Sor Barristan estava perto dela, enrolado em sua capa branca contra o frio da noite.

– Podemos encarar essa luta? – perguntou para ele.

– Homens sempre podem lutar, Vossa Graça. Em vez disso, pergunte se podemos vencer. Morrer é fácil, mas a vitória é difícil. Seus libertos são meio treinados e inexperientes. Seus mercenários já serviram aos seus inimigos, e uma vez que um homem vira sua casaca, não terá escrúpulos para virá-la novamente. Você tem dois dragões que não podem ser controlados e um terceiro que pode estar perdido. Além dessas muralhas, seus únicos amigos são os lhazarenos, que não têm gosto pela guerra.

– Mas minhas muralhas são fortes.

– Não mais fortes do que quando estávamos fora delas. E os Filhos da Harpia estão dentro das muralhas, conosco. Assim como os Grandes Mestres, tanto aqueles que você não matou quanto os filhos daqueles que você matou.

– Eu sei. – A rainha suspirou. – O que me aconselha, sor?

– Batalha – disse Sor Barristan. – Meereen está superpovoada e cheia de bocas famintas e você tem muitos inimigos aqui dentro. Não podemos suportar um cerco longo, eu temo. Deixe-me encontrar os inimigos enquanto eles vêm para o norte, em um campo de minha própria escolha.

– Encontrar o inimigo – ela repetiu –, com os libertos que você diz que são meio treinados e inexperientes.

– Todos nós fomos inexperientes alguma vez, Vossa Graça. Os Imaculados ajudarão a endurecê-los. Se eu tivesse quinhentos cavaleiros...

– Ou cinco. E se eu lhe der os Imaculados, não terei ninguém além das Bestas de Bronze para defender Meereen. – Quando Sor Barristan não contestou, Dany fechou os olhos. *Deuses,* rezou, *vocês tomaram Khal Drogo, que era meu sol-e-estrelas. Tomaram nosso valente filho antes que ele respirasse. Vocês já tiveram seu sangue de mim. Ajudem-me agora, eu oro para vocês. Me deem sabedoria para ver o caminho adiante e a força para fazer o que tiver que fazer para manter meus filhos a salvo.*

Os deuses não responderam.

Quando abriu os olhos novamente, Daenerys disse:

– Não posso lutar contra dois inimigos, um do lado de dentro e outro do lado de fora. Se vou manter Meereen, devo ter a cidade ao meu lado. A cidade inteira. Preciso... preciso... – Ela não conseguia dizer aquilo.

– Vossa Graça? – Sor Barristan induziu, gentilmente.

Uma rainha não pertence a si mesma, mas ao seu povo.

– Preciso de Hizdahr zo Loraq.

Melisandre

Nunca estava verdadeiramente escuro nos aposentos de Melisandre. Três velas de sebo queimavam sobre o peitoril da janela para manter os terrores da noite acuados. Mais quatro tremulavam ao redor de sua cama, duas de cada lado. Na lareira, o fogo queimava dia e noite. A primeira lição daqueles que a serviam era aprender que aquele fogo jamais devia se extinguir.

A sacerdotisa vermelha fechou os olhos e disse uma oração, abriu-os então novamente para encarar o fogo da lareira. *Uma vez mais.* Tinha que ter certeza. Muitos sacerdotes e sacerdotisas antes dela haviam sido derrubados por visões falsas, por ver o que desejavam ver, em vez daquilo que o Senhor da Luz enviava. Stannis estava marchando para o Sul, direto para o perigo, o rei que carregava o destino do mundo sobre os ombros, Azor Ahai renascido. Certamente R'hllor outorgaria a ela um relance do que aguardava por ele. *Mostre-me Stannis, Senhor,* rezou. *Mostre-me seu rei, seu instrumento.*

Visões dançaram diante dela, douradas e escarlate, cintilando, criando formas, mesclando--se e dissolvendo-se umas nas outras, formas estranhas, aterrorizantes e sedutoras. Viu os rostos sem olhos novamente, encarando-a com os buracos que choravam sangue. Então viu torres à beira-mar, desintegrando-se quando a maré negra veio varrendo sobre elas, levantando-se das profundezas. Sombras com o formato de caveiras, caveiras que se tornavam névoa, corpos agarrados em luxúria, contorcendo-se, rolando e arranhando-se. Através de cortinas de fogo, grandes sombras aladas revoluteavam contra o firme céu azul.

A garota. Preciso encontrar a garota novamente, a garota de cinza no cavalo moribundo. Jon Snow esperaria isso dela, e logo. Não seria suficiente dizer que a garota estava fugindo. Ele iria querer mais, iria querer o quando e o onde, e ela não tinha isso para ele. Vira a garota apenas uma vez. *Uma garota tão cinzenta quanto as cinzas, e assim que olhei para ela, ela se desfez em pedaços e desapareceu.*

Um rosto se formou na lareira. *Stannis?*, ela pensou, só por um momento... mas não, essas não eram as feições dele. *Um rosto endurecido como madeira, um cadáver branco.* Era este o inimigo? Milhares de olhos vermelhos flutuavam nas chamas que subiam. *Ele me vê.* Ao lado dele, um menino com rosto de lobo jogou a cabeça para trás e uivou.

A sacerdotisa vermelha estremeceu. Sangue escorreu de sua coxa, negro e defumado. O fogo estava dentro dela, uma agonia, um êxtase, enchendo-a, queimando-a, transformando-a. Ondas de calor traçavam padrões em sua pele, insistentes como as mãos de um amante. Estranhas vozes a chamavam do passado.

– Melony – ela ouviu uma mulher gritar.

Uma voz de homem chamou:

– Lote Sete.

Estava chorando, e suas lágrimas eram chamas. E, mesmo assim, ela as bebia.

Flocos de neve rodopiavam do céu escuro, e cinzas subiam para encontrá-los, o cinza e o branco girando um ao redor do outro como flechas flamejantes arqueadas acima de uma muralha de madeira e coisas mortas cambaleando silenciosamente pelo frio, sob um grande penhasco cinza onde fogos queimavam dentro de centenas de cavernas. Então o vento se ergueu e a névoa branca veio tomando tudo, incrivelmente fria, e, um a um, os fogos se apagaram. Depois, apenas as caveiras permaneceram.

Morte, pensou Melisandre. *As caveiras são a morte.*

As chamas crepitavam suavemente, e em seu crepitar ela ouviu uma voz sussurrando o nome de Jon Snow. Seu rosto comprido flutuou diante dela, delineado em chamas vermelhas e laranja, aparecendo e desaparecendo novamente, meio escondido atrás de uma cortina esvoaçante. Primeiro ele era um homem, depois um lobo, no fim um homem novamente. Mas as caveiras estavam ali também, as caveiras estavam todas ao redor dele. Melisandre vira o perigo que ele corria antes e tentara avisar o rapaz. *Inimigos ao redor dele, adagas na escuridão.* Ele não ouviria.

Descrentes nunca ouviam, até que fosse tarde demais.

– O que você vê, minha senhora? – o garoto perguntou, suavemente.

Caveiras. Milhares de caveiras, e o garoto bastardo novamente. Jon Snow. Sempre que lhe perguntavam o que vira nas chamas, Melisandre respondia:

– Muito e ainda mais – mas ver nunca era tão simples quanto essas palavras sugeriam. Era uma arte e, como todas as artes, exigia maestria, disciplina, estudo. *Dor. Isso também.* R'hllor falava com seus escolhidos através do fogo sagrado, em uma linguagem de cinzas, brasas e chamas retorcidas que apenas um deus poderia realmente compreender. Melisandre praticara sua arte por anos além da conta e pagara o preço. Não havia ninguém, nem mesmo na sua ordem, que tivesse sua habilidade em ver os segredos meio revelados e meio ocultos nas chamas sagradas.

Até agora, ela não tinha tido uma visão sequer de seu rei. *Rezo por um vislumbre de Azor Ahai, e R'hllor me mostra apenas Snow.*

– Devan – chamou –, uma bebida. – Sua garganta estava em carne viva e seca.

– Sim, minha senhora. – O garoto serviu um copo de água do jarro de pedra sob a janela e trouxe para ela.

– Obrigada. – Melisandre tomou um gole, engoliu e deu um sorriso ao garoto. Aquilo o fez corar. O garoto estava meio apaixonado por ela, ela sabia. *Ele me teme, ele me quer e ele me venera.*

Por outro lado, Devan não estava feliz em estar ali. O garoto tinha um grande orgulho de servir como escudeiro do rei e ficara magoado quando Stannis ordenara que permanecesse em Castelo Negro. Como qualquer garoto de sua idade, tinha a cabeça cheia de sonhos de glória; sem dúvida, havia imaginado as proezas que exibiria em Bosque Profundo. Outros garotos de sua idade foram para o sul, para servir como escudeiros dos cavaleiros do rei e cavalgar nas batalhas ao lado deles. A exclusão de Devan deve ter parecido uma reprimenda, uma punição por alguma falha de sua parte, ou talvez por alguma falha de seu pai.

Na verdade, ele estava ali porque Melisandre pedira. Os quatro filhos mais velhos de Davos Seaworth haviam perecido na Batalha da Água Negra, quando a frota do rei fora consumida pelo fogo verde. Devan era o quinto, e estava mais seguro ali, com ela, do que ao lado do rei. Lorde Davos não a agradeceria por aquilo, não mais do que o próprio garoto, mas parecia a ela que Seaworth já sofrera perdas demais. Equivocado como ele era, sua lealdade para com Stannis não podia ser questionada. Ela vira em suas chamas.

Devan era rápido, esperto e capaz também, o que era mais do que podia ser dito sobre a maioria dos que a atendiam. Stannis deixara uma dúzia de homens para trás, para servi-la, quando marchara para o sul, mas a maioria deles era inútil. Sua Graça tinha necessidade de todas as espadas, então os que podia dispensar eram anciãos ou aleijados. Um homem ficara cego com uma pancada na cabeça na batalha pela Muralha, outro não podia andar desde que seu cavalo caiu e esmagou suas pernas. Seu oficial perdera um braço para o porrete de um gigante. Três de seus outros guardas eram eunucos que Stannis castrara por estuprarem mulheres selvagens. Ela tinha dois bêbados e um covarde também. O último deveria ter sido enforcado, como o próprio rei admitira, mas vinha de uma família nobre, e seu pai e irmãos eram apoiadores da causa desde o início.

Ter guardas ao seu redor sem dúvida mantinha os irmãos negros devidamente respeitosos, a sacerdotisa vermelha sabia, mas nenhum dos homens que Stannis lhe dera seria de muita ajuda se ela se encontrasse em perigo. Mas não importava. Melisandre de Asshai não temia por si mesma. R'hllor a protegeria.

Tomou outro gole de água, colocou o copo de lado, pestanejou, espreguiçou-se e se levantou da cadeira, seus músculos duros e doloridos. Depois de observar as chamas por tanto tempo, levou alguns momentos para se acostumar com a penumbra. Seus olhos estavam secos e cansados, mas, se os esfregasse, só piorariam.

O fogo estava baixo, percebeu.

– Devan, mais lenha. Que horas são?

– Já é quase amanhecer, minha senhora.

Amanhecer. Outro dia nos é dado, com a graça de R'hllor. Os terrores da noite retrocedem. Melisandre passara a noite na cadeira ao lado do fogo, como frequentemente fazia. Com a partida de Stannis, sua cama tinha pouco uso. Não tinha tempo para dormir, com o peso do mundo sobre seus ombros. E tinha medo de sonhar. *Dormir é uma pequena morte, sonhos são sussurros do Outro que quer nos arrastar para a noite eterna.* Preferia sentar-se banhada pelo brilho avermelhado das chamas do seu senhor vermelho, seu rosto enrubescendo pelas ondas de calor como se fossem beijos de um amante. Algumas noites, ela dormitava, mas nunca mais do que uma hora. Um dia, Melisandre esperava, não dormiria mais. Um dia estaria livre dos sonhos. *Melony*, pensou. *Lote Sete.*

Devan colocou novas toras no fogo, até que as chamas se levantaram novamente, ferozes e furiosas, empurrando as sombras para os cantos do quarto, devorando todos os sonhos indesejados dela. *A escuridão retrocede novamente... por algum tempo. Mas, além da Muralha, o inimigo fica cada vez mais forte, e se ele vencer, o amanhecer nunca chegará novamente.* Ela se perguntava se teria sido o rosto dele que havia visto, olhando para as chamas. *Não. Certamente, não. A visão dele teria sido mais assustadora do que aquilo, fria, negra e terrível demais para qualquer homem contemplar e viver.* Mas o homem endurecido como madeira que ela vislumbrara e o garoto com o rosto de lobo... eram servos dele, certamente... campeões dele, como Stannis era o dela.

Melisandre foi até a janela e empurrou as persianas, para abri-las. Lá fora, o leste apenas começava clarear, e as estrelas da manhã ainda estavam penduradas no céu escuro. Castelo Negro iniciava sua agitação, enquanto homens de manto negro faziam seu caminho pelo pátio para quebrar o jejum com uma tigela de mingau antes de renderem seus irmãos no alto da Muralha. Alguns flocos de neve entraram pela janela aberta, flutuando com o vento.

– Minha senhora deseja quebrar seu jejum? – perguntou Devan.

Comida. Sim, eu deveria comer. Alguns dias ela se esquecia. R'hllor a provia com todos os nutrientes que seu corpo precisava, mas isso era algo que era melhor manter oculto dos homens mortais.

Era de Jon Snow que ela precisava, não de pão frito e torresmo, mas não adiantaria nada enviar Devan ao Senhor Comandante. Ele não atenderia aos chamados dela. Snow decidira continuar vivendo atrás do arsenal, em um par de cômodos modestos previamente ocupados pelo último ferreiro da Patrulha. Talvez não se achasse digno da Torre do Rei, ou talvez não se importasse. Isso era um erro, a falsa humildade da juventude que, em si, era um tipo de orgulho. Nunca foi sábio para um governante evitar as armadilhas do poder, pois o poder flui em quantidades não pequenas de tais armadilhas.

O garoto não era inteiramente ingênuo, contudo. Ele sabia que melhor do que ir aos aposentos de Melisandre como um suplicante, era insistir que viesse procurá-lo quando ela quisesse falar com ele. E, frequentemente, quando ela ia, ele a deixava esperando, ou se recusava a vê-la. Nisso, pelo menos, era astuto.

– Quero chá de urtiga, um ovo cozido e pão com manteiga. Pão fresco, por favor, não frito. Encontre o selvagem também. Diga que preciso falar com ele.

– Camisa de Chocalho, minha senhora?

– E rápido.

Quando o garoto partiu, Melisandre se lavou e trocou suas vestes. Suas mangas eram cheias de bolsos ocultos, e ela os examinou cuidadosamente, como fazia todas as manhãs, para ter certeza de que todos os seus pós estavam no lugar. Pós para fazer o fogo ficar verde, azul ou prateado, pós para fazer a chama rugir, assobiar e subir mais alto do que um homem, pós para fazer fumaça. Uma fumaça para a verdade, uma fumaça para a luxúria, uma fumaça para o medo, e uma grossa fumaça negra que podia matar um homem instantaneamente. A sacerdotisa vermelha se armava com uma pitada de cada um deles.

A arca esculpida que trouxera do outro lado do mar estreito agora estava mais de três quartos vazia. E, embora Melisandre tivesse o conhecimento para fazer mais, faltavam-lhe ingredientes raros. *Meus feitiços devem ser suficientes.* Estava mais forte na Muralha, mais forte até mesmo do que em Asshai. Cada palavra e cada gesto eram mais potentes, e ela conseguia fazer coisas que nunca fizera antes. *As sombras que trarei para cá serão terríveis, e nenhuma criatura da escuridão permanecerá diante delas.* Com tais feitiçarias sob seu comando, logo não deveria mais precisar daqueles fracos truques de alquimistas e piromantes.

Fechou a arca, trancou-a e escondeu a chave nas saias, em algum bolso secreto. Então veio uma batida na porta. Seu oficial sem um braço apareceu com o som trêmulo da batida.

– Senhora Melisandre, o Senhor dos Ossos chegou.

– Mande-o entrar. – Melisandre sentou-se novamente na cadeira ao lado da lareira.

O selvagem usava um justilho sem mangas de couro fervido pontilhado com rebites de bronze, embaixo de um manto que misturava tons de verde e marrom. *Nenhum osso.* Estava envolto em sombras, também, em tufos de névoa cinzenta que se desfaziam, meio ocultos, e que deslizavam por seu rosto a cada passo que dava. *Coisas feias. Tão feias quanto seus ossos.* Um bico de viúva, olhos escuros muito próximos, bochechas vermelhas, um bigode que se contorcia como um verme sobre uma boca cheia de dentes marrons quebrados.

Melisandre sentiu o calor na cavidade da garganta quando seu rubi se mexeu com a proximidade de seu servo.

– Você deixou de lado a camisa de ossos – ela observou.

– O barulho me deixa louco.

– Os ossos o protegem – ela o recordou. – Os irmãos negros não têm amor por você. Devan me disse que apenas ontem você trocou palavras com alguns deles durante a ceia.

– Algumas poucas. Eu estava comendo feijão e sopa de torresmo enquanto Bowen Marsh falava sobre o campo alto. A Velha Romã pensou que eu estava espionando ele e anunciou que não suportaria assassinos ouvindo seus conselhos. Eu disse que, se isso era verdade, talvez não devesse falar ao lado do fogo. Bowen ficou vermelho e fez alguns sons abafados, mas isso foi tudo. – O selvagem sentou-se na beirada da janela, deslizando sua adaga da bainha. – Se algum corvo quiser deslizar uma faca entre minhas costelas enquanto eu estiver tomando alguma sopa, sua tentativa será bem-vinda. A gororoba de Hobb teria um gosto melhor com uma gota de sangue para temperá-la.

Melisandre não prestou atenção no aço nu. Se o selvagem pretendesse feri-la, ela teria visto nas chamas. Perigo contra sua própria pessoa fora a primeira coisa que aprendera a ver, ainda quando era meio criança, uma garota escrava comprometida por toda a vida com o grande templo vermelho. Ainda era a primeira coisa pela qual procurava todas as vezes que olhava para dentro do fogo.

– É com os olhos deles que deve se preocupar, não com suas facas – ela o avisou.

– A sedução, sim. – No grilhão de ferro negro em seu pulso, o rubi parecia pulsar. Ele bateu na pedra com a ponta de sua lâmina. O metal fez um suave *estalido* contra a pedra. – Sinto isso quando estou dormindo. Quente contra minha pele, mesmo através do ferro. Suave como um beijo de mulher. *Seu* beijo. Mas algumas vezes, em meus sonhos, ele começa a queimar, e seus lábios se transformam em dentes. Todo dia eu penso em como seria fácil arrancá-lo, e todo dia eu não o arranco. Devo vestir os malditos ossos também?

– O feitiço é feito de sombras e sugestões. Homens veem o que esperam ver. E os ossos são parte disso. – *Eu estava errada em poupar este?* – Se a sedução falhar, eles o matarão.

O selvagem começou a tirar sujeira debaixo da unha com a ponta da adaga.

– Cantei minhas canções, lutei minhas batalhas, bebi vinho do verão, experimentei a esposa de um dornense. Um homem deve morrer do jeito que viveu. No meu caso, isso significa aço na mão.

Ele sonhou com a morte? Pode o inimigo tê-lo tocado? A morte é seu domínio, e mortos são seus soldados.

– Você deve ter seu aço de volta muito em breve. O inimigo está se movendo, o inimigo verdadeiro. E os patrulheiros de Lorde Snow retornarão antes que o dia termine, com seus olhos cegos e sangrentos.

Os olhos do selvagem se estreitaram. Olhos cinzentos, olhos castanhos; Melisandre podia ver a cor mudar com cada pulsação do rubi.

– Arrancar os olhos, isso é trabalho do Chorão. O melhor corvo é o corvo cego, ele gostava de dizer. Algumas vezes penso que ele gostaria de arrancar os próprios olhos, que estão sempre lacrimejantes e coçando. Snow imaginou que o povo livre iria até Tormund, para que ele os liderasse, porque é o que ele faria. Ele gostava de Tormund, e a velha fraude gostava dele também. Mas se for o Chorão... isso não seria bom. Nem para ele, nem para nós.

Melisandre assentiu solenemente, como se tivesse guardado as palavras dele no coração, mas esse Chorão não importava. Ninguém do povo livre importava. Eram um povo perdido, um povo condenado, destinado a desaparecer da terra, como os filhos da floresta tinham desaparecido. Mas essas não eram palavras que ele gostaria de ouvir, e ela não se arriscaria em perdê-lo, não agora.

– Quão bem você conhece o Norte?

Ele guardou a lâmina.

– Tão bem quanto qualquer patrulheiro. Algumas partes mais do que outras. O Norte é muito grande. Por quê?

– A garota – ela disse. – A garota de cinza em um cavalo moribundo. A irmã de Jon Snow. – Quem mais poderia ser? Ela estava correndo para ele em busca de proteção, isso Melisandre vira claramente. – Eu a vi em minhas chamas, mas apenas uma vez. Temos que ganhar a confiança do Senhor Comandante, e a única maneira de fazer isso é salvando a garota.

– Eu salvando ela, você quer dizer? O Senhor dos Ossos? – ele riu. – Ninguém jamais confiou em Camisa de Chocalho, exceto tolos. Snow não é tolo. Se sua irmã precisa ser salva, ele mandará seus corvos. Eu mandaria.

– Ele não é você. Ele fez seus votos, e isso significa viver por eles. A Patrulha da Noite não toma partido. Mas você não é da Patrulha da Noite. Você pode fazer o que ele não pode.

– Se o seu senhor comandante de pescoço duro permitir. Seu fogo mostrou onde encontrar a garota?

– Vi água. Profunda, azul e calma, com uma fina crosta de gelo se formando sobre ela. Parecia continuar e continuar para sempre.

– Lago Longo. O que mais você viu ao redor dessa garota?

– Montanhas. Campos. Árvores. Um cervo, uma vez. Pedras. Ela fica bem longe das aldeias. Quando pode, cavalga no leito dos pequenos riachos, para afastar os caçadores do seu rastro.

Ele franziu o cenho.

– Isso torna difícil. Ela estava vindo em direção norte, você diz. O lago estava a leste ou a oeste dela?

Melisandre fechou os olhos, recordando-se.

– Oeste.

– Ela não está vindo pela estrada do rei, então. Garota esperta. Há menos testemunhas do outro lado, e mais cobertura. E alguns esconderijos que eu mesmo usei nos tempos... – Ele se calou ao som do berrante de guerra e ficou em pé rapidamente. Em todo Castelo Negro, Melisandre sabia, o mesmo silêncio repentino caíra, e cada homem e garoto se virara para a Muralha, ouvindo, esperando. Um sopro longo no berrante significava patrulheiros retornando, mas dois...

O dia chegou, pensou a sacerdotisa vermelha. *Lorde Snow terá que me ouvir agora.*

Depois que o longo grito lúgubre do berrante sumiu, o silêncio pareceu estender-se por uma hora. O selvagem finalmente quebrou o feitiço.

– Apenas um, então. Patrulheiros.

– Patrulheiros mortos. – Melisandre ficou em pé também. – Vá colocar seus ossos e espere. Eu voltarei.

– Eu deveria ir com você.

– Não seja tolo. Assim que encontrarem o que vão encontrar, a visão de qualquer selvagem vai inflamá-los. Fique aqui até que o sangue deles tenha tempo de esfriar.

Devan estava subindo os degraus da Torre do Rei, enquanto Melisandre descia, flanqueada por dois dos guardas que Stannis lhe deixara. O garoto levava seu desjejum meio esquecido em uma bandeja.

– Esperei que Hobb tirasse pães frescos do forno, minha senhora. Ainda estão quentes.

– Deixe isso em meus aposentos. – O selvagem comeria, provavelmente. – Lorde Snow precisa de mim, para lá da Muralha. – *Ele ainda não sabe, mas logo...*

Lá fora, a neve começara a cair. Uma multidão de corvos havia se reunido ao redor do portão quando Melisandre e sua escolta chegaram, mas abriram caminho para a sacerdotisa vermelha. O Senhor Comandante a precedera através do gelo, acompanhado por Bowen Marsh e vinte lanceiros. Snow também enviara uma dúzia de arqueiros para o alto da Muralha, para o caso de algum inimigo estar escondido na floresta próxima. Os guardas no portão não eram homens da rainha, mas lhe deram passagem do mesmo jeito.

Era frio e escuro sob o gelo, no estreito túnel que se retorcia e deslizava através da Muralha. Morgan seguiu à frente dela com uma tocha e Merrel veio atrás, com um machado. Os dois homens eram bêbados sem esperança, mas estavam sóbrios a essa hora da manhã. Homens da rainha, ao menos no nome, ambos tinham um temor saudável dela, e Merrel podia ser formidável quando não estava bêbado. Não precisaria deles hoje, mas Melisandre fazia questão de manter um par de guardas com ela aonde quer que fosse. Isso transmitia uma certa mensagem. *As armadilhas do poder.*

Quando saíram ao norte da Muralha, a neve caía de forma constante. Um esfarrapado cobertor branco cobria a terra rasgada e torturada que se estendia da Muralha até o início da floresta assombrada. Jon Snow e seus irmãos negros estavam reunidos ao redor de três lanças, a uns vinte metros de distância.

As lanças tinham dois metros e meio de comprimento e eram feitas de freixo. A da esquerda tinha uma suave curvatura, mas as outras duas eram lisas e retas. No topo de cada uma estava empalada uma cabeça decepada. Suas barbas estavam cheias de gelo, e a neve que caía lhes dera capuzes brancos. Seus olhos tinham sumido, apenas buracos vazios restavam, buracos negros e sangrentos que encaravam em silenciosa acusação.

– Quem eram? – Melisandre perguntou para os corvos.

– Jack Negro Bulwer, Hal Peludo e Garth Pena-Cinza – Bowen Marsh disse solenemente. – O chão está meio congelado. Os selvagens devem ter levado metade da noite para fincar as lanças tão fundo. Ainda podem estar por perto. Nos observando. – O Senhor Intendente olhou para a fileira de árvores.

– Pode haver centenas deles lá – disse um irmão negro com um rosto sisudo. – Podem ser milhares.

– Não – disse Jon Snow. – Eles deixaram seus presentes na escuridão da noite e fugiram. – Seu imenso lobo gigante branco rondava as hastes, farejando, então levantou a perna e mijou na lança que segurava a cabeça de Jack Negro Bulwer. – Fantasma teria sentido o cheiro deles se estivessem por aqui.

– Espero que o Chorão tenha queimado os corpos deles – disse o homem sisudo, aqueles a quem chamavam de Edd Doloroso. – De outra forma, podem vir procurar suas cabeças.

Jon Snow agarrou a lança que segurava Garth Pena-Cinza e a arrancou violentamente do solo.

– Tirem os outros dois – ordenou, e quatro de seus corvos correram para obedecer.

As bochechas de Bowen Marsh estavam vermelhas de frio.

– Nunca deveríamos ter enviado patrulheiros.

– Este não é o momento nem lugar para cutucar essa ferida. Não aqui, meu senhor. Não agora. – Para os homens lutando com as lanças, Snow disse: – Levem as cabeças e queimem-nas. Não deixem nada além de ossos. – Somente então pareceu notar Melisandre. – Minha senhora. Caminhe comigo, se quiser.

Finalmente.

– Se for do agrado do Senhor Comandante.

Enquanto caminhavam sob a Muralha, ela deslizou o braço pelo dele. Morgan e Merrel iam à frente, Fantasma rondando em seus calcanhares. A sacerdotisa não falou, mas diminuiu o passo deliberadamente e, onde pisava, o gelo começava a gotejar. *Ele não deixará de notar isso.*

Sob a grade de ferro de um mata-cão, Snow quebrou o silêncio, como ela sabia que faria.

– E os outros seis?

– Não os vi – Melisandre disse.

– Você olhou?

– É claro, meu senhor.

– Recebemos um corvo de Sor Denys Mallister da Torre Sombria – Jon Snow contou para ela. – Seus homens têm visto fogueiras nas montanhas do outro lado da Garganta. Selvagens se juntando, Sor Denys acredita. Ele acha que tentarão pressionar a Ponte das Caveiras novamente.

– Alguns podem. – Poderiam as caveiras de sua visão significar essa ponte? De alguma maneira, Melisandre achava que não. – Se vierem, esse ataque não será mais do que uma diversão. Vi torres à beira-mar, submersas em uma maré negra e sangrenta. É aí onde o ataque mais pesado cairá.

– Atalaialeste?

Será? Melisandre vira Atalaialeste do Mar com o Rei Stannis. Era onde Sua Graça deixara a Rainha Selyse e a filha deles, Shireen, quando reunira os cavaleiros para marchar para o Castelo Negro. As torres em suas chamas eram bem diferentes, mas isso era frequente em suas visões.

– Sim. Atalaialeste, meu senhor.

– Quando?

Ela estendeu as mãos.

– Amanhã. Na próxima lua. Em um ano. E pode ser que, se agir, você possa evitar completamente o que vi. – *De outro modo, para que serviriam as visões?*

– Bom – disse Snow.

A multidão de corvos tinha dobrado de tamanho no momento em que emergiram de baixo da Muralha. Os homens se espremiam em torno deles. Melisandre conhecia uns poucos pelo nome; o cozinheiro Hobb Três-Dedos, Mully, com seu cabelo laranja oleoso, o garoto estúpido chamado Owen, o Idiota, o bêbado Septão Celladar.

– É verdade, senhor? – perguntou Hobb Três-Dedos.

– Quem é? – perguntou Owen, o Idiota. – Não é Dywen, é?

– Nem Garth – disse um homem da rainha que ela conhecia como Alf de Runnymudd, um dos primeiros a trocar seus sete deuses falsos pela verdade de R'hllor. – Garth é esperto demais para aqueles selvagens.

– Quantos? – quis saber Mully.

– Três – Jon contou para eles. – Jack Negro, Hal Peludo e Garth.

Alf de Runnymudd deu um grito alto o suficiente para acordar quem estivesse dormindo na Torre Sombria.

– Coloque-o na cama e dê um vinho quente para ele – Jon disse para Hobb Três-Dedos.

– Lorde Snow – Melisandre disse calmamente. – Viria comigo até a Torre do Rei? Tenho mais para compartilhar com você.

Ele olhou para o rosto dela por um longo momento, com aqueles frios olhos cinzentos. Sua mão direita fechou, abriu, fechou novamente.

– Como quiser. Edd, leve Fantasma de volta aos meus aposentos.

Melisandre tomou isso como um sinal e dispensou sua própria guarda também. Cruzaram o pátio juntos, apenas os dois. A neve caía ao redor deles. Ela andava o mais perto de Jon Snow que se atrevia, perto o suficiente para sentir a desconfiança transbordando dele, como uma névoa negra. *Ele não me ama, nunca me amará, mas fará uso de mim. Muito bem.* Melisandre dançara a mesma dança com Stannis Baratheon, bem no começo. Na verdade, o jovem senhor comandante e seu rei tinham mais em comum do que qualquer um dos dois jamais estaria disposto a admitir. Stannis fora um filho mais novo vivendo à sombra do irmão mais velho, assim como Jon Snow, bastardo, sempre eclipsado por seu irmão legítimo, o herói caído que os homens chamavam de Jovem Lobo. Ambos eram descrentes por natureza, desconfiados, suspeitosos. Os únicos deuses que veneravam verdadeiramente eram a honra e o dever.

– Você não tem me perguntado sobre sua irmã – Melisandre disse, enquanto subiam os degraus em espiral da Torre do Rei.

– Eu disse para você. Não tenho irmã. Colocamos nossos parentes de lado quando pronunciamos nossas palavras. Não posso ajudar Arya, por mais que eu...

Ele se calou quando entraram nos aposentos dela. O selvagem estava ali, sentado na mesa dela, passando manteiga em um pedaço irregular de pão preto quente com sua adaga. Ele vestira a armadura de ossos, Melisandre ficou satisfeita em ver. O crânio quebrado de gigante que usava como elmo descansava no assento da janela atrás dele.

Jon Snow ficou tenso.

– Você.

– Lorde Snow. – O selvagem sorriu para eles através daquela boca de dentes marrons e quebrados. O rubi em seu pulso brilhava na luz da manhã como uma opaca estrela vermelha.

– O que está fazendo aqui?

– Quebrando meu jejum. Você é bem-vindo para partilhar.

– Não partirei pão com você.

– Você perde. O pão ainda está quente. Hobb faz isso muito bem, pelo menos. – O selvagem deu uma mordida. – Eu poderia visitar você tão facilmente, meu senhor. Aqueles guardas em sua porta são uma piada de mau gosto. Um homem que escalou a Muralha meia centena de vezes pode subir em uma janela com bastante facilidade. Mas o que de bom viria de sua morte? Os corvos apenas escolheriam alguém pior. – Mastigou, engoliu. – Fiquei sabendo dos seus patrulheiros. Você devia ter me mandado com eles.

– Para que pudesse traí-los com o Chorão?

– Estamos falando sobre traições? Qual era o nome daquela sua esposa selvagem, Snow? Ygritte, não era? – O selvagem se virou para Melisandre. – Precisarei de cavalos. Meia dúzia dos bons. E isso não é algo que eu possa fazer sozinho. Algumas das esposas de lança encurraladas na Vila Toupeira devem servir. Mulheres podem ser melhores para isso. A garota vai confiar mais nelas, e elas me ajudarão com certo estratagema que tenho em mente.

– Do que ele está falando? – Lorde Snow perguntou para ela.

– De sua irmã. – Melisandre colocou a mão no braço dele. – Você não pode ajudá-la, mas ele pode.

Snow puxou o braço.

– Acho que não. Você não conhece essa criatura. Camisa de Chocalho poderia lavar a mão uma centena de vezes ao dia e ainda teria sangue sob as unhas. Ele gostaria mais de estuprar e matar Arya do que de salvá-la. Não. Se foi isso que viu em suas chamas, minha senhora, você deve ter cinzas nos olhos. Se ele tentar deixar Castelo Negro sem minha permissão, eu mesmo cortarei a cabeça dele.

Ele não me deixa escolha. Que assim seja.

– Devan, deixe-nos – ela disse, e o escudeiro saiu e fechou a porta atrás de si.

Melisandre tocou o rubi em seu pescoço e falou uma palavra.

O som ecoou estranhamente pelos cantos do quarto e se torceu como um verme dentro dos ouvidos deles. O selvagem ouviu uma palavra, o corvo, outra. Nenhuma delas era a palavra que saíra dos lábios dela. O rubi no pulso do selvagem escureceu, e feixes de luz e sombra ao redor dele se contorciam e se esvaíam.

Os ossos permaneceram; o chocalho de costelas, as garras e os dentes ao longo dos braços e ombros, a grande clavícula amarelada através de seus ombros. O crânio quebrado de gigante permanecia um crânio quebrado de gigante, amarelado e rachado, com um sorriso selvagem e manchado.

Mas o bico de viúva sumiu. O bigode castanho, o queixo protuberante, a lívida carne amarelada e os pequenos olhos escuros, tudo derreteu. Dedos cinzentos rastejaram por longos cabelos castanhos. Linhas de riso apareceram no canto da boca. De uma só vez, ele ficara maior do que antes, mais largo de peito e ombros, com pernas longas e magras, o rosto sem barba e queimado pelo vento.

Os olhos cinza de Jon Snow ficaram maiores.

– Mance?

– Lorde Snow. – Mance Rayder não sorriu.

– *Ela queimou você.*

– Ela queimou o Senhor dos Ossos.

Jon Snow se virou para Melisandre.

– Que feitiçaria é essa?

– Chame como quiser. Sedução, aparição, ilusão. R'hllor é o Senhor da Luz, Jon Snow, e é dado para seus servos tecer com isso, como outros tecem com fios.

Mance Rayder riu.

– Eu também tinha minhas dúvidas, Snow, mas por que não deixá-la tentar? Era isso, ou Stannis me assando.

– Os ossos ajudam – disse Melisandre. – Os ossos se lembram. As seduções mais fortes são construídas com tais coisas. Uma bota de um homem morto, um tufo de cabelo, um saco de dedos da mão. Com palavras suspiradas e orações, a sombra de um homem pode ser tirada de um e vestida em outro como um manto. A essência de quem veste não muda, apenas sua aparência.

Ela fazia isso soar uma coisa simples e fácil. Eles não precisavam saber quão difícil tinha sido ou quanto custara para ela. Essa era uma lição que Melisandre aprendera havia muito tempo, em Asshai; quanto mais fácil o feitiço parecia, mais os homens temiam o feiticeiro. Quando as chamas lamberam Camisa de Chocalho, o rubi na garganta dela ficara tão quente que ela temera que sua própria carne começasse a soltar fumaça e ficar negra. Por sorte, Lorde Snow a livrara daquela agonia com suas flechas. Enquanto Stannis se agitara com o desafio, ela estremecera de alívio.

– Nosso falso rei tem modos espinhosos – Melisandre contou para Jon Snow –, mas não trairá você. Ainda temos o filho dele, lembre-se. E ele deve a própria vida a você.

– A mim? – Snow pareceu assustado.

– A quem mais, meu senhor? Apenas o sangue da vida dele poderia pagar por seus crimes, suas leis dizem, e Stannis Baratheon não é homem de ir contra as leis... mas, como você mesmo falou tão sabiamente, as leis dos homens acabam na Muralha. Eu lhe afirmei que o Senhor da Luz ouviria suas preces. Você queria um meio de salvar sua irmãzinha e ainda agarrar-se à honra que significa tanto para você, aos votos que jurou diante de seu deus de madeira. – Ela apontou para Mance com um dedo pálido. – Ali está, Lorde Snow. A libertação de Arya. Um presente do Senhor da Luz... e meu.

Fedor

Primeiro ele ouviu as garotas, latindo enquanto corriam para casa. A batida dos cascos ecoando no chão pavimentado com pedra o fez ficar em pé imediatamente, as correntes chocalhando. A que estava entre seus tornozelos não tinha mais do que trinta centímetros, encurtando muito seus passos. Era difícil se mover rapidamente daquele jeito, mas fez o melhor que podia, saltando e tilintando de seu estrado. Ramsay Bolton estava de volta e iria querer seu Fedor disponível para servi-lo.

Lá fora, sob um frio céu outonal, os caçadores entravam pelos portões. Ben Ossos vinha na frente, com as garotas uivando e latindo ao seu redor. Atrás vinham Peleiro, Alyn Azedo e Damon Dance-para-Mim, com seu longo chicote engordurado, e logo depois os Walder cavalgando os potros cinzentos que a Senhora Dustin dera para eles. Sua senhoria cavalgava Sangue, um garanhão vermelho com um temperamento que combinava com o de Ramsay Bolton. Ele estava rindo. Aquilo podia ser muito bom ou muito ruim, Fedor sabia.

As cadelas estavam em cima dele antes que pudesse se dar conta, atraídas pelo seu cheiro. As cadelas gostavam de Fedor; ele frequentemente dormia com elas, e algumas vezes Ben Ossos deixava que ele dividisse o jantar dos animais. A matilha correu pelo chão de pedras latindo, correndo ao redor dele, pulando para lamber seu rosto sujo, beliscando-lhe a perna. Helicent pegou sua mão esquerda entre os dentes e a apertou tão ferozmente que ele ficou com medo de perder mais dois dedos. Jeyne Vermelha saltou em seu peito e o fez cair. Ela era magra e musculosa, enquanto Fedor era pele cinzenta solta e ossos quebradiços, um faminto de cabelos brancos.

Os homens estavam desmontando quando Fedor empurrou Jeyne Vermelha e lutara para ficar de joelhos. Duas dúzias de homens a cavalo haviam partido e duas dúzias retornavam, o que significava que a busca fora um fracasso. Isso era mau. Ramsay não gostava do gosto do fracasso. *Ele vai querer machucar alguém.*

Ultimamente, seu senhor estava sendo forçado a se conter, pois Vila Acidentada estava cheia de homens cujo apoio a Casa Bolton precisava, e Ramsay sabia ser cuidadoso perto dos Dustin, dos Ryswell e de seus companheiros fidalgotes. Com eles, era sempre cortês e sorridente. Atrás de portas fechadas, era outra coisa.

Ramsay Bolton estava vestido como condizia ao senhor de Hornwood e herdeiro de Forte do Pavor. Seu manto era feito de peles de lobo costuradas e preso contra o frio do outono por um dente amarelado da cabeça do lobo em seu ombro direito. Em um quadril, usava uma cimitarra, com a lâmina tão grossa e pesada quanto um cutelo; no outro, uma adaga comprida e uma pequena faca curva de esfolar, com uma ponta em forma de gancho e as bordas afiadas. Todas as três lâminas tinham punhos de osso amarelo combinando.

– Fedor – sua senhoria chamou do alto da sela de Sangue –, você fede. Posso senti-lo do outro lado do pátio.

– Eu sei, meu senhor – Fedor teve que dizer. – Peço perdão.

– Eu lhe trouxe um presente. – Ramsay se virou, procurou atrás de si, puxou algo da sela e arremessou. – Pegue.

Entre a corrente, os grilhões e seus dedos perdidos, Fedor era mais desajeitado do que fora antes de aprender seu nome. A cabeça bateu em suas mãos mutiladas, escapou dos tocos dos dedos e aterrissou em seus pés, cheia de vermes. Achava-se tão incrustada de sangue seco que estava irreconhecível.

– Falei para pegar – disse Ramsay. – Apanhe isso.

Fedor tentou levantar a cabeça pela orelha. Isso não foi bom. A carne estava verde e apodrecida, e a orelha se soltou entre seus dedos. Pequeno Walder riu, e um momento depois todos os outros homens estavam rindo também.

– Oh, deixe isso aí – disse Ramsay. – Apenas cuide do Sangue. Cavalguei duro no bastardo.

– Sim, meu senhor. Cuidarei. – Fedor correu para o cavalo, deixando a cabeça decepada para as cadelas.

– Você cheira a merda de porco hoje, Fedor – disse Ramsay.

– Nele, isso é uma melhoria – disse Damon Dance-para-Mim, sorrindo enquanto enrolava o chicote.

Pequeno Walder pulou da sela.

– Você pode cuidar do meu cavalo também, Fedor. E o do meu priminho.

– Posso cuidar do meu próprio cavalo – disse Grande Walder. Pequeno Walder se tornara o favorito de Lorde Ramsay, e cada dia parecia mais com seu senhor, mas o menor dos Frey era feito de material diferente, e raramente tomava parte nos jogos e nas crueldades do primo.

Fedor não prestou atenção aos escudeiros. Levou Sangue em direção aos estábulos, saltando para o lado quando o garanhão tentou dar-lhe um coice. Os caçadores entraram no salão, todos menos Ben Ossos, que estava xingando as cadelas para que parassem de brigar pela cabeça decepada.

Grande Walder o seguiu até os estábulos, levando sua própria montaria. Fedor deu uma olhada para ele enquanto removia o freio de Sangue.

– Quem era ele? – perguntou suavemente, para que os outros cavalariços não pudessem escutar.

– Ninguém. – Grande Walder puxou a sela de seu cinzento. – Um velho que encontramos na estrada, só isso. Estava pastoreando uma velha cabra e quatro filhotes.

– Sua senhoria o matou pelas cabras?

– Sua senhoria o matou porque o homem o chamou de Lorde Snow. Mas as cabras estavam boas. Nós ordenhamos a mãe e assamos os filhotes.

Lorde Snow. Fedor assentiu, suas correntes tilintando enquanto lutava com as tiras da sela de Sangue. *Independente do nome, Ramsay não é um homem para se estar perto quando está irado. Ou quando não está.*

– Encontraram seus primos, meu senhor?

– Não. Nunca achei que os encontraríamos. Estão mortos. Lorde Wyman os matou. Isso é o que eu teria feito se fosse ele.

Fedor não disse nada. Algumas coisas não eram seguras de serem ditas, nem mesmo nos estábulos, com sua senhoria no salão. Uma palavra errada poderia custar a ele outro dedo do pé, ou mesmo da mão. *Mas não minha língua. Ele nunca arrancará minha língua. Ele gosta de me ouvir suplicar que me poupe da dor. Ele gosta de me fazer dizer isso.*

Os homens haviam estado dezesseis dias na caçada, com apenas pão duro e carne salgada para comer, além dos ocasionais filhotes roubados, então naquela noite Lorde Ramsay ordenou que um banquete deveria ser organizado para celebrar seu retorno a Vila Acidentada. Seu anfitrião, um grisalho senhor menor de um braço só, chamado Harwood Stout, sabia que era melhor não negar seu pedido, embora suas despensas devessem estar bem perto de se esvaziar. Fedor ouvira os servos de Stout murmurando sobre como o Bastardo e seus homens estavam comendo todo o estoque de inverno.

– Ele vai se casar com a filhinha de Lorde Eddard, dizem – a cozinheira de Stout reclamou, sem perceber que Fedor estava ouvindo –, mas é a gente que ele vai foder quando a neve começar, escrevam minhas palavras.

Mas Lorde Ramsay decretara um banquete, então haveria um banquete. Tábuas e cavaletes foram montados no salão de Stout, um boi foi abatido, e naquela noite, quando o sol se pôs, os caçadores de mãos vazias comeram assados e costelas, pão de cevada e purê de cenouras e ervilhas, e empurraram tudo para baixo com prodigiosas quantidades de cerveja.

Coube ao Pequeno Walder manter a caneca de Lorde Ramsay cheia, enquanto Grande Walder servia os demais na grande mesa. Fedor fora acorrentado ao lado das portas, para que seu cheiro não tirasse o apetite dos convidados. Ele comeria mais tarde, quaisquer que fossem os restos que Lorde Ramsay lhe enviasse. As cadelas desfrutavam os corredores do salão e proporcionavam o melhor entretenimento da noite, até Maude e Jeyne Cinza se atracarem com um dos cães de caça de Lorde Stout por causa de um osso especialmente suculento que Curto Will atirara para eles. Fedor foi o único homem no salão que não assistiu à luta dos três cães. Manteve os olhos em Ramsay Bolton.

A luta não terminou até que o cão do anfitrião estivesse morto. O velho cão de caça de Stout nunca tivera a mínima chance. Eram dois contra um, e as cadelas de Ramsay eram jovens, fortes e selvagens. Ben Ossos, que gostava mais das cadelas do que do seu mestre, contara a Fedor que todas recebiam seus nomes de garotas camponesas que Ramsay havia caçado, estuprado e matado quando ainda era um bastardo, andando com o primeiro Fedor.

– Mas só aquelas que lhe proporcionaram um bom esporte. As que choraram e imploraram e não correram não conseguiram voltar como cadelas. – A próxima ninhada a chegar aos canis de Forte do Pavor incluiria uma Kyra, ele não duvidava. – Ele as treina para matar até lobos – Ben Ossos confidenciara. Fedor não disse nada. Sabia quais lobos as garotas foram feitas para matar, mas não queria assistir às garotas lutando por um dedo seu cortado fora.

Dois servos estavam levando a carcaça do cão morto e uma velha mulher buscara esfregão, rodo e balde para lidar com o junco ensopado de sangue, quando as portas do salão se abriram com uma rajada de vento e uma dúzia de homens em cota de malha cinza e meios-elmos de ferro marcharam para dentro, passando pelos jovens guardas de rosto pálido de Stout, em corseletes de couro e mantos dourados e castanho-avermelhados. Um súbito silêncio tomou conta dos convidados... todos menos Lorde Ramsay, que jogou fora o osso que estava roendo, limpou a boca na manga, sorriu um sorriso engordurado e úmido e disse:

– Pai.

O Senhor de Forte do Pavor olhou indolentemente para os restos do banquete, para o cão morto, para as cortinas nas paredes, para Fedor em suas correntes e grilhões.

– Fora – disse para os convidados, em uma voz tão suave quanto um murmúrio. – Agora. Todos vocês.

Os homens de Lorde Ramsay se levantaram das mesas, abandonando taças e pratos. Ben Ossos deu um grito para as garotas, e elas o seguiram, com alguns ossos ainda nas mandíbulas. Harwood Stout inclinou-se rigidamente e deixou o salão sem uma palavra.

– Solte as correntes de Fedor e leve-o com você – Ramsay rosnou para Alyn Azedo, mas seu pai acenou com a mão pálida e disse:

– Não, deixe-o.

Até os próprios guardas de Lorde Roose se retiraram, puxando as portas para fechá-las atrás deles. Quando o eco desapareceu, Fedor encontrou-se sozinho no salão com os dois Bolton, pai e filho.

– Você não encontrou nossos Frey perdidos. – O jeito que Roose Bolton disse aquilo era mais uma afirmação do que uma pergunta.

– Cavalgamos até onde Lorde Lampreia afirma que tomaram caminhos separados, mas as garotas não encontraram rastro.

– Você perguntou por eles nas aldeias e estalagens.

– Um desperdício de palavras. Os camponeses devem ser cegos para tudo o que veem. – Ramsay encolheu os ombros. – Isso importa? O mundo não perderá alguns Frey. Há muitos mais lá nas Gêmeas, se tivéssemos necessidade de algum.

Lorde Roose partiu um pequeno pedaço de pão e comeu.

– Hosteen e Aenys estão angustiados.

– Deixe-os procurar se quiserem.

– Lorde Wyman culpa a si mesmo. Para ouvi-lo dizer isso, ele deve ter se apegado especialmente por Rhaegar.

Lorde Ramsay estava ficando indignado. Fedor podia ver em sua boca, na curva daqueles lábios grossos, na maneira como as veias saltavam em seu pescoço.

– Aqueles tolos deveriam ter ficado com Manderly.

Roose Bolton deu de ombros.

– A liteira de Lorde Wyman se mexe a passo de caracol... e é claro que a circunferência e a saúde de sua senhoria não o permitem viajar mais do que umas poucas horas por dia, com frequentes paradas para refeições. Os Frey estavam ansiosos para chegar a Vila Acidentada e se reunir com seus parentes. Pode culpá-los por cavalgarem na frente?

– Se é que fizeram isso. Acredita em Manderly?

Os olhos claros de seu pai brilharam.

– Eu lhe dei essa impressão? Calma. Sua senhoria está muito perturbado.

– Não tão perturbado que não possa comer. Lorde Porco deve ter trazido a metade da comida de Porto Branco com ele.

– Quarenta carroções cheios de coisas de comer. Tonéis de vinho e barris de lampreias frescas, um rebanho de cabras, uma centena de porcos, caixas de caranguejos e ostras, um bacalhau monstruoso... Lorde Wyman gosta de comer. Você deve ter notado.

– O que notei é que ele não nos trouxe reféns.

– Notei isso também.

– O que pretende fazer sobre isso?

– É um dilema. – Lorde Roose encontrou uma taça vazia, limpou-a na toalha da mesa e encheu-a de um jarro. – Manderly não está sozinho em organizar banquetes, nota-se.

– Deveria ter sido você a organizar o banquete, para celebrar meu retorno – Ramsay reclamou –, e deveria ter sido no Solar Acidentado, não nessa latrina de castelo.

– Solar Acidentado e suas cozinhas não estão a minha disposição – seu pai disse suavemente. – Sou apenas um convidado lá. O castelo e a cidade pertencem à Senhora Dustin, e ela não pode sustentá-lo lá.

O rosto de Ramsay ficou sombrio.

– Se eu cortar as tetas dela e der de comer para minhas garotas, ela me sustentará então? Ela me sustentará se eu arrancar a pele dela para fazer um par de botas para mim?

– Improvável. E essas botas sairiam caras. Elas nos custariam Vila Acidentada, a Casa Dustin e os Ryswell. – Roose Bolton sentou-se do outro lado da mesa, de frente para o filho. – Barbrey Dustin é a irmã mais nova da minha segunda esposa, filha de Rodrik Ryswell, irmã de Roger, Rickard e do meu homônimo Roose, prima dos outros Ryswell. Ela gostava do meu falecido filho e suspeita que você tenha alguma coisa a ver com a morte dele. A Senhora Barbrey é uma mulher que sabe nutrir uma mágoa. Seja grato por isso. Vila Acidentada é leal aos Bolton em grande parte porque ela ainda culpa Ned Stark pela morte do marido.

– *Leal?* – Ramsay fervilhava. – Tudo o que ela faz é cuspir em mim. Chegará o dia em que colocarei fogo em sua preciosa cidade de madeira. Deixe ela cuspir nisso, para ver se apaga as chamas.

Roose fez uma careta, como se a cerveja que estava tomando repentinamente ficasse azeda.

– Tem horas que me pergunto se você é realmente minha semente. Meus antepassados foram muitas coisas, mas nunca tolos. Não, fique quieto agora, já ouvi o suficiente. Parecemos fortes neste momento, sim. Temos amigos poderosos nos Lannister e nos Frey e o apoio relutante de grande parte do Norte... mas imagine o que vai acontecer quando um dos filhos de Ned Stark aparecer?

Os filhos de Ned Stark estão todos mortos, Fedor pensou. *Robb foi morto nas Gêmeas, e Bran e Rickon... nós mergulhamos as cabeças deles em alcatrão...* Sua cabeça latejava. Não queria se lembrar de nada que acontecera antes de saber seu nome. Havia coisas que magoavam demais para lembrar, pensamentos quase tão dolorosos quanto as facas de esfolar de Ramsay...

– Os lobinhos do Stark estão mortos – disse Ramsay, despejando mais cerveja em sua caneca – e permanecerão mortos. Deixe que eles mostrem suas caras feias, e minhas garotas rasgarão os lobos deles em pedaços. Quanto mais cedo aparecerem, mais cedo os matarei de novo.

O Bolton mais velho suspirou.

– *De novo?* Certamente você se expressou mal. Você nunca assassinou os filhos de Lorde Eddard, aqueles dois doces garotos que amávamos tanto. Foi trabalho de Theon

Vira-Casaca, lembra? Quantos dos nossos relutantes amigos você acha que reteríamos se a verdade fosse conhecida? Apenas a Senhora Barbrey, que você transformaria em um par de botas... botas de *má qualidade*. A pele humana não é tão resistente quanto couro de vaca e não veste tão bem. Por decreto do rei você é agora um Bolton. Tente agir como um. Histórias são contadas sobre você, Ramsay. Ouço por todos os lados. O povo tem medo de você.

– Isso é bom.

– Você está enganado. Não é bom. Nenhuma história jamais foi contada sobre mim. Acha que eu estaria sentado aqui agora se tivesse sido diferente? Seus divertimentos são seus, não vou censurá-lo por isso, mas você precisa ser mais discreto. Uma terra pacífica, um povo quieto. Essa foi sempre minha regra. Torne-a sua.

– Então foi para isso que você deixou a Senhora Dustin e sua esposa gorda como uma porca? Então veio até aqui para me dizer para ficar quieto?

– Nem um pouco. Há notícias que você precisa ouvir. Lorde Stannis finalmente deixou a Muralha.

Aquilo fez com que Ramsay desse um pulo na cadeira, um sorriso brilhando em seus lábios largos e úmidos.

– Está marchando para Forte do Pavor?

– Não, infelizmente. Alnolf não entende isso. Ele jura que fez tudo o que podia para colocar a isca na armadilha.

– Imagino. Arranhe um Karstark e você encontrará um Stark.

– Depois do arranhão que o Jovem Lobo deu em Lorde Rickard, isso pode ser menos verdade do que antes. Seja como for. Lorde Stannis tomou Bosque Profundo dos homens de ferro e devolveu-o à Casa Glover. Pior, os clãs da montanha se juntaram a ele, Wull, Norrey, Liddle e os demais. Sua força está aumentando.

– A nossa é maior.

– Agora é.

– Agora é a hora de esmagá-lo. Deixe-me marchar para Bosque Profundo.

– Depois que se casar.

Ramsay bateu sua caneca, e restos de cerveja voaram por toda a toalha da mesa.

– Estou cansado de esperar. Temos uma garota, temos uma árvore e temos senhores suficientes como testemunha. Casarei com ela amanhã, plantarei um filho entre suas pernas e marcharei antes que seu sangue de donzela seque.

Ela rezará para você marchar, Fedor pensou, *e rezará para que você nunca volte para a cama dela.*

– Você plantará um filho nela – Lorde Bolton disse –, mas não aqui. Decidi que você deve se casar com a garota em Winterfell.

Aquela perspectiva não pareceu agradar Lorde Ramsay.

– Eu devastei Winterfell, ou se esqueceu disso?

– Não, mas parece que você sim... os *homens de ferro* devastaram Winterfell e massacraram o povo. Theon Vira-casaca.

Ramsay deu um olhar desconfiado para Fedor.

– Sim, então foi ele, mas mesmo assim... um casamento naquela ruína?

– Mesmo arruinado e destruído, Winterfell ainda é a casa da Senhora Arya. Que lugar melhor para casar com ela, levá-la para a cama e fazer valer seus direitos? Mas isso é só metade de tudo. Seríamos tolos em marchar contra Stannis. Vamos deixar Stannis marchar contra nós. Ele é cauteloso demais para vir a Vila Acidentada... mas *deve* ir a Winterfell. Os homens dos clãs não abandonarão a filha do seu precioso Ned para alguém como você. Stannis deve marchar ou os perderá... e sendo o comandante cuidadoso que é, convocará todos os seus amigos e aliados quando marchar. Ele convocará Arnolf Karstark.

Ramsay passou a língua sobre os lábios rachados.

– E nós o teremos.

– Se os deuses permitirem. – Roose se levantou. – Você se casará em Winterfell. Devo informar aos senhores que marcharemos em três dias e os convidarei para que nos acompanhem.

– Você é o Protetor do Norte. Ordene.

– Um convite terá o mesmo efeito. O poder tem um gosto melhor quando adoçado com cortesia. É melhor que aprenda isso, se pretende governar um dia. – O Senhor do Forte do Pavor olhou Fedor de relance. – Oh, e solte seu bichinho de estimação. Vou levá-lo.

– Levá-lo? Para onde? Ele é meu. Não pode pegá-lo.

Roose pareceu divertir-se com aquilo.

– Tudo o que você tem fui eu quem deu para você. Faria bem em se lembrar disso, bastardo. Quanto a esse... Fedor... se você não o destruiu além da redenção, pode ser de alguma utilidade para nós. Pegue as chaves e tire essas correntes dele, antes que você faça com que me arrependa do dia em que estuprei sua mãe.

Fedor viu a maneira como a boca de Ramsay se contorceu, a saliva brilhando entre seus lábios. Ficou com medo que pudesse saltar a mesa com a adaga na mão. Em vez disso, enrubesceu, desviou os olhos claros dos olhos claros do pai e foi pegar as chaves. Mas, quando se ajoelhou para soltar os grilhões ao redor dos pulsos e dos tornozelos de Fedor, aproximou-se e sussurrou:

– Não diga nada para ele e se lembre de todas as palavras que ele disser. Terei você de volta, não importa o que aquela puta da Dustin lhe diga. Quem é você?

– Fedor, meu senhor. Seu homem. Sou Fedor, que rima com rancor.

– Rima. Quando meu pai o trouxer de volta, pegarei outro dedo seu. Deixarei que você escolha qual.

Espontaneamente, lágrimas começaram a escorrer por seu rosto.

– Por quê? – gritou, com a voz falhando. – Nunca pedi que ele me levasse de você. Farei o que quiser, vou servir, obedecer, eu... por favor, não...

Ramsay lhe deu um tapa no rosto.

– Leve-o – disse para o pai. – Ele nem é mais um homem. O jeito que cheira me enoja.

A lua erguia-se sobre as muralhas de madeira de Vila Acidentada quando foram para fora. Fedor podia ouvir o vento varrendo as planícies onduladas além da cidade. Era menos de dois quilômetros do Solar Acidentado até a modesta fortaleza de Harwood Stout ao lado dos portões orientais. Lorde Bolton lhe ofereceu um cavalo.

– Consegue cavalgar?

– Eu... meu senhor, eu... acho que sim.

– Walton, ajude-o a montar.

Mesmo sem os grilhões, Fedor se movia como um velho. Sua carne se pendurava solta em seus ossos, e Alyn Azedo e Ben Ossos haviam dito que ele encolhera. E seu cheiro... até a égua que trouxeram se afastou quando tentou montá-la.

Mas ela era um cavalo gentil e sabia o caminho para Solar Acidentado. Lorde Bolton andou ao seu lado quando cavalgavam para fora do portão. Os guardas ficaram mais para trás, a uma distância discreta.

– Como quer que o chame? – o senhor perguntou, enquanto trotavam pelas ruas amplas e retas de Vila Acidentada.

Fedor, sou Fedor, rima com terror.

– Fedor – disse –, se for do agrado do meu senhor.

– 'nhor. – Os lábios de Bolton se abriram o suficiente para mostrar meio centímetro de seus dentes. Poderia ter sido um sorriso.

Ele não entendeu.

– Meu senhor? Eu disse...

– ... meu senhor, quando deveria ter dito 'nhor. Sua língua trai seu nascimento a cada palavra dita. Se quer soar adequadamente como um camponês, fale como se tivesse lama na boca, ou como se fosse estúpido demais para perceber que são duas palavras, não apenas uma.

– Se agradar meu... 'nhor.

– Melhor. Seu mau cheiro é muito chocante.

– Sim, 'nhor. Peço perdão, 'nhor.

– Por quê? Seu cheiro é culpa do meu filho, não sua. Estou bem ciente disso. – Passaram por um estábulo e por uma pousada fechada, com um feixe de trigo pintado na placa. Fedor ouviu música através das janelas. – Conheci o primeiro Fedor. Ele fedia, mas não por falta de banho. Nunca conheci criatura mais limpa, verdade seja dita. Ele se banhava três vezes por dia e usava flores nos cabelos como se fosse uma donzela. Uma vez, quando minha segunda esposa ainda era viva, ele foi pego roubando perfume de seu quarto de dormir. Eu o chicoteei por isso, uma dúzia de chibatadas. Até seu sangue cheirava mal. No ano seguinte, ele tentou novamente. Dessa vez, bebeu o perfume e quase morreu por causa disso. Não fez diferença. O cheiro era algo que nasceu com ele. Uma maldição, o povo dizia. Os deuses fizeram com que fedesse para que os homens soubessem que sua alma estava apodrecendo. Meu velho meistre insistia que era sinal de doença, mas o garoto era forte como um jovem touro. Ninguém podia ficar perto dele, então ele dormia com os porcos... até o dia em que a mãe de Ramsay apareceu em meus portões para exigir que eu providenciasse um servo para meu bastardo, que estava crescendo selvagem e desregrado. Era para ser engraçado, mas ele e Ramsay se tornaram inseparáveis. Mas eu realmente me pergunto... foi Ramsay quem corrompeu Fedor, ou Fedor corrompeu Ramsay? – Sua senhoria olhou para o novo Fedor com olhos tão claros e estranhos quanto duas luas brancas. – O que ele estava sussurrando enquanto soltava suas correntes?

– Ele... ele disse... – *Ele disse para não lhe falar nada.* As palavras ficaram presas em sua garganta, e ele começou a tossir e a engasgar.

– Respire fundo. Eu sei o que ele disse. Para você me espionar e guardar os segredos dele. – Bolton deu uma risadinha. – Como se ele tivesse segredos. Alyn Azedo, Luton, Peleiro e o resto, de onde ele acha que vieram? Ele realmente acredita que são seus homens?

– Seus homens – Fedor repetiu. Algum comentário era esperado dele, mas ele não sabia o que dizer.

– Meu bastardo já lhe contou como o consegui?

Aquilo ele *já* sabia, para seu alívio.

– Sim, meu... *'nhor*. Você encontrou a mãe dele enquanto cavalgava e ficou desbaratado por sua beleza.

– Desbaratado? – Bolton riu. – Ele usou essa palavra? Veja, o garoto tem uma alma de cantor... mas se acreditou nessa canção, você pode muito bem ser mais obtuso que o primeiro Fedor. Até a parte da cavalgada está errada. Eu estava caçando uma raposa pelas Águas Chorosas quando acidentalmente cheguei a um moinho e vi uma jovem mulher lavando roupas no riacho. O velho moleiro pegara para si uma nova e jovem esposa, uma garota que não tinha nem metade da idade dele. Ela era alta, uma criatura esguia, de aparência muito *saudável*. Pernas compridas e pequenos seios firmes, como duas ameixas maduras. Bonita, com um tipo comum de beleza. No momento em que coloquei os olhos nela, eu a quis. Esse foi meu tributo. Os meistres dirão a você que o Rei Jaehaerys aboliu o direito dos senhores da primeira noite para apaziguar sua perversa rainha, mas onde os velhos deuses governam o costume permanece. Os Umber também mantêm a primeira noite, por mais que possam negar. Certos clãs das montanhas também, e em Skagos... bem, apenas as árvores-coração já viram metade do que fazem em Skagos. O casamento do moleiro acontecera sem minha permissão ou conhecimento. O homem me enganara. Então eu o enforquei e reclamei meus direitos embaixo da árvore onde ele se balançava. Verdade seja dita, a camponesa mal valeu a corda. A raposa também escapou, e no caminho de volta para Forte do Pavor, meu corcel favorito começou a mancar, então, no frigir dos ovos, foi um dia funesto. Um ano mais tarde, a mesma camponesa teve o descaramento de aparecer em Forte do Pavor com um monstro de rosto vermelho, aos berros, que afirmava ser meu. Eu teria chicoteado a mãe e jogado o menino em um poço... mas o bebê *tinha* meus olhos. Ela me contou que quando o irmão de seu falecido marido vira aqueles olhos, a espancara até sangrar e a expulsara do moinho. Aquilo me incomodou, então eu lhe dei o moinho e arranquei a língua do cunhado, para ter certeza de que ele não iria correndo para Winterfell com histórias que poderiam perturbar Lorde Rickard. A cada ano eu mandava para a mulher alguns leitões, galinhas e um saco de dinheiro, no entendimento de que ela nunca diria ao garoto quem era seu pai. Uma terra pacífica, um povo quieto, essa sempre foi minha regra.

– Uma boa regra, 'nhor.

– Mas a mulher me desobedeceu. Você vê o que Ramsay é. Ela o fez, ela e Fedor, sempre sussurrando no ouvido dele sobre seus direitos. Ele deveria ter se contentado em moer milho. Ele realmente acredita que pode governar o Norte algum dia?

– Ele luta por você – Fedor deixou escapar. – Ele é forte.

– Touros são fortes. Ursos. Vi meu bastardo lutar. Ele não é inteiramente culpado. Fedor foi seu tutor, o primeiro Fedor, e Fedor nunca foi treinado em armas. Ramsay é feroz, eu reconheço, mas balança aquela espada como um açougueiro destroçando carne.

– Ele não teme ninguém, 'nhor.

– Deveria. Temor é o que mantém um homem vivo neste mundo de traições e enganos. Mesmo aqui, em Vila Acidentada, os corvos estão circulando, esperando para se banquetear sobre nossos corpos. Os Cerwyn e os Tallhart não são de confiança, meu gordo amigo Lorde Wyman conspira traições, e o Terror-das-Rameiras... os Umber parecem simples, mas têm uma certa astúcia. Ramsay deveria temer todos eles, assim como eu faço. Da próxima vez que encontrá-lo, lhe diga isso.

– Dizer para ele... dizer para ele temer? – Fedor se sentia doente só de pensar nisso. – 'Nhor, eu... se eu fizer isso, ele vai...

– Eu sei. – Lorde Bolton suspirou. – Seu sangue é mau. Ele precisa de sanguessugas. As sanguessugas sugam o sangue ruim, toda a ira e toda a dor. Nenhum homem pode pensar tão cheio de raiva. Ramsay, contudo... seu sangue contaminado poderia envenenar até as sanguessugas, temo.

– Ele é seu único filho.

– No momento. Tive outro, uma vez. Domeric. Um garoto quieto, mas mais realizado. Serviu quatro anos como pajem da Senhora Dustin, e três no Vale como escudeiro de Lorde Redfort. Tocava harpa, lia histórias e cavalgava como o vento. Cavalos... o garoto era louco por cavalos, a Senhora Dustin lhe contará. Nem mesmo a filha de Lorde Rickard conseguia derrotá-lo, e aquela uma é meio cavalo. Redfort dizia que ele era uma grande promessa. Um grande combatente em justas deve ser um grande cavaleiro primeiro.

– Sim, 'nhor. Domeric. Eu... eu já ouvi esse nome...

– Ramsay o matou. Uma doença das entranhas, disse Meistre Uthor, mas eu digo veneno. No Vale, Domeric apreciava a companhia dos filhos de Redfort. Queria um irmão ao seu lado, então cavalgou até as Águas Chorosas para buscar meu bastardo. Eu proibi isso, mas Domeric era um homem crescido e achava que sabia mais do que seu pai. Agora seus ossos descansam sob o Forte do Pavor com os ossos de seus irmãos que morreram ainda no berço, e eu fiquei com Ramsay. Diga-me, meu senhor... se o assassino de parentes é amaldiçoado, o que um pai faz quando um filho assassina o outro?

A questão o assustou. Uma vez ouvira Peleiro dizer que o Bastardo matara seu irmão legítimo, mas nunca ousara acreditar nisso. *Ele pode estar errado. Irmãos morrem algumas vezes, e não significa que foram mortos. Meus irmãos morreram, e eu nunca os matei.*

– Meu senhor tem uma nova esposa para lhe dar filhos.

– E meu bastardo não vai amar isso? A Senhora Walda *é* uma Frey e tem um sentimento fértil nela. Eu me tornei estranhamente apaixonado por minha pequena esposa gorda. As duas anteriores nunca fizeram um som na cama, mas essa guincha e estremece. Acho isso bastante cativante. Se ela colocar para fora filhos do mesmo jeito que coloca empadões para dentro, o Forte do Pavor logo estará lotado de Bolton. Ramsay matará todos eles, é claro. O que é até bom. Não viverei o suficiente para ver meus novos filhos chegarem à idade adulta, e senhores meninos são a perdição para qualquer Casa. Walda sofrerá ao vê-los morrer, contudo.

A garganta de Fedor estava seca. Ele podia ouvir o vento batendo nos galhos nus dos olmos que ladeavam a rua.

– Meu senhor, eu...

– *'Nhor*, lembra?

– 'Nhor. Se posso perguntar... por que você me trouxe? Não tenho utilidade para ninguém, nem mesmo sou um homem, estou quebrado e... o cheiro...

– Um banho e uma muda de roupas farão seu cheiro mais doce.

– Um banho? – Fedor sentiu um nó no estômago. – Eu... eu prefiro não, 'nhor. Por favor. Eu tenho... feridas, eu... e essas roupas, Lorde Ramsay as deu para mim, ele... ele disse que eu nunca devia tirá-las, a menos que ordenasse.

– Você está vestindo trapos – disse Lorde Bolton, pacientemente. – Coisas imundas, rasgadas, manchadas e fedendo a sangue e urina. E finas. Deve estar com frio. Colocaremos você em lã de cordeiro, macia e quente. Talvez um manto forrado. Gostaria disso?

– Não. – Ele não podia deixar que tomassem as roupas que Lorde Ramsay lhe dera. Não podia deixar que eles as tivessem.

– Prefere se vestir em seda e veludo? Houve um tempo em que você adorava isso, eu me lembro.

– Não – ele insistiu, estridente. – Não, eu só quero essas roupas. As roupas do Fedor. Sou Fedor, que rima com pudor. – Seu coração batia como um tambor, e sua voz tornou-se um guincho assustado. – Não quero um banho. Por favor, 'nhor, não tire minhas roupas.

– Vai nos deixar lavá-las pelo menos?

– Não. Não, 'nhor. *Por favor*. – Ele agarrou sua túnica no peito, com as duas mãos, e se curvou sobre a sela, meio com medo que Roose Bolton ordenasse aos guardas que arrancassem as roupas dele ali mesmo, na rua.

– Como quiser. – Os olhos claros de Bolton pareciam vazios ao luar, como se não houvesse ninguém atrás deles. – Não pretendo machucar você, você sabe. Eu lhe devo muito e ainda mais.

– Deve? – Uma parte dele estava gritando, *isso é uma armadilha, ele está jogando com você, o filho é apenas a sombra do pai*. Lorde Ramsay brincava com suas esperanças o tempo todo. – O que... o que me deve, 'nhor?

– O Norte. Os Stark estavam acabados e condenados na noite em que você tomou Winterfell. – Acenou com a mão pálida, com desprezo. – Tudo isso são somente disputas pelo espólio.

A curta jornada deles teve fim nas muralhas de madeira de Solar Acidentado. Estandartes estavam pendurados nas torres quadradas, batendo com o vento; o homem esfolado de Forte do Pavor, o machado de batalha dos Cerwyn, os pinheiros dos Tallhart, o tritão dos Manderly, as chaves cruzadas do velho Lorde Locke, o gigante dos Umber, a mão de pedra dos Flint e o alce dos Hornwood. Dos Stout, listras bifurcadas castanho-avermelhadas e douradas; dos Slate, um campo cinza com duas bordas estreitas brancas. Quatro cabeças de cavalo proclamavam os quatro Ryswell dos Regatos; uma cinza, uma negra, uma dourada e uma marrom. A brincadeira era que os Ryswell não conseguiam concordar nem sobre as cores de suas armas. Acima deles, pairava o veado-e-leão do garoto que se sentava no Trono de Ferro, a milhares de quilômetros de distância.

Fedor ouviu as pás de um velho moinho girando enquanto cavalgavam pelo portão principal até um pátio gramado onde cavalariços correram para pegar seus cavalos.

– Por aqui, por favor. – Lorde Bolton o levou até a fortaleza, onde os estandartes eram os do falecido Lorde Dustin e de sua esposa viúva. Os dele mostravam uma coroa espigada sobre machados de cabo longo cruzados; os dela dividiam essas mesmas armas com a cabeça de cavalo dourada de Rodrik Ryswell.

Enquanto subiam a larga fileira de degraus de madeira até o salão, as pernas de Fedor começaram a tremer. Teve que parar para firmá-las e olhou as encostas gramadas do Grande Acidentado. Alguns afirmavam que era o túmulo do Primeiro Rei, que liderara os Primeiros Homens a Westeros. Outros argumentavam que devia ser algum Rei dos Gigantes enterrado ali, por conta de seu tamanho. Alguns poucos diziam que não era nenhum túmulo, apenas uma colina, mas então era uma colina solitária, pois a maior parte das Terras Acidentadas era plana e varrida pelo vento.

Dentro do salão, uma mulher estava ao lado da lareira, aquecendo as mãos finas sobre as brasas de um fogo que se extinguia. Estava vestida toda de negro, da cabeça ao tornozelo, e não usava ouro ou pedras preciosas, mas era bem-nascida, era fácil perceber. Tinha rugas nos cantos da boca e ainda mais ao redor dos olhos, mas ainda era alta, ereta e bonita. Seu cabelo era castanho e cinza em partes iguais, embora o usasse preso atrás da cabeça, em um coque.

– Quem é esse? – ela perguntou. – Onde está o garoto? Seu bastardo se negou a entregá-lo? Esse velho é seu... oh, deuses sejam bons, o que é esse *cheiro*? Essa criatura defecou nas calças?

– Ele tem estado com Ramsay. Senhora Barbrey, permita-me apresentar-lhe o legítimo Senhor das Ilhas de Ferro, Theon da Casa Greyjoy.

Não, ele pensou, *não, não diga esse nome, Ramsay escutará você, ele saberá, ele saberá, e ele vai me machucar.*

A mulher franziu a boca.

– Não é o que eu esperava.

– É o que temos.

– O que seu bastardo fez com ele?

– Removeu alguma pele, imagino. Algumas partes pequenas. Nada muito essencial.

– Ele está louco?

– Pode ser que sim. Isso importa?

Fedor não podia ouvir mais.

– Por favor, 'nhor, 'nhora, há algum engano. – Ele caiu de joelhos, tremendo como uma folha em uma tempestade de inverno, lágrimas escorrendo por seu rosto devastado. – Não sou ele, não sou o vira-casaca, ele morreu em Winterfell. Meu nome é Fedor – ele tinha que lembrar seu *nome*. – Rima com horror.

Tyrion

O *Selaesori Qhoran* estava a sete dias de Volantis quando Merreca finalmente saiu da cabine, subindo ao convés como se fosse uma tímida criatura da floresta emergindo de um longo sono de inverno.

Era crepúsculo, e o sacerdote vermelho acendera sua fogueira noturna no grande braseiro de ferro na meia-nau, enquanto a tripulação se reunia ao redor para rezar. A voz de Moqorro parecia um tambor que soava de algum lugar das profundezas de seu torso maciço.

– *Nós agradecemos pelo seu sol que nos mantém aquecidos* – orou. – *Agradecemos pelas suas estrelas que nos vigiam enquanto navegamos por esse frio mar negro.* – Um homem imenso, maior do que Sor Jorah, e largo o suficiente para fazer dois dele, o sacerdote vestia uma túnica escarlate bordada na manga, gola e bainha com chamas laranja de cetim. Sua pele era negra como breu, o cabelo branco como neve, e tinha chamas amarelas e laranja tatuadas nas bochechas e na testa. Seu bastão de ferro era tão alto quanto ele e coroado com uma cabeça de dragão; quando batia a ponta no convés, a boca do dragão cuspia crepitantes chamas verdes.

Seus guardas, cinco guerreiros escravos da Mão Ardente, davam as respostas. Cantavam na língua da Antiga Volantis, mas Tyrion já ouvira as orações o suficiente para pegar a essência. *Ilumine nosso fogo e nos proteja da escuridão, blá, blá, ilumine nosso caminho e nos mantenha quentinhos, a noite é escura e cheia de terrores, salve-nos das coisas assustadoras, blá, blá, blá alguma coisa mais.*

Ele sabia que era melhor não falar esses pensamentos em voz alta. Tyrion Lannister não tinha uso para nenhum deus, mas nesse navio era sábio demonstrar certo respeito pelo vermelho R'hllor. Jorah Mormont tirara suas correntes e grilhões assim que se puseram a caminho, e o anão não desejava dar nenhum motivo para ser acorrentado novamente.

O *Selaesori Qhoran* era uma banheira flutuante de quinhentas toneladas, com um casco profundo, altos castelos na proa e na popa, e um único mastro entre eles. A figura de proa era grotesca, um pouco carcomida, com um jeito constipado e um pergaminho embaixo do braço. Tyrion nunca vira navio tão feio. Sua tripulação não era mais bonita. O capitão, um homem de boca avarenta, impiedoso e barrigudo, com olhos juntos e gananciosos, era um mau jogador de *cyvasse* e um perdedor ainda pior. Sob suas ordens serviam quatro imediatos, todos libertos, e cinquenta escravos presos ao navio, cada um deles com uma versão imperfeita da figura de proa tatuada em um lado do rosto. *Sem-Nariz*, era como os marinheiros gostavam de chamar Tyrion, não importando quantas vezes tivesse dito que seu nome era Hugor Hill.

Três dos imediatos e mais de três quartos da tripulação eram adoradores fervorosos do Senhor da Luz. Tyrion tinha menos certeza a respeito do capitão, que sempre saía para as orações do fim de tarde, mas nunca tomava parte nelas. Mas Moqorro era o verdadeiro mestre do *Selaesori Qhoran*, pelo menos nessa viagem.

– *Senhor da Luz, abençoe seu escravo Moqorro, e ilumine seu caminho nos locais escuros do mundo* – o sacerdote vermelho trovejava. – *E defenda seu honrado escravo Benerro. Conceda-lhe coragem. Conceda-lhe sabedoria. Encha seu coração com fogo.*

Foi quando Tyrion percebeu Merreca, observando o espetáculo dos degraus da íngreme escada de madeira que descia para o castelo de popa. Ela estava em um dos degraus mais baixos, então apenas o topo de sua cabeça era visível. Sob seu capuz, seus olhos brilhavam grandes e brancos na luz da fogueira noturna. Tinha consigo, seu grande cão de caça cinzento, que cavalgava em imitação de justas.

– Minha senhora – Tyrion chamou suavemente. Na verdade ela não era nenhuma senhora, mas ele não podia pronunciar aquele nome bobo dela, e não iria chamá-la de *garota* ou *anã*.

Ela se encolheu.

– Eu... eu não vi você.

– Bem, eu sou pequeno.

– Eu... eu estava indisposta... – O cachorro dela latiu.

Doente de tristeza, quer dizer.

– Se eu puder ser de alguma ajuda...

– Não. – E rápido assim, ela se foi novamente, retirando-se para a cabine que dividia com o cão e a porca. Tyrion não podia culpá-la. A tripulação do *Selaesori Qhoran* ficara bastante satisfeita quando ele subiu a bordo; afinal, um anão era sinal de boa sorte. Sua cabeça fora esfregada tão frequentemente e tão vigorosamente que era incrível que não estivesse careca. Mas Merreca enfrentara reações mais variadas. Ela podia ser uma anã, mas também era uma mulher, e mulheres eram má sorte a bordo de um navio. Para cada homem que tentava esfregar sua cabeça, três outros murmuravam maldições quando ela passava.

E dar de cara comigo pode apenas colocar sal na ferida dela. Deceparam a cabeça de seu irmão na esperança que fosse a minha, e aqui estou eu como um maldito gárgula, oferecendo consolos vazios. Se eu fosse ela, tudo o que iria querer seria me atirar no mar.

Não sentia nada pela garota além de pena. Ela não merecia o horror sofrido em Volantis, não mais do que seu irmão. Na última vez que a vira, antes de deixarem o porto, seus olhos estavam feridos de tanto chorar, dois buracos vermelhos e medonhos em um rosto claro e pálido. Quando o navio levantou velas, ela se trancou na cabine com o cão e a porca, mas à noite era possível ouvi-la chorando. No dia anterior, ele escutara um dos imediatos dizer que deveriam jogá-la ao mar, antes que suas lágrimas inundassem o navio. Tyrion não estava completamente seguro de que aquilo fora uma brincadeira.

Quando as orações noturnas terminaram e a tripulação do navio mais uma vez se dispersou, alguns para suas rondas, outros para comer, beber rum ou deitar nas redes, Moqorro permaneceu ao lado da fogueira, como fazia todas as noites. O sacerdote vermelho descansava de dia, mas mantinha vigília durante as horas de escuridão, para manter suas chamas sagradas para que o sol pudesse retornar para eles ao amanhecer.

Tyrion se agachou diante dele e aqueceu as mãos do frio da noite. Moqorro não percebeu sua presença por vários momentos. Estava encarando as chamas cintilantes, perdido em alguma visão. *Será que ele vê os dias que ainda virão, como afirma?* Se fosse isso mesmo, era um dom assustador. Depois de algum tempo, o sacerdote ergueu os olhos para encontrar os do anão.

– Hugor Hill – disse, inclinando a cabeça em um aceno solene. – Veio rezar comigo?

– Alguém me disse que a noite é escura e cheia de terrores. O que você vê nessas chamas?

– Dragões – Moqorro respondeu, na Língua Comum de Westeros. Ele falava o idioma muito bem, com raros sinais de sotaque. Sem dúvida que essa era uma das razões pela qual o alto sacerdote Benerro o escolhera para levar a fé de R'hllor para Daenerys Targaryen. – Dragões velhos e novos, verdadeiros e falsos, brilhantes e sombrios. E você. Um homenzinho com uma grande sombra, rosnando no meio de todos.

– Rosnando? Um sujeito amável como eu? – Tyrion estava quase lisonjeado. *E sem dúvida é isso que ele pretende. Todo tolo gosta de ouvir que é importante.* – Talvez você tenha visto Merreca. Somos quase do mesmo tamanho.

– Não, meu amigo.

Meu amigo? Quando isso aconteceu, me pergunto?

– Por acaso você viu quanto tempo levará para chegarmos a Meereen?

– Está tão ansioso para encarar a libertadora do mundo?

Sim e não. A libertadora do mundo pode cortar minha cabeça, ou me dar para seus dragões como petisco.

– Não – disse Tyrion. – Por mim, tudo o que importa são as azeitonas. Embora tema que ficarei velho e morrerei antes de experimentar uma. Eu poderia gatinhar mais rápido do que estamos navegando. Diga-me, *Selaesori Qhoran* foi um triarca ou uma tartaruga?

O sacerdote vermelho riu.

– Nenhum dos dois. Qhoran é... não um governante, mas aquele que o serve e o aconselha e ajuda a conduzir seus assuntos. Vocês, em Westeros, poderiam dizer intendente ou magíster.

Mão do Rei? Aquilo o divertiu.

– E *selaesori?*

Moqorro tocou seu nariz.

– Imbuído de um aroma agradável. Perfumado, você diria? Floral?

– Então, *Selaesori Qhoran* significa *Intendente Fedorento*, mais ou menos?

– *Intendente Perfumado*, melhor.

Tyrion deu um sorriso torto.

– Acho que ficarei com *Fedorento*. Mas agradeço pela lição.

– Estou satisfeito por ter esclarecido você. Talvez algum dia me deixe ensiná-lo a verdade de R'hllor também.

– Algum dia. – *Quando eu for uma cabeça em uma estaca.*

Os alojamentos que dividia com Sor Jorah eram uma cabine apenas por cortesia; o úmido, escuro e malcheiroso cubículo mal tinha espaço suficiente para pendurar um par de redes de dormir, uma sobre a outra. Encontrou Mormont esticado na mais baixa, balançando lentamente com o movimento do navio.

– A garota finalmente colocou o nariz no convés – Tyrion lhe contou. – Um olhar para mim e correu para baixo de novo.

– Você não é uma visão bonita.

– Nem todos podemos ser tão graciosos como você. A garota está perdida. Não me surpreenderia se a pobre criatura não pulasse secretamente pela amurada para se afogar.

– O nome da pobre criatura é Merreca.

– Eu sei o nome dela. – Ele odiava o nome dela. O irmão da garota usava o nome de Tostão, embora na verdade se chamasse Oppo. *Tostão e Merreca. Palavras que transmitem a ideia de valores ínfimos e, o que é pior, eles mesmos escolheram esses nomes.* Isso deixou um gosto ruim na boca de Tyrion. – Independente do nome, ela precisa de um amigo.

Sor Jorah sentou-se em sua rede.

– Fique amigo dela, então. Case-se com ela, não me importo.

Aquilo deixou um gosto ruim em sua boca também.

– Igual com igual, é essa sua noção? Pretende encontrar uma ursa para si mesmo, sor?

– Foi você quem insistiu em trazê-la.

– Eu disse que não podíamos abandoná-la em Volantis. Isso não significa que queira fodê-la. Ela me quer morto, se esqueceu? Sou a última pessoa que ela quer como amigo.

– Vocês dois são anões.

– Sim, e o irmão dela também era, aquele que foi morto porque alguns estúpidos bêbados o tomaram por mim.

– Está se sentindo culpado, não está?

– Não. – Tyrion se arrepiou. – Tenho pecados suficientes pelos quais responder, não terei parte neste também. Posso ter nutrido alguma má vontade em relação a ela e ao irmão no que diz respeito à apresentação deles na noite do casamento de Joffrey, mas nunca lhes desejei mal.

– Você é uma criatura inofensiva, tenho certeza. Inocente como um cordeiro. – Sor Jorah se levantou. – A anã é seu fardo. Beije-a, mate-a ou evite-a, como quiser. Não é nada para mim. – Ele passou por Tyrion e saiu da cabine.

Duas vezes exilado, e não é de se admirar, Tyrion pensou. *Eu o exilaria também, se pudesse. O homem é frio, ensimesmado, taciturno e surdo ao humor. E esses são seus pontos positivos.* Sor Jorah passava a maior parte do tempo de sua vigília caminhando pela proa, ou inclinado no parapeito para olhar o mar. *Procurando por sua rainha prateada. Procurando por Daenerys, esperando que o navio vá mais rápido. Bem, eu iria querer o mesmo se Tysha estivesse à espera em Meereen.*

A Baía dos Escravos poderia ser para onde as putas vão? Parecia improvável. Pelo que ouvira, as cidades-escravos eram o lugar onde as putas eram feitas. *Mormont deveria ter comprado uma para si.* Uma escrava bonita poderia fazer maravilhas para melhorar seu temperamento... particularmente uma com o cabelo prateado, como aquela puta que estava sentada sobre seu pau em Selhorys.

No rio, Tyrion teve que suportar Griff, mas ao menos havia o mistério da verdadeira identidade do capitão para distraí-lo, e a companhia mais agradável do resto da pequena tripulação do barco. Nesse navio, infelizmente, todos eram exatamente o que pareciam ser, e ninguém era particularmente agradável, e apenas o sacerdote vermelho era interessante. *Ele e, talvez, Merreca. Mas a garota me odeia, e deveria.*

A vida a bordo do *Selaesori Qhoran* não era nada além de tediosa, Tyrion descobrira. A parte mais excitante do seu dia era cutucar os dedos dos pés e das mãos com uma faca. No rio, havia maravilhas para contemplar; tartarugas gigantes, cidades em ruínas, homens de pedra, septãs nuas. Nunca se sabia o que poderia estar à espreita na próxima curva.

Os dias e noites no mar eram sempre os mesmos. Deixando Volantis, o barco navegara inicialmente com terra à vista, então Tyrion podia observar os costões que passavam, ver revoadas de aves marítimas se levantando de penhascos pedregosos e torres de vigia em ruínas, contar ilhas marrons e nuas na medida em que deslizavam por elas. Viu muitos outros navios também; barcos de pesca, pesados navios mercantes, galés orgulhosas com seus remos açoitando as ondas até formar espuma branca. Mas, assim que alcançaram águas mais profundas, havia apenas mar e céu, ar e água. A água parecia com água. O céu parecia com céu. Algumas vezes havia uma nuvem. *É azul demais.*

E as noites eram piores. Tyrion dormia mal no melhor dos tempos, e isto estava longe de ser assim. Dormir significava sonhar, provavelmente, e em seus sonhos os Sofrimentos esperavam, e um rei de pedra com a face de seu pai. Aquilo o deixava entre a cruz e a espada: ou subia em sua rede e escutava Jorah Mormont roncando embaixo dele, ou ficava no convés contemplando o mar. Em noites sem lua, a água era tão negra quanto tinta de meistre, de horizonte a horizonte. Escura, profunda e proibida, bonita, de um modo frio, mas quando a olhava por muito tempo, Tyrion se pegava refletindo sobre como deveria ser fácil deslizar sobre a amurada e se jogar na escuridão. Um respingo muito pequeno, e o patético e pequeno conto que era sua vida teria fim. *Mas e se houver um inferno e meu pai estiver esperando por mim?*

A melhor parte de cada noite era a ceia. A comida não era especialmente boa, mas era abundante, então foi para onde o anão foi em seguida. A cozinha em que tomava suas refeições era um espaço apertado e desconfortável, com um teto tão baixo que os passageiros mais altos sempre corriam o risco de quebrar a cabeça, um perigo ao qual os robustos soldados escravos da Mão Ardente pareciam particularmente propensos. Por mais que Tyrion gostasse de rir disso, teria preferido fazer suas refeições sozinho. Sentar em uma mesa lotada, com homens com os quais não tinha uma língua em comum, ouvi-los conversar e fazer piadas sem entender nada, em pouco tempo ficara cansativo demais. Especialmente depois que ele começou a se perguntar se as piadas e as risadas eram direcionadas a ele.

A cozinha também era o lugar onde os livros do navio eram guardados. Com o capitão sendo um homem especialmente dado à leitura, havia três livros a bordo: uma coleção de poesia naval que ia de ruim a pior, um tomo bem manuseado com as aventuras eróticas de uma jovem escrava em uma casa de travesseiros lisena e o quarto e último volume de *A vida do Triarca Belicho*, um famoso patriota volantino cuja sucessão ininterrupta de conquistas e triunfos terminou abruptamente quando ele foi devorado por gigantes. Tyrion terminara de ler todos em seu terceiro dia no mar. Então, na falta de outros livros, começou a lê-los novamente. A história da garota escrava era a mais mal escrita, mas a mais cativante, e era aquele livro que escolhera, naquela noite, para ler durante uma ceia de beterrabas na manteiga, ensopado frio de peixe e biscoitos que poderiam ter sido usados para bater pregos.

Estava lendo o relato da garota, do dia em que ela e sua irmã foram capturadas por traficantes de escravos, quando Merreca entrou na cozinha.

– Oh – ela disse –, eu pensei... não pretendi atrapalhar, 'nhor, eu...

– Você não está me atrapalhando. Não está tentando me matar de novo, espero.

– Não. – Ela desviou o olhar, enrubescendo.

– Neste caso, eu apreciaria alguma companhia. Há pouco a se fazer a bordo deste navio. – Tyrion fechou o livro. – Venha. Sente-se. Coma. – A garota deixara a maior parte das refeições intocada do lado de fora da porta da cabine. Agora devia estar faminta. – O ensopado é quase comestível. O peixe é fresco, ao menos.

– Não, eu... eu engasguei com uma espinha de peixe uma vez, não posso comer peixe.

– Então tome um pouco de vinho. – Encheu uma taça e deslizou na direção dela. – Com os cumprimentos do nosso capitão. Está mais perto de mijo do que de um dourado da Árvore, mas até mijo tem um gosto melhor do que aquele rum com alcatrão negro que os marinheiros bebem. Deve ajudá-la a dormir.

A garota não fez nenhum movimento para tocar na taça.

– Obrigada, 'nhor, mas não. – Ela se afastou. – Eu não deveria estar incomodando você.

– Pretende passar sua vida inteira fugindo? – perguntou Tyrion, antes que ela escapasse pela porta.

Aquilo a fez parar. Suas bochechas ficaram rosa brilhante, e ele teve medo de que ela começasse a chorar novamente. Em vez disso, encarou-o desafiadoramente e disse:

– Você está fugindo também.

– Estou – ele confessou –, mas estou fugindo *para* e você está fugindo *de*, e há um mundo de diferença aí.

– Não teríamos tido que fugir desde o início, se não fosse por você.

Exige alguma coragem dizer isso na minha cara.

– Você está falando de Porto Real ou de Volantis?

– Dos dois. – Lágrimas brilharam em seus olhos. – De tudo. Por que você simplesmente não veio disputar a justa conosco, do jeito que o rei queria? Você não teria se machucado. O que teria custado, 'nhor, subir no nosso cão e cavalgá-lo numa disputa, para agradar o menino? Era só um pouco de diversão. Teriam rido de você, é tudo.

– Teriam rido de mim – disse Tyrion. – Eu os fiz rir de Joff em vez disso. Não foi um truque esperto?

– Meu irmão diz que isso é uma coisa boa, fazer as pessoas rirem. Uma coisa nobre e honrada. Meu irmão diz... ele... – As lágrimas rolaram por seu rosto.

– Sinto por seu irmão – Tyrion lhe dissera as mesmas palavras antes, ainda em Volantis, mas ela estava tão longe pela dor que duvidava que tivesse ouvido.

Ela as escutou agora.

– Sente. Você sente. – Seus lábios estavam trêmulos, suas bochechas, molhadas, seus olhos eram buracos com aros vermelhos. – Deixamos Porto Real naquela mesma noite. Meu irmão disse que era melhor, antes que alguém se perguntasse se tínhamos participado da morte do rei e decidisse nos torturar para descobrir. Fomos para Tyrosh primeiro. Meu irmão pensou que isso seria longe o suficiente, mas não era. Conhecemos um malabarista lá. Por anos e anos ele fizera malabarismos todos os dias na Fonte do Deus Bêbado. Era velho, então suas mãos não eram tão hábeis quanto haviam sido, e algumas vezes ele derrubava as bolas e tinha que caçá-las pela praça, mas os tyroshinos riam e atiravam moedas do mesmo jeito. Mas, uma manhã, escutamos que seu corpo havia sido encontrado no Templo de Trios. Trios tinha três cabeças, e há uma grande estátua dele ao lado das portas do templo. O velho havia sido cortado em três partes e empurrado para dentro das três bocas de Trios. Só que quando as partes foram juntadas, sua cabeça havia desaparecido.

– Um presente para minha doce irmã. Era outro anão.

– Um homem pequeno, sim. Como você e Oppo. Tostão. Você sente pelo malabarista também?

– Nunca soube da existência do seu malabarista até este momento... mas, sim, sinto que tenha morrido.

– Ele morreu por você. O sangue dele está em suas mãos.

A acusação doeu, vindo tão dura nos calcanhares das palavras de Jorah Mormont.

– O sangue dele está nas mãos da minha irmã e nas mãos dos bárbaros que o mataram. Minhas mãos estão incrustadas com sangue antigo, sim. Chame-me de assassino de parentes, e você não estará errada. Regicida, eu responderei por isso também. Matei mães, pais, sobrinhos, amantes, homens e mulheres, reis e putas. Um cantor certa vez me incomodou, e eu o fiz ensopado. Mas nunca matei um malabarista, nem um anão, e não tenho culpa pelo que aconteceu ao seu maldito irmão.

Merreca apanhou a taça de vinho que ele lhe servira e jogou-a em seu rosto. *Exatamente como minha doce irmã.* Ele ouviu a porta da cozinha bater, mas nunca a viu partir. Seus olhos estavam ardendo e o mundo era um borrão. *Tudo isso por ser amigável com ela.*

Tyrion Lannister tinha pouca experiência com outros anões. O senhor seu pai nunca acolhera bem qualquer lembrança das deformidades do filho, e as companhias de pantomimeiros que traziam pessoas pequenas em suas trupes logo aprenderam a ficar longe de Lannisporto e Rochedo Casterly, para não correr o risco de enfrentar seu descontentamento. Quando cresceu, Tyrion ouviu relatos de um anão bobo da corte na propriedade do dornense Lorde Fowler, de um anão meistre a serviço nos Dedos, e uma anã entre as irmãs silenciosas, mas nunca sentira necessidade de procurá-los. Histórias menos plausíveis chegaram aos seus ouvidos, como uma anã bruxa que assombrava uma colina no Tridente e uma anã puta em Porto Real, renomada por acasalar com cães. Sua doce irmã lhe fizera esse último relato, chegando a se oferecer para encontrar uma cadela no cio se ele quisesse experimentar. Quando lhe perguntou, polidamente, se ela se referia a si mesma, Cersei jogara uma taça de vinho em seu rosto. *Aquele era vermelho, eu me lembro, e este é dourado.* Tyrion secou o rosto com a manga. Seus olhos ainda ardiam.

Não viu Merreca novamente até o dia da tempestade.

O ar salgado estava parado e pesado naquela manhã, mas o céu ocidental era de um vermelho ardente, riscado com nuvens ameaçadoras que cintilavam tão brilhantes quanto o carmesim dos Lannister. Marinheiros saltavam sobre alçapões de tábuas, correndo linhas, limpando o convés, amarrando qualquer coisa que ainda não estivesse presa.

– Vento ruim vindo – um deles o avisou. – Sem-Nariz melhor descer.

Tyrion se lembrava da tempestade que enfrentara cruzando o mar estreito, o modo como o convés pulava sob seus pés, os rangidos medonhos que o navio fazia, o gosto de vinho e vômito.

– Sem-Nariz fica aqui em cima. – Se os deuses o quisessem, preferia morrer afogado do que asfixiado em seu próprio vômito. E, sobre sua cabeça, a vela do navio balançava lentamente, como o pelo de algum grande animal se agitando em um longo sono, então foi abalada por um súbito estalido que fez virar todas as cabeças do navio.

Os ventos levavam o navio bem longe do curso escolhido. Atrás deles, nuvens negras se empilhavam umas sobre as outras contra um céu vermelho-sangue. No meio da manhã, puderam ver um raio brilhando no oeste, seguido pelo distante rugido de um trovão. O mar ficou mais agitado, e ondas escuras se erguiam e batiam contra o casco do *Intendente*

Fedorento. Em seguida, a tripulação começou a baixar a vela. Tyrion estava em pé a meia-nau, então foi até a proa e se agachou, saboreando as rajadas de chuva fria em seu rosto. O navio subia e descia, resistindo mais selvagemente que qualquer cavalo que já cavalgara, levantando com cada onda antes de deslizar para baixo, rangendo os ossos. Mesmo assim, era melhor aqui, onde ele podia ver, do que lá embaixo, trancado em alguma cabine sem ar.

Quando a tempestade se foi, a noite estava sobre eles e Tyrion Lannister estava ensopado até as roupas íntimas, e mesmo assim se sentia exultante... ainda mais quando, mais tarde, encontrou um Jorah Mormont bêbado em uma poça de vômito na cabine.

O anão permaneceu na cozinha após a ceia, celebrando sua sobrevivência compartilhando algumas doses de rum de alcatrão negro com o cozinheiro do navio, um volantino grande, gordurento e grosseiro que falava uma única palavra na Língua Comum (foda), mas jogava *cyvasse* de maneira feroz, especialmente quando bêbado. Disputaram três partidas naquela noite. Tyrion ganhou a primeira e perdeu as outras duas. Depois disso, decidiu que já era o suficiente e tropeçou de volta ao convés para limpar a cabeça do rum e dos elefantes.

Encontrou Merreca na proa do navio, onde frequentemente encontrava Sor Jorah, parada no parapeito ao lado da medonha figura de proa meio carcomida e olhando para fora, através do mar escuro. De costas, parecia tão vulnerável e pequena quanto uma criança.

Tyrion pensou que era melhor deixá-la tranquila, mas era tarde demais. Ela o escutara.

– Hugor Hill.

– Se preferir – *Nós dois sabemos a verdade*. – Sinto atrapalhá-la. Vou me retirar.

– Não. – O rosto dela estava pálido e triste, mas não parecia ter chorado. – Eu sinto também. Sobre o vinho. Não foi você quem matou meu irmão, ou aquele pobre velho em Tyrosh.

– Fiz parte disso, embora não por escolha.

– Sinto muita falta dele. Meu irmão. Eu...

– Eu entendo. – Ele se pegou pensando em Jaime. *Considere-se sortuda. Seu irmão morreu antes que pudesse trair você.*

– Eu achava que queria morrer – ela disse. – Mas hoje, quando a tempestade veio e eu pensei que o navio poderia afundar, eu... eu...

– Você percebeu que quer viver apesar de tudo. – *Já passei por isso também. Algo mais que temos em comum.*

Os dentes dela eram tortos, o que a deixava tímida com seus sorrisos, mas sorriu agora.

– Você realmente cozinhou um cantor em um ensopado?

– Quem? Eu? Não. Eu não cozinho.

Quando Merreca riu, soou como a doce garota que era... dezessete, dezoito, não mais do que dezenove.

– O que ele fez, esse cantor?

– Escreveu uma canção sobre mim. – *Porque ela era seu tesouro secreto, sua vergonha e seu prazer. E a corrente e o forte nada são, comparados com beijos de mulher.* Era estranho como as palavras voltaram rápidas. Talvez nunca o tivessem deixado. *Mãos de ouro são sempre frias, mas há calor em mãos de mulher.*

– Deve ter sido uma canção muito ruim.

– Não exatamente. Não era nenhuma *Chuvas de Castamere*, veja bem, mas algumas partes eram... bem...

– Como era?

Ele riu.

– Não. Você *não* vai querer me ouvir cantar.

– Minha mãe costumava cantar para nós, quando éramos crianças. Meu irmão e eu. Ela sempre dizia que não importava como era sua voz, desde que amasse a canção.

– Ela era...?

– ... uma pessoa pequena? Não, mas nosso pai era. Seu próprio pai o vendeu para um traficante de escravos quando ele tinha três anos, mas ele se tornou um pantomimeiro tão famoso que comprou sua liberdade. Viajou por todas as Cidades Livres e também por Westeros. Em Vilavelha costumavam chamá-lo de Fava Saltitante.

É claro que sim. Tyrion tentou não se crispar.

– Ele está morto agora – Merreca continuou. – Minha mãe também. Oppo... era o último da minha família, e agora ele também se foi. – Ela virou a cabeça e olhou para o mar. – O que eu farei? Para onde vou? Não tenho ofício, só o espetáculo da justa, e para isso são necessários dois.

Não, pensou Tyrion. *Esse não é um lugar para onde você quer ir, garota. Não me peça isso. Nem pense nisso.*

– Encontre algum menino órfão disponível – ele sugeriu.

Merreca pareceu não ouvir.

– Foi ideia do pai fazer a disputa. Ele mesmo treinou o primeiro porco, mas então ficou doente demais para cavalgá-lo e Oppo tomou seu lugar. Eu sempre cavalguei o cão. Nós nos apresentamos para o Senhor do Mar de Bravos uma vez, e ele riu tanto que depois deu a cada um de nós um... um grande presente.

– Foi onde minha irmã encontrou vocês? Em Bravos?

– Sua irmã? – A garota pareceu perdida.

– A Rainha Cersei.

Merreca balançou a cabeça.

– Ela nunca... foi um homem que veio até nós, em Pentos. Osmund. Não, Oswald. Algo assim. Oppo se encontrou com ele, não eu. Oppo fez todos os arranjos. Meu irmão sempre sabia o que fazer, ou aonde iríamos em seguida.

– Meereen é para onde vamos em seguida.

Ela lhe deu um olhar intrigado.

– Qarth, você quer dizer. Vamos para Qarth, passando por Nova Ghis.

– Meereen. Você cavalgará seu cão para a rainha dragão e voltará com seu peso em ouro. Melhor começar a comer mais, para estar bonita e gorda quando disputar a justa diante de Sua Graça.

Merreca não sorriu de volta.

– Sozinha, tudo o que posso fazer é cavalgar em círculos. E mesmo se a rainha risse, aonde eu iria depois disso? Nunca ficamos muito tempo em um lugar. Da primeira vez que nos veem, eles riem e riem, mas na quarta ou quinta vez, já sabem o que vamos fazer antes que façamos. Então param de rir, e nós temos que ir para algum lugar novo. Fazemos a maior parte do dinheiro nas grandes cidades, mas eu sempre preferi as aldeias pequenas. Em lugares assim, as pessoas não têm prata, mas nos alimentam em suas próprias mesas, e as crianças nos seguem para todos os lugares.

Isso é porque nunca viram um anão antes, em suas aldeias de merda, Tyrion pensou. *Os malditos pirralhos seguiriam um bode de duas cabeças se um aparecesse. Até que o bode os aborrecesse com seus berros e fosse abatido para a ceia.* Mas não tinha vontade de fazê-la chorar novamente, então, em vez disso, disse:

– Daenerys tem um coração gentil e uma natureza generosa. – Era o que ela precisava ouvir. – Ela encontrará um lugar para você na corte, não tenho dúvida. Um lugar seguro, longe do alcance da minha irmã.

Merreca se virou para ele.

– E você estará lá também.

A menos que Daenerys decida que precisa de algum sangue Lannister para pagar pelo sangue Targaryen que meu irmão derramou.

– Estarei.

Depois disso, a anã era vista com mais frequência sobre o convés. No dia seguinte, Tyrion a encontrou na meia-nau com sua porca malhada, no meio da tarde, quando o ar estava morno e o mar, calmo.

– O nome dela é Bonita – a garota lhe disse, timidamente.

Bonita, a porca, e Merreca, a garota, ele pensou. *Alguém tem que responder por isso.* Merreca deu algumas bolotas a Tyrion, e ele deixou que Bonita as comesse em sua mão. *Não pense que não sei o que você está fazendo, garota,* pensou, enquanto a grande porca cheirava e guinchava.

Logo começaram a tomar suas refeições juntos. Algumas noites eram apenas os dois; as outras refeições eram lotadas com os guardas de Moqorro. *Os dedos,* Tyrion os chamava; afinal, eram homens da Mão Ardente e eram cinco. Merreca ria disso, um som doce, embora não fosse ouvido com frequência. Sua ferida era muito fresca, sua dor, muito profunda.

Ele logo a pegou chamando o navio de *Intendente Fedorento,* embora ela ficasse um tanto indignada cada vez que ele chamava bonita de "Toicinho". Para reparar isso, Tyrion fez uma tentativa de lhe ensinar *cyvasse,* mas logo percebeu que era uma causa perdida.

– Não – disse uma dúzia de vezes –, o dragão voa, não os elefantes.

Naquela mesma noite, ela perguntou se ele gostaria de uma disputa.

– Não – respondeu. Só mais tarde lhe ocorreu que talvez *disputa* não significasse disputa. Sua resposta ainda teria sido não, mas ele poderia não ter sido tão brusco.

De volta à cabine que dividia com Jorah Mormont, Tyrion se virou na rede de dormir por horas, entrando e saindo do sono. Seus sonhos eram cheios de mãos de pedra cinzenta buscando por ele pela neblina e uma escada que levava direto para seu pai.

Finalmente, ele se levantou e subiu em busca de um pouco de ar da noite. O *Selaesori Qhoran* içara suas grandes velas listradas para a noite, e o convés estava tudo menos deserto. Um dos imediatos estava no castelo de proa, e na meia-nau Moqorro estava sentado em seu braseiro, onde algumas chamas pequenas ainda dançavam entre as brasas.

Apenas as estrelas mais brilhantes eram visíveis, todas a oeste. Um brilho vermelho embotado iluminava o céu a nordeste, a cor de uma ferida sangrenta. Tyrion nunca havia visto uma lua tão grande. Gigantesca, inchada, parecia que tinha engolido o sol e acordado com febre.

– Que horas são? – perguntou para Moqorro. – Aquilo não pode ser o amanhecer, a menos que o leste tenha se movido. Por que o céu está vermelho?

– O céu está sempre vermelho sobre Valíria, Hugor Hill.

Um calafrio desceu por suas costas.

– Estamos próximos?

– Mais próximos do que a tripulação gostaria – Moqorro disse, com sua voz profunda. – Vocês conhecem a história lá no Reino do Pôr do Sol?

– Sei que alguns marinheiros dizem que qualquer homem que coloca os olhos naquela costa é condenado. – Ele não acreditava naquelas histórias, não mais do que seu tio acreditara. Gerion Lannister navegara para Valíria quando Tyrion tinha dezoito, com a pretensão de recuperar a ancestral lâmina perdida da Casa Lannister, e algum outro tesouro que pudesse ter sobrevivido à Condenação. Tyrion quis desesperadamente ir com ele, mas o senhor seu pai tinha apelidado a viagem de "busca de tolo" e o proibira de fazer parte.

E talvez ele não estivesse tão errado. Quase uma década se passara desde que o *Leão Sorridente* partira de Lannisporto, e Gerion nunca retornara. Os homens que Lorde Tywin enviara atrás dele conseguiram traçar seu percurso até Volantis, onde metade de sua tripulação desertou e ele comprou escravos para substituí-los. Nenhum homem livre iria de bom grado até um navio cujo capitão falava abertamente de suas intenções de navegar no Mar Fumegante.

– São os fogos das Catorze Chamas refletidos nas nuvens que estamos vendo?

– Catorze ou catorze mil. Que homem ousaria contá-las? Não é sensato para os mortais olharem tão profundamente para essas fogueiras, meu amigo. Aquelas são as fogueiras da ira de deus, e nenhum fogo humano pode se comparar a elas. Nós, homens, somos criaturas pequenas.

– Alguns são menores do que outros. – *Valíria.* Estava escrito que, no dia da Condenação, cada colina em um raio de oitocentos quilômetros tinha se partido, enchendo o ar com cinzas, fumaça e fogo, chamas tão quentes e famintas que até os dragões no céu foram engolidos e consumidos. Grandes fendas se abriram na terra, engolindo palácios, templos, cidades inteiras. Lagos ferveram e se tornaram ácidos, montanhas explodiram, fontes ardentes expeliram rocha derretida a trezentos metros de altura, nuvens vermelhas fizeram chover vidro de dragão e o sangue negro dos demônios, e, no norte, o solo se fragmentou e desabou, e o mar feroz invadiu tudo. A cidade mais orgulhosa do mundo se foi em um instante, seu fabuloso império desapareceu em um dia, e as Terras do Longo Verão queimaram, afogaram e ruíram.

Um império construído com sangue e fogo. Os valirianos colheram a semente que plantaram.

– Nosso capitão pretende testar a maldição?

– Nosso capitão preferia estar a trezentos quilômetros mais para o mar, bem longe desta costa amaldiçoada, mais eu ordenei que fizesse o menor percurso. Outros procuram Daenerys também.

Griff, com seu jovem príncipe. As notícias de que a Companhia Dourada navegava para oeste seriam uma farsa? Tyrion considerou dizer alguma coisa, mas então pensou melhor. Parecia, para ele, que a profecia que movia o sacerdote vermelho tinha lugar apenas para um herói. Um segundo Targaryen só serviria para confundi-lo.

– Viu esses outros em suas chamas? – perguntou, cautelosamente.

– Apenas as sombras deles – disse Moqorro. – Um mais do que todos. Uma coisa alta e retorcida, com um olho negro e dez longos braços, navegando em um mar de sangue.

Bran

A lua era um crescente, fina e afiada como a lâmina de uma faca. Um sol pálido se ergueu, se pôs e se ergueu novamente. Folhas vermelhas sussurraram ao vento. Nuvens escuras encheram os céus e se transformaram em tempestades. Um relâmpago caiu e um trovão ribombou, enquanto homens mortos com mãos negras e brilhantes olhos azuis caminhavam a esmo perto de uma fenda na montanha, sem poder entrar. Sob a montanha, o garoto quebrado se sentou em um trono de represeiro, ouvindo o murmúrio no escuro dos corvos voando e pousando em seus braços.

– Você nunca andará novamente – o corvo de três olhos prometera –, mas você voará. De vez em quando, o som de uma canção vinha de algum lugar lá embaixo. *Os filhos da floresta*, a Velha Ama teria chamado os cantores, mas *aqueles que cantam a canção da terra* era o nome que eles mesmos se davam, na Língua Verdadeira que nenhum humano podia falar. Mas os corvos podiam. Seus pequenos olhos negros eram cheios de segredos, e as aves crocitavam para Bran e bicavam sua pele quando ouviam as canções.

A lua estava gorda e cheia. As estrelas giravam em um céu negro. A chuva caiu e congelou, e quebrou os ramos das árvores com o peso do gelo. Bran e Meera deram nomes àqueles que cantam a canção da terra: Cinza, Folha e Escamas, Faca Negra, Travaneve e Brasas. Seus nomes verdadeiros eram longos demais para línguas humanas, disse Folha. Apenas ela falava a Língua Comum, então o que os outros pensaram de seus novos nomes, Bran nunca soube.

Após o frio de rachar os ossos das terras para lá da Muralha, as cavernas eram abençoadamente quentes e, quando o frio se arrastava para fora das rochas, os cantores acendiam fogueiras para afastá-lo novamente. Lá embaixo não havia vento, nem neve, nem gelo, nem coisas mortas tentando agarrá-los, apenas sonhos, velas e beijos dos corvos. E os sussurros na escuridão.

O último vidente verde, os cantores o chamavam, mas nos sonhos de Bran ele ainda era um corvo de três olhos. Quando Meera Reed lhe perguntara seu nome verdadeiro, ele fizera um som sinistro que poderia ter sido uma risada.

– Usei muitos nomes quando eu era rápido, mas uma vez tive uma mãe, e o nome que ela me deu em seu seio foi Brynden.

– Eu tenho um tio Brynden – disse Bran. – É tio da minha mãe, na verdade. Brynden Peixe Negro, ele é chamado.

– Seu tio pode ter recebido esse nome por minha causa. Alguns recebem, ainda. Não tantos quanto antigamente. Os homens esquecem. Apenas as árvores se lembram. – Sua voz era tão suave que Bran tinha que se esforçar para ouvi-lo.

– Muito dele se transformou em árvore – explicou a cantora que Meera chamava de Folha. – Ele viveu além de seu tempo mortal e, ainda assim, permanece aqui. Por nós, por você, pelos reinos dos homens. Apenas uma pequena força permanece em sua carne. Ele tem mil olhos e um, mas há muito para ver. Um dia, você saberá.

– O que eu saberei? – Bran perguntou para os Reed depois, quando os irmãos vieram com tochas acesas nas mãos, para levá-lo de volta à pequena câmara afastada da grande caverna onde os cantores haviam preparado camas para que dormissem. – O que as árvores lembram?

– Os segredos dos deuses antigos – disse Jojen Reed. Comida, fogo e descanso haviam ajudado a recuperá-lo das provações da jornada, mas ele parecia mais triste agora, taciturno, com um olhar cansado e assombrado. – Verdades que os Primeiros Homens sabiam, esquecidas agora em Winterfell... mas não na natureza úmida. Nós vivemos mais perto do verde em nossos pântanos e palafitas e nós lembramos. Terra e água, solo e pedra, carvalhos, olmos e salgueiros, estavam aqui antes de nós, e ainda permanecerão quando tivermos ido.

– Assim como você – disse Meera. Aquilo entristeceu Bran. *E se eu não quiser permanecer quando vocês se forem?*, quase perguntou, mas engoliu as palavras não ditas. Era quase homem feito e não queria que Meera pensasse que era algum bebê chorão. Em vez disso, falou:

– Talvez vocês também possam ser videntes verdes.

– Não, Bran. – Agora Meera soou triste.

– É dado apenas para poucos beber da fonte verde, embora ainda em carne mortal, para ouvir os sussurros das folhas e ver o que as árvores veem, como os deuses veem – disse Jojen. – A maioria de nós não é tão abençoada. Os deuses só me deram sonhos verdes. Minha tarefa era trazê-lo aqui. Minha participação nisso acabou.

A lua era um buraco negro no céu. Lobos uivavam na floresta, farejando os montes de neve atrás de coisas mortas. Um bando de corvos surgiu da encosta, dando gritos agudos e batendo as asas negras sobre um mundo branco. Um sol vermelho se ergueu, se pôs e se ergueu novamente, pintando a neve em tons de rosa e magenta. Sob a montanha, Jojen meditava, Meera se agitava e Hodor vagava por túneis escuros com uma espada na mão direita e uma tocha na esquerda. Ou era Bran vagando?

Ninguém jamais deve saber.

A grande caverna que se abria sobre o abismo era tão negra quanto piche, negra como alcatrão, mais negra do que as penas de um corvo. A luz entrava ali como uma invasora, indesejada e mal recebida, e logo partia; fogueiras e velas queimavam por um breve instante, então se apagavam novamente, suas breves vidas encerradas.

Os cantores fizeram para Bran seu próprio trono, como o que Lorde Brynden se sentava, represeiro branco e galhos vermelhos mortos tecidos através de raízes vivas. Colocaram-no na grande caverna, ao lado do abismo, onde o ar negro ecoava o som da água correndo abaixo. Seu assento era feito de suave musgo cinzento. Uma vez Bran sentado em seu lugar, eles o cobriam com peles quentes.

Ali ele ficava, ouvindo os sussurros roucos de seu professor.

– Nunca tema a escuridão, Bran. – As palavras do senhor eram acompanhadas por um suave farfalhar de madeira e folhas, a cada leve torção de sua cabeça. – As árvores mais fortes estão enraizadas nos lugares escuros da terra. A escuridão será seu manto, seu escudo, seu leite materno. A escuridão o tornará forte.

A lua era um crescente, fina e afiada como a lâmina de uma faca. Flocos de neve caíam silenciosamente para cobrir de branco os pinheiros marciais e as sentinelas. Os montes cresciam tanto que cobriam a entrada da caverna, deixando uma muralha branca que Verão tinha que escavar toda vez que ia lá fora se unir à sua matilha e caçar. Bran não ia com ele naqueles dias, mas, algumas noites, o observava de cima.

Voar era até melhor do que escalar.

Deslizar para dentro da pele de Verão tinha se tornado tão fácil quanto era vestir um par de calções, antes de quebrar as costas. Trocar sua própria pele pelas penas negras e noturnas de um corvo tinha sido mais difícil, mas não tão difícil quanto temera, não com *aqueles* corvos.

– Um garanhão selvagem vai saltar e chutar quando um homem tentar montá-lo, e tentará morder a mão que colocar o freio entre seus dentes – Lorde Brynden dissera –, mas um cavalo que já conheceu um cavaleiro, aceitará outro. Jovens ou velhas, todas essas aves foram cavalgadas. Escolha uma, agora, e voe.

Bran escolheu uma ave, e depois outra, sem sucesso, mas o terceiro corvo olhou para ele com olhos astutos, inclinou a cabeça, *crocitou* e, rápido assim, ele não era um garoto olhando um corvo, mas um corvo olhando um garoto. O som do rio soou repentinamente mais alto, as tochas queimaram mais brilhantes do que antes e o ar estava repleto de odores estranhos. Quando tentou falar, saiu um grito, e seu primeiro voo terminou quando se chocou contra uma parede e voltou para dentro de seu próprio corpo quebrado. O corvo estava ileso. Voou até ele e pousou em seu braço. Bran acariciou suas penas e deslizou para dentro da ave novamente. Em pouco tempo estava voando pela caverna, desviando dos longos dentes de pedra que pendiam do teto, até mesmo batendo as asas sobre o abismo e mergulhando em suas frias profundezas escuras.

Então percebeu que não estava sozinho.

– Alguém mais estava no corvo – contou para Lorde Brynden, depois que retornou para sua própria pele. – Uma garota. Eu a senti.

– Uma mulher, uma dessas que canta a canção da terra – o professor disse. – Morta há muito tempo, ainda parte dela permanece, exatamente como uma parte de você permaneceria em Verão se sua carne de menino morresse amanhã. Uma sombra da alma. Ela não lhe causará mal.

– Todas as aves têm cantores nelas?

– Todas – disse Lorde Brynden. – Foram os cantores quem ensinaram aos Primeiros Homens a enviar mensagens por corvos... mas, naqueles dias, as aves podiam dizer as palavras. As árvores se lembram, mas os homens esquecem, então agora escrevem a mensagem em pergaminho e amarram em volta da perna da ave com quem nunca compartilharam a pele.

A Velha Ama lhe contara a mesma história certa vez, Bran se lembrava, mas quando perguntara para Robb se era verdade, seu irmão riu e perguntou se ele também acreditava em gramequins. Queria que Robb estivesse ali agora. *Diria para ele que posso voar, mas ele não acreditaria, então eu teria que mostrar. Aposto que ele poderia aprender a voar também, ele, Arya e Sansa, até mesmo o pequeno Rickon e Jon Snow. Nós todos podíamos ser corvos e viver nos viveiros de aves de Meistre Luwin.*

Mas aquele era apenas outro sonho tolo. Certos dias, Bran se perguntava se tudo aquilo não seria algum sonho. Talvez tivesse adormecido na neve e sonhado que estava em um lugar seguro e quente. *Você tem que acordar*, dizia para si mesmo, *você tem que acordar agora mesmo, ou dormirá até a morte.* Uma ou duas vezes, beliscou seu braço com força, mas a única coisa que conseguiu foi se machucar. No começo, tentara contar os dias anotando quando acordavam e dormiam, mas, ali embaixo, sono e vigília tinham uma maneira de se fundir um no outro. Sonhos tornavam-se lições, lições tornavam-se sonhos, coisas aconteciam de uma vez ou não aconteciam. Ele fizera aquilo, ou apenas sonhara?

– Apenas um homem em mil nasce troca-peles – Lorde Brynden dissera um dia, depois que Bran aprendeu a voar –, e apenas um troca-peles em mil pode ser um vidente verde.

– Eu pensava que os videntes verdes eram os feiticeiros dos filhos – Bran dissera. – Dos cantores, quero dizer.

– Em certo sentido. Esses que você chama de filhos da floresta têm olhos tão dourados quanto o sol, mas uma vez a cada muito tempo um deles nasce com olhos vermelhos como sangue ou verdes como o musgo em uma árvore no coração da floresta. Com esses sinais, os deuses marcam aqueles que escolheram para receber o dom. Os escolhidos não são robustos, ou seus rápidos anos sobre a terra são poucos, cada canção precisa ter seu equilíbrio. Mas, uma vez dentro da floresta, vivem mais, de fato. Mil olhos, uma centena de peles, sabedoria tão profunda quanto as raízes das árvores antigas. *Videntes verdes.*

Bran não entendeu, então perguntou para os Reed.

– Você gosta de ler livros, Bran? – Jojen lhe perguntou.

– Alguns livros. Gosto de histórias de combates. Minha irmã Sansa gosta de histórias de beijos, mas essas são estúpidas.

– Um leitor vive mil vidas antes de morrer – disse Jojen. – O homem que nunca lê vive apenas uma. Os cantores das florestas não tinham livros. Nem tinta, nem pergaminhos, nem linguagem escrita. Em vez disso, tinham as árvores, e os represeiros acima de tudo. Quando morriam, entravam na floresta, em uma folha, um galho ou uma raiz, e as árvores se lembravam. Todas as suas canções e feitiços, suas histórias e orações, tudo o que sabiam sobre esse mundo. Os meistres lhe dirão que os represeiros são sagrados para os antigos deuses. Os cantores acreditam que os represeiros *são* os antigos deuses. Quando os cantores morrem, tornam-se parte desta divindade.

Os olhos de Bran se arregalaram.

– Eles vão me *matar*?

– Não – disse Meera. – Jojen, você está assustando ele.

– Não é ele quem precisa ter medo.

A lua estava gorda e cheia. Verão rondava pela floresta silenciosa, uma grande sombra que ficava mais magra a cada caçada, em busca de alguma presa viva que não podia ser encontrada. A proteção da caverna ainda funcionava; os mortos não podiam entrar. A neve enterrara a maioria deles novamente, mas ainda estavam lá, escondidos, congelados, esperando. Outras coisas mortas vieram se juntar a eles, coisas que certa vez haviam sido homens e mulheres, e mesmo crianças. Corvos mortos sentavam-se nos galhos marrons e nus, as asas incrustadas de gelo. Um urso da neve chocou-se contra os arbustos, imenso e esquelético, metade de sua cabeça descarnada, revelando a caveira embaixo. Verão e sua matilha caíram sobre ele e o rasgaram em pedaços. Depois se fartaram, ainda que a carne estivesse apodrecida e meio congelada, e se movesse mesmo enquanto a comiam.

Sob a montanha, ainda tinham o que comer. Uma centena de tipos de cogumelos crescia ali embaixo. Peixes cegos brancos nadavam no rio negro e, uma vez que os cozinharam, o gosto era tão bom quanto o de qualquer outro peixe. Tinham queijo e leite das cabras que dividiam as cavernas com os cantores, e até mesmo alguma aveia, cevada e frutas secas colhidas durante o longo verão. E quase todos os dias comiam ensopado de sangue, engrossado com cevada, cebolas e pedaços de carne. Jojen achava que podia ser carne de esquilo, e Meera dizia que era de rato. Bran não se importava. Era carne e era boa. O ensopado a tornava tenra.

As cavernas eram atemporais, vastas, silenciosas. Eram lar para mais de três grupos de cantores vivos e para ossos de centenas de mortos, e se estendiam muito abaixo da montanha oca.

– Homens não devem vagar por este lugar – Folha os avisara. – O rio que vocês ouvem é rápido, negro e segue para baixo e para baixo até um mar sem sol. E há passagens que vão ainda mais fundo, poços sem fundo e estacas repentinas, caminhos esquecidos que levam ao centro da terra. Nem mesmo meu povo explorou todos eles, e vivemos aqui há milhares de milhares de seus anos humanos.

Embora os homens dos Sete Reinos os chamassem de *filhos da floresta*, Folha e seu povo estavam muito longe da infância. *Pequenos sábios da floresta* teria sido um nome mais apropriado. Eram pequenos, se comparados aos homens, como um lobo é menor do que um lobo gigante. Isso não significa que seja um filhote. Tinham a pele da cor de nozes com manchas claras como a de um cervo e grandes orelhas que podiam ouvir coisas que nenhum homem escutaria. Tinham olhos grandes também, imensos olhos dourados de gato que viam passagens onde os olhos de um garoto enxergavam apenas escuridão. Suas mãos tinham apenas três dedos e um polegar, com negras garras afiadas no lugar de unhas.

E eles cantavam. Cantavam na Língua Verdadeira, então Bran não podia entender as palavras, mas suas vozes eram tão puras quanto o ar de inverno.

– Onde está o resto de vocês? – Bran perguntara, certa vez.

– Foram para baixo da terra – Folha respondeu. – Nas pedras, dentro das árvores. Antes dos Primeiros Homens chegarem, toda esta terra que você chama de Westeros era nosso lar, e mesmo naqueles dias éramos poucos. Os deuses nos deram longas vidas, mas não grandes números, para não saturar o mundo, como os cervos saturariam a floresta se não existissem lobos para caçá-los. Aquela era a aurora dos dias, quando nosso sol estava nascendo. Agora ele se põe, e este é nosso longo minguar. Os gigantes estão quase desaparecidos também, eles que eram nossa perdição e nossos irmãos. Os grandes leões das montanhas do oeste foram mortos, os unicórnios se foram, os mamutes são apenas algumas centenas. Os lobos gigantes sobreviverão a todos nós, mas sua hora também chegará. No mundo que os homens fizeram, não há espaço para eles, ou para nós.

Ela pareceu triste quando disse isso, e fez Bran ficar triste também. Apenas mais tarde ele pensou: *Homens não ficariam tristes. Homens ficariam indignados. Homens odiariam e jurariam uma vingança sangrenta. Os cantores cantam canções tristes, quando os homens lutariam e matariam.*

Um dia, Meera e Jojen decidiram ver o rio, apesar dos avisos de Folha.

– Quero ir também – disse Bran.

Meera lhe deu um olhar triste. O rio estava a duzentos metros de profundidade, descendo encostas íngremes e passagens sinuosas, ela explicou, e a última parte requeria descer em uma corda.

– Hodor nunca faria a subida com você nas costas. Sinto muito, Bran.

Bran se lembrou de uma época quando ninguém podia escalar tão bem quanto ele, nem mesmo Robb ou Jon. Parte dele queria gritar para que o deixassem, e outra parte queria chorar. Era quase um homem feito, pensou, então não disse nada. Mas, depois que saíram, deslizou para dentro da pele de Hodor e os seguiu.

O grande cavalariço já não lutava com ele como fizera da primeira vez, na torre do lago, durante a tempestade. Como um cão que tivera toda a agressividade arrancada a chicotadas, Hodor se encolhia e se escondia todas as vezes que Bran o alcançava. Seu lugar secreto era em algum lugar profundo dentro dele, um poço onde nem Bran podia tocá-lo. *Ninguém quer machucá-lo, Hodor*, ele dizia, silenciosamente, para o homem-criança cuja carne tomara. *Quero só ser forte novamente por um tempo. Vou devolver para você, como sempre faço.*

Ninguém nunca sabia quando ele estava vestindo a pele de Hodor. Bran tinha apenas que sorrir, fazer o que lhe diziam e murmurar "Hodor" de tempos em tempos, e podia seguir Meera e Jojen, alegremente, sem que ninguém suspeitasse que era ele na realidade. Frequentemente estava junto dos irmãos, quisessem ou não. No fim da aventura daquele dia, os Reed ficaram felizes com sua presença. Jojen desceu pela corda com bastante facilidade, mas depois que Meera pescou um peixe branco cego com seu tridente e chegou a hora de subir, os braços dele começaram a tremer e não conseguiu chegar ao topo, então tiveram que amarrar a corda ao redor de seu corpo e deixar Hodor içá-lo.

– Hodor – Bran grunhia cada vez que puxava. – Hodor, hodor, hodor.

A lua estava um crescente, fina e afiada como a lâmina de uma faca. Verão desenterrou um braço decepado, negro e coberto com geada, os dedos abrindo e fechando com se quisesse se puxar pela neve congelada. Ainda havia carne suficiente para encher sua barriga vazia e, depois que acabou, o lobo gigante quebrou os ossos para alcançar o tutano. Só então o braço se lembrou que estava morto.

Bran comeu com Verão e sua matilha, como lobo. Como corvo, voava com o bando, circulando as montanhas ao pôr do sol, procurando por inimigos, sentindo o toque gelado do ar. Como Hodor, explorava as cavernas. Encontrou câmaras cheias de ossos, hastes que mergulhavam profundamente na terra, um lugar onde esqueletos de morcegos gigantes penduravam-se de cabeça para baixo do teto. Até mesmo cruzou a fina ponte de pedra que se arqueava sobre o abismo e descobriu mais passagens e câmaras do outro lado. Uma delas estava cheia de cantores, entronados como Brynden em ninhos de raízes de represeiros que ondulavam sobre, através e ao redor de seus corpos. A maioria parecia morta, mas, quando passou na frente deles, seus olhos se abriram e seguiram a luz da tocha, e um deles abriu e fechou a boca enrugada como se estivesse tentando falar.

– Hodor – Bran disse para ele, e sentiu o Hodor real se agitar em seu poço.

Sentado em seu trono de raízes na grande caverna, meio cadáver e meio árvore, Lorde Brynden parecia menos um homem do que uma sinistra estátua feita de madeira retorcida, ossos velhos e lã apodrecida. A única coisa que parecia viva naquela ruína pálida que era seu rosto era seu único olho vermelho, brilhando como a última brasa em uma fogueira se apagando, cercado por raízes retorcidas e farrapos de pele branca penduradas em um crânio amarelo.

A visão dele ainda assustava Bran; as raízes de represeiro serpenteando para dentro e para fora de sua carne seca, os cogumelos crescendo em seu rosto, os brancos vermes de madeira que saíam do buraco onde seu olho estivera. O garoto preferia quando as tochas estavam apagadas. Na escuridão, podia fingir que era o corvo de três olhos que sussurrava para ele, e não algum horrível cadáver falante.

Um dia, serei como ele. O pensamento enchia Bran de terror. Já era ruim o suficiente estar quebrado, com aquelas pernas inúteis. Estaria ele condenado a perder o restante também, para passar o resto de seus anos com um represeiro crescendo nele e através dele? Lorde Brynden tirava sua vida da árvore, Folha lhe contara. Não comia, não bebia. Ele dormia, sonhava e observava. *Eu ia ser um cavaleiro,* Bran se lembrou. *Eu costumava correr, escalar e lutar.* Parecia que mil anos tinham se passado.

O que ele era agora? Apenas Bran, o menino quebrado, Brandon da Casa Stark, príncipe de um reino perdido, senhor de um castelo queimado, herdeiro de ruínas. Ele pensara que o corvo de três olhos seria um feiticeiro, um mago velho e sábio que poderia consertar suas pernas, mas percebia agora que aquilo era apenas um estúpido sonho de criança. *Estou velho demais para essas fantasias,* disse para si mesmo. *Mil olhos, uma centena de peles, sabedoria profunda como as raízes das árvores antigas.* Isso seria tão bom quanto ser um cavaleiro. *Quase tão bom, de toda forma.*

A lua era um buraco negro no céu. Do lado de fora da caverna, o mundo continuava. Do lado de fora da caverna o sol se levantava e se punha, a lua fazia seu ciclo, o vento frio uivava. Sob a montanha, Jojen Reed ficava cada vez mais taciturno e solitário, para angústia de sua irmã. Ela frequentemente sentava com Bran, ao lado da pequena fogueira, falando sobre tudo e sobre nada, acariciando Verão quando ele dormia entre eles, enquanto seu irmão vagava sozinho pelas cavernas. Jojen até mesmo subira na boca da caverna em um dia brilhante. Ficara lá por horas, olhando para a floresta, enrolado em peles, mas tremendo do mesmo jeito.

– Ele quer ir para casa – Meera disse a Bran. – Ele nem vai tentar lutar contra seu destino. Diz que os sonhos verdes não mentem.

– Ele está sendo corajoso – respondeu Bran. *O único momento em que um homem pode ser corajoso é quando está com medo,* seu pai lhe dissera uma vez, havia muito tempo, no dia que encontraram os filhotes de lobo gigantes nas neves de verão. Ele ainda se lembrava.

– Ele está sendo estúpido – Meera disse. – Eu esperava que quando encontrássemos o corvo de três olhos... agora me pergunto por que viemos.

Por mim, Bran pensou.

– Seus sonhos verdes – falou.

– Seus sonhos verdes. – A voz de Meera estava amarga.

– Hodor – disse Hodor.

Meera começou a chorar.

– Não chore – falou. Queria colocar seus braços ao redor dela, abraçá-la apertado como sua mãe costumava fazer em Winterfell, quando ele se machucava. Ela estava logo ali, apenas a alguns metros dele, mas tão distante como se estivesse a quilômetros. Para tocá-la, precisaria arrastar-se pelo chão com as mãos, levando as pernas atrás de si. O solo era duro e irregular, e seria um lento percurso, cheio de arranhões e solavancos. *Poderia ir para a pele de Hodor*, pensou. *Hodor poderia abraçá-la e acariciar suas costas.* A ideia fez Bran se sentir estranho, mas ainda estava pensando nisso quando Meera se afastou do fogo, de volta para a escuridão dos túneis. Ele ouviu seus passos se afastarem, até que não havia nada além das vozes dos cantores.

A lua era um crescente, fina e afiada como a lâmina de uma faca. Os dias passavam, um após o outro, cada um mais curto do que o anterior. As noites ficavam mais longas. A luz do sol nunca alcançava as cavernas sob a montanha. Nenhum luar jamais tocava aquelas paredes de pedra. Até mesmo as estrelas eram estranhas ali. Aquelas coisas pertenciam ao mundo de cima, onde o tempo percorria seus ciclos de ferro, dia, noite, dia, noite, dia.

– É tempo – disse Lorde Brynden.

Alguma coisa em sua voz fez Bran sentir um arrepio nas costas.

– Tempo para quê?

– Para o próximo passo. Para ir além de trocar a pele e aprender o que significa ser um vidente verde.

– As árvores o ensinarão – disse Folha. Ela acenou, e outra das cantoras se aproximou, a de cabelos brancos que Meera chamara de Travaneve. Ela tinha uma tigela de represeiro nas mãos, esculpida com uma dúzia de rostos, como os das árvores-coração. Dentro havia uma pasta branca, grossa e pesada, com veios vermelho-escuros passando por ela. – Você precisa comer isto – Folha explicou. Deu para Bran uma colher de madeira.

O garoto olhou para a tigela com incerteza.

– O que é isso?

– Uma pasta de sementes de represeiro.

Algo na aparência daquilo fez Bran se sentir mal. Os veios vermelhos eram apenas seiva de represeiro, supunha, mas à luz das tochas tinham uma incrível semelhança com sangue. Ele mergulhou a colher na pasta e hesitou:

– Isso vai me tornar um vidente verde?

– Seu sangue o fará um vidente verde – disse Lorde Brynden. – Isso apenas despertará seu dom e o casará com as árvores.

Bran queria estar casado com uma árvore... mas quem se casaria com um garoto quebrado como ele? *Mil olhos, uma centena de peles, sabedoria tão profunda quanto as raízes das árvores antigas. Um vidente verde.*

Ele comeu.

Tinha um gosto um pouco amargo, embora não tão amargo quanto pasta de bolotas. A primeira colherada foi a mais difícil de descer. Ele quase a vomitou. A segunda teve um gosto melhor. A terceira estava quase doce. O restante, ele comeu ansiosamente. Por que havia pensado que era amargo? Tinha gosto de mel, de neve recém-caída, de pimenta e canela, e do último beijo que sua mãe nunca lhe dera. A tigela vazia escorregou de seus dedos e retiniu no chão da caverna.

– Não me sinto diferente. O que acontece em seguida?

Folha tocou sua mão.

– As árvores o ensinarão. As árvores se lembram. – Levantou a mão e os outros cantores começaram a se mover pela caverna, extinguindo as tochas uma por uma. A escuridão ficou mais densa e rastejou na direção deles.

– Feche os olhos – disse o corvo de três olhos. – Deslize de sua pele, como você faz quando se une a Verão. Mas, desta vez, vá para as raízes. Siga-as pela terra, até as árvores sobre a montanha, e me diga o que vê.

Bran fechou os olhos e deslizou, livre de sua pele. *Dentro das raízes*, pensou. *Dentro do represeiro. Tornar-se a árvore*. Por um instante, podia ver a caverna em seu manto negro, podia ouvir o rio correndo embaixo deles.

Então, de repente, estava em casa novamente.

Lorde Eddard Stark estava sentado sobre uma pedra ao lado da profunda lagoa negra no bosque sagrado, as raízes claras da árvore-coração se enroscando ao redor dele como os braços retorcidos de um homem velho. A espada Gelo estava no colo de Lorde Eddard, e ele limpava a lâmina com um oleado.

– *Winterfell* – Bran sussurrou.

Seu pai olhou para cima.

– Quem está aí? – perguntou, virando-se...

... e Bran, assustado, se afastou. Seu pai, a lagoa negra e o bosque sagrado desbotaram e sumiram, e estava de volta à caverna, as raízes pálidas e grossas de seu trono de represeiro embalando suas pernas como uma mãe faz com um filho. Uma tocha queimava diante dele.

– Conte-nos o que viu. – De longe, Folha parecia quase uma garota, não mais velha do que Bran ou uma de suas irmãs, mas de perto parecia bem mais velha. Ela afirmava ter duzentos anos.

A garganta de Bran estava muito seca. Ele engoliu.

– Winterfell. Estava de volta a Winterfell. Vi meu pai. Ele não está morto, não está, eu o vi, ele voltou a Winterfell, ainda está vivo.

– Não – disse Folha. – Ele se foi, garoto. Não procure chamá-lo de volta da morte.

– Eu o *vi*. – Bran podia sentir a madeira áspera pressionando contra uma bochecha. – Ele estava limpando Gelo.

– Você viu o que desejava ver. Seu coração anseia por seu pai e sua casa, então foi isso que você viu.

– Um homem precisa saber como olhar, antes que possa esperar ver – disse Lorde Brynden. – Eram sombras de dias passados que você viu, Bran. Você estava olhando através dos olhos da árvore-coração em seu bosque sagrado. O tempo de uma árvore é diferente do tempo do homem. Sol, solo e água, essas são as coisas que um represeiro entende, não dias, anos e séculos. Para o homem, o tempo é um rio. Está preso em seu fluxo, seguindo do passado para o presente, sempre na mesma direção. As vidas das árvores são diferentes. Elas enraízam, crescem e morrem em um único lugar, e então aquele rio não se move. O carvalho é a bolota, e a bolota é o carvalho. E o represeiro... mil anos humanos são um momento para um represeiro e, através de tais portões, você e eu podemos olhar o passado.

– Mas – insistiu Bran –, ele me *ouviu*.

– Ele ouviu um sussurro do vento, um farfalhar de folhas. Você não pode falar com ele, tente se quiser. Eu sei. Tenho meus próprios fantasmas, Bran. Um irmão que amava, um irmão que odiava, uma mulher que desejava. Através das árvores, ainda os vejo, mas nenhuma de minhas palavras jamais os alcançou. O passado permanece no passado. Podemos aprender com ele, mas não podemos mudá-lo.

– Verei meu pai novamente?

– Uma vez que domine seu dom, você poderá olhar para onde quiser e ver o que as árvores viram, seja ontem, no ano passado ou há milhares de anos. Os homens vivem suas vidas presos a um eterno presente, entre as brumas da memória e o mar de sombras que é tudo o que sabemos dos dias vindouros. Certas mariposas vivem suas vidas inteiras em um dia e, mesmo assim, para elas esse pequeno espaço de tempo deve ser tão longo quanto anos e décadas para nós. Um carvalho vive trezentos anos, uma sequoia, três mil. Um represeiro viverá para sempre, se não for perturbado. Para eles, as estações passam nas vibrações das asas de uma mariposa, e passado, presente e futuro são um só. Nem sua visão será limitada ao seu bosque sagrado. Os cantores esculpiram olhos em suas árvores-coração para despertá-las, e esses são os primeiros olhos que um novo vidente verde aprende a usar... mas, com o tempo, você verá muito além das próprias árvores.

– Quando? – Bran quis saber.

– Em um ano, ou três, ou dez. Isso eu não vislumbrei. Virá com o tempo, prometo a você. Mas estou cansado agora, e as árvores estão me chamando. Prosseguiremos amanhã.

Hodor carregou Bran de volta à sua câmara, murmurando "Hodor" em voz baixa, enquanto Folha seguia na frente com uma tocha. Ele esperava que Meera e Jojen estivessem ali, mas sua aconchegante alcova na rocha estava fria e vazia. Hodor colocou Bran na cama, cobriu-o com peles e acendeu uma fogueira para eles. *Mil olhos, uma centena de peles, sabedoria tão profunda quanto as raízes das árvores antigas.*

Observando as chamas, Bran resolveu que ficaria acordado até Meera voltar. Jojen estaria infeliz, ele sabia, mas Meera ficaria feliz por ele. Não se lembrava de ter fechado os olhos.

... mas então, de algum modo, estava em Winterfell novamente, no represeiro, olhando para seu pai. Lorde Eddard parecia muito mais jovem dessa vez. Seu cabelo era castanho, sem nenhum traço de cinza, sua cabeça curvada.

– ... deixe-os crescerem juntos, como irmãos, com apenas amor entre eles – rezou –, e deixe minha senhora esposa encontrar perdão em seu coração...

– Pai – a voz de Bran era um sussurro no vento, um farfalhar de folhas. – Pai, sou eu. Bran. Brandon.

Eddard Stark levantou a cabeça e olhou longamente para o represeiro, franzindo o cenho, mas não falou nada. *Ele não pode me ver*, Bran percebeu, desesperado. Queria alcançá-lo e tocá-lo, mas tudo o que podia fazer era observar e ouvir. *Estou na árvore. Estou dentro da árvore-coração, olhando por seus olhos vermelhos, mas o represeiro não pode falar, então eu também não posso.*

Eddard Stark retomou sua oração. Bran sentiu seus olhos se encherem de lágrimas. Mas eram suas próprias lágrimas ou do represeiro? *Se eu chorar, o represeiro começará a derramar lágrimas?*

O restante das palavras do pai foi abafado por um súbito barulho de madeira batendo em madeira. Eddard Stark se dissolveu, como a bruma ao sol da manhã. Agora, duas crianças brincavam pelo bosque sagrado, gritando uma para a outra enquanto duelavam com galhos quebrados. A garota era a mais velha e mais alta dos dois. *Arya!*, Bran pensou, ansiosamente, enquanto a observava saltar de uma pedra e acertar o garoto. Mas isso não estava certo. Se a garota era Arya, o menino seria Bran, e ele nunca usara o cabelo tão comprido. *E Arya nunca me bateu brincando de espadas, do jeito que a garota está batendo nele*. Ela o acertou na coxa com tanta força, que ele perdeu o equilíbrio e caiu na lagoa, começando a se debater e a gritar.

– Fique quieto, estúpido – disse a garota, jogando seu próprio galho de lado. – É só água. Quer que a Velha Ama escute e vá correndo contar ao pai? – Ela se ajoelhou e puxou o irmão da lagoa, mas antes que ele tivesse saído completamente, os dois desapareceram.

Depois disso, os vislumbres vieram cada vez mais rápidos, até Bran se sentir perdido e enjoado. Não viu mais seu pai, nem a menina que se parecia com Arya, mas uma mulher em gravidez adiantada emergiu nua e pingando da lagoa negra, ajoelhou-se diante da árvore e implorou aos deuses por um filho que a vingasse. Então veio uma garota de cabelos castanhos, esguia como uma lança, que ficou na ponta dos pés para beijar os lábios de um jovem cavaleiro tão alto quanto Hodor. Um jovem de olhos escuros, pálido e feroz, cortou três galhos do represeiro e deu-lhes forma de flecha. A árvore estava encolhendo, ficando menor a cada visão, enquanto árvores ainda menores se convertiam em mudas e desapareciam, apenas para serem substituídas por outras árvores que encolhiam e também sumiam. E agora os senhores que Bran vislumbrava eram altos e vigorosos, homens austeros vestidos em peles e cotas de malha. Alguns tinham rostos que lembravam as estátuas da cripta, mas desapareceram antes que Bran pudesse recordar seus nomes.

Então, enquanto ele observava, um homem barbado forçou um prisioneiro a ficar de joelhos diante da árvore-coração. Uma mulher de cabelos brancos caminhou na direção deles, por um monte de folhas vermelho-escuras, com uma foice de bronze na mão.

– Não – disse Bran –, não, *não faça isso* – mas não podiam ouvi-lo, não mais do que seu pai. A mulher agarrou o prisioneiro pelo cabelo, enganchou a foice em sua garganta e cortou. Através das brumas dos séculos, o garoto quebrado só podia observar, enquanto os pés do homem se debatiam contra a terra... mas, conforme sua vida fluía para fora em uma maré vermelha, Brandon Stark pôde sentir o gosto de sangue.

Jon

O sol apareceu perto do meio-dia, depois de sete dias de céu escuro e rajadas de neve. Alguns montes eram mais altos do que um homem, mas os intendentes haviam trabalhado com as pás, e os caminhos estavam tão limpos quanto possível. Reflexos brilhavam na Muralha, cada rachadura e fenda cintilando em tons de azul-claro.

A duzentos metros de altura, Jon Snow olhava para baixo, observando a floresta assombrada. Um vento norte rodopiava entre as árvores lá embaixo, fazendo voar finas faixas brancas de cristais de neve dos galhos mais altos, como bandeiras congeladas. Fora isso, nada se movia. *Nem um sinal de vida.* Aquilo não era inteiramente reconfortante. Não eram os vivos que ele temia. Mesmo assim...

O sol saiu. A neve parou. Pode ser que a lua dê uma volta antes que tenhamos outra chance tão boa. Pode ser a ocasião.

– Peça para Emmett reunir seus recrutas – disse para Edd Doloroso. – Precisaremos de uma escolta. Dez patrulheiros, armados com vidro de dragão. Quero-os prontos para partir em uma hora.

– Sim, senhor. E para comandar?

– Eu vou.

A boca de Edd se curvou mais para baixo do que o usual.

– Alguns podem pensar que seria melhor que o senhor comandante ficasse seguro e aquecido ao sul da Muralha. Não que eu esteja falando isso, mas alguém pode dizer.

Jon sorriu.

– Alguns fariam bem em não dizer isso na minha presença.

Uma súbita rajada de vento fez o manto de Edd se agitar ruidosamente.

– Melhor descer, senhor. Este vento parece querer nos jogar da Muralha, e nunca aprendi o truque de voar.

Entraram na gaiola de manivela para voltar ao chão. O vento vinha em rajadas, frio como o hálito do dragão de gelo das histórias que a Velha Ama contava quando Jon era um garoto. A pesada gaiola balançava. De tempos em tempos, raspava contra a Muralha, iniciando pequenas cachoeiras de gelo cristalino que cintilavam à luz do sol, enquanto caíam como cacos de vidro.

Vidro, Jon pensou, *teria uso aqui. Castelo Negro precisa de sua própria estufa, como as de Winterfell. Poderíamos cultivar vegetais mesmo no auge do inverno. O melhor vidro vem de Myr, mas um bom painel translúcido vale seu peso em especiarias, e vidro verde e amarelo não funciona tão bem. O que precisamos é de ouro. Com dinheiro suficiente, poderíamos comprar aprendizes e vidraceiros em Myr, trazê-los para o Norte, oferecer-lhes liberdade em troca de ensinar sua arte para alguns de nossos recrutas. Seria um bom meio de resolver isso. Se tivéssemos ouro. O que não temos.*

Na base da Muralha, encontrou Fantasma rolando em um banco de neve. O grande lobo gigante branco parecia amar neve fresca. Quando viu Jon, ficou novamente em pé e se sacudiu. Edd Doloroso disse:

– Ele vai com você?

– Vai.

– Um lobo esperto, ele. E eu?

– Você não vai.

– Um senhor esperto, você. Fantasma é a melhor opção. Não tenho mais dentes para morder selvagens.

– Se os deuses forem bons, não encontraremos nenhum selvagem. Quero o castrado cinza.

A notícia correu rapidamente pelo Castelo Negro. Edd ainda estava selando o cinza quando Bowen Marsh irrompeu pelo pátio para confrontar Jon nos estábulos.

– Senhor, gostaria que reconsiderasse. Os homens podem fazer seus votos no septo facilmente.

– O septo é o lar dos novos deuses. Os antigos deuses vivem na floresta, e aqueles que os veneram dizem suas palavras entre os represeiros. Você sabe disso tanto quanto eu.

– Cetim vem de Vilavelha, e Arron e Emrick das terras do oeste. Os antigos deuses não são deuses deles.

– Não direi aos homens quais deuses venerar. Eles são livres para escolher os Sete, ou o Senhor da Luz da mulher vermelha. Em vez disso, escolheram as árvores, com todo o perigo que isso implica.

– O Chorão pode estar lá, observando.

– O bosque está a não mais do que duas horas de cavalgada, mesmo com neve. Devemos estar de volta à meia-noite.

– Muito tempo. Isso não é prudente.

– Imprudente – disse Jon –, mas necessário. Esses homens estão prestes a prometer a vida para a Patrulha da Noite, juntando-se a uma irmandade que se estende para trás em uma linha ininterrupta de mil anos. As palavras importam, e também essas tradições. Elas nos mantêm juntos, bem-nascidos e malnascidos, jovens e velhos, camponeses e nobres. Elas nos fazem irmãos. – Deu um tapinha no ombro de Marsh. – Prometo a você que retornaremos.

– Sim, senhor – disse o Senhor Intendente –, mas como homens vivos ou como cabeças em lanças, com os olhos arrancados? Retornarão na escuridão da noite. Os montes de neve chegam à cintura em alguns locais. Vejo que está levando homens experientes com você, isso é bom, mas Jack Negro Bulwer conhecia esta floresta também. Mesmo Benjen Stark, seu próprio tio, ele...

– Tenho algo que eles não tinham. – Jon virou a cabeça e assobiou. – *Fantasma.* Aqui. – O lobo gigante sacudiu a neve das costas e trotou até o lado de Jon. Os patrulheiros se afastaram para ele passar, embora uma égua relinchasse e só se afastasse até que Rory desse um puxão nas rédeas. – A Muralha é sua, Lorde Bowen. – Pegou seu cavalo pelas rédeas, seguiu para o portão e entrou no túnel gelado que serpenteava sob a Muralha.

Além do gelo, as árvores eram altas e silenciosas, amontoadas com grossos mantos brancos. Fantasma seguia atrás do cavalo de Jon, enquanto os patrulheiros e os recrutas entraram em formação, até que parou e farejou, sua respiração congelando no ar.

– O que foi? – Jon perguntou. – Há algo aqui? – A floresta estava vazia, tanto quanto era possível ver, mas isso não era muito longe.

Fantasma correu em direção às árvores, deslizou entre dois pinheiros cobertos de branco e desapareceu em uma nuvem de neve. *Ele quer caçar, mas o quê?* Jon não temia pelo lobo gigante tanto quanto por qualquer selvagem que ele pudesse encontrar. *Um lobo branco em uma floresta branca, silencioso como uma sombra. Nunca saberão que ele está chegando.* Sabia que não adiantava ir atrás do lobo. Fantasma voltaria quando quisesse, não antes. Jon apertou os calcanhares no cavalo. Seus homens o acompanharam, os cascos dos garranos atravessando a crosta congelada até a camada mais macia de neve embaixo. Foram para a floresta, cavalgando em ritmo constante, enquanto a Muralha diminuía atrás deles.

Os pinheiros marciais e as árvores sentinelas usavam mantos mais grossos, e pingentes de gelo podiam ser vistos nos galhos marrons das árvores de folhas largas. Jon enviou Tom Grão-de-Cevada na frente, como batedor, embora o caminho para o bosque branco fosse frequentemente trilhado e familiar. Grande Liddle e Luke de Vilalonga entraram na mata, para leste e oeste. Os dois flanqueariam a coluna, para avisar em caso de qualquer aproximação. Eram todos patrulheiros experientes, armados com obsidiana, assim como com aço e berrante de guerra pendurado na sela, se precisassem pedir ajuda.

Os outros eram bons homens também. *Bons homens em batalha, pelo menos, e leais aos seus irmãos.* Jon não podia falar pelo que pudessem ter sido antes de chegarem à Muralha, mas não duvidava que o passado da maioria deles fosse tão negro quanto o manto que usavam. Nesse momento, eram o tipo de homem que queria em sua retaguarda. Seus capuzes estavam levantados contra o vento cortante, e alguns tinham lenços em volta do rosto, ocultando as feições. Mas Jon os conhecia. Cada nome estava gravado em seu coração. Eram seus homens, seus irmãos.

Seis mais cavalgavam com eles; uma mistura de jovens e velhos, grandes e pequenos, experientes e inexperientes. *Seis para dizer as palavras.* Cavalo nascera e crescera em Vila Toupeira, Arron e Emrick vieram da Ilha Justa, Cetim, dos bordéis de Vilavelha, na outra extremidade de Westeros. Eram todos garotos. Couros e Jax eram homens mais velhos, bem passados dos quarenta, filhos da floresta assombrada, com seus próprios filhos e netos. Eram dois dos sessenta e três selvagens que seguiram Jon Snow de volta à Muralha no dia em que o senhor comandante fez seu apelo; até agora, os únicos dois que tinham decidido tomar o manto negro. Emmett de Ferro dizia que estavam prontos, ou tão prontos quanto podiam estar. Ele, Jon e Bowen Marsh haviam analisado cada homem, a fim de designá-los para uma ordem: Couros, Jax e Emrick para os patrulheiros, Cavalo para os construtores, Arron e Cetim para os intendentes. Chegara a hora de fazerem seus votos.

Emmett de Ferro cavalgava na cabeça da coluna, montado no cavalo mais feio que Jon já vira, um animal desgrenhado que parecia todo pelos e cascos.

– Dizem que noite passada aconteceram alguns problemas na Torre da Meretriz – disse o mestre de armas.

– Torre de Hardin. – Entre os sessenta e três que haviam voltado com ele da Vila Toupeira, dezenove eram mulheres e garotas. Jon as abrigara na torre abandonada em que ele mesmo dormira quando era novo na Muralha. Doze eram esposas de lança, mais do que capazes de defender a si mesmas e as mais novas das atenções indesejadas dos irmãos negros. Alguns dos homens que haviam sido repelidos deram à Torre de Hardin esse novo nome incendiário. Jon não estava disposto a tolerar zombarias. – Três bêbados tolos confundiram Hardin com um bordel, isso foi tudo. Estão nas celas de gelo, agora, refletindo sobre seu erro.

Emmett de Ferro fez uma careta.

– Homens são homens, votos são palavras, e palavras são vento. Você deveria colocar guardas perto das mulheres.

– E quem vigiará os guardas? – *Você não sabe nada, Jon Snow*. Ele aprendera, no entanto, e Ygritte fora sua melhor professora. Se ele não tinha conseguido manter os próprios votos, como podia esperar mais de seus irmãos? Mas havia perigos em se brincar com mulheres selvagens. *Um homem pode ter uma mulher, e um homem pode ter uma faca*, Ygritte lhe dissera certa vez, *mas nenhum homem pode ter ambos*. Bowen Marsh não estava totalmente errado. A Torre de Hardin era uma mecha a espera de uma faísca. – Pretendo abrir mais três castelos – disse Jon. – Lago Profundo, Solar das Trevas e Monte Longo. Todos guarnecidos com povo livre, sob comando de nossos próprios oficiais. Monte Longo será todo de mulheres, com exceção do comandante e do intendente chefe. – Haveria alguma confusão, ele não duvidava, mas, ao menos, as distâncias eram grandes o suficiente para dificultar.

– E que pobre tolo será escolhido para esse comando?

– Estou cavalgando ao lado dele.

O olhar de horror misturado a deleite que passou pelo rosto de Emmett de Ferro valia mais do que um saco de ouro.

– O que fiz para que me odiasse tanto, senhor?

Jon riu.

– Não tema, você não estará sozinho. Pretendo enviar Edd Doloroso como seu segundo e seu intendente.

– As esposas de lança ficarão tão felizes. Você poderia conceder um castelo ao Magnar.

O sorriso de Jon morreu.

– Poderia, se confiasse nele. Temo que Sigorn me culpe pela morte do pai. E, pior, ele foi criado e treinado para dar ordens, não para obedecê-las. Não confunda os thenns com o povo livre. "Magnar" significa "senhor" na Língua Antiga, me disseram, mas Styr estava mais perto de ser um deus para seu povo, e seu filho é feito da mesma matéria. Não preciso de homens que se ajoelhem, mas eles precisam obedecer.

– Sim, senhor, mas é melhor fazer alguma coisa com o Magnar. Você terá problemas com os thenns, se os ignorar.

Problema é o fardo do senhor comandante, Jon poderia ter dito. A visita a Vila Toupeira lhe trouxera problemas em abundância, e as mulheres eram o menor deles. Halleck estava provando ser tão truculento quanto ele temia, e havia alguns entre os irmãos negros que tinham o ódio pelo povo livre entranhado nos ossos. Um dos seguidores de Halleck já tinha cortado a orelha de um construtor no pátio, e provavelmente apenas como uma amostra do sangue que estava por vir. Tinha que reabrir os velhos fortes logo, então o irmão de Harma poderia ser mandado para guarnecer Lago Profundo ou Solar das Trevas. Mas, nesse momento, nenhum deles servia para habitação humana, e Othell Yarwyck e seus construtores ainda estavam tentando restaurar Fortenoite. Havia noites em que Jon Snow se perguntava se não teria sido um erro impedir que Stannis marchasse com todos os selvagens para serem abatidos. *Não sei nada, Ygritte,* pensou, *e talvez nunca saiba.*

A oitocentos metros do bosque, longos feixes de luz avermelhada do sol de outono atravessavam os galhos desfolhados das árvores, tingindo os montes de neve de rosa. Os patrulheiros cruzaram um riacho congelado, entre duas pedras irregulares cobertas de gelo, e então seguiram por uma trilha sinuosa para nordeste. Sempre que o vento soprava, punhados de neve solta enchiam o ar e faziam seus olhos arderem. Jon puxou o lenço sobre a boca e o nariz e ergueu o capuz do manto.

– Não falta muito – disse aos homens. Ninguém respondeu.

Jon farejou Tom Grão-de-Cevada antes de vê-lo. Ou teria sido Fantasma quem o farejou? Nos últimos tempos, Jon Snow algumas vezes sentia como se ele e o lobo gigante fossem um só, mesmo acordado. O grande lobo branco apareceu primeiro, sacudindo a neve. Alguns momentos depois, Tom estava lá.

– Selvagens – disse, em voz baixa, para Jon. – No bosque.

Jon fez os patrulheiros pararem.

– Quantos?

– Contei nove. Nenhum guarda. Alguns mortos, ou talvez estejam dormindo. A maioria parece ser mulher. Uma criança, mas há um gigante também. Apenas um, pelo que vi. Eles têm uma fogueira, a fumaça sobe pelas árvores. Tolos.

Nove, e eu tenho dezessete. Mas quatro dos seus eram garotos inexperientes, e nenhum era gigante.

Jon não pretendia voltar para a Muralha, contudo. *Se os selvagens ainda estiverem vivos, podem ser trazidos conosco. E se estiverem mortos, bem... um cadáver ou dois podem ser úteis.*

– Continuaremos a pé – disse, descendo suavemente no chão congelado. A neve cobria seus tornozelos. – Rory, Pate, fiquem com os cavalos. – Podia ter dado essa tarefa aos recrutas, mas eles precisavam sangrar em breve. Esta era uma ocasião tão boa quanto qualquer outra. – Espalhem-se, formando um quarto crescente. Quero fechar o bosque por três lados. Mantenham o homem que estiver à sua direita e aquele à sua esquerda sempre à vista, para não deixar lacunas. A neve deve abafar nossos passos. Teremos menos chance de sangue se os pegarmos desprevenidos.

A noite caía rapidamente. Os feixes de luz desapareceram quando a última fatia fina do sol foi engolida atrás da floresta ocidental. Os montes de neve rosados ficavam brancos novamente, a cor saindo deles conforme o mundo escurecia. O céu do final do dia exibia o cinza desbotado de uma velha capa que havia sido lavada muitas vezes, e as primeiras estrelas começavam a aparecer.

Adiante, ele vislumbrou um pálido tronco branco que só poderia ser um represeiro, coroado com folhas vermelho-escuras. Jon Snow se virou e puxou Garralonga da bainha. Olhou para a direita e para a esquerda, acenou para Cetim e Cavalo e viu enquanto passavam o sinal para os homens ao lado. Correram para o bosque juntos, chutando montes de neve velha sem nenhum outro som que não o de suas respirações. Fantasma correu com eles, uma sombra branca ao lado de Jon.

Os represeiros erguiam-se em círculo, em torno das bordas da clareira. Eram nove, todos aproximadamente da mesma idade e do mesmo tamanho. Cada um tinha um rosto esculpido, e nenhuma face era como a outra. Algumas estavam sorrindo, outras estavam gritando, algumas berravam para ele. O profundo brilho de seus olhos parecia negro, mas à luz do dia seria vermelho, Jon sabia. *Como os olhos de Fantasma.*

A fogueira no centro do bosque era uma coisa pequena e triste, cinzas, brasas e alguns ramos quebrados, queimando de maneira lenta e esfumaçada. Mesmo assim, tinha mais vida do que os selvagens que se amontoavam em seu entorno. Apenas um deles reagiu quando Jon saiu de trás de um arbusto. Era uma criança, que começou a chorar, agarrando o manto esfarrapado da mãe. A mulher levantou os olhos e suspirou. Nesse momento, o bosque já estava cercado por patrulheiros deslizando pelas árvores de ossos brancos, com aço brilhando nas mãos enluvadas de negro, prontos para o abate.

O gigante foi o último a notá-los. Estava adormecido, curvado ao lado do fogo, mas algo o acordou; o choro da criança, o som da neve rachando sob as botas negras, um ronco súbito. Quando despertou, foi como se um seixo ganhasse vida. Sentou-se com um ronco, esfregando os olhos com mãos tão grandes quanto presunto para afastar o sono... até que viu Emmett de Ferro, a espada brilhando em sua mão. Rugindo, o gigante se levantou, e uma das imensas mãos se fechou em torno de uma marreta, agitando-a.

Fantasma mostrou os dentes em resposta. Jon segurou o lobo pela nuca.

– Não queremos batalha aqui. – Seus homens poderiam abater o gigante, ele sabia, mas não sem um custo. Uma vez que sangue fosse derramado, os selvagens se juntariam à briga. A maioria ou todos eles morreriam, e alguns de seus irmãos negros também. – Este é um local sagrado. Renda-se e nós...

O gigante gritou novamente, um som que agitou as folhas das árvores, e bateu sua marreta contra o chão. O cabo era feito de quase dois metros de carvalho retorcido e a cabeça, uma pedra tão grande quanto um pão. O impacto fez o chão estremecer. Alguns dos outros selvagens foram atrás de suas armas.

Jon Snow estava prestes a pegar Garralonga quando Couros falou, do outro lado do bosque. Suas palavras soaram roucas e guturais, mas Jon ouviu a música nela e reconheceu o Idioma Antigo. Couros falou por longo tempo. Quando terminou, o gigante respondeu. Soava como rosnado, intercalado com grunhidos, e Jon não conseguiu entender uma palavra daquilo. Mas Couros apontou para as árvores e disse mais alguma coisa, então o gigante apontou para as árvores, rangeu os dentes e abaixou a marreta.

– Está feito – disse Couros. – Eles não querem lutar.

– Bem feito. O que disse para ele?

– Que são nossos deuses, também. Que viemos para rezar.

– Viemos. Guardem o aço, todos vocês. Não teremos sangue derramado esta noite.

Nove, Tom Grão-de-Cevada dissera, e eram nove, mas dois estavam mortos e um estava tão fraco que poderia estar morto pela manhã. Os seis que restavam incluíam a mãe com a criança, dois velhos, um thenn ferido em bronze amassado e um homem cornopé, seus pés descalços tão congelados que Jon soube só de olhar que ele nunca mais andaria. Muitos deles eram estranhos uns aos outros quando chegaram ao bosque, soube em seguida; quando Stannis quebrou a tropa de Mance Rayder, fugiram para a floresta para escapar à carnificina, vagaram por um tempo, perderam amigos e parentes para o frio e para a fome, e finalmente pararam aqui, muito fracos e cansados para continuar.

– Os deuses estão aqui – um dos velhos disse. – É um lugar tão bom para morrer quanto qualquer outro.

– A Muralha está apenas a algumas horas ao sul – disse Jon. – Por que não buscaram abrigo lá? Outros se renderam. Até mesmo Mance.

Os selvagens trocaram olhares. Finalmente um deles disse:

– Ouvimos histórias. Os corvos queimaram todos aqueles que se renderam.

– Até o próprio Mance – a mulher completou.

Melisandre, Jon pensou, *e seu deus vermelho terão muito e ainda mais pelo que responder.*

– Todos aqueles que desejarem serão bem-vindos para voltar conosco. Há comida e abrigo no Castelo Negro, e a Muralha os manterá a salvo das coisas que assombram esta floresta. Vocês têm minha palavra, ninguém será queimado.

– A palavra de um corvo – disse a mulher, abraçando a criança –, mas quem diz que você a manterá? Quem é você?

– Senhor Comandante da Patrulha da Noite e filho de Eddard Stark de Winterfell. – Jon se virou para Tom Grão-de-Cevada. – Peça para Rory e Pate trazerem os cavalos. Não pretendo ficar aqui um momento a mais do que devemos.

– Como desejar, senhor.

Uma última coisa tinha que ser feita antes que pudessem partir: a coisa pela qual vieram. Emmett de Ferro convocou seus comandados e, enquanto o resto da companhia assistia de uma distância respeitosa, eles se ajoelharam diante dos represeiros. A última luz do dia já se fora então; a única luz vinha das estrelas acima e do fraco brilho vermelho do fogo no centro do bosque.

Com capuz negro e grossa capa negra, os seis poderiam ter sido escavados na sombra. Suas vozes se levantaram juntas, pequenas contra a vastidão da noite.

– A noite chega, e agora começa minha vigília – disseram, como milhares antes deles. A voz de Cetim era doce como uma canção, a de Cavalo, rouca e hesitante, e a de Arron um guincho nervoso. – Não terminará até minha morte.

Faça essas mortes demorarem a chegar. Jon Snow afundou um joelho na neve. *Deuses de meus pais, protejam esses homens. E Arya também, minha irmãzinha, onde quer que ela esteja. Rezo a vocês, deixem Mance encontrá-la e trazê-la a salvo para mim.*

– Não tomarei esposa, não possuirei terras, não gerarei filhos – os recrutas prometeram, em vozes que ecoavam por anos e séculos ao passado. – Não usarei coroas e não conquistarei glórias. Viverei e morrerei no meu posto.

Deuses da floresta, deem-me forças para fazer o mesmo, Jon Snow rezou silenciosamente. *Deem-me sabedoria para saber o que precisa ser feito e coragem para fazê-lo.*

– Sou a espada na escuridão – disseram os seis, e pareceu a Jon que suas vozes tinham mudado, ficado mais fortes, mais seguras. – Sou o vigilante nas muralhas. Sou o fogo que arde contra o frio, a luz que traz consigo a alvorada, a trombeta que acorda os que dormem, o escudo que defende os reinos dos homens.

O escudo que defende os reinos dos homens. Fantasma encostou o focinho em seu ombro e Jon passou um braço em volta dele. Podia sentir o cheiro do calção sujo de Cavalo, do doce perfume que Cetim passava em sua barba, o pesado e fino cheiro do medo, o almíscar avassalador do gigante. Podia ouvir as batidas do próprio coração. Quando olhou pelo bosque para a mulher com a criança, os dois anciãos, o cornopé com os pés mutilados, tudo o que viu foram homens.

– Dou a minha vida e a minha honra para a Patrulha da Noite, por esta noite e por todas as noites que estão por vir.

Jon Snow foi o primeiro a se levantar.

– Ergam-se agora como homens da Patrulha da Noite. – Estendeu a mão a Cavalo para ajudá-lo a se levantar.

O vento estava aumentando. Era hora de partir.

A jornada de volta levou muito mais tempo do que a ida até o bosque. O ritmo do gigante era o mais lento, apesar do comprimento e do alcance de suas pernas, e estava sempre parando para bater a neve que se acumulava em seus membros com a marreta. A mulher cavalgava com Rory, seu filho com Tom Grão-de-Cevada, os velhos, com Cavalo e Cetim. Os thenns tinham medo dos cavalos e preferiram mancar juntos, apesar dos ferimentos. O homem cornopé não podia sentar na sela e teve que ser preso sobre o lombo de um garrano como um saco de grão; assim também ia a anciã pálida com membros finos como galhos, que não foram capazes de despertar.

Fizeram o mesmo com os dois cadáveres, para espanto de Emmett de Ferro.

– Eles só nos atrasarão, senhor – disse para Jon. – Devemos cortá-los em pedaços e queimá-los.

– Não – disse Jon. – Tragam-nos. Tenho um uso para eles.

Não havia lua para guiá-los para casa, e só de vez em quando conseguiam ver um grupo de estrelas. O mundo era negro, branco e quieto. Era uma longa, lenta, interminável caminhada. A neve se agarrava às suas botas e calção, e o vento sacudia os pinheiros e agitava os mantos. Jon olhou o viajante vermelho acima deles, observando-o através dos galhos desfolhados das grandes árvores enquanto faziam seu caminho. *O Ladrão*, o povo livre o chamava. A melhor época para roubar uma mulher era quando o Ladrão se encontrava na Donzela da Lua, Ygritte sempre afirmara. Ela nunca mencionara a melhor época para roubar um gigante. *Ou dois homens mortos.*

Estava quase amanhecendo quando viram a Muralha novamente.

O berrante de uma sentinela cumprimentou-os quando se aproximaram, soando do alto como o grito de algum pássaro imenso e de garganta profunda, uma única e longa explosão que significava *patrulheiros retornando*. Grande Liddle pegou seu próprio berrante de guerra e respondeu. No portão, tiveram que esperar alguns momentos antes que Edd Doloroso aparecesse para deslizar os ferrolhos e abrir as barras de ferro. Quando Edd viu o bando esfarrapado de selvagens, apertou os lábios e olhou longamente para o gigante.

– Precisaremos de um pouco de manteiga para deslizar esse aí pelo túnel, senhor. Devo mandar alguém até a despensa?

– Oh, acho que ele caberá. Sem manteiga.

E coube... apoiado nas mãos e nos joelhos, engatinhando. *Um garotão, esse aí. Quatro metros, pelo menos. Talvez maior do que Mag, o Poderoso*. Mag morrera embaixo daquele mesmo gelo, preso em combate mortal com Donal Noye. *Um bom homem. A Patrulha perdeu muitos bons homens*. Jon puxou Couros de lado.

– Tome conta desse aí. Você fala a língua dele. Veja que seja alimentado e encontre um lugar quente para ele perto do fogo. Fique com ele. Assegure-se de que ninguém o provoque.

– Sim. – Couros hesitou. – Senhor.

Os selvagens vivos foram enviados por Jon para terem seus ferimentos e as queimaduras causadas pelo frio cuidados. Um pouco de comida e roupas quentes restaurariam a maioria deles, esperava, embora o cornopé estivesse prestes a perder ambos os pés. Os cadáveres, ele enviou para as celas de gelo.

Clydas viera e partira, Jon percebeu enquanto pendurava seu manto no gancho ao lado da porta. Uma carta fora deixada sobre a mesa em seus aposentos. *Atalaialeste ou Torre Sombria*, imaginou, ao primeiro olhar. Mas a cera era dourada, não negra. O selo mostrava uma cabeça de veado dentro de um coração flamejante. *Stannis*. Jon quebrou a cera endurecida, desenrolou o pergaminho, leu. *Uma mão de meistre, mas as palavras do rei.*

Stannis tomara Bosque Profundo, e os clãs das montanhas se juntaram a ele. Flint, Norrey, Wull, Liddle, todos.

E tivemos outra ajuda, inesperada mas muito bem-vinda, da filha da Ilha dos Ursos. Alysane Mormont, a quem os homens chamam Mulher-Ursa, escondeu combatentes em uma flotilha de barcos de pesca e pegou os homens de ferro desprevenidos quando chegaram à costa. Os dracares Greyjoy foram queimados ou tomados, suas tripulações mortas ou rendidas. Pelos capitães, por cavaleiros, pelos guerreiros notáveis e pelos outros de alto nascimento pediremos resgates ou faremos outro uso deles, os demais pretendo enforcar...

A Patrulha da Noite jurara não tomar partido em brigas e conflitos do reino. Apesar disso, Jon Snow não pôde deixar de sentir certa satisfação. Continuou a ler.

... mais nortenhos chegam enquanto as notícias da nossa vitória se espalham. Pescadores, mercenários, homens das colinas, arrendatários das profundezas da Matadelobos e aldeões que abandonaram seus lares ao longo da costa rochosa para escapar dos homens de ferro, sobreviventes da batalha do lado de fora dos portões de Winterfell, homens que já foram juramentados aos Hornwood, aos Cerwyn e aos Tallhart. Estamos cinco mil mais fortes enquanto escrevo para você, e nosso número incha a cada dia. E notícias chegaram a nós de que Roose Bolton se move em direção a Winterfell com toda sua força, onde casará o bastardo dele com sua meia-irmã. Não devemos permitir que ele restaure o castelo à sua antiga força. Marcharemos contra ele. Arnolf Karstark e Mors Umber se juntarão a nós. Salvarei sua irmã, se puder, e encontrarei um casamento melhor para ela do que Ramsay Snow. Você e seus irmãos devem manter a Muralha até que eu possa retornar.

Estava assinado, em uma letra diferente.

Feito na Luz do Senhor, sob a assinatura e o selo de Stannis da Casa Baratheon, o Primeiro de Seu Nome, Rei dos Ândalos, dos Roinares e dos Primeiros Homens, Senhor dos Sete Reinos e Protetor do Reino.

No momento em que Jon colocou a carta de lado, o pergaminho se enrolou novamente, como se ansioso para proteger seus segredos. Não estava seguro sobre como se sentia a respeito do que acabara de ler. Batalhas haviam sido travadas em Winterfell antes, mas nunca sem um Stark de um ou de outro lado.

– O castelo é uma casca – disse –, não é Winterfell, mas o fantasma de Winterfell. – Era doloroso só pensar nisso, muito mais dizer as palavras em voz alta. E mesmo assim...

Ele se perguntava quantos homens o velho Papacorvos traria para a briga, e quantas espadas Arnolf Karstark seria capaz de conjurar. Metade dos Umber estaria no outro lado do campo com o Terror-das-Rameiras, lutando sob o homem esfolado do Forte do Pavor, e a maior parte das forças de ambas as casas fora para o Sul com Robb e nunca retornara. Mesmo em ruínas, Winterfell conferia uma vantagem considerável para quem o mantivesse. Robert Baratheon teria visto isso logo e se movido rapidamente para assegurar o castelo, com marchas forçadas e cavalgadas à meia-noite pelas quais se tornara famoso. Seu irmão seria tão ousado?

Não é provável. Stannis era um comandante cauteloso, e sua tropa era um guisado meio digerido de homens dos clãs, cavaleiros sulistas, homens do rei e homens da rainha, salpicados com alguns senhores nortenhos. *Ele deveria se mover para Winterfell rapidamente, ou não se mover,* Jon pensou. Não era de sua alçada aconselhar o rei, mas...

Olhou a carta novamente. *Salvarei sua irmã se puder.* Um sentimento surpreendentemente terno vindo de Stannis, embora cortado por um brutal *se puder* e o adendo de *encontrar um casamento melhor para ela do que Ramsay Snow.* Mas e se Arya não estivesse lá para ser salva? E se as chamas da Senhora Melisandre falaram a verdade? Poderia sua irmã realmente ter escapado de seus captores? *Como faria isso? Arya sempre foi rápida e esperta, mas, no fim, era apenas uma garotinha, e Roose Bolton não é do tipo que se descuidaria de um prêmio de tão grande valor.*

E se Bolton nunca teve sua irmã? Esse casamento poderia muito bem ser apenas uma artimanha para atrair Stannis para uma armadilha. Eddard Stark nunca tivera nenhum motivo de reclamação do Senhor de Forte do Pavor, pelo que Jon se lembrava, mas mesmo assim nunca confiara nele, com sua voz sussurrante e seus olhos muito, muito claros.

Uma garota de cinza em um cavalo moribundo, fugindo de seu casamento. Pela força dessas palavras, ele soltara Mance Rayder e seis esposas de lança pelo Norte.

– Jovens e bonitas – Mance dissera. O rei não queimado fornecera alguns nomes, e Edd Doloroso fizera o resto, contrabandeando as mulheres de Vila Toupeira. Parecia loucura agora. Teria feito melhor em derrubar Mance no momento em que ele se revelou. Jon tinha certa admiração relutante pelo último Rei-para-lá-da-Muralha, mas o homem era um quebrador de promessas e um vira-casaca. Tinha menos confiança ainda em Melisandre. E, de alguma forma, aqui estava, colocando suas esperanças neles. *Tudo para salvar minha irmã. Mas os homens da Patrulha da Noite não têm irmãs.*

Quando Jon era menino em Winterfell, seu herói havia sido o Jovem Dragão, o rei garoto que conquistara Dorne com a idade de catorze. Apesar de seu nascimento bastardo, ou talvez por causa disso, Jon Snow sonhara em liderar os homens para a glória como o Rei Daeron fizera, quisera crescer para ser um conquistador. Agora era um homem feito e a Muralha era dele, ainda que tudo o que tivesse fossem dúvidas. Nem sequer parecia ter conquistado aquilo.

Daenerys

O mau cheiro do acampamento era tão terrível que tudo o que Dany podia fazer era não vomitar.

Sor Barristan franziu o nariz e disse:

– Vossa Graça não deveria estar aqui, respirando estes humores negros.

– Sou o sangue do dragão – Dany lhe recordou. – Alguma vez já viu um dragão com o fluxo? – Viserys sempre afirmara que os Targaryen eram imunes às pestilências que afligiam as pessoas comuns e, tanto quanto ela podia dizer, era verdade. Conseguia se lembrar de estar com frio, com fome e com medo, mas nunca doente.

– Mesmo assim – disse o velho cavaleiro –, eu me sentiria melhor se Vossa Graça voltasse para a cidade. – As muralhas de tijolos multicoloridos de Meereen estavam a pouco mais de meio quilômetro dali. – O fluxo sangrento tem sido a ruína de todos os exércitos desde a Era da Aurora. Deixe-nos distribuir a comida, Vossa Graça.

– Amanhã. Estou aqui agora. Quero ver. – Apertou os calcanhares em sua montaria prateada. Os outros trotaram com ela. Jhogo cavalgava na sua frente, Aggo e Rakharo logo atrás, com longos chicotes dothrakis nas mãos para afastar os doentes e os moribundos. Sor Barristan estava à sua direita, montado em um cinza malhado. À esquerda dela estava Symon Costas-Listradas, dos Irmãos Livres, e Marselen, dos Homens da Mãe. Três grupos de soldados seguiam atrás dos capitães, para proteger os carroções de comida. Todos homens montados, dothrakis, Bestas de Bronze e libertos, estavam unidos apenas pela aversão a esse dever.

Os astaporis tropeçavam atrás deles, em uma procissão horrenda que aumentava a cada metro cruzado. Alguns falavam idiomas que ela não entendia. Outros já não podiam mais falar. Muitos levantavam as mãos para Dany, ou se ajoelhavam quando sua montaria passava.

– Mãe – chamavam-na nos dialetos de Astapor, Lys e da Antiga Volantis, em gutural dothraki, nas líquidas sílabas de Qarth e até mesmo na Língua Comum de Westeros. – Mãe, por favor... mãe, ajude minha irmã, ela está doente... dê comida para meus pequeninos... por favor, meu velho pai... ajude ele... ajude ela... me ajude...

Não tenho mais ajuda para dar, Dany pensou, em desespero. Os astaporis não tinham lugar para ir. Milhares permaneciam fora das grossas muralhas de Meereen; homens, mulheres e crianças, velhos, meninas e recém-nascidos. Muitos estavam doentes, a maioria, faminta, e todos estavam condenados a morrer. Daenerys não ousava abrir os portões para deixá-los entrar. Tentara fazer o possível por eles. Enviara curandeiros, Graças Azuis, cantores-feiticeiros e cirurgiões-barbeiros, mas alguns deles adoeceram também, e nenhuma de suas artes abrandara a progressão do fluxo que viera com a égua descorada. Separar os saudáveis dos doentes também se provara impraticável. Seus Escudos Robustos tentaram, tirando maridos de esposas e crianças de suas mães, enquanto os astaporis choravam, chutavam e os afastavam com pedras. Alguns dias mais tarde, os doentes estavam mortos e os saudáveis estavam doentes. Separar uns dos outros não ajudara em nada.

Até mesmo alimentá-los estava ficando mais difícil. Todos os dias, enviava o que podia, mas todos os dias havia mais deles, e menos comida para dar-lhes. Estava ficando mais difícil encontrar condutores dispostos a entregar comida também. Muitos dos homens que enviara para o acampamento foram atingidos pelo fluxo. Outros foram atacados no caminho de volta à cidade. No dia anterior, um carroção fora virado e dois de seus soldados, mortos, então hoje a rainha determinara que ela mesma levaria a comida. Todos os seus conselheiros argumentaram fervorosamente contra, de Reznak e Cabeça-Raspada a Sor Barristan, mas Daenerys não mudou de ideia.

– Não virarei as costas para eles – disse, teimosamente. – Uma rainha deve conhecer os sofrimentos de seu povo.

Sofrimento era a única coisa que não lhes faltava.

– Poucos cavalos ou mulas sobraram, embora muitos andassem por Astapor – Marselen contara para ela. – Comeram cada um deles, Vossa Graça, juntamente com cada rato e cada cachorro vira-lata que puderam pegar. Agora, alguns começaram a comer seus próprios mortos.

– Homem não deve comer carne de homem – disse Aggo.

– É sabido – concordou Rakharo. – Eles serão amaldiçoados.

– Já passaram pela maldição – disse Symon Costas-Listradas.

Criancinhas com estômago inchado se arrastavam atrás deles, muito fracas ou muito assustadas para implorar. Homens cadavéricos, com olhos profundos, agachavam-se entre areia e pedras, defecando sua vida em correntes marrons e vermelhas. Muitos defecavam onde dormiam, fracos demais para se arrastar até as valas que ela mandara cavar. Duas mulheres lutavam sobre um osso carbonizado. Ali perto, um garoto de dez anos comia um rato. Comia com uma mão, enquanto segurava uma vara afiada com a outra, para que ninguém tentasse arrancar seu prêmio. Mortos insepultos estavam por toda parte. Dany viu um homem deitado no chão, com um manto negro sobre ele, mas, quando passou cavalgando, o manto se dissolveu em milhares de moscas. Mulheres esqueléticas sentavam-se no chão segurando bebês moribundos. Seus olhos a seguiam. Aqueles que tinham força a chamavam.

– Mãe... por favor, Mãe... abençoada seja, Mãe...

Abençoe-me, Dany pensou, amargamente. *Sua cidade se foi, em cinzas e ossos, seu povo está morrendo ao seu redor, não tenho abrigo para você, nem remédios, nem esperança. Apenas pão amanhecido, carne bichada, queijo duro, um pouco de leite. Abençoe-me, abençoe-me.*

Que tipo de mãe não tem leite para alimentar seus filhos?

– Muitos mortos – disse Aggo. – Devem ser queimados.

– Quem os queimará? – perguntou Sor Barristan. – O fluxo sangrento está em toda parte. Uma centena morre a cada noite.

– Não é bom tocar os mortos – disse Jhogo.

– É sabido – Aggo e Rakharo falaram ao mesmo tempo.

– Isso pode ser verdade – disse Dany –, mas precisa ser feito mesmo assim. – Pensou por um momento. – Os Imaculados não temem cadáveres. Devo falar com Verme Cinzento.

– Vossa Graça – disse Sor Barristan –, os Imaculados são seus melhores guerreiros. Não devemos ousar soltar essa praga entre eles. Deixe os astaporis queimarem seus próprios mortos.

– Estão muito fracos – comentou Symon Costas-Listradas.

Dany disse:

– Mais comida os deixaria mais fortes.

Symon balançou a cabeça.

– A comida seria desperdiçada nos moribundos, Vossa Veneração. Não temos o suficiente nem para alimentar os vivos.

Ele não estava errado, ela sabia, mas isso não tornava as palavras mais fáceis de serem ouvidas.

– Aqui é longe o suficiente – a rainha decidiu. – Vamos alimentá-los aqui. – Ergueu a mão. Atrás dela, os carroções pararam imediatamente, e seus cavaleiros se espalharam ao redor dos veículos, para impedir os astaporis de correr para a comida. Nem bem estacionaram e a pressão começou a aumentar por todos os lados, conforme mais e mais aflitos chegavam mancando e tropeçando em direção aos carroções. Os cavaleiros os afastavam.

– Esperem sua vez – gritavam. – Não empurrem. Para trás. Fiquem atrás. Tem pão para todos. Esperem sua vez.

Dany só pôde sentar e observar.

– Sor – disse para Barristan Selmy –, não há mais nada que possamos fazer? Você tem provisões.

– Provisões para os soldados de Vossa Graça. Podemos precisar aguentar um longo cerco. Os Corvos Tormentosos e os Segundos Filhos podem atormentar os yunkaítas, mas não podem esperar mandá-los embora. Se Vossa Graça me permitir reunir um exército...

– Se deve haver uma batalha, prefiro combatê-la de dentro das muralhas de Meereen. Deixe os yunkaítas tentarem atacar minhas ameias. – A rainha observava a cena ao seu redor. – Se dividíssemos nossa comida igualmente...

– ... os astaporis comeriam sua parte em dias, e teríamos muito menos para o cerco.

Dany olhou através do acampamento, para as muralhas de tijolos multicoloridos de Meereen. O ar estava pesado com moscas e choros.

– Os deuses mandaram esta pestilência para me tornar humilde. Tantos mortos... Não deixarei que comam cadáveres. – Acenou para que Aggo se aproximasse. – Cavalgue até os portões e me traga Verme Cinzento e cinquenta de seus Imaculados.

– *Khaleesi*. O sangue do seu sangue obedece. – Aggo tocou seu cavalo com os calcanhares e saiu galopando.

Sor Barristan a observou com mal disfarçada apreensão.

– Não deveria permanecer aqui por muito tempo, Vossa Graça. Os astaporis estão sendo alimentados, como ordenou. Não há mais que possa fazer por esses pobres miseráveis. Devemos retornar à cidade.

– Vá, se desejar, sor. Não o deterei. Não deterei nenhum de vocês. – Dany desceu do cavalo. – Não posso curá-los, mas posso mostrar que a Mãe deles se importa.

Jhogo segurou a respiração.

– *Khaleesi*, não. – O sino em sua trança soou suavemente quando ele desmontou. – Não deve chegar mais perto. Não deixe que eles toquem você! Não deixe!

Dany passou direto por ele. Havia um velho no chão, poucos metros adiante, gemendo e olhando as nuvens cinzentas. Ajoelhou-se ao lado dele, torcendo o nariz pelo cheiro, e tirou o cabelo cinzento e sujo do homem do rosto, para sentir sua testa.

– Sua carne está em chamas. Preciso de água para banhá-lo. Água do mar deve servir. Marselen, pode pegar um pouco para mim? Preciso de óleo também, para a pira. Quem vai me ajudar a queimar os mortos?

Quando Aggo retornou com Verme Cinzento e cinquenta de seus Imaculados a galope atrás de seu cavalo, Dany fizera todos se sentirem envergonhados e começarem a ajudá-la. Symon Costas-Listradas e seus homens separavam os vivos dos mortos e empilhavam os cadáveres, enquanto Jhogo, Rakharo e seus dothrakis ajudavam aqueles que ainda podiam caminhar para tomar banho e lavar suas roupas. Aggo encarou-os como se estivessem todos loucos, mas Verme Cinzento se ajoelhou diante da rainha e disse:

– Este um pode ser de ajuda.

Antes do meio-dia, uma dúzia de fogueiras queimava. Colunas de fumaça negra e gordurosa subiam para manchar impiedosamente o céu azul. As roupas de cavalgar de Dany estavam sujas e cheias de fuligem quando se afastou das piras.

– Veneração – disse Verme Cinzento –, este um e seus irmãos imploram que nos deixe banhar na água do mar quando o trabalho aqui estiver terminado, para que sejamos purificados de acordo com as leis da nossa grande deusa.

A rainha não sabia que os eunucos tinham uma deusa.

– Quem é essa deusa? Um dos deuses de Ghis?

Verme Cinzento pareceu incomodado.

– A deusa é chamada por muitos nomes. É a Senhora das Lanças, a Noiva das Batalhas, a Mãe das Tropas, mas seu nome verdadeiro pertence apenas àqueles pobres coitados que tiveram a masculinidade queimada sobre o altar. Não devemos falar sobre ela com outros. Este um implora seu perdão.

– Como quiser. Sim, podem se banhar, se este é o desejo de vocês. Obrigada por sua ajuda.

– Este um vive para servi-la.

Quando Daenerys retornou para sua pirâmide, com os membros doloridos e o coração ferido, encontrou Missandei lendo algum antigo rolo enquanto Irri e Jhiqui discutiam sobre Rakharo.

– Você é muito magra para ele – Jhiqui estava dizendo. – Você é quase um menino. Rakharo não se deita com meninos. Isso é sabido.

Irri devolvia a provocação.

– É sabido que você é quase uma vaca. Rakharo não se deita com vacas.

– Rakharo é sangue do meu sangue. A vida dele pertence a mim, não a vocês. – Dany falou para as duas. Rakharo crescera quase quinze centímetros durante seu tempo fora de Meereen, e retornou com braços e pernas musculosos, e quatro sinos nos cabelos. Era mais alto do que Aggo e Jhogo agora, e as duas servas haviam notado. – Agora, fiquem quietas. Preciso de um banho. – Nunca se sentira tão suja. – Jhiqui, ajude-me com estas roupas, depois leve-as embora e queime-as. Irri, peça para Qezza me encontrar algo leve e fresco para vestir. O dia está muito quente.

Um vento fresco soprava no terraço. Dany suspirou de prazer, enquanto deslizava para dentro das águas da piscina. Ao seu comando, Missandei tirou as roupas e entrou com ela.

– Esta uma ouviu os astaporis arranharem as muralhas noite passada – a pequena escriba disse, enquanto lavava as costas de Dany.

Irri e Jhiqui trocaram um olhar.

– Ninguém estava arranhando – disse Jhiqui. – Arranhando... como poderiam arranhar?

– Com as mãos – disse Missandei. – Os tijolos estão velhos e em ruínas. Estão tentando cavar seu caminho para dentro da cidade.

– Isso levaria muitos anos – disse Irri. – As muralhas são muito grossas. Isso é sabido.

– Isso é sabido – concordou Jhiqui.

– Eu também sonho com eles. – Dany pegou a mão de Missandei. – O acampamento está a quase meio quilômetro da cidade, minha querida. Ninguém estava arranhando as muralhas.

– Vossa Graça sabe mais – disse Missandei. – Devo lavar seu cabelo? Já está quase na hora. Reznak mo Reznak e a Graça Verde estão vindo discutir...

– ... os preparativos do casamento. – Dany sentou-se na água. – Quase me esqueci. – *Talvez quisesse esquecer*. – E, depois deles, tenho um jantar com Hizdahr. – Suspirou. – Irri, traga o *tokar* verde, aquele de seda com franjas de renda de Myr.

– Esse está sendo reparado, *Khaleesi*. A renda está rasgada. O *tokar* azul está limpo.

– O azul, então. Eles ficarão satisfeitos.

Estava apenas meio errada. A sacerdotisa e o senescal ficaram felizes em vê-la vestindo um *tokar*, uma senhora meereenesa apropriada, finalmente, mas o que realmente queriam era deixá-la nua. Daenerys os escutou, incrédula. Quando terminaram, disse:

– Não tenho nenhuma vontade de ofendê-los, mas não me apresentarei nua para a mãe e as irmãs de Hizdahr.

– Mas – disse Reznak mo Reznk, pestanejando –, deve, Vossa Veneração. Antes de um casamento, é tradicional que as mulheres da casa do homem examinem o ventre da noiva e, ah... suas partes íntimas. Para assegurar-se de que está tudo bem formado e, ah...

– ... fértil – completou Galazza Galare. – Um ritual antigo, Vossa Iluminada. Três Graças estarão presentes para testemunhar o exame e dizer as preces apropriadas.

– Sim – disse Reznak –, e depois tem um bolo especial. Um bolo de mulheres, feito apenas para noivados. Homens não podem prová-lo. Ouvi dizer que é delicioso. Mágico.

E se meu útero estiver murcho e minhas partes femininas amaldiçoadas, haverá um bolo especial também?

– Hizdahr zo Loraq pode inspecionar minhas partes de mulher depois que estivermos casados. – *Khal Drogo não encontrou nenhuma falha nelas, por que ele encontraria?* – Deixe a mãe e as irmãs dele examinarem umas às outras e compartilhar o bolo especial. Não irei comê-lo. Nem lavarei os nobres pés do nobre Hizdahr.

– Magnificência, você não entende – protestou Reznak. – A lavagem dos pés é santificada pela tradição. Significa que será a serva de seu marido. A roupa do casamento é carregada de significados, também. A noiva é vestida em véus vermelho-escuros, sobre um *tokar* de seda branca, com franjas de pérolas.

A rainha dos coelhos não pode se casar sem suas orelhas de abano.

– Todas essas pérolas me farão chocalhar quando andar.

– As pérolas simbolizam fertilidade. Quanto mais pérolas Vossa Veneração usar, mais crianças saudáveis nutrirá.

– Por que vou querer uma centena de crianças? – Dany se virou para a Graça Verde. – Se nos casássemos pelos ritos westerosis...

– Os deuses de Ghis não considerariam a união verdadeira. – O rosto de Galazza Galare estava oculto atrás de um véu de seda verde. Apenas seus olhos podiam ser vistos, verdes, sábios e tristes. – Aos olhos da cidade, você seria a concubina do nobre Hizdahr, não sua legítima esposa. Seus filhos seriam bastardos. Vossa Veneração deve se casar com Hizdahr no Templo das Graças, com toda a nobreza e Meereen presente para testemunhar sua união.

Tire as cabeças de todas as casas nobres para fora de suas pirâmides com algum pretexto, Daario dissera. *As palavras do dragão são fogo e sangue.* Dany deixou esse pensamento de lado. Não era digno dela.

– Como quiser – suspirou. – Eu me casarei com Hizdahr no Templo das Graças, embrulhada em um *tokar* branco com franjas de pérolas. Há algo mais?

– Mais uma coisinha, Vossa Veneração – disse Reznak. – Para celebrar suas núpcias, seria apropriado se permitisse que as arenas de luta fossem reabertas. Seria seu presente de casamento para Hizdahr e para seu amado povo, um sinal de que abraçou os antigos modos e costumes de Meereen.

– E mais agradável para os deuses, também – a Graça Verde completou, em sua voz suave e gentil.

Um dote de noiva pago em sangue. Daenerys estava cansada de lutar essa batalha. Nem mesmo Sor Barristan achava que venceria.

– Nenhum governante pode fazer um povo bom. – Selmy lhe dissera. – Baelor, o Abençoado, rezava, jejuava e construía para os Sete templos tão esplêndidos que qualquer deus poderia desejar, e mesmo assim não conseguiu colocar um fim à guerra e à miséria.

Uma rainha deve ouvir seu povo, Dany lembrou a si mesma.

– Depois do casamento, Hizdahr será rei. Deixe-o reabrir as arenas de luta ele mesmo. Não tomarei parte nisso. – *Deixe o sangue ficar nas mãos dele, não nas minhas.* Ela se levantou. – Se meu marido deseja que eu lave seus pés, ele precisa lavar os meus primeiro. Direi isso a ele esta noite. – Perguntava-se como seu noivo encararia isso.

Não precisava ter se preocupado. Hizdahr zo Loraq chegou uma hora depois que o sol se pôs. Seu *tokar* era borgonha, com uma faixa dourada e franjas de contas da mesma cor. Dany contou para ele seu encontro com Reznak e a Graça Verde enquanto servia o vinho.

– Esses rituais são vazios – Hizdahr declarou –, exatamente o tipo de coisa que devemos varrer daqui. Meereen esteve adormecida nessas tolas tradições antigas por tempo demais. – Beijou sua mão e disse: – Daenerys, minha rainha, ficarei feliz em lavá-la da cabeça aos pés, se for isso que tiver que fazer para ser seu rei e consorte.

– Para ser meu rei e consorte, você só precisa me trazer paz. Skahaz me disse que você tem mensagens de última hora.

– Tenho. – Hizdahr cruzou suas longas pernas. Parecia satisfeito consigo mesmo. – Yunkai nos dará a paz, mas por um preço. A interrupção do tráfico de escravos causou grandes danos ao mundo civilizado. Yunkai e seus aliados requerem uma indenização nossa, paga em ouro e pedras preciosas.

Ouro e pedras preciosas são fáceis.

– O que mais?

– Os yunkaítas retomarão a escravidão, como antes. Astapor será reconstruída, como uma cidade escravagista. Você não interferirá.

– Os yunkaítas retomaram a escravidão antes que eu estivesse a dez quilômetros da cidade. Eu voltei para lá? O Rei Cleon implorou que me unisse a ele contra Yunkai, e me fiz de surda aos seus apelos. Não quero guerra com Yunkai. Quantas vezes preciso dizer isso? Que promessas eles exigem?

– Ah, há espinhos nesse caramanchão, minha rainha – disse Hizdahr zo Loraq. – É triste dizer, mas os yunkaítas não acreditam em suas promessas. Ficam tocando a mesma corda da harpa, sobre algum enviado que seus dragões queimaram.

– Apenas o *tokar* dele foi queimado – Dany replicou, com desdém.

– Seja como for, não acreditam em você. Os homens de Nova Ghis sentem o mesmo. Palavras são vento, como você mesma diz frequentemente. Nenhuma palavra sua vai assegurar a paz para Meereen. Seus inimigos exigem ações. Querem nos ver casados e querem me ver coroado rei, para governar ao seu lado.

Dany encheu sua taça de vinho novamente, desejando nada mais do que despejar a jarra sobre a cabeça dele e afogar seu sorriso complacente.

– Casamento ou carnificina. Um casamento ou uma guerra. Quais são minhas opções?

– Vejo uma única opção, Vossa Iluminada. Vamos dizer nossos votos diante dos deuses de Ghis e construir uma nova Meereen juntos.

A rainha estava elaborando sua resposta quando ouviu passos atrás de si. *A comida*, pensou. Suas cozinheiras haviam prometido servir o prato favorito do nobre Hizdahr, cachorro no mel, recheado com ameixas secas e pimentas. Mas quando se virou para olhar, era Sor Barristan quem estava ali, recém-banhado e vestido de branco, de espada longa ao lado.

– Vossa Graça – disse, fazendo uma reverência. – Sinto incomodá-la, mas achei que gostaria de saber imediatamente. Os Corvos Tormentosos retornaram à cidade, com notícias do inimigo. Os yunkaítas estão em marcha, bem como temíamos.

Um lampejo de contrariedade atravessou o nobre rosto de Hizdahr zo Loraq.

– A rainha está ceando. Esses mercenários podem esperar.

Sor Barristan o ignorou.

– Pedi a Lorde Daario para me fazer seu relatório, como Vossa Graça ordenou. Ele riu e disse que poderia escrever com o próprio sangue, se Vossa Graça pudesse enviar sua pequena escriba para mostrar-lhe como fazer as letras.

– Sangue? – Dany respondeu, horrorizada. – Isso é uma piada? Não. Não, não me diga, preciso vê-lo com meus próprios olhos. – Ela era uma jovem garota, e sozinha, e jovens garotas podiam mudar de ideia. – Convoque meus capitães e comandantes. Hizdahr, sei que me perdoará.

– Meereen vem primeiro. – Hizdahr sorriu jovialmente. – Teremos outras noites. Mil noites.

– Sor Barristan lhe mostrará a saída. – Dany correu, chamando suas servas. Não daria as boas-vindas ao seu capitão em um *tokar*. No fim, experimentou uma dúzia de vestidos antes de encontrar um que gostasse, mas recusou a coroa que Jhiqui lhe oferecia.

Quando Daario Naharis ajoelhou-se diante dela, o coração de Dany deu um salto. O cabelo dele estava empapado com sangue seco, e, em sua têmpora, havia um profundo corte brilhante, vermelho e em carne viva. Sua manga direita estava ensanguentada quase até o cotovelo.

– Está ferido – ela engasgou.

– Isto? – Daario tocou a têmpora. – Um besteiro tentou colocar uma desavença pelos meus olhos, mas desviei. Estava correndo para casa, para minha rainha, para aproveitar o calor de seu sorriso. – Balançou a manga, espalhando respingos vermelhos. – Este sangue não é meu. Um dos meus oficiais disse que deveríamos nos aliar a Yunkai, então pulei sobre sua garganta e arranquei seu coração. Pretendia trazê-lo como presente para minha rainha prateada, mas quatro dos Gatos me atacaram e vieram rosnando e cuspindo em mim. Um quase me alcançou, então joguei o coração no rosto dele.

– Muito galante – disse Sor Barristan, em um tom que sugeria exatamente o contrário –, mas você tem notícias para Vossa Graça?

– Notícias difíceis, Sor Vovô. Astapor se foi, e os mercadores de escravos estão vindo para o norte com força total.

– Essas são notícias velhas e mofadas – resmungou o Cabeça-Raspada.

– Sua mãe dizia o mesmo dos beijos de seu pai – Daario replicou. – Doce rainha, eu teria vindo mais cedo, mas as montanhas estão abarrotadas de mercenários a serviço dos yunkaítas. Quatro companhias livres. Seus Corvos Tormentosos tiveram que abrir caminho por todos eles. E ainda há mais, e pior. Os yunkaítas marcham com suas tropas pela estrada da costa, unidos a quatro legiões de Nova Ghis. Têm elefantes, uma centena, armados e com torres. Fundeiros tolosinos, também, e um grupo de cavalaria de camelos qarteno. Duas outras legiões ghiscaris tomaram um navio em Astapor. Se nossos cativos falaram a verdade, vão desembarcar do outro lado do Skahazadhan e nos cortar a partir do mar dothraki.

Enquanto contava sua história, de tempos em tempos uma gota de sangue vermelho pingava no chão de mármore, e Dany estremecia.

– Quantos foram mortos? – perguntou, quando ele terminou.

– Nossos? Não parei para contar. Mas ganhamos mais do que perdemos.

– Mais vira-casacas?

– Mais bravos homens que se unem à sua nobre causa. Minha rainha gostará deles. Um deles é um lenhador das Ilhas Basilisco, um brutamontes, maior do que Belwas. Você deveria vê-lo. Alguns westerosis também, um grupo ou mais. Desertores dos Soprados pelo Vento, descontentes com os yunkaítas. Serão bons Corvos Tormentosos.

– Se é o que diz. – Dany não questionou. Meereen logo precisaria de cada espada.

Sor Barristan franziu o cenho para Daario.

– Capitão, você mencionou *quatro* companhias livres. Conhecemos apenas três. Os Soprados pelo Vento, as Longas Lanças e a Companhia do Gato.

– Sor Vovô sabe contar. Os Segundos Filhos foram para o lado dos yunkaítas. – Daario virou a cabeça e cuspiu. – Isto é para Ben Mulato Plumm. Da próxima vez que ver aquela cara feia, vou abri-lo da garganta à virilha e arrancar aquele coração negro.

Dany tentou falar, mas não encontrou palavras. Lembrava-se do rosto de Ben na última vez em que o vira. *Era um rosto caloroso, um rosto no qual eu confiava.* Pele escura e cabelo branco, um nariz quebrado, as rugas no canto dos olhos. Até mesmo os dragões adoravam o velho Ben Mulato, que gostava de se gabar de ter, ele mesmo, uma gota de sangue de dragão. *Três traições você conhecerá. Uma por ouro, uma por sangue e uma por amor*. Seria Plumm a terceira traição ou a segunda? E a que cometeu Sor Jorah, seu velho urso rude? Ela nunca teria um amigo em quem pudesse confiar? *Qual a vantagem das profecias, se você não pode entender o sentido delas? Se eu me casar antes do nascer do sol, todos esses inimigos se derreterão como o orvalho da manhã e me deixarão governar em paz?*

O anúncio de Daario provocou um alvoroço. Reznak chorava, o Cabeça-Raspada resmungava, sombrio, seus companheiros de sangue juravam vingança. Belwas, o Forte, bateu na barriga marcada por cicatrizes com o punho e jurou comer o coração de Ben Mulato com ameixas e cebolas.

– Por favor – disse Dany, mas apenas Missandei pareceu escutar. A rainha se levantou. – Quietos! Já ouvi o bastante.

– Vossa Graça. – Sor Barristan se ajoelhou. – Estamos sob suas ordens. O que quer que façamos?

– Continuem como planejamos. Reúnam comida, tanto quanto puderem. – *Se olhar para trás, estou perdida.* – Devemos fechar os portões e colocar cada guerreiro sobre as muralhas. Ninguém entra, ninguém sai.

O salão ficou silencioso por um momento. Os homens olharam uns para os outros. Então Reznak falou:

– E os astaporis?

Ela queria gritar, ranger os dentes, rasgar as roupas e bater com ímpeto no chão. Em vez disso, falou:

– *Fechem os portões*. Vai me fazer dizer isso pela terceira vez? – *Eles eram seus filhos, mas não podia ajudá-los agora.* – Deixem-me. Daario, fique. Esse corte precisa ser lavado, e tenho mais perguntas para você.

Os outros fizeram reverências e se retiraram. Dany levou Daario Naharis pelas escadas até seu quarto de dormir, onde Irri lavou seu corte com vinagre e Jhiqui fez um curativo com linho branco. Quando terminaram, ela mandou as servas embora também.

– Suas roupas estão manchadas de sangue – disse para Daario. –Tire-as.

– Apenas se você fizer o mesmo. – Ele a beijou.

O cabelo dele cheirava a sangue, fumaça e cavalo, e sua boca era dura e quente sobre a dela. Dany tremeu em seus braços. Quando se separaram, ela disse:

– Pensei que seria você a me trair. Uma vez por sangue, uma vez por ouro e uma vez por amor, os feiticeiros disseram. Pensei... nunca pensei em Ben Mulato. Mesmo meus dragões pareciam acreditar nele. – Agarrou seu capitão pelos ombros. – Prometa-me que nunca vai se virar contra mim. Não poderia suportar isso. Prometa-me.

– Nunca, meu amor.

Acreditou nele.

– Jurei que me casaria com Hizdahr zo Loraq, se ele me desse noventa dias de paz, mas agora... quero você desde a primeira vez em que o vi, mas você é um mercenário, inconstante, traiçoeiro. Você se gabou de já ter tido uma centena de mulheres.

– Uma centena? – Daario riu, através de sua barba púrpura. – Eu menti, doce rainha. Foram mil. Mas nem uma vez um dragão.

Ela ergueu os lábios para ele.

– O que está esperando?

O Príncipe de Winterfell

A lareira estava congelada com cinza negra fria, o aposento, sem outro aquecimento que não o de velas. Cada vez que uma porta se abria, as chamas balançavam e tremiam. A noiva tremia também. Havia sido vestida com lã de carneiro branca, com acabamento em renda. As mangas e o corpete eram bordados com pérolas de água doce, e seus pés tinham sandálias de pele de corça branca; bonito, mas não quente. O rosto dela estava pálido, sem sangue.

Um rosto esculpido em gelo, Theon Greyjoy pensou, enquanto colocava o manto forrado com peles nos ombros dela. *Um cadáver enterrado na neve.*

– Minha senhora. É hora. – Além da porta, a música os chamava, alaúdes, flautas e tambores.

A noiva ergueu os olhos. Olhos castanhos, brilhando sob a luz das velas.

– Serei uma boa esposa para ele, e s-sincera. Eu... eu o agradarei, e lhe darei filhos. Serei uma esposa melhor do que a Arya verdadeira seria, ele verá.

Falar assim fará com que ele a mate, ou pior. Essa lição ele aprendera como Fedor.

– Você é a Arya verdadeira, minha senhora. Arya da Casa Stark, filha de Lorde Eddard, herdeira de Winterfell. – Seu nome, ela tinha que saber *seu nome*. – Arya Debaixo dos Pés. Sua irmã costumava chamá-la de Arya Cara de Cavalo.

– Fui eu quem deu esse nome para ela. O rosto dela era comprido e de cavalo. O meu não é assim. Eu era bonita. – Lágrimas saltaram de seus olhos, enfim. – Nunca fui linda como Sansa, mas diziam que eu era bonita. Lorde Ramsay acha que sou bonita?

– Sim – ele mentiu. – Ele me disse.

– Mas ele sabe quem eu sou. Quem eu realmente sou. Vejo isso quando ele me olha. Ele parece tão zangado, mesmo quando sorri, mas não é minha culpa. Dizem que ele gosta de machucar as pessoas.

– Minha senhora não deve ouvir tais... mentiras.

– Dizem que ele machucou você. Suas mãos e...

A boca de Theon estava seca.

– Eu... eu mereci. Eu o deixei zangado. Você não deve deixá-lo zangado. Lorde Ramsay é... um homem doce e gentil. Agrade-o, e ele será bom para você. Seja uma boa esposa.

– Ajude-me. – Ela o agarrou. – Por favor. Eu costumava ver você no pátio, brincando com as espadas. Você era tão bonito. – Ela apertou seu braço. – Se nós fugíssemos, eu poderia ser sua esposa, ou sua... ou sua puta... o que quer que você quisesse. Você poderia ser meu homem.

Theon arrancou o braço da mão dela.

– Eu não sou... não sou homem de ninguém. – *Um homem a ajudaria.* – Apenas... apenas seja Arya, seja esposa dele. Agrade-o, ou... apenas agrade-o, e pare de falar sobre ser outra pessoa. – *Jeyne, o nome dela é Jeyne, e rima com reine.* A música ficava cada vez mais insistente. – É hora. Seque essas lágrimas. – *Olhos castanhos. Deveriam ser cinza. Alguém verá. Alguém vai se lembrar.* – Bom. Agora, sorria.

A garota tentou. Seus lábios, tremendo, contraíram-se e se congelaram, e ele pôde ver os dentes dela. *Belos dentes brancos,* pensou, *mas, se ela o irritar, não serão belos por muito tempo.* Quando ele abriu a porta, três das quatro velas tremulavam. Conduziu a noiva através da bruma, até onde os convidados do casamento esperavam.

– Por que eu? – perguntara, quando a Senhora Dustin lhe dissera que ele deveria entregar a noiva.

– O pai dela está morto, e todos os irmãos também. A mãe pereceu nas Gêmeas. Os tios estão perdidos, ou mortos, ou cativos.

– Ela ainda tem um irmão. – *Ela ainda tem três irmãos,* ele poderia ter dito. – Jon Snow está com a Patrulha da Noite.

– Um meio-irmão, de nascimento bastardo e jurado à Muralha. Você era o protegido do pai dela, a coisa mais próxima que ela tem de um parente vivo. É justo que você dê a mão dela em casamento.

A coisa mais próxima que ela tem de um parente vivo. Theon Greyjoy crescera com Arya Stark. Theon teria notado uma impostora. Se ele fosse visto aceitando a garota falsa de Bolton como Arya, os senhores nortenhos que foram reunidos para testemunhar a cerimônia não teriam motivos para questionar a legitimidade dela. Stout e Slate, o Terror-das-Rameiras Umber, os briguentos Ryswell, os homens Hornwood e os primos Cerwyn, o gordo Lorde Wyman Manderly... nenhum deles conhecera as filhas de Ned Stark tão bem quanto ele conhecera. E, se alguns cogitassem dúvidas individuais, certamente seriam sábios o suficiente para manter essas desconfianças para si mesmos.

Estão me usando para encobrir sua fraude, colocando meu rosto na mentira deles. Era por isso que Roose Bolton o vestira como lorde novamente; para representar seu papel nesta farsa de pantomimeiro. Uma vez que estivesse feito, uma vez que a falsa Arya estivesse casada e deflorada, Bolton não teria mais uso para Theon Vira-Casaca.

– Sirva-nos nisso, e quando Stannis for derrotado, discutiremos qual a melhor maneira de restaurar o assento de seu pai para você – sua senhoria dissera naquela voz suave, uma voz feita para mentiras e sussurros. Theon não acreditara em uma palavra. Dançaria aquela dança para eles, porque não tinha escolha, mas depois... *Ele me devolverá para Ramsay,* pensou, *e Ramsay vai me tirar alguns dedos mais e me transformar em Fedor novamente.* A menos que os deuses fossem bons e Stannis Baratheon descesse sobre Winterfell e passasse todos eles pela espada, ele incluso. Isso era o melhor pelo qual ele esperava.

Estava mais quente no bosque sagrado, por mais estranho que pudesse parecer. Fora dali, no entanto, uma dura geada branca tomara conta de Winterfell. Os caminhos estavam traiçoeiros com gelo negro, e o gelo brilhava sob a luz da lua nas vidraças quebradas dos Jardins de Vidro. Montes de neve suja se empilhavam contra as paredes, enchendo cada canto e esquina. Alguns eram tão altos que escondiam as portas atrás deles. Sob a neve havia cinzas e brasas congeladas, e aqui e ali, uma viga enegrecida ou uma pilha de ossos adornada com pedaços de pele e cabelo. Pingentes de gelo tão longos quanto lanças se penduravam das ameias e cobriam as torres como a barba branca endurecida de um velho. Mas, dentro do bosque sagrado, o chão permanecia descongelado, o vapor se levantava das lagoas quentes, tão morno quanto a respiração de um bebê.

A noiva estava vestida de branco e cinza, as cores que a verdadeira Arya teria usado se tivesse vivido o suficiente para se casar. Theon usava negro e dourado, a capa presa ao ombro por uma grosseira lula gigante de ferro que o ferreiro em Vila Acidentada fizera para ele. Mas, sob o capuz, seu cabelo estava branco e fino, e sua pele tinha a tonalidade acinzentada de um homem velho. *Um Stark, finalmente*, pensou. De braços dados, a noiva e ele atravessaram uma porta arqueada, enquanto uma fina névoa se agitava por entre suas pernas. O tambor tremulava como o coração de uma donzela, as flautas altas, doces e convidativas. Sobre as árvores, uma lua crescente flutuava no céu escuro, meio obscurecida pela neblina, como um olho espiando através de um véu de seda.

Theon Greyjoy não era nenhum estranho nesse bosque sagrado. Brincara aqui quando garoto, saltando nas pedras da fria lagoa negra sob o represeiro, escondendo seus tesouros em um buraco no tronco de um velho carvalho, perseguindo esquilos com um arco que ele mesmo fizera. Já mais velho, várias vezes banhara suas contusões nas águas termais, depois de treinar no pátio com Robb, Jory e Jon Snow. Entre esses castanheiros, olmos e pinheiros marciais, encontrara locais secretos onde podia se esconder quando quisesse ficar sozinho. A primeira vez que beijara uma garota, fora aqui. Mais tarde, outra garota havia feito dele um homem, sobre uma colcha esfarrapada, à sombra desse alto pinheiro marcial verde-acinzentado.

Mas nunca vira o bosque sagrado assim antes: cinza e fantasmagórico, coberto com névoas mornas, luzes esparsas e vozes sussurradas que pareciam vir de todos os lugares e de nenhum. Sob as árvores, as águas termais fumegavam. Vapores quentes erguiam-se da terra, cercando as árvores com seu hálito úmido, subindo pelas paredes para desenhar cortinas cinzentas pelas janelas.

Havia uma espécie de caminho, um sinuoso percurso de pedras quebradas cobertas com musgo, meio enterradas entre terra soprada e folhas caídas, traiçoeiro por conta das grossas raízes que saíam do solo. Ele levou a noiva por ali. *Jeyne, seu nome é Jeyne, que rima com reine*. Não deveria pensar isso. Se aquele nome saísse de seus lábios, poderia custar-lhe um dedo, ou uma orelha. Andou lentamente, atento a cada passo. Os dedos dos pés que faltavam o faziam mancar quando se apressava, e não queria tropeçar. Se estragasse o casamento de Lorde Ramsay com um passo em falso, Lorde Ramsay poderia reparar a falta de jeito esfolando o pé ofensor.

A névoa era tão pesada que apenas as árvores mais próximas estavam visíveis; além delas, havia apenas altas sombras e luzes fracas. Velas tremeluziam pelo caminho e entre as árvores, pálidos vaga-lumes vacilando em uma morna sopa cinzenta. Parecia algum estranho submundo, algum lugar atemporal entre os mundos, onde os condenados vagavam em luto por um tempo, antes de encontrar seu caminho para qualquer que fosse o inferno para onde seus pecados os enviaram. *Estamos todos mortos, então? Será que Stannis veio e nos matou enquanto dormíamos? A batalha ainda está por vir, ou já foi lutada e perdida?*

Aqui e ali, uma tocha queimava faminta, jogando seu brilho avermelhado sobre o rosto dos convidados do casamento. O jeito que a névoa dispersava a luz fazia suas feições parecerem bestiais, semi-humanas, torcidas. Lorde Stout tornou-se um mastim, o velho Lorde Locke, um abutre, Terror-das-Rameiras Umber, uma gárgula, Grande Walder Frey, uma raposa, Pequeno Walder, um touro, faltando apenas um anel em seu nariz. O rosto do próprio Roose Bolton era uma pálida máscara cinzenta, com dois pedaços de gelo sujo onde seus olhos deveriam estar. Sobre as cabeças de todos eles, as árvores estavam lotadas de corvos, suas penas afofadas enquanto se debruçavam nos galhos nus para olhar a ostentação abaixo. *As aves de Meistre Luwin.* Luwin estava morto, e sua torre de meistre fora queimada, e ainda assim os corvos permaneciam. *Esta é a casa deles.* Theon se perguntava como seria ter uma casa.

Então a névoa se abriu, como a cortina de um espetáculo de pantomimeiros se abre para revelar um novo quadro. A árvore-coração apareceu diante deles, os galhos brancos abrindo-se amplos. Folhas caídas permaneciam em montes vermelhos e marrons ao lado do largo tronco branco. Os corvos estavam mais aglomerados aqui, resmungando uns para os outros na língua secreta dos assassinos. Ramsay Bolton estava parado na frente deles, vestido com botas de cano alto de macio couro cinza e um gibão de veludo negro com acabamento em seda rosa e brilhando com granadas em formato de lágrimas. Um sorriso dançou em seu rosto.

– Quem vem? – Seus lábios estavam úmidos, seu pescoço vermelho sob o colarinho. – Quem vem diante de deus?

Theon respondeu.

– Arya da Casa Stark vem aqui para se casar. Uma mulher crescida e florescida, legítima e nobre, vem pedir a bênção dos deuses. Quem vem reivindicá-la?

– Eu – disse Ramsay. – Ramsay da Casa Bolton, Lorde de Hornwood, herdeiro do Forte do Pavor. Eu a reivindico. Quem a entrega?

– Theon da Casa Greyjoy, que era protegido do pai dela. – Virou-se para a noiva. – Senhora Arya, aceita este homem?

Ela ergueu os olhos para ele. *Olhos castanhos, não cinza. Serão todos cegos?* Por um longo momento, ela não falou, mas aqueles olhos imploravam. *Esta é sua chance,* pensou. *Diga para eles. Diga para eles agora. Grite seu nome diante de todos eles, diga que você não é Arya Stark, deixe todo o Norte saber como você foi obrigada a desempenhar este papel.* Isso significaria a morte dela, é claro, assim como a dele, mas Ramsay, em sua ira, poderia matá-los rapidamente. Os velhos deuses do Norte poderiam garantir esse pequeno benefício para eles.

– Eu aceito este homem – disse a noiva, em um sussurro.

Ao redor deles, luzes brilhavam através da névoa; uma centena de velas, pálidas como estrelas encobertas. Theon se afastou, e Ramsay e sua noiva juntaram as mãos e se ajoelharam diante da árvore-coração, abaixando a cabeça em sinal de submissão. Os olhos vermelhos esculpidos do represeiro olharam para eles, sua grande boca vermelha aberta como se estivesse rindo. Nos galhos sobre suas cabeças, um corvo crocitou.

Depois de um momento de oração silenciosa, o homem e a mulher se ergueram novamente. Ramsay tirou o manto que Theon colocara sobre os ombros da noiva alguns momentos antes, o pesado manto de lã branca com bordas de pele cinza, com o brasão do lobo gigante da Casa Stark. No lugar, prendeu um manto rosa, salpicado com granadas vermelhas como as que usava em seu gibão. Nas costas, estava o homem esfolado do Forte do Pavor feito em couro vermelho, cruel e terrível.

Rápido assim, estava feito. Casamentos eram mais rápidos no Norte. Talvez por não ter sacerdotes, Theon supôs, mas, qualquer que fosse a razão, parecia, para ele, uma clemência. Ramsay Bolton levantou a esposa nos braços e caminhou através da névoa com ela. Lorde Bolton e sua Senhora Walda os seguiram e, então, os demais. Os músicos começaram a tocar novamente, e o bardo Abel começou a cantar *Dois corações que batem como um*. Duas de suas mulheres uniram as vozes às dele, para fazer uma doce harmonia.

Theon se pegou perguntando a si mesmo se deveria dizer uma prece. *Os deuses me ouvirão, se eu rezar?* Esses não eram seus deuses, nunca foram seus deuses. Ele era um homem de ferro, um filho de Pyke, seu deus era o Deus Afogado das ilhas... mas Winterfell estava a muitos quilômetros do mar. Levaria uma vida até que qualquer deus pudesse ouvi-lo. Ele não sabia quem era ou o quê era, por que ainda estava vivo, nem mesmo por que nascera.

– Theon – uma voz pareceu sussurrar.

Sua cabeça se ergueu.

– Quem disse isso? – Tudo o que podia ver eram as árvores e a névoa que as cobria. A voz era fraca como o farfalhar de folhas, tão fria quanto o ódio. *A voz de um deus, ou de um fantasma.* Quantos morreram no dia em que tomara Winterfell? Quantos mais morreram no dia em que perdera o castelo? *Naquele dia, Theon Greyjoy morreu, para renascer como Fedor. Fedor, Fedor, que rima com temor.*

De repente, não queria estar ali.

Uma vez fora do bosque sagrado, o frio desceu sobre ele como se um lobo feroz o agarrasse com os dentes. Abaixou a cabeça no vento e seguiu para o Grande Salão, acelerando o passo depois da longa fila de velas e tochas. Gelo era triturado sob suas botas, e uma rajada repentina empurrou seu capuz para trás, como se um fantasma o tivesse arrancado com dedos gelados, desejoso de encarar seu rosto.

Winterfell estava cheio de fantasmas para Theon Greyjoy.

Esse não era o castelo que ele lembrava do verão de sua juventude. Esse lugar estava marcado por cicatrizes e quebrado, mais ruína do que reduto, um refúgio para corvos e cadáveres. A grande muralha dupla ainda permanecia em pé, pois granito não se rende facilmente ao fogo, mas a maioria das torres e fortalezas estava destelhada. Algumas tinham desmoronado. A palha e a madeira haviam sido consumidas pelo fogo, completamente ou em partes, e, sob os painéis quebrados dos Jardins de Vidro, frutas e vegetais que teriam alimentado o castelo durante o inverno estavam mortos, negros e congelados. Tendas enfileiravam-se no pátio, meio enterradas pela neve. Roose Bolton trouxera sua tropa para dentro das muralhas, juntamente com seus amigos Frey, milhares amontoados entre as ruínas, lotando cada sala, dormindo nos porões e sobre as torres sem topo, e em construções abandonadas havia séculos.

Fumaça cinza serpenteava das cozinhas reconstruídas e dos quartéis que haviam recebido novo telhado. As ameias estavam coroadas com neve e pingentes de gelo. Toda a cor sangrara de Winterfell, apenas o cinza e o branco permaneceram. *As cores Stark.* Theon não sabia se achava isso ameaçador ou reconfortante. Até o céu estava cinza. *Cinza, cinza e mais cinza. O mundo inteiro é cinza, para onde quer que você olhe, tudo cinza, exceto os olhos da noiva.* Os olhos da noiva eram castanhos. *Grandes, castanhos e cheios de medo.* Não era certo que ela olhasse para ele em busca de resgate. O que ela pensara? Que ele assobiaria para chamar um cavalo alado e voaria com ela para longe dali, como algum herói das histórias que ela e Sansa costumavam adorar? Ele não podia ajudar nem a si mesmo. *Fedor, Fedor, rima com temor*.

Por todo o pátio, homens mortos penduravam-se, semicongelados, na ponta de cordas de cânhamo, brancos rostos inchados com a geada. Winterfell estava cheia de invasores quando a vanguarda dos Bolton alcançou o castelo. Mais de duas dúzias foram tiradas na ponta da espada dos abrigos que haviam feito entre as fortalezas semidestruídas do castelo e das torres. Os mais ousados e mais truculentos haviam sido enforcados, os demais, colocados para trabalhar. Se servissem bem, Lorde Bolton lhes dissera, ele seria misericordioso. Pedras e madeiras eram abundantes com a Matadelobos tão perto dali. Robustos portões novos vieram primeiro, para substituir os que haviam sido queimados. Então o telhado desabado do Grande Hall fora retirado, e um novo fora levantado às pressas em seu lugar. Quando o trabalho ficou pronto, Lorde Bolton enforcou os trabalhadores. Fiel à sua palavra, demonstrou misericórdia e não esfolou ninguém.

Por esse tempo, o restante do exército Bolton havia chegado. Ergueram o estandarte do veado-e-leão do Rei Tommen sobre as muralhas de Winterfell, enquanto o vento uivava do norte, e, embaixo, o homem esfolado de Forte do Pavor. Theon ficara com a comitiva de Barbrey Dustin, com sua senhoria em pessoa, seus soldados de Vila Acidentada e com a futura noiva. A Senhora Dustin insistira que ela devia ter a custódia da Senhora Arya até o momento em que estivesse casada, mas agora essa época se fora. *Ela pertence a Ramsay, agora. Ela disse as palavras*. Por esse casamento, Ramsay seria o Senhor de Winterfell. Enquanto Jeyne tomasse cuidado de não irritá-lo, ele não deveria ter motivos para feri-la. *Arya. O nome dela é Arya*.

Mesmo dentro das luvas forradas com pele, as mãos de Theon começaram a latejar de dor. Era frequente que suas mãos doessem horrivelmente, especialmente os dedos que perdera. Houve realmente um tempo em que as mulheres ansiavam por seu toque? *Eu me fiz Príncipe de Winterfell*, pensou, *e daí veio tudo isto*. Ele pensara que homens cantariam sobre ele por centenas de anos e contariam histórias de sua ousadia. Mas, se alguém falasse sobre ele, agora, seria como Theon Vira-Casaca, e as histórias contadas seriam sobre sua traição. *Esta nunca foi minha casa. Eu era um refém aqui*. Lorde Stark nunca o tratara com crueldade, mas a longa sombra de aço de sua grande espada sempre estivera entre eles. *Ele era gentil comigo, mas nunca caloroso. Sabia que, um dia, poderia ser obrigado a me condenar à morte*.

Theon manteve os olhos baixos enquanto cruzava o pátio, serpenteando entre as tendas. *Aprendi a lutar neste pátio*, pensou, recordando-se dos dias quentes de verão passados em treinos com Robb e Jon Snow, sob o olhar atento do velho Sor Rodrik. Isso foi quando ele era inteiro e podia segurar o cabo de uma espada tão bem quanto qualquer homem. Mas o pátio trazia memórias mais sombrias, também. Fora aqui que reunira o povo dos Stark na noite em que Bran e Rickon deixaram o castelo. Ramsay era Fedor, então, parado ao seu lado, sussurrando que ele deveria esfolar alguns cativos para fazê-los contar para onde os meninos haviam ido. *Não haverá esfola aqui, enquanto eu for Príncipe de Winterfell*, Theon respondera, sem imaginar quão curto seu reinado seria. *Nenhum deles me ajudou. Conheci todos eles metade da minha vida, e nenhum me ajudou*. Mesmo assim, fizera o melhor possível para protegê-los, mas uma vez que Ramsay colocou a máscara de Fedor de lado, matou todos os homens, assim como os homens de ferro de Theon. *Ele colocou fogo no meu cavalo*. Esta era a última visão que tinha do dia em que o castelo caíra: Sorridente queimando, as chamas saltando de sua crina enquanto se erguia sobre duas patas, escoiceando, gritando, seus olhos brancos de terror. *Aqui, neste mesmo pátio.*

As portas do Grande Salão assomaram diante dele; recém-construídas para substituir as portas que queimaram, pareciam rudes e feias para ele, tábuas não preparadas apressadamente unidas. Um par de lanceiros as guardava, curvados e tremendo sob suas grossas capas de pele, a barba com crostas de gelo. Olharam Theon com ressentimento enquanto ele mancava pelos degraus, empurrava a porta do lado direito e deslizava para dentro.

O salão estava abençoadamente quente e iluminado com as luzes de tochas, tão lotado quanto jamais estivera. Theon deixou o calor banhá-lo, e então seguiu para a frente do salão. Homens se sentavam amontoados, joelho contra joelho ao longo dos bancos, tão apertados que os servos tinham que se contorcer entre eles. Mesmo os cavaleiros e os senhores de alta estirpe usufruíam de menos espaço do que o normal.

Perto do palanque, Abel arranhava seu alaúde e cantava *Belas donzelas do verão. Ele se chama de bardo. Na verdade, é mais um cafetão.* Lorde Manderly trouxera músicos de Porto Branco, mas nenhum era cantor, então, quando Abel apareceu nos portões com um alaúde e seis mulheres, fora mais do que bem-vindo.

– Duas irmãs, duas filhas, uma esposa e minha velha mãe – o cantor alegara, embora nenhuma se parecesse com ele. – Algumas dançam, algumas cantam, uma toca a flauta e outras, os tambores. Boas lavadeiras também.

Bardo ou cafetão, a voz de Abel era passável, e até que tocava honestamente. Aqui, entre as ruínas, aquilo era muito mais do que qualquer um poderia esperar.

Ao longo das paredes, os estandartes estavam erguidos: as cabeças de cavalo dos Ryswell, em dourado, marrom, cinza e negro, o gigante rugindo da Casa Umber, a mão de pedra da Casa Flint de Dedos de Sílex, o alce dos Hornwood e o tritão dos Manderly, o machado de batalha negro dos Cerwyn e os pinheiros dos Tallhart. Nem mesmo suas cores vivas podiam cobrir inteiramente as paredes enegrecidas, nem as tábuas que cobriam buracos onde certa vez estiveram as janelas. Mesmo o telhado estava errado, com suas novas madeiras não tratadas, claras e brilhantes onde as velhas vigas eram manchadas quase de negro por séculos de fumaça.

Os maiores estandartes estavam atrás do palanque, onde o lobo gigante de Winterfell e o homem esfolado do Forte do Pavor se erguiam atrás da noiva e do noivo. A visão do estandarte dos Stark atingiu Theon com mais força do que podia imaginar. *Errado, está errado, tão errado quanto seus olhos.* As armas da Casa Poole eram uma placa azul sobre fundo branco, emoldurado por uma margem cinza. Eram essas as armas que deviam ter pendurado.

– Theon Vira-Casaca – alguém disse quando ele passou. Outro homem se virou ao vê-lo. Um cuspiu. *E por que não?* Era o traidor que tomara Winterfell na deslealdade, matara seus irmãos de criação, entregara seu próprio povo para ser esfolado em Fosso Cailin e enviara sua irmã de criação para a cama de Lorde Ramsay. Roose Bolton podia fazer uso dele, mas os verdadeiros nortenhos deviam desprezá-lo.

Os dedos que faltavam em seu pé esquerdo o deixavam com um caminhar estranho, cômico de se olhar. Ouviu uma mulher rindo atrás de si. Mesmo aqui neste sepulcro semicongelado de castelo, cercado de neve, gelo e morte, havia mulheres. *Lavadeiras.* Essa era a maneira polida de dizer *seguidoras de acampamento,* que era a maneira polida de dizer *putas.*

De onde elas vinham, Theon não poderia dizer. Elas simplesmente surgiam, como vermes em um cadáver ou corvos após a batalha. Todo exército as atraía. Algumas eram putas endurecidas, que podiam foder com vinte homens em uma noite e beber com eles todos sem problema. Outras pareciam tão inocentes quanto donzelas, mas era apenas um artifício de sua mercadoria. Algumas eram noivas de acampamento, ligadas a soldados que seguiam, com palavras sussurradas para um deus ou outro, mas condenadas a serem esquecidas assim que a guerra acabasse. Podiam aquecer a cama de um homem uma noite, remendar os buracos em suas botas pela manhã, cozinhar a ceia ao anoitecer e saquear seu cadáver após a batalha. Algumas até lavavam um pouco de roupa. Com elas, em geral, vinham os filhos bastardos, miseráveis criaturas imundas nascidas em um acampamento ou em outro. E mesmo eles zombavam de Theon Vira-Casaca. *Deixe-os rirem.* Seu orgulho perecera aqui em Winterfell; não havia lugar para essas coisas nos calabouços do Forte do Pavor. Quando se conhece o beijo de uma faca de esfolar, o riso perde todo o poder de ferir.

Nascimento e sangue lhe garantiram um lugar no palanque no final da mesa principal, ao lado da parede. À sua esquerda estava a Senhora Dustin, vestida como sempre em lã negra, em um corte austero e sem adornos. À sua direita não havia ninguém. *Todos temem que a desonra possa encostar neles.* Se ousasse, teria gargalhado.

A noiva tinha o lugar de mais alta honra, entre Ramsay e seu pai. Sentava-se com os olhos baixos, enquanto Roose Bolton propunha um brinde à Senhora Arya.

– Em seus filhos, nossas duas antigas casas se tornarão uma – disse –, e a longa inimizade entre os Stark e os Bolton terminará. – Sua voz era tão suave que o salão ficou silencioso, enquanto os homens se esforçavam para ouvir. – Sinto que nosso bom amigo Stannis não esteja apto para se juntar a nós ainda – prosseguiu, provocando uma onda de risadas –, assim como sei que Ramsay esperava dar sua cabeça para a Senhora Arya, como presente de casamento. – As risadas aumentaram. – Devemos dar uma esplêndida recepção a ele quando chegar, uma recepção digna dos verdadeiros nortenhos. Até esse dia, vamos comer, beber e nos divertir... pois o inverno está quase sobre nós, meus amigos, e muitos de nós não viverão para ver a primavera.

O Senhor de Porto Branco fornecera a comida e a bebida, cerveja preta e amarela e vinhos tintos, dourados e púrpura, trazidos do quente Sul em gordos navios e envelhecidos em adegas profundas. Os convidados do casamento se fartaram em bolos de bacalhau e abobrinhas de inverno, montanhas de rabanetes e grandes rodas de queijo, em chapas defumadas de cordeiro e costelas de boi tostadas até ficarem quase negras e, finalmente, em três grandes tortas de casamento, tão largas quanto rodas de carroça, com a massa folhada recheada até quase arrebentar com cenouras, cebolas, nabos, cherivias, cogumelos e pedaços de porco temperados, mergulhados em saboroso molho castanho. Ramsay cortou as fatias com sua cimitarra, e Wyman Manderly serviu pessoalmente, oferecendo as primeiras porções fumegantes para Roose Bolton e sua gorda esposa Frey, as seguintes para Sor Hosteen e Sor Aenys, filhos de Walder Frey.

– A melhor torta que já provaram, meus senhores – o gordo senhor declarou. – Empurrem tudo para baixo com um dourado da Árvore e apreciem cada pedaço. Eu sei que vou.

Fiel à sua palavra, Manderly devorou seis porções, duas de cada uma das três tortas, estalando os lábios, batendo na barriga e se enchendo até a frente de sua túnica ficar meio marrom com manchas de molho e sua barba salpicada de farelos da massa. Nem mesmo Walda Gorda Frey conseguiu igualar sua gula, embora tivesse se servido de três pedaços. Ramsay também comeu bem, embora sua pálida noiva não fizesse mais do que encarar a porção colocada diante dela. Quando levantava a cabeça e olhava para Theon, ele podia ver o medo atrás de seus grandes olhos castanhos.

Nenhuma espada longa fora permitida no salão, mas cada homem tinha uma adaga, até mesmo Theon Greyjoy. De que outra maneira cortaria sua carne? Cada vez que olhava para a garota que havia sido Jeyne Poole, sentia a presença do aço ao seu lado. *Não tenho como salvá-la*, pensou, *mas poderia matá-la com bastante facilidade. Ninguém esperaria isso. Posso pedir pela honra de uma dança e cortar a garganta dela. Seria uma gentileza, não seria? E se os antigos deuses ouviram minha prece, Ramsay, em sua indignação, poderia me matar também*. Theon não tinha medo de morrer. Embaixo do Forte do Pavor, aprendera que havia coisas muito piores do que a morte. Ramsay lhe ensinara essa lição, dedo por dedo, da mão e do pé, e não era algo que ele esqueceria.

– Você não come – observou a Senhora Dustin.

– Não. – Comer era difícil para ele. Ramsay o deixara com tantos dentes quebrados que mastigar era uma agonia. Beber era mais fácil, embora tivesse que agarrar a taça de vinho com as duas mãos para evitar derrubá-la.

– Não aprecia torta de porco, meu senhor? A melhor torta de porco que já provamos, nosso gordo amigo nos fez acreditar. – Fez um gesto em direção a Lorde Manderly com a taça de vinho. – Já viu um gordo tão feliz? Está quase dançando. Serviu com as próprias mãos.

Era verdade. O Senhor de Porto Branco era a imagem perfeita do gordo feliz, gargalhando, sorrindo, brincando com os outros senhores e batendo em suas costas, pedindo aos músicos esta ou aquela canção.

– Nos dê *A noite que terminou*, cantor – gritou. – A noiva gostará desta, eu sei. Ou cante para nós os feitos do bravo jovem Danny Flint, e nos faça chorar. – Ao olhá-lo, era possível pensar que era ele o recém-casado.

– Está bêbado – disse Theon.

– Afogando seus medos. É covarde até os ossos, esse um.

Era? Theon não tinha certeza. Seus filhos eram gordos também, mas não envergonhavam em batalha.

– Os homens de ferro festejam também antes de uma batalha. Um último gosto de vida, enquanto a morte espera. Se Stannis vier...

– Ele virá. Ele deve. – A Senhora Dustin riu. – E quando vier, o gordo vai se mijar. Seu filho morreu no Casamento Vermelho, e mesmo assim ele divide seu pão e sal com os Frey, recebe-os sob seu teto, promete sua neta para um deles. Até mesmo lhes serve torta. Os Manderly fugiram do Sul uma vez, escorraçados de suas terras e protegidos por inimigos. O sangue escorre verdade. O gordo gostaria de matar a todos nós, não duvido, mas não tem estômago para isso, apesar de toda a sua circunferência. Sob sua pele suada bate um coração tão covarde e servil como... bem... o seu.

Sua última palavra foi como um chicote, mas Theon não se atreveu a responder à altura. Qualquer insolência lhe custaria pele.

– Se minha senhora acredita que Lorde Manderly quer nos trair, Lorde Bolton é quem deve ser avisado.

– Você acha que Roose não sabe? Garoto tolo. Observe-o. Veja como ele olha Manderly. Nenhum prato é tocado pelos lábios de Roose até que ele veja que Lorde Wyman comeu primeiro. Nenhuma taça de vinho é bebida até que ele veja que Manderly tomou do mesmo jarro. Acredito que ficaria satisfeito se o gordo tentasse alguma traição. Isso o divertiria. Roose não tem sentimentos, você sabe. Aquelas sanguessugas que ele tanto ama sugaram todas as suas paixões há anos. Ele não ama, ele não odeia, ele não lamenta. Isso é um jogo para ele, levemente divertido. Alguns homens caçam, outros fazem falcoaria, alguns jogam dados. Roose joga com homens. Você e eu, esses Frey, Lorde Manderly, sua nova esposa gorda, até seu bastardo, somos seus brinquedos. – Um servo estava passando. A Senhora Dustin segurou sua taça e deixou que ele a enchesse, então gesticulou para fazer o mesmo com a taça de Theon. – Verdade seja dita – ela falou –, Lorde Bolton aspira a mais do que uma mera senhoria. Por que não Rei do Norte? Tywin Lannister está morto, o Regicida está mutilado, o Duende fugiu. Os Lannister são uma força gasta, e você foi gentil o suficiente para livrá-lo dos Stark. O velho Walder Frey não fará objeção a que sua pequena Walda Gorda se torne rainha. Porto Branco pode ser um pouco incômodo se Lorde Wyman sobreviver à batalha que se aproxima... mas estou quase certa de que não sobreviverá. Não mais que Stannis. Roose removerá ambos do seu caminho, como removeu o Jovem Lobo. Quem mais há?

– Você – disse Theon. – Há você. A Senhora de Vila Acidentada, uma Dustin por casamento, uma Ryswell por nascimento.

Aquilo a agradou. Ela tomou um gole de vinho, seus olhos escuros brilhando, e disse:

– A *viúva* de Vila Acidentada... e sim, se eu quisesse, poderia ser um inconveniente. Claro que Roose vê isso também, e toma cuidado de me manter doce.

Ela poderia ter dito mais, mas então viu os meistres. Três deles entraram juntos pela porta do senhor, atrás do palanque; um alto, um gordo e um muito jovem, mas, em suas túnicas e correntes, eram três ervilhas cinza de uma vagem negra. Antes da guerra, Medrick servira Lorde Hornwood, Rhodry, Lorde Cerwyn, e o jovem Henly, Lorde Slate. Roose Bolton trouxera todos eles para Winterfell para se encarregarem dos corvos de Luwin, então mensagens podiam ser enviadas e recebidas dali novamente.

Enquanto Meistre Medrick se ajoelhava para sussurrar no ouvido de Bolton, a boca da Senhora Dustin se contorceu em desagrado.

– Se eu fosse rainha, a primeira coisa que faria seria matar todos esses ratos cinzentos. Eles correm por todos os lados, vivendo dos restos de seus senhores, tagarelando uns com os outros, sussurrando no ouvido de seus mestres. Mas quem são os mestres e quem são os servos, realmente? Todo grande senhor tem seu meistre, todo senhor menor deseja ter um. Se você não tem um meistre, dizem que você é de pouca importância. Esses ratos cinzentos leem e escrevem nossas cartas, principalmente para aqueles senhores que não conseguem ler eles mesmos, e quem diz com certeza que eles não estão torcendo as palavras para seus próprios fins? Que bem eles fazem, eu lhe pergunto.

– Eles curam – disse Theon. Isso parecia ser esperado dele.

– Eles curam, sim. Nunca disse que não eram delicados. Eles nos atendem quando estamos doentes e feridos, ou entristecidos com a doença de um pai ou um filho. Sempre que estamos mais fracos e vulneráveis, eles estão ali. Algumas vezes nos curam, e ficamos devidamente agradecidos. Quando falham, nos consolam em nosso lamento, e ficamos gratos por isso também. Além de nossa gratidão, damos a eles um lugar sob nossos tetos e permitimos que compartilhem nossas vergonhas e segredos, uma parte de todo conselho. E, antes de muito tempo, o governante se torna governado. Foi o que aconteceu com Lorde Rickard Stark. Meistre Walys era o nome de seu rato cinzento. E não é esperto como os meistres mantêm só um nome, mesmo quando tinham dois quando chegaram à Cidadela? Dessa maneira, não sabemos quem eles realmente são ou de onde vieram... mas, se você for teimoso o suficiente, poderá descobrir. Antes de forjar sua corrente, Meistre Walys era conhecido como Walys Flowers. Flowers, Hill, Rivers, Snow... damos esses nomes para as crianças ilegítimas para marcá-las pelo que elas são, mas elas sempre são rápidas em se livrar da marca. Walys Flowers tinha uma garota Hightower como mãe... e um arquimeistre da Cidadela como pai, eram os rumores. Os ratos cinzentos não são tão castos quanto querem que acreditemos. Os meistres de Vilavelha são os piores de todos. Uma vez que Walys forjou sua corrente, seu pai secreto e seus amigos não perderam tempo em despachá-lo para Winterfell, para encher os ouvidos de Lorde Rickard com palavras envenenadas tão doces quanto mel. O casamento Tully foi ideia dele, não duvide, ele...

Ela parou de falar quando Roose Bolton se levantou, seus olhos claros brilhando sob a luz das tochas.

– Meus amigos – começou, e um silêncio varreu a sala, tão profundo que Theon podia ouvir o vento sacudindo as tábuas sobre as janelas. – Stannis e seus cavaleiros deixaram Bosque Profundo, sob o estandarte de seu novo deus vermelho. Os clãs das montanhas nortenhas vêm com ele em seus hirsutos cavalos raquíticos. Se o tempo permitir, podem estar aqui em uma quinzena. E Papa-Corvos Umber marcha pela estrada do rei, enquanto os Karstark se aproximam pelo leste. Eles pretendem se unir a Lorde Stannis aqui e tomar-nos o castelo.

Sor Hosteen Frey ficou em pé de um salto.

– Devíamos cavalgar para encontrá-los. Por que permitir que combinem suas forças?

Porque Arnolf Karstark espera apenas um sinal de Lorde Bolton antes de virar sua casaca, pensou Theon, enquanto outros senhores gritavam conselhos. Lorde Bolton ergueu a mão, pedindo silêncio.

– O salão não é o lugar para tais discussões, meus senhores. Vamos adiar para o solar, enquanto meu filho consuma seu casamento. O restante de vocês permaneça aqui e aproveite a comida e a bebida.

Enquanto o Senhor de Forte do Pavor saía, seguido pelos três meistres, outros senhores e capitães se levantaram para acompanhá-lo. Hother Umber, o velho magro chamado Terror-das-Rameiras, seguiu-o sombrio e carrancudo. Lorde Manderly estava tão bêbado que pediu quatro homens fortes para ajudá-lo a sair do salão.

– Devíamos ouvir uma canção sobre o Rato Cozinheiro – ele murmurou, enquanto passava cambaleando por Theon, apoiado em seus cavaleiros. – Cantor, dê-nos uma canção sobre o Rato Cozinheiro.

A Senhora Dustin estava entre as últimas a se mover. Quando ela se foi, de repente o salão parecia sufocante. Apenas quando tentou se levantar, Theon percebeu o quanto havia bebido. Quando tropeçou na mesa, bateu em uma jarra nas mãos de uma serva. Vinho se espalhou em suas botas e calções, uma escura maré vermelha.

Uma mão agarrou seu ombro, cinco dedos duros como ferro entrando profundamente em sua carne.

– Você é aguardado, Fedor – disse Alyn Azedo, seu hálito carregado com o cheiro de seus dentes podres. Caralho Amarelo e Damon Dance-para-Mim estavam com ele. – Ramsay diz que você deve levar a noiva dele para a cama.

Um arrepio de medo passou por ele. *Fiz minha parte*, pensou. *Por que eu?* Mas ele sabia que era melhor não se opor.

Lorde Ramsay já deixara o salão. Sua noiva, abandonada e, aparentemente, esquecida, sentava-se curvada e silenciosa sob o estandarte da Casa Stark, segurando um cálice de prata com as duas mãos. A julgar pelo modo como o olhou quando ele se aproximou, ela já esvaziara o cálice mais de uma vez. Talvez esperasse que, se bebesse o suficiente, sua provação passaria por ela. Theon sabia que isso não aconteceria.

– Senhora Arya – disse. – Venha. É tempo de cumprir seu dever.

Seis dos Rapazes do Bastardo os acompanharam quando Theon levou a garota para fora, pelo fundo do salão e pelo gélido pátio, até a Grande Fortaleza. Eram três lances de degraus de pedra até o quarto de dormir de Lorde Ramsay, um dos quartos que o fogo tocara de leve. Enquanto subiam, Damon Dance-para-Mim assobiava, e Peleiro se gabava que Lorde Ramsay lhe prometera um pedaço do lençol ensanguentado, como sinal de apreço especial.

O quarto de dormir estava bem preparado para a consumação. Todos os móveis eram novos, trazidos de Vila Acidentada no comboio de bagagem. A cama de dossel tinha um colchão de penas e cortinas de veludo vermelho-sangue. O chão de pedra estava coberto com peles de lobos. Um fogo queimava na lareira, uma vela, na mesa ao lado da cama. No aparador havia um jarro de vinho, duas taças e meia-roda de queijo branco com veios.

Também havia uma cadeira, esculpida em carvalho negro, com assento de couro vermelho. Lorde Ramsay estava sentado nela quando entraram. Saliva brilhava em seus lábios.

– Aí está minha doce donzela. Bons rapazes. Podem nos deixar, agora. Não você, Fedor. Você fica.

Fedor, Fedor, que rima com pavor. Ele podia sentir câimbras em seus dedos perdidos; dois na mão esquerda, um na direita. E, em seu quadril, a adaga descansava, dormindo em sua bainha de couro, mas pesada, oh, tão pesada. *Apenas meu mindinho se foi na mão direita*, Theon lembrou a si mesmo. *Ainda posso segurar uma faca*.

– Meu senhor. Como posso servi-lo?

– Você deu a moça para mim. Quem melhor para desempacotar o presente? Vamos dar uma olhada na pequena filha de Ned Stark.

Ela não é parente de Lorde Eddard, Theon quase disse. *Ramsay sabe, ele tem que saber, que novo jogo cruel é este?* A garota estava em pé ao lado de uma das colunas da cama, tremendo como uma corça.

– Senhora Arya, se você se virar, posso soltar os laços de seu vestido.

– Não. – Lorde Ramsay serviu-se uma taça de vinho. – Laços demoram muito. Corte fora.

Theon desembainhou a adaga. *Tudo o que tenho que fazer é me virar e apunhalá-lo. A faca está na minha mão*. Ele conhecia o jogo. *Outra armadilha*, disse para si mesmo, lembrando-se de Kyra com as chaves. *Ele quer que eu tente matá-lo. E, quando eu falhar, ele esfolará a pele da mão que usei para segurar a lâmina*. Agarrou um punhado da saia da noiva.

– Fique parada, minha senhora. – O vestido era solto abaixo da cintura, então foi a partir dali que ele deslizou a lâmina, escorregando para cima lentamente, para não cortá-la. Aço sussurrou através de lã e seda com um som suave e fraco. A garota tremia. Theon teve que segurar seu braço para que ela ficasse parada. *Jeyne, Jeyne, rima com reine.* Ele a apertou ainda mais, tanto quanto sua mão esquerda mutilada permitia. – Fique parada.

Finalmente o vestido caiu, um emaranhado pálido ao redor dos pés dela.

– As roupas íntimas também – Ramsay ordenou. Fedor obedeceu.

Quando acabou, a noiva estava nua, e sua elegância nupcial era um monte de trapos brancos e cinza sobre seus pés. Seus seios eram pequenos e pontudos, os quadris estreitos e femininos, as pernas finas como as de um pássaro. *Uma criança.* Theon se esquecera do quanto ela era jovem. *A idade de Sansa. Arya seria ainda mais jovem.* Apesar do fogo na lareira, o quarto estava gelado. A pálida pele de Jeyne estava toda arrepiada. Houve um momento em que ergueu as mãos, como se estivesse prestes a cobrir os seios, mas Theon advertiu-a com um silencioso não e ela parou imediatamente.

– O que acha dela, Fedor? – perguntou Lorde Ramsay.

– Ela... – *Que resposta ele quer?* O que a garota dissera, antes do bosque sagrado? *Todos dizem que sou bonita.* Ela não estava bonita agora. Ele podia ver uma teia de finas linhas pelas costas dela, onde alguém a chicoteara. – ... ela é bonita, tão... tão bonita.

Ramsay sorriu seu sorriso molhado.

– Ela faz seu pau ficar duro, Fedor? Está lutando contra seus cadarços? Gostaria de fodê-la primeiro? – Ele riu. – O Príncipe de Winterfell deveria ter esse direito, como todos os senhores faziam nos tempos antigos. A primeira noite. Mas você não é um senhor, é? É apenas Fedor. Não é nem mesmo um homem, verdade seja dita. – Tomou outro gole de vinho e, em seguida, arremessou a taça pelo quarto para estilhaçá-la contra a parede. Rios vermelhos correram pela pedra. – Senhora Arya. Vá para cama. Sim, contra os travesseiros, esta é uma boa esposa. Agora, abra suas pernas. Deixe-nos ver sua boceta.

A garota obedeceu, sem palavras. Theon deu um passo para trás, em direção à porta. Lorde Ramsay sentou-se ao lado da noiva, deslizou a mão pela parte interna de sua coxa e então enfiou dois dedos dentro dela. A garota soltou um suspiro de dor.

– Você está seca como um osso velho. – Ramsay puxou a mão e deu um tapa em seu rosto. – Me disseram que saberia agradar um homem. Isso era mentira?

– N-não, meu senhor. Fui treinada.

Ramsay se levantou, a luz do fogo brilhando em seu rosto.

– Fedor, venha aqui. Deixe-a pronta para mim.

Por um momento, ele não entendeu.

– Eu... quer dizer... senhor, eu não tenho... eu...

– Com sua boca – disse Lorde Ramsay. – E seja rápido. Se ela não estiver molhada quando eu terminar de tirar a roupa, cortarei fora sua língua e a pregarei na parede.

Em algum lugar, no bosque sagrado, um corvo gritou. A adaga ainda estava em sua mão. Ele a embainhou.

Fedor, meu nome é Fedor, e rima com dor.

Fedor inclinou-se para cumprir sua tarefa.

O Sentinela

– Vamos dar uma olhada nessa cabeça – o príncipe ordenou.

Areo Hotah passava a mão pelo cabo suave de seu machado longo, sua esposa de freixo e ferro, enquanto observava. Observou o cavaleiro branco, Sor Balon Swann, e os outros que vieram com ele. Observou as Serpentes de Areia, cada uma em uma mesa diferente. Observou os senhores e senhoras, os servos, o velho senescal cego e o jovem Meistre Myles, com sua barba sedosa e seu sorriso servil. Parado, meio na luz, meio na sombra, via todos eles. *Servir. Proteger. Obedecer.* Essa era sua tarefa.

Todos os demais tinham olhos apenas para a arca. Fora esculpida em ébano, com fechos e dobradiças em prata. Uma caixa muito bonita, sem dúvida, mas muitos dos que se reuniam aqui no Palácio Antigo de Lançassolar poderiam logo estar mortos, dependendo do que estivesse na arca.

Com as sandálias sussurrando contra o chão, Meistre Caleotte cruzou o salão na direção de Sor Balon Swann. O homenzinho redondo parecia esplêndido em sua túnica nova, com faixas largas nas cores castanho-escuro e creme e estreitas listras vermelhas. Fazendo uma reverência, pegou a arca das mãos do cavaleiro branco e levou-a até o palanque, onde Doran Martell estava sentado em sua cadeira com rodas entre sua filha Arianne e a querida amante de seu irmão, Ellaria. Uma centena de velas perfumava o ar. Pedras preciosas brilhavam nos dedos dos senhores, e nos cinturões e nas redes de cabelo das senhoras. Areo Hotah polira sua camisa de escamas de bronze até deixá-la com o reflexo de espelhos, então ele brilhava sob as luzes das velas também.

O silêncio caiu sobre a sala. *Dorne segura a respiração.* Meistre Caleotte colocou a caixa no chão, ao lado da cadeira do Príncipe Doran. Os dedos do meistre, normalmente tão seguros e ágeis, tornaram-se desajeitados enquanto ele lutava para destravar e abrir a tampa e revelar o crânio lá dentro. Hotah ouviu alguém limpar a garganta. Um dos gêmeos Fowler sussurrou alguma coisa para o outro. Ellaria Sand tinha fechado os olhos e murmurava uma prece.

Sor Balon Swann estava tenso como a corda de um arco, o capitão dos guardas observou. Esse novo cavaleiro não era tão alto ou tão agradável quanto o antigo, mas tinha o peito maior, era mais corpulento, seus braços grossos de músculos. Sua capa nevada estava presa ao pescoço por dois cisnes em um broche de prata. Um era de marfim, o outro de ônix, e parecia, para Areo Hotah, que os dois estavam lutando. O homem que os usava parecia um lutador, também. *Este não morrerá com a mesma facilidade do outro. Não vai avançar para o meu machado, como Sor Arys fez. Este ficará atrás do escudo e me fará ir até ele.* Se chegasse a isso, Hotah estaria pronto. Seu machado longo era afiado o suficiente para se fazer a barba com ele.

Ele se permitiu um rápido olhar para a arca. O crânio repousava em uma cama de feltro negro, sorrindo. Todos os crânios sorriam, mas este parecia mais feliz do que a maioria. *E maior*. O capitão dos guardas nunca vira um crânio tão grande. A testa era grossa e pesada, a mandíbula, maciça. O osso brilhava sob a luz das velas, branco como a capa de Sor Balon.

– Coloque-o no pedestal – o príncipe ordenou. Tinha lágrimas brilhando nos olhos.

O pedestal era uma coluna de mármore negro, noventa centímetros mais alta do que Meistre Caleotte. O pequeno e gordo meistre ficou na ponta dos pés, mas mesmo assim não alcançou. Areo Hotah estava prestes a ajudá-lo, mas Obara Sand se moveu antes. Mesmo sem seu chicote e escudo, ela tinha um visual zangado e masculinizado. Em vez de vestido, usava calções de homem e uma túnica de linho abaixo dos joelhos, presa à cintura por um cinto com sóis de cobre. Seu cabelo castanho estava preso atrás em um coque. Arrebatando o crânio das suaves mãos rosadas do meistre, ela o colocou no alto da coluna de mármore.

– A Montanha não cavalga mais – o príncipe disse, gravemente.

– Sua morte foi longa e sofrida, Sor Balon? – perguntou Tyene Sand, em um tom que uma donzela poderia usar para perguntar se seu vestido era bonito.

– Gritou por dias, minha senhora – o cavaleiro branco respondeu, embora fosse claro que não o agradava nem um pouco dizer isso. – Podíamos ouvi-lo por toda a Fortaleza Vermelha.

– Isso o incomoda, sor? – perguntou a Senhora Nym. Ela usava um vestido de seda amarela tão pura e fina que as velas brilhavam através do tecido, para revelar os fios de ouro e as joias embaixo. Tão indecente era sua roupa que o cavaleiro branco parecia desconfortável olhando para ela, mas Hotah aprovou. Nymeria era menos perigosa quando estava quase nua. De outro modo, certamente teria uma dúzia de lâminas ocultas em seu traje. – Sor Gregor era um bruto sanguinário, todos concordavam. Se alguma vez um homem mereceu sofrer, foi ele.

– Isso pode ser assim, minha senhora – disse Balon Swann –, mas Sor Gregor era um cavaleiro, e um cavaleiro deve morrer com a espada na mão. Veneno é uma maneira criminosa e suja de matar.

A Senhora Tyene sorriu daquilo. Seu vestido era creme e verde, com longas mangas de renda, tão modesta e tão inocente que qualquer homem que olhasse para ela poderia pensar que era a mais casta das donzelas. Areo Hotah sabia a verdade. Suas mãos suaves e claras eram tão mortais quanto as mãos calosas de Obara, se não mais. Ele a observava cuidadosamente, alerta a qualquer pequeno movimento de seus dedos.

O Príncipe Doran franziu a testa.

– Isso é verdade, Sor Balon, mas a Senhora Nym está certa. Se alguma vez um homem mereceu morrer gritando, esse foi Gregor Clegane. Ele massacrou minha boa irmã, esmagou a cabeça de seu bebê contra a parede. Eu apenas oro para que agora esteja queimando em algum inferno, e que Elia e seus filhos estejam em paz. Essa era a justiça pela qual Dorne estava faminta. Estou feliz de ter vivido o suficiente para saboreá-la. Finalmente, os Lannister provaram a verdade de suas intenções e pagaram seu débito de sangue.

O príncipe deixou que Ricasso, seu senescal cego, se erguesse e propusesse um brinde.

– Senhores e senhoras, vamos agora beber a Tommen, o Primeiro de Seu Nome, Rei dos Ândalos, dos Roinares e dos Primeiros Homens, e Senhor dos Sete Reinos.

Servos começaram a se mover entre os convidados enquanto o senescal falava, enchendo as taças com os jarros que carregavam. O vinho era um forte dornense, escuro como sangue e doce como a vingança. O capitão não bebeu. Nunca bebia em festas. Nem o próprio príncipe tomou parte. Ele tinha seu próprio vinho, preparado por Meistre Myles e bem misturado com leite de papoula para aliviar a agonia de suas articulações inchadas.

O cavaleiro branco bebeu, embora apenas por cortesia. Seus companheiros, da mesma maneira. O mesmo fez a Princesa Arianne, a Senhora Jordayne, o Senhor da Graçadivina, o Cavaleiro de Limoeiros, a Senhora de Colina Fantasma... até mesmo Ellaria Sand, querida amante do Príncipe Oberyn, que estava com ele em Porto Real quando foi morto. Hotah prestou mais atenção naqueles que não beberam: Sor Daemon Sand, Lord Tremond Gargalen, os gêmeos Fowler, Dagos Manwoody, os Uller da Toca do Inferno, os Wyl do Caminho do Espinhaço. *Se houver algum problema, pode começar com um deles.* Dorne era uma terra zangada e dividida, e a mão do Príncipe Doran não estava tão firme quanto deveria. Muitos de seus próprios senhores o achavam fraco e teriam apoiado uma guerra aberta contra os Lannister e o rei menino no Trono de Ferro.

As líderes entre esses descontentes eram as Serpentes de Areia, filhas bastardas de Oberyn, a Serpente Vermelha, irmão falecido do príncipe. Doran Martell era o mais sábio dos príncipes, e não era função de seu capitão da guarda questionar suas decisões, mas Areo Hotah se perguntava por que decidira soltar as senhoras Obara, Nymeria e Tyene de suas celas solitárias na Torre da Lança.

Tyene declinou o brinde de Ricasso com um murmúrio, e a Senhora Nym com um aceno da mão. Obara deixou que enchessem sua taça até a borda, então despejou o vinho tinto no chão. Quando a serva se ajoelhou para limpar a sujeira, Obara deixou o salão. Depois de um momento, a Princesa Arianne se desculpou e foi atrás dela. *Obara nunca descontaria a raiva na princesinha,* Hotah sabia. *São primas e se amam também.*

A celebração continuou até tarde da noite, presidida pelo crânio sorridente no pilar de mármore negro. Sete pratos foram servidos, em honra aos sete deuses e aos sete irmãos da Guarda Real. A sopa era feita com ovos e limões, as grandes pimentas-verdes, recheadas com queijo e cebola. Havia tortas de lampreia, capões mergulhados no mel, um peixe-gato do fundo do Sangueverde tão grande que foram necessários quatro homens para levá-lo até a mesa. Depois disso, veio um ensopado picante de cobra, com pedaços de sete tipos de cobras cozidos lentamente com pimenta-dragão, laranjas sanguíneas e uma pitada da peçonha para dar uma boa ardência. O ensopado estava pegando fogo, Hotah sabia, embora não tivesse provado. Limonada veio na sequência, para esfriar a língua. Para a sobremesa, cada convidado foi servido com um crânio confeitado em açúcar. Quando a crosta era quebrada, havia um creme doce dentro com pedaços de ameixa e cereja.

A Princesa Arianne retornou no momento das pimentas recheadas. *Minha princesinha,* Hotah pensou, embora Arianne fosse uma mulher agora. As sedas escarlate que usava não deixavam dúvidas sobre isso. Ultimamente, ela mudara de outras maneiras também. Seu plano de coroar Myrcella fora traído e esmagado, seu cavaleiro branco perecera de modo sangrento nas mãos de Hotah, e ela fora confinada à Torre da Lança, condenada à solidão e ao silêncio. Tudo aquilo a castigara. Mas havia algo mais, algum segredo que seu pai lhe confiara antes de libertá-la do confinamento. O que era, o capitão não sabia.

O príncipe colocara a filha entre ele e o cavaleiro branco, um lugar de alta honra. Arianne sorriu, sentou-se novamente e murmurou algo no ouvido de Sor Balon. O cavaleiro optou por não responder. Ele comia pouco, Hotah observou; uma colherada de sopa, uma mordida na pimenta, um pedaço do capão, um pouco de peixe. Afastou a torta de lampreia e experimentou apenas uma pequena colherada do ensopado. Mesmo assim, aquilo fez o suor brotar em sua testa. Hotah simpatizava com essa reação. Quando chegara a Dorne, a comida apimentada amarrava suas entranhas e queimava sua língua. Mas isso fora anos atrás; agora seu cabelo estava branco e era capaz de comer qualquer coisa que os dornenses comessem.

Quando o crânio confeitado foi servido, Sor Balon apertou os lábios e deu ao príncipe um olhar demorado, para ver se estava sendo ridicularizado. Doran Martell não percebeu, mas a filha, sim.

– É uma pequena brincadeira da cozinheira, Sor Balon – disse Arianne. – Nem mesmo a morte é sagrada para os dornenses. Não ficará zangado conosco, espero. – Passou os dedos nas costas da mão do cavaleiro branco. – Espero que tenha apreciado seu tempo em Dorne.

– Todos têm sido muito hospitaleiros, minha senhora.

Arianne tocou no broche que prendia a capa dele, com os cisnes lutando.

– Sempre fui apaixonada por cisnes. Nenhuma outra ave chega à metade da beleza deles neste lado das Ilhas do Verão.

– Seus pavões poderiam questionar isso – disse Sor Balon.

– Poderiam – respondeu Arianne –, mas pavões são criaturas vãs e orgulhosas, exibindo-se em todas aquelas cores berrantes. Dê-me um cisne, sereno em branco, ou lindo em negro.

Sor Balon fez um aceno com a cabeça e tomou um gole de vinho. *Este aí não será seduzido tão facilmente quanto seu Irmão Juramentado*, Hotah pensou. *Sor Arys era um garoto, apesar de seus anos. Este aí é um homem, e cuidadoso.* O capitão tinha apenas que olhar para ele para perceber que o cavaleiro branco estava pouco à vontade. *Este lugar é estranho para ele, e pouco do seu gosto.* Hotah entendia isso. Dorne parecera um lugar esquisito para ele também, assim que chegou aqui com sua própria princesa, havia muitos anos. Os sacerdotes barbados o haviam ensinado a Língua Comum de Westeros antes de enviá-lo para cá, mas todos os dornenses falavam rápido demais para que entendesse. As mulheres dornenses eram muito lascivas, o vinho dornense, muito azedo, e a comida dornense, cheia de estranhas especiarias picantes. E o sol dornense era mais quente do que o pálido sol de Norvos, brilhante em um céu azul dia após dia.

A jornada de Sor Balon fora mais curta, mas perturbadora em sua própria maneira, o capitão sabia. Três cavaleiros, oito escudeiros, vinte homens em armas e diversos cavalariços e servos o acompanhavam de Porto Real, mas uma vez que cruzaram as montanhas para dentro de Dorne, seu progresso fora atrasado por uma rodada de banquetes, caçadas e celebrações em cada castelo que tiveram a chance de passar. E agora que chegava a Lançassolar, nem a Princesa Myrcella nem Sor Arys Oakheart estavam por perto para cumprimentá-lo. *O cavaleiro branco sabe que algo está errado*, Hotah podia afirmar, mas havia algo mais. Talvez a presença das Serpentes de Areia o irritasse. Se fosse isso, o retorno de Obara ao salão só seria vinagre na ferida. Ela voltou ao seu lugar sem uma palavra, e sentou-se carrancuda e mal-humorada, sem sorrir ou conversar.

Já era quase meia-noite quando o Príncipe Doran se virou para o cavaleiro branco e disse:

– Sor Balon, li a carta que trouxe para mim de sua graciosa rainha. Posso presumir que é familiar ao seu conteúdo, sor?

Hotah viu o cavaleiro ficar tenso.

– Sou, meu senhor. Sua Graça me informou que eu poderia ser chamado para escoltar a filha dela de volta a Porto Real. O Rei Tommen está com saudades da irmã e gostaria que a Princesa Myrcella retornasse à corte para uma rápida visita.

A Princesa Arianne fez uma cara triste.

– Oh, mas todos estamos tão apaixonados por Myrcella, sor. Ela e meu irmão Trystane se tornaram inseparáveis.

– O Príncipe Trystane seria bem-vindo em Porto Real também – disse Balon Swann. – O Rei Tommen desejaria conhecê-lo, estou certo disso. Sua Graça tem muito poucas companhias da sua idade.

– Os laços formados na infância podem durar a vida toda – falou o Príncipe Doran. – Quando Trystane e Myrcella se casarem, ele e Tommen serão como irmãos. A Rainha Cersei está certa nisso. Os garotos devem se encontrar, ficar amigos. Dorne sentirá falta dele, estou certo, mas já passou a hora de Trystane ver algo do mundo além das muralhas de Lançassolar.

– Sei que Porto Real o receberá calorosamente.

Por que ele está suando agora?, o capitão se perguntou, observando. *O salão está frio o suficiente, e ele nem tocou no ensopado.*

– Quanto à outra questão que a Rainha Cersei levanta – o Príncipe Doran estava dizendo –, é verdade, o assento de Dorne no pequeno conselho está vazio desde a morte do meu irmão, e já passou o tempo de preenchê-lo novamente. Estou lisonjeado que Sua Graça sinta que meus conselhos lhe possam ser úteis, embora me pergunte se tenho forças suficientes para essa jornada. E se fôssemos por mar?

– De navio? – Sor Balon parecia surpreso. – Isso... seria seguro, meu príncipe? Outono é uma péssima estação para tempestades, pelo que escutei, e... os piratas de Passopedra, eles...

– Os piratas. Certamente. Você pode ter razão, sor. É mais seguro retornar pelo caminho que você veio. – O Príncipe Doran sorriu agradavelmente. – Falaremos sobre isso novamente amanhã. Quando chegarmos aos Jardins das Águas, podemos falar com Myrcella. Sei que ela ficará entusiasmada. Ela sente falta do irmão também, não tenho dúvidas.

– Estou ansioso para vê-la novamente – disse Sor Balon. – E visitar seus Jardins das Águas. Ouvi dizer que são muito bonitos.

– Bonitos e tranquilos – o príncipe respondeu. – Brisas frescas, águas gasosas e o sorriso das crianças. Os Jardins das Águas são meu lugar favorito neste mundo, sor. Um dos meus antepassados o construiu para agradar à sua noiva Targaryen e libertá-la da poeira e do calor de Lançassolar. *Daenerys* era o nome dela. Era irmã do Rei Daeron, o Bom, e foi o casamento dela que garantiu que Dorne fizesse parte dos Sete Reinos. O reino todo sabia que a garota amava o irmão bastardo de Daeron, Daemon Blackfyre, e era amada por ele também, mas o rei foi sábio o bastante para ver que o bem de milhares deveria vir antes do desejo de dois, mesmo que esses dois fossem caros a ele. Foi Daenerys quem encheu os jardins com os risos das crianças. No começo, seus dois filhos, mas depois os filhos e as filhas dos senhores e dos cavaleiros com terras foram trazidos para fazer companhia aos garotos e garotas de sangue principesco. Em um dia de verão, quando estava um calor terrível, ela ficou com pena dos filhos dos criados e dos servos, e os convidou a usar as piscinas e as fontes também, uma tradição que permanece até hoje. – O príncipe segurou as rodas de sua cadeira e afastou-se da mesa. – Mas, agora, deve me dar licença, sor. Toda essa conversa me cansou, e temos que partir ao raiar do dia. Obara, você faria a gentileza de me acompanhar para a cama? Nymeria, Tyene, venham também, e ofereçam ao seu velho tio um amável boa-noite.

Coube a Obara Sand empurrar a cadeira do príncipe do salão de festas de Lançassolar e por uma longa galeria até seu solar. Areo Hotah seguiu com as irmãs dela, juntamente com a Princesa Arianne e Ellaria Sand. Meistre Caleotte corria logo atrás, com suas sandálias, embalando o crânio da Montanha como se fosse um bebê.

– Você não pretende, de verdade, enviar Trystane e Myrcella para Porto Real – Obara disse, enquanto empurrava. Seus passos eram compridos e furiosos, muito rápidos, e as grandes rodas de madeira da cadeira batiam ruidosamente pelo chão de pedra áspera. – Faça isso, e nunca mais veremos a garota, e seu filho passará a vida como refém do Trono de Ferro.

– Você acha que sou tolo, Obara? – O príncipe suspirou. – Há muito que você não sabe. Coisas que não devem ser discutidas aqui, onde qualquer um pode escutar. Se você segurar a língua, posso esclarecê-la. – Fez uma careta. – *Devagar*, pelo amor que tem por mim. Essa última sacudida foi uma facada direto no meu joelho.

Obara diminuiu o ritmo pela metade.

– O que fará, então?

Sua irmã Tyene respondeu.

– O que ele sempre faz – ronronou. – Adiar, confundir, tergiversar. Ah, ninguém faz isso metade tão bem como nosso corajoso tio.

– Estão erradas sobre ele – disse a Princesa Arianne.

– Quietas, todas vocês – o príncipe ordenou.

Somente depois que as portas de seu solar estavam seguramente fechadas, ele virou a cadeira para encarar as mulheres. Mesmo esse esforço o deixou sem ar, e o cobertor de Myr que cobria suas pernas ficou preso entre dois aros da roda, então ele teve que parar para impedir que caísse. Sob o cobertor, suas pernas estavam pálidas, moles, assustadoras. Os dois joelhos estavam vermelhos e inchados, e os dedos dos pés estavam quase roxos, duas vezes o tamanho que deviam ter. Areo Hotah vira-os milhares de vezes e ainda achava difícil olhar para eles.

A Princesa Arianne se adiantou.

– Deixe-me ajudá-lo, pai.

O príncipe puxou o cobertor, para soltá-lo.

– Ainda posso controlar meu próprio cobertor. Pelo menos isso. – Era muito pouco. Suas pernas estavam inutilizadas havia três anos, mas ainda tinha alguma força nas mãos e nos ombros.

– Devo buscar para meu príncipe um dedal de leite de papoula? – Meistre Caleotte perguntou.

– Eu precisaria de um balde, com esta dor. Obrigado, mas não. Quero manter o juízo. Não precisarei mais de você esta noite.

– Muito bem, meu príncipe. – Meistre Caleotte fez uma reverência, com a cabeça de Sor Gregor ainda entre suas suaves mãos rosadas.

– Ficarei com isto. – Obara Sand arrancou o crânio dele e segurou-o com os braços estendidos. – Como a Montanha se parecia? Como sabemos que este é ele? Eles podiam tê-lo mergulhado no alcatrão. Por que limpar até o osso?

– Alcatrão teria estragado a caixa – sugeriu a Senhora Nym, enquanto Meistre Caleotte saía do quarto. – Ninguém viu Montanha morrer, e ninguém viu sua cabeça ser removida. Isso me incomoda, confesso, mas o que aquela rainha vadia esperaria conseguir nos enganando? Se Gregor Clegane está vivo, cedo ou tarde a verdade virá. O homem tem dois metros e meio de altura, não há outro como ele em toda Westeros. Se algo assim aparecesse novamente, Cersei Lannister seria exposta como mentirosa diante de todos os Sete Reinos. Ela seria uma completa idiota em se arriscar assim. O que poderia esperar ganhar?

– O crânio é grande o bastante, sem dúvida – disse o príncipe. – E nós sabemos que Oberyn feriu Gregor seriamente. Cada notícia que tivemos a partir daí afirma que Clegane morreu lentamente, em grande dor.

– Assim como o pai pretendia – falou Tyene. – Irmãs, na verdade, conheço o veneno que o pai usou. Se a lança dele apenas raspou na pele da Montanha, Clegane está morto, não importa o quão grande fosse. Duvidem de sua irmãzinha, se quiserem, mas nunca duvidem do nosso pai.

Obara se eriçou.

– Nunca duvidei e nunca duvidarei. – Ela deu um beijo zombeteiro no crânio. – Isto é um começo, admito.

– Um *começo?* – perguntou Ellaria Sand, incrédula. – Que os deuses impeçam isso. Deveria ser um fim. Tywin Lannister está morto. Assim como Robert Baratheon, Amory Lorch e, agora, Gregor Clegane, todos aqueles que tinham uma mão no assassinato de Elia e seus filhos. Até mesmo Joffrey, que nem tinha nascido quando Elia morreu. Vi o garoto perecer com meus próprios olhos, arranhando a garganta enquanto tentava respirar. Quem mais há para matar? Myrcella e Tommen precisam morrer para que as sombras de Rhaenys e Aegon possam descansar? Onde isso termina?

– Termina em sangue, como começou – falou a Senhora Nym. – Termina quando Rochedo Casterly estiver rachado e aberto, para que o sol possa brilhar nos vermes e nas larvas dentro dele. Termina com a completa ruína de Tywin Lannister e todas as suas obras.

– O homem morreu pelas mãos do próprio filho – Ellaria retrucou. – O que mais você poderia desejar?

– Poderia desejar que tivesse morrido pelas *minhas* mãos. – A Senhora Nym sentou-se em uma cadeira, a longa trança negra caindo por sobre um ombro até o colo. Tinha o bico de viúva de seu pai. Embaixo, os olhos eram grandes e brilhantes. Os lábios vermelho-vinho se curvaram em um sorriso sedoso. – Se tivesse, sua morte não teria sido tão fácil.

– Sor Gregor parece solitário – disse Tyene, em sua doce voz de septã. – Ele gostaria de alguma companhia, estou certa.

O rosto de Ellaria estava coberto de lágrimas, os olhos escuros brilhavam. *Mesmo chorando, há força nela,* o capitão pensou.

– Oberyn queria vingança por Elia. Agora vocês três querem vingança por ele. Tenho quatro filhas, recordo vocês. Suas irmãs. Minha Elia tem catorze, quase uma mulher. Obella tem doze, à beira de florescer. Elas veneram vocês, como Dorea e Loreza veneram elas. Se vocês morrerem, Ela e Obella devem buscar vingança por vocês, e então Dorea e Loreza por elas? E isso seguirá assim, para sempre? Pergunto novamente, *onde isso termina?* – Ellaria Sand colocou a mão na cabeça da Montanha. – Vi o pai de vocês morrer. Aqui está seu assassino. Posso levar um crânio para a cama, comigo, para me dar conforto à noite? Ele me fará rir, me escreverá canções, cuidará de mim quando eu estiver velha e doente?

– E o que devemos fazer, minha senhora? – perguntou a Senhora Nym. – Devemos baixar nossas lanças, sorrir e esquecer todo o mal que nos foi feito?

– A guerra virá, quer queiramos, quer não – disse Obara. – Um rei garoto se senta no Trono de Ferro. Lorde Stannis mantém a Muralha e reúne os nortenhos à sua causa. As duas rainhas disputam Tommen como cadelas brigam por um osso suculento. Os homens de ferro tomaram os Escudos e avançam pelo Vago, para dentro do coração da Campina, o que significa que Jardim de Cima estará preocupado também. O tempo é maduro.

– Maduro para quê? Para conseguir mais crânios? – Ellaria Sand se virou para o príncipe. – Elas não enxergam. Não posso mais ouvir isso.

– Volte para suas garotas, Ellaria – o príncipe lhe respondeu. – Juro a você que nenhum mal virá sobre elas.

– Meu príncipe. – Ellaria o beijou na testa e saiu. Areo Hotah ficou triste em vê-la partir. *É uma boa mulher.*

Quando ela se foi, a Senhora Nym disse:

– Sei que ela amava nosso pai também, mas é claro que nunca o compreendeu.

O príncipe lhe deu um olhar curioso.

– Ela o compreendeu mais do que você jamais compreenderia, Nymeria. E fez seu pai feliz. No fim, um coração gentil pode ter mais valor do que orgulho ou valentia. Seja como for. Há coisas que Ellaria não sabe e não deve saber. Esta guerra já começou.

Obara riu.

– Sim, nossa doce Arianne providenciou isso.

A princesa corou, e Hotah viu um espasmo de raiva atravessar o rosto do pai dela.

– O que ela fez, fez tanto por você quanto por si mesma. Eu não seria tão rápido em zombar.

– Isso foi um elogio – Obara Sand insistiu. – Procrastinar, confundir, tergiversar, dissimular e atrasar como você gosta, tio, e Sor Balon ainda vai se encontrar cara a cara com Myrcella nos Jardins das Águas e, quando isso acontecer, ele verá que ela perdeu uma orelha. E quando a garota contar para ele como seu capitão cortou Arys Oakheart do pescoço à virilha com aquela sua esposa de aço, bem...

– Não. – A Princesa Arianne se ergueu da almofada em que estava sentada e colocou uma mão no braço de Hotah. – Não foi assim que aconteceu, prima. Sor Arys foi morto por Gerold Dayne.

As Serpentes de Areia olharam umas para as outras.

– A Estrela Negra?

– Estrela Negra fez isso – sua princesinha disse. – Tentou matar a Princesa Myrcella também. Como ela contará a Sor Balon.

Nym sorriu

– Essa parte, pelo menos, é verdade.

– É tudo verdade – disse o príncipe, com uma careta de dor. *É a gota que o machuca, ou a mentira?* – E agora Sor Gerold voltou para o Alto Ermitério, além do nosso alcance.

– Estrela Negra – Tyene murmurou, com uma risadinha. – Por que não? Foi tudo coisa dele. Mas Sor Balon acreditará nisso?

– Acreditará se ouvir de Myrcella – Arianne insistiu.

Obara bufou em descrença.

– Ela pode mentir hoje e mentir amanhã, mas cedo ou tarde contará a verdade. Se Sor Balon tiver permissão de levar essa fábula de volta a Porto Real, tambores soarão e sangue correrá. Ele não deve ter permissão de partir.

– Poderíamos matá-lo, certamente – falou Tyene –, mas então precisaríamos matar o restante de sua comitiva, incluindo aqueles jovens e doces escudeiros. Isso seria... oh, tão bagunçado.

O Príncipe Doran fechou os olhos e abriu-os novamente. Hotah podia ver a perna dele tremendo sob o cobertor.

– Se vocês não fossem filhas do meu irmão, eu enviaria as três de volta para as celas e as deixaria lá até seus ossos ficarem cinza. Em vez disso, pretendo levá-las conosco para os Jardins das Águas. Há lições a serem aprendidas lá, se forem perspicazes para notá-las.

– Lições? – disse Obara. – Tudo o que vejo são crianças nuas.

– Sim – o príncipe respondeu. – Eu contei a história para Sor Balon, mas não toda ela. Enquanto as crianças espalhavam água nas piscinas, Daenerys observava por entre as laranjeiras, e uma percepção veio até ela. Ela não era capaz de dizer quem era de alto nascimento e quem era de baixo. Nus, eram apenas crianças. Todos inocentes, todos vulneráveis, todos merecedores de uma vida longa, de amor e proteção. *Aqui está seu reino*, disse para seu filho e herdeiro, *lembre-se dessas crianças, em tudo o que fizer*. Minha própria mãe disse essas mesmas palavras para mim quando eu fiquei velho o bastante para deixar as piscinas. É uma coisa fácil para um príncipe reunir as lanças, mas, no final, as crianças pagam o preço. Pela segurança delas, o príncipe sábio não promoverá nenhuma guerra sem uma boa causa, nem uma guerra que não possa esperar vencer. Não sou cego, nem surdo. Sei que vocês acreditam que sou fraco, assustado, débil. O pai de vocês me conhecia melhor. Oberyn sempre foi a víbora. Mortal, perigoso, imprevisível. Nenhum homem ousava pisar nele. Eu era a grama. Agradável, complacente, de doce odor, balançando a cada brisa. Quem teme pisar na grama? Mas é a grama que esconde a víbora de seus inimigos e a protege até que ela ataque. O pai de vocês e eu trabalhamos muito juntos, vocês sabem... mas agora ele se foi. A questão é: posso confiar nas filhas dele para que me sirvam em seu lugar?

Hotah estudou uma delas de cada vez. Obara, tachas enferrujadas e couro cozido, com sua raiva, seus olhos próximos e o cabelo marrom-rato. Nymeria, lânguida, elegante, pele clara, o longo cabelo em uma trança atada com um fio de ouro vermelho. Tyene, olhos azuis e loira, uma menina-mulher com suas mãos suaves e seus sorrisinhos.

Tyene respondeu pelas três.

– Isso não é nada difícil, tio. Dê-nos uma tarefa, qualquer tarefa, e descobrirá que somos tão leais e obedientes quanto qualquer príncipe poderia esperar.

– Isso é bom de ouvir – o príncipe disse –, mas palavras são vento. Vocês são filhas do meu irmão e eu as amo, mas aprendi a não confiar em vocês. Quero seus juramentos. Juram me servir, fazer o que eu ordenar?

– Se devemos – disse a Senhora Nym.

– Então jurem agora, sobre o túmulo do pai de vocês.

O rosto de Obara ficou sombrio.

– Se você não fosse meu tio...

– Sou seu tio. E seu príncipe. Jure, ou vá embora.

– Juro – disse Tyene. – Sobre o túmulo do meu pai.

– Juro – falou a Senhora Nym. – Por Oberyn Martell, a Víbora Vermelha de Dorne e um homem melhor do que você.

– Sim – disse Obara. – Eu também. Pelo pai. Juro.

Alguma da tensão deixou o príncipe. Hotah o viu recostar-se na cadeira. Estendeu a mão e a Princesa Arianne foi até o lado dele, segurá-la.

– Conte para elas, pai.

O Príncipe Doran respirou de modo irregular.

– Dorne ainda tem amigos na corte. Amigos que nos contam coisas que não deveríamos saber. Este convite que Cersei nos enviou é um ardil. Trystane nunca chegará a Porto Real. No caminho de volta, em algum lugar da estrada do rei, a comitiva de Sor Balon será atacada por fora da lei, e meu filho morrerá. Fui chamado à corte apenas para que possa testemunhar o ataque com meus próprios olhos e, desse modo, inocentar a rainha de qualquer culpa. Oh, e esses fora da lei? Eles estarão gritando "Meio-Homem, Meio-Homem", enquanto atacam. Sor Balon pode até mesmo ter um vislumbre rápido do Duende, embora ninguém mais possa.

Areo Hotah não acreditava ser possível chocar as Serpentes de Areia. Ele estivera errado.

– Que os Sete nos salvem – sussurrou Tyene. – *Trystane?* Por quê?

– A mulher deve estar louca – disse Obara. – Ele é apenas um garoto.

– Isso é monstruoso – falou a Senhora Nym. – Eu não teria acreditado nisso, não de um cavaleiro da Guarda Real.

– Eles são jurados a obedecer, assim como meu capitão – o príncipe disse. – Tinha minhas dúvidas, também, mas todas vocês viram como Sor Balon empacou quando sugeri que fôssemos por mar. Um navio atrapalharia todos os arranjos da rainha.

O rosto de Obara estava corado.

– Devolva-me minha lança, tio. Cersei nos mandou uma cabeça. Devemos devolver um saco cheio para ela.

O Príncipe Doran ergueu a mão. Suas juntas estavam tão escuras quanto cerejas e quase tão grandes quanto.

– Sor Balon é um convidado sob meu teto. Comeu do meu pão e sal. Não vou machucá-lo. Não. Ele viajará até os Jardins das Águas, onde escutará a história de Myrcella e mandará um corvo para sua rainha. A garota pedirá para ele machucar o homem que a machucou. Se é o homem que julgo, Swann não será capaz de negar. Obara, você o levará até o Alto Ermitério para enfrentar a Estrela Negra em sua toca. O tempo ainda não chegou para Dorne desafiar abertamente o Trono de Ferro, então devemos devolver Myrcella para a mãe, mas eu não a acompanharei. Essa tarefa será sua, Nymeria. Os

Lannister não gostarão disso, não mais do que gostaram quando enviei Oberyn, mas não ousarão recusar. Precisamos de uma voz no conselho, um ouvido na corte. Seja cuidadosa, no entanto. Porto Real é um poço de cobras.

A Senhora Nym sorriu.

– Por que, tio, eu amo cobras.

– E quanto a mim? – perguntou Tyene.

– Sua mãe era uma septã. Oberyn uma vez me disse que ela lia a *Estrela de Sete Pontas* para você, no berço. Quero você em Porto Real, também, mas em outra colina. As Espadas e as Estrelas foram reformadas, e este novo Alto Septão não é uma marionete como os outros. Tente se aproximar dele.

– Por que não? O branco é a minha cor. Pareço tão... pura.

– Bom – disse o príncipe –, bom. – Hesitou. – Se... se certas coisas vierem a acontecer, enviarei notícias para cada uma de vocês. As coisas podem mudar rapidamente no jogo dos tronos.

– E sei que não falharão conosco, primas. – Arianne foi até cada uma delas, pegou suas mãos, beijou-as delicadamente nos lábios. – Obara, tão feroz. Nymeria, minha irmã. Tyene, querida. Amo todas vocês. Que o sol de Dorne as acompanhe.

– *Insubmissos, não curvados, não quebrados* – as Serpentes de Areia disseram, juntas.

A Princesa Arianne ficou quando suas primas partiram. Areo Hotah permaneceu também, como era seu lugar.

– Elas são filhas de seu pai – o príncipe disse.

A princesinha sorriu.

– Três Oberyns, com tetas.

O Príncipe Doran riu. Fazia tanto tempo desde a última vez que Hotah o ouvira rir, que quase esquecera como soava.

– Ainda acho que deveria ser eu a ir para Porto Real, não a Senhora Nym – Arianne falou.

– É muito perigoso. Você é minha herdeira, o futuro de Dorne. Seu lugar é ao meu lado. Logo você terá outra tarefa.

– Aquela última parte, sobre a mensagem. Você teve notícias?

O Príncipe Doran compartilhou seu sorriso secreto com ela.

– De Lys. Uma grande frota foi para o mar. Navios volantinos, principalmente, carregando um exército. Nenhuma palavra sobre quem são eles, ou onde devem chegar. Falaram sobre elefantes.

– Não dragões?

– Elefantes. É bastante fácil esconder um jovem dragão no porão de um navio, contudo. Daenerys é mais vulnerável no mar. Se eu fosse ela, manteria a mim e às minhas intenções ocultas o máximo possível, então poderia tomar Porto Real de surpresa.

– Acha que Quentyn pode estar com eles?

– Pode estar. Ou não. Só saberemos quando chegarem a terra firme, se Westeros for realmente seu destino. Quentyn a trará pelo Sangueverde, se puder. Mas não é bom falar disso. Beije-me. Partiremos para os Jardins das Águas com a primeira luz.

Devemos partir ao meio-dia, então, Hotah pensou.

Mais tarde, quando Arianne havia ido, ele deixou seu machado longo de lado e carregou o Príncipe Doran para a cama.

– Até a Montanha esmagar o crânio do meu irmão, nenhum dornense havia morrido nesta Guerra dos Cinco Reis – o príncipe sussurrou suavemente, enquanto Hotah puxava um cobertor sobre ele. – Diga-me, capitão, isto é minha vergonha ou minha glória?

– Isso não é para eu dizer, meu príncipe. – *Servir. Proteger. Obedecer. Votos simples para homens simples.* Isso era tudo o que ele sabia.

Jon

Val esperava no portão, no frio da madrugada, enrolada em uma capa de pele de urso tão grande que poderia servir para Sam. Ao seu lado estava um garrano, selado e com freios, um cinza hirsuto com apenas um olho. Mully e Edd Doloroso estavam parados com ela, um par improvável de guardas. Suas respirações congelavam no ar frio e negro.

– Deu a ela um cavalo cego? – perguntou Jon, incrédulo.

– É apenas meio cego, senhor – respondeu Mully. – E, além disso, é sólido o suficiente. – Deu um tapinha no pescoço do garrano.

– O cavalo pode ser meio cego, mas eu não sou – disse Val. – Sei aonde devo ir.

– Minha senhora, você não tem que fazer isso. O risco...

– ... é meu, Lorde Snow. E não sou uma senhora sulista, mas uma mulher do povo livre. Conheço a floresta melhor do que todos os seus patrulheiros de manto negro. Ela não tem fantasmas para mim.

Espero que não. Jon contava com isso, acreditando que Val poderia ter êxito onde Jack Negro Bulwer e seus companheiros falharam. Ela não precisava ter medo de ser ferida pelo povo livre, ele esperava... mas ambos sabiam muito bem que os selvagens não eram os únicos esperando na mata.

– Tem comida suficiente?

– Pão duro, queijo duro, bolos de aveia, bacalhau salgado, carne seca, cordeiro salgado, e um odre de vinho doce para lavar todo o sal da minha boca. Não morrerei de fome.

– Então é hora de partir.

– Tem minha palavra, Lorde Snow. Retornarei com Tormund ou sem ele. – Val olhou o céu. A lua estava meio cheia. – Procure por mim no primeiro dia da lua cheia.

– Procurarei. – *Não falhe comigo,* pensou, *ou Stannis terá minha cabeça.* "Tenho sua palavra de que manterá nossa princesa por perto?", o rei dissera, e Jon prometera que sim. *Mas Val não é nenhuma princesa. Disse isso a ele meia centena de vezes.* Era uma desculpa fraca, um triste farrapo enrolado em sua palavra quebrada. Seu pai nunca teria aprovado aquilo. *Sou a espada que guarda os reinos dos homens,* Jon recordou-se, *no fim, isso deve valer mais do que a honra de um homem.*

O caminho por baixo da Muralha era escuro e frio como as entranhas de um dragão de gelo, e sinuoso como uma serpente. Edd Doloroso os guiou com uma tocha na mão. Mully tinha as chaves dos três portões, onde barras de ferro negro, tão grossas quanto o braço de um homem, fechavam a passagem. Lanceiros em cada um dos portões inclinaram as cabeças para Jon Snow, mas encararam abertamente Val em seu garrano.

Quando saíram ao norte da Muralha, passando por um grosso portão feito de madeira verde recém-cortada, a princesa selvagem parou por um momento para olhar pelo campo coberto de neve onde o Rei Stannis vencera sua batalha. Logo além, a floresta assombrada aguardava, escura e silenciosa. A luz da meia-lua transformou o cabelo loiro-mel de Val em prata-claro e deixou seu rosto tão branco quanto neve. Ela respirou profundamente.

– O ar tem gosto doce.

– Minha língua é insensível demais para dizer. Tudo o que sinto é frio.

– Frio. – Val deu uma risada leve. – Não. Quando está frio, dói para respirar. Quando os Outros vêm...

O pensamento era inquietante. Seis dos patrulheiros que Jon enviara ainda estavam perdidos. *É muito cedo. Eles podem estar voltando.* Mas outra parte dele insistia, *Estão mortos, todos eles. Você os mandou para a morte, e está fazendo o mesmo com Val.*

– Diga para Tormund o que eu lhe disse.

– Ele pode não prestar atenção às suas palavras, mas as ouvirá. – Val o beijou suavemente no rosto. – Tem minha gratidão, Lorde Snow. Pelo cavalo meio cego, pelo peixe salgado, pelo ar fresco. Pela esperança.

Suas respirações se misturaram, uma névoa branca no ar. Jon Snow se afastou e disse:

– O único agradecimento que quero é...

– Tormund Terror dos Gigantes. Sim. – Val puxou o capuz de sua pele de urso. A pelagem marrom estava salpicada de cinza. – Antes que eu vá, uma pergunta. Você matou Jarl, meu senhor?

– A Muralha matou Jarl.

– Foi o que ouvi dizer. Mas precisava ter certeza.

– Tem minha palavra. Não o matei. – *Embora pudesse ter matado, se as coisas tivessem sido diferentes.*

– Esta é a despedida, então – ela disse, quase brincando.

Jon não estava no clima para isso. *Está muito frio e muito escuro para brincar, e já está muito tarde.*

– Apenas por algum tempo. Você voltará. Pelo menino, se não por outra razão.

– O filho de Craster? – Val deu de ombros. – Ele não é meu parente.

– Eu ouvi você cantando para ele.

– Estava cantando para mim mesma. Tenho culpa se ele ouve? – Um leve sorriso roçou seus lábios. – Isso o faz rir. Oh, está bem. Ele é um monstrinho querido.

– Monstro?

– Seu nome de leite. Tenho que chamá-lo de alguma coisa. Assegure-se de que esteja protegido e aquecido. Pelo bem da mãe dele, e pelo meu. E o mantenha longe da mulher vermelha. Ela sabe quem ele é. Ela vê coisas nas chamas.

Arya, ele pensou, esperando que fosse assim.

– Cinzas e brasas.

– Reis e dragões.

Dragões novamente. Por um momento, Jon quase os viu também, serpenteando na noite, suas sombras escuras delineadas contra um mar de chamas.

– Se ela soubesse, teria tirado o bebê de nós. O garoto de Goiva, não seu monstro. Uma palavra no ouvido do rei teria sido o fim disso. – *E o meu. Stannis teria considerado isso traição.* – Por que deixar acontecer, se ela sabia?

– Porque convinha a ela. O fogo é uma coisa inconstante. Ninguém sabe o caminho que uma chama vai percorrer. – Val colocou um pé no estribo, balançou a perna sobre o dorso do cavalo e, já na sela, olhou para baixo. – Você se lembra do que minha irmã disse?

– Sim. – *Uma espada sem um cabo, sem uma maneira segura de segurá-la.* Mas Melisandre estava certa. Mesmo uma espada sem cabo era melhor do que uma mão vazia quando os inimigos estão ao seu redor.

– Bom. – Val virou o garrano na direção norte. – A primeira noite de lua cheia, então.

Jon a observou se afastar, sem saber se veria o rosto dela novamente. *Não sou uma senhora do Sul,* podia ouvi-la dizer, *mas uma mulher do povo livre.*

– Não me importa o que ela diz – resmungou Edd Doloroso, enquanto Val desaparecia atrás de uma fileira de pinheiros marciais. – O ar está tão frio que dói respirar. Eu pararia, mas doeria mais. – Esfregou as mãos. – Isso vai terminar mal.

– Você diz isso de tudo.

– Sim, meu senhor. Normalmente estou certo.

Mully limpou a garganta.

– Senhor? A princesa selvagem, deixar ela ir, os homens podem falar...

– ... que eu sou meio-selvagem também, um vira-casaca que pretende vender o reino para nossos corsários, canibais ou gigantes. – Jon não precisava ficar parado na frente de uma fogueira para saber o que começavam a falar sobre ele. A pior parte era que não estavam errados, não completamente. – Palavras são vento, e o vento está sempre soprando na Muralha. Vamos.

Ainda estava escuro quando Jon voltou para seus aposentos atrás do arsenal. Reparou que Fantasma ainda não retornara. *Ainda caçando.* O grande lobo gigante branco estava mais ausente do que presente ultimamente, indo cada vez mais longe em busca de presas. Entre os homens da Patrulha e os selvagens em Vila Toupeira, as colinas e os campos próximos a Castelo Negro já não tinham mais caça e havia pouco passatempo por ali. *O inverno está chegando,* refletiu Jon. *E logo, tão logo.* Ele se perguntava se chegariam a ver uma primavera.

Edd Doloroso fez uma visita às cozinhas, e logo estava de volta com uma caneca de cerveja marrom e um prato coberto. Sob a tampa, Jon descobriu três ovos de pata fritos, uma fatia de toicinho, duas salsichas, um chouriço e metade de um pão ainda quente do forno. Comeu o pão e metade de um ovo. Teria comido o toicinho, também, mas o corvo fugiu com ele antes que tivesse chance.

– Ladrão – reclamou Jon, enquanto a ave voava até o lintel sobre a porta para devorar seu prêmio.

Ladrão, a ave concordou.

Jon experimentou um pedaço de salsicha. Estava lavando o gosto da boca com um gole de cerveja, quando Edd voltou para dizer que Bowen Marsh estava do lado de fora.

– Othell está com ele, e o Septão Cellador.

Isso foi rápido. Perguntava-se quem estaria contando histórias, e se havia mais de um.

– Mande-os entrar.

– Sim, meu senhor. Mas é bom ter cuidado com suas salsichas com esse pessoal. Eles têm um olhar faminto.

"Faminto" não era a palavra que Jon teria usado. Septão Cellador parecia confuso, cambaleante e na extrema necessidade de algumas escamas de dragão que o inflamasse, enquanto o Primeiro Construtor Othell Yarwyck parecia que tinha engolido algo que não conseguia digerir. Bowen Marsh estava zangado. Jon podia ver em seus olhos, na boca apertada, no rubor das bochechas. *Esse vermelho não é do frio.*

– Por favor, sentem-se – disse. – Posso oferecer-lhes comida ou bebida?

– Quebramos nosso jejum no salão comum – disse Marsh.

– Posso comer mais. – Yarwyck soltou-se em uma cadeira. – Bom que tenha oferecido.

– Talvez um pouco de vinho? – disse o Septão Cellador.

Grão, gritou a ave de cima do lintel. *Grão, grão.*

– Vinho para o septão e um prato para nosso Primeiro Construtor – Jon pediu para Edd Doloroso. – Nada para a ave. – Virou-se para seus visitantes. – Estão aqui por causa de Val.

– E outros assuntos – disse Bowen Marsh. – Os homens estão preocupados, meu senhor.

E quem o escolheu para falar por eles?

– Assim como eu. Othell, como vai o trabalho em Fortenoite? Recebi uma carta de Sor Axell Florent, que se autodenomina Mão da Rainha. Ele diz que a Rainha Selyse não está satisfeita com seus alojamentos em Atalaialeste do Mar e deseja mudar-se para a nova propriedade de seu marido de uma vez. Isso será possível?

Yarwyck deu de ombros.

– Temos a maior parte da fortaleza restaurada e colocamos telhado nas cozinhas. Ela precisará de comida, mobílias e lenha, note bem, mas deve servir. Não há tanto conforto quanto em Atalaialeste, certamente. E um longo caminho desde os navios, se Sua Graça desejar deixar-nos, mas... sim, ela poderia viver lá, embora possa levar anos até que o lugar pareça realmente um castelo. Seria mais rápido se tivéssemos mais construtores.

– Posso lhe oferecer um gigante.

Aquilo deu um susto em Othell.

– O monstro no pátio?

– O nome dele é Wun Weg Wun Dar Wun, Couros me contou. O suficiente para dar um nó na língua, eu sei. Couros o chama de Wun Wun, e parece funcionar. – Wun Wun era muito pouco parecido com os gigantes dos contos da Velha Ama, aquelas imensas criaturas selvagens que misturavam sangue ao mingau matutino e devoravam touros inteiros, com pelos, couro e chifres. Este gigante não comia nenhum tipo de carne, embora fosse um verdadeiro terror quando lhe serviam uma cesta de raízes, triturando cebolas e nabos, e até mesmo duros rabanetes crus entre seus grandes dentes quadrados. – Ele é um trabalhador disposto, ainda que fazê-lo entender o que se quer nem sempre seja fácil. Ele fala a Língua Antiga, depois de uma adaptação, mas nada da Língua Comum. Mas é incansável, e sua força é prodigiosa. Ele poderia fazer o trabalho de uma dúzia de homens.

– Eu... meu senhor, os homens nunca... gigantes comem carne humana, acho... não, meu senhor, agradeço, mas não teria homens para vigiar tal criatura, ele...

Jon não estava surpreso.

– Como desejar. Manteremos o gigante aqui. – Verdade seja dita, teria detestado se separar de Wun Wun. *Você não sabe nada, Jon Snow*, Ygritte poderia dizer, mas Jon conversava com o gigante sempre que podia, através de Couros ou de alguém do povo livre que trouxera do bosque, e estava aprendendo muito e ainda mais sobre seu povo e sua história. Ele só queria que Sam estivesse aqui para escrever tudo aquilo.

Isso não queria dizer que estivesse cego para o perigo que Wun Wun representava. O gigante atacaria violentamente se ameaçado, e aquelas mãos imensas podiam rasgar um homem em pedaços. Ele fazia Jon se lembrar de Hodor. *Hodor era duas vezes maior, duas vezes mais forte e metade esperto. Eis um pensamento que deixaria sóbrio até Septão Cellador. Mas se Tormund tiver gigantes, Wun Weg Wun Dar Wun pode nos ajudar a lidar com eles.*

O corvo de Mormont resmungou sua impaciência quando a porta se abriu sob ele, anunciando o retorno de Edd Doloroso com um jarro de vinho e um prato de ovos e salsichas. Bowen Marsh aguardava com impaciência óbvia enquanto Edd servia, retomando o assunto apenas quando ele partiu novamente.

– Tollet é um bom homem, e muito querido, e Emmett de Ferro tem sido um bom mestre em armas – disse, então. – Mesmo assim, dizem que você pretende mandá-los embora.

– Precisaremos de bons homens em Monte Longo.

– O Buraco da Puta, os homens começaram a chamar a fortaleza – disse Marsh –, mas que seja. É verdade que pretende substituir Emmett por esse feroz Couros como nosso mestre em armas? Este é um posto mais reservado para cavaleiros, ou patrulheiros, ao menos.

– Couros *é* feroz – Jon concordou suavemente. – Posso atestar isso. Eu o testei no treino do pátio. É tão perigoso com um machado de pedra quanto a maioria dos cavaleiros são com o aço forjado nos castelos. Garanto para você, ele não é tão paciente quanto eu gostaria, e alguns dos rapazes se sentem aterrorizados por ele... mas isso não é de todo mau. Um dia, eles se encontrarão em uma luta real, e uma certa familiaridade com o terror lhes servirá bem.

– Ele é um *selvagem*.

– Era, até dizer as palavras. Agora, é nosso irmão. Um que pode ensinar aos rapazes mais do que esgrima. Ninguém vai se machucar em aprender com ele algumas palavras na Língua Antiga, ou alguma coisa dos costumes do povo livre.

Livre, o corvo resmungou. *Grão. Rei.*

– Os homens não confiam nele.

Quais homens? Jon poderia ter perguntado. *Quantos?* Mas isso o levaria por um caminho que não queria trilhar.

– Sinto ouvir isso. Há mais algo?

Septão Cellador falou.

– Esse rapaz, Cetim. Dizem que você pretende torná-lo seu intendente e escudeiro, no lugar de Tollett. Meu senhor, o garoto é um prostituto... um... ouso dizer... um sodomita pintado dos bordéis de Vilavelha.

E você é um bêbado.

– O que ele era em Vilavelha não nos diz respeito. Ele aprende rápido e é muito esperto. Os outros recrutas começaram desprezando-o, mas ele os conquistou e fez amizade com todos. É destemido em uma luta, e consegue até ler e escrever após algum treino. Deverá ser capaz de buscar minhas refeições e selar meu cavalo, não acha?

– Como a maioria – disse Bowen Marsh, rosto endurecido –, mas os homens não gostam disso. Tradicionalmente, os escudeiros do senhor comandante são rapazes de bom nascimento que são treinados para o comando. Meu senhor acredita que os homens da Patrulha da Noite seguirão um puto para a batalha?

O temperamento de Jon se inflamou.

– Já seguiram piores. O Velho Urso deixou para seu sucessor algumas notas de advertência sobre certos homens. Temos um cozinheiro na Torre Sombria que apreciava estuprar septãs. Queimava uma estrela de sete pontas em sua própria carne para cada uma que reivindicava. Seu braço esquerdo é coberto de estrelas do pulso ao cotovelo, e estrelas marcam suas panturrilhas também. Em Atalaialeste temos um homem que colocou fogo na casa do pai e trancou a porta. A família inteira morreu queimada, todos os nove. O que quer que Cetim tenha feito em Vilavelha, ele é nosso irmão agora, e *será* meu escudeiro.

Septão Cellador tomou um pouco de vinho. Othell Yarwyck espetou uma salsicha com sua adaga. Bowen Marsh ficou sentado, com o rosto vermelho. O corvo bateu as asas e disse: *Grão, grão, morte*. Finalmente, o Senhor Intendente limpou a garganta.

– Sua senhoria sabe o que faz, tenho certeza. Posso perguntar sobre esses cadáveres nas celas de gelo? Eles deixam os homens inquietos. E mantê-los *sob guarda*? Certamente é um desperdício de dois bons homens, a menos que tema que eles...

– ... se levantem? Rezo para que sim.

Septão Cellador empalideceu.

– Sete, salvem-nos. – O vinho escorreu em seu queixo, em uma linha vermelha. – Senhor comandante, criaturas são seres monstruosos, não naturais. Abominações diante dos olhos dos deuses. Você... você não pode pretender tentar *falar* com eles?

– Eles podem falar? – perguntou Jon Snow. – Acho que não, mas não posso afirmar saber. Podem ser monstros, mas foram homens antes de morrer. Quanto restou? Aquele que matei tinha a intenção de assassinar o Senhor Comandante Mormont. Claramente se lembrava quem ele era e onde encontrá-lo. – Meistre Aemon teria apoiado seu propósito, Jon não duvidava; Sam Tarly teria ficado horrorizado, mas teria entendido, também. – O senhor meu pai costumava dizer que um homem deve conhecer seus inimigos. Entendemos pouco sobre as criaturas, e menos ainda sobre os Outros. Precisamos aprender.

Aquela resposta não agradou a nenhum deles. Septão Cellador segurou o cristal que pendia em seu pescoço e disse:

– Acho isso muito insensato, Lorde Snow. Rezarei para que a Velha levante sua lanterna e leve-o pelo caminho da sabedoria.

A paciência de Jon Snow estava esgotada.

– Todos poderíamos aproveitar um pouco mais de sabedoria, tenho certeza. – *Você não sabe nada, Jon Snow*. – Agora, vamos falar sobre Val?

– É verdade, então? – disse Marsh. – Você a libertou.

– Para lá da Muralha.

Septão Cellador puxou a respiração.

– O prêmio do rei. Sua Graça ficará muito indignado quando descobrir que ela se foi.

– Val retornará. – *Antes de Stannis, se os deuses forem bons.*

– Como sabe? – perguntou Bowen Marsh.

– Ela disse que voltaria.

– E se ela mentiu? E se ela se encontrar com alguma desventura?

– Bem, então você terá a chance de escolher um senhor comandante mais do seu agrado. Até lá, temo que terá que sofrer comigo. – Jon tomou um gole de cerveja. – Eu a mandei em busca de Tormund Terror dos Gigantes, para levar a ele minha oferta.

– Se podemos saber, que oferta é essa?

– A mesma oferta que fiz em Vila Toupeira. Comida, abrigo e paz, se ele unir suas forças às nossas, lutar contra nosso inimigo comum e nos ajudar a manter a Muralha.

Bowen Marsh não pareceu surpreso.

– Quer dizer, deixá-lo passar. – Sua voz sugeria que sabia disso o tempo todo. – Abrir os portões para ele e seus seguidores. Centenas, milhares.

– Se ainda sobraram tantos.

Septão Cellador fez o sinal da estrela. Othell Yarwyck grunhiu. Bowen Marsh disse:

– Alguns poderiam chamar isso de traição. Esses são selvagens. Brutos, corsários, estupradores, mais animais do que homens.

– Tormund não é nenhuma dessas coisas – disse Jon –, não mais do que Mance Rayder. Mas mesmo se cada palavra que você disse for verdade, ainda são homens, Bowen. Homens vivos, humanos como você e eu. O inverno está chegando, meus senhores, e quando chegar, nós, homens vivos, precisamos nos unir contra os mortos.

Snow, gritou o corvo de Lorde Mormont. *Snow, Snow*.

Jon o ignorou.

– Estivemos interrogando os selvagens que trouxemos do bosque. Muitos deles nos contaram uma história interessante sobre uma feiticeira da floresta a quem chamam de Mãe Toupeira.

– Mãe *Toupeira?* – disse Bowen Marsh. – Um nome improvável.

– Supostamente, ela fez sua casa em uma toca sob um buraco de árvore. Qualquer que seja a verdade nisso, ela teve uma visão de uma frota de navios que chegaria para levar o povo livre para a segurança, para o outro lado do mar estreito. Milhares dos que fugiram da batalha estavam desesperados o bastante para acreditar nela. Mãe Toupeira os levou até Durolar, para rezar e esperar a salvação do outro lado do mar.

Othell Yarwyck fez uma careta.

– Não sou patrulheiro, mas... Durolar é um lugar profano, dizem. Amaldiçoado. Até seu tio costumava dizer isso, Lorde Snow. Por que iriam *para lá?*

Jon tinha um mapa diante de si, sobre a mesa. Virou-o para que pudessem ver.

– Durolar está em uma baía protegida e tem um porto natural profundo o suficiente para que os maiores navios flutuem. Madeira e pedra são abundantes por ali. As águas são repletas de peixes, e há colônias de focas e peixes-bois nas proximidades.

– Tudo isso é verdade, não duvido – disse Yarwyck –, mas não é um lugar onde gostaria de passar uma noite. Você conhece a história.

Ele conhecia. Durolar estivera a meio-caminho de se tornar uma cidade, a única cidade verdadeira ao norte da Muralha, até a noite, seis séculos atrás, em que foi engolida pelo inferno. Seu povo fora arrastado para a escravidão ou abatido para carne, dependendo de qual versão da história se acreditava, suas casas e solares consumidos em um incêndio que queimou tão quente que patrulheiros na Muralha, bem longe ao sul, pensaram que o sol estava nascendo no norte. Depois disso, cinzas choveram na floresta assombrada e no Mar Tremente por quase meio ano. Comerciantes relataram encontrar apenas uma devastação digna de pesadelo onde Durolar estivera, uma paisagem de árvores carbonizadas e ossos queimados, águas repletas de cadáveres inchados, gritos de gelar o sangue ecoando das bocas das cavernas que crivavam o grande penhasco que assomava sobre a colônia destruída.

Seis séculos vieram e se foram desde aquela noite, mas Durolar ainda era evitado. Os selvagens haviam retomado o lugar, Jon soubera, mas patrulheiros afirmavam que as ruínas recobertas eram assombradas por espíritos que atacam cadáveres, demônios e fantasmas ardentes com um gosto doentio por sangue.

– Não é o tipo de refúgio que eu escolheria também – disse Jon –, mas ouviram Mãe Toupeira pregar que o povo livre encontraria salvação onde certa vez encontrou danação.

Septão Cellador apertou os lábios.

– A salvação só pode ser encontrada por meio dos Sete. Essa feiticeira condenou todos eles.

– E salvou a Muralha, talvez – disse Bowen Marsh. – Esses são os inimigos dos quais falamos. Deixe-os rezar entre ruínas, e se os deuses deles mandarem navios para levá-los para um mundo melhor, muito bem. Neste mundo, não tenho comida para alimentá-los.

Jon flexionou os dedos da mão da espada.

– As galés de Cotter Pyke navegam por Durolar de tempos em tempos. Ele me diz que não há abrigo lá além das cavernas. *As cavernas que gritam*, seus homens as chamam. Mãe Toupeira e aqueles que a seguiram perecerão ali, de frio e de fome. Centenas deles. Milhares.

– Milhares de inimigos. Milhares de *selvagens*.

Milhares de pessoas, Jon pensou. *Homens, mulheres, crianças*. A raiva cresceu dentro dele, mas, quando falou, sua voz estava calma e fria.

– São tão cegos assim, ou isso é algo que não desejam enxergar? O que acham que vai acontecer quando todos esses inimigos estiverem mortos?

Sobre a porta, o corvo resmungou, *Mortos, mortos, mortos*.

– Deixe-me falar o que acontecerá – disse Jon. – Os mortos se levantarão novamente, em centenas e aos milhares. Eles se levantarão como criaturas, com mãos negras e claros olhos azuis, e virão atrás de nós. – Levantou-se, os dedos da mão da espada abrindo e fechando. – Têm minha permissão para ir.

Septão Cellador levantou-se com o rosto cinza e suando, Othell Yarwyck, rigidamente, Bowen Marsh com os lábios apertados e pálido.

– Obrigado pelo seu tempo, Lorde Snow.

Saíram sem nenhuma outra palavra.

Tyrion

A porca tinha um temperamento mais doce do que alguns cavalos que cavalgara. Paciente e com os pés firmes, ela aceitou Tyrion sem quase nenhum guincho quando ele subiu em suas costas, e ficou imóvel enquanto ele pegava o escudo e a lança. Apenas quando ele agarrou as rédeas e pressionou os pés nas laterais do seu corpo, a porca se moveu. Seu nome era Bonita, uma diminuição para Porca Bonita, e fora treinada com rédeas e freios desde que era uma leitoa.

A armadura de madeira pintada fazia barulho enquanto Bonita trotava pelo convés. As axilas de Tyrion estavam irritadas pela transpiração, e uma gota de suor escorreu por sua cicatriz, sob o elmo superdimensionado que não lhe servia direito. Mesmo assim, por um absurdo momento, sentiu-se quase como Jaime, cavalgando em uma pista de torneio, com uma lança na mão e a armadura dourada reluzindo ao sol.

Quando as risadas começaram, o sonho de dissipou. Ele não era um campeão, apenas um anão em um porco, segurando uma vara, saltando para a diversão de alguns marinheiros insones encharcados de rum, na esperança de melhorar o humor deles. Em algum lugar do inferno, seu pai fervia de ódio e Joffrey estava rindo. Tyrion podia sentir os frios olhos mortos deles observando seu rosto de pantomimeiro, tão ávidos quanto a tripulação do *Selaesori Qhoran*.

E lá vinha o inimigo. Merreca cavalgava o grande cão cinzento, sua lança listrada balançando tropegamente enquanto o animal avançava pelo convés. O escudo e a armadura dela eram pintados de vermelho, embora a tinta estivesse lascada e desbotada; a armadura dele era azul. *Não minha. Do Tostão. Nunca será minha, espero.*

Tyrion apertou as ancas de Bonita para aumentar a velocidade, enquanto os marinheiros o instigavam com vaias e assobios. Se gritavam encorajamentos ou zombavam dele, não poderia dizer com certeza, embora tivesse alguma noção. *Por que me permiti ser convencido a entrar nesta farsa?*

Mas sabia a resposta. Por doze dias, o navio flutuara na calmaria do Golfo da Mágoa. O humor da tripulação estava péssimo, e ficaria ainda pior quando a ração diária de rum secasse. Só o que havia eram tantas horas que um homem podia dedicar a remendar velas, calafetar vazamentos e pescar. Jorah Mormont ouvira reclamações sobre como a sorte do anão falhara. Enquanto o cozinheiro do navio ainda dava uns esfregões na cabeça de Tyrion de tempos em tempos, na esperança de que aquilo poderia trazer algum vento, os outros lhes davam olhares venenosos todas as vezes que cruzavam seus caminhos. A situação de

Merreca era ainda pior, desde que o cozinheiro espalhara a ideia de que espremer o seio de uma anã poderia trazer a sorte de volta. Ele também começara a se referir à Porca Bonita como *Toicinho*, uma piada que parecera muito mais engraçada quando Tyrion a fizera.

– Temos que fazê-los rir – disse Merreca, suplicando. – Temos que fazê-los gostar de nós. Se dermos um espetáculo para eles, isso os ajudará a esquecer. *Por favor*, meu senhor. – E de algum modo, de alguma maneira e em algum grau, ele consentiu. *Deve ter sido o rum*. O vinho do capitão fora a primeira coisa a acabar. E era possível ficar bêbado muito mais facilmente com rum do que com vinho, Tyrion Lannister descobrira.

E, então, ele se encontrara vestido na armadura de madeira pintada de Tostão, montado na porca de Tostão, enquanto a irmã de Tostão o instruía sobre os aspectos mais delicados da justa de mentirinha que havia sido seu pão e sal. Havia certa ironia nisso, considerando que Tyrion quase perdera a cabeça uma vez por se recusar a montar no cão para o divertimento distorcido de seu sobrinho. Mesmo assim, de alguma maneira, achava difícil apreciar o humor de tudo aquilo montado nas costas da porca.

A lança de Merreca desceu bem a tempo da ponta cega raspar no ombro dele; a lança de Tyrion balançou enquanto ele a abaixava e acertava ruidosamente o canto do escudo dela. Ela continuou sobre a sela. Ele caiu. Mas era o que devia fazer.

Fácil como cair de um porco... embora cair desse porco em particular fosse mais difícil do que parecia. Tyrion enrolou-se enquanto tombava, recordando suas aulas, mas, mesmo assim, acertou o convés com um baque sólido e mordeu a língua com tanta força que experimentou o gosto de sangue. Sentia-se como se tivesse doze anos novamente, dando cambalhotas sobre a mesa principal do grande salão de Rochedo Casterly. Naquela ocasião, seu tio Gerion estivera por perto para elogiar seus esforços, no lugar de marinheiros mal-humorados. As risadas deles pareciam esparsas e tensas, em comparação à grande excitação que recebera o espetáculo bizarro de Tostão e Merreca na festa de casamento de Joffrey, e alguns assobiavam para ele com raiva.

– Sem-Nariz, você cavalga do mesmo jeito que sua aparência, horrível – um homem gritou do castelo de popa. – Não deve ter bolas, para deixar uma garota bater em você. – *Ele deve ter apostado uma moeda em mim*, Tyrion imaginou. Deixou o insulto passar direto. Ouvira coisas piores em outra época.

A armadura de madeira tornava incômodo se levantar. Ficou se debatendo como uma tartaruga de costas. Isso, pelo menos, levou alguns marinheiros às gargalhadas. *Uma pena que não tenha quebrado a perna, isso os deixaria uivando. E, se estivessem naquela latrina quando acertei meu pai nas entranhas, teriam rido até cagar nos calções, junto com ele. Mas qualquer coisa para manter os malditos bastardos amáveis.*

Jorah Mormont finalmente ficou com pena dos esforços de Tyrion e o colocou em pé.

– Você parecia um tolo.

Essa era a intenção.

– É difícil parecer um herói quando se está montado em um porco.

– Deve ser por isso que fico longe de porcos.

Tyrion soltou o elmo, tirou-o da cabeça e cuspiu um bocado de catarro ensanguentado de lado.

– Sinto como se tivesse atravessado metade da língua com minha mordida.

– Da próxima vez, morda mais forte. – Sor Jorah deu de ombros. – Verdade seja dita, já vi justas piores.

Isso era um elogio?

– Caí do maldito porco e mordi a língua. O que poderia ser pior do que isso?

– Conseguir um estilhaço enfiado no olho e morrer.

Merreca saltara do cão, um cinzento grande e estúpido chamado Triturador.

– O negócio não é disputar a justa bem, Hugor. – Ela sempre tinha o cuidado de chamá-lo de Hugor onde alguém pudesse estar ouvindo. – O negócio é fazê-los rir e jogar moedas.

Um pagamento pobre para o sangue e os hematomas, Tyrion pensou, mas guardou o pensamento para si.

– Falhamos nisso também. Ninguém jogou moedas. – *Nenhuma merreca, por mais ínfima que fosse.*

– Jogarão, quando ficarmos melhores. – Merreca tirou o elmo. Seu cabelo castanho-rato se espalhou até as orelhas. Os olhos dela eram castanhos também, sob grossas sobrancelhas, e as bochechas eram suaves e coradas. Ela pegou algumas bolotas de um saco de couro para Porca Bonita. A porca comeu-as em sua mão, guinchando de alegria. – Quando nos apresentarmos para a Rainha Daenerys, a prata vai chover, você verá.

Alguns marinheiros gritavam para eles, e batiam os calcanhares no convés, exigindo outra disputa. O cozinheiro do navio era o mais barulhento, como sempre. Tyrion aprendera a desprezar aquele homem, ainda que fosse o único jogador meio decente de *cyvasse* do navio.

– Vê, eles gostam de nós – disse Merreca, com um pequeno sorriso esperançoso. – Vamos novamente, Hugor?

Ele estava a ponto de recusar, quando o grito de um dos imediatos o poupou. Era meio da manhã, e o capitão queria os botes fora novamente. A imensa vela listrada do navio pendia frouxamente do mastro, como estivera por dias, mas ele tinha esperança de encontrar um vento em algum lugar ao norte. Aquilo significava remar. Mas os botes eram pequenos e o navio era grande; rebocá-lo era um trabalho quente, suado e exaustivo, que deixava as mãos cobertas de bolhas e as costas doendo, e não resolvia nada. A tripulação odiava isso. Tyrion não podia culpá-los.

– A viúva deveria ter nos colocado em uma galé – murmurou amargamente. – Se alguém puder me ajudar com estas malditas placas, eu ficaria grato. Acho que posso ter uma farpa na virilha.

Mormont cumpriu a função, ainda que com pouca elegância. Merreca pegou o cão e o porco e levou ambos para baixo.

– Você deveria dizer para sua senhora manter a porta fechada e trancada quando está lá dentro – disse Sor Jorah, enquanto desatava as fivelas das faixas que juntavam as placas de madeira do peito e das costas. – Tenho ouvido conversas demais sobre costelas, presuntos e toicinhos.

– Aquele porco é metade do sustento dela.

– Uma tripulação ghiscari comeria o cão também. – Mormont separou as placas do peito e das costas. – Apenas diga para ela.

– Como quiser. – Sua túnica estava encharcada de suor e grudada ao peito. Tyrion a arrancou, desejoso por um pouco de brisa. A armadura de madeira era tão quente e pesada quanto desconfortável. Metade dela parecia ter tinta velha, camada sobre camada sobre camada de uma centena de repinturas passadas. Na festa de casamento de Joffrey, ele se lembrava, um cavaleiro trazia o lobo gigante de Robb Stark, o outro as armas e as cores de Stannis Baratheon. – Precisaremos dos dois animais, se vamos fazer uma disputa para a Rainha Daenerys. – disse. Se os marinheiros colocassem na cabeça matar Porca Bonita, nem ele nem Merreca podiam ter esperança de detê-los... mas a espada longa de Sor Jorah os faria dar uma parada, pelo menos.

– É assim que pretende manter sua cabeça, Duende?

– Sor Duende, se me permite. E sim. Uma vez que Sua Graça conheça meu real valor, ela me amará. Sou um sujeitinho adorável, afinal de contas, e sei muitas coisas úteis sobre meus parentes. Mas, até chegar esse momento, é melhor que eu a mantenha entretida.

– Dê cambalhotas, como você gosta, isso não lavará seus crimes. Daenerys Targaryen não é uma criança tola para ser divertida com gracejos e tombos. Ela lidará com você com justiça.

Ah, espero que não. Tyrion estudou Mormont com seus olhos de cores distintas.

– E como ela irá recebê-lo, esta rainha tão justa? – Ele sorriu do óbvio desconcerto do cavaleiro. – Realmente espera que eu acredite que você estava tratando de assuntos da rainha naquele puteiro? Defendendo-a, a meio mundo de distância? Ou pode ser que estivesse fugindo, que sua rainha o expulsou de seu convívio? Mas por que ela... oh, espere, você a estava *espionando*. – Tyrion fez um *tsc* com a boca. – Você espera me usar para comprar um lugar ao lado dela novamente. Um plano irrefletido, eu diria. Alguém até poderia pensar que é um ato de desespero de um bêbado. Talvez, se eu fosse Jaime... mas Jaime matou o pai dela, eu só matei o meu. Você acha que Daenerys vai me executar e perdoá-lo, mas o inverso é mais provável. Talvez você *deva* subir naquele porco, Sor Jorah. Colocar uma roupa de pedaços de ferro, como Florian, o...

O soco que o grande cavaleiro lhe deu estalou por toda a sua cabeça e o derrubou de lado com tanta força, que a cabeça ricocheteou no convés. Sangue escorria de sua boca, enquanto ele cambaleava para ficar de joelhos. Cuspiu um dente quebrado. *Ficando mais bonito a cada dia, mas acho que cutuquei uma ferida.*

– O anão disse algo que o ofendeu, sor? – Tyrion perguntou inocentemente, limpando bolhas de sangue do lábio ferido com as costas da mão.

– Estou cansado da sua boca, anão – disse Mormont. – Ainda tem alguns dentes que lhe restaram. Se quiser mantê-los, fique longe de mim o restante desta viagem.

– Isso pode ser difícil. Nós compartilhamos uma cabine.

– Você pode encontrar outro lugar para dormir. Lá embaixo, no porão, aqui no convés, não importa. Apenas fique longe da minha vista.

Tyrion ficou em pé.

– Como desejar – respondeu, com a boca cheia de sangue, mas o grande cavaleiro já havia ido embora, as botas batendo com força contra as tábuas do chão do convés.

Tyrion estava na cozinha, enxaguando a boca com rum e água e se contraindo de dor, quando Merreca o encontrou.

– Soube o que aconteceu. Oh, está machucado?

Ele deu de ombros.

– Um pouco de sangue e um dente quebrado. – *Mas acredito que o feri mais.* – E ele se diz um cavaleiro. Sinto dizer, eu não contaria com Sor Jorah se precisarmos de proteção.

– O que você fez? Oh, seus lábios estão sangrando. – Ela arrancou um pedaço de sua manga e o limpou. – O que você disse?

– Algumas verdades que Sor Bezoar não gostou de ouvir.

– Você não devia zombar dele. Você não sabe *nada*? Não pode falar desse jeito com uma pessoa grande. Ela pode *ferir* você. Sor Jorah podia ter jogado você no mar. Os marinheiros teriam rido vendo você se afogar. Precisa ser cuidadoso perto de pessoas grandes. Seja alegre e brincalhão com eles, mantenha-os sorrindo, faça-os rir, era o que meu pai sempre dizia. Seu pai nunca falou para você como agir com pessoas grandes?

– Meu pai os chamava de camponeses – disse Tyrion –, e ele não era o que você chamaria de um homem alegre. – Tomou outro gole de rum aguado, bochechou e cuspiu. – Mesmo assim, entendi seu ponto de vista. Tenho que aprender a ser um anão. Talvez você possa ser boa o suficiente para me ensinar, entre as justas e a corrida de porco.

– Ensinarei, meu senhor. Alegremente. Mas... que verdades foram essas? Por que Sor Jorah bateu em você com tanta força?

– Ora, por amor. A mesma razão pela qual cozinhei aquele cantor. – Pensou em Shae e no olhar que ela lhe deu enquanto apertava a corrente em volta do seu pescoço, torcendo--a com o punho. Uma corrente de mãos douradas. *Por que mãos de ouro são sempre frias, mas há calor em mãos de mulher.* – Você é donzela, Merreca?

Ela corou.

– Sim. É claro. Quem iria...

– Continue assim. Amor é loucura, e luxúria é veneno. Mantenha sua virgindade. Ficará feliz com isso, e é menos provável que você se encontre em algum bordel sujo no Roine, com uma puta que se parece um pouco com seu amor perdido. – *Ou que percorra meio mundo, esperando descobrir para onde as putas vão.* – Sor Jorah sonha em resgatar sua rainha dragão e gozar da gratidão dela, mas sei uma coisa ou duas a respeito da gratidão dos reis, e eu prefiro ter um palácio em Valíria. – Parou repentinamente o que estava falando. – Sentiu isso? O navio se moveu.

– Senti. – A face de Merreca se iluminou de alegria. – Estamos nos movendo novamente. O vento... – Correu em direção à porta. – Quero ver. Venha, vamos ver quem chega lá em cima primeiro. – E lá se foi ela.

Ela é jovem, Tyrion teve que lembrar a si mesmo, enquanto Merreca corria da cozinha, em direção aos degraus de madeira, subindo o mais rápido que suas perninhas permitiam. *Quase uma criança.* Mesmo assim, divertia-o ver a excitação dela. Seguiu-a para cima.

A vela ganhara vida novamente, erguendo-se, abaixando-se, erguendo-se novamente, as listras vermelhas no tecido serpenteando como cobras. Marinheiros corriam por todo o convés, puxando as cordas com força, enquanto os imediatos gritavam ordens na língua da Antiga Volantis. Os remadores nos botes soltavam as cordas de reboque e as arremessavam de volta para dentro do navio, com duras pancadas. O vento soprava do oeste, rodopiando e em rajadas, agarrando-se às cordas e aos mantos como uma criança travessa. O *Selaesori Qhoran* estava a caminho.

Pode ser que cheguemos a Meereen, depois de tudo, Tyrion pensou.

Mas quando subiu pela escada de mão até o castelo de popa e olhou para fora, seu sorriso vacilou. *Céu azul e mar azul aqui, mas para oeste... Nunca vi um céu desta cor.* Uma faixa grossa de nuvens percorria o horizonte.

– Uma barra sinistra – disse para Merreca, apontando.

– O que aquilo significa? – ela perguntou.

– Significa que algum grande bastardo está avançando furtivamente por trás de nós.

Ficou surpreso em descobrir que Moqorro e dois de seus dedos ardentes haviam se juntado a eles no castelo de popa. Era apenas meio-dia e, normalmente, o sacerdote vermelho e seus homens não apareciam antes do crepúsculo. O sacerdote lhe deu um aceno solene com a cabeça.

– Lá você vê, Hugor Hill. A ira de deus. O Senhor da Luz não será zombado.

Tyrion não tinha uma boa intuição sobre isso.

– A viúva disse que este navio nunca alcançaria seu destino. Imaginei que isso significava que, uma vez que estivéssemos em alto-mar, fora do alcance da tríade, o capitão mudaria o curso para Meereen. Ou que talvez você pudesse tomar o navio com sua Mão Ardente e nos levar para Daenerys. Mas não foi nada disso que seu alto sacerdote viu, não é?

– Não. – A voz profunda de Moqorro soou tão solene quanto um sino de funeral. – Foi isso o que ele viu. – O sacerdote vermelho ergueu seu bastão e inclinou a cabeça para oeste.

Merreca estava perdida.

– Não entendo. O que isso significa?

– Significa que é melhor irmos para baixo. Sor Jorah me exilou da nossa cabine. Posso me esconder na sua, quando a hora chegar?

– Sim – ela disse. – Você pode... oh...

Durante a maior parte das três horas seguintes, correram à frente do vento, enquanto a tempestade se aproximava. O céu ocidental ficou verde, depois cinza e, então, negro. Uma parede de nuvens escuras assomava atrás deles, transbordando como uma chaleira de leite deixada muito tempo no fogo. Tyrion e Merreca observavam debruçados sobre a figura de popa, de mãos dadas, tomando cuidado para ficar fora do caminho do capitão e da tripulação.

A última tempestade fora estimulante, inebriante, uma tormenta repentina que o deixara se sentindo limpo e refrescado. Esta parecia diferente desde o início. O capitão percebera também. Mudou o curso de norte para nordeste, tentando escapar do caminho do temporal.

Era um esforço inútil. A tempestade era grande demais. A água ao redor deles ficava mais agitada. O vento começava a uivar. O *Intendente Fedorento* subia e descia, enquanto as ondas arrebentavam contra seu casco. Atrás deles, relâmpagos cruzavam o céu, cegando com faíscas púrpura que dançavam pelo mar em teias de luz. O trovão veio na sequência.

– É hora de nos escondermos. – Tyrion pegou Merreca pelo braço e a levou para a cabine.

Bonita e Triturador estavam meio loucos de medo. O cão latia, latia, latia. Pulou sobre Tyrion assim que entraram. A porca havia defecado por todo lado. Tyrion limpou o melhor que pôde, enquanto Merreca tentava acalmar os animais. Então prenderam ou jogaram fora qualquer coisa que estivesse solta.

– Estou assustada – Merreca confessou. A cabine começara a se inclinar e a pular, indo para esse lado ou para o outro, conforme as ondas martelavam o casco do navio.

Há maneiras piores de se morrer do que afogado. O irmão dela aprendeu isso, e também o senhor meu pai. E Shae, aquela boceta mentirosa. Mãos de ouro são sempre frias, mas mãos de mulher são quentes.

– Devíamos jogar alguma coisa – Tyrion sugeriu. – Pode ajudar a tirar nossos pensamentos da tempestade.

– Não *cyvasse* – ela disse, de cara.

– Não *cyvasse* – Tyrion concordou, enquanto o convés se erguia. Isso apenas faria as peças voarem violentamente pela cabine, caindo sobre a porca e o cão. – Quando você era uma garotinha, alguma vez jogou venha-para-meu-castelo?

– Não. Pode me ensinar?

Ele poderia? Tyrion hesitou. *Anão idiota. É claro que ela nunca jogou venha-para-meu--castelo. Ela nunca teve um castelo.* Venha-para-meu-castelo era um jogo para crianças bem-nascidas, com a intenção de ensinar-lhes cortesia, heráldica e uma ou duas coisas sobre os amigos e inimigos dos senhores seus pais.

– Esse não... – ele começou. O convés deu outro solavanco violento, jogando um contra o outro. Merreca deu um grito de medo. – Esse jogo não dá – Tyrion falou, rangendo os dentes. – Desculpe. Não conheço um jogo...

– Eu conheço. – Merreca o beijou.

Foi um beijo estranho, apressado, desajeitado. Mas o pegou completamente desprevenido. Ele ergueu as mãos e a segurou pelos ombros, pronto para empurrá-la. Em vez disso, hesitou, e então a puxou mais para perto, dando-lhe um abraço. Os lábios dela eram secos, duros e estavam tão fechados quanto a bolsa de um avarento. *Uma pequena misericórdia*, pensou Tyrion. Isso não era nada do que queria. Gostava de Merreca, tinha pena de Merreca, até admirava Merreca de certo modo, mas não a desejava. Mas não queria magoá-la; os deuses e sua doce irmã já haviam lhe garantido dor suficiente. Então deixou o beijo continuar, segurando-a gentilmente pelos ombros. Seus próprios lábios permaneceram firmemente fechados. O *Selaesori Qhoran* girava e estremecia ao redor deles.

Finalmente ela se afastou um centímetro ou dois. Tyrion podia ver seu próprio reflexo nos olhos dela. *Olhos bonitos*, pensou, mas viu outras coisas, também. *Muito medo, uma pequena esperança... mas nada de luxúria. Ela não me quer, não mais do que eu a quero.*

Quando Merreca abaixou a cabeça, ele segurou seu queixo e ergueu o rosto dela novamente.

– Não podemos jogar esse jogo, minha senhora. – Acima deles, um trovão explodiu, dessa vez bem próximo.

– Nunca quis... nunca beijei um rapaz antes, mas... só pensei que, se nos afogarmos, e eu... eu...

– Foi doce – mentiu Tyrion –, mas sou casado. Ela estava comigo no banquete, você deve se lembrar. A Senhora Sansa.

– Era sua esposa? Ela... ela era muito bonita...

E falsa. Sansa, Shae, todas as minhas mulheres... Tysha foi a única que realmente me amou. Para onde as putas vão?

– Uma garota adorável – disse Tyrion –, e estamos unidos diante dos olhos dos deuses e dos homens. Pode ser que esteja perdida para mim, mas, até ter certeza, devo ser fiel a ela.

– Entendo. – Merreca afastou seu rosto do dele.

Minha mulher perfeita, Tyrion pensou, amargamente. *Uma ainda jovem o suficiente para acreditar nessas mentiras descaradas.*

O casco rangia, o convés se movia, e Bonita gritava de aflição. Merreca rastejou pelo chão da cabine, de gatinhas, e enrolou os braços na cabeça da porca, murmurando palavras de confiança. Olhando as duas, era difícil saber quem confortava quem. A visão era tão grotesca que poderia ter sido hilária, mas Tyrion não conseguiu encontrar nem mesmo um sorriso. *A garota merece mais do que um porco*, pensou. *Um beijo sincero, um pouco de gentileza, todo mundo merece isso, seja grande ou pequeno.* Procurou por sua taça, mas, quando a encontrou, todo o rum havia sido derramado. *Afogar-se já é ruim o suficiente*, refletiu amargamente, *mas se afogar triste e sóbrio é cruel demais.*

No fim, eles não se afogaram... embora, em alguns momentos, a perspectiva de um belo e pacífico afogamento tivesse um certo apelo. A tempestade durou o resto daquele dia e seguiu noite adentro. Ventos molhados uivavam ao redor deles, e ondas erguiam-se como punhos de gigantes adormecidos para esmagar o convés. Em cima, souberam mais tarde, um imediato e dois marinheiros tinham sido arrastados ao mar, o cozinheiro do navio ficara cego quando uma chaleira de gordura quente voou em seu rosto, e o capitão fora arremessado do castelo de popa para o convés principal tão violentamente que quebrara as duas pernas. Lá embaixo, Triturador uivara, latira e mordera Merreca, e Porca Bonita começara a defecar novamente, transformando a cabine apertada e úmida em um chiqueiro. Tyrion conseguira não vomitar diante de tudo isso, principalmente graças à falta de vinho. Merreca não tivera tanta sorte, mas ele a segurara assim mesmo, enquanto o casco no navio rangia e gemia de forma alarmante em torno deles, como um barril prestes a explodir.

Perto de meia-noite, os ventos finalmente cederam e o mar ficou calmo o suficiente para que Tyrion subisse ao convés. O que viu ali não o tranquilizou. O navio estava à deriva em um mar de vidro de dragão sob uma tigela de estrelas, porém, por todos os lados, a tempestade se alastrava. Leste, oeste, norte, sul, para onde quer que olhasse, as nuvens se erguiam como montanhas negras, com encostas íngremes e penhascos colossais, repletas de relâmpagos azuis e púrpura. Nenhuma chuva caía, mas, sob seus pés, o convés estava escorregadio e molhado.

Tyrion podia ouvir alguém gritando lá embaixo, uma voz fina e alta, histérica de medo. Pôde ouvir Moqorro também. O sacerdote vermelho estava no castelo de popa, encarando a tempestade, o bastão erguido sobre a cabeça enquanto trovejava uma oração. No meio do navio, uma dúzia de marinheiros e dois dedos ardentes lutavam com linhas emaranhadas e lona encharcada, mas se estavam tentando erguer a vela ou baixá-la, Tyrion não sabia dizer. O que quer que estivessem fazendo, parecia uma má ideia. E realmente era.

O vento retornou com um sussurro de aviso, frio e úmido, passando por seu rosto, batendo a vela molhada, torcendo e enrolando a túnica escarlate de Moqorro. Algum tipo de instinto fez Tyrion agarrar o parapeito mais próximo, bem a tempo. No espaço de três segundos, a pequena brisa se transformou em um vendaval ululante. Moqorro gritou alguma coisa, e chamas verdes se ergueram da boca do dragão na ponta de seu bastão para desaparecer na noite. Então a chuva veio, negra e cegante, e os castelos de popa e de proa sumiram atrás de paredes de água. Algo imenso voou sobre as cabeças, Tyrion olhou para cima e ainda conseguiu ver a vela voando com o vento, com dois homens ainda balançando nas linhas. Então ouviu um estalido. *Oh, maldito inferno*, teve tempo de pensar, *deve ter sido o mastro.*

Encontrou uma corda e a puxou, lutando em direção à escotilha para tentar sair da tempestade, mas uma rajada de vento o fez perder o equilíbrio, e uma segunda o fez se chocar contra o parapeito, onde se agarrou. A chuva açoitava seu rosto, cegando-o. Sua boca estava cheia de sangue novamente. O navio resmungava e gemia sob ele, como um gordo constipado fazendo força para evacuar.

Então o mastro se partiu.

Tyrion não chegou a ver, mas ouviu. O estalido novamente e, então, um grito de madeira torturada, e repentinamente o ar estava cheio de pedaços e lascas. Um errou seu olho por um centímetro, o segundo acertou sua bochecha, um terceiro atingiu a virilha, botas, calção e tudo mais. Ele gritou. Mas continuou segurando a corda, mantendo-a com uma força desesperada que não sabia possuir. *A viúva disse que este navio jamais chegaria a seu destino*, lembrou-se. Então gargalhou e gargalhou, selvagem e histérico, enquanto trovões estouravam, madeira gemia e ondas arrebentavam ao seu redor.

Quando a tempestade finalmente amainou e os passageiros e a tripulação sobreviventes rastejaram de volta ao convés, como pálidos vermes rosados que vêm a superfície depois da chuva, o *Selaesori Qhoran* era uma coisa destruída, flutuando suavemente na água, inclinado dez graus para a esquerda, o casco rachado em meia centena de lugares, o compartimento de carga inundado de água do mar, o mastro uma ruína estilhaçada da altura de um anão. Nem mesmo a figura de proa escapara; um de seus braços se quebrara, o que segurava o pergaminho. Nove homens tinham desaparecido, incluindo um imediato, dois dedos ardentes e o próprio Moqorro.

Será que Benerro viu isso em suas chamas?, Tyrion se perguntou, quando percebeu que o enorme sacerdote vermelho se fora. *Será que Moqorro viu?*

– Uma profecia é como uma mula semitreinada – reclamou para Jorah Mormont. – Parece que será útil, mas no momento em que você confia nela, ela o chuta na cabeça. A maldita viúva sabia que o navio nunca chegaria ao seu destino, ela nos avisou sobre isso, disse que Benerro viu em suas chamas, só que achei que isso significava... bem, o que importa? – Sua boca se contorceu. – O que realmente significava era que alguma maldita tempestade gigante transformaria nosso mastro em gravetos e nos deixaria à deriva no Golfo da Mágoa até nossa comida acabar e começarmos a comer uns aos outros. Quem você acha que eles vão trinchar primeiro... o porco, o cão, ou eu?

– O mais barulhento, eu diria.

O capitão morreu no dia seguinte, o cozinheiro do navio, três noites mais tarde. Tudo o que a tripulação restante podia fazer era manter os destroços flutuando. O imediato que assumiu o comando avaliou que estavam em algum lugar no extremo sul da Ilha de Cedros. Quando baixou os botes do navio para rebocá-los até a terra mais próxima, um deles afundou, e os homens no outro cortaram a corda e remaram para o norte, abandonando o barco e seus companheiros.

– Escravos – disse Jorah Mormont, desdenhoso.

O grande cavaleiro dormira durante a tempestade, conforme ele mesmo contara. Tyrion tinha suas dúvidas, mas as manteve para si. Um dia poderia querer morder a perna de alguém, e precisaria de dentes para isso. Mormont parecia satisfeito em ignorar o desentendimento deles, então Tyrion decidiu fingir que nada acontecera.

Por dezenove dias estiveram à deriva, enquanto a comida e a água diminuíam. O sol batia neles, implacável. Merreca aconchegava-se na cabine, com o cão e o porco, e Tyrion levava comida para ela, mancando com sua coxa enfaixada e cheirando a ferida à noite. Quando não tinha nada mais para fazer, cutucava os dedos das mãos e dos pés. Sor Jorah fazia questão de afiar sua espada todos os dias, amolando a ponta até deixá-la brilhante. Os três dedos ardentes que sobraram acendiam as tochas noturnas quando o sol se punha, mas vestiam suas armaduras ornamentadas enquanto deixavam a tripulação rezando, e deixavam as lanças sempre à mão. E nem um único marinheiro tentou esfregar a cabeça de qualquer anão.

– Devemos disputar uma justa para eles, novamente? – Merreca perguntou certa noite.

– Melhor não – respondeu Tyrion. – Isso só serviria para que lembrassem que temos um belo porco redondo. – Embora Bonita estivesse ficando menos redonda a cada dia, e Triturador estivesse pele e ossos.

Naquela noite, ele sonhou que estava novamente em Porto Real, uma besta em sua mão.

– Para onde quer que as putas vão – Lorde Tywin disse, mas quando o dedo de Tyrion se fechou e a corda da arma disparou, era Merreca com um dardo atravessado na barriga.

Ele acordou ao som de gritos.

O convés se movia embaixo dele, e, por meio segundo, ficou tão confuso que pensou estar de volta ao *Donzela Tímida*. Uma lufada de merda de porco trouxe seus sentidos de volta. Os Sofrimentos estavam para trás agora, a meio mundo de distância, assim como as alegrias daquela época. Ele se lembrava quão doce Lemore parecia depois de seus banhos matinais, com contas de água brilhando em sua pele nua, mas a única donzela aqui era sua pobre Merreca, a pequena anã atrofiada.

Alguma coisa estava acontecendo. Tyrion escorregou da rede de dormir, bocejando, e procurou as botas. E, por mais louco que fosse, procurou pela besta também, mas é claro que não havia nenhuma para ser encontrada. *Uma pena*, devaneou, *ela poderia ser de alguma utilidade quando as pessoas grandes vierem me comer*. Colocou as botas e subiu ao convés, para ver por que estavam gritando. Merreca chegara antes dele, seus olhos arregalados de espanto.

– Uma vela – ela gritou –, ali, ali, vê? Uma vela, e já nos viram. Uma *vela*.

Dessa vez, ele a beijou... uma vez em cada bochecha, uma vez na testa, e uma última vez na boca. Ela estava corada e rindo pelo último beijo, repentinamente tímida novamente, mas não importava. Outro navio se aproximava. Uma grande galé, ele podia ver. Seus remos deixavam um longo rastro branco para trás.

– Que navio é? – Tyrion perguntou para Sor Jorah Mormont. – Você consegue ler o nome?

– Não preciso ler o nome. Estamos a favor do vento. Posso cheirá-lo. – Mormont desembainhou sua espada. – São traficantes de escravos.

O vira-casaca

Os primeiros flocos começaram a cair enquanto o sol se punha no oeste. Quando a noite chegou, a neve caía tão pesada que a lua se ergueu, sem ser vista, atrás de uma cortina branca.

– Os deuses do Norte desencadearam sua ira em Lorde Stannis – Roose Bolton anunciou quando a manhã chegou, enquanto os homens se reuniam no Grande Salão de Winterfell para quebrar o jejum. – Ele é um estranho aqui, e os antigos deuses não o deixarão viver.

Os homens bramiram sua aprovação, batendo os punhos nas longas mesas de madeira. Winterfell podia estar em ruínas, mas suas paredes de granito ainda evitavam o pior do vento e do clima. Tinham um bom estoque de comida e bebida; fogueiras para aquecê-los quando estavam fora de serviço; um lugar para secar as roupas, cantos confortáveis para recostar e dormir. Lorde Bolton tinha guardado lenha suficiente para manter as fogueiras alimentadas por meio ano, então o Grande Salão estava sempre quente e aconchegante. Stannis não tinha nada daquilo.

Theon Greyjoy não se juntou à gritaria. Nem os homens da Casa Frey, não pôde deixar de notar. *Eles também são estranhos aqui*, pensou, observando Sor Aenys Frey e seu meio-irmão, Sor Hosteen. Nascidos e criados no Tridente, os Frey nunca tinham visto uma neve como aquela. *O Norte já reivindicou três de seu sangue*, Theon pensou, recordando os homens que Ramsay procurara inutilmente, perdidos entre Porto Branco e Vila Acidentada.

No palanque, Lorde Wyman Manderly sentava-se entre dois de seus cavaleiros de Porto Branco, levando mingau com uma colher até seu rosto gordo. Não parecia estar apreciando nem um décimo do que saboreara comendo as tortas de porco no casamento. Em outro canto, Harwood Stout, de um braço só, conversava calmamente com o cadavérico Terror-das-Rameiras Umber.

Theon entrou na fila com outros homens para pegar mingau, servido em tigelas de madeira de uma fila de caldeirões de cobre. Os senhores e os cavaleiros tinham leite e mel, e até mesmo um pouco de manteiga para adoçar suas porções, notou, mas nada disso foi oferecido a ele. Seu reinado como príncipe de Winterfell fora curto. Desempenhara seu papel no espetáculo, oferecendo a falsa Arya em casamento, e agora não tinha mais uso para Roose Bolton.

– No primeiro inverno do qual me lembro, a neve chegou à minha cabeça – disse um homem Hornwood diante dele na fila.

– Sim, mas você tinha só um metro de altura naquela época – um homem dos Regatos respondeu.

Noite passada, incapaz de dormir, Theon se pegou meditando sobre como fugir, em escapar sem ser visto enquanto Ramsay e o senhor seu pai prestavam atenção em outra coisa. Mas todos os portões estavam fechados e barrados e eram fortemente vigiados; e ninguém tinha permissão de entrar ou sair do castelo sem o consentimento de Lorde Bolton. Mesmo se encontrasse alguma maneira secreta de sair, Theon não teria acreditado nisso. Não se esquecera de Kyra e suas chaves. E, se fugisse, para onde iria? Seu pai estava morto, os tios não tinham uso para ele. Pyke estava perdida para ele. A coisa mais próxima de uma casa que lhe restara era aqui, entre os ossos de Winterfell.

Um homem arruinado, um castelo em ruínas. Este é meu lugar.

Estava esperando por seu mingau quando Ramsay entrou no salão com os Rapazes do Bastardo, gritando por música. Abel esfregou o sono dos olhos, pegou o alaúde e atacou de *A esposa do dornense*, enquanto uma de suas lavadeiras tocava o tambor. O cantor mudara a letra, no entanto. Em vez de provar uma esposa de um dornense, ele cantava sobre experimentar a filha de um nortenho.

Ele pode perder a língua por isso, Theon pensou, enquanto sua tigela era enchida. *Ele é apenas um cantor. Lorde Ramsay pode esfolar a pele de suas duas mãos, e ninguém falará nada.* Mas Lorde Bolton sorriu com a letra e Ramsay gargalhou ruidosamente. Os outros sabiam que era seguro rir também. Caralho Amarelo achou a música tão engraçada que espirrou vinho pelo nariz.

A Senhora Arya não estava ali para compartilhar a alegria. Ela não havia sido vista fora de seus aposentos desde a noite do casamento. Alyn Azedo dissera que Ramsay mantinha sua noiva nua e acorrentada a um dos pilares da cama, mas Theon sabia que era só conversa. Não havia correntes, pelo menos nenhuma que homens pudessem ver. Apenas um par de guardas do lado de fora do quarto de dormir, para manter a garota longe de curiosos. *E ela só fica nua quando se banha.*

Mas isso ela fazia todas as noites. Lorde Ramsay queria a esposa limpa.

– Ela não tem aias, pobrezinha – dissera a Theon. – Só sobra você, Fedor. Devo colocá-lo em um vestido? – Ramsay riu. – Talvez, se você me implorar por isso. Mas agora será suficiente se você for criada de banho dela. Não quero que ela cheire como você. – Então, toda vez que Ramsay tinha vontade de ir para a cama com a esposa, cabia a Theon emprestar uma serva da Senhora Walda ou da Senhora Dustin, e pegar um pouco de água quente nas cozinhas. Embora Arya nunca tivesse comentado, não podiam deixar de notar seus hematomas. *É culpa dela mesma. Ela não o satisfez.*

– Apenas seja *Arya* – ele dissera à garota uma vez, enquanto a ajudava a entrar na água. – Lorde Ramsay não quer nos machucar. Ele só nos machuca quando nós... quando esquecemos. Ele nunca me cortou sem motivo.

– Theon... – ela sussurrou, chorando.

– *Fedor*. – Ele agarrou um braço dela e a sacudiu. – Aqui sou Fedor. Você tem que se *lembrar*, Arya. – Mas a garota não era uma verdadeira Stark, apenas o filhote do intendente. *Jeyne, o nome dela é Jeyne. Ela não devia me pedir para ajudá-la.* Theon Greyjoy poderia ter tentado ajudá-la. Mas Theon fora um homem de ferro, e um homem mais corajoso do que Fedor. *Fedor, Fedor, rima com pavor.*

Ramsay tinha um novo brinquedo para entretê-lo, um com tetas e uma boceta... mas logo as lágrimas de Jeyne perderiam seu sabor, e Ramsay iria querer seu Fedor novamente. *Ele vai me esfolar centímetro por centímetro. Quando meus dedos se forem, ele pegará minhas mãos. Depois dos meus dedos dos pés, os próprios pés. Mas apenas quando eu implorar por isso, quando a dor ficar tão insuportável e eu pedir para ele me dar algum alívio.* Não haveria banhos quentes para Fedor. Ele rolaria na merda novamente, proibido de se banhar. As roupas que usava se transformariam em trapos, emporcalhados e fedidos, e teria que usá-las até apodrecerem. A melhor coisa que poderia esperar seria voltar para os canis, para a companhia das garotas de Ramsay. *Kyra*, ele se lembrou. *Ele chamou a nova cadela de Kyra.*

Levou sua tigela para o fundo do salão e encontrou um lugar com um banco vazio, a metros de distância da tocha mais próxima. Dia ou noite, as mesas comuns nunca estavam menos do que meio lotadas, com homens bebendo, comendo, conversando ou dormindo vestidos em cantos tranquilos. Seus oficiais os chutariam para acordá-los quando chegasse a hora de vestir o manto e caminhar pelas muralhas. Mas nenhum desses homens apreciaria a companhia de Theon Vira-Casaca, nem ele tinha muita vontade de estar com eles.

O mingau estava sem graça e aguado, e ele o empurrou depois da terceira colherada, largando-o para que congelasse na tigela. Na mesa ao lado, homens conversavam sobre a tempestade e se perguntavam em voz alta por quanto tempo a neve ainda cairia.

– Todo o dia e toda a noite, talvez até mais tempo – insistia um grande arqueiro de barba negra, com um machado dos Cerwyn costurado no peito. Alguns homens mais velhos falavam sobre outras tempestades de neve e insistiam que essa não era mais do que poeira leve, se comparada com as que viram nos invernos de sua juventude. Os homens do Tridente estavam horrorizados. *Elas não têm nenhum apreço por neve e frio, essas espadas sulistas.* Homens entravam no salão para se amontoar em torno das fogueiras ou para esquentar as mãos em braseiros ardentes, enquanto seus mantos ficavam pendurados em ganchos do lado de dentro da porta.

O ar estava denso e fumacento, e uma crosta se formara sobre seu mingau quando uma voz de mulher ao lado dele disse:

– Theon Greyjoy.

Meu nome é Fedor, ele quase disse.

– O que você quer?

Ela se sentou ao lado dele, escarranchando-se no banco, e tirou uma mecha rebelde de cabelo castanho-avermelhado dos olhos.

– Por que come sozinho, 'nhor? Vamos, levante-se, junte-se à dança.

Ele voltou para seu mingau.

– Não danço. – O príncipe de Winterfell fora um dançarino gracioso, mas Fedor, com seus dedos dos pés perdidos, teria sido grotesco. – Deixe-me. Não tenho dinheiro.

A mulher deu um sorriso torto.

– Você me toma por puta? – Era uma das lavadeiras do cantor, uma alta e magra, muito esguia e com a pele curtida demais para ser considerada bonita... mas houve um tempo em que Theon teria caído sobre ela do mesmo jeito, para ver como seria ter aquelas longas pernas em volta dele. – O que eu faria com dinheiro aqui? O que poderia comprar? Um pouco de neve? – Ela riu. – Você pode me pagar com um sorriso. Nunca o vi sorrir, nem durante o banquete de casamento de sua irmã.

– A Senhora Arya não é minha irmã. – *Também não sorrio,* ele poderia ter dito. *Ramsay odiava meus sorrisos, então pegou um martelo e deu um jeito nos meus dentes. Mal posso comer.* – Ela nunca foi minha irmã.

– Uma bonita donzela, no entanto.

Nunca fui linda como Sansa, mas todos diziam que eu era bonita. As palavras de Jeyne pareciam ecoar na cabeça dele, junto com os tambores que duas das garotas de Abel estavam tocando. Outra puxara Pequeno Walder Frey para cima de uma mesa e o ensinava a dançar. Todos os homens riam. – Deixe-me – disse Theon.

– Não sou do seu agrado, 'nhor? Posso mandar Myrtle para você, se quiser. Ou Holly, se é dela que gosta mais. Todos os homens gostam de Holly. Elas não são minhas irmãs tampouco, mas são doces. – A mulher se aproximou. Seu hálito cheirava a vinho. – Se não tem um sorriso para mim, conte-me como tomou Winterfell. Abel colocará a história em uma canção, e você viverá para sempre.

– Como um traidor. Como Theon Vira-Casaca.

– Por que não Theon, o Esperto? Foi uma façanha ousada, pelo que ouvimos. Quantos homens você tinha? Uma centena? Cinquenta?

Menos.

– Foi uma loucura.

– Uma gloriosa loucura. Stannis tem cinco mil, dizem, mas Abel afirma que dez vezes esse tanto não conseguem violar estas muralhas. Então como *você* conseguiu entrar, 'nhor? Tinha alguma passagem secreta?

Eu tinha cordas, Theon pensou. *E ganchos. Tinha a escuridão ao meu lado, e a surpresa. O castelo era mantido com poucos guardas, e eu os peguei desprevenidos.* Mas não disse nada daquilo. Se Abel fizesse uma canção sobre ele, provavelmente Ramsay retalharia seus tímpanos, para ter certeza de que nunca a escutaria.

– Pode confiar em mim, 'nhor. Abel confia. – A lavadeira colocou a mão sobre a dele. As mãos dele estavam enluvadas em lã e couro. As dela estavam nuas, dedos longos e ásperos, com as unhas roídas até o toco. – Não perguntou meu nome. É Rowan.

Theon puxou a mão com força. Era uma armadilha, ele sabia. *Ramsay a enviou. É outra de suas brincadeiras, como Kyra com as chaves. Uma brincadeira divertida, é tudo. Ele quer que eu fuja, então poderá me punir.*

Queria bater nela, esmagar aquele sorriso zombeteiro do rosto dela. Queria beijá-la, fodê-la bem ali na mesa e fazê-la gritar o nome dele. Mas sabia que não ousaria tocá-la, nem por raiva, nem com luxúria. *Fedor, Fedor, meu nome é Fedor. Não devo esquecer meu nome.* Levantou-se e encaminhou-se para a porta, sem dizer uma palavra, mancando com os pés mutilados.

Do lado de fora, a neve ainda caía. Molhada, pesada, silenciosa, já começara a cobrir as pegadas deixadas pelos homens nas idas e vindas do salão. Os montes chegavam quase ao topo de suas botas. *Devem estar mais profundas na Matadelobos... e na estrada do rei, onde o vento está soprando, não há como escapar disso.* Uma batalha estava sendo travada no pátio; rapazes Ryswell bombardeavam rapazes de Vila Acidentada com bolas de neve. Acima, podia ver alguns homens construindo bonecos de neve ao longo das ameias. Eles os armavam com lança e escudo, colocando um elmo de ferro na cabeça dos bonecos, arrumando-os ao longo da muralha interior, uma linha de sentinelas de neve.

– O Senhor Inverno se juntou a nós com suas tropas – uma das sentinelas do lado de fora do Grande Salão brincou... até ver o rosto de Theon e perceber com quem estava falando. Então virou a cara e cuspiu.

Além das tendas, os grandes corcéis de batalha dos cavaleiros de Porto Branco e das Gêmeas tremiam em suas baias. Ramsay queimara os estábulos quando saqueou Winterfell, então seu pai mandou fazer novos, duas vezes maiores que os antigos, para acomodar os cavalos de batalha e os palafréns dos senhores seus vassalos e de seus cavaleiros. Os cavalos restantes estavam amarrados ao ar livre. Cavalariços encapuzados se moviam entre eles, cobrindo-os com cobertores para mantê-los aquecidos.

Theon seguiu absorto para as partes em ruínas do castelo. Enquanto pegava uma pedra quebrada que uma vez fizera parte da torre de Meistre Luwin, corvos, nos cortes das paredes acima, olhavam para baixo, murmurando um para o outro. De tempos em tempos, um deles soltava um grito estridente. Parou na porta do quarto de dormir que fora seu (com neve na altura dos tornozelos, soprada de uma janela quebrada), visitou as ruínas da forja de Mikken e o septo da Senhora Catelyn. Sob a Torre Queimada, passou por Rickard Ryswell com o nariz enfiado no pescoço de outra das lavadeiras de Abel, a gordinha com bochechas de maçã e nariz achatado. A garota estava descalça na neve, embrulhada em um manto de pele. Ele imaginou que estivesse nua por baixo. Quando ela o viu, disse algo para Ryswell que o fez gargalhar.

Theon se afastou deles. Havia uma escada além das cavalariças, raramente usada; foi para lá que os pés dele o levaram. Os degraus eram íngremes e traiçoeiros. Subiu cuidadosamente e se encontrou sozinho nas ameias da muralha interna, bem longe dos escudeiros e seus bonecos de neve. Ninguém lhe dera liberdade no castelo, mas ninguém tampouco lhe negara isso. Podia ir aonde quisesse, dentro das muralhas.

A muralha interna de Winterfell era a mais velha e a mais alta das duas, suas antigas ameias cinzentas erguendo-se a trinta metros de altura, com torres quadradas em cada canto. A muralha externa, construída muitos séculos mais tarde, era seis metros mais baixa, mas mais grossa e mais bem mantida, ostentando torres octogonais em vez das quadradas. Entre as duas muralhas estava o fosso, profundo e amplo... e congelado. Montes de neve tinham começado a rastejar por toda a superfície gelada. A neve também se acumulava ao longo das ameias, preenchendo as lacunas entre os merlões e colocando capacetes suaves e claros no topo de cada torre.

Além das muralhas, e tão longe quanto podia ver, o mundo se tornara branco. A floresta, os campos, a estrada do rei – a neve cobrira todos eles com um macio manto branco, enterrando os remanescentes da cidade de inverno, escondendo as paredes enegrecidas que os homens de Ramsay deixaram para trás quando passaram as casas pela tocha. *As feridas que Snow fez, a neve escondeu*, mas isso estava errado. Ramsay era um Bolton agora, não um Snow, nunca um Snow.

Mais adiante, a esburacada estrada do rei desaparecera, perdida entre os campos e as colinas, tudo uma vasta extensão de branco. E a neve continuava caindo, descendo em silêncio de um céu sem ventos. *Stannis Baratheon está lá fora em algum lugar, congelando.* Será que Lorde Stannis tentaria tomar Winterfell pela força? *Se fizer isso, sua causa está condenada.* O castelo estava muito fortificado. Mesmo com o fosso congelado, as defesas de Winterfell permaneciam formidáveis. Theon capturara o castelo pela discrição, mandando seus melhores homens escalar as muralhas e nadar pelo fosso sob a cobertura da escuridão. Os guardas não souberam que estavam sob ataque até que fosse tarde demais. Tal subterfúgio não seria possível para Stannis.

Ele podia preferir cortar o contato do castelo com o mundo exterior e matar os guardas de fome. Os armazéns e os depósitos de Winterfell estavam vazios. Um grande carregamento de suprimentos veio com Bolton e seus amigos Frey pelo Gargalo, a Senhora Dustin trouxera comida e forragens de Vila Acidentada, e Lorde Manderly chegara com boas provisões de Porto Branco... mas o número de pessoas era grande. Com tantas bocas para alimentar, seus estoques não durariam muito. *Mas Lorde Stannis e seus homens estarão famintos do mesmo jeito. E com frio e frieiras também, em nenhuma condição de luta... mas a tormenta os deixará desesperados para entrar no castelo.*

A neve caía no bosque sagrado também, derretendo quando chegava ao solo. Sob as árvores cobertas de branco, a terra se transformara em lama. Gavinhas de névoa pendiam no ar como fitas fantasmagóricas. *Por que vim até aqui? Esses não são meus deuses. Este não é meu lugar.* A árvore-coração estava diante dele, um gigante pálido com uma face esculpida e folhas como mãos ensanguentadas.

Uma fina camada de gelo cobria a lagoa ao lado do represeiro. Theon se afundou sobre os joelhos diante da árvore.

– Por favor – murmurou, através dos dentes quebrados –, eu nunca pretendi... – As palavras ficaram presas em sua garganta. – Salve-me – ele finalmente falou. – Dê-me... – *O quê? Força? Coragem? Misericórdia?* A neve caía ao redor dele, pálida e silenciosa, mantendo seu próprio conselho. O único som era o de um soluço suave e longínquo. *Jeyne*, ele pensou. *É ela, soluçando em seu leito nupcial. O que mais poderia ser?* Os deuses não choram. *Ou choram?*

O som era doloroso demais para suportar. Theon segurou um galho e apoiou-se nele para se levantar, limpou a neve das pernas e mancou de volta para as luzes. *Há fantasmas em Winterfell*, pensou, *e sou um deles.*

Mais homens de neve haviam sido erguidos no pátio quando Theon Greyjoy voltou. Para comandar as sentinelas de neve nas muralhas, os escudeiros haviam erigido uma dúzia de senhores de neve. Um claramente pretendia ser Lorde Manderly; era o homem de neve mais gordo que Theon já vira. O senhor de um braço só podia ser Harwood Stout, a boneca de neve, Barbrey Dustin. E um que estava mais perto da porta com a barba feita de pingentes de gelo devia ser o velho Terror-das-Rameiras Umber.

Do lado de dentro, os cozinheiros remexiam um ensopado de carne e cevada, engrossado com cenouras e cebolas e servido dentro de pães do dia anterior escavados para formarem cuias. Pedaços eram jogados no chão para serem devorados pelas garotas de Ramsay e pelos outros cães.

As garotas ficaram felizes em vê-lo. Elas o conheciam pelo cheiro. Jeyne Vermelha veio correndo para lamber sua mão e Helicent deslizou por baixo da mesa e se enrolou em seus pés, roendo um osso. Eram bons cães. Era fácil esquecer que cada uma tinha o nome de uma garota que Ramsay caçara e matara.

Cansado como estava, Theon tinha apetite suficiente para comer um pouco de ensopado, empurrado para baixo com cerveja. O salão havia ficado mais barulhento. Dois dos batedores de Roose Bolton retornaram do Portão do Caçador para reportar que o avanço de Lorde Stannis tinha se tornado tão lento quanto um rastejar. Seus cavaleiros cavalgavam corcéis de batalha, e os grandes cavalos estavam afundando na neve. Os garranos pequenos e firmes dos clãs das montanhas estavam se saindo melhor, os batedores disseram, mas os homens dos clãs não ousavam pressionar muito ou toda a tropa se separaria. Lorde Ramsay ordenou a Abel que cantasse uma marcha em honra a Stannis afundando na neve, então o bardo pegou seu alaúde novamente, enquanto uma de suas lavadeiras pegava uma espada de Alyn Azedo e imitava Stannis cortando flocos de neve.

Theon estava olhando para as últimas borras de sua terceira caneca de cerveja quando a Senhora Barbrey Dustin entrou no salão e enviou duas de suas espadas juramentadas para levá-lo até ela. Quando ele parou embaixo do palanque, ela o olhou de cima a baixo e cheirou.

– Essas são as mesmas roupas que você usou no casamento.

– Sim, minha senhora. Estas foram as roupas que me foram dadas. – Essa era uma das lições que aprendera no Forte do Pavor: pegar o que lhe era dado e nunca pedir mais.

A Senhora Dustin vestia negro, como sempre, embora suas mangas tivessem acabamento de peles de esquilo. O vestido tinha uma alta gola dura que emoldurava seu rosto.

– Você conhece este castelo.

– Já conheci.

– Em algum lugar sob nós estão as criptas onde os antigos reis Stark sentavam-se na escuridão. Meus homens não foram capazes de descobrir como chegar até lá. Percorreram todas as galerias subterrâneas, os porões, até mesmo os calabouços, mas...

– As criptas não podem ser acessadas pelos calabouços, minha senhora.

– Pode me mostrar o caminho até lá?

– Não há nada lá, além de...

– ... Stark mortos? Sim. E, na verdade, todos os meus Stark favoritos estão mortos. Você sabe o caminho ou não?

– Sei. – Ele não gostava das criptas, nunca gostara das criptas, mas não era estranho a elas.

– Mostre-me. Oficial, pegue uma lanterna.

– Minha senhora precisará de um manto mais quente – avisou Theon. – Teremos que ir lá fora.

A neve caía mais pesada quando deixaram o salão, com a Senhora Dustin enrolada em zibelina. Encolhidos em suas capas com capuzes, os guardas do lado de fora quase não podiam ser distinguidos dos homens de neve. Apenas suas respirações formando vapor no ar provavam que ainda viviam. Fogueiras queimavam ao longo das ameias, uma vã tentativa de mandar a melancolia embora. O pequeno grupo se encontrou caminhando pesadamente através da suave e ininterrupta vastidão branca que chegava a meio caminho de suas virilhas. As tendas no pátio estavam semienterradas, cedendo sob o peso da neve acumulada.

A entrada das criptas ficava na parte mais antiga do castelo, próximo à base da Primeira Torre, que ficara sem uso por centenas de anos. Ramsay a passara pela tocha quando saqueou Winterfell, e muito do que não queimara desmoronara. Apenas uma casca permanecera, um lado aberto para as intempéries e cheio de neve. Escombros estavam espalhados por todos os lados; grandes pedaços quebrados de alvenaria, vigas queimadas, gárgulas quebradas. A neve que caía havia coberto quase tudo, mas parte de uma gárgula ainda aparecia sobre os montes, sua face grotesca rosnando cega para o céu.

Foi aqui que encontraram Bran quando ele caiu. Theon estivera fora naquele dia, caçando, cavalgando com Lorde Eddard e o Rei Robert, sem qualquer indício das notícias que os aguardavam de volta ao castelo. Lembrava-se do rosto de Robb quando contaram para ele. Ninguém esperava que o garoto quebrado vivesse. *Os deuses não puderam matar Bran, não mais do que eu pude.* Era um pensamento estranho, e mais estranho ainda se recordar que Bran podia estar vivo ainda.

– Ali. – Theon apontou para onde um banco de neve se amontoava sobre a parede da fortaleza. – Ali embaixo. Cuidado com as pedras quebradas.

Levou mais de meia hora para os homens da Senhora Dustin descobrirem a entrada, cavando na neve e afastando escombros. Quando conseguiram, a porta estava congelada. O oficial teve que encontrar um machado antes de abri-la, dobradiças gritando, para revelar uma escada de degraus em espiral descendo pela escuridão.

– É uma longa descida, minha senhora – Theon avisou.

A Senhora Dustin não se intimidou.

– Beron, a luz.

O caminho era estreito e íngreme, os degraus desgastados no meio por séculos de pisadas. Entraram em fila simples; o oficial com a lanterna, então Theon e a Senhora Dustin, e os outros homens dela atrás. Ele sempre pensara nas criptas como frias, e pareciam assim no verão, mas, agora, enquanto desciam, o ar ficava mais quente. Não *quente*, nunca quente, mas mais quente que em cima. Aqui embaixo da terra, ao que parece, o frio era constante, imutável.

– A noiva chora – a Senhora Dustin disse, enquanto desciam, passo a passo, cuidadosamente. – Nossa pequena Senhora Arya.

Tenha cuidado, agora. Tenha cuidado, tenha cuidado. Ele colocou a mão na parede. A luz da tocha, tremeluzindo, fazia com que os degraus parecessem se mover sob seus pés.

– É... é como diz, minha senhora.

– Roose não está satisfeito. Diga isso para seu bastardo.

Ele não é meu bastardo, queria dizer, mas outra voz dentro dele dizia, *Ele é, ele é. Fedor pertence a Ramsay, e Ramsay pertence a Fedor. Você não deve esquecer seu nome.*

– Vesti-la em cinza e branco não fará nenhum bem se a garota é deixada a soluçar. Os Frey podem não se importar, mas os nortenhos... eles temem Forte do Pavor, mas amam os Stark.

– Não você – disse Theon.

– Não eu – a Senhora de Vila Acidentada confessou –, mas os demais, sim. O velho Terror-das-Rameiras só está aqui porque os Frey mantêm Grande-Jon cativo. E você acha que os homens Hornwood esqueceram o último casamento do Bastardo, e como sua senhora esposa foi deixada para morrer de fome, roendo os próprios dedos? O que você acha que passa pela cabeça deles quando escutam a nova noiva chorando? A preciosa garotinha do valente Ned.

Não, ele pensou. *Ela não tem o sangue de Lorde Eddard, o nome dela é Jeyne, ela é apenas a filha do intendente.* Não duvidava que a Senhora Dustin suspeitasse, mesmo assim...

– Os soluços da Senhora Arya podem nos causar mais danos do que todas as espadas e lanças de Lorde Stannis. Se o Bastardo pretende continuar sendo Senhor de Winterfell, é melhor que ensine sua esposa a sorrir.

– Minha senhora – Theon interrompeu. – Aqui estamos.

– Os degraus continuam para baixo – observou a Senhora Dustin.

– Há níveis inferiores. Mais antigos. O nível mais antigo está parcialmente desmoronado, ouvi dizer. Nunca desci além daqui. – Abriu a porta e levou-os por um longo túnel abaulado, onde poderosos pilares de granito bordejavam, dois a dois, na escuridão.

O oficial da Senhora Dustin levantou a lanterna. Sombras deslizavam e mudavam de lugar. *Uma pequena luz em uma grande escuridão.* Theon nunca se sentira confortável nas criptas. Podia sentir os reis de pedra olhando-o de cima com seus olhos de pedra, dedos de pedra enrolados nos punhos de espadas longas enferrujadas. Nenhum deles tivera algum amor por homens de ferro. Uma sensação familiar de pavor tomou conta dele.

– São tantos – a Senhora Dustin disse. – Sabe os nomes deles?

– Uma vez... mas foi há muito tempo. – Theon apontou. – Os que estão deste lado foram reis no Norte. Torrhen foi o último.

– O Rei que Ajoelhou.

– Sim, minha senhora. Depois dele, todos foram apenas senhores.

– Até o Jovem Lobo. Onde está a tumba de Ned Stark?

– No final. Por aqui, minha senhora.

Seus passos ecoavam pela abóbada enquanto caminhavam entre as fileiras de pilares. Os olhos de pedra dos mortos pareciam segui-los, assim como os olhos de seus lobos gigantes. Os rostos agitavam memórias esmaecidas. Alguns nomes voltaram espontaneamente, sussurrados pela voz fantasmagórica de Meistre Luwin. Rei Edrick Barba de Neve, que governara o Norte por uma centena de anos. Brandon, o Armador, que navegara para além do pôr do sol. Theon Stark, o Lobo Faminto. *Meu homônimo.* Lorde Beron Stark, que fez causa comum com Rochedo Casterly na guerra contra Dagon Greyjoy, Senhor de Pyke, nos dias em que os Sete Reinos eram governados em nome de todos pelo feiticeiro bastardo chamado Sangue de Corvo.

– Aquele rei perdeu sua espada – a Senhora Dustin observou.

Era verdade. Theon não se lembrava que rei era aquele, mas a espada longa que devia segurar se fora. Marcas de ferrugem permaneciam para mostrar o lugar em que a lâmina estivera. A visão o inquietou. Sempre ouvira que o ferro da espada mantinha os espíritos dos mortos trancados em suas tumbas. Se uma espada estava faltando...

Há fantasmas em Winterfell. E sou um deles.

Seguiram adiante. O rosto de Barbrey Dustin parecia mais duro a cada passo. *Ela não gosta deste lugar tanto quanto eu.* Theon se ouviu falando:

– Minha senhora, por que odeia os Stark?

Ela o estudou.

– Pela mesma razão que você os ama.

Theon tropeçou.

– Amá-los? Eu nunca... eu tomei este castelo deles, minha senhora. Eu tive... condenei Bran e Rickon à morte, coloquei suas cabeças em estacas, eu...

– ... cavalgou para o sul com Robb Stark, lutou ao lado dele no Bosque dos Murmúrios e em Correrrio, voltou para as Ilhas de Ferro como seu enviado para tratar com seu próprio pai. Vila Acidentada enviou homens com o Jovem Lobo também. Mandei o mínimo que me atrevi, mas sabia que devia dar-lhes alguns, ou me arriscaria a enfrentar a ira de Winterfell. Então eu tinha meus próprios olhos e ouvidos naquela tropa. Eles me mantiveram bem informada. Sei quem é você. Sei o que você é. Agora, responda à minha pergunta. Por que você ama os Stark?

– Eu... – Theon colocou uma mão enluvada contra um pilar. – ... eu queria ser um deles...

– E nunca pôde. Temos mais em comum do que imagina, meu senhor. Mas venha.

Apenas um pouco adiante, três tumbas estavam agrupadas juntas. Foi lá que pararam.

– Lorde Rickard – a Senhora Dustin observou, estudando a figura central. A estátua pairava sobre eles; rosto comprido, barbado, solene. Tinha os mesmos olhos de pedra dos demais, mas os seus pareciam tristes. – Ele tampouco possui uma espada.

Era verdade.

– Alguém esteve aqui embaixo roubando espadas. A de Brandon se foi também.

– Ele teria odiado isso. – Ela puxou a luva e tocou o joelho dele, carne pálida contra pedra escura. – Brandon amava sua espada. Adorava amolá-la. *Quero-a afiada o suficiente para raspar os pelos da boceta de uma mulher*, ele costumava dizer. E como amava usá-la. *Uma espada ensanguentada é uma coisa linda*, me disse, certa vez.

– Você o conhecia – Theon disse.

A luz da lanterna fazia seus olhos parecerem em chamas.

– Brandon foi criado em Vila Acidentada com o velho Lorde Dustin, o pai daquele com quem me casei mais tarde, mas passava a maior parte de seu tempo cavalgando nos Regatos. Adorava cavalgar. Sua irmãzinha vinha logo atrás dele nisso. Um par de centauros, aqueles dois. E o senhor meu pai sempre estava satisfeito em bancar o anfitrião para o herdeiro de Winterfell. Meu pai tinha grandes ambições para a Casa Ryswell. Teria oferecido minha virgindade para qualquer Stark que estivesse por perto, mas não foi necessário. Brandon nunca foi tímido a respeito das coisas que queria. Sou velha, agora, uma coisa seca, viúva há muito tempo, mas ainda me lembro de olhar meu sangue de donzela no pau dele, na noite em que me reivindicou. Acho que Brandon também gostou da visão. Uma espada ensanguentada é uma coisa linda, sim. Dói, mas é sempre uma dor doce. Mas, no dia em que soube que Brandon ia se casar com Catelyn Tully... não foi nada doce *aquela* dor. Ele nunca a quis, eu lhe garanto. Ele me disse isso, na nossa última noite juntos... mas Rickard Stark também tinha grandes ambições. Ambições *sulistas* que não seriam alcançadas com seu herdeiro casado com a filha de um de seus próprios vassalos. Depois, meu pai acalentou alguma esperança de me casar com o irmão de Brandon, Eddard, mas Catelyn Tully pegou este também. Eu fiquei com o jovem Lorde Dustin, até que Ned Stark o tirou de mim.

– A Rebelião de Robert...

– Lorde Dustin e eu não estávamos casados nem meio ano quando Robert se levantou e Ned convocou os vassalos. Implorei para que meu marido não fosse. Ele tinha parentes que poderia ter enviado em seu lugar. Um tio famoso por suas proezas com um machado, um tio-avô que lutara na Guerra dos Reis de Nove Moedas. Mas era um homem cheio de orgulho, e nada serviria se ele mesmo não liderasse as forças de Vila Acidentada. Dei-lhe um cavalo no dia em que partiu, um garanhão vermelho com uma crina de fogo, o orgulho dos rebanhos do senhor meu pai. Meu senhor jurou que cavalgaria nele para casa quando a guerra acabasse. Ned Stark me devolveu o cavalo quando voltou para Winterfell. Disse-me que meu senhor morrera uma morte honrosa e que seu corpo havia sido colocado para descansar sob as montanhas vermelhas de Dorne. Mas trouxe os ossos de sua irmã de volta para o Norte, e aqui ela descansa... mas, eu lhe prometo, os ossos de Lorde Eddard nunca descansarão ao lado dos dela. Pretendo alimentar meus cães com eles.

Theon não entendeu.

– Os... os ossos dele...?

Os lábios dela se contorceram. Era um sorriso feio, um sorriso que lembrava Ramsay.

– Catelyn Tully despachou os ossos de Lorde Eddard para o Norte antes do Casamento Vermelho, mas o seu tio de ferro tomou Fosso Cailin e fechou a passagem. Tenho observado desde essa época. Se esses ossos já emergiram dos pântanos, não estarão muito longe de Vila Acidentada. – Deu uma última olhada para a estátua que se parecia com Eddard Stark. – Terminamos aqui.

A tempestade de neve ainda estava furiosa quando emergiram das criptas. A Senhora Dustin ficou em silêncio durante a subida, mas, quando parou novamente sob as ruínas da Primeira Torre, estremeceu e disse:

– Você faria bem em não repetir nada do que disse aí embaixo. Isto está entendido?

Estava.

– Seguro minha língua, ou a perco.

– Roose o treinou bem. – Ela o deixou ali.

O prêmio do Rei

A tropa do rei partiu de Bosque Profundo com a luz de uma aurora dourada, desenrolando-se detrás das paliçadas de toras como uma longa serpente de aço emergindo de seu ninho.

Os cavaleiros sulistas cavalgavam com armaduras e cotas de malha amassadas e marcadas pelas batalhas que lutaram, mas ainda brilhantes o suficiente para reluzirem sob a luz do sol. Desbotados, manchados, rasgados e remendados, os estandartes e as capas ainda formavam uma profusão de cores entre a floresta de inverno – índigo e laranja, vermelho e verde, púrpura, azul e dourado, refletindo entre troncos marrons sem folhas, pinheiros e árvores sentinelas cinza-esverdeados, montes de neve suja.

Cada cavaleiro tinha seus escudeiros, servos e mestres em armas. Atrás deles vinham armeiros, cozinheiros, cavalariços; fileiras de lanceiros, homens com machado, arqueiros; veteranos grisalhos de centenas de batalhas e garotos inexperientes esperando a primeira vez. Antes deles, marchavam os homens dos clãs das montanhas; chefes e campeões montados em garranos peludos, seus hirsutos combatentes trotando ao lado, vestidos em peles, couro cozido e velhas cotas de malha. Alguns pintavam o rosto de marrom e verde e amarravam feixes de arbustos sobre o corpo, para se camuflar entre as árvores.

Atrás da coluna principal seguia o comboio de bagagem; mulas, cavalos, bois, um quilômetro e meio de carroções e carroças repletos de comida, forragem, tendas e outras provisões. Por último, a retaguarda; mais cavaleiros em armaduras e cotas de malha, com um anteparo de batedores seguindo semiocultos, para ter certeza de que o inimigo não os pegaria desprevenidos.

Asha Greyjoy seguia no comboio da bagagem, em um carroção coberto, com duas imensas rodas de aros de ferro, acorrentada pelo pulso e pelos tornozelos e vigiada dia e noite por uma Mulher-Ursa que roncava mais do que qualquer homem. Sua Graça, o Rei Stannis, não queria correr nenhum risco de seu prêmio escapar do cativeiro. Ele pretendia levá-la para Winterfell, para mostrá-la em correntes para os senhores do Norte, a filha da lula gigante amarrada e quebrada, a prova de seu poder.

Trombetas colocaram a coluna a caminho. Pontas de lanças brilhavam na luz do sol nascente e, por toda a margem, a grama reluzia com a geada matinal. Entre Bosque Profundo e Winterfell estendiam-se quinhentos e cinquenta quilômetros de floresta. Menos de quinhentos quilômetros no voo de um corvo.

– Quinze dias – os cavaleiros diziam uns para os outros.

– Robert teria feito em dez – Asha escutou Lorde Fell alardeando. Seu avô fora morto por Robert em Solar de Verão; de algum modo, isso elevara o assassino à coragem divina aos olhos do neto. – Robert já teria entrado em Winterfell há uma quinzena, caçoando de Bolton das ameias do castelo.

– Melhor não mencionar isso para Stannis – sugeriu Justin Massey –, ou ele nos fará marchar dia e noite.

Este rei vive à sombra de seu irmão, Asha pensou.

Seu tornozelo ainda acusava uma pontada de dor sempre que ela tentava apoiar o peso do corpo nele. Alguma coisa estava quebrada lá dentro, Asha não duvidava. O inchaço desaparecera em Bosque Profundo, mas a dor permanecia. Uma entorse certamente estaria curada a essa altura. Seus ferros rangiam todas as vezes que ela se mexia. Os grilhões feriam seus pulsos e seu orgulho. Mas esse era o custo da submissão.

– Nenhum homem morreu por dobrar os joelhos – seu pai lhe dissera uma vez. – Aquele que se ajoelha pode se erguer novamente, espada na mão. O que não se ajoelha permanece morto, pernas rígidas e tudo. – Balon Greyjoy provara a verdade de suas palavras quando sua primeira rebelião falhou; a lula gigante ajoelhou-se diante do veado e do lobo gigante, apenas para se levantar novamente quando Robert Baratheon e Eddard Stark estavam mortos.

E então, em Bosque Profundo, a filha da lula gigante fez o mesmo quando foi jogada diante do rei, amarrada e mancando (embora abençoadamente não estuprada), o tornozelo uma explosão de dor.

– Eu me rendo, Vossa Graça. Faça o que quiser comigo. Peço apenas que poupe meus homens. – Qarl, Tris e o restante dos sobreviventes da Matadelobos eram tudo com o que se importava. Apenas nove restaram. *Os nove esfarrapados*, Cromm os chamara. Ele era o mais seriamente ferido.

Stannis lhe dera as vidas deles. Mesmo assim, ela não sentiu uma misericórdia verdadeira nele. Era determinado, não havia dúvidas. Tampouco lhe faltava coragem. Os homens diziam que era justo... e se sua justiça era do tipo severo, linha-dura, bem, a vida nas Ilhas de Ferro fizera Asha Greyjoy se acostumar com isso. Mesmo assim, não gostava desse rei. Os profundos olhos azuis dele pareciam sempre semicerrados em desconfiança, fúria gelada em ebulição logo abaixo da superfície. A vida dela significava pouco e ainda menos para ele. Era apenas uma refém, um prêmio para mostrar ao Norte que ele podia derrotar os homens de ferro.

Tolice dele. Derrubar uma mulher não traria nenhuma admiração dos nortenhos, se ela conhecia a raça, e seu valor como refém era menos que nada. Seu tio governava as Ilhas de Ferro agora, e ao Olho de Corvo não importava se ela viveria ou morreria. Poderia significar alguma coisa para a miserável ruína de marido que Euron infligira a ela, mas Eric Ironmaker não teria dinheiro suficiente para seu resgate. Mas não era possível explicar essas coisas para Stannis Baratheon. Até sua feminilidade parecia ofendê-lo. Homens das terras verdes gostavam de suas mulheres suaves e doces em seda, ela sabia, não vestidas em cota de malha e couro, com um machado de arremesso em cada mão. Mas o curto tempo em que esteve com o rei em Bosque Profundo a convenceu de que ele não teria sido mais agradável se ela estivesse de vestido. Mesmo com a esposa de Galbart Glover, a piedosa Senhora Sybelle, ele fora correto e cortês, mas estava claramente desconfortável. Esse rei sulista parecia ser um daqueles homens para os quais as mulheres são outra raça, tão estranhas e insondáveis quanto gigantes, gramequins e os filhos da floresta. A Mulher-Ursa o fazia ranger os dentes também.

Havia apenas uma mulher que Stannis ouvia, e ele a deixara na Muralha.

– Eu pensava que ela estaria logo conosco – confessou Sor Justin Massey, o cavaleiro loiro que comandava o comboio de bagagem. – A última vez que fomos para uma batalha sem a Senhora Melisandre foi na Água Negra, quando a sombra de Lorde Renly veio sobre nós e levou metade da nossa tropa para dentro da baía.

– A última vez? – disse Asha. – Essa feiticeira estava em Bosque Profundo? Não a vi.

– Dificilmente aquilo foi uma batalha – Sor Justin disse, sorrindo. – Seus homens de ferro lutaram bravamente, minha senhora, mas tínhamos muitas vezes seu número e os pegamos desprevenidos. Winterfell saberá que estamos chegando. E Roose Bolton tem tantos homens quanto nós.

Ou mais, pensou Asha.

Mesmo prisioneiros tinham ouvidos, e ela ouvira toda a conversa em Bosque Profundo, quando o Rei Stannis e seus capitães discutiam a marcha. Sor Justin se opusera desde o início, juntamente com muitos dos cavaleiros e senhores que vieram com Stannis do Sul. Mas os lobos insistiam; era intolerável que Roose Bolton ficasse com Winterfell, e a garota de Ned deveria ser resgatada das garras do bastardo. Assim disseram Morgan Liddle, Brandon Norrey, Grande Balde Wull, os Flint e até mesmo a Mulher-Ursa.

– São mais de quinhentos quilômetros de Bosque Profundo até Winterfell – disse Artos Flint, na noite em que a discussão esquentou no grande salão de Galbart Glover.

– Uma longa marcha – um cavaleiro chamado Corliss Penny disse.

– Não tão longa assim – insistiu Sor Godry, o grande cavaleiro que os outros chamavam de Matador de Gigante. – Já fomos tão longe quanto. O Senhor da Luz iluminará um caminho para nós.

– E quando chegarmos diante de Winterfell? – perguntou Justin Massey. – Duas muralhas com um fosso entre elas, e a muralha interior tem trinta metros de altura. Bolton nunca sairá para nos enfrentar em campo, e não temos provisões para armar um cerco.

– Arnolf Karstark juntará suas forças às nossas, não se esqueça – disse Harwood Fell. – Mors Umber também. Teremos tantos nortenhos quanto Lorde Bolton. E a floresta é espessa ao norte do castelo. Ergueremos torres de cerco, construiremos aríetes...

E morrerão aos milhares, pensou Asha.

– Faríamos melhor em passar o inverno aqui – sugeriu Lorde Peasebury.

– *Passar o inverno* aqui? – Grande Balde rugiu. – Quanta comida e forragem você acha que Galbart Glover tem estocado?

Então Sor Richard Horpe, o cavaleiro com o rosto devastado e com borboletas-caveira em sua túnica, virou-se para Stannis e disse:

– Vossa Graça, seu irmão...

O rei o interrompeu.

– Todos nós sabemos o que meu irmão faria. Robert teria galopado sozinho até Winterfell, arrebentado os portões com seu martelo de guerra e cavalgado sobre os escombros para matar Roose Bolton com a mão esquerda e o Bastardo com a direita. – Stannis se levantou. – Não sou Robert. Mas marcharemos e libertaremos Winterfell... ou morreremos na tentativa.

Quaisquer que fossem as dúvidas que os senhores pudessem nutrir, os homens comuns pareciam ter fé em seu rei. Stannis esmagara os selvagens de Mance Rayder na Muralha e despejara Asha e seus homens de ferro de Bosque Profundo, era irmão de Robert, vitorioso em uma famosa batalha no mar da Ilha Leal, o homem que mantivera Ponta Tempestade durante toda a Rebelião de Robert. E tinha uma espada de herói, a lâmina encantada Luminífera, que resplandecia à noite.

– Nossos inimigos não são tão formidáveis quanto parecem – Sor Justin assegurou a Asha, no primeiro dia de marcha. – Roose Bolton é temido, mas pouco amado. E seus amigos, os Frey... o Norte não esqueceu o Casamento Vermelho. Todo senhor em Winterfell perdeu parentes lá. Stannis precisa apenas sangrar Bolton, e os nortenhos o abandonarão.

Assim você espera, pensou Asha, *mas primeiro o rei precisa sangrá-lo. Apenas um tolo deserta o lado que está vencendo.*

Sor Justin foi até a carroça dela meia dúzia de vezes naquele primeiro dia, para levar comida, bebida e notícias da marcha. Um homem de sorrisos fáceis e piadas sem fim, largo e carnudo, com bochechas rosadas, olhos azuis e cabelo loiro-claro, tão claro quanto linho, emaranhado pelo vento, Massey era um carcereiro atencioso, sempre solícito com o conforto de sua cativa.

– Ele quer você – disse a Mulher-Ursa, depois da terceira visita.

O nome real dela era Alysane da Casa Mormont, mas ela usava o outro nome tão facilmente quanto usava sua cota de malha. Baixa, robusta, musculosa, a herdeira da Ilha dos Ursos tinha grandes coxas, grandes seios e grandes mãos endurecidas com calos. Mesmo dormindo, usava cota de malha sob as peles, couro cozido sob a cota de malha, e uma velha pele de ovelha sob o couro, virada do avesso para aquecer. Todas essas camadas faziam-na parecer ser tão larga quanto alta. *E feroz.* Algumas vezes era difícil para Asha Greyjoy se lembrar que ela e a Mulher-Ursa tinham quase a mesma idade.

– Ele quer minhas terras – Asha respondeu. – Quer as Ilhas de Ferro. – Ela conhecia os sinais. Já vira isso em outros pretendentes. As posses dos ancestrais de Massey, bem distantes ao Sul, estavam perdidas para ele, então ele precisava fazer um casamento vantajoso ou se resignar em ser não mais do que um cavaleiro a serviço do rei. Stannis frustrara as esperanças de Sor Justin de se casar com a princesa selvagem de quem Asha ouvira tanto, então agora ele voltava suas atenções para ela. Sem dúvida, sonhava em colocá-la sobre a Cadeira da Pedra do Mar, em Pyke, e governar através dela, como seu senhor e mestre. Isso requeria tirá-la de seu atual senhor e mestre, certamente... sem mencionar o tio que a casara com ele. *Nada provável*, Asha julgou. *O Olho de Corvo comeria Sor Justin para quebrar o jejum e não daria nem um arroto.*

Não fazia diferença. As terras de seu pai nunca seriam dela, não importava com quem estivesse casada. Os homens de ferro não eram um povo inclinado ao perdão, e Asha fora derrotada duas vezes. Uma na assembleia de homens livres, por seu tio Euron, e novamente em Bosque Profundo, por Stannis. Mais do que suficiente para marcá-la como incapaz de governar. Casar com Justin Massey ou outro dos fidalgotes de Stannis Baratheon atrapalharia mais do que poderia ajudar. *A filha da lula gigante, afinal, se tornou apenas uma mulher*, os capitães e os reis poderiam dizer. *Veja como ela abre as pernas para seu suave senhor das terras verdes.*

Mesmo assim, se Sor Justin queria cortejar seu favor com comida, vinho e notícias, Asha não o desencorajaria. Era uma companhia melhor do que a taciturna Mulher-Ursa, e, de qualquer modo, ela estava sozinha entre cinco mil inimigos. Tris Botley, Qarl, o Donzel, Cromm, Roggon e o resto de seu bando ensanguentado foram deixados para trás, em Bosque Profundo, nos calabouços de Galbart Glover.

O exército cobriu trinta e cinco quilômetros no primeiro dia, pela contagem dos guias que a Senhora Sybelle dera para eles, rastreadores e caçadores com as espadas juramentadas a Bosque Profundo, com nomes de clãs como Forrester, Woods, Branch e Bole. No segundo dia, as tropas fizeram trinta e oito, enquanto a vanguarda passava além das terras de Glover para dentro da espessa Matadelobos.

– *R'hllor, envie-nos sua luz para nos guiar por esta escuridão* – os crentes rezaram naquela noite, enquanto se reuniam em torno de uma fogueira que ardia do lado de fora do pavilhão do rei. Cavaleiros sulistas e homens em armas, muitos deles. Asha os teria chamado de homens do rei, mas os outros homens de Ponta Tempestade e das terras da coroa os chamavam de homens da rainha... embora a rainha que seguissem fosse a vermelha que estava no Castelo Negro, não a esposa que Stannis Baratheon deixara em Atalaialeste do Mar. – *Oh, Senhor da Luz, nós vos suplicamos, lance seu olho ardente sobre nós e nos mantenha a salvo e aquecidos* – cantavam para as chamas –, *pois a noite é escura e cheia de terrores.*

Um grande cavaleiro chamado Sor Godry Farring os liderava. *Godry, o Matador de Gigante. Um grande nome para um homem pequeno.* Farring tinha o peito largo e musculoso sob a placa peitoral e a cota de malha. Também era arrogante e vaidoso, pareceu à Asha; faminto por glória, surdo à cautela, um glutão por louvor e depreciativo com camponeses, lobos e mulheres. No fim, não era diferente de seu rei.

– Deixe-me ter um cavalo – Asha pediu a Sor Justin, quando ele foi até o carroção com meio presunto. – Estou enlouquecendo nestas correntes. Não tentarei fugir. Tem minha palavra nisso.

– Eu deixaria se pudesse, minha senhora. Mas você é cativa do rei, não minha.

– Seu rei não aceitará a palavra de uma mulher.

A Mulher-Ursa rosnou:

– Por que ele acreditaria na palavra de qualquer homem de ferro depois do que seu irmão fez em Winterfell?

– Não sou Theon – Asha insistiu... mas as correntes permaneceram.

Enquanto Sor Justin galopava ao longo da coluna, ela se pegou lembrando da última vez que vira sua mãe. Fora em Harlaw, nas Dez Torres. Uma vela tremeluzia nos aposentos maternos, mas a grande cama esculpida estava vazia sob o dossel empoeirado. A Senhora Alannys sentava-se ao lado de uma janela, encarando o oceano.

– Você trouxe meu menino? – ela perguntara, com a boca trêmula.

– Theon não pôde vir – Asha lhe dissera, olhando para a ruína de mulher que lhe havia dado à luz, uma mãe que perdera dois de seus filhos. E o terceiro...

Enviarei para você cada pedaço do príncipe.

Qualquer que fosse o resultado da batalha em Winterfell, Asha Greyjoy não achava que seu irmão sobreviveria a ela. *Theon Vira-Casaca. Até mesmo a Mulher-Ursa quer sua cabeça em um espeto.*

– Você tem irmãos? – Asha perguntou para sua carcereira.

– Irmãs – Alysane Mormont respondeu, ríspida como sempre. – Éramos cinco. Todas garotas. Lyanna está de volta à Ilha dos Ursos. Lyra e Jory estão com nossa mãe. Dacey foi assassinada.

– O Casamento Vermelho.

– Sim. – Alysane encarou Asha por um momento. – Tenho um filho. Ele tem dois anos. Minha filha tem nove.

– Você começou cedo.

– Bem cedo. Mas melhor assim do que esperar demais.

Uma cutucada para mim, Asha pensou, *mas deixe estar.*

– Você é casada.

– Não. Minhas crianças foram geradas por um urso. – Alysane sorriu. Seus dentes eram tortos, mas havia algo insinuante naquele sorriso. – As mulheres Mormont são troca-peles. Nos transformamos em ursas e encontramos parceiros na floresta. Todo mundo sabe.

Asha sorriu de volta.

– As mulheres Mormont são todas lutadoras também.

O sorriso da outra mulher desapareceu.

– Somos o que vocês fizeram de nós. Na Ilha dos Ursos, toda criança aprende a temer as lulas gigantes levantando-se do mar.

O Antigo Costume. Asha se afastou, com as correntes tilintando suavemente.

No terceiro dia, a floresta se comprimia em volta deles, e as estradas esburacadas diminuíram para trilhas de caça que logo se mostraram ser estreitas demais para seus largos carroções. Aqui e ali, o caminho os levava por marcos familiares: uma colina pedregosa que parecia uma cabeça de lobo quando vista de certo ângulo, uma queda d'água semicongelada, um arco de pedra natural barbado com musgo cinza-esverdeado. Asha conhecia todos eles. Fizera esse caminho antes, cavalgando até Winterfell para persuadir seu irmão Theon a abandonar sua conquista e retornar com ela em segurança para Bosque Profundo. *Falhei nisso também.*

Naquele dia, fizeram vinte e dois quilômetros, e ficaram felizes com isso.

Quando o anoitecer caiu, o carroceiro empurrou o carroção para baixo das árvores. Enquanto ele soltava os cavalos, Sor Justin foi até lá e tirou os grilhões dos tornozelos de Asha. Ele e a Mulher-Ursa a escoltaram pelo acampamento, até a tenda do rei. Ela podia ser uma cativa, mas ainda era uma Greyjoy de Pyke, e Stannis Baratheon ficava satisfeito em alimentá-la com restos de sua própria mesa, onde ceava com seus capitães e comandantes.

O pavilhão do rei era quase tão grande quanto o grande salão de Bosque Profundo, mas havia pouco de grandioso nele, além do tamanho. Suas rígidas paredes de lona amarela estavam muito desbotadas, manchadas com lama e água, e mostravam pontos de mofo. No topo do mastro central estava o estandarte real, dourado, com a cabeça do veado em um coração incandescente. Os senhores sulistas que vieram ao Norte com Stannis circundavam três lados do pavilhão. No quarto, uma fogueira noturna ardia, atacando o céu que escurecia com redemoinhos de fogo.

Uma dúzia de homens partia toras para alimentar as chamas quando Asha chegou mancando com seus carcereiros. *Homens da rainha.* O deus deles era R'hllor, e que deus ciumento ele era. Seu próprio deus, o Deus Afogado das Ilhas de Ferro, era um demônio aos olhos deles, e, se não abraçasse esse Senhor da Luz, ela estaria amaldiçoada e condenada. *Eles me queimariam alegremente entre essas toras e galhos quebrados.* Alguns chegaram a pedir isso durante a audiência dela, depois da batalha na floresta. Stannis recusara.

O rei estava do lado de fora da tenda, encarando a fogueira noturna. *O que ele vê ali? Vitória? Condenação? O rosto de seu deus vermelho e faminto?* Os olhos dele estavam enfiados em covas profundas, sua barba cortada rente não mais do que uma sombra nas bochechas côncavas e no maxilar ossudo. No entanto, havia poder em seu olhar, uma ferocidade de ferro que dizia a Asha que esse homem nunca, jamais voltaria atrás em seu curso.

Ela se ajoelhou diante dele.

– Majestade. – *Sou humilde o suficiente para você, Vossa Graça? Estou batida, curvada e quebrada o suficiente para seu gosto?* – Tire estas correntes dos meus pulsos, eu lhe imploro. Deixe-me cavalgar. Não tentarei nenhuma fuga.

Stannis olhou para ela como se estivesse olhando um cão que tentava montar em sua perna.

– Você mereceu esses ferros.

– Mereci. Agora ofereço a você meus homens, meus navios, meu juízo.

– Seus navios são meus, ou serão queimados. Seus homens... quantos sobraram? Dez? Doze?

Nove. Seis, se considerar apenas aqueles com força suficiente para lutar.

– Dagmer Boca Fendida mantém Praça Torrhen. Um combatente feroz e um servo leal da Casa Greyjoy. Posso entregar aquele castelo para você, e sua guarnição também. – *Talvez,* ela poderia ter completado, mas não serviria à sua causa mostrar dúvidas diante desse rei.

– Praça Torrhen não vale a lama sob meus calcanhares. É Winterfell que importa.

– Tire-me destes ferros e deixe-me ajudá-lo a pegá-lo, Majestade. O irmão real de Vossa Graça era famoso por transformar inimigos caídos em amigos. Faça-me seu homem.

– Os deuses não a fizeram um homem. Como eu o farei? – Stannis se virou para a fogueira noturna e para o que quer que visse dançando entre as chamas alaranjadas.

Sor Justin Massey agarrou Asha pelo braço e a empurrou para dentro da tenda real.

– Isso foi um erro, minha senhora – disse para ela. – Nunca fale de Robert para ele.

Eu deveria saber. Asha sabia como era com irmãos mais jovens. Lembrava-se de Theon quando menino, uma criança tímida que vivia com temor e medo de Rodrik e Maron. *Eles nunca escapam disso,* ela percebeu. *Um irmão mais jovem pode viver cem anos, mas sempre será um irmão mais jovem.* Sacudiu as joias de ferro e imaginou como seria agradável ficar atrás de Stannis e esganá-lo com as correntes que prendiam seus pulsos.

Naquela noite, jantaram um ensopado de carne de caça, feito com um cervo magricela que um batedor chamado Benjicot Branch trouxera. Mas apenas na tenda real. Além daquelas paredes de lona, cada homem ganhou um naco de pão e um pedaço de linguiça preta não maior do que um dedo da mão, empurrado para baixo com a última cerveja de Galbart Glover.

Quinhentos e cinquenta quilômetros de Bosque Profundo até Winterfell. Menos de quinhentos quilômetros no voo de um corvo.

– Queria que fôssemos corvos – disse Justin Massey no quarto dia de marcha, o dia em que começou a cair neve. Apenas algumas pequenas rajadas, no começo. Frias e molhadas, mas nada que os impedisse de avançar facilmente.

Mas nevou novamente no dia seguinte, e no próximo, e no dia depois desse. As grossas barbas dos lobos logo estavam cobertas de gelo onde suas respirações congelavam, e cada garoto barbeado sulista começou a deixar o bigode crescer para manter o rosto aquecido. Em pouco tempo, o campo à frente da coluna ficou coberto de branco, escondendo pedras, raízes retorcidas e quedas mortais, transformando cada passo em uma aventura. O vento os apanhava também, trazendo a neve consigo. A tropa do rei tornou-se uma coluna de homens de neve, cambaleando através de montes de neve na altura dos joelhos.

No terceiro dia de neve, a tropa do rei começou a se desfazer. Enquanto os cavaleiros e fidalgotes sulistas lutavam, os homens das montanhas do Norte saíam-se melhor. Os garranos eram animais de patas firmes, que comiam menos que os palafréns e muito menos do que os grandes corcéis de guerra, e os homens que os cavalgavam estavam em casa na neve. Muitos dos lobos usavam calçados curiosos. Patas de urso, eles os chamavam, estranhas coisas alongadas, feitas com madeiras dobradas e tiras de couro. Amarradas na base de suas botas, as coisas, de algum modo, permitiam que andassem sobre a neve sem quebrar a crosta e afundar até as coxas.

Alguns tinham patas de urso para os cavalos, também, e os pequenos garranos peludos as usavam com a mesma facilidade que outras montarias usavam ferraduras... mas os palafréns e os corcéis não queriam fazer parte disso. Quando alguns dos cavaleiros do rei tentaram amarrar as tais patas de urso em seus animais, os grandes cavalos sulistas empacaram e se recusaram a andar, ou tentaram arrancar as coisas das patas. Um corcel quebrou um tornozelo tentando caminhar com aquilo.

Os nortenhos com suas patas de urso logo começaram a se distanciar do restante da tropa. Ultrapassaram os cavaleiros na coluna principal, e então Sor Godry Farring e sua vanguarda. Enquanto isso, os carroções e carroças do comboio de bagagem ficavam mais e mais para trás, tanto que os homens da retaguarda estavam constantemente instando-os a irem mais rápido.

No quinto dia da tempestade, o comboio de bagagem cruzou uma extensão ondulante de montes de neve que chegavam à altura da cintura e escondiam um lago congelado. Quando o gelo oculto rachou sob o peso dos carroções, três carroceiros e quatro cavalos foram engolidos pela água congelante, juntamente com dois dos homens que tentaram resgatá-los. Um era Harwood Fell. Os cavaleiros o puxaram antes que se afogasse, mas não antes que seus lábios estivessem azuis e sua pele, pálida como leite. Nada que fizeram parecia aquecê-lo depois disso. Ele tremeu violentamente por horas, mesmo quando arrancaram suas roupas encharcadas, enrolaram-no em peles quentes e o sentaram ao lado do fogo. Naquela mesma noite, ele deslizou para um sono febril. Nunca acordou.

Foi nessa noite que Asha ouviu pela primeira vez os homens da rainha sussurrarem sobre um sacrifício; uma oferenda para seu deus vermelho, então ele poderia parar a tempestade.

– Os deuses do Norte desencadearam esta tempestade sobre nós – disse Sor Corliss Penny.

– Falsos deuses – insistiu Sor Godry, o Matador de Gigante.

– R'hllor está conosco – disse Sor Clayton Suggs.

– Mas Melisandre não está – disse Justin Massey.

O rei não disse nada. Mas ouviu. Asha tinha certeza disso. Estava sentado na mesa principal com um prato de sopa de cebola esfriando diante dele, quase intacto, encarando a chama da vela mais próxima com aqueles olhos encobertos, ignorando a conversa ao seu redor. O segundo em comando, o cavaleiro alto e magro chamado Richard Horpe falou por ele:

– A tempestade deve parar logo – declarou.

Mas a tempestade só piorou. O vento tornou-se um açoite tão cruel quanto o chicote de qualquer senhor de escravos. Asha achava que conhecia frio em Pyke, quando o vento chegava uivando do mar, mas aquilo não era nada comparado a isso. *Este é um frio que enlouquece os homens.*

Mesmo quando paravam para acampar à noite, não era fácil se aquecer. As tendas estavam úmidas e pesadas, difíceis de ser erguidas, mais difíceis ainda de ser presas ao chão, e propensas ao súbito colapso pelo tanto de neve acumulado sobre elas. A tropa do rei se arrastava pela maior floresta dos Sete Reinos e, mesmo assim, era difícil encontrar madeira seca. Cada acampamento tinha menos fogueiras queimando, e aquelas que eram acesas produziam mais fumaça do que calor. Frequentemente se comia a comida fria, ou mesmo crua.

Até a fogueira noturna ficava menor e mais fraca, para desespero dos homens da rainha.

– *Senhor da Luz, preserve-nos deste mal* – rezavam, liderados pela voz profunda de Sor Godry, o Matador de Gigante. – *Mostre-nos seu brilhante sol novamente, detenha estes ventos e derreta esta neve, para que possamos alcançar nossos inimigos e feri-los. A noite é escura, fria e cheia de terrores, mas são seus o poder, a glória e a luz. R'hllor, encha-nos com seu fogo.*

Mais tarde, quando Sor Corliss Penny se perguntou em voz alta se alguma vez um exército inteiro já congelara até a morte em uma tempestade de inverno, os lobos riram.

– Isso não é inverno – declarou Grande Balde Wull. – Lá nas montanhas, dizemos que o outono beija você, mas o inverno o fode vigorosamente. Isto é apenas um beijo de outono.

Deus, garanta que eu nunca conheça o verdadeiro inverno, então. A própria Asha fora poupada do pior; era o prêmio do rei, no fim das contas. Enquanto outros ficavam com fome, era alimentada. Enquanto outros tremiam, estava aquecida. Enquanto outros lutavam para atravessar a neve em cavalos cansados, viajava em uma cama de peles dentro de um carroção, com um teto de lona esticada para manter a neve afastada, confortável em suas correntes.

Os cavalos e os homens comuns tinham mais dificuldades. Dois escudeiros de Ponta Tempestade esfaquearam um homem em armas até a morte em uma disputa sobre quem se sentaria mais perto do fogo. Na noite seguinte, alguns arqueiros, desesperados para se aquecer de alguma maneira, acabaram colocando fogo na própria tenda, o que, ao menos, teve a vantagem de aquecer as tendas ao lado. Corcéis começaram a perecer de exaustão e exposição ao mau tempo.

– O que é um cavaleiro sem um cavalo? – os homens faziam adivinhas. – Um homem de neve com uma espada. – Qualquer cavalo que viesse abaixo era destroçado no mesmo lugar, pela carne. Suas provisões começavam a diminuir também.

Peasebury, Cobb, Foxglove e outros senhores sulistas pediram ao rei para acampar até que a tempestade passasse. Stannis não queria nada daquilo. Nem atenderia aos homens da rainha quando esses vieram pedir para fazer uma oferenda ao seu faminto deus vermelho.

Ela ouvira aquela história de Justin Massey, que era menos devoto do que a maioria.

– Um sacrifício provará que nossa fé ainda arde verdadeira, Majestade – Clayton Suggs disse para o rei. E Godry, o Matador de Gigante, completou:

– Os velhos deuses do Norte mandaram esta tempestade sobre nós. Apenas R'hllor pode pará-la. Devemos dar um descrente para ele.

– Metade do meu exército é feito de descrentes – Stannis respondeu. – Não queimaremos ninguém. Rezem mais.

Ninguém queimado hoje, nem amanhã... mas, se a neve continuar, quanto tempo até que a resolução do rei comece a enfraquecer? Asha nunca partilhara a fé de seu tio Aeron no Deus Afogado, mas, naquela noite, orou mais fervorosamente Àquele que Habita Sob as Ondas do que Cabelo-Molhado jamais o fizera. A tempestade não parou. A marcha continuou, reduzindo seu ritmo para um cambaleio, então para um rastejo. Oito quilômetros era um bom dia. Então cinco. Então três.

No nono dia da tempestade, todo acampamento viu os capitães e comandantes entrando na tenda do rei, molhados e cansados, para afundar sobre um joelho e reportar suas perdas do dia.

– Um homem morto, três perdidos.

– Seis cavalos perdidos, um deles o meu.

– Dois homens mortos, um deles um cavaleiro. Quatro cavalos caídos. Levantamos um novamente. Os outros estavam perdidos. Corcéis e um palafrém.

A contagem do frio, Asha ouvira-os falar. O comboio de bagagem sofrera ainda mais, cavalos mortos, homens perdidos, carroções virados e quebrados.

– Os cavalos afundam na neve – Justin Massey contou ao rei. – Homens vagueiam por aí, ou simplesmente se sentam para morrer.

– Deixe-os – o Rei Stannis estourou. – Vamos em frente.

Os nortenhos se saíam muito melhor, com seus garranos e suas patas de urso. Donnel Negro Flint e seu meio-irmão Artos haviam perdido apenas um de seus homens. Os Liddle, os Wull e os Norrey não perderam nenhum. Uma das mulas de Morgan Liddle havia se extraviado, mas ele parecia pensar que os Flint a roubaram.

Quinhentos e cinquenta quilômetros de Bosque Profundo a Winterfell. Menos de quinhentos quilômetros em um voo de corvo. Quinze dias. O décimo quinto dia de marcha veio e se foi, e haviam cruzado menos da metade do caminho. Um rastro de carroções quebrados e cadáveres congelados, enterrados sob a neve que soprava, se estendia atrás deles. O sol, a lua e as estrelas tinham ficado tão distantes que Asha começava a se perguntar se havia sonhado com eles.

Era o vigésimo dia de avanço quando ela finalmente conseguiu se ver livre das correntes de seu tornozelo. Naquela tarde, um dos cavalos que puxava seu carroção morreu. Não foi possível encontrar substituto; os cavalos de lida que sobravam eram necessários para puxar as carroças com comida e forragem. Quando Sor Justin Massey cavalgou até eles, ordenou que destroçassem o cavalo pela carne, e quebrassem o carroção para fazer lenha. Então removeu os grilhões dos tornozelos de Asha, esfregando a rigidez das panturrilhas.

– Não tenho montaria para lhe dar, minha senhora – ele disse –, e se tentássemos cavalgar em dupla, seria o fim do meu cavalo também. Você deve caminhar.

O tornozelo de Asha latejava sob seu peso a cada passo. *O frio vai entorpecê-lo em breve*, disse para si mesma. *Em uma hora, não sentirei meus pés*. Estava apenas parcialmente errada; levou menos tempo que isso. Quando a escuridão caiu sobre a coluna, ela estava cambaleando e ansiava pelo conforto de sua prisão móvel. *Os ferros me deixaram fraca.* Estava tão exausta na ceia, que adormeceu na mesa.

No vigésimo sexto dia da marcha de quinze dias, os últimos vegetais foram consumidos. No trigésimo segundo dia, os últimos grãos e o restante da forragem. Asha se perguntava quanto tempo um homem poderia viver de carne crua e semicongelada de cavalo.

– Branch jura que estamos apenas a três dias de Winterfell – Sor Richard Horpe contou para o rei naquela noite, após a contagem do frio.

– *Se* deixarmos os homens mais fracos para trás – disse Corliss Penny.

– Os homens mais fracos estão além da salvação – insistiu Horpe. – Aqueles que ainda têm força suficiente devem alcançar Winterfell, ou morrer também.

– O Senhor da Luz nos entregará o castelo – disse Sor Godry Farring. – Se a Senhora Melisandre estivesse conosco...

Finalmente, após um dia de pesadelo, quando a coluna avançou um quilômetro e meio e perdeu uma dúzia de cavalos e quatro homens, Lorde Peasebury se virou contra os nortenhos.

– Esta marcha é uma loucura. Mais homens morrem a cada dia, e para quê? Por uma garota?

– A garota de Ned – disse Morgan Liddle. Ele era o segundo de três filhos, então os lobos o chamavam de Liddle do Meio, embora muitas vezes não em sua presença. Fora Morgan quem quase matara Asha na batalha em Bosque Profundo. Viera até ela mais tarde, já durante a marcha, para pedir-lhe perdão... por tê-la chamado de *boceta* no ímpeto da batalha, não por tentar arrancar sua cabeça com um machado.

– A garota de Ned – repetiu Grande Balde Wull. – E já a teríamos, e o castelo, se vocês, sulistas empinados e arrogantes, não mijassem em seus calções de cetim por causa de um pouco de neve.

– Um *pouco* de neve? – a suave boca feminina de Peasebury se torceu em fúria. – Seu péssimo conselho nos forçou a esta marcha, Wull. Começo a suspeitar que você tem sido uma criatura de Bolton todo o tempo. Essa é a razão disso? Ele enviou você para sussurrar venenos no ouvido do rei?

Grande Balde riu na cara dele.

– Lorde Vagem de Ervilha. Se você fosse homem, eu o mataria por isso, mas minha espada é feita de um aço muito bom para manchar no sangue de um covarde. – Tomou um gole de cerveja e limpou a boca. – Sim, homens estão morrendo. Mais ainda morrerão antes que cheguemos a Winterfell. E daí? Isto é guerra. Homens morrem na guerra. É assim que deve ser. É assim que sempre foi.

Sor Corliss Penny deu um olhar incrédulo para o chefe do clã.

– Você quer morrer, Wull?

Aquilo pareceu divertir o nortenho.

– Quero viver para sempre em uma terra onde o verão dure mil anos. Quero um castelo nas nuvens de onde possa ver o mundo todo. Quero ter vinte e seis de novo. Quando eu tinha vinte e seis, podia lutar o dia todo e foder a noite inteira. O que os homens querem não importa. O inverno está quase sobre nós, rapaz. E o inverno é a morte. Eu prefiro que meus homens morram lutando pela garotinha de Ned do que sozinhos e famintos na neve, chorando lágrimas que vão congelar em suas bochechas. Ninguém canta canções sobre homens que morrem assim. Quanto a mim, estou velho. Este será meu último inverno. Deixe que me banhe em sangue Bolton antes de morrer. Quero senti-lo espirrar em meu rosto quando enterrar meu machado em um crânio Bolton. Quero lamber o sangue dele de meus lábios e morrer com o gosto na boca.

– *Sim!* – gritou Morgan Liddle. – *Sangue e luta!* – Então todos os homens das montanhas estavam gritando, batendo suas taças e bebendo em chifres na mesa, enchendo a tenda do rei com o repique.

Asha Greyjoy também teria apreciado uma luta. *Uma batalha, para pôr fim a esta miséria. Aço contra aço, neve rosada, escudos quebrados e membros decepados, e tudo estaria acabado.*

No dia seguinte, os batedores do rei chegaram a uma vila de arrendatários abandonada, entre dois lagos; um lugar insignificante e pobre, não mais do que algumas choupanas, um salão e uma torre de vigia. Richard Horpe ordenou uma parada, embora o exército não tivesse avançado nem um quilômetro naquele dia, e ainda restassem horas até escurecer. A lua já havia nascido quando o comboio de bagagem e a retaguarda chegaram. Asha estava entre eles.

– Há peixes nestes lagos – Horpe disse para o rei. – Cortaremos buracos no gelo. Os nortenhos nos ensinarão como fazer.

Mesmo em sua volumosa capa de peles e pesada armadura, Stannis parecia um homem com um pé na cova. A pouca carne que levava sobre seu esqueleto alto e magro em Bosque Profundo derretera durante a marcha. O formato de seu crânio podia ser visto sob a pele, e sua mandíbula estava tão travada que Asha temia que seus dentes quebrassem.

– Peixe, então – disse, marcando cada palavra com um piscar de olhos. – Mas marcharemos na primeira luz.

No entanto, quando a luz chegou, o acampamento acordou com neve e silêncio.

O céu mudou de negro para branco, e não parecia mais brilhante. Asha Greyjoy acordou com câimbras e com frio sob a pilha de peles para dormir, ouvindo a Mulher-Ursa roncar. Nunca conhecera uma mulher que roncasse tão alto, mas acostumara-se durante a marcha e até sentia algum conforto nisso agora. Era o silêncio que a incomodava. Nenhuma trombeta para erguer os homens para montar, formar coluna, preparar-se para a marcha. Nenhum berrante de guerra para convocar os nortenhos. *Alguma coisa está errada.*

Asha se arrastou para fora de suas peles de dormir e abriu caminho para fora, jogando de lado a parede de neve que selara a tenda durante a noite. Seus ferros chocalhavam enquanto ficava em pé e respirava o ar gelado da manhã. A neve caía, ainda mais pesadamente do que quando se arrastara para dentro da tenda. Os lagos haviam desaparecido, a floresta também. Ela podia ver as formas das outras tendas e barracas e o difuso brilho alaranjado do farol no topo da torre de observação, mas não a torre em si. A tempestade engolira o resto.

Em algum lugar adiante, Roose Bolton esperava por eles atrás das muralhas de Winterfell, mas as tropas de Stannis Baratheon imobilizavam-se, presas pela neve, cercadas por gelo e neve e morrendo de fome.

Daenerys

A vela estava quase no fim. Restavam menos de dois centímetros, projetando-se de uma piscina de cera morna derretida para lançar sua luz sobre a cama da rainha. A chama começou a tremular.

Não durará muito tempo, Dany percebeu, e, *quando se apagar, outra noite terá terminado.*

O amanhecer sempre chegava rápido demais.

Ela não dormira, não podia dormir, não devia dormir. Nem ousava fechar os olhos, com medo de que fosse manhã quando os abrisse novamente. Se tivesse poder para tanto, teria feito as noites durarem para sempre, mas o melhor que podia fazer era ficar acordada e tentar saborear cada último doce momento, antes que o nascer do dia transformasse tudo em não mais do que memórias se desvanecendo.

Ao seu lado, Daario Naharis dormia tão tranquilamente quanto um bebê recém-nascido. Ele tinha dom para dormir, gabava-se, sorrindo daquela sua maneira presunçosa. No campo, podia dormir sobre a sela, afirmava, dessa forma estava bem descansado se tivesse de enfrentar uma batalha. Sol ou tempestade, não importava.

– Um guerreiro que não pode dormir logo, não tem força para lutar – dizia. Nunca era angustiado por pesadelos, tampouco. Quando Dany contou para ele como Serwyn do Escudo Espelhado era assombrado pelos fantasmas de todos os cavaleiros que matara, Daario apenas riu. – Se os que matei vierem me amolar, mato todos eles novamente. – *Ele tem a consciência de um mercenário,* ela percebeu. *O que é o mesmo que dizer nenhuma.*

Daario estava deitado de bruços, as leves cobertas de linho emaranhadas em suas longas pernas, o rosto semienterrado nos travesseiros.

Dany correu a mão pelas costas dele, traçando a linha de sua coluna. Sua pele era suave ao toque, quase sem pelos. *A pele dele é seda e cetim.* Ela amava senti-la sob os dedos. Amava correr os dedos entre os cabelos dele, massagear a dor de suas panturrilhas após um longo dia na sela, segurar seu pau entre as mãos e senti-lo endurecer contra suas palmas.

Se tivesse sido uma mulher comum, teria alegremente passado a vida inteira tocando Daario, traçando o caminho de suas cicatrizes e fazendo-o contar como conseguira cada uma delas. *Desistiria da minha coroa se ele me pedisse,* Dany pensou... mas ele não pedira, nem pediria. Daario podia sussurrar palavras de amor quando os dois eram apenas um, mas ela sabia que era a rainha dragão que ele amava. *Se eu desistir da minha coroa, ele não vai me querer.* Além disso, reis que perdiam a coroa frequentemente perdiam a cabeça também, e ela não via razão para ser diferente com rainha.

A vela tremulou uma última vez e morreu, afogada em sua própria cera. A escuridão engoliu o colchão de penas e seus dois ocupantes e encheu cada canto do quarto. Dany enrolou os braços em volta de seu capitão e pressionou seu corpo contra as costas dele. Bebeu o cheiro dele, saboreando o calor de sua carne, a sensação de sua pele contra a dela. *Lembre-se*, disse para si mesma. *Lembre-se como é*. Beijou-o no ombro.

Daario rolou na direção dela, de olhos abertos.

– Daenerys – sorriu um sorriso preguiçoso. Esse era outro de seus talentos; ele despertava de uma vez, como um gato. – Já amanheceu?

– Ainda não. Temos alguns momentos ainda.

– Mentirosa. Posso ver seus olhos. Eu conseguiria fazer isso se fosse a escuridão da noite? – Daario chutou as cobertas e sentou. – A meia-luz. O dia chega logo.

– Não quero que esta noite termine.

– Não? E por que isso, minha rainha?

– Você sabe.

– O casamento? – Ele riu. – Case-se comigo, em vez disso.

– Você sabe que não posso fazer isso.

– Você é a rainha. Pode fazer o que quiser. – Ele deslizou a mão pela perna dela. – Quantas noites ainda nos restam?

Duas. Somente duas.

– Você sabe tão bem quanto eu. Esta noite e a próxima, e temos que acabar com isto.

– Case-se comigo, e teremos todas as noites para sempre.

Se pudesse, casaria. Khal Drogo fora seu sol-e-estrelas, mas estava morto havia tanto tempo que Daenerys quase se esquecera como era amar e se sentir amada. Daario a ajudara a se lembrar. *Eu estava morta, e ele me trouxe de volta à vida. Estava adormecida e ele me acordou. Meu bravo capitão*. Mesmo assim, ultimamente ele ficara mais ousado. No dia em que voltara de sua última incursão, jogara a cabeça de um senhor yunkaíta aos pés dela e a beijara no salão, para que todo o mundo pudesse ver, até que Barristan Selmy puxou-os para separá-los. Sor Vovô ficara tão irado que Dany temeu que sangue fosse derramado.

– Não podemos nos casar, meu amor. Você sabe por quê.

Ele saiu da cama.

– Case-se com Hizdahr, então. Darei a ele um belo par de chifres como presente de casamento. Homens ghiscaris gostam de se pavonear com chifres. Fazem seus próprios cornos com o cabelo, com pentes, ceras e ferros. – Daario encontrou seus calções e vestiu-os. Não se incomodava com roupas íntimas.

– Uma vez que eu esteja casada, será alta traição me desejar. – Dany puxou a coberta sobre os seios.

– Então devo ser um traidor. – Ele deslizou uma túnica de seda azul sobre a cabeça e ajeitou as pontas da barba com os dedos. Ele as tingira novamente para ela, passando do púrpura para o azul, que era a cor que usava quando se conheceram. – Estou com seu cheiro – ele disse, cheirando os dedos e sorrindo.

Dany amava o jeito que seu dente de ouro brilhava quando ele sorria. Amava os pelos finos de seu peito. Amava a força de seus braços, o som de sua risada, o jeito que ele sempre olhava em seus olhos e dizia seu nome quando deslizava o pau para dentro dela.

– Você é lindo – ela desabafou, enquanto o observava colocar as botas de montaria e amarrá-las. Alguns dias, ele a deixava fazer isso para ele, mas não hoje, ao que parecia. *Isto está acabado também.*

– Não lindo o suficiente para casar. – Daario pegou o cinturão da espada do gancho em que o pendurara.

– Aonde está indo?

– Dar uma volta em sua cidade – disse –, tomar um barril ou dois e arrumar uma briga. Faz muito tempo desde que matei um homem. Talvez eu deva procurar seu noivo.

Dany jogou um travesseiro nele.

– Deixe Hizdahr em paz!

– Como minha rainha ordenar. Dará audiências hoje?

– Não. Amanhã serei uma mulher casada, e Hizdahr será rei. Deixe *ele* comandar as audiências. Este é o povo dele.

– Alguns são dele, alguns são seus. Os que você libertou.

– Você está me repreendendo?

– Aqueles que você chama de filhos. Eles querem a mãe deles.

– Você está... está me *repreendendo*.

– Só um pouco, coração resplandecente. Você concederá audiências?

– Após meu casamento, talvez. Depois da paz.

– Esse *depois* que você fala nunca vem. Você deveria conceder audiências. Meus novos homens não acreditam que você é real. Aqueles que vieram dos Soprados pelo Vento. Nascidos e criados em Westeros, a maioria deles, cheios de histórias sobre os Targaryen. Querem ver uma com os próprios olhos. O Sapo tem um presente para você.

– O Sapo? – ela disse, rindo. – E quem é ele?

Ele deu de ombros.

– Um rapaz dornense. É escudeiro de um grande cavaleiro que chamam de Tripaverde. Eu disse que ele podia me dar o presente, que eu o entregaria, mas ele não quis.

– Oh, um sapo esperto. *Dê o presente para mim.* – Ela jogou outro travesseiro nele. – Alguma vez eu o teria visto?

Daario acariciou seu bigode dourado.

– E eu roubaria da minha doce rainha? Se fosse um presente digno de você, eu mesmo o teria colocado em suas mãos macias.

– Como uma prova do seu amor?

– Como, não vou dizer, mas eu lhe disse que ele poderia entregar a você. Você não vai fazer de Daario Naharis um mentiroso, não é?

Dany foi incapaz de recusar.

– Como quiser. Traga seu sapo à corte amanhã. Os outros também. Os westerosis. – Seria bom ouvir a Língua Comum de alguém além de Sor Barristan.

– Como minha rainha ordenar. – Daario curvou-se profundamente, sorriu e saiu, a capa rodopiando atrás dele.

Dany sentou-se entre as roupas de cama amarrotadas, com os braços em torno do joelho, tão desamparada que não ouviu quando Missandei chegou com seu pão, leite e figos.

– Vossa Graça? Está doente? Na escuridão da noite, esta uma a escutou gritar.

Dany pegou um figo. Estava negro, gordo e ainda úmido de orvalho. *Alguma vez Hizdahr me fará gritar?*

– Foi o vento que você ouviu gritar. – Ela deu uma mordida, mas a fruta perdera o sabor, agora que Daario se fora. Suspirando, levantou-se, pediu um roupão para Irri e foi perambular no terraço.

Seus inimigos estavam prestes a vir sobre ela. Nunca havia menos de uma dúzia de navios se preparando na costa. Alguns dias eram mais de cem, com soldados desembarcando. Os yunkaítas ainda estavam trazendo madeira do mar. Atrás de suas trincheiras, construíam catapultas, escorpiões, trabucos altos. Até mesmo à noite ela podia ouvir os martelos soando pelo ar seco e quente. *Nenhuma torre de cerco, no entanto. Nenhum aríete.* Eles não tentariam tomar Meereen pela força. Esperariam atrás das linhas do cerco, atirando pedras nela até que a fome e a doença deixassem seu povo de joelhos.

Hizdahr me trará paz. Ele deve.

Naquela noite, seus cozinheiros assaram um cabrito com tâmaras e cenouras, mas Dany apenas provou-o. A perspectiva de mais um enfrentamento com Meereen a deixou se sentindo cansada. O sono veio com dificuldade, mesmo quando Daario veio, tão bêbado que mal conseguia parar em pé. Sob as cobertas, ela se jogava e se virava, sonhando que Hizdahr a estava beijando... mas seus lábios estavam azuis e feridos, e quando ele se enfiou dentro dela, sua masculinidade era fria como gelo. Ela se sentou, os cabelos desgrenhados e as roupas de cama emaranhadas. Seu capitão dormia ao seu lado e, mesmo assim, ela estava sozinha. Queria sacudi-lo, acordá-lo, fazê-lo abraçá-la, fodê-la, ajudá-la a esquecer, mas sabia que, se fizesse isso, ele apenas sorriria, daria um bocejo e diria:

– Foi apenas um sonho, minha rainha. Volte a dormir.

Em vez disso, ela se enfiou em um roupão com capuz e caminhou até o terraço. Foi até o parapeito e ficou olhando a cidade como fizera uma centena de vezes antes. *Nunca será minha cidade. Nunca será minha casa.*

A luz clara e rosada da manhã a encontrou ainda no terraço, adormecida sobre a relva, embaixo de um cobertor fino de orvalho.

– Prometi a Daario que concederia audiência hoje – Daenerys disse para suas aias, quando elas a acordaram. – Ajudem-me a encontrar minha coroa. Oh, e algumas roupas para vestir, algo leve e fresco.

Ela desceu uma hora mais tarde.

– *Todos de joelhos para Daenerys Nascida da Tormenta, a Não Queimada, Rainha de Meereen, Rainha dos Ândalos, dos Roinares e dos Primeiros Homens,* Khaleesi *do Grande Mar de Grama, Rompedora de Correntes e Mãe de Dragões* – Missandei aclamou.

Reznak mo Reznak curvou-se e sorriu.

– Magnificência, a cada dia fica mais bonita. Acho que a perspectiva do casamento lhe trouxe um brilho. Oh, minha reluzente rainha!

Dany suspirou.

– Convoque o primeiro requerente.

Fazia tanto tempo que concedera a última audiência que a quantidade de casos era quase esmagadora. O fundo do salão estava lotado de gente, e os conflitos estouravam sem precedentes. Inevitavelmente, foi Galazza Galare quem se adiantou, a cabeça erguida, o rosto escondido por um brilhante véu verde.

– Vossa Iluminada, seria melhor se falássemos em particular.

– Se eu tivesse tempo – Dany falou docemente. – Vou me casar amanhã. – Seu último encontro com a Graça Verde não acabara bem. – O que tem para mim?

– Gostaria de falar sobre a presunção de certo capitão mercenário.

Ela ousa dizer isso no meio da corte? Dany sentiu uma explosão de raiva. *Ela tem coragem, garanto, mas se acha que levarei outra repreensão, não pode estar mais enganada.*

– A traição de Ben Mulato Plumm chocou a todos nós – disse –, mas seus avisos chegaram tarde demais. E, agora, sei que você quer retornar ao seu templo para orar pela paz.

A Graça Verde se curvou.

– Rezarei por você também.

Outro tapa, pensou Dany, a cor subindo ao seu rosto.

O resto foi o tédio que a rainha conhecia bem. Sentou-se sobre as almofadas, ouvindo, um pé balançando com impaciência. Jhiqui trouxe um prato com figos e presunto ao meio-dia. Os requerentes pareciam não ter fim. A cada dois que ela mandava embora sorrindo, um partia com os olhos vermelhos ou resmungando.

Era quase pôr do sol quando Daario Naharis apareceu com seus novos Corvos Tormentosos, os westerosis que vieram dos Soprados pelo Vento. Dany se pegou olhando para eles enquanto outro requerente falava e falava. *Esses são meu povo. Sou a legítima rainha deles.* Parecia um bando desalinhado, mas era o que se podia esperar de mercenários. O mais jovem não devia ser nem um ano mais velho do que ela; o mais velho devia ter visto sessenta dias de seu nome. Alguns mostravam sinais de riqueza: pulseiras de ouro, túnicas de seda, cinturões de espada cravejados com prata. *Pilhagem.* Para a maior parte, suas roupas eram claramente feitas por eles mesmos e mostravam sinais de terem sido muito usadas.

Quando Daario os trouxe adiante, ela viu que entre eles havia uma mulher, grande, loira e toda em cota de malha.

– Bela Meris – seu capitão a chamou, embora bela fosse a última coisa da qual Dany a chamaria. Ela tinha quase um metro e oitenta e não tinha orelhas, com um nariz rachado, profundas cicatrizes nas bochechas e os olhos mais frios que a rainha já vira. Quanto aos demais...

Hugh Vaudefome era magro e sombrio, pernas longas, rosto comprido, vestido com elegância desbotada. Webber era baixo e musculoso, com aranhas tatuadas na cabeça, peito e braços. Orson Stone, de rosto vermelho, afirmava ser um cavaleiro, assim como o esguio Lúcifer Long. Will da Mata sorriu para ela, mesmo enquanto se ajoelhava. Pau Fino tinha olhos azuis, cabelo branco como linho e um sorriso perturbador. O rosto de Jack Ruivo estava escondido atrás de uma eriçada barba laranja, e seu discurso era quase ininteligível.

– Ele mordeu metade da língua em sua primeira batalha – Vaudefome explicou para ela.

Os dornenses pareciam diferentes.

– Se agradar Vossa Graça – disse Daario –, estes três são Tripaverde, Gerrold e Sapo.

Tripaverde era imenso e careca como uma rocha, com braços grossos o suficiente para rivalizar com Belwas, o Forte. Gerrold era um jovem alto e magro, com riscos de sol em seu cabelo e sorridentes olhos azul-esverdeados. *Este sorriso já ganhou o coração de muitas donzelas, aposto.* Sua capa era feita de uma suave lã marrom forrada de crepe de seda, uma roupa agradável.

Sapo, o escudeiro, era o mais jovem dos três e o menos impressionante, um rapaz solene e atarracado, com cabelo e olhos castanhos. Seu rosto era quadrado, com uma testa alta, mandíbula pesada e um nariz largo. Os pelos crescendo em suas bochechas e no queixo o faziam parecer um garoto tentando cultivar a primeira barba. Dany não tinha ideia porque alguém o chamaria de Sapo. *Talvez ele salte mais longe que os outros.*

– Vocês podem se levantar – ela disse. – Daario me falou que vocês vêm de Dorne. Os dornenses são sempre bem-vindos à minha corte. Lançassolar permaneceu fiel ao meu pai quando o Usurpador roubou seu trono. Vocês devem ter enfrentado muitos perigos para chegar até aqui.

– Muitos – disse Gerrold, o bonito com o cabelo ensolarado. – Éramos seis quando deixamos Dorne, Vossa Graça.

– Sinto por suas perdas. – A rainha se virou para o companheiro maior. – Tripaverde é um tipo estranho de nome.

– Uma brincadeira, Vossa Graça. Dos navios. Fiquei enjoado todo o caminho de Volantis. Vomitando e... bem, não deveria dizer.

Dany riu.

– Acho que posso adivinhar, sor. É *sor*, não? Daario me disse que você é um cavaleiro.

– Se for do agrado de Vossa Graça, somos todos os três cavaleiros.

Dany olhou para Daario e viu um lampejo de raiva passando por seu rosto. *Ele não sabia.*

– Preciso de cavaleiros – ela disse.

As suspeitas de Sor Barristan despertaram.

– A cavalaria é facilmente afirmada tão longe de Westeros. Estão preparados para defender o que se vangloriam com a espada ou a lança?

– Se for necessário – disse Gerrold –, embora não possa afirmar que algum de nós se compare a Barristan, o Ousado. Vossa Graça, peço seu perdão, mas viemos à sua presença sob nomes falsos.

– Conheço alguém que fez isso uma vez – disse Dany –, um homem chamado Arstan Barba-Branca. Digam-me seus nomes verdadeiros, então.

– Alegremente... mas, se podemos implorar a indulgência da rainha, há algum lugar com menos olhos e ouvidos?

Jogos dentro de jogos.

– Como quiser. Skahaz, esvazie minha corte.

O Cabeça-Raspada rugiu ordens. Suas Bestas de Bronze fizeram o resto, levando os outros westerosis e os demais requerentes do dia para fora do salão. Seus conselheiros permaneceram.

– Agora – disse Dany –, seus nomes.

O belo jovem Gerrold se curvou.

– Sor Gerris Drinkwater, Vossa Graça. Minha espada é sua.

Tripaverde cruzou os braços contra o peito.

– E meu martelo de guerra. Sou Sor Archibald Yronwood.

– E você, sor? – a rainha perguntou ao garoto chamado Sapo.

– Se for do agrado de Vossa Graça, posso oferecer meu presente primeiro?

– Como desejar – Daenerys disse, curiosa, mas, quando Sapo se adiantou, Daario Naharis parou na frente dele e estendeu a mão enluvada:

– Dê este presente para mim.

Impassível, o atarracado rapaz se ajoelhou, desamarrou a bota e tirou um pergaminho amarelado de um compartimento oculto.

– Este é seu presente? Um pedaço de escrita? – Daario arrebatou o pergaminho das mãos do dornense e o desenrolou, olhando os selos e as assinaturas. – Muito bonito, todo o ouro e as fitas, mas não leio seus rabiscos westerosis.

– Entregue para a rainha – Sor Barristan ordenou. – Agora.

Dany podia sentir a raiva no salão.

– Sou apenas uma jovem garota, e jovens garotas devem ter seus presentes – disse, suavemente. – Daario, por favor, não me provoque. Me dê aqui.

O pergaminho estava escrito na Língua Comum. A rainha desenrolou-o lentamente, estudando os selos e as assinaturas. Quando viu o nome de Sor Willem Darry, seu coração bateu um pouco mais rápido. Ela leu uma vez, e então novamente.

– Podemos saber o que diz, Vossa Graça? – perguntou Sor Barristan.

– É um pacto secreto – disse Dany –, feito em Bravos quando eu era apenas uma garotinha. Sor Willem Darry assinou por nós, o homem que tirou meu irmão e a mim de Pedra do Dragão antes que os homens do Usurpador pudessem nos pegar. O Príncipe Oberyn Martell assinou por Dorne, e o Senhor do Mar de Bravos como testemunha. – Ela estendeu o pergaminho para Sor Barristan, para que ele mesmo pudesse ler. – A aliança será selada por um casamento, aí diz. Em troca da ajuda de Dorne para derrubar o Usurpador, meu irmão Viserys tomaria a filha do Príncipe Doran, Arianne, como sua rainha.

O velho cavaleiro leu o pacto lentamente.

– Se Robert soubesse disso, teria esmagado Lançassolar como esmagou Pyke, e exigido as cabeças do Príncipe Doran e da Víbora Vermelha... e, provavelmente, a cabeça dessa princesa dornense também.

– Sem dúvida foi por isso que o Príncipe Doran escolheu manter o pacto secreto – sugeriu Daenerys. – Se meu irmão Viserys tivesse sabido que tinha uma princesa dornense esperando por ele, teria atravessado para Lançassolar assim que tivesse idade para casar.

– E assim traria o martelo de guerra de Robert sobre ele e sobre Dorne – disse Sapo. – Meu pai se contentou em esperar pelo dia em que o Príncipe Viserys formasse seu exército.

– Seu pai?

– O Príncipe Doran. – Ele se apoiou sobre um joelho. – Vossa Graça, tenho a honra de ser Quentyn Martell, um príncipe de Dorne e seu mais leal súdito.

Dany riu.

O príncipe dornense corou, enquanto sua própria corte e conselheiros lhe davam olhares intrigados.

– Iluminada? – disse Skahaz Cabeça-Raspada, na língua ghiscari. – Por que está rindo?

– Eles o chamam *sapo* – ela disse –, e agora descobrimos o porquê. Nos Sete Reinos há contos infantis sobre sapos que se transformam em príncipe encantado quando beijados por seu amor verdadeiro. – Sorrindo para os cavaleiros dornenses, ela voltou para o Idioma Comum. – Diga-me, Príncipe Quentyn, você é encantado?

– Não, Vossa Graça.

– Eu temia isso. – *Nem encantado, nem encantador, infelizmente. Uma pena que ele é o príncipe, não o de ombros largos e cabelos de areia.* – Você veio por um beijo, no entanto. Pretende se casar comigo. É isso, não? O presente que você me trouxe foi seu doce ser. Em vez de Viserys e sua irmã, eu e você devemos selar este pacto, se eu quiser Dorne.

– Meu pai esperava que você me achasse aceitável.

Daario Naharis deu um sorriso desdenhoso.

– Digo que você é um filhote. A rainha precisa de um homem ao lado dela, não um garoto choramingando. Você não é um marido adequado para uma mulher como ela. Quando passa a língua pelos lábios, ainda sente o gosto do leite de sua mãe?

Sor Gerris Drinkwater ficou sombrio com as palavras dele.

– Meça sua língua, mercenário. Está falando com um príncipe de Dorne.

– E com sua babá, pelo que vejo. – Daario passou o polegar pelo cabo da espada e sorriu perigosamente.

Skahaz fez uma careta, como se só pudesse ficar carrancudo.

– Este garoto pode servir para Dorne, mas Meereen precisa de um rei de sangue ghiscari.

– Conheço essa tal de Dorne – disse Reznak mo Reznak. – Dorne é areia, escorpiões e sombrias montanhas vermelhas assando ao sol.

O Príncipe Quentyn respondeu.

– Dorne são cinquenta mil espadas e lanças, juradas a servir nossa rainha.

– Cinquenta mil? – zombou Daario. – Eu contei três.

– *Basta* – disse Daenerys. – O Príncipe Quentyn atravessou meio mundo para me oferecer seu presente, e não será tratado com descortesia. – Ela se virou para os dornenses. – Gostaria que tivessem chegado há um ano. Estou prometida em casamento ao nobre Hizdahr zo Loraq.

Sor Gerris disse.

– Não é tarde demais...

– Eu julgarei isso – Daenerys falou. – Reznak, assegure-se de que o príncipe e seus companheiros tenham quartos adequados ao seu alto nascimento, e que suas necessidades sejam atendidas.

– Como desejar, Vossa Iluminada.

A rainha se levantou.

– Então terminamos por agora.

Daario e Sor Barristan a seguiram escada acima até seus aposentos.

– Isso muda tudo – disse o velho cavaleiro.

– Isso não muda nada – Dany falou, enquanto Irri tirava sua coroa. – O que há de bom em três homens?

– Três cavaleiros – disse Selmy.

– Três mentirosos – Daario disse, sombrio. – Eles me enganaram.

– E o compraram, também, não duvido. – Ele não se incomodou em negar. Dany desenrolou o pergaminho e o examinou novamente. *Bravos. Isso foi feito em Bravos, quando vivíamos na casa com a porta vermelha.* Por que aquilo a fazia sentir-se tão estranha?

Ela se pegou lembrando de seu pesadelo. *Algumas vezes há verdade nos sonhos.* Poderia Hizdahr zo Loraq estar trabalhando para os magos, era o que o sonho queria dizer? Poderia o sonho ser uma mensagem? Os deuses estavam dizendo para colocar Hizdahr de lado e, em vez disso, casar-se com o príncipe dornense? Algo fez cócegas em sua memória.

– Sor Barristan, quais são as armas da Casa Martell?

– Um sol em seu esplendor, transpassado por uma lança.

O filho do sol. Um arrepio a atravessou.

– Sombras e sussurros. – O que mais Quaithe dissera? *A égua descorada e o filho do sol. Havia um leão também, e um dragão. Ou eu sou o dragão?* – Cuidado com o senescal perfumado. – Isso ela se lembrava. – Sonhos e profecias. Por que estão sempre em enigmas? Odeio isso. Oh, deixe-me, sor. Amanhã é o dia do meu casamento.

Naquela noite, Daario a teve de todas as maneiras que um homem pode ter uma mulher, e ela se deu de bom grado. Da última vez, o sol estava se levantando, e ela usou a boca para deixá-lo duro novamente, como Doreah lhe ensinara havia muito tempo, então montou nele tão selvagemente que a ferida dele começou a sangrar de novo e, por um segundo, ela não sabia dizer se ele estava dentro dela ou ela dentro dele.

Mas, quando o sol se ergueu sobre o dia de seu casamento, Daario Naharis também se levantou, vestindo suas roupas e afivelando o cinturão da espada, com sua brilhantes figuras femininas de ouro.

– Aonde está indo? – Dany lhe perguntou. – Eu o proíbo de fazer investidas hoje.

– Minha rainha é cruel – seu capitão disse. – Se não posso matar seus inimigos, como devo me divertir enquanto está se casando?

– Ao cair da noite não terei mais inimigos.

– É somente a aurora, doce rainha. O dia é longo. Tempo suficiente para uma última investida. Trarei a cabeça de Ben Mulato Plumm de presente de casamento.

– Sem cabeças – Dany insistiu. – Uma vez, você me trouxe flores.

– Deixe Hizdahr trazer-lhe flores. Ele não é do tipo que vai se abaixar para colher um dente-de-leão, mas tem servos que ficarão satisfeitos em fazer isso para ele. Tenho sua permissão para ir?

– Não. – Ela queria que ele ficasse e a abraçasse. *Um dia ele partirá e não voltará*, pensou. *Um dia, algum arqueiro enfiará uma flecha em seu peito, ou dez homens cairão sobre ele com lanças, espadas e machados, dez futuros heróis.* Cinco deles morreriam, mas isso não faria sua dor mais fácil de suportar. *Um dia, eu o perderei, como perdi meu sol-e-estrelas. Mas, por favor, deuses, hoje não.* – Volte para a cama e me beije. – Ninguém a beijara como Daario Naharis. – Sou sua rainha e ordeno que me foda.

Ela pretendia fazer uma brincadeira, mas os olhos de Daario se endureceram com suas palavras.

– Foder rainhas é trabalho de rei. Seu nobre Hizdahr pode atendê-la nisso, uma vez que estejam casados. E se ele se mostrar bem-nascido demais para esse trabalho suado, tem servos que ficarão satisfeitos em fazer isso por ele, também. Ou talvez você possa chamar seu garoto dornense para a cama, e seu belo amigo também, por que não? – Ele caminhou para fora do quarto de dormir.

Ele está indo fazer uma investida, Dany percebeu, *e se conseguir a cabeça de Ben Plumm, entrará no banquete de casamento e a jogará aos meus pés. Sete, me salvem. Por que ele não podia ser mais bem-nascido?*

Quando ele se foi, Missandei trouxe para a rainha uma refeição simples de queijo de cabra e azeitonas, com passas como doce.

– Vossa Graça precisa de mais do que vinho para quebrar seu jejum. É tão delicada, e certamente precisará de forças hoje.

Aquilo fez Daenerys rir, vindo de uma garota tão pequena. Ela se apoiava tanto na pequena escriba que frequentemente se esquecia de que Missandei completara apenas onze anos. Partilharam a refeição juntas no terraço. Enquanto Dany mordiscava uma azeitona, a garota naathi a olhou com seus olhos como ouro derretido e disse:

– Não é tarde demais para dizer a eles que decidiu não se casar.

É tarde demais, a rainha pensou, triste.

– O sangue de Hizdahr é antigo e nobre. Nossa união vai unir meus libertos ao povo dele. Quando nos tornarmos um só, o mesmo acontecerá com nossa cidade.

– Vossa Graça não ama o nobre Hizdahr. Esta uma acha que você logo terá outro como marido.

Não devo pensar em Daario hoje.

– Uma rainha ama quem ela deve amar, não quem ela quer. – Seu apetite se fora. – Leve esta comida embora – disse a Missandei. – É hora de tomar banho.

Depois, enquanto Jhiqui secava Daenerys, Irri se aproximou com seu *tokar*. Dany invejava as aias dothrakis, com suas calças largas de seda e coletes pintados. Estariam muito mais frescas do que ela no *tokar*, com a pesada franja de pérolas.

– Ajudem-me a enrolar isto, por favor. Não posso lidar com todas estas pérolas sozinha.

Deveria estar ansiosa por antecipação por seu casamento e pela noite que se seguiria, ela sabia. Lembrava-se da noite de seu primeiro casamento, quando Khal Drogo reivindicara sua virgindade sob as estrelas estrangeiras. Lembrava-se de como estava assustada e excitada. Seria o mesmo com Hizdahr? *Não. Não sou a garota que era, e ele não é meu sol-e-estrelas.*

Missandei ressurgiu de dentro da pirâmide.

– Reznak e Skaraz imploram a honra de acompanhar Vossa Graça até o Templo das Graças. Reznak ordenou que seu palanquim estivesse pronto.

Os meereeneses raramente cavalgavam dentro das muralhas da cidade. Preferiam liteiras, palanquins e cadeirinhas carregadas sobre o ombro de seus escravos.

– Cavalos sujam as ruas – um homem de Zakh lhe dissera –, escravos, não. – Dany libertara os escravos, mas mesmo assim os palanquins, as liteiras e as cadeirinhas ainda lotavam as ruas como antes, e nenhum deles flutuava magicamente no ar.

– O dia está quente demais para ser trancada dentro de um palanquim – disse Dany. – Sele minha prata. Não irei para o senhor meu marido sobre as costas de carregadores.

– Vossa Graça – disse Missandei –, esta uma sente muito, mas não pode cavalgar em um *tokar*.

A pequena escriba estava certa, como frequentemente acontecia. O *tokar* não era uma roupa feita para o lombo de um cavalo.

Dany fez uma careta.

– Como queira. Mas não um palanquim. Sufocarei atrás daquelas cortinas. Façam-os aprontarem uma cadeirinha. – Se ela devia usar suas orelhas peludas, que todos os coelhos a vissem.

Quando Dany desceu, Reznak e Skahaz caíram de joelhos.

– Vossa Venerada brilha tanto que cegará cada homem que ousar olhar para você – disse Reznak. O senescal vestia um *tokar* de samito marrom, com uma franja dourada. – Hizdahr zo Loraq é o mais afortunado em tê-la... e você em tê-lo, se posso ousar dizer. Este casamento salvará nossa cidade, você verá.

– Rezemos para isso. Quero plantar minhas oliveiras e vê-las dar frutos – *O que importa se os beijos de Hizdahr não me satisfazem? A paz me satisfará. Sou uma rainha, ou apenas uma mulher?*

– A multidão será numerosa como moscas hoje. – O Cabeça-Raspada usava uma saia negra plissada e uma placa peitoral musculosa, com um elmo de bronze no formato da cabeça de uma serpente sobre um braço.

– Devo ter medo de moscas? Suas Bestas de Bronze me manterão a salvo de qualquer perigo.

Era sempre sombrio dentro da base da Grande Pirâmide. Paredes de nove metros de espessura abafavam o tumulto das ruas e mantinham o calor do lado de fora, então era sempre frio e escuro lá dentro. Sua escolta estava se formando por detrás dos portões. Cavalos, mulas e burros eram colocados em estábulos na parede ocidental, elefantes na oriental. Dany adquirira três desses imensos e estranhos animais com sua pirâmide. Eles a recordavam mamutes cinzentos sem pelos, embora suas presas tivessem sido cortadas e douradas, e seus olhos fossem tristes.

Ela encontrou Belwas, o Forte, comendo uvas, enquanto Barristan Selmy observava um cavalariço afivelando a sela de sua malhada cinzenta. Os três dornenses estavam com ele, conversando, mas interromperam o que falavam quando a rainha apareceu. O príncipe apoiou-se em um joelho.

– Vossa Graça, devo suplicar-lhe. As forças de meu pai estão falhando, mas sua devoção à sua causa é tão forte quanto sempre. Se minhas maneiras ou minha pessoa a desagradaram, essa é minha tristeza, mas...

– Se puder me agradar, sor, fique feliz por mim – Daenerys disse. – Este é o dia do meu casamento. Estarão dançando na Cidade Amarela, não tenho dúvida. – Ela suspirou. – Levante-se, meu príncipe, e sorria. Um dia retornarei para Westeros para reivindicar o trono do meu pai e procurarei por Dorne, por ajuda. Mas, neste dia, os yunkaítas têm minha cidade cercada de aço. Posso morrer antes de ver os Sete Reinos. Hizdahr pode morrer. Westeros pode ser engolida pelas ondas. – Dany beijou-o no rosto. – Venha. É tempo de me casar.

Sor Barristan a ajudou a subir na cadeirinha. Quentyn reuniu-se aos companheiros dornenses. Belwas, o Forte, gritou para que os portões fossem abertos, e Daenerys Targaryen foi levada para o sol. Selmy seguia ao lado dela, em sua malhada cinzenta.

– Diga-me – Dany falou, enquanto a procissão seguia para o Templo das Graças –, se meu pai e minha mãe tivessem seguido seu coração, eles teriam se casado?

– Isso foi há muito tempo. Vossa Graça não os conhecia.

– Mas você conhecia. Conte-me.

O velho cavaleiro inclinou a cabeça.

– A rainha sua mãe sempre foi consciente de seus deveres. – Ele estava bonito em sua armadura de ouro e prata, o manto branco caindo a partir dos ombros, mas soava como um homem em sofrimento, como se cada palavra fosse uma pedra que tivesse que atravessar. – Quando garota, no entanto... uma vez foi apaixonada por um jovem cavaleiro de Ponta Tempestade que usou sua prenda em um torneio e a nomeou rainha do amor e da beleza. Uma coisa breve.

– O que aconteceu com esse cavaleiro?

– Ele colocou sua lança de lado no dia que a senhora sua mãe se casou com seu pai. Depois, ele se tornou mais piedoso, e dizia que apenas a Donzela poderia substituir a Rainha Rhaella em seu coração. Sua paixão era impossível, é claro. Um cavaleiro com terras não é um consorte adequado para uma princesa de sangue real.

E Daario Naharis é apenas um mercenário, inadequado até mesmo para usar as esporas de ouro de um cavaleiro com terras.

– E meu pai? Havia alguma mulher que ele amasse mais do que sua rainha?

Sor Barristan se mexeu na sela.

– Não... não que amasse. Talvez *desejar* fosse uma palavra melhor, mas... era apenas fofoca de cozinha, os sussurros das lavadeiras e dos cavalariços...

– Quero saber. Nunca conheci meu pai. Quero saber tudo sobre ele. O bom e... o resto.

– Será como ordena. – O cavaleiro branco escolheu as palavras com cuidado. – O Príncipe Aerys... quando jovem, ficou encantado com uma certa senhora de Rochedo Casterly, uma prima de Tywin Lannister. Quando ela e Tywin se casaram, seu pai tomou muito vinho no banquete de casamento, e o escutaram dizer que era uma grande pena que o direito do senhor à primeira noite fora abolido. Uma brincadeira de bêbado, nada mais que isso, mas Tywin Lannister não era homem de esquecer tais palavras, ou as... as liberdades que seu pai tomou quando chegou a hora de levar os noivos para a cama. – Seu rosto corou. – Falei demais, Vossa Graça. Eu...

– *Graciosa rainha, belo encontro!* – Outra procissão se aproximava da dela, e Hizdahr zo Loraq sorria de sua cadeirinha. *Meu rei.* Dany se perguntava onde estaria Daario Naharis e o que estaria fazendo. *Se isto fosse um conto, ele apareceria galopando quando alcançássemos o templo, para desafiar Hizdahr pela minha mão.*

Lado a lado, as procissões da rainha e de Hizdahr zo Loraq fizeram seu lento caminho através de Meereen, até que finalmente o Templo das Graças assomou diante deles, seus domos dourados reluzindo ao sol. *Que bonito,* a rainha tentou dizer para si mesma, mas por dentro era apenas uma garota tola que não podia evitar de procurar por Daario. *Se ele amasse você, ele viria e a levaria na ponta da espada, como Rhaegar levou consigo a garota nortenha,* a garota nela insistia, mas a rainha sabia que era tolice. Mesmo se seu capitão fosse louco o suficiente para tentar, as Bestas de Bronze o abateriam antes que chegasse a cem metros dela.

Galazza Galare os aguardava do lado de fora das portas do templo, cercada por suas irmãs em branco, rosa, vermelho, azul e dourado e púrpura. *Há menos do que havia.* Dany procurou por Ezzara e não a encontrou. *Será que o fluxo sangrento a levou?* Embora a rainha tivesse deixado os astaporis famintos do lado de fora das muralhas para evitar que o fluxo sangrento se espalhasse, a doença se espalhava do mesmo jeito. Muitos foram atingidos; libertos, mercenários, Bestas de Bronze, até mesmo dothrakis, embora nenhum Imaculado tivesse sido tocado. Ela rezava para que o pior já tivesse passado.

As Graças trouxeram uma cadeira de marfim e uma tigela dourada. Segurando seu *tokar* delicadamente para não pisar em suas franjas, Daenerys Targaryen sentou-se no assento de veludo da cadeira, e Hizdahr zo Loraq se ajoelhou, desamarrou suas sandálias e lavou os pés dela, enquanto cinquenta eunucos cantavam e dez mil olhos os olhavam. *Ele tem mãos gentis,* ela pensou, conforme os quentes óleos perfumados escorriam entre seus dedos dos pés. *Se tiver um coração gentil também, posso gostar dele com o tempo.*

Quando os pés ficaram limpos, Hizdahr secou-os com uma toalha macia, amarrou suas sandálias novamente e a ajudou a ficar em pé. De mãos dadas, seguiram a Graça Verde para dentro do templo, onde o ar estava pesado de incensos e os deuses de Ghis estavam envoltos em sombras em suas alcovas.

Quatro horas mais tarde, saíram novamente como marido e esposa, unidos pelos punhos e pelos tornozelos com correntes de ouro amarelo.

Jon

A Rainha Selyse chegou ao Castelo Negro com a filha e o bobo da filha, suas aias e damas de companhia e uma comitiva de cinquenta cavaleiros, espadas juramentadas e homens em armas. *Todos homens da rainha,* Jon Snow sabia. *Eles podem atender Selyse, mas é Melisandre a quem servem.* A sacerdotisa vermelha o avisara da vinda deles quase um dia antes que o corvo chegasse de Atalaialeste com a mesma mensagem.

Encontrou o pequeno destacamento da rainha nos estábulos, acompanhado de Cetim, Bowen Marsh e meia dúzia de guardas em longos mantos negros. Jamais se apresentaria diante dessa rainha sem uma comitiva sua, se metade do que disseram sobre ela fosse verdade. Ela poderia confundi-lo com um cavalariço e entregar-lhe as rédeas de seu cavalo.

As nevascas finalmente foram para o sul e deram a eles um pouco de respiro. Havia até uma insinuação de calor no ar quando Jon Snow se joelhou diante da rainha sulista.

– Vossa Graça. Castelo Negro lhe dá as boas-vindas e aos seus.

A Rainha Selyse olhou para ele.

– Meus agradecimentos. Por favor, me leve ao seu senhor comandante.

– Meus irmãos me escolheram para esta honra. Sou Jon Snow.

– Você? Disseram que era jovem, mas... – O rosto da Rainha Selyse era descarnado e pálido. Usava uma coroa de ouro vermelho com pontas no formato de chamas, irmã gêmea da usada por Stannis. – ... pode se levantar, Lorde Snow. Esta é minha filha, Shireen.

– Princesa. – Jon inclinou a cabeça. Shireen era uma criança desajeitada, tornada ainda mais feia pelo escamagris que deixara seu pescoço e parte de sua bochecha duros, cinzentos e rachados. – Meus irmãos e eu estamos ao seu serviço – disse para a garota.

Shireen enrubesceu.

– Obrigada, meu senhor.

– Acredito que está familiarizado com meu parente, Sor Axell Florent? – a rainha perguntou.

– Apenas por corvo. – *E relatos.* As cartas que recebia de Atalaialeste do Mar tinham um tanto a dizer sobre Axell Florent, muito pouco de bom. – Sor Axell.

– Lorde Snow. – Um homem corpulento, Florent tinha pernas curtas e peito compacto. Pelos grossos cobriam seu rosto e papada e saíam das orelhas e do nariz.

– Meus leais cavaleiros – a Rainha Selyse continuou. – Sor Narbert, Sor Benethon, Sor Brus, Sor Patrek, Sor Dorden, Sor Malegorn, Sor Lambert, Sor Perkin. – Cada citado abaixou a cabeça. Ela não se preocupou em dizer o nome do bobo, mas os guizos no chapéu de pontas e os quadrados vermelhos e verdes tatuados nas bochechas gordas o tornavam difícil de ignorar. *Cara-Malhada*. As cartas de Cotter Pyke faziam menção a ele também. Pyke afirmava que era um simplório.

Então a rainha fez sinal para outro curioso membro de sua comitiva: uma vareta alta e magra de homem, sua altura acentuada por um chapéu estrangeiro de três camadas de feltro púrpura.

– E aqui temos o honorável Tycho Nestoris, um emissário do Banco de Ferro de Bravos, que vem tratar com Sua Graça, o Rei Stannis.

O banqueiro tirou o chapéu e fez uma profunda reverência.

– Senhor Comandante. Agradeço a você e aos seus irmãos pela hospitalidade. – Ele falava a Língua Comum fluentemente, com um traço mínimo de sotaque. Cerca de quinze centímetros mais alto do que Jon, o bravosi ostentava uma barba tão fina como um cordão, que brotava do queixo e ia quase até a cintura. Sua túnica era roxo-escura, com acabamento de arminho. Uma gola alta e dura emoldurava o rosto fino. – Espero que não estejamos trazendo nenhum inconveniente.

– De modo algum, meu senhor. Você é muito bem-vindo. – *Mais bem-vindo do que esta rainha, verdade seja dita*. Cotter Pyke enviara um corvo na frente para avisar da vinda do banqueiro. Jon Snow já tivera tempo para pensar um pouco sobre isso.

Jon se virou para a rainha.

– Os aposentos reais na Torre do Rei foram preparados para Vossa Graça, pelo tempo que desejar permanecer conosco. Este é nosso Senhor Intendente, Bowen Marsh. Ele encontrará alojamentos para seus homens.

– Que gentileza abrir espaço para nós. – As palavras da rainha eram corteses o suficiente, mas seu tom de voz dizia: *Não é mais do que sua obrigação, e é bom esperar que essas acomodações me agradem*. – Não ficaremos muito tempo. Alguns dias, no máximo. É nossa intenção seguir para nossa nova sede, em Fortenoite, assim que estejamos descansados. A jornada desde Atalaialeste foi cansativa.

– Como desejar, Vossa Graça – disse Jon. – Devem estar com frio e com fome, tenho certeza. Uma refeição quente aguarda por vocês no nosso salão comum.

– Muito bem. – A rainha olhou pelo pátio. – Mas, antes, desejamos nos consultar com a Senhora Melisandre.

– É claro, Vossa Graça. Os aposentos dela também ficam na Torre do Rei. Por aqui, se me permite. – A Rainha Selyse acenou com a cabeça, pegou a filha pela mão e permitiu que ele as levasse dos estábulos. Sor Axell, o banqueiro bravosi e o resto da comitiva os seguiram, como vários patinhos feitos de lã e peles.

– Vossa Graça – Jon Snow falou –, meus construtores fizeram o melhor que puderam para tornar Fortenoite pronto para recebê-la... mesmo assim, muito ainda permanece em ruínas. É um castelo grande, o maior da Muralha, e fomos capazes de restaurar apenas uma parte dele. Estaria mais confortável em Atalaialeste do Mar.

A Rainha Selyse fungou.

– Cansamos de Atalaialeste. Não gostamos de lá. Uma rainha deve ser senhora de seu próprio teto. Achamos seu Cotter Pyke um homem rude e desagradável, briguento e mesquinho.

Devia ouvir o que Cotter diz de você.

– Sinto por isso, mas temo que Vossa Graça vá encontrar condições em Fortenoite ainda menos ao seu gosto. Falamos de uma fortaleza, não de um palácio. Um lugar sombrio e frio. Considerando Atalaialeste...

– Atalaialeste não é seguro. – A rainha colocou a mão no ombro da filha. – Esta é a herdeira legítima do rei. Shireen um dia sentará no Trono de Ferro e governará os Sete Reinos. Ela deve ser mantida a salvo, e Atalaialeste é onde o ataque ocorrerá. Este Fortenoite é o lugar que meu marido escolheu para nossa sede, e respeitaremos isso. Nós... *oh!*

Uma enorme sombra emergiu de trás da casca da Torre do Senhor Comandante. A Princesa Shireen deu um grito, e três dos cavaleiros da rainha engasgaram ao mesmo tempo. Outro conjurou.

– *Sete, nos salvem* – disse, quase se esquecendo de seu novo deus vermelho com o choque.

– Não temam – Jon falou para eles. – Não há perigo nele, Vossa Graça. Este é Wun Wun.

– Wun Weg Wun Dar Wun. – A voz do gigante retumbou como uma rocha despencando de uma montanha. Ele se ajoelhou diante deles. Mesmo assim, era mais alto do que qualquer um. – Rainha ajoelhada. Pequena rainha. – Palavras que Couros ensinara a ele, sem dúvida.

Os olhos da Princesa Shireen estavam arregalados como pratos.

– É um *gigante!* Um gigante de verdade, como os das histórias. Mas por que ele fala tão engraçado?

– Ele só conhece algumas poucas palavras da Língua Comum – explicou Jon. – Em suas próprias terras, os gigantes falam a Língua Antiga.

– Posso tocá-lo?

– Melhor não – sua mãe avisou. – Olhe para ele. Uma criatura imunda. – A rainha virou um olhar severo para Jon. – Lorde Snow, o que esta criatura bestial está fazendo do nosso lado da Muralha?

– Wun Wun é um convidado da Patrulha da Noite, assim como vocês.

A rainha não gostou daquela resposta. Nem seus cavaleiros. Sor Axell fez uma careta de desgosto, Sor Brus deu um risinho nervoso, Sor Narbert disse:

– Achei que todos os gigantes estavam mortos.

– Quase todos. – *Ygritte chorava por eles.*

– Na escuridão, a morte está dançando. – Cara-Malhada arrastou os pés em um passo de dança grotesco. – Eu sei, eu sei, oh, oh, oh. – Em Atalaialeste, alguém costurara para ele um manto de retalhos de peles de castor, de ovelha e de coelho. Seu chapéu ostentava chifres com guizos pendurados, e longas tiras de pele de esquilo que pendiam sobre suas orelhas. A cada passo que dava, os guizos tocavam.

Wun Wun estava boquiaberto com ele, fascinado, mas quando o gigante tentou alcançá-lo o bobo pulou para trás, tilintando.

– Oh, não, oh, não, oh, não. – Aquilo fez Wun Wun cambalear para ficar em pé. A rainha agarrou a Princesa Shirren e a puxou para trás, seus cavaleiros alcançaram as espadas e Cara-Malhada pisou em falso com o susto, caindo de bunda em um monte de neve.

Wun Wun começou a rir. A risada do gigante podia envergonhar o rugido de um dragão. Cara-Malhada cobriu as orelhas, a Princesa Shireen apertou o rosto nas peles da roupa da mãe, e o mais ousado dos cavaleiros da rainha se adiantou, aço na mão. Jon ergueu um braço para bloquear seu caminho.

– Você *não* vai querer irritá-lo. Guarde seu aço, sor. Couros, leve Wun Wun de volta para Hardin.

– Comer agora, Wun Wun? – perguntou o gigante.

– Comer agora – Jon concordou. Para Couros, disse – Mandarei uns trinta quilos de vegetais para ele e carne para você. Faça uma fogueira.

Couros sorriu.

– Farei,'nhor, mas Hardin é de gelar os ossos. Talvez, 'nhor possa mandar algum vinho para nos aquecer?

– Para você. Não para ele. – Wun Wun nunca provara vinho até chegar a Castelo Negro, mas uma vez que o fizera, tomara um gosto gigantesco pela coisa. *Um gosto grande demais*. Jon tinha o suficiente com o que lidar nesse momento, sem ter que adicionar um gigante bêbado à mistura. Virou-se para o cavaleiro da rainha. – O senhor meu pai costumava dizer que um homem nunca deve desembainhar a espada, a menos que pretenda usá-la.

– Usá-la era minha intenção. – O cavaleiro tinha o rosto barbeado e queimado pelo vento; sob uma capa de pele branca, vestia uma túnica de samito de prata estampada com uma estrela azul de cinco pontas. – Eu tinha entendido que a Patrulha da Noite defendia o reino contra tais monstros. Ninguém falou sobre mantê-los como animais de estimação.

Outro maldito tolo sulista.

– Você é?

– Sor Patrek da Montanha do Rei, se for do agrado do meu senhor.

– Não sei como observa as leis de hospitalidade em sua montanha, sor. No Norte, ainda são sagradas. Wun Wun é um hóspede aqui.

Sor Patrek sorriu.

– Diga-me, Senhor Comandante, se os Outros aparecerem, você planeja oferecer sua hospitalidade para eles também? – O cavaleiro se voltou para sua rainha. – Vossa Graça, ali está a Torre do Rei, se não estou enganado. Posso ter a honra?

– Como desejar. – A rainha pegou seu braço e passou pelos homens da Patrulha da Noite sem dar um segundo olhar.

Aquelas chamas na coroa são a coisa mais calorosa nela.

– Lorde Tycho – Jon chamou. – Um momento, por favor.

O bravosi o interrompeu.

– Não sou nenhum lorde. Apenas um simples servo do Banco de Ferro de Bravos.

– Cotter Pyke me informou que você chegou a Atalaialeste com três navios. Uma galé, uma galera e uma coca.

– Exatamente, meu senhor. A travessia pode ser perigosa nesta estação. Um barco sozinho pode afundar, já três juntos podem ajudar um ao outro. O Banco de Ferro é sempre prudente em tais assuntos.

– Talvez, antes da sua partida, possamos ter uma conversa tranquila?

– Estou ao seu serviço, senhor comandante. E, em Bravos, dizemos que não há tempo como o presente. Isso será adequado?

– Tão bom quanto qualquer outro. Devemos nos dirigir ao meu solar, ou gostaria de ver o topo da Muralha?

O banqueiro olhou para cima, onde o gelo pairava vasto e pálido contra o céu.

– Temo que será muito frio lá em cima.

– Sim, e venta muito. Aprende-se a andar bem longe da beirada. Homens foram soprados de lá. Ainda hoje em dia. Não há nada como a Muralha na terra. Pode não ter outra chance de vê-la.

– Sem dúvida, posso me arrepender da minha prudência em meu leito de morte, mas depois de um longo dia na sela, uma sala aquecida soa preferível para mim.

– Meu solar, então. Cetim, um pouco de vinho quente com especiarias, se puder.

Os aposentos de Jon atrás do arsenal eram tranquilos o suficiente, embora não especialmente quentes. Sua fogueira se apagara havia algum tempo; Cetim não era tão cuidadoso em alimentá-la como Edd Doloroso. O corvo de Mormont os recebeu com um grito de *Grão!* Jon pendurou seu manto.

– Você vem procurando Stannis, está correto?

– Está, sim, meu senhor. A Rainha Selyse sugeriu que pudéssemos enviar notícias para Bosque Profundo por corvo, para informar Sua Graça que estarei à disposição em Fortenoite. O assunto que pretendo tratar com ele é muito delicado para confiar em cartas.

– Uma dívida. – *O que mais poderia ser?* – Dívida dele? Ou de seu irmão?

O banqueiro apertou os dedos uns contra os outros.

– Não seria adequado para mim discutir o endividamento de Lorde Stannis, ou a falta dele. Quanto ao Rei Robert... foi realmente um prazer atender Sua Graça em suas necessidades. Enquanto Robert viveu, tudo estava bem. Agora, contudo, o Trono de Ferro cessou todos os pagamentos.

Podiam os Lannister ser realmente tão tolos?

– Você não pretende considerar Stannis responsável pelas dívidas do irmão.

– As dívidas pertencem ao Trono de Ferro – Tycho declarou –, e quem quer que se sente naquela cadeira deve pagá-las. Uma vez que o jovem Rei Tommen e seus conselheiros se tornaram tão inflexíveis, pretendemos abordar o assunto com o Rei Stannis. Se ele se provar mais digno da nossa confiança, é claro que teremos grande prazer em lhe emprestar toda a ajuda de que ele necessitar.

Ajuda, o corvo gritou. *Ajuda, ajuda, ajuda.*

Muito disso Jon tinha imaginado no momento em que soube que o Banco de Ferro havia mandado um enviado para a Muralha.

– O último que soubemos é que Sua Graça estava marchando para Winterfell para confrontar Lorde Bolton e seus aliados. Pode procurá-lo lá, se desejar, embora isso represente um risco. Você pode se encontrar preso no meio da guerra dele.

Tycho inclinou sua cabeça.

– Nós, que servimos ao Banco de Ferro, nos deparamos com a morte com a mesma frequência que vocês que servem ao Trono de Ferro.

É a isso que sirvo? Jon Snow não tinha tanta certeza.

– Posso provê-lo com cavalos, guias, o que for necessário para que chegue até Bosque Profundo. De lá, precisará fazer seu próprio caminho até Stannis. – *E poderá encontrar a cabeça dele sobre um espigão.* – Haverá um preço.

Preço, gritou o corvo de Mormont. *Preço, preço.*

– Sempre há um preço, não é mesmo? – O bravosi sorriu. – O que a Patrulha requer?

– Seus navios, para começar. Com as respectivas tripulações.

– Todos os três? E como retornarei para Bravos?

– Preciso deles apenas para uma única viagem.

– Uma viagem perigosa, imagino. Para começar, você disse?

– Precisamos de um empréstimo, também. Ouro suficiente para nos manter alimentados até a primavera. Para comprar comida e contratar navios para trazê-la até nós.

– Primavera? – Tycho suspirou. – Isso é impossível, meu senhor.

O que Stannis dissera dele? *Você barganha como uma velha com um bacalhau, Lorde Snow. Lorde Eddard concebeu você com uma peixeira?* Talvez tivesse.

Levou boa parte de uma hora antes que o impossível se tornasse possível, e outra hora antes que pudessem concordar com os termos. A jarra de vinho quente com especiarias que Cetim trouxera ajudou a resolver os pontos mais incômodos. No momento em que Jon Snow assinou o pergaminho que o bravosi elaborou, ambos estavam meio bêbados e totalmente infelizes. Jon achou aquilo um bom sinal.

Os três navios bravosis elevariam a frota de Atalaialeste a onze, incluindo o baleeiro ibenês que Cotter Pyke confiscara por ordem de Jon, uma galé mercantil de Pentos, igualmente impressionante, e três maltratados navios de guerra lisenos, remanescentes da extinta frota de Salladhor Saan que as tempestades de outono trouxeram de volta ao Norte. Todos os três navios de Saan precisavam de reparos extremos, mas agora o trabalho já devia estar terminado.

Onze navios não eram o suficiente, mas se esperasse demais o povo livre em Durolar estaria morto quando a frota de resgate chegasse. *Navegue agora, ou não navegue.* Se Mãe Toupeira e seu povo iriam estar desesperados o suficiente para confiar suas vidas à Patrulha da Noite, no entanto...

O dia havia escurecido quando ele e Tycho Nestoris deixaram o solar. A neve começara a cair.

– Nosso respiro foi breve, ao que parece. – Jon apertou a capa em torno do corpo.

– O inverno estará logo sobre nós. No dia em que deixei Bravos, havia gelo nos canais.

– Três de meus homens passaram por Bravos há não muito tempo – Jon contou para ele. – Um velho meistre, um cantor e um jovem intendente. Escoltavam uma garota selvagem e uma criança para Vilavelha. Imagino que não teve chance de cruzar com eles...

– Temo que não, meu senhor. Westerosis passam por Bravos todos os dias, mas a maioria vem e vai do Porto do Trapeiro. Os navios do Banco de Ferro atracam no Porto Púrpura. Se desejar, posso perguntar por eles quando voltar para casa.

– Não é necessário. Até lá, já devem estar a salvo em Vilavelha.

– Esperemos que sim. O mar estreito é perigoso nesta época do ano, e ultimamente tem havido relatos preocupantes de estranhos navios em Passopedra.

– Salladhor Saan?

– O pirata liseno? Alguns dizem que retornou para seu antigo covil, isso é verdade. E a frota de guerra de Lorde Redwyne se arrasta pelo Braço Partido também. Em seu caminho para casa, sem dúvida. Mas esses homens e esses navios são bem conhecidos para nós. Não, essas outras velas... do extremo oriente, talvez... ouvem-se estranhas histórias sobre dragões.

– Poderíamos ter um aqui. Um dragão poderia aquecer um pouco as coisas.

– Meu senhor brinca. Vai me perdoar se não rio. Nós, bravosis, somos descendentes daqueles que fugiram de Valíria e da ira dos senhores dos dragões. Não brincamos com dragões.

Não, suponho que não.

– Minhas desculpas, Lorde Tycho.

– Não é necessário, senhor comandante. Agora descobri que estou com fome. Emprestar grandes somas de dinheiro abre o apetite de um homem. Seria gentil em me indicar seu salão de banquetes?

– Eu mesmo o levarei até lá. – Jon indicou o caminho com um gesto. – Por aqui.

Uma vez lá, teria sido descortês não partilhar o pão com o banqueiro, então Jon pediu para Cetim buscar comida para eles. A recém-chegada comitiva havia atraído quase todos os homens que não estavam de serviço ou dormindo, então o salão estava lotado e quente.

A rainha não estava presente, nem sua filha. Provavelmente estavam se estabelecendo na Torre do Rei. Mas Sor Brus e Sor Malegorn estavam por ali, entretendo os irmãos presentes com as últimas novidades de Atalaialeste e de além-mar. Três das damas da rainha sentavam-se com eles, cercadas por suas aias e por uma dúzia de admiradores da Patrulha da Noite.

Perto da porta, a Mão da Rainha atacava um pedaço de capão, sugando a carne dos ossos e empurrando cada pedaço para baixo com cerveja. Quando viu Jon Snow, Axell Florent jogou o osso de lado, limpou a boca com as costas da mão e dirigiu-se tranquilamente em sua direção. Com suas pernas arqueadas, peito estufado e orelhas proeminentes, tinha uma aparência cômica, mas Jon sabia que não era um homem de quem se devia rir. Era tio da Rainha Selyse, e esteve entre os primeiros a seguir sua aceitação ao deus vermelho de Melisandre. *Se ele não é um assassino de parentes, é a coisa mais próxima que existe disso.* O irmão de Axell Florent fora queimado por Melisandre, Meistre Aemon contara a Jon, e Sor Axell fizera pouco e ainda menos para deter a sacerdotisa. *Que tipo de homem fica de braços cruzados e assiste ao seu próprio irmão ser queimado vivo?*

– Nestoris – disse Sor Axell – e o senhor comandante. Posso me juntar a vocês? – Sentou-se no banco antes que pudessem responder. – Lorde Snow, se posso perguntar... esta princesa selvagem sobre quem o Rei Stannis escreveu... onde ela está, meu senhor?

Muito longe daqui, Jon pensou. *Se os deuses forem bons, a esta altura já encontrou Tormund Terror dos Gigantes.*

– Val é a irmã mais nova de Dalla, que era esposa de Mance Rayder e mãe do filho dele. O Rei Stannis pegou Val e a criança como prisioneiros, depois que Dalla morreu no parto, mas ela não é uma princesa, não como você imagina.

Sor Axell deu de ombros.

– O que quer que ela seja, em Atalaialeste os homens afirmavam que a meretriz era bonita. Gostaria de vê-la com meus próprios olhos. Com algumas dessas mulheres selvagens, bem, um homem precisa virá-las de costas para cumprir seu dever de marido. Se for do agrado do senhor comandante, traga-a até aqui, deixe-nos dar uma olhada.

– Ela não é um cavalo para ser exibida para inspeção, sor.

– Prometo não contar os dentes dela. – Florent riu. – Oh, não tema, eu a tratarei com a cortesia que lhe é devida.

Ele sabe que não a tenho. Uma aldeia não tinha segredos, e menos ainda Castelo Negro. A ausência de Val não era falada abertamente, mas alguns homens sabiam, e no salão comum, à noite, os irmãos conversavam. O *que ele ouviu?,* Jon se perguntou. *Em quanto do que ouviu acredita?*

– Perdoe-me, sor, mas Val não se juntará a nós.

– Irei até ela. Onde você mantém a meretriz?

Longe de você.

– Em um lugar seguro. Basta, sor.

O rosto do cavaleiro enrubesceu.

– Meu senhor, se esqueceu de quem eu sou? – Seu hálito cheirava a cerveja e cebolas. – Devo falar com a rainha? Uma palavra de Sua Graça e posso ter essa garota selvagem entregue nua no salão para nossa inspeção.

Isso seria um belo truque, mesmo para uma rainha.

– A rainha nunca abusaria da nossa hospitalidade – Jon respondeu, esperando que fosse verdade. – Agora, sinto que devo deixá-los, antes que esqueça meus deveres de anfitrião. Lorde Tycho, deve me perdoar.

– Sim, é claro – o banqueiro disse. – Foi um prazer.

Do lado de fora, a neve começava a cair com mais força. Do outro lado do pátio, a Torre do Rei se transformara em uma pesada sombra, as luzes nas janelas obscurecidas pela neve que caía.

De volta ao solar, Jon encontrou o corvo do Velho Urso empoleirado no encosto da cadeira de carvalho e couro atrás da mesa de cavalete. A ave começou a gritar por comida no momento em que ele entrou. Jon pegou um punhado de grãos secos de um saco ao lado da porta e espalhou-os no chão, e então reivindicou a cadeira.

Tycho Nestoris deixara uma cópia do acordo deles. Jon leu o pergaminho pela terceira vez. *Aquilo foi fácil*, refletiu. *Mais fácil do que eu esperava. Mais fácil do que deveria ter sido.*

Aquilo o fez ficar inquieto. O dinheiro bravosi permitiria à Patrulha da Noite comprar comida no Sul quando seus estoques estivessem baixos, comida suficiente para passar o inverno, por mais longo que pudesse ser. *Um longo e duro inverno deixará a Muralha com uma dívida tão grande que nunca sairemos dela*, Jon recordou a si mesmo, *mas quando a escolha é dívida ou morte, melhor pedir emprestado.*

Ele não tinha que gostar, no entanto. E quando a primavera chegasse, quando chegasse o momento de devolver todo aquele ouro, gostaria menos ainda. Tycho Nestoris o impressionara com sua cultura e cortesia, mas o Banco de Ferro de Bravos tinha uma reputação temível quando cobrava dívidas. Cada uma das Nove Cidades Livres tinha seu banco, e algumas tinham mais do que um, lutando por cada moeda como cães em cima de um osso, mas o Banco de Ferro era mais rico e mais poderoso do que todos os demais juntos. Quando príncipes faltavam com suas dívidas para com bancos menores, banqueiros arruinados vendiam esposa e filhos para traficantes de escravos e abriam as próprias veias. Quando príncipes deixavam de pagar o Banco de Ferro, novos príncipes surgiam do nada e tomavam seus tronos.

Como o pobre e gordinho Tommen pode estar prestes a aprender. Sem dúvida, os Lannister tinham boas razões para recusar-se a honrar as dívidas do Rei Stannis, mas era tolice do mesmo jeito. Se Stannis não fosse cabeça-dura demais para aceitar os termos deles, os bravosis lhe dariam todo o ouro e prata de que precisava, dinheiro suficiente para comprar uma dúzia de companhias de mercenários, para subornar uma centena de senhores, para manter seus homens pagos, alimentados, vestidos e armados. *A menos que Stannis esteja morto sob as muralhas de Winterfell, ele pode ter ganho o Trono de Ferro.* Jon se perguntava se Melisandre tinha visto isso em suas chamas.

Recostou-se no encosto da cadeira, bocejou e se espreguiçou. Pela manhã, escreveria ordens para Cotter Pyke. *Onze navios para Durolar. Traga quantos puder, mulheres e crian-*

ças primeiro. Era tempo de levantar velas. *Devo ir eu mesmo, ou deixar isso com Cotter? O Velho Urso liderou uma expedição. Sim. E nunca retornou.*

Jon fechou os olhos. Apenas por um momento...

... e acordou, duro como uma tábua, com o corvo do Velho Urso resmungando, *Snow, Snow*, e Mully sacudindo-o.

– 'Nhor, você é chamado. Mil perdões, 'nhor. Uma garota foi encontrada.

– Uma garota? – Jon se sentou, esfregando o sono dos olhos com as costas das mãos. – Val? Val retornou?

– Não é Val, 'nhor. Foi deste lado da Muralha.

Arya. Jon se endireitou. Tinha que ser ela.

Garota, gritou o corvo. *Garota, garota.*

– Ty e Dannel encontraram ela a uns dez quilômetros ao sul de Vila Toupeira. Estavam caçando alguns selvagens que resolveram descer a estrada do rei. Trouxeram eles de volta também, mas então encontraram a garota. Ela é bem-nascida, 'nhor, e está perguntando por você.

– Quantos estavam com ela? – Ele foi até a bacia e jogou água no rosto. Deuses, como estava cansado.

– Nenhum, 'nhor. Ela veio sozinha. Seu cavalo estava morrendo. Todo pele e ossos, coxo e espumando. Eles o soltaram e trouxeram a garota para interrogatório.

Uma garota cinzenta em um cavalo moribundo. Parecia que as chamas de Melisandre não mentiram. Mas o que acontecera com Mance Rayder e suas esposas de lança?

– Onde está a garota agora?

– Nos aposentos de Meistre Aemon, 'nhor. – Os homens de Castelo Negro ainda os chamavam assim, embora agora o velho meistre devesse estar aquecido e seguro em Vilavelha. – A garota estava azul de frio, tremendo toda, então Ty pediu que Clydas desse uma olhada nela.

– Isso é bom. – Jon se sentiu com quinze anos novamente. *Irmãzinha.* Levantou-se e vestiu seu manto.

A neve ainda estava caindo quando cruzou o pátio com Mully. Um amanhecer dourado nascia no leste, mas, atrás da janela da Senhora Melisandre na Torre do Rei, uma luz avermelhada ainda tremeluzia. *Ela nunca dorme? Que jogo está jogando, sacerdotisa? Você tem alguma outra tarefa para Mance?*

Queria acreditar que fosse Arya. Queria ver o rosto dela novamente, sorrir para ela e bagunçar seu cabelo, dizer que estava a salvo. *Mas ela não estará a salvo. Winterfell está queimado e quebrado e não há mais lugares seguros.*

Não poderia mantê-la com ele, não importava o quanto quisesse. A Muralha não era lugar para uma mulher, muito menos uma garota de nascimento nobre. Nem podia entregá-la para Stannis ou Melisandre. O rei só iria querer casá-la com um de seus próprios homens, Horpe, Massey ou Godry, o Matador de Gigantes, e só os deuses podiam saber o que a mulher vermelha faria com ela.

A melhor solução que podia ver seria enviá-la para Atalaialeste e pedir para Cotter Pyke colocá-la em um navio para algum lugar do outro lado do mar, fora do alcance de todos aqueles reis briguentos. Seria necessário esperar até que os navios voltassem de Durolar, certamente. *Ela poderia ir para Bravos com Tycho Nestoris. Talvez o Banco de Ferro possa encontrar alguma família nobre para hospedá-la.* Bravos era a mais próxima das

Cidades Livres, no entanto... o que fazia dela tanto a melhor quanto a pior opção. *Lorath ou o Porto de Ibben devem ser mais seguros.* Para onde quer que a mandasse, contudo, Arya precisaria de prata para se manter, de um teto sobre sua cabeça, de alguém para protegê-la. Era apenas uma criança.

Os velhos aposentos de Meistre Aemon estavam tão quentes que a súbita nuvem de vapor quando Mully abriu a porta foi o suficiente para cegar os dois. Lá dentro, um fogo recente brilhava na lareira, as toras crepitando e cuspindo. Jon passou por cima de um monte de roupas molhadas. *Snow, Snow, Snow,* o corvo gritou de cima da lareira. A garota estava encolhida perto do fogo, enrolada em um manto de lã negra três vezes maior do que ela, e adormecida.

Ela parecia o suficiente com Arya para fazê-lo titubear, mas apenas por um momento. Uma garota alta, magra, viva, toda pernas e cotovelos, seu cabelo castanho estava preso em uma grossa trança, atada com tiras de couro. Tinha um rosto comprido, um queixo pontudo, orelhas pequenas.

Mas era muito velha, demasiado velha. *Essa garota tem quase a minha idade.*

– Ela comeu? – Jon perguntou para Mully.

– Apenas pão e caldo, meu senhor. – Clydas se levantou de uma cadeira. – É melhor ir devagar, Meistre Aemon sempre dizia. Algo mais e ela pode não ser capaz de digerir.

Mully concordou.

– Dannel tinha uma das linguiças do Hobb e ofereceu um pedaço para ela, mas ela não quis nem tocar.

Jon não podia culpá-la por aquilo. As linguiças de Hobb eram feitas de gordura, sal e coisas que era melhor nem pensar.

– Talvez devêssemos deixá-la descansar.

Foi quando a garota se sentou, apertando o manto em seus pequenos e pálidos seios. Parecia confusa.

– Onde...

– Castelo Negro, minha senhora.

– A Muralha. – Os olhos dela se encheram de lágrimas. – Estou aqui.

Clydas se aproximou.

– Pobre criança. Quantos anos tem?

– Dezesseis no próximo dia do meu nome. Não sou nenhuma criança, mas uma mulher crescida e florescida. – Ela bocejou, cobrindo a boca com o manto. Um joelho desnudo apontou através das pregas. – Você não usa uma corrente. É um meistre?

– Não – disse Clydas –, mas servi um.

Ela se parece um pouco com Arya, Jon pensou. Faminta e magra, mas tinha os olhos e os cabelos da mesma cor.

– Me falaram que procurava por mim. Sou...

– ... Jon Snow. – A garota jogou a trança para trás. – Minha casa e a sua estão unidas por sangue e honra. Ouça-me, parente. Meu tio Cregan está seguindo meu rastro. Você não pode deixá-lo me levar de volta para Karhold.

Jon a olhava. *Conheço essa garota.* Havia algo em seus olhos, na sua postura, na maneira que falava. Por um momento, a memória lhe escapou. Então veio.

– Alys Karstark.

Aquilo trouxe um vago sorriso aos lábios dela.

– Não estava segura de que se lembraria. Faz seis anos desde a última vez que me viu.

– Você foi para Winterfell com seu pai. – *O pai que Robb decapitou.* – Não me lembro para quê.

Ela corou.

– Para que pudesse conhecer seu irmão. Oh, havia algum outro pretexto, mas essa era a razão verdadeira. Eu era quase da mesma idade de Robb e meu pai achava que podíamos formar um casal. Teve um banquete. Dancei com você e com seu irmão. Ele foi muito cortês e disse que dancei belamente. Você estava mal-humorado. Meu pai disse que isso era de se esperar de um bastardo.

– Eu me lembro. – Era apenas meia mentira.

– Você ainda é um pouco mal-humorado – a garota disse –, mas eu o perdoarei se você me salvar do meu tio.

– Seu tio... seria Lorde Arnolf?

– Ele não é nenhum lorde – Alys disse com desdém. – Meu irmão Harry é o legítimo senhor, e, por lei, sou sua herdeira. Uma filha vem antes de um tio. Tio Arnolf é apenas o castelão. Ele é meu tio-avô, na verdade, o tio do meu pai. Cregan é filho dele. Imagino que isso faça dele um primo, mas nós sempre o chamamos de tio. Agora, eles pretendem que eu o chame de marido. – Ela fechou o punho. – Antes da guerra, eu estava prometida a Daryn Hornwood. Estávamos apenas esperando que eu florescesse para nos casarmos, mas o Regicida matou Daryn no Bosque dos Murmúrios. Meu pai escreveu dizendo que encontraria algum lorde sulista para se casar comigo, mas nunca o fez. Seu irmão Robb cortou a cabeça dele por matar uns Lannister. – Sua boca se contorceu. – Eu pensava que todo o motivo pelo qual marcharam para o Sul era para matar alguns Lannister.

– Isso não... não é tão simples assim. Lorde Karstark assassinou dois prisioneiros, minha senhora. Garotos desarmados, escudeiros em uma cela.

A garota não parecia surpresa.

– Meu pai nunca gritou como Grande-Jon, mas não era menos perigoso em sua ira. Mas está morto, agora. Assim como seu irmão. Mas você e eu estamos aqui, ainda vivos. Há contenda de sangue entre nós, Lorde Snow?

– Quando um homem toma o negro, ele coloca as contendas de lado. A Patrulha da Noite não tem disputas com Karhold, nem com você.

– Bom. Eu tinha medo... Implorei ao meu pai que deixasse um dos meus irmãos como castelão, mas nenhum deles queria perder a glória e os resgates a serem conquistados no Sul. Agora, Torr e Edd estão mortos. Harry é prisioneiro em Lagoa da Donzela, foi o último que soubemos, mas isso foi há quase um ano. Ele pode estar morto também. Não sabia a quem mais recorrer, se não ao último filho de Eddard Stark.

– Por que não ao rei? Karhold se declarou por Stannis.

– Meu tio se declarou por Stannis na esperança de fazer os Lannister cortarem a cabeça do pobre Harry. Se meu irmão morrer, Karhold passará para mim, mas meus tios querem meu direito de nascença para eles. Uma vez que Cregan tenha um filho comigo, não precisará mais de mim. Já enterrou duas esposas. – Ela secou uma lágrima com raiva, da mesma maneira que Arya teria feito. – Vai me ajudar?

– Casamentos e heranças são assuntos para o rei, minha senhora. Escreverei a Stannis em seu nome, mas...

Alys Karstark riu, mas era um riso de desespero.

– Escreva, mas não espere resposta. Stannis estará morto antes de receber sua mensagem. Meu tio garantirá isso.

– O que quer dizer?

– Arnolf está correndo para Winterfell, é verdade, mas apenas para enfiar uma adaga nas costas do seu rei. Ele se aliou a Roose Bolton há muito tempo... por ouro, pela promessa de perdão e pela cabeça do pobre Harry. Lorde Stannis está marchando para um abate. Ele não poderá me ajudar, mesmo se quisesse. – Alys se ajoelhou diante dele, segurando o manto negro. – Você é minha única esperança, Lorde Snow. Em nome de seu pai, eu lhe imploro. Proteja-me.

A garota cega

Suas noites eram iluminadas por estrelas distantes e pelo brilho da lua na neve, mas todas as manhãs ela acordava na escuridão.

Abriu os olhos e encarou, cega, a escuridão que a cercava, o sonho já desaparecendo. *Tão bonito.* Lambeu os lábios, lembrando. O balido da ovelha, o terror nos olhos do pastor, o som que os cães fizeram quando ela os matou um a um, o rosnado da sua matilha. A diversão ficara mais escassa desde que a neve começara a cair, mas na noite passada haviam se banqueteado. Ovelha, cães, carneiros e carne humana. Alguns de seus pequenos primos cinzentos tinham medo dos homens, mesmo de homens mortos, mas não ela. Carne era carne, e homens eram presa. Ela era a loba da noite. Mas apenas quando sonhava.

A garota cega virou de lado, sentou, ficou em pé e esticou-se. Sua cama era um colchão com recheio de trapos sobre uma pedra fria, e ela sempre acordava endurecida e encolhida. Caminhou até a bacia, com pés pequenos, descalços e calosos, silenciosa como uma sombra, jogou água fria no rosto e se secou. *Sor Gregor,* pensou. *Dunsen, Raff, o Querido. Sor Ilyn, Sor Meryn, Rainha Cersei.* Sua oração matinal. Era? *Não,* ela pensou, *não é minha. Não sou ninguém. Esta é a oração da loba da noite. Um dia, ela os encontrará, os caçará, sentirá o medo deles, provará seu sangue. Um dia.*

Encontrou suas roupas íntimas em uma pilha, cheirou-as para ter certeza de que estavam limpas o suficiente para vestir, colocou-as na escuridão. Sua roupa de serva estava onde a pendurara; uma longa túnica de lã não tingida, áspera e pinicante. Pegou-a e puxou para baixo pela cabeça, com um suave movimento já conhecido. As meias vieram por último. Uma negra, uma branca. A negra tinha uma costura na parte de cima, a branca, não; ela podia sentir qual era qual e ter certeza de colocar cada meia na perna correta. Apesar de magras, suas pernas eram fortes e flexíveis, e ficavam mais longas a cada dia. Ela ficava feliz com isso. Uma dançarina de água precisa de boas pernas. A Cega Beth não era uma dançarina de água, mas não seria Beth para sempre.

Conhecia o caminho para as cozinhas, mas seu nariz a teria levado até lá mesmo se não soubesse. Pimentas ardidas e peixe frito, percebeu, farejando pelo salão, e pão fresco do forno de Umma. Os odores fizeram sua barriga roncar. A loba da noite tinha se banqueteado, mas isso não enchia a barriga da garota. Carne de sonho não podia nutri-la, aprendera logo no início.

Quebrou o jejum com sardinhas fritas crocantes em óleo de pimenta e servidas tão quentes que queimaram seus dedos. Raspou o restante do óleo com um pedaço de pão do final da fornada matinal de Umma e empurrou tudo para baixo com uma taça de vinho aguado, saboreando os gostos e os cheiros, a sensação áspera da casca do pão entre os dedos, a suavidade do óleo, a picada da pimenta ardida quando entrou em contato com um arranhão semicurado nas costas da mão. *Audição, olfato, paladar, tato,* lembrou a si mesma. *Há muitas maneiras de conhecer o mundo para aqueles que não podem ver.*

Alguém entrou no salão atrás dela, movendo-se com macios chinelos acolchoados, quieto como um rato. Suas narinas se abriram. *O homem gentil.* Homens tinham um odor diferente do das mulheres, e havia um toque de laranja no ar também. O sacerdote gostava de mascar cascas de laranja para adoçar o hálito, sempre que as conseguia.

– Quem é você nesta manhã? – ela o ouviu perguntar, enquanto ele se sentava na cabeceira da mesa. *Tap, tap,* escutou, então um som curto de algo se rachando. *Quebrando seu primeiro ovo.*

– Ninguém – respondeu.

– Mentira. Conheço você. Você é aquela mendiga cega.

– Beth. – Ela conhecera uma Beth certa vez, ainda em Winterfell, quando era Arya Stark. Talvez fosse por isso que escolhera aquele nome. Ou talvez porque combinava com *cega.*

– Pobre criança – disse o homem gentil. – Gostaria de ter seus olhos de volta? Peça, e poderá ver.

Ele fazia a mesma pergunta todas as manhãs.

– Posso querê-los amanhã. Hoje, não. – Seu rosto ainda era água parada, ocultando tudo, não revelando nada.

– Como quiser. – Ela podia ouvi-lo descascando o ovo e, então, um suave ruído metálico quando pegou a colher de sal. Ele gostava de ovos bem salgados. – Onde minha pobre garota cega mendigou noite passada?

– Na Estalagem da Enguia Verde.

– Quais são as três coisas novas que você sabe que não sabia quando nos deixou?

– O Senhor do Mar ainda está doente.

– Essa não é uma coisa nova. O Senhor do Mar estava doente ontem e ainda estará doente amanhã.

– Ou morto.

– Quando estiver morto, esta será uma coisa nova.

Quando ele estiver morto, haverá uma escolha, e as facas surgirão. Esse era o jeito de Bravos. Em Westeros, um rei morto era substituído pelo filho mais velho, mas os bravosis não tinham rei.

– Tormo Fregar será o novo Senhor do Mar.

– É o que estão dizendo na Estalagem da Enguia Verde?

– Sim.

O homem gentil deu uma mordida em seu ovo. A garota o ouviu mastigar. Ele nunca falava com a boca cheia. Engoliu, e disse:

– Alguns homens dizem que há sabedoria no vinho. Tais homens são tolos. Em outras estalagens, correm boatos com outros nomes, não duvide. – Deu outra mordida no ovo, mastigou, engoliu. – Quais são as três coisas novas que você sabe que não sabia antes?

– Sei que alguns homens dizem que Tormo Fregar certamente será o novo Senhor do Mar – respondeu. – Alguns homens bêbados.

– Melhor. O que mais você sabe?

Está nevando no Tridente, em Westeros, ela quase disse. Mas ele teria perguntado como sabia aquilo, e não achava que ele gostaria da resposta. Mordeu o lábio, pensando na noite anterior.

– A prostituta S'vrone está grávida. Ela não tem certeza de quem é o pai, mas acha que pode ser aquele mercenário tyroshino que matou.

– Isso é bom saber. O que mais?

– A Rainha Badejo escolheu uma nova Sereia para substituir a que se afogou. É filha de uma aia de Prestayn, treze anos e sem dinheiro, mas adorável.

– Todas são, no início – disse o sacerdote –, mas você não pode saber se ela é adorável a menos que a tenha visto com seus próprios olhos, e você não tem nenhum. Quem é você, criança?

– Ninguém.

– A Cega Beth, a mendiga, é quem eu vejo. É uma mentirosa desgraçada, essa uma. Cumpra seus deveres. *Valar morghulis.*

– *Valar dohaeris.* – Ela recolheu a tigela e a taça, faca e colher, e se levantou. Por último, pegou seu bastão. Tinha um metro e meio, delgado e flexível, da grossura do seu polegar, com couro enrolado no cabo por trinta centímetros a partir do topo. *Melhor do que olhos, uma vez que aprenda a usá-lo,* dissera a criança abandonada.

Aquilo era uma mentira. Eles frequentemente mentiam para ela, para testá-la. Nenhum bastão era melhor do que um par de olhos. Era bom tê-lo, no entanto, então ela sempre o mantinha por perto. Umma passara a chamá-la de Bastão, mas nomes não importavam. Ela era ela. *Ninguém. Não sou ninguém. Apenas uma garota cega, apenas uma serva Daquele que Tem Muitas Caras.*

Todas as noites, na ceia, a criança abandonada trazia para ela uma taça de leite e dizia para bebê-lo. A bebida tinha um gosto estranho e amargo, que a garota cega logo aprendeu a odiar. Mesmo o fraco cheiro, que indicava o que estava ali antes que sua língua a tocasse, a fazia sentir náuseas, mas ela esvaziava a taça do mesmo jeito.

– Quanto tempo preciso ficar cega? – ela perguntara.

– Até que a escuridão seja tão doce para você quanto a luz – a criança abandonada dissera –, ou até que você peça por seus olhos. Peça, e você verá.

E então vocês me mandarão embora. Melhor cega que isso. Eles não a fariam desistir.

No dia em que acordara cega, a criança abandonada a tomou pela mão e a levou através das galerias e túneis de pedra sobre os quais a Casa do Preto e Branco fora construída, subindo os íngremes degraus até o templo propriamente.

– Conte os degraus enquanto sobe – dissera. – Deixe seus dedos passarem pela parede. Há marcas aqui, invisíveis aos olhos, mas claras ao toque.

Aquela fora sua primeira lição. Houve muitas mais.

Venenos e poções eram para as tardes. Ela tinha o olfato, o tato e o paladar para ajudá-la, mas tocar e provar podia ser perigoso quando se triturava venenos e, com algumas das tóxicas cocções da criança abandonada, até mesmo cheirar podia ser bem pouco seguro. Pontas dos dedos queimadas e lábios com bolhas se tornaram familiares para ela e, uma vez, ficou tão doente que não pôde manter nada no estômago por dias.

A ceia era para aulas de idiomas. A garota cega entendia bravosi e podia falar, mesmo que sofrivelmente, já tendo perdido a maior parte de seu sotaque bárbaro, mas o homem gentil não estava satisfeito. Ele também insistia para que melhorasse seu Alto Valiriano e aprendesse as línguas de Lys e Pentos.

À noite, ela jogava o jogo da mentira com a criança abandonada, mas, sem seus olhos para ver, o jogo era muito diferente. Algumas vezes, tudo o que tinha era o tom de voz e a escolha das palavras; em outras vezes, a criança abandonada permitia que ela colocasse as mãos sobre seu rosto. No começo, o jogo era muito, muito difícil, a coisa mais próxima de impossível... mas justamente quando ela estava perto do ponto de gritar de frustração, tudo se tornou muito mais fácil. Ela aprendeu a *escutar* as mentiras, a senti-las no movimento dos músculos ao redor da boca e dos olhos.

Muitas de suas outras obrigações permaneciam as mesmas, mas, enquanto as cumpria, tropeçava nos móveis, batia nas paredes, derrubava bandejas, perdia-se irremediavelmente dentro do templo. Uma vez, quase caiu escada abaixo, mas Syrio Forel a ensinara a equilibrar-se, em outra vida, quando era uma garota chamada Arya, e de algum modo ela se recordou e segurou-se a tempo.

Algumas noites, teria chorado até dormir, se ainda fosse Arry, ou Doninha, ou Gata, ou mesmo Arya da Casa Stark... mas ninguém não tinha lágrimas. Sem olhos, mesmo a mais simples das tarefas era perigosa. Ela se queimara uma dúzia de vezes enquanto trabalhava com Umma nas cozinhas. Uma vez, descascando cebolas, cortou o dedo até o osso. Por duas vezes não conseguiu encontrar o caminho até os porões e teve que dormir no chão, na base dos degraus. Todos os cantos e recantos tornavam o templo traiçoeiro, mesmo depois que a garota cega aprendeu a usar seus ouvidos; o jeito que o som de seus passos ricocheteava no teto e ecoava em torno das pernas dos trinta imensos deuses de pedra fazia as paredes parecerem se mover, e a piscina de água negra parada fazia as coisas soarem estranhas também.

– Você tem cinco sentidos – o homem gentil dissera. – Aprenda a usar os outros quatro, e terá menos cortes, arranhões e cascas de ferida.

Ela podia sentir correntes de ar em sua pele, agora. Podia encontrar as cozinhas pelo cheiro, reconhecer homens e mulheres por seus odores. Conhecia Umma, as servas e os acólitos por suas passadas, podia distinguir um do outro antes de estarem perto o suficiente para cheirá-los (exceto a criança abandonada e o homem gentil, que raramente faziam som algum, a menos que quisessem). As velas queimando no templo também tinham cheiros; mesmo as que não tinham perfume soltavam filetes de fumaça de seus pavios. Tudo isso começara a falar, assim que ela aprendera a usar o nariz.

Até os mortos tinham seu próprio odor. Um de seus deveres era encontrá-los no templo todas as manhãs, onde quer que tivessem resolvido se deitar e fechar os olhos depois de beber da piscina.

Naquela manhã, encontrou dois.

Um homem morrera aos pés do Estranho, uma única vela tremeluzindo sobre ele. Podia sentir seu calor, e o cheiro que ele exalava fazia seu nariz coçar. A vela queimava com uma chama vermelha, ela sabia; para aqueles com olhos, o cadáver teria parecido inundado de um brilho avermelhado. Antes de convocar os servos para levá-lo, ajoelhou-se e sentiu o rosto dele, traçando a linha da sua mandíbula, passando os dedos pelas bochechas e nariz, tocando seu cabelo. *Cabelo crespo e grosso. Um rosto bonito, sem rugas. Era jovem.* Ela se perguntava o que o trouxera ali, em busca do dom da morte. Espadachins à beira da morte frequentemente vinham até a Casa do Preto e Branco, para acelerar seu fim, mas este homem não tinha ferimentos que ela pudesse encontrar.

O segundo corpo era o de uma velha. Dormira sobre um sofá dos sonhos, em uma das alcovas escondidas onde velas especiais conjuravam visões de coisas amadas e perdidas. Uma morte doce e suave, o homem gentil gostava de dizer. Os dedos da garota cega lhe disseram que a velha morrera com um sorriso no rosto. Não havia muito tempo que estava morta. Seu corpo ainda estava quente ao toque. *Sua pele é tão macia, como um couro antigo que foi dobrado e amassado mil vezes.*

Quando os servos chegaram para levar os cadáveres embora, a garota cega os seguiu. Deixou que os passos deles a guiassem, mas quando começaram a descer, ela contou. Sabia quantos eram todos os degraus de cor. Sob o templo, havia um labirinto de galerias e túneis onde mesmo homens com dois olhos bons frequentemente se perdiam, mas a garota cega aprendera cada centímetro daquele espaço, e tinha seu bastão para ajudá-la a encontrar o caminho se a memória falhasse.

Os cadáveres foram colocados em uma cripta. A garota cega começou a trabalhar no escuro, tirando as botas, as roupas e outras posses dos mortos, esvaziando seus bolsos e contando suas moedas. Distinguir uma moeda de outra apenas pelo tato fora uma das primeiras coisas que a criança abandonada a ensinara depois que tomaram sua visão. As moedas bravosis eram velhas amigas; ela precisava apenas passar a ponta dos dedos sobre suas faces para reconhecê-las. Moedas de outras terras e cidades eram mais difíceis, especialmente aquelas de muito longe. Honras volantinas eram as mais comuns, pequenas moedas não maiores do que as de um dinheiro, com uma coroa de um lado e um crânio do outro. Moedas lisenas eram ovais e exibiam uma mulher nua. Outras moedas estampavam navios, ou elefantes, ou cabras. As moedas westerosis mostravam uma cabeça de rei na frente e um dragão atrás.

A velha não tinha bolsa, nenhuma riqueza além de um anel em um de seus magros dedos. No homem bonito, ela encontrou quatro dragões de ouro de Westeros. Estava passando a ponta do polegar na mais gasta delas, tentando descobrir qual rei era mostrado, quando ouviu a porta se abrir suavemente.

– Quem está aí? – ela perguntou.

– Ninguém. – A voz era profunda, dura, fria.

E estava se movendo. Ela deu um passo para o lado, pegou seu bastão e ergueu-o para proteger o rosto. Madeira estalou contra madeira. A força do golpe quase arrancou o bastão de suas mãos. Ela o segurou e devolveu o golpe... e encontrou apenas ar onde ele deveria estar.

– Aí, não – a voz disse. – Você é cega?

Ela não respondeu. Falar só confundiria qualquer som que ele pudesse estar fazendo. Ele devia estar se movendo, ela sabia. *Esquerda ou direita?* Pulou para a esquerda, batendo à direita, acertando nada. A dor aguda de um golpe atingiu a parte de trás das pernas dela.

– É surda? – Ela girou, o bastão na mão esquerda, contorcendo-se, errando. Ouviu um som de risada à esquerda. Bateu do lado direito.

Dessa vez, acertou. Seu bastão bateu no dele. O impacto enviou uma onda de choque por seu braço.

– Bom – a voz disse.

A garota cega não sabia a quem a voz pertencia. Um dos acólitos, supôs. Não se lembrava de ter ouvido essa voz antes, mas não diziam que os servos do Deus de Muitas Caras podiam mudar de voz tão facilmente quanto de rosto? Além dela, a Casa do Preto e

Branco era lar de dois servos, três acólitos, Umma, a cozinheira, e dos dois sacerdotes que ela chamava de criança abandonada e homem gentil. Outros vinham e iam, algumas vezes por caminhos secretos, mas aqueles eram os únicos que viviam ali. Seu inimigo podia ser qualquer um deles.

A garota se lançou de lado, o bastão girando, então ouviu um som atrás de si, virou-se naquela direção e acertou o ar. E, de repente, o bastão dele estava entre as pernas dela, enroscando-se nelas quando tentou virar novamente, raspando suas canelas. Ela tropeçou e saiu sob um joelho com tanta força que mordeu a língua.

Então, ela parou. *Imóvel como uma pedra. Onde está ele?*

Atrás dela, ele riu. Acertou-a em um ouvido, então bateu nos nós de seus dedos enquanto ela lutava para se pôr em pé. O bastão dela caiu ruidosamente na pedra. Ela silvou em fúria.

– Vá. Pegue. Cansei de bater em você hoje.

– Ninguém bate em mim. – A garota engatinhou até encontrar o bastão, então se levantou, machucada e suja. A cripta estava parada e silenciosa. Ele se fora. Ou estava lá? Ele podia estar parado bem atrás dela, e ela nunca saberia. *Ouça a respiração dele*, disse a si mesma, mas não havia nada. Esperou mais um momento, então colocou o bastão de lado e voltou ao seu trabalho. *Se eu tivesse meus olhos, poderia espancá-lo cruelmente.* Um dia o homem gentil os devolveria, e ela poderia mostrar a todos eles.

O cadáver da velha estava frio agora, o corpo do espadachim endurecendo. A garota estava acostumada a isso. Na maior parte dos dias, passava mais tempo com os mortos do que com os vivos. Sentia falta dos amigos que tivera quando era a Gata dos Canais; o Velho Brusco, com suas costas ruins, suas filhas Talea e Brea, os pantomimeiros do Navio, Merry e suas putas no Porto Feliz, e todos os trapaceiros e a escória da região do cais. E, principalmente, sentia falta da própria Gata, mais até do que sentia falta dos seus olhos. Tinha gostado de ser a Gata, mais do que gostara de ser Salgada, ou Pombinha, ou Doninha, ou Arry. *Matei Gata quando matei aquele cantor.* O homem gentil dissera que teria tomado sua visão de qualquer maneira, para ajudá-la a aprender a usar seus outros sentidos, mas não por seis meses. Acólitos cegos eram comuns na Casa do Preto e Branco, mas poucos tão jovens quanto ela. A garota não se arrependia, no entanto. Dareon era um desertor da Patrulha da Noite; merecia morrer.

Dissera aquilo para o homem gentil.

– E você é um deus, para decidir quem deve viver e quem deve morrer? – ele perguntou. – Damos o presente para os que são marcados por Aquele de Muitas Caras, depois de orações e sacrifícios. Sempre foi assim, desde o início. Contei para você sobre a fundação da nossa ordem, sobre como o primeiro de nós respondeu às preces dos escravos que desejavam a morte. O presente era dado apenas para aqueles que ansiavam por ele, no início... até que, um dia, o primeiro de nós ouviu um escravo rezando não por sua própria morte, mas pela de seu mestre. Desejava isso com tanto fervor que ofereceu tudo o que tinha para que sua prece fosse atendida. E pareceu, ao nosso primeiro irmão, que esse sacrifício agradaria Àquele com Muitas Caras, e, naquela noite, ele atendeu a oração. Então foi até o escravo e disse: "Você ofereceu tudo o que tinha pela morte deste homem, mas escravos não têm nada além de suas vidas. É isso o que o deus deseja de você. Pelo resto de seus dias na terra, você o servirá". E, daquele momento em diante, éramos dois. – A mão dele se fechou em torno do braço da garota, gentil mas com firmeza. – Todos os homens têm que morrer. Não somos mais que instrumentos da morte, não a morte em si. Quando assassinou o cantor, você tomou os poderes do deus para si. Matamos homens, mas não pretendemos julgá-los. Entendeu?

Não, ela pensou.

– Sim – respondeu.

– Você mente. E é por isso que agora deve andar na escuridão, até ver o caminho. A menos que deseje deixar-nos. Só precisa pedir, e pode ter seus olhos de volta.

Não, ela pensou.

– Não – respondeu.

Naquela noite, depois da ceia e de uma curta sessão do jogo da mentira, a garota cega amarrou uma tira de tecido em volta da cabeça para esconder seus olhos inúteis, encontrou sua tigela de esmolas e pediu à criança abandonada que a ajudasse a montar o rosto de Beth. A criança abandonada raspara a cabeça dela, quando tiraram sua visão; um corte pantomimeiro, ela o chamara, uma vez que muitos pantomimeiros faziam o mesmo para que suas perucas servissem melhor. Mas funcionava para mendigos, também, e ajudava a manter a cabeça livre de pulgas e piolhos. Mais do que uma peruca era necessária, no entanto.

– Eu poderia cobri-la de feridas purulentas – a criança abandonada dissera –, mas os estalajadeiros e taverneiros iam expulsar você das portas deles. – Em vez disso, ela lhe dera cicatrizes de varíola e uma pinta negra na bochecha, com um pelo negro saindo dela.

– É feio? – a garota cega perguntou.

– Não é bonito.

– Bom. – Ela nunca se incomodara em ser bonita, mesmo quando era a estúpida Arya Stark. Apenas seu pai já lhe chamara daquilo. *Ele, e Jon Snow, algumas vezes*. Sua mãe costumava dizer que ela *poderia* ser bonita se lavasse e escovasse o cabelo e tomasse mais cuidado com suas roupas, do jeito que a irmã fazia. Para a irmã, as amigas dela e todo o resto, ela fora apenas Arya Cara de Cavalo. Mas estavam todos mortos agora, até mesmo Arya, todos menos seu meio-irmão Jon. Algumas noites, ela ouvia falarem dele nas tavernas e bordéis do Porto do Trapeiro. O Bastardo Negro da Muralha, os homens o chamavam. *Nem mesmo Jon teria reconhecido a Cega Beth, aposto*. Aquilo a deixava triste.

As roupas que usava eram trapos desbotados e gastos, mas, pelo menos, limpos e quentes. Embaixo deles, escondia três facas; uma na bota, uma na manga e uma embainhada nas costas. Os bravosis, em sua maioria, eram um povo gentil, mais dispostos a ajudar a pobre mendiga cega do que a machucá-la, mas sempre havia alguns poucos maus que poderiam vê-la como alvo fácil de roubo ou de estupro. As lâminas eram para esses, embora até agora a garota cega não tivesse sido obrigada a usá-las. Uma tigela de esmola de madeira rachada e um cinto de corda de cânhamo completavam seu traje.

Saiu quando o Titã rugiu o pôr do sol, contando os passos até a porta do templo e, então, batendo no chão com o bastão até a ponte que a levava pelo canal até a Ilha dos Deuses. Ela podia dizer que a neblina estava espessa pelo jeito pegajoso com que suas roupas grudavam nela e pela sensação de umidade do ar nas mãos desnudas. As névoas de Bravos faziam coisas estranhas aos sons também, ela descobriu. *Metade da cidade estará semicega esta noite*.

Enquanto passava pelos templos, podia ouvir os acólitos do Culto da Sabedoria Estelar no topo de sua torre de vidência, cantando para as estrelas da noite. Uma nuvem de fumaça perfumada pairava no ar, mostrando-lhe o sinuoso caminho onde os sacerdotes vermelhos acendiam os grandes braseiros de ferro do lado de fora da casa do Senhor da Luz. Logo ela sentiria o calor no ar, enquanto os seguidores de R'hllor elevavam suas vozes em oração.

– *Porque a noite é escura e cheia de terrores* – rezavam.

Não para mim. Suas noites eram banhadas pelo luar e repletas com as canções de sua matilha, com o sabor de carne vermelha arrancada dos ossos, com os odores acolhedores e familiares de seus primos cinzentos. Apenas durante o dia estava sozinha e cega.

Ela não era estranha à beira-mar. Gata costumava espreitar os cais e os becos do Porto do Trapeiro vendendo mexilhões, mariscos e ostras para Brusco. Com seus trapos, sua cabeça raspada e sua pinta falsa, não parecia a mesma daquela época, mas, apenas por segurança, ficava longe do Navio, do Porto Feliz e dos outros lugares onde Gata era mais conhecida.

Ela reconhecia cada estalagem e taverna pelo cheiro. O Barqueiro Negro tinha um cheiro de salmoura. O Do Pynto fedia a vinho azedo, queijo fedido e ao próprio Pynto, que nunca trocava de roupa ou lavava o cabelo. No Cerzidor de Velas, o ar fumacento era sempre temperado com o cheiro de carne assada. A Casa das Sete Lamparinas era perfumada com incenso, o Palácio de Cetim com perfumes das bonitas garotas que sonhavam em ser cortesãs.

Cada lugar tinha seu próprio som também. O Moroggo e a Estalagem da Enguia Verde tinham cantores se apresentando na maioria das noites. Na Estalagem do Exilado, os próprios fregueses cantavam, em vozes bêbadas e em meia centena de idiomas. A Casa da Neblina estava sempre lotada com marujos fora de seus barcos, discutindo sobre deuses e cortesãs e se o Senhor do Mar era ou não um tolo. O Palácio de Cetim era muito mais silencioso, um lugar de palavras carinhosas sussurradas, do suave roçar dos vestidos de seda e dos risinhos de garotas.

Beth mendigava em um lugar diferente a cada noite. Ela logo aprendera que as estalagens e tavernas eram mais tolerantes à sua presença se suas aparições não fossem frequentes. Noite passada ficara do lado de fora da Estalagem da Enguia Verde, então esta noite ela virou à direita em vez de à esquerda depois da Ponte Sangrenta e foi até o Do Pynto na outra ponta do Porto do Trapeiro, bem na beira da Torre Afogada. Ele podia ser barulhento e fedido, mas Pynto tinha um coração mole sob todas aquelas roupas sem lavar e arrogância. Com frequência ele a deixava entrar, onde era quente, se o lugar não estivesse muito lotado, e de vez em quando até mesmo lhe dava uma caneca de cerveja e um pouco de comida, enquanto a regalava com suas histórias. Em sua juventude, Pynto fora o mais notório pirata de Passopedra, pelo que contava; não havia nada que amasse mais do que falar longamente sobre suas façanhas.

Estava com sorte naquela noite. A taverna estava quase vazia, e ela foi capaz de conseguir um canto tranquilo não muito longe do fogo. Mal sentou e cruzou as pernas quando algo se esfregou contra sua coxa.

– Você de novo? – disse a garota cega. Coçou a cabeça dele atrás da orelha, e o gato pulou em seu colo e começou a ronronar. Bravos era cheia de gatos, e nenhum lugar era mais cheio do que o Do Pynto. O velho pirata acreditava que os felinos traziam boa sorte e mantinham sua taverna livre de pragas. – Você me conhece, não? – ela sussurrou. Gatos não eram enganados com pintas falsas. Eles se lembravam da Gata dos Canais.

Foi uma boa noite para a garota cega. Pynto estava de excelente humor e deu a ela uma taça de vinho aguado, um pedaço de queijo fedido e meia torta de enguia.

– Pynto é um homem muito bom – ele anunciou e, em seguida, sentou-se ao seu lado para contar da vez que apreendeu um navio de especiarias, uma história que ela já ouvira uma dúzia de vezes.

Conforme as horas passavam, a taverna enchia. Logo Pynto estava ocupado demais para prestar qualquer atenção nela, mas vários de seus clientes regulares jogaram moedas em sua tigela de pedinte. Outras mesas estavam ocupadas por estranhos; baleeiros ibeneses que cheiravam a sangue e gordura de baleia, uma dupla de espadachins com cheiro de óleo no cabelo, um gordo de Lorath que reclamava que as cadeiras de Pynto eram muito pequenas para sua barriga. E, mais tarde, três lisenos, marinheiros do *Coração Bom*, uma galera arruinada pela tempestade que se arrastara até Bravos noite passada e fora apreendida naquela manhã pelos guardas do Senhor do Mar.

Os lisenos ficaram na mesa mais próxima do fogo e falavam tranquilamente por cima de canecas de rum com alcatrão negro, mantendo as vozes baixas para que ninguém os ouvisse. Mas ela não era ninguém e ouviu a maior parte do que disseram. E, por um momento, parecia que podia vê-los também, através dos olhos amarelos semicerrados do gato ronronando em seu colo. Um era velho, um era jovem e um perdera uma orelha, mas todos os três tinham o cabelo branco-aloirado e a pele macia de Lys, onde o sangue do antigo Domínio ainda corria forte.

Na manhã seguinte, quando o homem gentil lhe perguntou quais eram as três coisas que sabia agora que não sabia antes, ela estava pronta.

– Sei por que o Senhor do Mar apreendeu o *Coração Bom*. O navio levava escravos. Centenas de escravos, mulheres e crianças, todos amarrados no porão. – Bravos fora fundada por escravos fugidos, e o comércio de escravos era proibido na cidade. – Sei de onde os escravos vieram. Eram selvagens de Westeros, de um lugar chamado Durolar. Um antigo lugar em ruínas, amaldiçoado. – A Velha Ama contara para ela histórias de Durolar, quando estava em Winterfell e ainda era Arya Stark. – Depois da grande batalha na qual o Rei-para-lá-da-Muralha foi morto, os selvagens fugiram, e sua feiticeira da floresta disse que, se fossem para Durolar, navios viriam e os levariam embora, para algum lugar quente. Mas nenhum navio apareceu, exceto esses dois lisenos piratas, *Coração Bom* e *Elefante*, que tinham sido levados para o norte por uma tempestade. Ancoraram em Durolar para fazer reparos e viram os selvagens, mas eram milhares e não havia espaço para todos, então disseram que levariam apenas as mulheres e as crianças. Os selvagens não tinham nada para comer, então os homens enviaram as esposas e filhas, mas, assim que os navios chegaram ao alto-mar, os lisenos as mandaram para baixo e as amarraram. Pretendiam vender todas elas em Lys. Só que foram pegos por outra tempestade e os navios se separaram. O *Coração Bom* estava tão danificado que seu capitão não teve outra escolha senão parar aqui, mas o *Elefante* conseguiu voltar para Lys. Os lisenos que estavam no Do Pynto achavam que o *Elefante* retornaria com mais navios. O preço dos escravos está aumentando, disseram, e há milhares de mulheres e crianças em Durolar.

– Isso é bom de saber. Já são duas coisas. Há uma terceira?

– Sim. Sei que era você quem estava me batendo. – O bastão dela agiu rápido e bateu contra os dedos dele, mandando o bastão do sacerdote para o chão.

Ele estremeceu e puxou a mão.

– E como uma garota cega poderia saber isso?

Eu vi você.

– Eu lhe dei três coisas. Não preciso dar uma quarta. – Talvez, pela manhã, contasse para ele sobre o gato que a seguira para casa na noite anterior, do Do Pynto, o gato que estava escondido nas vigas, olhando para eles. *Ou talvez não.* Se ele podia ter segredos, ela também podia.

Naquela noite, Umma serviu caranguejos com crosta de sal para a ceia. Quando sua taça lhe foi apresentada, a garota cega torceu o nariz e bebeu em três longos goles. Então engasgou e derrubou a taça. Sua língua estava pegando fogo, e quando tomou outra taça de vinho, as chamas se espalharam por sua garganta e pelo seu nariz.

– Vinho não ajudará, e água vai só atiçar as chamas – a criança abandonada falou para ela. – Coma isto. – Um pedaço de pão foi pressionado em sua mão. A garota o enfiou na boca, mastigou, engoliu. Ajudou. Um segundo pedaço ajudou ainda mais.

E veio a manhã, quando a loba da noite a deixou e ela abriu os olhos, viu uma vela de sebo brilhando onde nenhuma vela estivera na noite anterior, sua chama incerta balançando para a frente e para trás, como uma prostituta no Porto Feliz. Nunca vira algo tão lindo.

Um fantasma em Winterfell

O morto foi encontrado na base da muralha interior, com o pescoço quebrado e apenas a perna esquerda aparecendo através da neve que o enterrara durante a noite.

Se as cadelas de Ramsay não o tivessem desenterrado, ele poderia ter ficado lá até a primavera. Quando Ben Ossos o puxou, Jeyne Cinza havia comido tanto do rosto do morto que meio dia se passou antes que soubessem com certeza quem era: um homem em armas de quatro e quarenta anos que marchara para o Norte com Roger Ryswell.

– Um bêbado – Ryswell declarou. – Mijando da muralha, aposto. Escorregou e caiu. – Ninguém discordou. Mas Theon Greyjoy se perguntou por que um homem subiria por degraus escorregadios de neve até as ameias, na escuridão da noite, apenas para mijar.

Enquanto a guarnição quebrava o jejum naquela manhã com pão velho frito na gordura de toicinho (os senhores e cavaleiros comiam o toicinho), as conversas pelas mesas giravam em torno do cadáver.

– Stannis tem amigos dentro do castelo – Theon ouviu um oficial resmungar. Era um velho Tallhart, três árvores costuradas em sua túnica esfarrapada. O turno acabara de mudar. Homens vinham do frio, batendo os pés para tirar a neve das botas e dos calções, enquanto a refeição do meio-dia era servida; chouriço, alho-poró e pão preto ainda quente do forno.

– Stannis? – riu um dos homens de Roose Ryswell. – Stannis está com neve até as orelhas agora. Ou então fugiu de volta para a Muralha, com o rabo congelado entre as pernas.

– Ele pode estar acampado a um metro e meio das nossas muralhas, com cem mil homens – disse um arqueiro vestindo as cores Cerwyn. – Não veríamos nenhum deles através desta tempestade.

Interminável, incessante, impiedosa, a neve caía dia e noite. Montes se acumulavam nas muralhas e enchiam as ameias, cobertores brancos cobriam todos os telhados, tendas desabavam sob o peso da neve. Cordas foram amarradas entre um salão e outro para ajudar os homens a não se perder enquanto cruzavam o pátio. Sentinelas lotavam as torres de guarda para aquecer mãos semicongeladas em braseiros incandescentes, deixando as rondas na muralha para as sentinelas de neve que os escudeiros haviam feito, e que ficavam maiores e mais estranhas a cada noite, conforme o vento e o clima agiam sobre elas. Barbas irregulares de gelo cresciam sob as lanças enfiadas nos punhos dos bonecos. Pelo menos um homem de Hosteen Frey, que fora ouvido rosnando que não temia um pouco de neve, perdeu uma orelha por causa do congelamento.

Os cavalos no pátio eram os que mais sofriam. Os cobertores colocados sobre eles para mantê-los aquecidos ficavam ensopados e congelavam se não fossem trocados regularmente. Quando fogueiras eram acesas para manter o frio afastado, causavam mais danos do que benefícios. Os cavalos de guerra tinham medo das chamas e lutavam para fugir, machucando a si mesmos e aos outros cavalos enquanto se retorciam em suas rédeas amarradas. Apenas os cavalos nos estábulos estavam seguros e aquecidos, mas os estábulos já estavam superlotados.

– Os deuses se viraram contra nós – ouviram o velho Lorde Locke dizer no Grande Salão. – Esta é a ira deles. Um vento tão frio quanto o próprio inferno e neve que nunca acaba. Estamos amaldiçoados.

– Stannis está amaldiçoado – insistiu um homem do Forte do Pavor. – É ele quem está lá fora, na tempestade.

– Lorde Stannis pode estar mais aquecido do que pensamos – argumentou um tolo mercenário. – A feiticeira dele pode convocar o fogo. O deus vermelho dela poderia derreter estas neves.

Aquilo fora imprudente, Theon soube na hora. O homem falara muito alto, e ao alcance da audição de Caralho Amarelo, Alyn Azedo e Ben Ossos. Quando a história chegou a Lorde Ramsay, ele enviou os Rapazes do Bastardo para prender o homem e arrastá-lo pela neve.

– Como você parece gostar tanto de Stannis, vou mandá-lo para ele – disse Ramsay. Damon Dance-para-Mim deu algumas chibatadas no mercenário com seu longo chicote besuntado. Então, enquanto Peleiro e Caralho Amarelo faziam apostas sobre quão rápido seu sangue congelaria, Ramsay fez o homem ser arrastado até o Portão das Ameias.

Os grandes portões principais de Winterfell estavam fechados e lacrados, e tão travados com gelo e neve que as pontes levadiças tinham que ser escavadas para serem soltas, antes de serem movidas. Quase a mesma coisa acontecia no Portão do Caçador, embora ao menos o gelo não fosse um problema, uma vez que o portão fora usado recentemente. O Portão da Estrada do Rei estava sem uso havia um tempo, e o gelo congelara as correntes da ponte, endurecendo-as como pedras. Com isso, sobrava o Portão das Ameias, uma pequena passagem arqueada na muralha interior. Era apenas metade de um portão, na verdade, com uma ponte que atravessava o fosso congelado, mas sem portão correspondente na muralha exterior, oferecendo acesso à muralha externa, mas não ao mundo exterior.

O mercenário ferido foi carregado pela ponte e pelos degraus, ainda protestando. Então Peleiro e Alyn Azedo seguraram seus braços e pernas e o atiraram da muralha, em uma queda de mais de vinte metros até o chão. Os montes de neve estavam tão altos que engoliram o corpo do homem... mas arqueiros nas ameias afirmaram que o viram algum tempo depois, arrastando uma perna quebrada pela neve. Um deles acertou seu traseiro com uma flecha enquanto ele se contorcia.

– Estará morto em uma hora – prometeu Lorde Ramsay.

– Ou estará chupando o pau de Lorde Stannis antes que o sol se ponha – Terror-das-Rameiras Umber retrucou.

– É melhor tomar cuidado para não quebrá-lo – riu Rickard Ryswell. – Qualquer homem lá fora, neste tempo, estará com o pau congelado.

– Lorde Stannis está perdido na tempestade – disse a Senhora Dustin. – Está a quilômetros de distância, morto ou moribundo. Deixe o inverno fazer o pior. Alguns poucos dias e as neves enterrarão ele e seu exército.

E nós também, pensou Theon, impressionado com a tolice da mulher. A Senhora Barbrey era do Norte e deveria saber mais. Os velhos deuses estariam ouvindo.

A ceia foi mingau de ervilha e pão amanhecido, o que causou resmungos entre os homens comuns; nas mesas principais, os senhores e os cavaleiros foram vistos comendo presunto.

Theon estava encurvado sobre uma tigela de madeira, terminando sua porção de mingau de ervilha, quando um leve toque em seu ombro o fez derrubar a colher.

– Nunca me toque – disse, contorcendo-se para apanhar o utensílio caído no chão antes que uma das garotas de Ramsay o pegasse. – *Nunca* me toque.

Ela se sentou perto dele, perto demais; outra das lavadeiras de Abel. Esta era jovem, quinze ou dezesseis anos, com um cabelo desgrenhado precisando de uma boa lavada e um par de lábios carnudos precisando de um bom beijo.

– Algumas garotas gostam de tocar – ela disse com um sorrisinho. – Se for do agrado do meu senhor, sou Holly.

Holly, a puta, ele pensou, mas era bem bonita. No passado, ele teria rido e puxado a moça para seu colo, mas esses dias acabaram.

– O que você quer?

– Ver aquelas criptas. Onde estão elas, 'nhor? Poderia me mostrar? – Holly brincou com uma mecha de seus cabelos, enrolando-a no mindinho. – Profundas e escuras, dizem. Um bom lugar para se tocar. Todos os reis mortos assistindo.

– Abel mandou você até mim?

– Talvez. Talvez tenha vindo por conta própria. Mas se é Abel que está esperando, posso trazer ele. Ele cantará uma bela canção para o 'nhor.

Cada palavra que ela dizia convencia Theon de que aquilo tudo era uma jogada. Mas de quem e para quê? O que Abel poderia querer com ele? O homem era só um cantor, um alcoviteiro com um alaúde e um sorriso falso. *Ele quer saber como tomei o castelo, mas não é para fazer uma canção sobre isso.* E a resposta lhe ocorreu. *Ele quer saber como entrei, para que possa sair.* Lorde Bolton tinha Winterfell apertado como os cueiros de um bebê. Ninguém entrava ou saía sem sua permissão. *Ele quer fugir, ele e sua lavadeira.* Theon não podia culpá-lo. Mesmo assim, disse:

– Não quero conversa com Abel, com você ou com nenhuma das suas irmãs. Apenas me deixem em paz.

Do lado de fora, a neve girava, dançando. Theon tateou seu caminho até a muralha, então seguiu até o Portão das Ameias. Poderia ter tomado os guardas por dois bonecos de neve do Pequeno Walder, se não tivesse visto o vapor branco de suas respirações.

– Quero caminhar nas muralhas – disse para eles, sua própria respiração congelando no ar.

– Está um frio maldito lá – um deles avisou.

– Está um frio maldito aqui – falou o outro –, mas faça como quiser, Vira-Casaca. – Acenou para Theon através do portão.

Os degraus estavam cobertos de neve e escorregadios, traiçoeiros no escuro. Assim que chegou à passarela da muralha, não demorou muito para encontrar o lugar de onde atiraram o mercenário. Derrubou a neve recém-caída que enchia as ameias e debruçou-se entre os merlões. *Eu poderia pular*, pensou. *Ele sobreviveu, por que eu não poderia?* Poderia pular e... *E o quê? Quebrar uma perna e morrer sob a neve? Arrastar-me por aí até morrer congelado?*

Era loucura. Ramsay o caçaria com as garotas. Jeyne Vermelha, Jez e Helicent o fariam em pedaços, se os deuses fossem bons. Ou, pior, ele podia ser trazido com vida.

– Tenho que lembrar meu nome – sussurrou.

Na manhã seguinte, o escudeiro grisalho de Sor Aenys Frey foi encontrado nu e morto pela exposição ao tempo no velho cemitério do castelo, seu rosto tão obscurecido pela geada que parecia usar uma máscara. Sor Aenys afirmou que o homem havia bebido demais, também, e se perdera na tempestade, embora ninguém pudesse explicar por que estaria sem roupas na intempérie. *Outra bebedeira*, Theon pensou. O vinho podia afogar uma série de suspeitas.

Então, antes que o dia acabasse, um besteiro juramentado dos Flint apareceu nos estábulos com o crânio quebrado. Escoiceado por um cavalo, Lorde Ramsay declarou. *Mais provável por um porrete*, Theon decidiu.

Tudo parecia tão familiar, como um espetáculo de pantomimeiros que ele já vira antes. Só que os pantomimeiros haviam mudado. Roose Bolton desempenhava o papel que antes fora de Theon, e os mortos faziam os papéis de Aggar, Gynir Rednose e Gelmarr, o Cruel. Fedor estava ali também, ele se lembrava, mas era um Fedor diferente, um Fedor com mãos ensanguentadas e mentiras escorrendo de seus lábios, doces como mel. *Fedor, Fedor, rima com traidor*.

As mortes fizeram os senhores de Roose Bolton brigarem abertamente no Grande Salão. Alguns estavam ficando sem paciência.

– Quanto tempo ficaremos sentados esperando por este rei que nunca vem? – Sor Hosteen Frey exigiu saber. – Podemos levar a luta até Stannis e dar um fim nele.

– Deixar o castelo? – resmungou Harwood Stout. Seu tom sugeria que preferia ter o restante de seu braço decepado. – Quer nos levar cegamente pela neve?

– Para lutar com Lorde Stannis, temos que encontrá-lo primeiro – Roose Ryswell observou. – Nossos batedores saíram pelo Portão do Caçador, mas até agora nenhum deles retornou.

Lorde Wyman Manderly bateu em sua enorme barriga.

– Porto Branco não tem medo de cavalgar com você, Sor Hosteen. Lidere-nos, e meus cavaleiros estarão atrás de você.

Sor Hosteen virou-se para o homem gordo.

– Perto o suficiente para enfiar uma lança pelas minhas costas, sim. Onde estão meus irmãos, Manderly? Diga-me. Seus convidados, aqueles que trouxeram seu filho de volta para você.

– Os ossos dele, você quer dizer. – Manderly espetou um pedaço de presunto com sua adaga. – Lembro-me bem deles. Rhaegar, o de ombros redondos e língua fluente. O ousado Sor Jared, tão rápido para desembainhar seu aço. Symond, o mestre da espionagem, sempre tilintando moedas. Trouxeram os ossos de Wendel para casa. Foi Tywin Lannister quem me devolveu Wylis, são e salvo, como prometera. Um homem de palavra, Lorde Tywin, que os Sete salvem sua alma. – Lorde Wyman enfiou a carne na boca, mastigou ruidosamente, estalou os lábios e disse: – A estrada tem muitos perigos, sor. Dei a seus irmãos presentes de convidados quando deixaram Porto Branco. Prometemos que nos encontraríamos novamente no casamento. Muitos, e ainda mais, foram testemunhas da nossa despedida.

– Muitos e ainda mais? – zombou Aenys Frey. – Ou você e os seus?

– O que está sugerindo, Frey? – O Senhor de Porto Branco secou a boca com a manga. – Não gosto do seu tom, sor. Não, nem um maldito bocado.

– Vá para o pátio, seu saco de sebo, e eu servirei todos os malditos bocados que seu estômago aguentar – disse Sor Hosteen.

Wyman Manderly riu, mas meia dúzia de seus cavaleiros ficou em pé ao mesmo tempo. Coube a Roger Ryswell e Barbrey Dustin acalmá-los com palavras apaziguadoras. Roose Bolton não disse nada. Mas Theon Greyjoy viu um olhar em seus olhos claros que nunca vira antes – uma inquietação e, até mesmo, uma pitada de temor.

Naquela noite, o novo estábulo ruiu sob o peso da neve que o enterrava. Vinte e seis cavalos e dois cavalariços morreram esmagados pelo telhado que caíra ou sufocados pela neve. Levaram a maior parte da manhã para desenterrar seus corpos. Lorde Bolton apareceu rapidamente na ala externa para inspecionar a cena e ordenou que os cavalos restantes fossem levados para dentro, juntamente com os animais que ainda estavam amarrados do lado de fora. Nem bem os homens haviam desenterrado os mortos e destroçado os cavalos, e outro cadáver foi encontrado.

Essa morte não podia ser explicada pelo tombo de um bêbado ou pelo coice de um cavalo. O morto era um dos favoritos de Ramsay, o atarracado, o escrofuloso, o feio homem em armas chamado Caralho Amarelo. Se seu caralho tinha realmente sido amarelo, era difícil de determinar, já que alguém o cortara e o enfiara na boca da vítima com tanta força que quebrara três de seus dentes. Quando os cozinheiros o encontraram do lado de fora da cozinha, tanto o caralho quanto o homem estavam azuis de frio.

– Queimem o corpo – Roose Bolton ordenou – e assegurem-se de não falar sobre isso. Não quero essa história espalhada.

A história se espalhou do mesmo jeito. Lá pela metade do dia, a maior parte de Winterfell já a ouvira, muitos dos lábios de Ramsay Bolton, de quem Caralho Amarelo fora um dos "Rapazes".

– Quando encontrarmos o homem que fez isso – Lorde Ramsay prometeu –, vou esfolar a pele dele, fritá-la até ficar crocante e fazer que ele a coma, pedaço por pedaço. – E correu a notícia de que o nome do assassino valeria um dragão de ouro.

O fedor dentro do Grande Salão era palpável à tardinha. Com centenas de cavalos, cães e homens se espremendo sob o mesmo telhado, o piso escorregadio com lama e neve derretida, merda de cavalo, cocô de cachorro e até fezes humanas, o ar impregnado com os cheiros de cachorro molhado, de lã molhada e dos cobertores encharcados dos cavalos, não havia como achar conforto entre os bancos lotados. Mas havia comida. Os cozinheiros serviram grandes travessas de carne de cavalo fresca, bem passadas por fora, sangrentas por dentro, com cebolas assadas e rabanetes... e, pelo menos desta vez, os soldados comuns comeram tão bem quanto os senhores e os cavaleiros.

A carne de cavalo era dura demais para os dentes arruinados de Theon. Suas tentativas de mastigá-la lhe causaram uma dor excruciante. Então esmagou os rabanetes e as cebolas com a lâmina da adaga e fez um purê, depois cortou a carne em pedaços muito pequenos, chupou cada pedaço e cuspiu. Pelo menos tinha um pouco do gosto e algum nutriente da gordura e do sangue. O osso estava além de suas capacidades, então atirou-o para os cães e assistiu Jeyne Cinza fugir com ele enquanto Sara e Willow seguiam em seus calcanhares.

Lorde Bolton ordenou que Abel tocasse para eles enquanto comiam. O bardo cantou *Lanças de Ferro*, e então *A Donzela do Inverno*. Quando Barbrey Dustin pediu por algo mais alegre, deu-lhes *A Rainha Tirou a Sandália, o Rei Tirou a Coroa* e *O Urso e a Bela Donzela*. Os Frey se juntaram à canção e até mesmo alguns nortenhos batiam os punhos na mesa com o refrão, gritando *Um urso! Um urso!* Mas o barulho assustou os cavalos, então os cantores logo pararam e a música morreu.

Os Rapazes do Bastardo estavam reunidos debaixo de um candeeiro na parede, onde uma tocha queimava produzindo muita fumaça. Luton e Peleiro jogavam dados. Grunhido tinha uma mulher no colo, um peito dela na mão. Damon Dance-para-Mim estava sentado, passando óleo em seu chicote.

– Fedor – chamou. Bateu o chicote contra a panturrilha, como um homem faria para chamar seu cão. – Está começando a feder novamente, Fedor.

Theon não tinha resposta para aquilo, além de um suave "Sim".

– Lorde Ramsay pretende cortar seus lábios quando tudo isto acabar – disse Damon, esfregando seu chicote com um trapo gorduroso.

Meus lábios estiveram entre as pernas da senhora dele. Essa insolência não pode ficar sem punição.

– Se é o que diz.

Luton gargalhou.

– Acho que ele quer isso.

– Vá embora, Fedor – falou Peleiro. – Seu cheiro me embrulha o estômago. – Os demais riram.

Ele fugiu rapidamente, antes que mudassem de ideia. Seus algozes não o seguiriam do lado de fora. Não enquanto houvesse comida e bebida lá dentro, mulheres dispostas e fogueiras para aquecê-los. Quando deixou o salão, Abel estava cantando *As Donzelas que Florescem na Primavera*.

Lá fora, a neve caía tão pesada que Theon não conseguia ver mais do que um metro adiante. Encontrou-se sozinho em um deserto branco, paredes de neve se erguendo de todos os lados até quase a altura de seu peito. Quando ergueu a cabeça, os flocos de neve roçaram em sua face como suaves beijos gelados. Podia ouvir o som da música no salão atrás de si. Uma canção suave, agora, e triste. Por um momento, sentiu-se quase em paz.

Mais adiante, cruzou com um homem que vinha na direção oposta, uma capa com capuz agitando-se atrás dele. Quando se encontraram frente a frente, seus olhos se encontraram brevemente. O homem colocou a mão na adaga.

– Theon Vira-Casaca. Theon assassino de parentes.

– Não sou. Eu nunca... eu era um homem de ferro.

– Falso é tudo o que você era. Como é que ainda está respirando?

– Os deuses não terminaram comigo – Theon respondeu, perguntando-se se aquele poderia ser o assassino, o caminhante noturno que enfiara o pau de Caralho Amarelo em sua boca e empurrara o homem de Roger Ryswell das ameias. Estranhamente, não estava com medo. Puxou a luva da mão esquerda. – Lorde Ramsay não terminou comigo.

O homem olhou e riu.

– Deixo-o para ele, então.

Theon marchou pela tempestade até que os braços e as pernas ficassem endurecidos pela neve, e as mãos e os pés dormentes pelo frio, então subiu até as ameias da muralha interior de novo. Lá em cima, a trinta metros de altura, um vento leve soprava, espalhando a neve. Todas as ameias estavam cheias de neve. Theon teve que bater em uma parede de neve para fazer um buraco... apenas para descobrir que não podia ver depois do fosso. Além da muralha exterior, nada permanecera, exceto uma sombra vaga e algumas luzes opacas flutuando na escuridão.

O mundo se foi. Porto Real, Correrrio, Pyke e as Ilhas de Ferro, todos os Sete Reinos, cada lugar que havia conhecido, cada lugar sobre o qual já lera ou com o qual sonhara, tudo se fora. Apenas Winterfell permanecia.

Estava preso ali, com os fantasmas. Os velhos fantasmas das criptas e os mais novos, que ele mesmo fizera, Mikken e Farlen, Gynir Rednose, Aggar, Gelmarr, o Cruel, a esposa do moleiro em Água de Bolotas e seus dois jovens filhos, e todos os demais. *Minha obra. Meus fantasmas. Estão todos aqui, e estão zangados.* Pensou na cripta e nas espadas desaparecidas.

Theon voltou para seu próprio aposento. Estava tirando as roupas molhadas quando Walton Pernas de Aço o encontrou.

– Venha comigo, Vira-Casaca. Sua senhoria quer falar com você.

Ele não tinha roupas secas limpas, então se contorceu de volta para os mesmos trapos úmidos e o seguiu. Pernas de Aço o levou pelo Grande Salão, até o solar que certa vez fora de Eddard Stark. Lorde Bolton não estava sozinho. A Senhora Dustin estava sentada com ele, o rosto pálido e severo; um broche de ferro com o formato de uma cabeça de cavalo prendia a capa de Roger Ryswell; Aenys Frey estava em pé perto do fogo, as bochechas vermelhas com o frio.

– Me contaram que você anda vagando pelo castelo – Lorde Bolton começou. – Homens reportaram terem visto você nos estábulos, nas cozinhas, nos barracões, nas ameias. Foi observado perto das ruínas das torres caídas, do lado de fora do velho septo da Senhora Catelyn, indo e vindo do bosque sagrado. Nega isso?

– Não, 'nhor. – Theon fez questão de falar mal a palavra. Sabia que aquilo agradava Lorde Bolton. – Não consigo dormir, 'nhor. Eu caminho. – Manteve a cabeça baixa, olhos fixos nas velhas tábuas corridas no chão. Não seria sábio olhar sua senhoria no rosto. – Eu era um garoto aqui antes da guerra. Um protegido de Eddard Stark.

– Você era um refém – Bolton o corrigiu.

– Sim, 'nhor. Um refém. – *Mas esta era minha casa. Não uma casa de verdade, mas a melhor que já conheci.*

– Alguém está matando meus homens.

– Sim, 'nhor.

– Não é você, imagino? – A voz de Bolton ficou ainda mais suave. – Você não pagaria minha gentileza com tal traição.

– Não, 'nhor, eu não. Eu não faria. E... apenas caminho, é tudo.

A Senhora Dustin falou.

– Tire as luvas.

Theon levantou os olhos bruscamente.

– Por favor, não. Eu... eu...

– Faça como ela diz – disse Sor Aenys. – Mostre-nos suas mãos.

Theon tirou as luvas e estendeu as mãos para que eles as vissem. *Não é como se eu estivesse nu diante deles. Não é tão ruim quanto isso.* Sua mão esquerda tinha três dedos, a direita, quatro. Ramsay tirara o mindinho de uma, o anelar e o indicador da outra.

– O Bastardo fez isso com você – a Senhora Dustin falou.

– Se me permite, 'nhora, eu... eu pedi para ele. – Ramsay sempre o fazia pedir. *Ramsay sempre me faz implorar.*

– Por que você faria isso?

– Eu... eu não precisava de tantos dedos.

– Quatro é o suficiente. – Sor Aenys passou os dedos pela barba rala que brotava de seu queixo, fina como a cauda de um rato. – Quatro na mão direita. Ele ainda poderia segurar uma espada. Uma adaga.

A Senhora Dustin riu.

– Todos os Frey são tão tolos assim? Olhe para ele! Segurar uma adaga? Ele dificilmente tem forças para segurar uma colher. Você realmente acredita que ele atacou a desagradável criatura do Bastardo e enfiou a masculinidade dele pela garganta?

– Esses mortos eram todos homens fortes – disse Roger Ryswell –, e nenhum deles foi apunhalado. O Vira-Casaca não é nosso assassino.

Os olhos claros de Roose Bolton estavam fixos em Theon, tão afiados quanto a faca de esfola do Peleiro.

– Estou inclinado a concordar. Além da questão da força, ele não tem capacidade de trair meu filho.

Roger Ryswell grunhiu.

– Se não é ele, quem é? Stannis tem algum homem dentro do castelo, isso está claro.

Fedor não é homem. Não Fedor. Não eu. Ele se perguntava se a Senhora Dustin contara sobre as criptas e as espadas desaparecidas.

– Temos que olhar para Manderly – murmurou Sor Aenys Frey. – Lorde Wyman não tem amor por nenhum de nós.

Ryswell não estava convencido.

– Ele, no entanto, ama seus bifes, costelas e tortas de carne. Rondar o castelo na escuridão exigiria que deixasse a mesa. O único momento em que faz isso é quando procura a latrina para uma de suas longas horas agachado.

– Não afirmo que Lorde Wyman agiu por conta própria. Trouxe trezentos homens com ele. Uma centena de cavaleiros. Um deles poderia...

– Trabalho noturno não é trabalho de cavaleiro – a Senhora Dustin disse. – E Lorde Wyman não é o único homem que perdeu um parente em seu Casamento Vermelho, Frey. Acha que o Terror-das-Rameiras tem algum bom sentimento por você? Se vocês não tivessem prendido Grande-Jon, ele teria arrancado suas entranhas e feito vocês comê-las, como a Senhora Hornwood comeu seus dedos. Flint, Cerwyn, Tallhart, Slate... todos tinham homens com o Jovem Lobo.

– A Casa Ryswell também – disse Roger Ryswell.

– Até os Dustin fora de Vila Acidentada – a Senhora Dustin separou seus lábios em um sorriso fino e selvagem. – O Norte se lembra, Frey.

A boca de Aenys Frey tremia de indignação.

– O Stark nos desonrou. É disso que vocês, nortenhos, deviam se lembrar.

Roose Bolton esfregou os lábios rachados.

– Estas brigas não vão resolver. – Balançou os dedos para Theon. – É livre para ir. Tome cuidado por onde caminha. Pode ser que encontremos você pela manhã, sorrindo um sorriso vermelho.

– Como quiser, 'nhor. – Theon vestiu as luvas sobre as mãos mutiladas e saiu, mancando com seu pé mutilado.

A hora do lobo o encontrou ainda acordado, enrolado em camadas de pesada lã e pele engordurada, dando outra volta nas muralhas interiores, com a esperança de ficar cansado o suficiente para dormir. Suas pernas estavam cobertas de neve até os joelhos, a cabeça e os ombros envoltos em branco. Nesse trecho da muralha, o vento soprava em seu rosto e derretia a neve que caía em suas bochechas como lágrimas geladas.

Então ouviu o berrante.

O lamento baixo e longo parecia subir pelas ameias, pairando no ar negro, entrando fundo nos ossos de cada homem que o ouviu. Ao longo das muralhas do castelo, sentinelas se viravam para o som, as mãos apertando as lanças com força. Nos salões e torres arruinados de Winterfell, senhores calavam outros senhores, cavalos relinchavam e dorminhocos se agitavam em seus cantos escuros. Nem bem o som do berrante de guerra tinha morrido e um tambor começou a bater: *BUM bum BUM bum BUM bum*. E um nome passava dos lábios de cada homem para o seguinte, escrito em pequenas baforadas brancas de respiração. *Stannis*, sussurravam, *Stannis está aqui, Stannis chegou, Stannis, Stannis, Stannis.*

Theon estremeceu. Baratheon ou Bolton, não fazia diferença para ele. Stannis fizera causa comum com Jon Snow na Muralha, e Jon arrancaria sua cabeça em um segundo. *Arrancado das garras de um bastardo para morrer nas mãos de outro, que piada.* Theon teria gargalhado, se lembrasse como fazer isso.

O rufar parecia estar vindo da Matadelobos, além do Portão do Caçador. *Estão do lado de fora das muralhas.* Theon fez seu caminho ao longo das passarelas da muralha, um homem a mais entre um bando que fazia o mesmo. Mas, mesmo quando alcançaram as torres que flanqueavam o próprio portão, não havia nada para ser visto além do véu branco.

– Será que pretendem derrubar nossas muralhas no sopro? – brincou um Flint, quando o berrante de guerra soou mais uma vez. – Talvez ele ache que encontrou o Berrante de Joramun.

– Será que Stannis é tolo o suficiente para invadir o castelo? – uma sentinela perguntou.

– Ele não é Robert – declarou um homem de Vila Acidentada. – Ele sentará e esperará, veja se não. Vai tentar nos matar de fome.

– As bolas dele vão congelar antes – outra sentinela disse.

– Devíamos levar a luta até ele – declarou um Frey.

Faça isso, pensou Theon. *Cavalgue para a neve e morra. Deixe Winterfell para mim e para os fantasmas.* Roose Bolton receberia bem uma luta dessas, ele sentia. *Ele precisa de um fim para isso.* O castelo estava lotado demais para suportar um cerco longo, e muitos senhores eram de lealdade duvidosa. O gordo Wyman Manderly, o Terror-das-Rameiras Umber, os homens da Casa Hornwood e da Casa Tallhart, os Locke, os Flint e os Ryswell, todos eram nortenhos, juramentados à Casa Stark por gerações além da conta. Era a garota quem os mantinha ali, o sangue de Lorde Eddard, mas a garota era apenas um truque de pantomimeiro, uma ovelha na pele de um lobo gigante. Então por que não enviar os nortenhos adiante, para a batalha contra Stannis, antes que a farsa fosse revelada? *Abate na neve. E cada homem caído é um inimigo a menos para o Forte do Pavor.*

Theon se perguntava se teria permissão para lutar. Então, ao menos, poderia ter uma morte de homem, com a espada na mão. Era um presente que Ramsay nunca lhe daria, mas Lorde Roose talvez. *Se eu implorar para ele. Fiz tudo o que me pediu, desempenhei meu papel, conduzi a garota.*

A morte era a mais doce libertação que poderia esperar.

No bosque sagrado, a neve ainda se dissolvia quando tocava a terra. Vapor subia das piscinas quentes, perfumadas com o cheiro de musgo, lama e decadência. Uma neblina quente pairava no ar, transformando as árvores em sentinelas, altos soldados envoltos em mantos de trevas. Durante as horas de luz do dia, o bosque fumegante estava frequentemente cheio de nortenhos que vinham rezar para os velhos deuses, mas nesse horário Theon Greyjoy encontrou o lugar todo para si.

E, no coração do bosque, o represeiro esperava com seus conhecidos olhos vermelhos. Theon parou na beira da lagoa e abaixou a cabeça diante da face vermelha esculpida. Mesmo ali era possível ouvir o rufar dos tambores, *bum BUM bum BUM bum BUM bum BUM*. Como um trovão distante, o som parecia vir de todas as direções ao mesmo tempo.

A noite estava sem vento, a neve caía direto de um frio céu negro e, mesmo assim, as folhas da árvore-coração farfalhavam seu nome. *Theon*, elas pareciam sussurrar, *Theon*.

Os velhos deuses, ele pensou. *Eles me conhecem. Sabem meu nome. Eu era Theon da Casa Greyjoy. Era um protegido de Eddard Stark, um amigo e irmão de seus filhos.*

– Por favor – caiu de joelhos. – Uma espada, é tudo o que peço. Deixem-me morrer como Theon, não como Fedor. – Lágrimas escorriam por seu rosto, impossivelmente quentes. – Eu era um homem de ferro. Um filho... um filho de Pyke, das ilhas.

Uma folha caiu, roçando em sua testa e pousando na lagoa. Flutuou na água, vermelha, cinco dedos, como uma mão ensanguentada. ... *Bran*, a árvore murmurou.

Eles sabem. Os deuses sabem. Eles viram o que eu fiz. E por um estranho momento parecia que era o rosto de Bran escavado no tronco pálido do represeiro, encarando-o com olhos vermelhos, sábios e tristes. *O fantasma de Bran*, ele pensou, mas aquilo era loucura. Por que Bran iria querer assombrá-lo? Ele sempre gostara do menino e nunca lhe fizera nenhum mal. *Não foi Bran quem nós matamos. Não foi Rickon. Eram apenas filhos do moleiro, do moinho em Água de Bolotas.*

– Eu tinha que ter duas cabeças, senão teriam zombado de mim... teriam rido de mim... eles...

Uma voz disse:

– Com quem você está falando?

Theon virou, aterrorizado que Ramsay o tivesse encontrado, mas eram apenas as lavadeiras; Holly, Rowan e uma cujo nome ele não sabia.

– Os fantasmas – desabafou. – Eles sussurram para mim. Eles... eles sabem meu nome.

– Theon Vira-Casaca. – Rowan agarrou a orelha dele, torcendo-a. – Você tinha que ter duas cabeças, não é?

– Senão os homens teriam *rido* dele – disse Holly.

Elas não entendem. Theon se libertou da mulher.

– O que vocês querem? – perguntou.

– Você – disse a terceira lavadeira, uma mulher mais velha, com voz profunda e listras cinzentas no cabelo.

– Eu lhe disse. Quero tocar você, Vira-Casaca. – Holly sorriu. Em sua mão, uma lâmina apareceu.

Eu posso gritar, Theon pensou. *Alguém ouvirá. O castelo está cheio de homens armados.* Certamente estaria morto antes que o alcançassem, seu sangue encharcando o solo para alimentar a árvore-coração. *E o que haveria de errado nisso?*

– Toquem-me – ele disse. – Matem-me. – Havia mais desespero do que desafio em sua voz. – Vão em frente. Façam comigo o mesmo que fizeram com os outros. Caralho Amarelo e os demais. Foram vocês.

Holly gargalhou.

– Como poderíamos ser nós? Somos mulheres. Tetas e bocetas. Estamos aqui para sermos fodidas, não temidas.

– O Bastardo machucou você? – Rowan perguntou. – Picou seus dedos, foi? Tirou a pele do seu negocinho de fazer pipi? Arrancou seus dentes? Pobre rapaz. – Deu um tapinha na bochecha dele. – Não haverá mais disso, eu prometo. Você rezou, e os deuses nos mandaram. Quer morrer como Theon? Daremos isso para você. Uma morte rápida e agradável, na qual mal seja ferido. – Ela sorriu. – Mas não até que tenha cantado para Abel. Ele está esperando por você.

Tyrion

— Lote noventa e sete. – O leiloeiro estalou o chicote. – Um par de anões, bem treinados para sua diversão.

O leilão fora organizado no ponto em que o largo e marrom Skahazadhan fluía para a Baía dos Escravos. Tyrion Lannister podia sentir o cheiro de sal no ar, misturado com o fedor das valas que serviam como latrinas atrás dos cercados dos escravos. Não se incomodava com o calor tanto quanto com a umidade. O próprio ar parecia pesar sobre ele, como um cobertor quente e úmido sobre a cabeça e os ombros.

– O cachorro e o porco estão incluídos no lote – o leiloeiro anunciou. – Os anões os cavalgam. Delicie seus convidados no próximo banquete, ou use-os para uma loucura.

Os compradores sentavam-se em bancos de madeira, bebericando sucos de frutas. Alguns eram abanados por escravos. Muitos usavam *tokar,* aquela peculiar vestimenta amada pelo sangue antigo da Baía dos Escravos, tão elegante quanto pouco prática. Outros se vestiam de maneira mais simples; homens com túnicas e mantos com capuzes, mulheres com sedas coloridas. Prostitutas ou sacerdotisas, a maioria delas; neste extremo oriente era difícil distinguir umas das outras.

Atrás dos bancos, trocando piadas e zombando do modo das pessoas presentes, estava um grupo de ocidentais. *Mercenários,* Tyrion sabia. Viu espadas longas, punhais e adagas, um suporte de machado de arremesso, cotas de malha sob os mantos. Os cabelos e as barbas deles indicavam que a maioria era de homens das Cidades Livres, mas aqui e ali havia um que poderia ser westerosi. *Estão comprando? Ou vêm aqui só para ver o espetáculo?*

– Quem dará o primeiro lance por este par?

– Trezentos – falou uma matrona em um palanquim antigo.

– Quatrocentos – disse um yunkaíta monstruosamente gordo, de uma liteira na qual se espalhava como um leviatã. Todo coberto de seda amarela com franjas de ouro, parecia mais largo do que quatro Illyrios. Tyrion ficou com pena dos escravos que o carregavam. *Ao menos, seremos poupados deste dever. Que alegria ser um anão.*

– E um – disse uma velha com um *tokar* violeta. O leiloeiro lhe deu um olhar azedo, mas não desautorizou o lance.

Os marinheiros-escravos do *Selaesori Qhoran,* vendidos individualmente, alcançaram preços que variavam de quinhentas a novecentas peças de prata. Homens do mar experientes eram uma mercadoria valiosa. Nenhum deles esboçara alguma reação de luta quando os traficantes de escravos abordaram o navio destruído. Para eles, era apenas uma mudança de dono. Os imediatos do navio eram homens livres, mas a viúva do cais assinara um compromisso, prometendo pagar o resgate deles em um caso como este. Os três dedos ardentes sobreviventes ainda não tinham sido vendidos, mas eram propriedade do Senhor da Luz e tinham certeza que seriam comprados por algum templo vermelho. As chamas tatuadas no rosto eram seus compromissos.

Tyrion e Merreca não tinham essa garantia.

– Quatrocentos e cinquenta – veio o lance.

– Quatrocentos e oitenta.

– Quinhentos.

Alguns lances eram dados em Alto Valiriano, alguns na língua mestiça de Ghis. Alguns compradores assinalavam com o dedo, com a torção do pulso ou com o abano de um leque pintado.

– Estou feliz de nos manterem juntos – Merreca sussurrou.

O mercador de escravos olhou para eles.

– Sem conversas.

Tyrion estreitou os ombros de Merreca. Fios de cabelo, loiro-claro e negro, grudavam na testa dele, e os trapos de sua túnica estavam colados nas costas. Um pouco era suor, um pouco era sangue seco. Ele não fora tão tolo de lutar contra os traficantes de escravos como Jorah Mormont fizera, mas isso não significava que tivesse escapado impune. Em seu caso, fora a boca que lhe garantira algumas chibatadas.

– Oitocentos.

– E cinquenta.

– E um.

Valemos tanto quanto um marinheiro, Tyrion ponderou. Embora talvez fosse a Porca Bonita que os compradores desejassem. *Uma porca bem treinada é difícil de achar*. Eles certamente não estavam pagando por peso.

Em novecentas peças de prata, os lances começaram a escassear. Em novecentos e cinquenta e um (da velha) parou. O leiloeiro tinha um pressentimento, no entanto, e não faria nada antes que os anões dessem à multidão um gostinho de seu espetáculo. Triturador e Porca Bonita foram colocados na plataforma. Sem selas ou freios, montá-los provou-se complicado. No momento em que a porca começou a se mover, Tyrion escorregou de cima dela e caiu de costas, provocando tempestades de risos entre os compradores.

– Mil – disse o homem grotesco de gordo.

– E um. – A velha, novamente.

A boca de Merreca estava congelada em um esgar de sorriso. *Bem treinada para seu divertimento.* O pai dela tinha algo pelo que responder, em qualquer que fosse o pequeno inferno reservado aos anões.

– Mil e duzentos. – O leviatã em amarelo. Um escravo ao lado dele entregou-lhe uma bebida. *Limão, sem dúvida.* O jeito como aqueles olhos amarelos estavam fixos sobre eles fizeram Tyrion se sentir desconfortável.

– Mil e trezentos.

– E um. – A velha.

Meu pai sempre dizia que um Lannister valia dez vezes mais do que qualquer homem comum.

Em mil e seiscentos, o ritmo começou a diminuir, então o comerciante de escravos convidou alguns dos compradores para dar uma olhada mais de perto nos anões.

– A fêmea é jovem – prometeu. – Vocês podem cruzar os dois e conseguir um bom dinheiro pelos filhotes.

– Metade do nariz dele se foi – reclamou a velha, depois que olhou mais de perto. Seu rosto enrugado se contorceu de desprazer. A carne dela parecia um verme branco; enrolada no *tokar* violeta, parecia uma ameixa bichada. – Os olhos dele não combinam. Uma coisa desfavorável.

– Minha senhora ainda não viu minha melhor parte. – Tyrion agarrou sua própria virilha, para o caso dela não ter entendido.

A bruxa sibilou em indignação, e Tyrion ganhou uma lambida do chicote nas costas, um golpe que o fez cair de joelhos. O gosto de sangue encheu sua boca. Ele sorriu e cuspiu.

– Dois mil – gritou uma voz diferente, de trás dos bancos.

E o que um mercenário pode querer com um anão? Tyrion se levantou para olhar melhor. O novo comprador era um homem mais velho, já de cabelos brancos, alto e em forma, com a pele marrom curtida e uma barba escura cortada rente e salpicada de branco. Semiocultas sob um manto púrpura desbotado estavam uma espada longa e um par de adagas.

– Dois mil e quinhentos. – Uma voz feminina dessa vez; uma garota, baixa, com a cintura grossa e peitos pesados, vestida com uma armadura ornamentada. Sua placa peitoral em aço negro esculpido era incrustada de ouro e mostrava uma harpia levantando-se com correntes penduradas em suas patas. Um par de soldados escravos a erguia em um escudo, na altura dos ombros.

– Três mil. – O homem de pele marrom avançou pela multidão, seus companheiros mercenários empurrando os compradores de lado para abrir caminho. *Sim. Chegue mais perto.* Tyrion sabia como lidar com mercenários. Não imaginava nem por um momento que este homem o queria para divertir suas festas. *Ele me conhece. Pretende me levar de volta para Westeros e me vender para minha irmã.* O anão esfregou a boca para esconder o sorriso. Cersei e os Sete Reinos estavam a meio mundo de distância. Muito e ainda mais podia acontecer antes de chegarem lá. *Fiz Bronn mudar de lado. Me dê meia chance e talvez possa fazer esse aí virar também.*

A velha e a garota no escudo desistiram da disputa nos três mil, mas não o gordo de amarelo. Ele mediu os mercenários com seus olhos amarelos, passou a língua pelos dentes amarelos e disse:

– Cinco mil peças de prata pelo lote.

O mercenário franziu o cenho, deu de ombros e foi embora.

Sete infernos. Tyrion tinha quase certeza de que não queria se tornar propriedade do imenso Lorde Pançamarela. Apenas a visão daquela flacidez esparramada na liteira, uma montanha de carne lívida com olhos amarelos de leitão e peitos maiores do que Porca Bonita pressionando a seda do *tokar*, era suficiente para fazer a pele do anão se arrepiar. E o cheiro que vinha dele era palpável até onde estavam.

– Se não há mais lances...

– Sete mil – gritou Tyrion.

Risos ecoaram por todos os bancos.

– O anão quer comprar a si mesmo – a garota no escudo observou.

Tyrion deu um sorriso lascivo para ela.

– Um anão esperto merece um mestre esperto, e vocês todos parecem tolos.

Aquilo provocou mais risos dos compradores, e uma carranca do leiloeiro, que manuseava seu chicote, indeciso, tentando descobrir se aquilo podia ser usado a seu favor.

– Cinco mil é um insulto! – Tyrion exclamou. – Eu disputo justas, canto, digo coisas divertidas. Foderei sua esposa e a farei gritar. Ou a esposa do seu inimigo, se preferir, que melhor maneira de envergonhá-lo? Sou mortal com uma besta, e homens com três vezes o meu tamanho se intimidam e tremem quando nos encontramos em um tabuleiro de *cyvasse*. Até sou conhecido por cozinhar de tempos em tempos. Ofereço dez mil peças de prata por mim mesmo! Sou bom nisso, sou, sou. Meu pai me dizia que sempre tenho que pagar minhas dívidas.

O mercenário de manto púrpura se virou. Seu olhar encontrou o de Tyrion atravessando as fileiras de compradores, e ele sorriu. *Um sorriso caloroso, aquele,* o anão refletiu. *Amigável. Por outro lado, aqueles olhos são frios. Pode ser que eu não queira que ele nos compre, no final das contas.*

A enormidade amarela se contorcia em sua liteira, um olhar de aborrecimento na enorme cara de torta. Murmurou algo azedo em ghiscari, que Tyrion não entendeu, mas o tom era bastante claro.

– Isso foi outro lance? – O anão inclinou a cabeça. – Ofereço todo o ouro de Rochedo Casterly.

Ouviu o chicote antes de senti-lo, um assobio no ar, fino e agudo. Tyrion grunhiu com o golpe, mas dessa vez conseguiu permanecer em pé. Seus pensamentos voltaram para o início da jornada, quando seu problema mais urgente era decidir qual vinho tomar com os caracóis do meio da manhã. *Veja o que acontece por perseguir dragões.* Uma risada explodiu de seus lábios, borrifando a primeira fila de compradores com sangue e saliva.

– Estão vendidos – anunciou o leiloeiro. Então o acertou com o chicote novamente, simplesmente porque podia. Dessa vez, Tyrion caiu.

Um dos guardas o ergueu com um puxão. Outro cutucou Merreca para fora da plataforma com o punho de sua lança. A próxima peça do leilão já estava sendo levada para seu lugar. Uma garota, quinze ou dezesseis anos, ninguém do *Selaesori Qhoran* dessa vez. Tyrion não a conhecia. *A mesma idade de Daenerys Targaryen, ou quase isso.* O comerciante de escravos a deixara nua. *Pelo menos, fomos poupados dessa humilhação.*

Tyrion olhou pelo acampamento yunkaíta, até as muralhas de Meereen. Aqueles portões pareciam tão próximos... e, se a conversa no cercado dos escravos era verdadeira, Meereen permanecia uma cidade livre. Dentro daquelas muralhas que se desintegravam, a escravidão e o comércio de escravos ainda eram proibidos. Tudo o que tinha que fazer era alcançar aqueles portões e atravessá-los, e seria um homem livre novamente.

Mas isso era quase impossível, a menos que abandonasse Merreca. Ela iria querer levar o cão e o porco com eles.

– Não será tão terrível, não é? – Merreca sussurrou. – Ele pagou tanto por nós. Ele será gentil, não será?

Enquanto nós o divertirmos.

– Somos muito valiosos para sermos maltratados – assegurou-lhe, com sangue ainda escorrendo pelas costas, das duas últimas chibatadas. *Quando nosso espetáculo ficar velho, no entanto... e vai, vai ficar velho...*

O capataz de seu novo mestre estava esperando por eles, com uma charrete puxada por uma mula e dois soldados. Tinha um rosto comprido e estreito e um cavanhaque atado com fio de ouro, e seu cabelo vermelho e negro era esculpido a partir das têmporas, no formato de um par de mãos com garras.

– Que queridas criaturinhas são vocês – ele disse. – Me lembram meus próprios filhos... ou lembraria, se meus pequeninos não estivessem mortos. Tomarei conta de vocês. Digam-me seus nomes.

– Merreca. – A voz dela era um sussurro, pequena e assustada.

Tyrion da Casa Lannister, legítimo senhor de Rochedo Casterly, seu verme rastejante.

– Yollo.

– Ousado Yollo. Resplandecente Merreca. Vocês são propriedade do nobre e valoroso Yezzan zo Qaggaz, erudito e guerreiro, reverenciado entre os Sábios Mestres de Yunkai. Considerem-se afortunados, pois Yezzan é um mestre gentil e benevolente. Pensem nele como se fosse o pai de vocês.

Alegremente, pensou Tyrion, mas dessa vez segurou a língua. Teriam que se apresentar em breve para seu novo mestre, não duvidava, e não poderia levar outra chibatada.

– Seu pai ama seus tesouros especiais mais do que tudo e vai cuidar de vocês – o capataz estava dizendo. – Quanto a mim, podem pensar em mim como a babá que cuidou de vocês na infância. Babá é como todos os meus filhos me chamam.

– Lote noventa e nove – o leiloeiro chamou. – Um guerreiro.

A garota fora vendida rapidamente, e estava sendo empacotada para seu novo dono, segurando as roupas contra os pequenos seios de pontas rosadas. Dois traficantes de escravos arrastaram Jorah Mormont para cima da plataforma, no lugar da moça. O cavaleiro estava nu, com exceção de uma tanga, as costas riscadas pelo chicote, o rosto tão inchado que estava quase irreconhecível. Correntes prendiam seus pulsos e tornozelos. *Uma pequena amostra da refeição que cozinhou para mim*, Tyrion pensou, embora descobrisse que não tinha prazer com a miséria do grande cavaleiro.

Mesmo acorrentado, Mormont parecia perigoso, um brutamontes com grandes braços grossos e ombros curvados. O pelo negro e áspero que cobria seu peito o fazia parecer mais animalesco do que humano. Seus olhos estavam escurecidos, dois fossos na face grotescamente inchada. Sobre uma bochecha, levava uma marca: uma máscara de demônio.

Quando os traficantes de escravos chegaram a bordo do *Selaesori Qhoran*, Sor Jorah os encontrara com a espada longa na mão, matando três antes que fosse desarmado. Os marujos do navio de escravos o teriam matado de bom grado, mas o capitão proibiu: um lutador sempre valia uma boa prata. Então Mormont fora acorrentado a um remo, espancado em cada centímetro de seu corpo, passara fome e fora marcado.

– Grande e forte, este aqui – o leiloeiro declarou. – Muita fúria nele. Dará um bom espetáculo nas arenas de luta. Quem dá trezentos?

Ninguém deu.

Mormont não prestava atenção à multidão mestiça; seus olhos estavam fixos além das linhas do cerco, na distante cidade com suas antigas muralhas de tijolos multicoloridos. Tyrion podia ler aquele olhar tão facilmente quanto um livro: *tão perto e, ao mesmo tempo, tão distante*. O pobre desgraçado voltara tarde demais. Daenerys Targaryen estava casada, os guardas dos cercados haviam contado para eles, rindo. Ela tomara um comerciante de escravos meereenês como seu rei, tão rico quanto nobre, e então a paz fora assinada e selada, e as arenas de luta de Meereen seriam reabertas. Outros escravos insistiam que os guardas estavam mentindo, que Daenerys Targaryen nunca faria a paz com os traficantes de escravos. *Mhysa*, eles a chamavam. Alguém lhe dissera que aquilo significava *Mãe*. Logo a rainha prateada viria de sua cidade, esmagaria os yunkaítas e romperia suas correntes, sussurravam uns para os outros.

E então ela vai nos fazer torta de limão e beijar nossos dodóis e fazê-los sarar, o anão pensou. Não acreditava em salvamentos reais. Se necessário, iria atrás de sua própria libertação. Os cogumelos enfiados entre seus dedos, dentro da bota, seriam o suficiente para ele e Merreca. Triturador e Porca Bonita teriam que se arranjar por conta própria.

Babá ainda estava dando instruções para os novos prêmios de seu mestre.

– Façam tudo o que lhes for pedido, e nada mais, e poderão viver como pequenos senhores, mimados e adorados – prometeu. – Desobedeçam... mas não farão isso, não é mesmo? Não os meus queridos. – Ele se abaixou e apertou Merreca na bochecha.

– Duzentos, então – o leiloeiro disse. – Um brutamontes como este vale três vezes mais. Que guarda-costas dará! Nenhum inimigo ousará molestá-los.

– Venham, meus amiguinhos – o Babá disse –, vou lhes mostrar sua nova casa. Em Yunkai, vocês viverão na pirâmide dourada de Qaggaz e jantarão em pratos de prata, mas aqui vivemos com simplicidade, em humildes tendas de soldados.

– Quem dá cem? – gritou o leiloeiro.

Conseguiu um lance finalmente, embora fossem apenas cinquenta peças de prata. O comprador era um homem magro com um avental de couro.

– E um – disse a velha no *tokar* violeta.

Um dos soldados ergueu Merreca para colocá-la na charrete.

– Quem é a velha? – o anão perguntou para ele.

– Zahrina – o homem disse. – Lutadores baratos, os dela. Carne para os heróis. Seu amigo estará morto logo.

Ele não era meu amigo. Mesmo assim, Tyrion Lannister pegou-se virando para Babá e dizendo:

– Não pode deixá-la ficar com ele.

O Babá olhou para ele.

– Que barulho foi esse que você fez?

Tyrion apontou.

– Aquele ali é parte do nosso espetáculo. O urso e a donzela. Jorah é o urso, Merreca é a donzela e eu sou o bravo cavaleiro que a salva. Chego dançando e acerto ele nas bolas. É muito engraçado.

O capataz olhou para o bloco de pedra do leilão.

– Ele? – O lance por Jorah Mormont alcançara duzentas peças de prata.

– E um – disse a velha no *tokar* violeta.

– Seu urso. Entendo. – O Babá atravessou a multidão com passos curtos, curvou-se sobre o imenso yunkaíta amarelo na liteira, sussurrou algo em seu ouvido. Seu mestre acenou com a cabeça, o queixo balançando, e ergueu o leque.

– Trezentos – disse com a voz ofegante.

A velha fungou e foi embora.

– Por que fez isso? – Merreca perguntou, na Língua Comum.

Uma boa pergunta, pensou Tyrion. *Por que fiz isso?*

– Seu espetáculo estava ficando sem graça. Toda trupe precisa de um urso dançarino.

Ela lhe deu um olhar de reprovação, foi para o fundo da charrete e se sentou com os braços em volta do Triturador, como se o cão fosse seu último amigo verdadeiro no mundo. *Talvez seja.*

O Babá retornou com Jorah Mormont. Dois dos soldados-escravos de seu mestre o jogaram na traseira da charrete puxada pela mula, entre os anões. O cavaleiro não lutou. *Toda a vontade de lutar o abandonou quando soube que sua rainha tinha se casado,* Tyrion percebeu. Uma palavra sussurrada fizera o que punhos e chicotes não haviam conseguido; quebrara-o. *Eu devia ter deixado a velha levá-lo. Ele será tão útil quanto mamilos em uma placa peitoral.*

O Babá subiu na frente da charrete, pegou as rédeas, e começaram a atravessar o acampamento do cerco em direção ao complexo de seu novo mestre, o nobre Yezzan zo Qaggaz. Quatro soldados-escravos marchavam ao lado deles, dois de cada lado da charrete.

Merreca não chorava, mas seus olhos estavam vermelhos e infelizes, e ela não os tirava do Triturador. *Será que ela acha que tudo isso vai sumir se não olhar?* Sor Jorah Mormont não olhava para ninguém nem para nada. Sentava-se encolhido, remoendo com suas correntes.

Tyrion olhava para tudo e para todos.

O acampamento yunkaíta não era exatamente um acampamento, mas centenas de barracas erguidas lado a lado em um semicírculo ao redor das muralhas de Meereen; uma cidade de sedas e lonas, com suas próprias avenidas e becos, tavernas e prostíbulos, distritos bons e maus. Entre as linhas do cerco e a baía, as tendas brotavam como cogumelos amarelos. Algumas eram pequenas e pobres, não mais do que um pedaço de lona velha manchada para manter afastados chuva e sol, mas, ao lado dessas, estavam tendas grandes o suficiente para abrigar uma centena de homens, e pavilhões de seda tão grandes quanto palácios com harpias brilhando no topo dos mastros centrais. Alguns acampamentos eram ordenados, com tendas dispostas ao redor de uma fogueira em círculos concêntricos, armas e armaduras empilhadas ao redor do anel interno, os cavalos amarrados do lado de fora. Nos outros lugares, o caos puro parecia reinar.

As planícies secas e queimadas em torno de Meereen eram planas, nuas e sem vegetação por vários quilômetros, mas os navios yunkaítas haviam trazido madeira e couro cru do sul, suficientes para erguer seis imensos trabucos. Estavam reunidos em três lados da cidade, com exceção do lado do rio, cercados por pilhas de pedras quebradas e barris de piche e resina apenas aguardando uma tocha. Um dos soldados que andava ao lado da charrete viu para onde Tyrion olhava e, orgulhosamente, contou para ele que cada um dos trabucos recebera um nome: Matadragões, Prostituta, Filha da Harpia, Irmã Vingativa, Fantasma de Astapor e Punho de Mazdhan. Elevando-se mais de doze metros acima das tendas, os trabucos eram os marcos principais do acampamento do cerco.

– Só a visão deles fez a rainha dragão se ajoelhar – ele se gabou. – E assim ficará ela, chupando o pau do nobre Hizdahr, ou então transformaremos suas muralhas em escombros.

Tyrion viu um escravo sendo açoitado, golpe após golpe, até que suas costas fossem apenas sangue e carne rasgada. Uma fila de homens passou marchando em ferros, tilintando a cada passo; carregavam lanças e espadas curtas, mas correntes os prendiam pulso com pulso e tornozelo com tornozelo. O ar cheirava a carne assada, e ele viu um homem esfolando um cão para seu cozido.

Viu os mortos, também, e ouviu os moribundos. Sob a fumaça que pairava no ar, o cheiro de cavalos e o acentuado odor de sal da baía, havia um fedor de sangue e merda. *Algum fluxo,* percebeu, enquanto olhava dois mercenários carregarem o cadáver de um terceiro de uma das tendas. Aquilo fez seus dedos se contraírem. Uma doença podia dizimar um exército mais rápido do que qualquer batalha, ouvira seu pai dizer certa vez.

Mais uma razão para escapar, e logo.

Meio quilômetro adiante, encontrou uma boa razão para reconsiderar. Uma multidão se formara ao redor de três escravos que haviam sido presos enquanto tentavam escapar.

– Sei que meus pequenos tesouros serão doces e obedientes – disse o Babá. – Vejam o que acontece com aqueles que tentam fugir.

Os cativos haviam sido amarrados em uma fileira de vigas cruzadas, e dois fundeiros os usavam para testar suas habilidades.

– Tolosinos – um dos guardas explicou para eles. – Os melhores fundeiros do mundo. Atiram bolas de chumbo macio em vez de pedras.

Tyrion nunca vira vantagem nas fundas, quando arcos tinham um alcance tão melhor... mas nunca vira tolosinos com essas armas antes. Suas bolas de chumbo causavam danos muito maiores do que as pedras lisas que outros fundeiros usavam, e muito mais do que qualquer arco. Um deles acertou o joelho de um dos cativos, que explodiu em uma mancha de sangue e ossos que deixou a parte de baixo da perna do homem pendurada por uma corda de tendão vermelho-escuro. *Bem, ele não fugirá novamente,* Tyrion concluiu, enquanto o homem começava a gritar. Seus berros se misturavam no ar da manhã com os risos dos seguidores de acampamento e com as maldições dos que apostaram um bom dinheiro no erro dos fundeiros. Merreca virou o rosto, mas o Babá agarrou seu queixo e virou sua cabeça de volta.

– Assista – ordenou. – Você também, urso.

Jorah Mormont ergueu a cabeça e encarou o Babá. Tyrion podia ver seus braços contraídos. *Ele vai esganá-lo, e será o fim de todos nós.* Mas ele apenas fez uma careta e virou-se para assistir ao sangrento espetáculo.

A leste, as maciças muralhas de tijolos de Meereen brilhavam no calor da manhã. Aquele era o refúgio que os pobres tolos esperavam alcançar. *Mas por quanto tempo ainda será um refúgio?*

Todos os três candidatos a fugitivos estavam mortos antes que o Babá pegasse as rédeas novamente. A charrete seguiu adiante.

O acampamento do novo mestre deles ficava a sudeste da Prostituta, quase à sombra do trabuco, e espalhava-se por vários hectares. A humilde tenda de Yezzan zo Qaggaz provou ser um palácio de seda cor de limão. Harpias douradas ficavam no topo de cada mastro do telhado de nove pontas, brilhando ao sol. Tendas menores a cercavam por todos os lados.

– Estas são as habitações dos cozinheiros, concubinas e guerreiros do nosso nobre mestre, e de alguns de seus parentes menos favorecidos – Babá contou para eles –, mas vocês, queridinhos, terão o raro privilégio de dormir dentro do pavilhão do próprio Yezzan. Ele gosta de manter seus tesouros por perto. – Franziu o cenho para Mormont. – Você não, urso. Você é grande e feio e ficará acorrentado aqui fora. – O cavaleiro não respondeu. – Primeiro, precisam colocar as coleiras.

As coleiras eram feitas de ferro, levemente douradas para brilhar na luz. O nome de Yezzan estava gravado em grifos valirianos, e um par de pequenos sinos estava afixado embaixo das orelhas, então cada passo que davam produzia um alegre tilintar. Jorah Mormont aceitou sua coleira com um silêncio sombrio, mas Merreca começou a chorar enquanto o armeiro colocava a dela no lugar.

– É tão pesada – reclamou.

Tyrion apertou a mão dela.

– É de ouro maciço – mentiu. – Em Westeros, damas de alto nascimento sonham com um colar destes. – *Melhor uma coleira do que uma marca. Uma coleira pode ser removida.* Lembrou-se de Shae, e de como a corrente dourada brilhava enquanto ele a torcia mais e mais apertada ao redor do pescoço dela.

Depois, o Babá deixou Sor Jorah acorrentado em um poste perto da fogueira do cozinheiro e escoltou os dois anões para dentro do pavilhão do mestre. Mostrou onde dormiriam, em uma alcova acarpetada separada da tenda principal por paredes de seda amarela. Dividiriam este espaço com os outros tesouros de Yezzan: um garoto com retorcidas e peludas "pernas de bode", uma garota de duas cabeças de Mantarys, uma mulher barbada e uma graciosa criatura chamada Doces, que estava vestida com pedras preciosas e rendas de Myr.

– Vocês estão tentando decidir se sou homem ou mulher – Doces disse, quando foi trazida diante dos anões. Então levantou as saias e mostrou para eles o que tinha por baixo. – Sou ambos, e o mestre me ama mais.

Uma coleção de seres grotescos, Tyrion percebeu. *Em algum lugar um deus está rindo.*

– Adorável – falou para Doces, que tinha o cabelo púrpura e os olhos violeta –, mas esperávamos ser os mais bonitos desta vez.

Doces riu, mas o Babá não estava se divertindo.

– Guarde suas piadas para esta noite, quando se apresentará para nosso nobre mestre. Se vocês o agradarem, serão bem recompensados. Senão... – Deu um tapa na cara de Tyrion.

– Você precisa ser cuidadoso com o Babá – falou Doces, quando o capataz partiu. – Ele é o único monstro verdadeiro aqui. – A mulher barbada falava uma variedade incompreensível de ghiscari, o menino-bode um tipo gutural de gíria de marinheiro chamado língua mercantil. A menina de duas cabeças tinha retardo mental: uma cabeça não era maior do que uma laranja e não falava nada, a outra tinha uma fileira de dentes e rosnava para qualquer um que chegasse perto demais de sua gaiola. Mas Doces era fluente em quatro idiomas, um deles Alto Valiriano.

– Como é o mestre? – Merreca perguntou, ansiosa.

– Seus olhos são amarelos e ele fede – disse Doces. – Há dez anos, fomos para Sothoros, e ele está apodrecendo por dentro desde essa época. Faça-o esquecer que está morrendo, mesmo que por um instante, e ele pode ser bastante generoso. Não negue nada a ele.

Tiveram apenas a tarde para aprender a ser propriedade de alguém. Os escravos de Yezzan encheram uma banheira com água quente, e os anões puderam se banhar; primeiro Merreca, depois Tyrion. Depois, outro escravo passou um unguento nos cortes nas costas do anão, para evitar que doessem, e cobriu-os com um cataplasma gelado. O cabelo de Merreca foi cortado, e a barba de Tyrion, aparada. Por fim, ambos receberam chinelos macios e roupas frescas, simples, mas limpas.

Quando a noite caiu, o Babá retornou para dizer que era hora de vestirem suas roupas de espetáculo. Yezzan era anfitrião do supremo comandante yunkaíta, o nobre Yurkhaz zo Yunkaz, e a apresentação deles era aguardada.

– Devemos desacorrentar seu urso?

– Não esta noite – Tyrion respondeu. – Deixe-nos disputar uma justa para nosso mestre primeiro, e guardamos o urso para outra hora.

– Que seja. Depois que a apresentação estiver terminada, vocês ajudarão a servir e a recolher os pratos. Cuidado para não sujarem os convidados, ou isso acabará mal para vocês.

Um malabarista começou os folguedos da noite. Então veio um trio de vigorosos acrobatas. Depois, o menino-bode apareceu e fez uma dança grotesca, enquanto um dos escravos de Yurkhaz tocava uma flauta de osso. Tyrion quase lhe perguntou se sabia *As Chuvas de Castamere*. Enquanto esperava por sua vez, o anão observava Yezzan e seus convidados. A ameixa seca humana no lugar de honra era, evidentemente, o supremo comandante yunkaíta, que parecia tão formidável quanto fezes moles. Uma dúzia de senhores yunkaítas o cercava. Dois capitães mercenários estavam por perto também, cada um acompanhado por uma dúzia de homens de sua companhia. Um deles era um elegante pentoshi, grisalho e todo vestido em seda, com exceção do manto, que era uma coisa esfarrapada, feita de várias faixas costuradas de tecido rasgado e manchado de sangue. O outro capitão era o homem que tentara comprá-los naquela manhã, o de pele marrom e barba salpicada de branco.

– Ben Mulato Plumm – Doces lhe disse seu nome. – Capitão dos Segundos Filhos.

Um westerosi e um Plumm. Cada vez melhor.

– Vocês são os próximos – o Babá os informou. – Sejam divertidos, meus queridinhos, ou vão desejar tê-lo sido.

Tyrion não dominava metade dos velhos truques de Tostão, mas podia cavalgar no porco, cair quando devia, rolar e se levantar novamente. Tudo aquilo foi bem recebido. A visão de pequenas pessoas correndo como bêbados e batendo um no outro com armas de madeira parecia ser tão hilariante em um acampamento de cerco na Baía dos Escravos quanto fora no banquete de casamento de Joffrey, em Porto Real. *Desdém,* pensou Tyrion, *a língua universal.*

Seu mestre, Yezzan, ria mais alto e por mais tempo sempre que um dos anões caía ou sofria um golpe, todo seu vasto corpo balançando como sebo em um terremoto; os convidados esperavam para ver como Yurkhaz zo Yunzak reagiria antes de se juntarem ao riso. O supremo comandante parecia tão frágil que Tyrion ficou com medo de que o riso pudesse matá-lo. Quando o elmo de Merreca foi arrancado e voou até o colo de um yunkaíta de cara azeda e *tokar* de listras verdes e douradas, Yurkhaz cacarejou como uma galinha. Quando o tal senhor colocou a mão dentro do elmo e tirou uma grande polpa babosa de melão roxo, o supremo comandante riu tanto que seu rosto ficou da mesma cor da fruta. Virou-se para seu anfitrião e sussurrou algo que fez o mestre deles gargalhar e lamber os lábios... embora, para Tyrion, parecesse ter uma ponta de raiva naqueles olhos amarelos.

Depois do espetáculo, os anões tiraram a armadura de madeira e a roupa que traziam por baixo, encharcada de suor, e colocaram frescas túnicas amarelas que foram providenciadas para que pudessem servir. Tyrion recebeu um jarro de vinho tinto e Merreca um jarro de água. Moviam-se pela tenda enchendo taças, seus pés com chinelos sussurrando sobre carpetes grossos. Era um trabalho mais duro do que parecia. Em pouco tempo, Tyrion estava com terríveis câimbras nas pernas, e um dos cortes em suas costas voltara a sangrar, o vermelho atravessando o linho amarelo de sua túnica. O anão mordeu a língua e continuou a servir.

A maioria dos convidados não prestava mais atenção neles do que nos outros escravos... mas um dos yunkaítas, bêbado, declarou que Yezzan deveria fazer os dois anões foderem, e outro exigiu saber como Tyrion perdera o nariz. *Eu o enfiei na boceta da sua esposa e ela o mordeu,* ele quase respondeu... mas a tempestade o convencera de que não queria morrer ainda, por isso, em vez disso, respondeu:

– Foi cortado como punição por insolência, senhor.

Então, um senhor com um *tokar* azul com franjas de pedras olho-de-tigre lembrou que Tyrion se vangloriara de suas habilidades no *cyvasse* durante o leilão.

– Vamos colocá-lo em teste – disse. Um tabuleiro e um conjunto de peças foram providenciados. Alguns momentos depois, o senhor, com o rosto vermelho, empurrou a mesa em fúria, espalhando peças pelo carpete ao som dos risos dos yunkaítas.

– Você deveria ter deixado ele ganhar – Merreca sussurrou.

Ben Mulato Plumm levantou a mesa caída, sorrindo.

– Tente comigo agora, anão. Quando era jovem, os Segundos Filhos fizeram um contrato com Volantis. Aprendi a jogar lá.

– Sou apenas um escravo. Meu nobre mestre decide quando e com quem jogo. – Tyrion se virou para Yezzan. – Mestre?

O senhor amarelo pareceu se divertir com a ideia.

– Que apostas propõe, capitão?

– Se eu ganhar, dê este escravo para mim – disse Plumm.

– Não – Yezzan zo Qaggaz respondeu. – Mas se você conseguir derrotar o anão, pode ter o preço que paguei nele, em ouro.

– Feito – o mercenário falou. As peças espalhadas foram apanhadas do carpete e eles se sentaram para jogar.

Tyrion ganhou a primeira partida. Plumm ficou com a segunda, pelo dobro das apostas. Enquanto se preparavam para a terceira rodada, o anão estudou seu oponente. Com a pele marrom, queixo e bochechas cobertos por uma barba eriçada cortada rente, cinzenta e branca, rosto amassado por mil rugas e algumas cicatrizes antigas, Plumm tinha um olhar amigável, especialmente quando sorria. *Um partidário fiel,* Tyrion decidiu. *O tio favorito de qualquer homem, cheio de risadas, ditos antigos e sabedoria popular.* Era tudo uma farsa. Aqueles sorrisos nunca tocavam os olhos de Plumm, onde a ganância se escondia atrás de um véu de cautela. *Guloso, mas cuidadoso, esse aí.*

O mercenário era um jogador quase tão ruim quanto o senhor yunkaíta fora, mas suas jogadas eram apáticas e obstinadas, em vez de ousadas. Seus arranjos iniciais foram diferentes a cada vez, mas sempre do mesmo jeito: conservadores, defensivos, passivos. *Ele não joga para ganhar,* Tyrion percebeu. *Joga de forma a não perder.* Funcionou na segunda partida, quando o homenzinho excedeu-se com um ataque insano. Não funcionou na terceira, nem na quarta, nem na quinta vez, que se provou ser a última.

Perto do fim da quarta competição, com sua fortaleza em ruínas, seu dragão morto, elefantes diante dele e um cavalo pesado circulando em seu traseiro, Plumm olhou, sorrindo, e disse:

– Yollo vence novamente. Morte em quatro.

– Três. – Tyrion bateu seu dragão. – Eu estava com sorte. Talvez devesse dar uma boa esfregada na minha cabeça antes da nossa próxima partida, capitão. Um pouco desta sorte pode passar-lhe pelos seus dedos. – *Você ainda perderá, mas talvez me dê um melhor embate*. Sorrindo, empurrou o tabuleiro de *cyvasse*, pegou sua jarra de vinho, e voltou a servir, com Yezzan zo Qaggaz consideravelmente mais rico e Ben Mulato Plumm consideravelmente empobrecido. Seu gigantesco mestre caíra no sono, bêbado, durante a terceira partida, sua taça escorregando dos dedos amarelados para derrubar o conteúdo no carpete, mas talvez ele ficasse satisfeito quando acordasse.

Quando o supremo comandante Yurkhaz zo Yunzak partiu, ajudado por um par de escravos corpulentos, aquilo pareceu um sinal geral para os outros convidados tomarem seus rumos também. Depois que a tenda esvaziou, o Babá reapareceu para dizer aos serventes que podiam fazer seu próprio banquete com os restos.

– Comam rapidamente. Tudo isto precisa estar limpo antes que vocês durmam.

Tyrion estava de joelhos, suas pernas doloridas e suas costas ensanguentadas gritando de dor, tentando esfregar a mancha que o vinho derramado pelo nobre Yezzan deixara sobre seu próprio carpete, quando o capataz deu um tapinha gentil em sua bochecha com a ponta do chicote.

– Yollo. Vocês se saíram muito bem. Você e sua esposa.

– Ela não é minha esposa.

– Sua puta, então. Em pé, vocês dois.

Tyrion ergueu-se cambaleando, uma perna tremendo sob ele. Suas coxas estavam com tantas câimbras que Merreca teve que dar uma mão para ajudá-lo a ficar em pé.

– O que fizemos?

– Muito e ainda mais – disse o capataz. – O Babá disse que seriam recompensados se agradassem ao nosso pai, não disse? Embora o nobre Yezzan deteste perder seus pequenos tesouros, como vocês viram, Yurkhaz zo Yunzak o convenceu que seria egoísmo manter tal gracejo incomum apenas para ele. Alegrem-se! Para celebrar a assinatura da paz, vocês terão a honra de disputar uma justa na Grande Arena de Daznak. Milhares verão vocês! Dezenas de milhares! E, oh, como vamos rir!

Jaime

O Solar de Corvarbor era velho. Um musgo grosso crescia entre as pedras antigas, subindo como teia de aranha pelas paredes, parecendo veias nas pernas de uma mulher idosa. Duas imensas torres flanqueavam o portão principal do castelo, e outras menores defendiam cada ângulo das muralhas. Todas eram quadradas. Torres circulares ou em meia-lua eram melhores contra catapultas, uma vez que pedras arremessadas podiam ser mais facilmente desviadas em paredes curvas, mas Corvarbor era anterior a esse detalhe particular da sabedoria construtiva.

O castelo dominava o amplo vale fértil que mapas e homens costumavam chamar de Vale do Bosquenegro. Era um vale, sem dúvida, mas nenhum bosque crescia ali havia milhares de anos, fosse ele negro, marrom ou verde. No passado, sim, mas havia muito tempo machados tinham derrubado as árvores. Casas, moinhos e fortes se erguiam onde antes existiam altos carvalhos. O solo era despido e lamacento, pontilhado aqui e ali com montes de neve que derretiam.

Mas dentro das muralhas do castelo, um pouco de floresta ainda permanecia. A Casa Blackwood mantinha os antigos deuses e os venerava como os Primeiros Homens faziam nos dias anteriores à chegada dos ândalos a Westeros. Dizia-se que algumas das árvores do bosque sagrado eram tão velhas quanto as torres quadradas de Corvarbor, especialmente a árvore-coração, um represeiro de tamanho colossal cujos galhos superiores podiam ser vistos a quilômetros de distância, como dedos ossudos arranhando o céu.

Quando Jaime Lannister e sua escolta seguiram pelos montes ondulantes no vale, pouco restava dos campos, fazendas e pomares que outrora circundaram Corvarbor; apenas lama e cinzas, e aqui e ali as cascas enegrecidas de casas e moinhos. Ervas daninhas, espinhos e urtigas cresciam nas terras devastadas, mas nada que pudesse ser chamado de plantação. Para todos os lados que olhasse, Jaime via a mão de seu pai, até mesmo nos ossos que algumas vezes vislumbrava ao lado da estrada. A maioria era de ossos de ovelhas, mas havia de cavalos e de gado, e, de vez em quando, um crânio humano ou um esqueleto sem cabeça com mato brotando pela caixa torácica.

Nenhuma grande tropa cercara Corvarbor como acontecera com Correrrio. Este cerco era uma coisa mais íntima, o último passo em uma dança que ocorria havia séculos. Na melhor das hipóteses, Jonos Bracken tinha quinhentos homens ao redor do castelo. Jaime não viu torres de cerco, nem aríetes ou catapultas. Bracken não pretendia quebrar os portões de Corvarbor, nem atacar suas muralhas altas e grossas. Sem nenhuma perspectiva de rendição à vista, ele se contentava em matar o rival de fome. Sem dúvida, houve incursões e escaramuças no início do cerco, com flechas voando de um lado para o outro; mas meio ano mais tarde, todos estavam cansados demais para tal absurdo. O tédio e a rotina tomaram conta, os inimigos da disciplina.

Já passou o tempo disso acabar, pensou Jaime Lannister. Com Correrrio agora a salvo em mãos Lannister, Corvarbor era o remanescente do curto reinado do Jovem Lobo. Uma vez que se rendesse, seu trabalho no Tridente estaria acabado e ele estaria livre para retornar a Porto Real. *Para o rei,* disse para si mesmo, mas outra parte dele sussurrou, *para Cersei.*

Teria que encará-la, supunha. Isso imaginando que o Alto Septão já não a teria condenado à morte quando retornasse à cidade. *Venha imediatamente,* ela escrevera, na carta que dera para Peck queimar em Correrrio. *Ajude-me. Salve-me. Preciso de você agora, como nunca precisei antes. Amo você. Amo você. Amo você. Venha imediatamente.* A necessidade dela era bem real, Jaime não duvidava. Quanto ao resto... *ela andou fodendo com Lancel, com Osmund Kettleblack e com o Rapaz Lua, pelo que sei...* Mesmo se tivesse retornado, não tinha esperança de salvá-la. Ela era culpada de cada traição pela qual era acusada, e ele perdera a mão da espada.

Quando a coluna veio trotando pelos campos, as sentinelas os encararam com mais curiosidade do que medo. Nenhum deles soou o alarme, o que serviu bem aos propósitos de Jaime. O pavilhão de Lorde Bracken não foi difícil de encontrar. Era o maior do acampamento e o mais bem situado; montado em uma baixa elevação ao lado de um riacho, permitia uma visão clara dos dois portões de Corvarbor.

A tenda era marrom, como o estandarte que se agitava no mastro central, onde o garanhão vermelho da Casa Bracken erguia-se sobre um brasão dourado. Jaime deu ordem de desmontar e disse aos seus homens que poderiam se misturar se quisessem.

– Não vocês dois – falou para seus porta-estandartes. – Fiquem por perto. Isso não vai demorar muito. – Desceu de Honra e seguiu para a tenda de Bracken, a espada retinindo na bainha.

Os guardas do lado de fora trocaram um olhar ansioso com sua aproximação.

– Meu senhor – disse um deles. – Devemos anunciá-lo?

– Eu mesmo me anunciarei. – Jaime afastou a cortina da tenda com sua mão dourada e curvou-se para entrar.

Eles estavam completamente absortos quando Jaime entrou, tão concentrados no sexo que nenhum dos dois notou sua chegada. A mulher tinha os olhos fechados. Sua mãos agarravam os grossos pelos marrons das costas de Bracken. Engasgava cada vez que ele entrava nela. A cabeça de sua senhoria estava enterrada nos seios dela, suas mãos fechadas em torno de seus quadris. Jaime limpou a garganta.

– Lorde Jonos.

Os olhos da mulher se abriram e ela deu um grito assustado. Jonos Bracken rolou de cima dela, agarrou sua bainha e veio com aço nu na mão, amaldiçoando.

– *Pelos sete malditos infernos* – começou –, *quem ousa...* – Então viu o manto branco e a placa peitoral dourada de Jaime. A ponta de sua espada se abaixou. – Lannister?

– Sinto muito incomodá-lo em seu prazer, meu senhor – disse Jaime, com um meio-sorriso –, mas tenho alguma pressa. Podemos conversar?

– Conversar. Sim. – Lorde Jonos embainhou a espada. Não era tão alto quanto Jaime, mas era mais pesado, com ombros largos e braços que teriam feito inveja a um ferreiro.

Uma barba castanha por fazer cobria-lhe as bochechas e o queixo. Os olhos eram castanhos também, a raiva neles mal escondida. – Pegou-me desprevenido, meu senhor. Não fui informado de sua vinda.

– E parece que atrapalhei vocês. – Jaime sorriu para a mulher na cama. Ela tinha uma mão sobre o seio esquerdo e outra entre as pernas, o que deixava seu seio direito exposto. Seus mamilos eram mais escuros do que os de Cersei e três vezes maiores. Quando sentiu o olhar de Jaime, ela cobriu o mamilo direito, o que revelou seu monte. – Todas as seguidoras de acampamento são tão modestas? – ele quis saber. – Se um homem quer vender seus nabos, precisa deixá-los à mostra.

– Você está olhando meus nabos desde que entrou aqui, sor. – A mulher encontrou o lençol e o puxou o suficiente para cobrir-se da cintura para cima, então ergueu uma mão para empurrar o cabelo dos olhos. – E eles não estão à venda.

Jaime deu de ombros.

– Minhas desculpas se a confundi com algo que não é. Meu pequeno irmão conheceu centenas de prostitutas, mas eu só me deitei com uma.

– Ela é um prêmio de guerra. – Bracken pegou seu calção do chão e o sacudiu. – Pertencia a uma das espadas juramentadas de Blackwood até que cortei a cabeça dele ao meio. Abaixe as mãos, mulher. Meu senhor de Lannister quer dar uma boa olhada nessas suas tetas.

Jaime ignorou aquilo.

– Está colocando esse calção do avesso, meu senhor – disse para Bracken. Enquanto Jonos xingava, a mulher saiu da cama para pegar suas roupas, os dedos passeando nervosamente entre os seios e o meio das pernas enquanto se abaixava, se virava e alcançava as peças. Seus esforços para se esconder eram estranhamente provocantes, muito mais do que se simplesmente tivesse assumido sua nudez. – Você tem um nome, mulher? – perguntou para ela.

– Minha mãe me chamou de Hildy, sor. – Ela puxou um vestido sujo sobre a cabeça e agitou os cabelos. Seu rosto estava quase tão sujo quanto seus pés e ela tinha cabelo suficiente entre as pernas para passar por irmã de Bracken, mas ainda assim havia algo de atraente nela. Aquele nariz achatado, a cabeleira desgrenhada... ou o jeito como fez uma pequena reverência depois de tropeçar na saia. – Viu meu outro sapato, 'nhor?

A pergunta pareceu aborrecer Lorde Bracken.

– Por acaso sou uma maldita aia para buscar seus sapatos? Vá descalça se precisar. Apenas vá.

– Isso significa que meu senhor não vai me levar para casa com ele, para rezar com sua esposinha? – Rindo, Hildy deu um olhar desavergonhado para Jaime. – Você tem uma esposinha, sor?

Não, tenho uma irmã.

– De que cor é meu manto?

– Branco – ela respondeu –, mas sua mão é de ouro maciço. Gosto disso em um homem. E o que você gosta em uma mulher, 'nhor?

– Inocência.

– Em uma mulher, eu perguntei. Não em uma filha.

Ele pensou em Myrcella. *Terei que contar para ela também.* Os dornenses poderiam não gostar disso. Doran Martell aceitara o noivado dela com seu filho acreditando que a menina era sangue de Robert. *Nós e emaranhados*, Jaime pensou, desejando poder cortar todos eles com um golpe de sua espada.

– Fiz um voto – disse para Hildy, cansado.

– Nenhum nabo para você, então – a garota falou descaradamente.

– *Vá!* – Lorde Jonos rugiu para ela.

Ela se foi. Mas quando passou por Jaime, carregando um sapato e a pilha de roupas, abaixou a mão e deu um apertão em seu pau, pelo calção.

– *Hildy* – ela o recordou, antes de disparar semivestida da tenda.

Hildy, Jaime ponderou.

– E como vai a senhora sua esposa? – perguntou para Lorde Jonos quando a garota se foi.

– Como vou saber? Pergunte ao septão dela. Quando Lorde Tywin queimou nosso castelo, ela decidiu que os deuses estavam nos punindo. Agora, tudo o que faz é rezar. – Jonos havia finalmente conseguido vestir os calções corretamente e estava amarrando-os na frente. – O que o traz aqui, meu senhor? O Peixe Negro? Soubemos como ele escapou.

– Soube? – Jaime sentou-se em um banco de acampamento. – Pelo próprio homem, por acaso?

– Sor Brynden é esperto demais para vir correndo até mim. Gosto do homem, não vou negar isso. Mas isso não me impediria de colocá-lo em correntes se ele mostrasse seu rosto perto de mim ou dos meus. Ele sabe que me ajoelhei. Devia ter feito o mesmo, mas sempre foi um obstinado. O irmão dele poderia ter lhe contado isso.

– Tytos Blackwood não se ajoelhou – Jaime observou. – O Peixe Negro pode buscar refúgio em Corvarbor?

– Pode buscar, mas para encontrar precisaria passar por minhas linhas de cerco, e, pelo que ouvi, ele ainda não tem asas. Tytos precisará de refúgio para si mesmo em pouco tempo. Estão perdendo para ratos e raízes lá. Ele vai se render antes da próxima lua cheia.

– Ele vai se render antes do pôr do sol. Pretendo oferecer-lhe um acordo e aceitá-lo de volta para a paz do rei.

– Sei. – Lorde Jonos se encolheu em uma túnica de lã marrom com o garanhão vermelho dos Bracken bordado na frente. – Meu senhor gostaria de um corno de cerveja?

– Não, mas não passe vontade por minha causa.

Bracken encheu um corno para si mesmo, bebeu metade e enxugou a boca.

– Você falou em acordo. Que tipo de acordo?

– O tipo usual. Lorde Blackwood terá que confessar sua traição e abjurar sua aliança com os Stark e os Tully. Jurará solenemente diante dos deuses e dos homens que, a partir de agora, será um vassalo leal de Harrenhal e do Trono de Ferro, e eu o perdoarei em nome do rei. Tomaremos um pote ou dois de ouro, é claro. O preço da rebelião. Exigirei um refém também, para garantir que Corvarbor não se levantará novamente.

– A filha dele – sugeriu Bracken. – Blackwood tem seis filhos, mas somente uma filha. Ele a adora. Uma criaturinha remelenta, com não mais do que sete anos.

– Jovem, mas deve servir.

Lorde Jonos tomou o último gole de cerveja e jogou o corno de lado.

– E as terras e os castelos que nos prometeram?

– Que terras eram essas?

– O banco ocidental do Charco da Viúva, da Serra da Besta até a Campina Sulcada, e todas as ilhas no riacho. O Moinho Moimilho e o Moinho do Senhor, as ruínas do Solar Lamacento, o Encanto, o Vale da Batalha, Forjavelha, as vilas de Fivela, Fivelanegra, Marcos, Lagoa de Barro, e a cidade mercantil de Cova de Lama. Matadevespa, Bosque de Lorgen e as Tetas de Barba. Tetas de Missy, os Blackwood as chamam, mas eram de Barba antes. Melarbor e todas as colmeias. Aqui, eu marquei tudo, se meu senhor quiser dar uma olhada. – Foi até a mesa e lhe apresentou um mapa em um pergaminho.

Jaime o pegou com a mão boa, mas teve que usar a de ouro para desenrolá-lo e segurá-lo aberto.

– Isso é um bocado de terras – observou. – Você aumentará seus domínios em um quarto.

A boca de Bracken se contorceu teimosamente.

– Todas essas terras pertenciam à Barreira de Pedra no passado. Os Blackwood as roubaram de nós.

– E esta vila aqui, entre as Tetas? – Jaime bateu no mapa com uma junta do dedo dourado.

– Centarbor. Era nossa também, mas tem sido um feudo real por centenas de anos. Deixe assim. Pedimos apenas as terras roubadas pelos Blackwood. O senhor seu pai prometeu nos devolvê-las se subjugássemos Lorde Tytos para ele.

– Mesmo assim, quando eu estava cavalgando para cá, vi estandartes dos Tully desfraldados nas muralhas do castelo, assim como o lobo gigante dos Stark. Isso pode sugerir que Lorde Tytos não foi subjugado.

– Expulsamos ele e os seus do campo de batalha e os fizemos ficar dentro de Corvarbor. Dê-me homens suficientes para atacar suas muralhas, meu senhor, e eu os enviarei para os túmulos.

– Se eu lhe desse homens suficientes, eles o subjugariam, não você. Neste caso, deveria eu mesmo ficar com a recompensa. – Jaime deixou o mapa se enrolar novamente. – Ficarei com isto, se puder.

– O mapa é seu. As terras são nossas. Dizem que um Lannister sempre paga suas dívidas. Lutamos por vocês.

– Nem a metade do que lutaram contra nós.

– O rei nos perdoou por isso. Perdi meu sobrinho para suas espadas, e meu filho natural. Sua Montanha roubou minha colheita e queimou tudo o que não pôde carregar. Queimou meu castelo e estuprou uma das minhas filhas. Eu serei recompensado.

– Montanha morreu, assim como meu pai – Jaime contou para ele –, e alguns podiam dizer que sua cabeça era recompensa suficiente. Você se *declarou* pelo Stark, e manteve a fé nele até que Lorde Walder o matasse.

– Assassinou-o, e uma dúzia de bons homens do meu próprio sangue. – Lorde Jonos virou a cabeça e cuspiu. – Sim, eu tive fé no Jovem Lobo. Assim como terei fé em você enquanto me tratar com justiça. Eu dobrei o joelho porque não vi razão em morrer por morrer, nem em derramar sangue Bracken por uma causa perdida.

– Um homem prudente. – *Embora alguns possam dizer que Lorde Blackwood tem sido mais honrado.* – Você terá suas terras. Ou parte delas, ao menos. Já que você subjugou os Blackwood apenas em parte.

Aquilo pareceu satisfazer Lorde Jonos.

– Ficaremos contentes com qualquer parte que meu senhor julgar justa. Mas, se posso lhe dar um conselho, não é uma boa coisa ser muito gentil com esses Blackwood. A traição corre no sangue deles. Antes que os ândalos chegassem a Westeros, a Casa Bracken governava este rio. Éramos reis, e os Blackwood eram nossos vassalos, mas eles nos traíram e usurparam a coroa. Todo Blackwood nasce um vira-casaca. Seria bom que se lembrasse disso quando fosse fazer o acordo.

– Oh, eu me lembrarei – Jaime prometeu.

Quando cavalgou do acampamento de cerco de Bracken até os portões de Corvarbor, Peck foi na frente com um estandarte da paz. Antes que chegassem ao castelo, vinte pares de olhos os observavam do parapeito da guarita. Jaime levou Honra até uma paragem na beira do fosso, uma vala profunda cheia de pedras, suas águas verdes cheias de espuma. Estava prestes a ordenar que Sor Kennos tocasse o Berrante de Herrock quando a ponte levadiça começou a descer.

Lorde Tytos Blackwood o encontrou na ala externa, montado em um corcel de batalha tão magro quanto ele. Muito alto e muito esguio, o Senhor de Corvarbor tinha nariz adunco, cabelos longos e uma barba irregular negra e branca que exibia mais branco do que negro. Incrustada em prata na placa peitoral de sua reluzente armadura escarlate estava uma árvore branca, nua e morta, cercada por um bando de corvos em ônix levantando voo. Um manto de penas de corvos pendia de seus ombros.

– Lorde Tytos – falou Jaime.

– Sor.

– Obrigado por me permitir entrar.

– Não direi que é bem-vindo. Nem negarei que esperava que viesse. Você está aqui por minha espada.

– Estou aqui para colocar um fim nisso. Seus homens lutaram bravamente, mas sua guerra é perdida. Está preparado para se render?

– Para o rei. Não para Jonos Bracken.

– Entendo.

Blackwood hesitou por um momento.

– Deseja que eu desmonte e me ajoelhe diante de você aqui e agora?

Uma centena de olhos estava sobre eles.

– O vento está frio e o pátio enlameado – disse Jaime. – Você pode se ajoelhar no carpete de seu aposento particular, uma vez que concordemos com os termos da rendição.

– Muito cavalheiresco da sua parte – respondeu Lorde Tytos. – Venha, sor. Meu salão pode ter falta de comida, mas nunca de cortesia.

O aposento particular de Blackwood era no segundo andar de uma cavernosa torre de madeira. Havia uma fogueira queimando na lareira quando entraram. A sala era grande e arejada, com grandes vigas de carvalho escuro sustentando o teto alto. Tapeçarias de lã cobriam as paredes, e um par de amplas portas de treliça davam para o bosque sagrado. Apesar dos grossos painéis de vidro em forma de diamante, Jaime vislumbrou os membros retorcidos da árvore da qual o castelo tirava seu nome. Era um represeiro antigo e colossal, dez vezes o tamanho do que havia no Jardim de Pedra em Rochedo Casterly. Mas aquela árvore estava nua e morta.

– Os Bracken a envenenaram – contou seu anfitrião. – Por mil anos não mostrou nem uma folha. Quando se passarem mais mil anos, ela se transformará em pedra, os meistres dizem. Represeiros não apodrecem.

– E os corvos? – perguntou Jaime. – Onde estão?

– Eles vêm ao entardecer e ficam empoleirados a noite toda. Centenas deles. Cobrem a árvore como folhas negras, cada galho e cada ramo. Eles têm vindo por milhares de anos. Como ou por que ninguém sabe dizer, mesmo assim a árvore os chama todas as noites. – Blackwood sentou-se em uma cadeira de encosto alto. – Por uma questão de honra, devo perguntar sobre meu senhor suserano.

– Sor Edmure está a caminho de Rochedo Casterly, como meu cativo. Sua esposa ficará nas Gêmeas até que o filho deles nasça. Então, ela e o bebê se juntarão a ele. Enquanto não tentar fugir ou planejar rebeliões, Edmure terá uma longa vida.

– Longa e amarga. Uma vida sem honra. Até o dia de sua morte, os homens dirão que ele ficou com medo de lutar.

Injustamente, Jaime pensou. *Era por seu filho que temia. Ele sabia de quem eu sou filho, melhor do que minha própria tia.*

– A escolha foi dele. Seu tio nos teria feito sangrar.

– Concordamos nisso. – A voz de Blackwood não demonstrava nada. – O que você fez com Sor Brynden, se posso perguntar?

– Ofereci que tomasse o negro. Em vez disso, ele fugiu. – Jaime sorriu. – Você estaria com ele aqui, por acaso?

– Não.

– Me contaria se estivesse?

Foi a vez de Tytos Blackwood sorrir.

Jaime juntou as mãos, os dedos dourados dentro dos de carne.

– Talvez seja hora de conversarmos sobre os termos.

– É agora que eu fico de joelhos.

– Se for do seu agrado. Ou podemos dizer que você ficou.

Lorde Blackwood permaneceu sentado. Em pouco tempo chegaram a um acordo sobre a maior parte dos pontos: confissão, fidelidade, perdão, uma certa quantia de ouro e prata a ser paga.

– Que terras você exige? – Lorde Tytos perguntou. Quando Jaime lhe deu o mapa, ele deu uma olhada e riu. – Claro. O vira-casaca precisa ter sua recompensa.

– Sim, mas uma menor do que ele imagina, por um serviço menor. Quais dessas terras você concorda em dar?

Lorde Tytos considerou por um momento.

– Cercaviva, Serra da Besta e Fivelas.

– Uma ruína, uma serra e uns poucos casebres? Vamos, meu senhor. Você deve sofrer por sua traição. Ele vai querer pelo menos um dos moinhos. – Moinhos eram uma fonte valiosa de impostos. O senhor recebia um décimo de todo o grão que plantavam.

– Moinho do Senhor, então. Moimilho é nosso.

– E outra vila. Marcos?

– Tenho ancestrais enterrados sob as pedras de Marcos. – Ele olhou o mapa novamente. – Dê-lhe Melarbor e suas colmeias. Todo aquele doce o deixará gordo e fará seus dentes apodrecerem.

– Feito, então. Mas ainda tem uma última coisa.

– Um refém.

– Sim, meu senhor. Você tem uma filha, creio.

– Bethany. – Lorde Tytos parecia chocado. – Também tenho dois irmãos e uma irmã. Duas tias viúvas. Sobrinhas, sobrinhos, primos. Pensei que poderia concordar em...

– Precisa ser um filho do seu sangue.

– Bethany tem apenas oito anos. Uma garota gentil, cheia de risos. Nunca esteve a mais de um dia de cavalgada do meu salão.

– Por que não deixá-la ver Porto Real? Sua Graça é quase da idade dela. Ele ficaria satisfeito em ter outra amiga.

– Uma amiga que possa enforcar se o pai dela o desagradar? – perguntou Lorde Tytos. – Tenho quatro filhos. Consideraria levar um deles no lugar dela? Ben tem doze e está sedento por aventuras. Ele poderia ser seu escudeiro, se for do seu agrado.

– Tenho tantos escudeiros que não sei o que fazer com eles. Cada vez que mijo, eles disputam pelo direito de segurar meu pau. E você tem seis filhos, meu senhor, não quatro.

– Já tive. Robert era meu mais jovem e nunca foi forte. Morreu há nove dias, de uma frouxidão nos intestinos. Lucas foi assassinado no Casamento Vermelho. A quarta esposa de Walder Frey era uma Blackwood, mas parentesco não importa mais do que direitos de hóspedes nas Gêmeas. Eu gostaria de enterrar Lucas sob a árvore, mas os Frey ainda não acharam por bem devolver os ossos dele para mim.

– Farei com que devolvam. Lucas era seu filho mais velho?

– Meu segundo. Brynden é meu mais velho e meu herdeiro. Depois vem Hoster. Um menino dado à leitura, temo.

– Temos livros em Porto Real também. Recordo-me de meu irmãozinho lendo-os de tempos em tempos. Talvez seu filho goste de dar uma olhada neles. Aceitarei Hoster como nosso refém.

O alívio de Blackwood era palpável.

– Obrigado, meu senhor. – Hesitou por um momento. – Se posso ousar, você faria bem em exigir um refém de Lorde Jonos também. Uma de suas filhas. Apesar de toda a sua fornicação, ele não se mostrou homem suficiente para gerar filhos homens.

– Ele tinha um filho bastardo, morto na guerra.

– Tinha? Harry era um bastardo, é verdade, mas se Jonos o gerou é uma questão mais espinhosa. Era um rapaz de cabelos louros e formoso. Jonos não é nenhum dos dois. – Lorde Tytos se levantou. – Você me dará a honra de cear comigo?

– Em algum outro momento, meu senhor. – O castelo estava faminto; não traria nenhum benefício se Jaime roubasse comida de suas bocas. – Não posso me demorar. Correrrio me espera.

– Correrrio? Ou Porto Real?

– Ambos.

Lorde Tytos não tentou dissuadi-lo.

– Hoster pode estar pronto para partir em uma hora.

E estava. O garoto encontrou-se com Jaime nos estábulos, com um saco de dormir jogado sobre um ombro e um maço de pergaminhos embaixo do braço. Não tinha mais do que dezesseis anos, mas já era mais alto que seu pai, quase dois metros de pernas, canelas e cotovelos, um rapaz desengonçado e desajeitado, com um topete.

– Senhor Comandante. Sou seu refém, Hoster. Hos, eles me chamam. – O rapaz sorriu.

Será que ele pensa que isto é uma brincadeira?

– Por favor, quem são *eles*?

– Meus amigos. Meus irmãos.

– Não sou seu amigo, nem seu irmão. – Aquilo tirou o sorriso do rosto do garoto. Jaime se virou para Lorde Tytos. – Meu senhor, não vamos ter mal-entendidos aqui. Lorde Beric Dondarrion, Thoros de Myr, Sandor Clegane, Brynden Tully, esta mulher, Coração de Pedra... todos esses são fora da lei e rebeldes, inimigos do rei e de todos os seus leais súditos. Se eu ouvir que você ou os seus os estão escondendo, protegendo ou ajudando de alguma maneira, não hesitarei em enviar a cabeça do seu filho para você. Espero que entenda isso. Entenda isso também: não sou Ryman Frey.

– Não. – Todo traço de calor deixara a boca de Lorde Blackwood. – Sei com quem estou lidando. Regicida.

– Bom. – Jaime montou e virou Honra na direção do portão. – Espero que tenha uma boa colheita e alegrias com a paz do rei.

Não cavalgou até muito longe. Lorde Jonos Bracken esperava por ele do lado de fora de Corvarbor, logo atrás do alcance de um bom besteiro. Estava montado em um corcel de guerra blindado e vestia armadura e cota de malha, e um grande elmo de aço cinza com uma cauda de crina de cavalo.

– Vi que tiraram o estandarte do lobo gigante – disse, quando Jaime o alcançou. – Está feito?

– Feito e acabado. Vá para casa e plante seus campos.

Lorde Bracken ergueu sua viseira.

– Acredito que tenho mais campos para plantar do que quando você entrou no castelo. – Fivela, Cercaviva, Melarbor e todas as suas colmeias. – Estava esquecendo um.

– Oh, e Serra da Besta.

– Um moinho – disse Bracken. – Tenho que ter um moinho.

– Moinho do Senhor.

Lorde Jonos bufou.

– Sim, isso vai servir. Por enquanto. – Apontou para Hoster Blackwood, que vinha logo atrás, com Peck. – Foi esse aí que ele lhe deu como refém? Você foi enganado, sor. Um fracote, esse aí. Água no lugar de sangue. Não importa quão alto seja, qualquer uma das minhas meninas pode quebrá-lo como um galho podre.

– Quantas filhas você tem, meu senhor? – Jaime lhe perguntou.

– Cinco. Duas da minha primeira esposa e três da minha terceira. – Tarde demais, ele pareceu perceber que falara além da conta.

– Envie uma delas para a corte. Ela terá o privilégio de servir a Rainha Regente.

O rosto de Bracken escureceu quando percebeu a importância daquelas palavras.

– É assim que paga a amizade de Barreira de Pedra?

– É uma grande honra servir à rainha – Jaime recordou à sua senhoria. – Você pode impressioná-la com isso. Esperaremos a garota antes que o ano acabe. – Sem aguardar uma resposta de Lorde Bracken, tocou Honra levemente com as esporas douradas e saiu trotando. Seus homens entraram em formação atrás dele e o seguiram, estandartes tremulando. Logo castelo e acampamento haviam sumido, em meio à poeira dos cascos.

Nem os fora da lei nem os lobos os tinham incomodado durante a ida para Corvarbor, então Jaime decidiu voltar por uma rota distinta. Se os deuses fossem bons, podia topar com o Peixe Negro, ou atrair Beric Dondarrion para um ataque imprudente.

Seguiam pelo Charco da Viúva quando o dia chegou ao fim. Jaime chamou seu refém para a frente e perguntou-lhe onde podiam encontrar o vau mais próximo, e o garoto os levou até lá. Enquanto a coluna atravessava as águas rasas, o sol se punha atrás de um par de colinas verdejantes.

– As Tetas – disse Hoster Blackwood.

Jaime se lembrou do mapa de Lorde Bracken.

– Há uma vila entre essas colinas.

– Centarbor – o rapaz confirmou.

– Acamparemos ali esta noite. – Se tivessem moradores por lá, eles podiam saber alguma coisa sobre Sor Brynden ou sobre os fora da lei. – Lorde Jonos fez algum comentário sobre de quem eram essas tetas – disse para o garoto Blackwood, enquanto cavalgavam em direção às colinas que escureciam e à última luz do dia. – Os Bracken a chamam por um nome e os Blackwood por outro.

– Sim, meu senhor. Por um século, ou quase isso. Antes, eram conhecidas como as Tetas da Mãe, ou apenas as Tetas. São duas colinas, e elas lembram...

– Posso ver o que elas lembram. – Jaime se pegou pensando na mulher na tenda e na maneira como ela tentou esconder seus grandes e escuros mamilos. – O que mudou há um século?

– Aegon, o Indigno, tomou Barba Bracken como amante – o garoto estudioso respondeu. – Ela era uma moça de seios grandes, dizem, e um dia, quando estava visitando Barreira de Pedra, o rei saiu para caçar, viu as Tetas e...

– ... deu o nome de sua amante para elas. – Aegon, o Quarto, morrera muito antes de Jaime nascer, mas ele se lembrava o suficiente da história de seu reinado para adivinhar o que aconteceu na sequência. – Só que mais tarde ele deixou a garota Bracken de lado e pegou uma Blackwood, foi isso?

– A Senhora Melissa – Hoster confirmou. – Missy, era chamada. Há uma estátua dela no nosso bosque sagrado. Ela era *muito mais* bonita do que Barba Bracken, mas delgada, e Barba começou a dizer que Missy era reta como um rapaz. Quando o Rei Aegon ouviu isso, ele...

– ... deu para ela as tetas de Barba. – Jaime riu. – Como tudo isso começou, entre Blackwood e Bracken? Há algo escrito?

– Há, sim, meu senhor – o rapaz disse –, mas algumas das histórias foram escritas pelos meistres deles e algumas pelos nossos, séculos depois dos eventos que se propõem a contar. A história remonta à Era dos Heróis. Os Blackwood eram reis naqueles dias. Os Bracken eram senhores menores, renomados por criarem cavalos. Em vez de pagar ao seu rei o que lhe era devido, usaram o ouro que seus cavalos traziam para contratar espadas e derrubar o monarca.

– Quando tudo isso aconteceu?

– Quinhentos anos antes dos ândalos. Mil, se acreditarmos na *História Verdadeira*. Só que ninguém sabe quando os ândalos cruzaram o mar estreito. A *História Verdadeira* diz que quatro mil anos se passaram desde este fato, mas alguns meistres afirmam que foram apenas dois mil. Depois de certo ponto, todas as datas ficam obscuras e confusas, e a claridade da história se transforma na névoa da lenda.

Tyrion gostaria deste aí. Poderiam conversar do anoitecer ao amanhecer, discutindo sobre livros. Por um momento, sua amargura em relação ao irmão foi esquecida, até que ele se lembrou do que o Duende fizera.

– Então vocês estão lutando sobre uma coroa que um tomou do outro quando os Casterly ainda tinham Rochedo Casterly, essa é a raiz de tudo isso? A coroa de um reino que não existe há milhares de anos? – Ele riu. – Tantos anos, tantas guerras, tantos reis... é de se imaginar que alguém tivesse feito a paz.

– Alguém fez, meu senhor. Muitos alguéns. Tivemos centenas de pazes com os Bracken, muitas seladas com matrimônios. Há sangue Blackwood em todo Bracken, e sangue Bracken em todo Blackwood. A Paz do Velho Rei durou meio século. Mas quando alguma nova disputa começa, as velhas feridas se abrem e começam a sangrar novamente. É como sempre acontece, meu pai diz. Enquanto os homens se lembrarem dos danos feitos por seus antepassados, nenhuma paz vai durar. Então seguimos, século após século, odiando os Bracken e eles nos odiando. Meu pai diz que isso nunca terá um fim.

– Poderia ter.

– Como, meu senhor? Velhas feridas nunca se curam, meu pai diz.

– Meu pai tinha um ditado também. Nunca fira um inimigo quando você pode matá-lo. Mortos não clamam por vingança.

– Os filhos deles sim – disse Hoster, desculpando-se.

– Não se matar os filhos deles também. Pergunte aos Casterly sobre isso, se duvida de mim. Pergunte ao Senhor e à Senhora Tarbeck, ou aos Reynes de Castamere. Pergunte ao Príncipe de Pedra do Dragão. – Por um instante, as profundas nuvens vermelhas que coroavam as montanhas ocidentais o fizeram se lembrar dos filhos de Rhaegar enrolados em mantos carmesins.

– Foi por isso que vocês mataram todos os Stark?

– Nem todos – disse Jaime. – As filhas de Lorde Eddard vivem. Uma acabou de se casar. A outra... – *Brienne, onde está você? Você a encontrou?* – ... se os deuses são bons, se esquecerá de que era uma Stark. Ela se casará com algum ferreiro corpulento ou um estalajadeiro de rosto gordo, encherá a casa dele de filhos e nunca precisará ter medo de que algum cavaleiro possa chegar e esmagar a cabeça das crianças contra uma parede.

– Os deuses são bons – seu refém disse, inseguro.

Continue acreditando nisso. Jaime deixou Honra sentir suas esporas.

Centarbor provou ser uma vila muito maior do que havia imaginado. A guerra estivera por lá também; pomares enegrecidos e as paredes quebradas de casas queimadas testemunhavam isso. Mas para cada casa em ruínas havia três sendo reconstruídas. Através do crepúsculo azul, Jaime vislumbrou palha fresca sobre um grupo de telhados e portas feitas de madeira recém-cortada. Entre um lago com patos e uma forja de ferreiro, ele se deparou com a árvore que dava nome ao lugar, um carvalho antigo e alto. Suas raízes nodosas se torciam por dentro e por fora da terra como um ninho de lentas serpentes marrons, e centenas de antigas moedas de dinheiros de cobre estavam pregadas no imenso tronco.

Peck encarou a árvore, e então as casas vazias.

– Onde estão as pessoas?

– Escondidas – Jaime falou para ele.

Dentro das casas todas as fogueiras haviam sido apagadas, mas algumas ainda soltavam fumaça, e nenhuma delas estava fria. A cabra que Harry Quente Merrell encontrou pastando em uma horta era a única criatura viva que podia ser avistada... mas a vila tinha uma fortaleza tão robusta quanto qualquer outra no Tridente, e grossas muralhas de pedra de quase quatro metros de altura, e Jaime sabia que era ali que encontraria os moradores da vila. *Eles se escondem atrás destas muralhas quando salteadores aparecem, e é por isso que ainda há uma vila aqui. E estão se escondendo ali novamente, de mim.*

Cavalgou até os portões da fortaleza.

– Vocês aí dentro. Não queremos causar mal. Somos homens do rei.

Rostos apareceram na muralha sobre o portão.

– Homens do rei queimaram nossa vila – um homem gritou. – Antes disso, outros homens do rei levaram nossas ovelhas. Eram de um rei diferente, mas isso não importou para nossas ovelhas. Homens do rei mataram Harsley e Sor Ormond, e estupraram Lacey até que ela morreu.

– Não os meus homens – Jaime retrucou. – Vão abrir os portões?

– Quando vocês partirem, sim.

Sor Kennos cavalgou para perto dele.

– Podemos colocar esse portão abaixo facilmente, ou incendiá-lo.

– Enquanto jogam pedras em nós e nos cobrem com flechas. – Jaime abanou a cabeça. – Seria um negócio sangrento, e para quê? Essas pessoas não nos fizeram nenhum mal. Vamos nos abrigar nas casas, mas não roubaremos. Temos nossas próprias provisões.

Enquanto uma meia-lua subia no céu, eles amarraram os cavalos nos estábulos da vila e cearam cordeiro salgado, maçãs secas e queijo duro. Jaime comeu frugalmente e dividiu um odre de vinho com Peck e Hos, o refém. Tentou contar as moedas pregadas no velho carvalho, mas eram muitas e perdeu a conta. *Para que isso?* O rapaz Blackwood teria lhe dito quantas eram, se perguntasse, mas aquilo teria estragado o mistério.

Ele havia postado sentinelas, para garantir que ninguém deixasse o confinamento da vila. Enviara batedores também, a fim de se assegurar que nenhum inimigo os pegaria desprevenidos. Era quase meia-noite quando dois voltaram cavalgando com uma mulher que haviam capturado.

– Ela cavalgava com pressa, senhor, exigindo falar com você.

Jaime ficou em pé.

– Minha senhora. Não imaginava vê-la novamente tão logo. – *Deuses, sejam bons, ela parece dez anos mais velha do que da última vez que a vi. E o que aconteceu com seu rosto?* – Essa bandagem... você foi ferida...

– Um pouco. – Ela tocou o cabo da espada, a espada que ele lhe dera. *Cumpridora de Promessas.* – Meu senhor, você me deu uma missão.

– A garota. Você a encontrou?

– Encontrei – disse Brienne, a Donzela de Tarth.

– Onde ela está?

– A um dia daqui. Posso levá-lo até ela, sor... mas você precisa vir sozinho. Caso contrário, o Cão de Caça a matará.

Jon

— R'hllor – entoou Melisandre, braços estendidos contra a neve que caía –, você é a luz em nossos olhos, o fogo em nossos corações, o calor em nossas costas. Seu é o sol que aquece nossos dias, suas são as estrelas que nos guardam na escuridão da noite.

– *Todos louvam R'hllor, o Senhor da Luz* – os convidados do casamento responderam em um coro irregular, antes que uma rajada de vento frio levasse suas palavras embora. Jon Snow levantou o capuz do manto.

A neve estava leve, uma dispersão fina de flocos dançando no ar, mas o vento soprava do leste pela Muralha, frio como a respiração do dragão de gelo das histórias que a Velha Ama costumava contar. Até a fogueira de Melisandre tremia; as chamas se amontoavam na vala, crepitando suavemente enquanto a sacerdotisa vermelha entoava seus cânticos. Apenas Fantasma parecia não sentir frio.

Alys Karstark se inclinou para perto de Jon.

– Neve durante um casamento significa um casamento frio. A senhora minha mãe sempre dizia isso.

Ele olhou para a Rainha Selyse. *Deve ter acontecido uma nevasca no dia em que ela e Stannis se casaram.* Encolhida sob seu manto de arminho e cercada por suas damas, aias e cavaleiros, a rainha sulista parecia uma coisa frágil, pálida e contraída. Um sorriso tenso estava congelado no lugar de seus lábios, mas seus olhos estavam repletos de reverência. *Ela odeia o frio, mas ama as chamas.* Era só olhá-la para saber isso. *Uma palavra de Melisandre, e ela caminharia para o fogo de boa vontade, abraçando-o como a um amante.*

Nem todos os homens da rainha pareciam partilhar seu fervor. Sor Brus parecia semiembriagado, a mão enluvada de Sor Malegorn descansava na bunda da senhora ao lado dele, Sor Narbert estava bocejando e Sor Patrek da Montanha do Rei parecia zangado. Jon Snow começava a entender por que Stannis deixara-os com a rainha.

– A noite é escura e cheia de terrores – Melisandre entoou. – Sozinhos nascemos e sozinhos morremos, mas enquanto andarmos por este vale negro obteremos força uns nos outros e em você, nosso senhor. – Suas sedas e cetins escarlate rodopiavam com cada rajada de vento. – Dois surgem hoje para unir suas vidas, para que possam encarar a escuridão deste mundo juntos. Encha o coração deles com fogo, meu senhor, para que possam trilhar seu caminho brilhante de mãos dadas, para sempre.

– *Senhor da Luz, nos proteja* – gritou a Rainha Selyse. Outras vozes ecoaram a resposta. Os fiéis de Melisandre; senhoras pálidas, aias trêmulas, Sor Axell, Sor Narbert e Sor

Lambert, homens em armas em cotas de malha de ferro e thenns em bronze, até mesmo alguns dos irmãos negros de Jon. – *Senhor da Luz, abençoe seus filhos.*

Melisandre estava de costas para a Muralha, em um lado da profunda vala onde o fogo queimava. O casal que se unia a encarava do outro lado do fosso. Atrás deles estava a rainha, com sua filha e o bobo tatuado. A Princesa Shireen estava enrolada em tantas peles que parecia redonda, respirando em nuvens brancas que atravessavam o cachecol que cobria a maior parte do seu rosto. Sor Axell Florent e os homens da rainha cercavam o pequeno grupo real.

Embora apenas alguns poucos homens da Patrulha da Noite estivessem reunidos perto da fogueira, muitos olhavam dos telhados, das janelas e dos degraus da grande escada em zigue-zague. Jon observou cuidadosamente quem estava ali e quem não estava. Alguns homens estavam em serviço; muitos, fora de seus turnos, dormiam. Mas outros resolveram se ausentar para mostrar desaprovação. Othell Yarwyck e Bowen Marsh estavam entre esses últimos. Septão Chayle saíra rapidamente do septo, segurando o cristal de sete lados pendurado no pescoço, apenas para entrar novamente quando as orações começaram.

Melisandre ergueu as mãos, e as chamas da fogueira se ergueram em direção aos seus dedos, como um grande cão pulando de alegria. Um redemoinho de faíscas se levantou para encontrar os flocos de neve que caíam.

– Oh, Senhor da Luz, nós o agradecemos – ela entoou para as chamas zangadas. – Agradecemos pelo bravo Stannis, por Sua Graça, nosso rei. Guie-o e defenda-o, R'hllor. Proteja-o das traições dos homens maus e garanta-lhe forças para ferir os servos da escuridão.

– *Garanta-lhe forças* – responderam a Rainha Selyse, seus cavaleiros e damas. – *Garanta-lhe coragem. Garanta-lhe sabedoria.*

Alys Karstark escorregou o braço pelo de Jon.

– Ainda falta muito, Lorde Snow? Se vou ser enterrada sob a neve, preferia morrer como uma mulher casada.

– Em breve, minha senhora – Jon lhe assegurou. – Em breve.

– *Agradecemos pelo sol que nos aquece* – cantou a rainha. – *Agradecemos pelas estrelas que velam por nós na escuridão da noite. Agradecemos por nossas lareiras e por nossas tochas, que mantêm a escuridão selvagem afastada. Agradecemos por nossos espíritos brilhantes, pelo fogo em nossas costas e em nosso coração.*

E Melisandre disse:

– Que se aproximem, os que vão se unir. – As chamas lançaram sua sombra na Muralha que estava atrás dela, e seu rubi brilhou contra a palidez de sua garganta.

Jon se virou para Alys Karstark.

– Minha senhora. Está pronta?

– Sim. Oh, sim.

– Não está com medo?

A garota sorriu de um jeito que lembrou tanto Jon de sua irmãzinha, que quase partiu seu coração.

– Deixe-o ficar com medo de mim. – Os flocos de neve derretiam em seu rosto, mas seu cabelo estava enrolado em uma espiral de rendas que Cetim encontrara em algum lugar, e a neve começara a se acumular ali, dando a ela uma coroa gelada. Suas bochechas estavam coradas e vermelhas, e seus olhos brilhavam.

– Senhora do inverno. – Jon apertou sua mão.

O Magnar de Thenn estava esperando ao lado do fogo, vestido como se fosse para batalha, em peles, couro e escamas de bronze, e com uma espada de bronze no quadril. As entradas no cabelo o faziam parecer mais velho do que realmente era, mas quando ele se virou para ver sua noiva se aproximando, Jon pôde ver o garoto nele. Seus olhos estavam arregalados como nozes, mas se era o fogo, a sacerdotisa ou a mulher que o amedrontava, Jon não saberia dizer. *Alys estava mais certa do que imaginava.*

– Quem traz esta mulher para se casar? – perguntou Melisandre.

– Eu trago – disse Jon. – Aqui está Alys da Casa Karstark, uma mulher crescida e florescida, nobre de sangue e nascimento. – Apertou a mão dela pela última vez, e subiram os degraus para se unirem aos demais.

– Quem vem adiante reivindicar esta mulher? – perguntou Melisandre.

– Eu. – Sigorn bateu no peito. – Magnar de Thenn.

– Sigorn – perguntou Melisandre –, você partilhará seu fogo com Alys e a aquecerá quando a noite for escura e cheia de terrores?

– Juro. – A promessa do Magnar era uma nuvem branca no ar. A neve manchava seus ombros. As orelhas dele estavam vermelhas. – Pelas chamas do deus vermelho, vou aquecê-la todos os dias.

– Alys, você jura partilhar seu fogo com Sigorn e aquecê-lo quando a noite for escura e cheia de terrores?

– Até que seu sangue esteja fervendo. – Seu manto de donzela era de lã negra da Patrulha da Noite. O sol irradiante dos Karstark costurado nele era feito da mesma pele branca que o forrava.

Os olhos de Melisandre brilhavam tanto quanto o rubi em sua garganta.

– Então, venham até mim e sejam um só. – Quando acenou, uma parede de chamas se ergueu, rugindo, lambendo os flocos de neve com quentes línguas alaranjadas. Alys Karstark segurou a mão de seu Magnar.

Juntos, saltaram o fosso.

– Dois entram nas chamas. – Uma rajada de vento ergueu a saia escarlate da mulher, até que ela a baixou novamente. – Um sai. – Seu cabelo acobreado dançava em sua cabeça. – O que o fogo une, ninguém pode separar.

– *O que o fogo une, ninguém pode separar* – veio o eco dos homens da rainha, dos thenns e até de alguns irmãos negros.

Exceto reis e tios, pensou Jon Snow.

Cregan Karstark aparecera um dia depois de sua sobrinha. Com ele vieram quatro homens em armas montados, um caçador e uma matilha de cães, farejando a Senhora Alys como se fosse um veado. Jon Snow foi ao encontro deles na estrada do rei a menos de três quilômetros ao sul de Vila Toupeira, antes que chegassem a Castelo Negro, exigindo direitos de hóspedes ou pedindo uma conferência. Um dos homens de Karstark perdeu uma disputa de besta com Ty e morreu. Com isso, sobraram quatro e o próprio Cregan.

Felizmente, tinham uma dúzia de celas de gelo. *Acomodações para todos.*

Como muitas outras coisas, a heráldica terminava na Muralha. Os Thenn não tinham brasão de família como era comum entre os nobres dos Sete Reinos, então Jon pediu aos intendentes que improvisassem. Achou que fizeram bem. O manto de noiva que Sigorn prendeu nos ombros da Senhora Alys mostrava um disco de bronze em um campo de lã branca, cercado de chamas feitas com tiras de seda carmesim. O eco do sol irradiante dos Karstark estava ali para quem se incomodasse em olhar, mas diferenciado para formar armas apropriadas para a Casa Thenn.

O Magnar praticamente arrancou o manto de donzela dos ombros de Alys, mas quando prendeu o manto de noiva sobre ela estava quase afetuoso. Ao se inclinar para beijá-la no rosto, suas respirações se misturaram. As chamas rugiram mais uma vez. Os homens da rainha começaram a cantar uma música de louvor.

– Está feito? – Jon ouviu Cetim murmurar.

– Feito e acabado – resmungou Mully –, e ainda bem. Eles estão casados e eu estou semicongelado. – Estava agasalhado com suas melhores roupas negras, lãs tão novas que dificilmente tiveram a chance de desbotar, mas o vento tornara suas bochechas tão vermelhas quanto seus cabelos. – Hobb esquentou um vinho com canela e cravo. Isso vai nos aquecer um pouco.

– O que é cravo? – perguntou Owen Idiota.

A neve começara a cair mais pesada, e o fogo no fosso tremeluzia. As pessoas começaram a se dispersar e a deixar o pátio, tanto homens da rainha quanto homens do rei e povo livre, todos ansiosos para sair do vento e do frio.

– Meu senhor vai se banquetear conosco? – Mully perguntou para Jon Snow.

– Em breve. – Sigorn poderia tomar como uma desfeita se ele não aparecesse. *E este casamento é trabalho meu, no final das contas.* – Tenho outros assuntos para resolver antes, no entanto.

Jon foi até a Rainha Selyse, com Fantasma ao seu lado. Suas botas trituravam pilhas de neve antiga. Estava tomando mais e mais tempo limpar os caminhos de um prédio para o outro com pás; cada vez mais, os homens recorriam às passagens subterrâneas chamadas caminhos de minhocas.

– ... que belo ritual – a rainha estava dizendo. – Eu podia sentir o olhar ardente de nosso Senhor sobre nós. Oh, você não sabe quantas vezes implorei para Stannis que nos casássemos novamente, uma união verdadeira de corpo e espírito, abençoada pelo Senhor da Luz. Sei que eu daria mais filhos à Sua Graça se estivéssemos unidos pelo fogo.

Para dar mais filhos para ele, primeiro você precisaria consegui-lo em sua cama. Mesmo na Muralha, era de conhecimento geral que Stannis Baratheon evitava sua mulher havia anos. Era possível imaginar como Sua Graça teria respondido à ideia de um segundo casamento, em meio à guerra.

Jon fez uma reverência.

– Se for do agrado de Vossa Graça, o banquete a espera.

A rainha olhou para Fantasma com suspeita, então ergueu a cabeça para Jon.

– É claro. A Senhora Melisandre conhece o caminho.

A sacerdotisa vermelha respondeu:

– Preciso cuidar do meu fogo, Vossa Graça. Talvez R'hllor me conceda um vislumbre de Sua Graça. Quem sabe um vislumbre de alguma grande vitória.

– Oh. – A Rainha Selyse parecia chocada. – É claro... vamos rezar por uma visão de nosso Senhor...

– Cetim, mostre o caminho para Sua Graça – falou Jon.

Sor Malegorn se adiantou.

– Eu escoltarei Sua Graça até o banquete. Não precisaremos de seu... intendente. – O jeito com que o homem pronunciou a última palavra indicou para Jon que ele considerou dizer outra coisa. *Garoto? Animal de estimação? Puta?*

Jon fez outra reverência.

– Como quiser. Eu me juntarei a vocês em breve.

Sor Malegorn ofereceu seu braço e a Rainha Selyse o tomou, empertigada. Sua outra mão estava sobre o ombro da filha. Os patinhos reais seguiram atrás deles enquanto cruzaram o pátio, marchando ao som da música dos guizos do chapéu do bobo.

– Embaixo do mar o tritão se banqueteia com uma sopa de estrelas-do-mar, e todos os serventes são caranguejos – Cara-Malhada proclamou enquanto seguiam. – Eu sei, eu sei, oh, oh, oh.

O rosto de Melisandre ficou sombrio.

– Essa criatura é perigosa. Muitas vezes o vislumbrei em minhas chamas. Algumas vezes há crânios em torno dele, e os lábios estão vermelhos de sangue.

Incrível que você ainda não tenha queimado o pobre homem. Uma palavra nos ouvidos da rainha e Cara-Malhada alimentaria o fogo da sacerdotisa.

– Você vê bobos em suas chamas, mas nenhum indício de Stannis?

– Quando procuro por ele, tudo o que vejo é neve.

A mesma resposta inútil. Clydas enviara um corvo para Bosque Profundo, para avisar o rei da traição de Arnolf Karstark, mas se a ave alcançara o Rei Stannis a tempo, Jon não sabia. O banqueiro bravosi havia partido em busca de Stannis também, acompanhado pelos guias que Jon lhe dera, mas entre a guerra e o clima, seria um milagre se o encontrasse.

– Sabe se o rei está morto? – Jon perguntou para a sacerdotisa vermelha.

– Ele não está morto. Stannis é o escolhido do Senhor, destinado a liderar a luta contra a escuridão. Vi isso em minhas chamas, li nas antigas profecias. Quando a estrela vermelha sangrar e as trevas aumentarem, Azor Ahai renascerá entre fumaça e sal para despertar os dragões da pedra. Pedra do Dragão é o lugar de fumaça e sal.

Jon já ouvira tudo isso antes.

– Stannis Baratheon era o Senhor de Pedra do Dragão, mas não nasceu ali. Nasceu em Ponta Tempestade, como seus irmãos. – Franziu o cenho. – E Mance? Está perdido também? O que suas chamas mostram?

– A mesma coisa, temo. Apenas neve.

Neve. Estava nevando muito para o sul, Jon sabia. A dois dias de cavalgada dali, dizia-se que a estrada do rei era intransitável. *Melisandre sabe disso também.* E, a leste, uma tempestade selvagem grassava na Baía das Focas. Segundo o último relato, a frota maltrapilha que reuniram para resgatar o povo livre em Durolar ainda estava amontoada em Atalaialeste do Mar, confinada no porto pelo mar agitado.

– Você está vendo cinzas dançando ao vento.

– Estou vendo crânios. E você. Vejo seu rosto todas as vezes que olho para as chamas. O perigo sobre o qual lhe avisei está muito perto agora.

– Adagas na escuridão. Sei. Vai perdoar minhas dúvidas, minha senhora. Uma garota cinzenta em um cavalo moribundo, fugindo de um casamento, foi isso o que me disse.

– Eu não estava errada.

– Não estava certa. Alys não é Arya.

– A visão era verdadeira. Minha leitura foi equivocada. Sou tão mortal quanto você, Jon Snow. Todos os mortais erram.

– Até mesmo senhores comandantes. – Mance Rayder e suas esposas de lança não haviam retornado, e Jon não podia deixar de se perguntar se a mulher vermelha mentira com algum propósito. *Ela está jogando seu próprio jogo?*

– Você faria bem em manter seu lobo por perto, meu senhor.

– Fantasma raramente está longe. – O lobo gigante levantou a cabeça ao som de seu nome. Jon coçou-o atrás das orelhas. – Mas agora deve me dar licença. Fantasma, comigo.

Escavadas na base da Muralha e fechadas com pesadas portas de madeira, as celas de gelo variavam de pequenas a ainda menores. Algumas eram grandes o bastante para permitir que um homem andasse, outras tão pequenas que os prisioneiros eram obrigados a ficar sentados; as menores eram apertadas demais para permitir até mesmo isso.

Jon dera ao seu prisioneiro principal a cela maior, um balde para suas necessidades fisiológicas, peles suficientes para impedi-lo de congelar e um odre de vinho. Os guardas levaram algum tempo para abrir a cela, uma vez que o gelo se formara dentro da fechadura. As dobradiças enferrujadas gritaram como almas penadas quando Wick Whittlestick abriu a porta o suficiente para que Jon passasse por ela. Um leve odor fecal o saudou, embora menos avassalador do que esperara. *Até a merda congela neste frio implacável.* Jon Snow podia ver vagamente seu próprio reflexo nas paredes congeladas.

Em um dos cantos da cela, um monte de peles estava empilhado até quase a altura de um homem.

– Karstark – disse Jon Snow. – Levante-se.

As peles se moveram. Algumas estavam congeladas juntas, e a geada que as cobria brilhou quando se mexeram. Um braço apareceu, depois um rosto; cabelo castanho, encaracolado, emaranhados e rajados de cinza, dois olhos ferozes, um nariz, uma boca, uma barba. O gelo endurecera o bigode do prisioneiro; o ranho se congelara em pedaços.

– Snow. – Sua respiração soltava vapor no ar, formando névoas no gelo atrás de sua cabeça. – Você não tem o direito de me prender. As leis da hospitalidade...

– Você não é meu convidado. Veio para a Muralha sem minha permissão, armado, para levar sua sobrinha contra a vontade dela. À Senhora Alys foram dados pão e sal. Ela é uma hóspede. Você é um prisioneiro. – Jon deixou aquilo no ar por um momento, então disse – Sua sobrinha está casada.

Os lábios de Cregan Karstark se estiraram sobre os dentes.

– Alys estava prometida para mim. – Embora passasse dos cinquenta anos, era um homem forte quando entrou na cela. O frio roubara aquela força e o deixara enrijecido e fraco. – O senhor meu pai...

– Seu pai é um castelão, não um senhor. E um castelão não tem direito de fazer pactos matrimoniais.

– Meu pai Arnolf é Senhor de Karhold.

– Um filho vem antes de um tio, segundo todas as leis que conheço.

Cregan ficou em pé e chutou para o lado as peles que se agarravam aos seus tornozelos.

– Harrion está morto.

Ou estará em breve.

– Uma filha vem antes de um tio, também. Se o irmão dela está morto, Karhold pertence à Senhora Alys. E ela deu sua mão em casamento a Sigorn, Magnar de Thenn.

– Um selvagem. Um selvagem imundo e assassino. – As mãos de Cregan se fecharam. As luvas que as cobriam eram de couro, forradas com peles para combinar com o manto que pendia emaranhado e enrijecido de seus ombros. Sua túnica de lã negra estava estampada com o sol branco irradiante de sua casa. – Sei o que você é Snow. Meio lobo e meio selvagem, filho ilegítimo de um traidor e uma puta. Você entregaria uma donzela de alto nascimento para ser deflorada por um selvagem fedorento. Você a experimentou primeiro? – Ele riu. – Se pretende me matar, faça isso e será amaldiçoado como assassino de parentes. Stark e Karstark são um só sangue.

– Meu nome é Snow.

– *Bastardo.*

– Culpado. Disso, pelo menos.

– Deixe esse Magnar ir até Karhold. Cortaremos sua cabeça e a transformaremos em latrina, para que possamos mijar em sua boca.

– Sigorn comanda duzentos thenns – Jon assinalou –, e a Senhora Alys acredita que Karhold abrirá os portões para ela. Dois de seus homens já lhe juraram serviço e confirmaram tudo o que ela disse a respeito dos planos que seu pai fez com Ramsay Snow. Você tem parentes próximos em Karhold, me falaram. Uma palavra sua pode salvar a vida deles. Renda o castelo. A Senhora Alys perdoará as mulheres que a traíram e permitirá que os homens vistam o negro.

Cregan balançou a cabeça. Pedaços de gelo haviam se formado em seus cabelos emaranhados e tilintaram suavemente quando ele se moveu.

– Nunca – disse. – Nunca, nunca, nunca.

Eu deveria fazer da cabeça dele um presente de casamento para a Senhora Alys e seu Magnar, Jon pensou, mas não correria o risco. A Patrulha da Noite não tomava parte nas disputas do reino; alguns poderiam dizer que ele já dera muita ajuda a Stannis. *Corto a cabeça deste tolo, e vão afirmar que matei um nortenho para dar suas terras a selvagens. Liberto-o, e ele fará o melhor possível para destruir tudo o que fiz com a Senhora Alys e o Magnar.* Jon se perguntou o que seu pai faria, ou como seu tio lidaria com isto. Mas Eddard Stark estava morto, e Benjen Stark perdido nos confins gelados para lá da Muralha. *Você não sabe nada, Jon Snow.*

– Nunca é um longo tempo – disse Jon. – Você pode pensar diferente amanhã, ou daqui a um ano. Além disso, cedo ou tarde, o Rei Stannis retornará para a Muralha. Quando isso acontecer, ele vai condená-lo à morte... a menos que você esteja usando um manto negro. Quando um homem veste o negro, seus crimes são varridos. – *Mesmo os de homens como você.* – Agora, deve me desculpar. Tenho um banquete para participar.

Depois do frio cortante das celas de gelo, a adega lotada estava tão quente que Jon se sentiu sufocar desde o momento em que desceu os degraus. O ar cheirava a fumaça, carne assada e vinho quente com especiarias. Axell Florent estava fazendo um brinde quando Jon tomou seu lugar no estrado.

– Ao Rei Stannis e sua esposa, a Rainha Selyse, Luz do Norte! – Sor Axell retumbou. – A R'hllor, o Senhor da Luz, que ele nos defenda! Uma terra, um deus, um rei!

– *Uma terra, um deus, um rei!* – os homens da rainha ecoaram.

Jon bebeu com os outros. Se Alys Karstark encontraria alguma alegria em seu casamento, ele não sabia dizer, mas esta noite, ao menos, seria de celebração.

Os intendentes começaram a trazer o primeiro prato, um caldo de cebola aromatizado com pedaços de cabra e de cenoura. Não era exatamente uma comida real, mas era nutritiva; tinha um gosto bom e aquecia a barriga. Owen Idiota pegou seu violino, e muitos do povo livre se juntaram a ele com flautas e tambores. *As mesmas flautas e tambores que soavam durante o ataque de Mance Rayder à Muralha.* Jon pensou que pareciam mais doces agora. Com o caldo vieram travessas de grossos pães pretos, ainda quentes do forno. Sal e manteiga estavam sobre as mesas. A visão daquilo fez Jon ficar sombrio. Estavam bem providos de sal, Bowen Marsh lhe dissera, mas o pouco de manteiga que tinham acabaria antes da próxima lua.

O Velho Flint e O Norrey tinham lugares de grande honra logo abaixo do estrado. Ambos eram velhos demais para marchar com Stannis; haviam mandado filhos e netos em seus lugares. Mas ambos haviam sido rápidos o suficiente para descer até o Castelo Negro para o casamento. Cada um trouxera uma ama de leite para a Muralha, também. A mulher Norrey estava na casa dos quarenta, e tinha os maiores peitos que Jon já vira. A garota Flint tinha catorze anos e o peito achatado como um rapaz, mas não tinha falta de leite. Entre as duas, a criança que Val chamara de Monstro parecia estar prosperando.

Por isso Jon estava grato... mas não acreditara nem por um momento que esses dois veneráveis velhos guerreiros desceriam correndo das montanhas sozinhos. Cada um viera com uma cauda de guerreiros – cinco para o Velho Flint, doze para O Norrey, todos vestidos em peles esfarrapadas e couro cravejado, temíveis como a face do inverno. Alguns tinham longas barbas, alguns tinham cicatrizes, alguns tinham ambos; todos veneravam os antigos deuses do Norte, os mesmos deuses venerados pelo povo livre para lá da Muralha. No entanto, eles se sentaram, bebendo por um casamento santificado por algum estranho deus vermelho de além-mar.

Melhor isso do que se recusar a beber. Nem os Flint nem os Norrey haviam virado suas taças para derramar o vinho no chão. Isso poderia indicar certa aceitação. *Ou talvez simplesmente odeiem desperdiçar um bom vinho sulista. Não dá para provar muito disso naquelas montanhas rochosas deles.*

Entre os pratos, Sor Axell Florent levou a Rainha Selyse para a pista de dança. Outros os seguiram; primeiro os cavaleiros da rainha, acompanhado de suas damas de companhia. Sor Brus dançou primeiro com a Princesa Shireen, depois dirigiu-se à mãe dela. Sor Narbert, por sua vez, dançou com cada uma das damas de companhia de Selyse.

Os homens da rainha superavam as damas da rainha em número na proporção de três para um, então até a mais humilde das servas era pressionada a dançar. Depois de poucas músicas, alguns irmãos negros se lembraram de habilidades aprendidas nas cortes e nos castelos de suas juventudes, antes que seus pecados os enviassem para a Muralha, e foram para a pista também. O velho ladino Ulmer da Mata de Rei provou-se tão competente na dança quanto era no arco e flecha, sem dúvida regalando suas parceiras com suas histórias da Irmandade da Mata de Rei, quando cavalgou com Simon Toyne e Ben Barrigudo e ajudou Wenda, a Cerva Branca, a queimar sua marca nos traseiros dos cativos bem-nascidos. Cetim era todo gracioso, dançando com três servas, mas sem tentar se aproximar de uma senhora nobre. Jon julgou aquilo sábio. Não gostava do jeito que alguns dos homens da rainha estavam olhando para o intendente, particularmente Sor Patrek da Montanha do Rei. *Aquele ali quer espalhar um pouco de sangue,* pensou. *Está procurando alguma provocação.*

Quando Owen Idiota começou a dançar com Cara-Malhada, o bobo, as risadas ecoaram pelo teto abobadado. A visão fez a Senhora Alys sorrir.

– Vocês dançam com frequência no Castelo Negro?

– Todas as vezes que temos um casamento, minha senhora.

– Você podia dançar comigo agora, sabe disso. Seria apenas cortês. Você dançou comigo brevemente.

– Brevemente? – provocou Jon.

– Quando éramos crianças. – Ela arrancou um pedaço do pão e jogou nele. – Você sabe muito bem.

– Minha senhora devia dançar com seu marido.

– Meu Magnar não é muito de dançar, temo. Se não vai dançar comigo, pelo menos me sirva um pouco de vinho quente.

– Às suas ordens. – Fez um sinal pedindo um jarro.

– Então – disse Alys, enquanto Jon a servia –, agora sou uma mulher casada. Um marido selvagem com seu pequeno exército selvagem.

– Povo livre é como eles se chamam. A maioria, pelo menos. Os thenns são um povo à parte, no entanto. Muito antigo. – Ygritte lhe contara aquilo. *Você não sabe nada, Jon Snow.* – Vieram de um vale escondido no extremo norte dos Colmilhos de Gelo, cercados por altos picos, e por milhares de anos tiveram mais comércio com os gigantes do que com outros homens. Isso os faz diferentes.

– Diferentes – ela disse –, mas mais como nós.

– Sim, minha senhora. Os thenns têm senhores e leis. – *Eles sabem como se ajoelhar.* – Têm minas de estanho e cobre para fazer bronze e forjam suas próprias armas e armaduras em vez de roubá-las. Um povo orgulhoso e corajoso. Mance Rayder teve que derrotar o antigo Magnar três vezes antes que Styr o aceitasse como Rei-para-lá-da-Muralha.

– E agora estão aqui, do nosso lado da Muralha. Expulsos de sua residência na montanha e dentro do meu quarto de dormir. – Ela deu um sorriso irônico. – É tudo minha culpa. O senhor meu pai me disse para jogar charme sobre seu irmão Robb, mas eu só tinha seis anos e não sabia como fazer isso.

Sim, mas agora você tem quase dez-e-seis, e temos que rezar para que saiba como jogar charme sobre seu novo marido.

– Minha senhora, como está a situação dos estoques de comida em Karhold?

– Não muito bem. – Alys suspirou. – Meu pai levou tantos dos nossos homens para o Sul que apenas as mulheres e os meninos foram deixados para fazer a colheita. Eles e os homens muito velhos ou aleijados que não podiam ir para a guerra. As plantações murcharam nos campos ou foram transformadas em lama pelas chuvas de outono. E, agora, as neves chegaram. Este inverno será difícil. Poucos dos nossos velhos sobreviverão, e muitas crianças vão perecer também.

Era uma história que qualquer nortenho conhecia bem.

– A avó do meu pai era uma Flint das montanhas, pelo lado materno – Jon contou para ela. – Os Primeiros Flint, eles se chamavam. Diziam que os outros Flint eram o sangue dos filhos mais jovens, que tiveram que deixar as montanhas para encontrar comida, terras e esposas. A vida sempre foi dura lá em cima. Quando as neves caem e a comida fica escassa, os jovens devem viajar para as cidades de inverno ou ficar a serviço em um castelo ou outro. Os velhos reúnem as forças que lhes restam e anunciam que vão caçar. Alguns são encontrados quando a primavera chega. Muitos nunca mais são vistos.

– É a mesma coisa em Karhold.

Aquilo não o surpreendia.

– Quando seus estoques começarem a minguar, minha senhora, lembre-se de nós. Envie seus velhos para a Muralha, deixe-os dizerem nossas palavras. Aqui, pelo menos, não morrerão sozinhos na neve, apenas com memórias para aquecê-los. Envie-nos os meninos também, se tem meninos de sobra.

– Como quiser. – Ela tocou a mão dele. – Karhold se lembra.

O alce estava sendo cortado. Cheirava melhor do que Jon jamais poderia esperar. Enviou uma porção para Couros, na Torre de Hardin, juntamente com três grandes travessas de vegetais assados para Wun Wun, e então comeu ele próprio uma fatia generosa. *Hobb Três-Dedos se saiu bem.* Aquilo havia sido uma preocupação. Hobb viera até ele, duas noites atrás, para reclamar que se juntara à Patrulha da Noite para matar selvagens, não para cozinhar para eles.

– Além disso, nunca fiz um banquete de casamento, 'nhor. Irmãos negros nunca tomam esposas. Está nos malditos votos, eu jurei eles.

Jon estava empurrando o assado para baixo com um gole de vinho quente, quando Clydas surgiu ao lado do seu cotovelo.

– Uma ave – anunciou, e deslizou um pergaminho para a mão de Jon. O bilhete estava selado com um ponto de cera negra endurecida. *Atalaialeste*, Jon soube, antes mesmo de quebrar o selo. A carta fora escrita por Meistre Harmune; Cotter Pyke não sabia ler nem escrever. Mas as palavras eram de Pyke, colocadas como ele as dissera, francas e direto ao ponto.

Mar calmo hoje. Onze navios partiram para Durolar na maré da manhã. Três bravosis, quatro lisenos, quatro dos nossos. Dois dos lisenos navegam mal. Podemos afogar mais selvagens do que salvá-los. Você ordena. Vinte corvos a bordo, e Meistre Harmune. Mandaremos notícias. Eu comando o Garra, *o Farrapo Salgado auxilia no* Melro, *e Sor Glendon comanda Atalaialeste.*

– Asas escuras, palavras escuras? – perguntou Alys Karstark.

– Não, minha senhora. Essas notícias eram há muito esperadas. – *Embora a última parte me preocupe.* Glendon Hewett era um homem experiente e forte, uma escolha sensata para comandar na ausência de Cotter Pyke. Mas era também tão amigo quanto Alliser Thorne podia se gabar, e tivera certo compadrio com Janos Slynt, embora breve. Jon ainda podia se lembrar de como Hewett o arrastara de sua cama, e sentir sua bota acertando suas costelas. *Não é o homem que eu teria escolhido.* Enrolou o pergaminho e o colocou no cinto.

O prato de peixe era o seguinte, mas enquanto o lúcio era desossado, a Senhora Alys arrastou o Magnar para a pista. Do jeito que se movia, era claro que Sigorn nunca dançara antes, mas bebera vinho quente suficiente, então isso não parecia incomodá-lo.

– Uma donzela nortenha e um guerreiro selvagem, unidos pelo Senhor da Luz. – Sor Axell Florent deslizou para o assento vazio da Senhora Alys. – Sua Graça aprova. Estou próximo dela, meu senhor, então sei o que pensa. O Rei Stannis aprovará também.

A menos que Roose Bolton tenha enfiado a cabeça dele em um espeto.

– Nem todos concordam, infelizmente. – A barba de Sor Axell era uma moita irregular sob o queixo flácido; pelos brotavam das orelhas e do nariz. – Sor Patrek acha que ele teria sido um partido melhor para a Senhora Alys. Perdeu suas terras quando veio para o Norte.

– Há muitos neste salão que perderam muito mais do que isso – falou Jon –, e muitos mais que deram suas vidas a serviço do reino. Sor Patrek pode se considerar afortunado.

Axell Florent sorriu.

– O rei teria dito o mesmo se estivesse aqui. Mesmo assim, alguma provisão deve ser feita para os leais cavaleiros de Sua Graça, não é verdade? Eles o seguiram tão longe e a um alto custo. E temos que unir esses selvagens ao rei e ao reino. Este casamento é um bom primeiro passo, mas sei que agradaria à rainha ver a princesa selvagem casada também.

Jon suspirou. Estava cansado de explicar que Val não era uma princesa verdadeira. Não importava quantas vezes falasse, nunca pareciam ouvir.

– Você é persistente, Sor Axell, posso garantir isso.

– Você me culpa, meu senhor? Tal prêmio não é facilmente conquistado. Uma menina em idade de casar, ouvi dizer, e não difícil de ser olhada. Bons quadris, bons seios, bem feita para parir crianças.

– E quem vai gerar essas crianças? Sor Patrek? Você?

– Quem melhor? Nós, Florent, temos o sangue dos antigos reis Gardener em nossas veias. A Senhora Melisandre pode executar os rituais, como fez para a Senhora Alys e o Magnar.

– Tudo o que você precisa é de uma noiva.

– Facilmente remediado. – O sorriso de Florent era tão falso que parecia pintado. – Onde está ela, Lorde Snow? Você a mandou para um de seus outros castelos? Guardagris ou Torre Sombria? Para a Toca das Putas, com as outras meretrizes? – Ele se inclinou para mais perto. – Alguns dizem que você a escondeu para seu próprio prazer. Não me importa, desde que ela não esteja grávida. Farei meus próprios filhos nela. Se você a montou... bem, somos ambos homens do mundo, não somos?

Jon já ouvira o suficiente.

– Sor Axell, se você é realmente a Mão da Rainha, tenho pena de Sua Graça.

O rosto de Florent ficou vermelho de raiva.

– Então é verdade. Você pretende mantê-la para si, vejo isso agora. O bastardo quer o assento de seu pai.

O bastardo recusou o assento de seu pai. Se o bastardo quisesse Val, tudo o que tinha que fazer era pedir por ela.

– Deve me desculpar, sor – disse. – Preciso de um pouco de ar fresco. – *Aqui fede.* Virou a cabeça. – Isso foi um berrante.

Outros haviam ouvido também. A música e as risadas pararam imediatamente. Os dançarinos congelaram em seus lugares, ouvindo. Até Fantasma levantou as orelhas.

– Ouviram isso? – a Rainha Selyse perguntou para seus cavaleiros.

– Um corno de guerra, Vossa Graça – disse Sor Narbert.

A rainha levou a mão à garganta.

– Estamos sob ataque?

– Não, Vossa Graça – disse Ulmer da Mata de Rei. – São os vigias na Muralha, é tudo.

Um sopro, pensou Jon Snow. *Patrulheiros retornando.*

Então veio novamente. O som pareceu encher a adega.

– Dois sopros – disse Mully.

Irmãos negros, nortenhos, povo livre, thenns, homens da rainha, todos ficaram em silêncio, ouvindo. Cinco segundos se passaram. Dez. Vinte. Então Owen Idiota deu um risinho, e Jon Snow pôde respirar novamente.

– Dois sopros – anunciou. – Selvagens. – *Val.*

Tormund Terror dos Gigantes chegara finalmente.

Daenerys

O salão ressoava com risos yunkaítas, canções yunkaítas, orações yunkaítas. Dançarinos bailavam; músicos tocavam estranhas melodias com sinos, apitos e gaitas de fole; cantores entoavam antigas canções de amor na língua incompreensível da Antiga Ghis. O vinho fluía; não aquela coisa pálida da Baía dos Escravos, mas as deliciosas safras doces da Árvore e o vinho dos sonhos de Qarth, aromatizado com estranhas especiarias. Os yunkaítas haviam vindo a convite do Rei Hizdahr, para assinar a paz e testemunhar o renascimento das famosas arenas de luta de Meereen. O nobre marido de Dany abrira a Grande Pirâmide para festejá-los.

Odeio isso, pensou Daenerys Targaryen. *Como isso aconteceu, eu aqui bebendo e sorrindo com homens que antes esfolaria?*

Uma dúzia de tipos de carnes e peixes era servida; camelo, crocodilo, lulas, patos laqueados e lagartas espinhosas, além de cabra, presunto e cavalo para aqueles cujo paladar era menos exótico. E também cachorro. Nenhum banquete ghiscari estava completo sem um prato de carne de cachorro.

– Os ghiscaris comerão qualquer coisa que nade, voe ou rasteje, exceto homens e dragões – Daario a avisara –, e eu aposto que comeriam dragão também, se tivessem meia chance.

Mas carne sozinha não fazia uma refeição, então também eram servidos frutas, grãos e vegetais. O ar estava impregnado com o cheiro de açafrão, canela, cravo, pimenta e outras especiarias caras.

Dany mal tocara na comida. *Isso é paz*, disse para si mesma. *Era o que eu queria, pelo que trabalhei, o motivo pelo qual me casei com Hizdahr. Então por que tem gosto de derrota?*

– É só por mais um tempo, meu amor – Hizdahr lhe assegurara. – Os yunkaítas logo terão partido, e seus aliados e mercenários irão com eles. Teremos tudo o que desejamos. Paz, comida, comércio. Nosso porto está aberto novamente, e os navios têm permissão para ir e vir.

– Estão *permitindo*, sim – ela respondera –, mas os navios de guerra permanecem. Podem fechar os dedos ao redor de nossa garganta quando desejarem. *Abriram um mercado de escravos à vista das minhas muralhas!*

– Do lado de fora de nossas muralhas, doce rainha. Essa era a condição da paz, que Yunkai podia negociar livremente os escravos como antes, sem serem molestados.

– Em sua própria cidade. Não onde eu tenha que ver isso. – Os Sábios Mestres haviam montado os cercados de escravos e os lotes de leilão ao sul do Skahazadhan, onde o largo rio marrom fluía para a Baía dos Escravos. – Estão zombando da minha cara, fazendo um espetáculo para mostrar o quão impotente sou para detê-los.

– Caras e bocas – disse seu nobre marido. – Um espetáculo, como você mesma disse. Deixe-os ter sua pantomima. Quando partirem, faremos um mercado de frutas com o que deixarem para trás.

– Quando partirem – Dany repetiu. – E quando partirão? Cavaleiros foram vistos além do Skahazadhan. Batedores dothrakis, Rakharo diz, com um *khalasar* atrás deles. Eles terão cativos. Homens, mulheres e crianças, presentes para os mercadores de escravos. – Os dothrakis não compravam ou vendiam, mas davam e recebiam presentes. – É por isso que os yunkaítas fizeram esse mercado. Partirão com milhares de novos escravos.

Hizdahr zo Loraq deu de ombros.

– Mas partirão. Essa é a parte importante, meu amor. Yunkai vai negociar escravos, Meereen não, foi o que concordamos. Aguente isso um pouco mais, e passará.

Então Daenerys ficou em silêncio durante a refeição, envolta em um *tokar* escarlate e em pensamentos sombrios, falando apenas quando se dirigiam a ela, meditando sobre os homens e mulheres que estavam sendo comprados e vendidos do lado de fora de suas muralhas, enquanto eles se banqueteavam do lado de dentro da cidade. Deixou seu nobre marido fazer os discursos e rir das fracas piadas yunkaítas. Esse era um direito de rei e um dever de rei.

Muito da conversa na mesa girava em torno das lutas que seriam disputadas no dia seguinte. Barsena Cabelo Negro iria encarar um javali, as presas do animal contra as adagas da mulher. Khrazz lutaria, assim como Gato Malhado. E, no combate final do dia, Goghor, o Gigante, enfrentaria Belaquo Quebra-Osso. Um deles estaria morto antes do pôr do sol. *Nenhuma rainha tem as mãos limpas,* Dany disse para si mesma. Pensou em Doreah, em Quaro, em Eroeh... e na garotinha que nunca conhecera, cujo nome era Hazzea. *Melhor alguns morrendo na arena do que milhares nos portões. Este é o preço da paz, e pago de bom grado. Se olhar para trás, estou perdida.*

O Supremo Comandante yunkaíta, Yurkhaz zo Yunzak, já devia ter nascido quando da Conquista de Aegon, a julgar por sua aparência. Encurvado, enrugado e sem dentes, foi levado para a mesa por dois escravos robustos. Os outros senhores yunkaítas dificilmente eram mais impressionantes. Um era pequeno e atrofiado, embora os soldados-escravos que o cercassem fossem grotescamente altos e magros. O terceiro era jovem, em boa forma e impetuoso, mas tão bêbado que Dany mal podia entender uma palavra do que dizia. *Como pude ter sido trazida até aqui por criaturas como essas?*

Os mercenários eram diferentes. Cada uma das quatro companhias livres servindo os yunkaítas enviara seu comandante. Os Soprados pelo Vento eram representados pelo pentoshi conhecido como Príncipe Esfarrapado, as Longas Lanças por Gylo Rhegan, que parecia mais um sapateiro do que um soldado e que falava sussurrando. Barbassangrenta, da Companhia do Gato, fazia barulho suficiente por ele e mais uma dúzia. Um homem imenso, com uma grande barba e um apetite prodigioso por vinhos e mulheres, gritava, arrotava, peidava como um trovão e beliscava cada serva que estava ao seu alcance. De tempos em tempos, puxava uma para seu colo, para apertar seus seios e acariciá-la entre as pernas.

Os Segundos Filhos estavam representados também. *Se Daario estivesse aqui, esta refeição terminaria em sangue.* Nenhuma paz prometida teria persuadido seu capitão a permitir que Ben Mulato Plumm entrasse novamente em Meereen e saísse vivo. Dany jurara que nenhum mal seria feito aos sete enviados e comandantes, mas isso não fora o suficiente para os yunkaítas. Eles haviam exigido reféns dela também. Para equilibrar os três yunkaítas nobres e os quatro capitães mercenários, Meereen enviara sete dos seus para o acampamento do cerco; a irmã de Hizdahr, dois de seus primos, o companheiro de sangue de Dany, Jhogo, seu almirante Groleo, o capitão dos Imaculados, Hero, e Daario Naharis.

– Deixarei minhas garotas com você – o capitão dela dissera, entregando-lhe seu cinturão da espada e suas mulheres douradas. – Mantenha-as a salvo para mim, amada. Não as queremos fazendo travessuras sangrentas entre os yunkaítas.

O Cabeça-Raspada estava ausente também. A primeira coisa que Hizdahr fizera ao ser coroado fora tirar o Cabeça-Raspada do comando das Bestas de Bronze, substituindo-o por seu próprio primo, o gordo e pálido Marghaz zo Loraq. *Foi melhor assim. A Graça Verde disse que havia sangue entre Loraq e Kandaq, e o Cabeça-Raspada nunca fez segredo de seu desdém pelo senhor meu marido. E Daario...*

Daario ficara mais selvagem desde o casamento dela. A paz não o agradava, o casamento o agradava menos ainda, e ficara furioso por ter sido enganado pelos dornenses. Quando o Príncipe Quentyn contara que os outros westerosis haviam se juntado aos Corvos Tormentosos sob o comando do Príncipe Esfarrapado, apenas a intervenção de Verme Cinzento e seus Imaculados impediram Daario de matar todos eles. Os falsos desertores haviam sido presos em segurança nas entranhas da pirâmide... mas a fúria de Daario continuava a ulcerar.

Ele estará mais seguro como refém. Meu capitão não foi feito para a paz. Dany não podia correr o risco de ele cortar Ben Mulato Plumm, zombando de Hizdahr diante da corte, provocando os yunkaítas ou perturbando o acordo pelo qual ela abrira mão de tanta coisa para conseguir. Daario era guerra e angústia. Daí em diante, devia mantê-lo fora de sua cama, fora de seu coração e fora dela. Se ele não a traísse, podia dominá-la. Ela não sabia qual das opções temia mais.

Quando a comilança acabou e todos os restos de comida foram recolhidos – e dados aos pobres que se reuniam do lado de fora, por insistência da rainha –, altas taças de vidro foram cheias com um licor temperado de Qarth tão escuro quanto âmbar. Então começou a diversão.

Uma trupe de *castrati* yunkaíta, de propriedade de Yurkhaz zo Yunzak cantou canções na língua do Antigo Império, suas vozes altas, doces e incrivelmente puras.

– Já ouviu tal cantar, meu amor? – Hizdahr perguntou para ela. – Eles têm as vozes dos deuses, não têm?

– Sim – ela respondeu –, mas me pergunto se não teriam preferido possuir as frutas dos homens.

Todos os artistas eram escravos. Aquilo era parte da paz, que os donos de escravos teriam o direito de levar seus bens para Meereen sem medo de que fossem libertados. Em troca, os yunkaítas haviam prometido respeitar os direitos e liberdades dos ex-escravos que Dany libertara. Uma barganha justa, Hizdahr dissera, mas o gosto deixado na boca da rainha era desagradável. Ela bebeu outra taça de vinho para lavá-lo.

– Se for do seu agrado, Yurkhaz ficará feliz em nos dar os cantores, não tenho dúvidas – seu nobre marido dissera. – Um presente para selar nossa paz, um enfeite para nossa corte.

Ele nos dará estes castrati, Dany pensou, *então irá para casa e fará outros. O mundo está cheio de meninos.*

Os acrobatas que vieram em seguida tampouco conseguiram diverti-la, nem quando formaram uma pirâmide humana de nove níveis, com uma garota nua no topo. *Isso pretende representar minha pirâmide?* A rainha se perguntou. *A garota no topo pretende ser eu?*

Depois, o senhor seu marido levou os convidados até o terraço inferior, para que os visitantes da Cidade Amarela pudessem contemplar Meereen à noite. Taças de vinho na mão, os yunkaítas andavam pelo jardim em pequenos grupos, entre limoeiros e flores noturnas, e Dany se viu face a face com Ben Mulato Plumm.

Ele se curvou.

– Venerada. Está adorável. Bem, sempre esteve. Nenhum dos yunkaítas tem metade da sua beleza. Pensei em trazer um presente de casamento para você, mas o lance foi alto demais para o velho Ben Mulato.

– Não quero presentes de você.

– Este você iria querer. A cabeça de um antigo inimigo.

– A sua? – ela disse, docemente. – Você me traiu.

– É uma maneira dura de colocar a questão, se me permite dizer. – Ben Mulato coçou o bigode salpicado de cinza e branco. – Passamos para o lado vencedor, é tudo. Da mesma maneira que fizemos antes. E não foi minha decisão. Fiz o que meus homens queriam.

– Então *eles* me traíram, é o que está dizendo? Por quê? Eu maltratei os Segundos Filhos? Enganei vocês quando os paguei?

– Jamais – disse Ben Mulato –, mas nem tudo é dinheiro, Vossa Toda-Poderosa. Aprendi isso há muito tempo, em minha primeira batalha. Na manhã seguinte à luta, eu estava andando entre os mortos, procurando por um pouco de estanho, por assim dizer. Cheguei a um cadáver, algum guerreiro que tivera o braço cortado na altura do ombro. Estava coberto de moscas, com uma crosta de sangue seco, que deveria ser o motivo pelo qual ninguém tocara nele, mas embaixo daquilo, vestia um justilho que parecia ser de couro bom. Imaginei que poderia cair bem em mim, então afastei as moscas e o tirei dele. Mas a maldita coisa pesava muito mais do que deveria. Sob o forro, ele costurara uma fortuna em moedas. *Ouro*, Vossa Veneração, um belo ouro amarelo. O suficiente para qualquer homem viver como um senhor pelo resto de seus dias. Mas que bem aquilo fez? Ali estava ele, com todo o seu dinheiro, morto entre sangue e lama, com o maldito braço cortado. E essa foi a lição, percebe? A prata é doce e o ouro é nossa mãe, mas depois que estiver morto, valem menos que a última cagada que deu enquanto estava vivo. Eu lhe disse uma vez, há velhos mercenários e há mercenários ousados, mas não há velhos mercenários ousados. Meus meninos não se interessam em morrer, isso é tudo, e quando eu disse para eles que você não podia soltar os dragões sobre os yunkaítas, bem...

Você me viu como derrotada, Dany pensou, *e quem sou eu para dizer que estava errado?*

– Entendo. – Ela podia ter encerrado ali, mas estava curiosa. – Ouro suficiente para viver a vida como um senhor, você disse. O que fez com toda essa riqueza?

Ben Mulato riu.

– Eu era um garoto tolo e contei para um homem que julgava ser meu amigo. Ele contou para nosso oficial, e meus irmãos em armas vieram me livrar daquele fardo. O oficial disse que eu era jovem demais e que iria desperdiçar tudo com putas e coisas assim.

Mas me deixou ficar com o justilho. – Cuspiu. – Você nunca vai querer confiar em um mercenário, minha senhora.

– Aprendi isso. Um dia preciso me certificar de agradecê-lo pela lição.

Os olhos de Ben Mulato encresparam-se.

– Não é necessário. Sei o tipo de agradecimento que tem em mente. – Ele se curvou novamente e se afastou.

Dany virou-se para olhar a cidade. Além de suas muralhas, as tendas amarelas dos yunkaítas estavam em fileiras ordenadas ao lado do mar, protegidas por valas cavadas pelos escravos. Duas legiões de ferro de Nova Ghis, treinadas e armadas da mesma maneira que os Imaculados, estavam acampadas do outro lado do rio, ao norte. Outras duas legiões ghiscaris estavam a leste, fechando a estrada do Passo Khyzai. Os cavalos e as fogueiras de cozinhar das companhias livres ficavam ao sul. Durante o dia, finas nuvens de fumaça pairavam no céu como fitas cinzentas rasgadas. À noite, chamas distantes podiam ser vistas. Perto da baía estava a abominação, o mercado de escravos nas portas dela. Não podia vê-lo agora, com o sol se pondo, mas sabia que estava lá. Isso só a deixava mais zangada.

– Sor Barristan? – disse, suavemente.

O cavaleiro branco apareceu imediatamente.

– Vossa Graça.

– Quanto escutou?

– O suficiente. Ele não estava errado. Nunca confie em um mercenário.

Ou em uma rainha, pensou Dany.

– Há algum homem nos Segundos Filhos que possa ser persuadido a... remover... Ben Mulato?

– Como certa vez Daario Naharis removeu os outros capitães dos Corvos Tormentosos? – O velho cavaleiro pareceu desconfortável. – Talvez. Eu não saberia dizer, Vossa Graça.

Não, ela pensou, *você é muito honesto e muito honrado.*

– Se não, os yunkaítas empregam três outras companhias.

– Trapaceiros e assassinos, a escória de uma centena de batalhas – Sor Barristan advertiu –, com capitães tão traiçoeiros quanto Plumm.

– Sou apenas uma jovem garota e sei pouco sobre essas coisas, mas me parece que *queremos* que sejam traiçoeiros. Certa vez, você se lembrará, convenci os Segundos Filhos e os Corvos Tormentosos a se juntarem a nós.

– Se Vossa Graça deseja uma conversa privada com Gylo Rhegan ou com o Príncipe Esfarrapado, posso levá-los aos seus aposentos.

– Este não é o momento. Olhos demais, ouvidos demais. A ausência deles seria notada, mesmo se você pudesse separá-los discretamente dos yunkaítas. Temos que encontrar uma maneira mais silenciosa de chegar até eles... não esta noite, mas logo.

– Como ordenar. Embora tema que esta não seja uma tarefa na qual me saia bem. Em Porto Real, esse tipo de trabalho era deixado para o Senhor Mindinho ou para o Aranha. Nós, velhos cavaleiros, somos homens simples, bons apenas para a batalha. – Ele deu um tapinha no cabo da espada.

– Nossos prisioneiros – sugeriu Dany. – Os westerosis que vieram dos Soprados pelo Vento com os três dornenses. Ainda estão em nossas celas, não estão? Use-os.

– Libertá-los, quer dizer? Isso é sábio? Foram enviados aqui para rastejar por sua confiança, para que pudessem trair Vossa Graça na primeira oportunidade.

– Então falharam. Não confio neles. Nunca confiei neles. – Verdade seja dita, Dany estava se esquecendo de como confiar. – Ainda podemos usá-los. Uma era mulher. Meris. Mande-a de volta, como um... gesto de minha estima. Se o capitão deles for um homem esperto, ele entenderá.

– A mulher é a pior de todos.

– Melhor ainda. – Dany considerou por um momento. – Devemos sondar as Longas Lanças também. E a Companhia do Gato.

– Barbassangrenta. – O olhar severo de Sor Barristan se aprofundou. – Se me permite, Vossa Graça, não queremos nada com ele. Vossa Graça é jovem demais para lembrar dos Reis de Nove Moedas, mas este Barbassangrenta é cortado do mesmo tecido selvagem. Não há honra nele, apenas fome... por ouro, por glória, por sangue.

– Você conhece melhor esse tipo de homem do que eu, sor. – Se Barbassangrenta era realmente o mais desonrado e ganancioso dos mercenários, poderia ser o mais fácil de influenciar, mas ela odiaria ir contra o conselho de Sor Barristan nesses assuntos. – Faça como achar melhor. Mas faça logo. Se a paz de Hizdahr for quebrada, quero estar pronta. Não acredito nos mercadores de escravos. – *Não acredito em meu marido.* – Eles se virarão contra nós ao primeiro sinal de fraqueza.

– Os yunkaítas estão ficando mais fracos também. O fluxo sangrento tomou conta dos tolosinos, dizem, e se espalha pelo rio até a terceira legião ghiscari.

A égua descorada. Daenerys suspirou. *Quaithe me avisou que a égua descorada estava vindo. Me falou do príncipe dornense também, o filho do sol. Disse-me muito e ainda mais, mas tudo em enigmas.*

– Não posso confiar em uma praga para me salvar dos meus inimigos. Liberte Bela Meris. Imediatamente.

– Como desejar. Mas... Vossa Graça, se posso ser ousado, há outro caminho...

– O caminho dornense? – Dany suspirou. Os três dornenses haviam estado no banquete, como convinha à posição do Príncipe Quentyn, mas Reznak tomara o cuidado de sentá-lo o mais distante possível de seu marido. Hizdahr não parecia ter uma natureza ciumenta, mas nenhum homem gostaria de encontrar um rival próximo de sua noiva. – O garoto parece agradável e tem boa conversa, mas...

– A Casa Martell é antiga e nobre, e tem sido uma amiga leal da Casa Targaryen há mais de um século, Vossa Graça. Tive a honra de servir com o tio-avô do Príncipe Quentyn, entre os sete do seu pai. O Príncipe Lewyn era um irmão em armas tão valente quanto um homem poderia desejar. Quentyn Martell tem o mesmo sangue, se agradar Vossa Graça.

– Me agradaria se tivesse aparecido com essas cinquenta mil espadas das quais fala. Em vez disso, me trouxe dois cavaleiros e um pergaminho. Um pergaminho vai proteger meu povo dos yunkaítas? Se tivesse vindo com uma frota...

– Lançassolar nunca teve poderio marítimo, Vossa Graça.

– Não. – Dany conhecia o suficiente da história westerosi para saber aquilo. Nymeria havia atracado com dez mil navios nas costas arenosas de Dorne, mas quando se casou com o príncipe dornense, queimou todos eles e virou as costas para o mar para sempre. – Dorne está muito longe. Para agradar esse príncipe, eu teria que abandonar meu povo. Você deveria mandá-lo para casa.

– Dornenses são notoriamente teimosos, Vossa Graça. Os antepassados do Príncipe Quentyn lutaram contra os seus durante quase duzentos anos. Ele não partirá sem você.

Então morrerá aqui, Daenerys pensou, *a menos que haja mais nele do que eu posso ver*.

– Ele ainda está aqui?

– Bebendo com seus cavaleiros.

– Traga-o até mim. Já é tempo dele conhecer meus filhos.

Uma sombra de dúvida passou pelo rosto comprido e solene de Barristan Selmy.

– Como ordenar.

Seu rei estava rindo com Yurkhaz zo Yunzak e os outros senhores yunkaítas. Dany não achava que ele sentiria falta dela, mas de qualquer maneira instruiu suas aias para dizer que estava respondendo ao chamado da natureza, se ele perguntasse por ela.

Sor Barristan aguardava nos degraus com o príncipe dornense. O rosto quadrado de Martell estava corado e vermelho. *Muito vinho*, a rainha concluiu, embora ele estivesse fazendo o melhor para dissimular. Além da fileira de sóis de cobre que enfeitavam seu cinto, o dornense estava vestido de maneira simples. *Eles o chamam de Sapo*, Dany lembrou. Ela podia ver o porquê. Não era um homem bonito.

Ela sorriu.

– Meu príncipe. É um longo caminho para baixo. Está seguro de que deseja fazer isso?

– Se for do agrado de Vossa Graça.

– Então venha.

Um par de Imaculados descia os degraus na frente deles, levando tochas; atrás vinham duas Bestas de Bronze, uma mascarada como peixe e a outra como falcão. Mesmo aqui, na pirâmide dela, nesta noite feliz de paz e celebração, Sor Barristan insistia em manter guardas ao redor dela aonde quer que fosse. O pequeno grupo fez a longa descida em silêncio, parando três vezes para se refrescar ao longo do caminho.

– O dragão tem três cabeças – Dany falou, quando estavam no trajeto final. – Meu casamento não precisa ser o final de suas esperanças. Sei por que está aqui.

– Por você – disse Quentyn, numa desajeitada galanteria.

– Não – respondeu Dany. – Por fogo e sangue.

Um dos elefantes barriu de sua estrebaria. Um rugido respondeu vindo de baixo, fazendo-a corar com o calor repentino. O Príncipe Quentyn olhou alarmado.

– Os dragões sabem quando ela está perto – Sor Barristan contou para ele.

Todo filho conhece sua mãe, Dany pensou. *Quando os mares secarem e as montanhas forem sopradas pelo vento como folhas...*

– Estão me chamando. Venha. – Tomou o Príncipe Quentyn pela mão e o levou para o fosso onde dois de seus dragões estavam confinados. – Permaneçam do lado de fora – Dany falou para Sor Barristan, enquanto os Imaculados abriam as imensas portas de ferro. – O Príncipe Quentyn me protegerá. – Levou o príncipe dornense para dentro, para observar de cima do fosso.

Os dragões esticavam o pescoço de um lado para o outro, olhando para eles com olhos queimando. Viserion havia quebrado uma corrente e derretido as outras. Pendurava-se do teto do fosso como um imenso morcego branco, suas garras penetrando profundamente nos tijolos queimados e em ruínas. Rhaegal, ainda acorrentado, estava roendo a carcaça de um touro. A pilha de ossos no chão do fosso estava mais profunda do que da última vez em que ela estivera ali, e as paredes e o chão estavam negros e acinzentados, mais cinzas do que tijolos. Não aguentariam muito tempo... mas atrás deles havia apenas terra e pedras. *Dragões podem fazer túneis na rocha, como os* wyrms *de fogo da antiga Valíria?* Esperava que não.

O príncipe dornense estava branco como leite.

– Eu... eu ouvi dizer que eram três.

– Drogon está caçando. – Ele não precisava ouvir o resto. – O branco é Viserion, o verde é Rhaegal. Dei o nome de meus irmãos para eles. – A voz dela ecoava nas paredes de pedra queimadas. Soava pequena; a voz de uma garota, não a voz de uma rainha e conquistadora, não a voz feliz de uma noiva recém-casada.

Rhaegal rugiu em resposta, e o fogo encheu o fosso, uma lança vermelha e amarela. Viserion respondeu, suas próprias chamas douradas e alaranjadas. Quando bateu as asas, uma nuvem de cinzas encheu o ar. Correntes partidas retiniam ruidosamente em suas patas. Quentyn Martell pulou trinta centímetros para trás.

Uma mulher mais cruel teria rido dele, mas Dany apertou sua mão e disse:

– Eles me assustam também. Não há vergonha nisso. Na escuridão, meus filhos cresceram selvagens e zangados.

– Você... você pretende cavalgar neles?

– Em um deles. Tudo o que sei sobre dragões foi o que meu irmão me contou quando eu era garota, e alguma coisa que li nos livros, mas dizem que até mesmo Aegon, o Conquistador, nunca ousou montar em Vhagar ou em Meraxes, nem suas irmãs cavalgavam Balerion, o Terror Negro. Dragões vivem mais do que homens, alguns por centenas de anos, então Balerion teve outros cavaleiros depois que Aegon morreu... mas nenhum cavaleiro jamais voou em dois dragões.

Viserion sibilou novamente. Fumaça saiu por entre seus dentes, e no fundo de sua garganta podiam ver fogo dourado se agitando.

– São... são criaturas temíveis.

– São dragões, Quentyn. – Dany ficou na ponta dos pés e o beijou levemente, uma vez em cada bochecha. – Assim como eu.

O jovem príncipe engoliu em seco.

– Eu... eu tenho sangue de dragão em mim também, Vossa Graça. Posso traçar minha linhagem até a primeira Daenerys, a princesa Targaryen que era irmã do Rei Daeron, o Bom, e esposa do Príncipe de Dorne. Ele construiu os Jardins das Águas para ela.

– Os Jardins das Águas? – Ela conhecia pouco e ainda menos de Dorne e sua história, verdade seja dita.

– O palácio favorito do meu pai. Eu gostaria de mostrá-lo para você um dia. É todo feito em mármore rosado, com piscinas e fontes e vista para o mar.

– Parece adorável. – Ela o afastou do fosso. *Ele não pertence a este lugar. Nunca deveria ter vindo.* – Você deveria voltar para lá. Minha corte não é um lugar seguro para você, temo. Tem mais inimigos do que imagina. Você fez Daario parecer um tolo, e ele não é homem de esquecer uma desfeita dessas.

– Tenho meus cavaleiros. Meus escudos juramentados.

– Dois cavaleiros. Daario tem quinhentos Corvos Tormentosos. E você faria bem em ter cuidado com o senhor meu marido, também. Ele parece um homem ameno e agradável, eu sei, mas não se engane. A coroa de Hizdahr deriva da minha, e ele comanda a fidelidade de alguns dos mais temíveis guerreiros do mundo. Um deles poderia querer ganhar seu favor eliminando um rival...

– Sou um príncipe de Dorne, Vossa Graça. Não fugirei de escravos e mercenários.

Então é realmente um tolo, Príncipe Sapo. Dany deu um último e demorado olhar nos seus filhos selvagens. Podia ouvir os dragões gritando enquanto levava o garoto de volta pela porta e ver o jogo de luzes contra os tijolos, reflexos de suas chamas. *Se olhar para trás, estou perdida.*

– Sor Barristan trouxe um par de liteiras para nos levar de volta ao banquete, mesmo assim a subida pode ser cansativa. – Atrás deles, as grandes portas de ferro se fecharam com um estrondo retumbante. – Fale-me sobre essa outra Daenerys. Sei menos do que deveria da história do reino de meu pai. Nunca tive um meistre para me ensinar. – *Apenas um irmão.*

– Será um prazer, Vossa Graça – respondeu Quentyn.

Já passara muito da meia-noite antes que o último dos convidados partisse, e Dany se retirasse para seus próprios aposentos para se reunir a seu senhor e rei. Hizdahr ao menos estava feliz, embora um pouco bêbado.

– Cumpro minhas promessas – disse para ela, enquanto Irri e Jhiqui os vestiam para a cama. – Você queria paz, e é sua.

E você desejava sangue, e logo terei de dá-lo a você, Dany pensou, mas o que disse foi:

– Estou grata.

A excitação do dia havia inflamado as paixões de seu marido. Tão logo as aias se retiraram, ele rasgou a roupa dela e a derrubou de costas na cama. Dany deslizou os braços em torno dele e deixou-o encontrar seu caminho. Bêbado como estava, sabia que ele não ficaria muito tempo dentro dela.

E não ficou. Quando terminou, aninhou-se próximo ao ouvido dela e sussurrou:

– Que os deuses nos concedam um filho esta noite.

As palavras de Mirri Maz Duur ressoaram em sua cabeça. *Quando o sol nascer no ocidente e se puser no oriente. Quando os mares secarem e as montanhas forem sopradas pelo vento como folhas. Quando seu ventre voltar a ganhar vida para dar à luz um filho vivo. Então, e não antes, ele regressará.* O significado era claro o suficiente; Khal Drogo voltaria dos mortos quando ela desse à luz um filho vivo. Mas havia alguns segredos que não tinha coragem de compartilhar, nem mesmo com seu marido, então deixou Hizdahr zo Loraq manter suas esperanças.

Seu nobre marido logo estava profundamente adormecido. Daenerys apenas podia se revirar ao lado dele. Queria sacudi-lo, acordá-lo, fazê-lo abraçá-la, beijá-la, fodê-la novamente, mas mesmo se ele fizesse isso, dormiria logo em seguida, deixando-a sozinha na escuridão. Perguntava-se o que Daario estaria fazendo. Estaria insone também? Estaria pensando nela? Ele a amava verdadeiramente? Ele a odiava, por ter se casado com Hizdahr? *Nunca devia tê-lo levado para minha cama.* Ele era apenas um mercenário, não um consorte adequado para uma rainha, mesmo assim...

Eu sabia disso o tempo todo, e fiz do mesmo jeito.

– Minha rainha? – disse uma voz suave na escuridão.

Dany se encolheu.

– Quem está aí?

– Apenas Missandei. – A escriba naathi se aproximou da cama. – Esta uma ouviu você chorando.

– Chorando? Eu não estava chorando. Por que choraria? Tenho minha paz, tenho meu rei, tenho tudo o que uma rainha pode desejar. Você teve um pesadelo, foi tudo.

– Como quiser, Vossa Graça. – Ela se curvou e começou a se afastar.

– Fique – disse Dany. – Não desejo ficar sozinha.

– Sua Graça está com você – Missandei apontou.

– Sua Graça está sonhando, mas eu não posso dormir. Amanhã devo me banhar em sangue. O preço da paz. – Deu um sorriso amarelo e um tapinha na cama. – Venha. Sente-se. Converse comigo.

– Se a agrada. – Missandei sentou-se ao lado dela. – Sobre o que devemos falar?

– Casa – falou Dany. – Naath. Borboletas e irmãos. Conte-me as coisas que a deixam feliz, as coisas que a fazem dar risadas, todas as suas mais doces lembranças. Recorde-me que ainda há bondade no mundo.

Missandei fez o melhor possível. Ainda estava falando quando Dany finalmente adormeceu, um sono agitado com estranhos sonhos incompletos de fumaça e fogo.

A manhã veio rápido demais.

Theon

O dia chegou sobre eles exatamente como Stannis fizera: sem ser notado. Winterfell estava acordado havia horas, ameias e torres abarrotadas com homens em lã, cota de malha e couro, esperando um ataque que nunca veio. Quando o céu começou a clarear, o som dos tambores já sumira, embora os berrantes de guerra tivessem sido ouvidos mais três vezes, cada vez um pouco mais perto. E a neve ainda caía.

– A tempestade vai parar hoje – um dos cavalariços sobreviventes insistia em voz alta. – Afinal, não é nem inverno.

Theon teria rido se ousasse. Recordava-se das histórias que a Velha Ama contava, de tempestades que assolavam por quarenta dias e quarenta noites, por um ano, por dez anos... tempestades que enterravam castelos, cidades e reinos inteiros sob trinta metros de neve.

Estava sentado no fundo do Grande Salão, não muito longe dos cavalos, observando Abel, Rowan e uma lavadeira de cabelos castanhos cor de rato chamada Esquilo atacando bandejas de pão preto frito em gordura de toicinho. Theon quebrou seu jejum com uma caneca de cerveja escura, carregada com levedura e grossa o suficiente para mastigar. Mais algumas canecas, e talvez o plano de Abel não parecesse tão louco.

Roose Bolton entrou, olhos claros e bocejando, acompanhado por sua rechonchuda e grávida esposa Walda Gorda. Vários senhores e capitães o haviam precedido, entre eles Terror-das-Rameiras Umber, Aenys Frey e Roger Ryswell. Mais no canto da mesa, Wyman Manderly estava sentado devorando linguiças e ovos cozidos, enquanto Lorde Locke, ao seu lado, tomava mingau com sua boca sem dentes.

Lorde Ramsay logo apareceu também, afivelando o cinturão da espada enquanto caminhava para a frente do salão. *Seu humor está negro esta manhã*, Theon podia afirmar. *Os tambores o mantiveram acordado a noite toda*, adivinhou, *ou alguma coisa o desagradou*. Uma palavra errada, um olhar irrefletido ou uma risada fora de hora, qualquer coisa poderia provocar a ira de sua senhoria e custar um pedaço de pele a um homem. *Por favor, 'nhor, não olhe para cá*. Um olhar seria o suficiente para que Ramsay soubesse de tudo. *Ele verá escrito em meu rosto. Ele saberá. Sempre sabe.*

Theon virou-se para Abel.

– Isso não vai funcionar. – Sua voz era tão baixa que nem os cavalos podiam ouvir. – Seremos capturados antes de deixar o castelo. Mesmo se escaparmos, Lorde Ramsay nos caçará, ele, Ben Ossos e as garotas.

– Lorde Stannis está do lado de fora das muralhas, e não muito longe, pelo que parece. Tudo o que precisamos fazer é chegar até ele. – Os dedos de Abel dançavam pelas cordas de seu alaúde. A barba do cantor era castanha, embora seu longo cabelo já estivesse em grande parte cinza. – Se o Bastardo vier atrás de nós, ele pode viver o suficiente para lamentar isso.

Pense isso, Theon pensou. *Acredite nisso. Diga para si mesmo que é verdade.*

– Ramsay usará suas mulheres como presas – falou para o cantor. – Ele as caçará, as estuprará e dará seus cadáveres para alimentar os cães. Se lhe proporcionarem uma boa caçada, ele dará os nomes delas para a próxima ninhada de cadelas. Você, ele vai esfolar. Ele, Peleiro e Damon Dance-para-Mim farão um jogo com isso. Você implorará para que o matem. – Segurou o braço do cantor com a mão mutilada. – Jurou que não me deixará cair nas mãos dele novamente. Você me deu sua palavra. – Precisava ouvir novamente.

– A palavra de Abel – disse Esquilo. – Forte como carvalho. – O próprio Abel apenas deu de ombros. – Não importa o quê, meu príncipe.

Sobre o estrado, Ramsay estava discutindo com o pai. Estavam longe demais para que Theon pudesse entender alguma palavra, mas o medo no redondo rosto rosado de Walda Gorda dizia o bastante. Ouviu Wyman Manderly pedindo mais linguiças e a risada de Roger Ryswell por conta de alguma piada do maneta Harwood Stout.

Theon se perguntava se veria os salões molhados do Deus Afogado, ou se seu fantasma permaneceria em Winterfell. *Morto é morto. Melhor morto do que Fedor.* Se o plano de Abel desse errado, Ramsay faria sua morte ser lenta e dolorosa. *Ele vai me esfolar da cabeça ao calcanhar desta vez, e nada do que eu implorar vai acabar com a dor.* Nenhuma dor que Theon já conhecera chegava perto da agonia que Peleiro podia evocar com uma pequena faca de esfola. Abel aprenderia aquela lição em breve. E para quê? *Jeyne, o nome dela é Jeyne, e seus olhos são da cor errada.* Uma pantomimeira desempenhando seu papel. *Lorde Bolton sabe, e Ramsay, mas os demais são cegos, mesmo este maldito bardo com seus sorrisos astutos. A piada será você, Abel, você e suas putas assassinas. Morrerão pela garota errada.*

Chegara bem perto de contar a verdade para eles, quando Rowan o entregara a Abel nas ruínas da Torre Queimada, mas no último instante segurara a língua. O cantor parecia ter a intenção de fugir com a filha de Eddard Stark. Se soubesse que a noiva de Lorde Ramsay era apenas a cria do intendente, bem...

As portas do Grande Salão se abriram com estrondo.

Um vento frio entrou rodopiando, e uma nuvem de cristais de gelo brilhou azul e branca no ar. Através dela veio Sor Hosteen Frey, endurecido até a cintura pela neve, um corpo nos braços. Em todos os bancos, homens baixaram seus copos e colheres para ver boquiabertos o macabro espetáculo. O salão ficou em silêncio.

Outro assassinato.

A neve escorregava do manto de Sor Hosteen, enquanto ele caminhava em direção à mesa principal, seus passos ressoando contra o chão. Uma dúzia de cavaleiros Frey e homens em armas entraram atrás dele. Um era um garoto que Theon conhecia; Grande Walder, o pequeno, cara de raposa e magro como um palito. Seu peito, braços e manto estavam salpicados de sangue.

O cheiro daquilo agitou os cavalos. Os cães saíram debaixo das mesas, farejando. Homens se ergueram dos bancos. O corpo nos braços de Sor Hosteen brilhava sob a luz das tochas, blindado em gelo rosado. O frio que fazia lá fora congelara seu sangue.

– O filho de meu irmão Merrett. – Hosteen Frey colocou o corpo no chão, diante do estrado. – Massacrado como um porco e enfiado embaixo de um monte de neve. Um garoto.

Pequeno Walder, pensou Theon. *O grande*. Olhou para Rowan. *Há seis delas*, lembrou. *Qualquer uma pode ter feito isso*. Mas a lavadeira sentiu seu olhar.

– Isso não é trabalho nosso – disse.

– Quieta – Abel a advertiu.

Lorde Ramsay desceu do estrado até o garoto morto. Seu pai se ergueu mais lentamente, olhos claros, encarando solene.

– Isso foi trabalho sujo. – Pela primeira vez, a voz de Roose Bolton estava alta o suficiente para ser ouvida. – Onde o corpo foi encontrado?

– Embaixo daquela fortaleza destruída, meu senhor – respondeu Grande Walder. – Aquela com as velhas gárgulas. – As luvas do menino estavam empastadas com o sangue do primo. – Eu disse para não sair sozinho, mas ele falou que tinha que encontrar um homem que lhe devia prata.

– Que homem? – Ramsay exigiu saber. – Dê-me seu nome. Aponte-o para mim, garoto, e eu lhe farei um manto com a pele dele.

– Ele nunca disse, meu senhor. Apenas que ganhou o dinheiro nos dados. – O garoto Frey hesitou. – Foram uns homens de Porto Branco que o ensinaram a jogar. Não sei dizer quais, mas foram eles.

– Meu senhor – trovejou Hosteen Frey. – Conhecemos o homem que fez isso. Matou este garoto e todos os demais. Não com suas mãos, não. É muito gordo e muito covarde para matar por conta própria. Mas por sua ordem. – Virou-se para Wyman Manderly. – Nega isso?

O Senhor de Porto Branco mordeu uma linguiça no meio.

– Confesso... – Limpou a gordura dos lábios com a manga. – ... confesso que conhecia pouco este pobre garoto. Era escudeiro de Lorde Ramsay, não era? Quantos anos tinha o rapaz?

– Nove, no último dia de seu nome.

– Tão jovem – disse Wyman Manderly. – Embora talvez isso tenha sido uma bênção. Se vivesse, teria crescido para ser um Frey.

Sor Hosteen bateu com o pé na mesa, chutando os cavaletes, empurrando o tampo em direção à barriga inchada de Lorde Wyman. Copos e pratos voaram, linguiças espalhadas por toda parte, e uma dúzia de homens de Manderly levantaram-se xingando. Alguns agarraram facas, pratos, jarras, qualquer coisa que pudesse servir como arma.

Sor Hosteen Frey arrancou sua espada longa da bainha e pulou na direção de Wyman Manderly. O Senhor de Porto Branco tentou ir para trás, mas a mesa o prendera na cadeira. A lâmina rasgou três de seus quatro queixos, em um jato brilhante e vermelho de sangue. A Senhora Walda deu um grito e agarrou o braço do senhor seu marido.

– Parem – Roose Bolton gritou. – Parem com essa loucura. Seus próprios homens avançaram enquanto os Manderly se debruçavam sobre os bancos para alcançar os Frey. Um deles avançou para Sor Hosteen com uma adaga, mas o grande cavaleiro girou seu braço e deslocou-o do ombro. Lorde Wyman ficou em pé, apenas para desfalecer. O velho Lorde Locke gritava por um meistre, enquanto Manderly caía pesadamente no chão como uma morsa abatida em uma piscina de sangue que se espalhava. Ao redor dele, os cães lutavam pelas linguiças.

Foram necessários dois grupos de lanceiros de Forte do Pavor para separar os combatentes e pôr fim à carnificina, quando seis homens de Porto Branco e dois Frey já estavam mortos no chão. Uma dúzia estava ferida e um dos Rapazes do Bastardo, Luton, morria ruidosamente, gritando por sua mãe enquanto tentava enfiar um punhado de entranhas viscosas para dentro da barriga ferida. Lorde Ramsay o silenciou, puxando uma lança de um dos homens de Pernas de Aço e enfiando-a no peito de Luton. Mesmo assim, as vigas ainda ressoavam com gritos, orações e maldições, com o ruído dos cavalos aterrorizados e com os rosnados das cadelas de Ramsay. Walton Pernas de Aço teve que bater com a coronha de sua lança contra o chão uma dúzia de vezes antes que o salão ficasse quieto o suficiente para que Roose Bolton fosse ouvido.

– Vejo que todos querem sangue – o Senhor de Forte do Pavor disse. Meistre Rhodry estava ao lado dele, com um corvo no braço. A plumagem negra da ave brilhava como petróleo na luz das tochas. *Está molhado,* Theon percebeu. *E, na mão de sua senhoria, um pergaminho. Estará molhado também. Asas escuras, palavras escuras.* – Melhor do que usar nossas espadas uns contra os outros, vocês deveriam testá-las em Lorde Stannis. – Lorde Bolton desenrolou o pergaminho. – As tropas dele estão a menos de três dias de cavalgada daqui, enterradas na neve e famintas, e estou cansado de esperar por sua vontade. Sor Hosteen, reúna seus cavaleiros e homens em armas no portão principal. Como você está tão ansioso pela batalha, deve comandar nosso primeiro golpe. Lorde Wyman, reúna seus homens de Porto Branco no portão oriental. Eles avançarão também.

A espada de Hosteen Frey estava vermelha quase até o punho. O sangue respingara, salpicando suas bochechas como sardas. Abaixou a espada e disse:

– Às ordens do meu senhor. Mas depois de lhe entregar a cabeça de Stannis Baratheon, pretendo terminar de cortar Lorde Banha.

Quatro cavaleiros de Porto Branco formavam um círculo em torno de Lorde Wyman, enquanto Meistre Medrick trabalhava sobre ele para estancar o sangramento.

– Primeiro precisa passar por nós, sor – disse o mais velho deles, um cavaleiro de barba grisalha e rosto duro, cuja túnica manchada de sangue mostrava três sereias prateadas sobre um campo violeta.

– Com prazer. Um de cada vez ou todos juntos, não faz diferença,

– *Basta* – rugiu Lorde Ramsay, brandindo sua lança ensanguentada. – Outra ameaça e eu mesmo o destriparei. O senhor meu pai já falou! Salve sua ira para o aspirante Stannis.

Roose Bolton fez um aceno de aprovação.

– É como ele diz. Haverá tempo suficiente para lutar um contra o outro uma vez que tenhamos acabado com Stannis. – Virou a cabeça, seus frios olhos claros procurando pelo salão, até que encontrou o bardo Abel ao lado de Theon. – Cantor – chamou –, venha nos cantar algo reconfortante.

Abel se curvou.

– Se é do agrado de sua senhoria. – Alaúde na mão, caminhou até o estrado, saltando agilmente sobre um ou dois cadáveres, e sentou-se de pernas cruzadas na mesa principal. Quando começou a cantar – uma canção triste e suave que Theon Greyjoy não reconheceu –, Sor Hosteen, Sor Aenys e seus companheiros Frey se viraram para levar seus cavalos do salão.

Rowan agarrou o braço de Theon.

– O banho. Precisa ser agora.

Ele afastou-se do toque dela.

– De dia? Seremos vistos.

– A neve nos esconderá. Você é surdo? Bolton está enviando suas espadas. Temos que alcançar Stannis antes que eles o façam.

– Mas... Abel...

– Abel pode se defender por conta própria – murmurou Esquilo.

Isso é loucura. Desespero, tolice, condenação. Theon tomou o último gole de sua cerveja e ficou em pé, relutante.

– Encontre suas irmãs. Precisamos de muita água para encher a banheira de minha senhora.

Esquilo sumiu, passos suaves como sempre. Rowan caminhou com Theon para fora do salão. Desde que ela e suas irmãs o encontraram no bosque sagrado, uma delas seguia insistentemente cada um de seus passos, sem nunca o perder de vista. Não confiavam nele. *Por que deveriam? Eu era Fedor antes, e posso ser Fedor novamente. Fedor, Fedor, que rima com traidor.*

Do lado de fora, a neve ainda caía. Os homens de neve que os escudeiros construíram haviam crescido até se transformarem em gigantes monstruosos, com três metros de altura e horrivelmente deformados. Paredes brancas se erguiam dos dois lados, enquanto ele e Rowan iam até o bosque sagrado; os caminhos entre a fortaleza, a torre e o salão haviam se tornado uma confusão de trincheiras geladas, cavadas com pás a cada hora para se manterem limpas. Era fácil se perder naquele labirinto congelado, mas Theon Greyjoy conhecia cada curva e volta.

Até o bosque sagrado estava ficando branco. Uma camada de gelo se formara sobre a lagoa ao lado da árvore-coração, e o rosto escavado no tronco claro tinha um bigode de pequenos pingentes de gelo. Nesse horário, não podiam esperar ter os antigos deuses para si. Rowan afastou Theon do nortenho que rezava diante da árvore, até um lugar isolado atrás da parede dos alojamentos, ao lado de uma piscina de lama quente que fedia a ovos podres. Mesmo a lama estava congelando nas bordas, Theon viu.

– O inverno está chegando...

Rowan lhe deu um olhar duro.

– Você não tem o direito de pronunciar as palavras de Lorde Eddard. Não você. Nunca. Depois do que fez...

– Vocês mataram um menino também.

– Não fomos nós. Eu lhe disse isso.

– Palavras são vento. – *Elas não são melhores do que eu. Somos iguais.* – Vocês mataram os outros, por que não ele? Caralho Amarelo...

– ... fedia tanto quanto você. Um porco de homem.

– E o Pequeno Walder era um leitão. Matá-lo levou os Frey e os Manderly à ponta das adagas, o que foi esperto, vocês...

– *Não fomos nós.* – Rowan o agarrou pela garganta e o empurrou contra a parede dos alojamentos, seu rosto a alguns centímetros do dele. – Diga isso novamente e arrancarei sua língua mentirosa, assassino de parentes.

Ele sorriu com seus dentes quebrados.

– Você não vai fazer isso. Precisa da minha língua para passar pelos guardas. Precisa das minhas mentiras.

Rowan cuspiu no rosto dele. Então o soltou, esfregando as mãos enluvadas nas pernas, como se apenas tocá-lo a tivesse sujado.

Theon sabia que não devia provocá-la. De seu jeito, aquela uma era tão perigosa quanto Peleiro ou Damon Dance-para-Mim. Mas estava com frio e cansado, sua cabeça latejava e ele não dormia havia dias.

– Fiz coisas terríveis... traí os meus, virei casaca, ordenei a morte de homens que confiavam em mim... mas não sou um assassino de parentes.

– Os garotos Stark nunca foram seus irmãos, sim. Sabemos disso.

Aquilo era verdade, mas não era o que Theon queria dizer. *Eles não eram meu sangue, mas, mesmo assim, nunca fiz mal a eles. Os dois que matamos eram apenas filhos do moleiro.* Theon não queria pensar na mãe deles. Conhecera a esposa do moleiro por anos, até fora para a cama com ela. *Grandes seios pesados, com mamilos amplos e escuros, uma boca doce, uma risada feliz. Alegrias que nunca provarei novamente.*

Mas não adiantava nada dizer isso para Rowan. Ela nunca acreditaria nas negações dele, não mais do que ele acreditava nas dela.

– Há sangue em minhas mãos, mas não o sangue de irmãos – disse, cansado. – E fui punido.

– Não o suficiente. – Rowan virou as costas para ele.

Mulher tola. Theon podia ser uma coisa quebrada, mas ainda usava uma adaga. Teria sido simples desembainhá-la e enfiá-la entre as omoplatas dela. Ainda era capaz disso, apesar dos dentes arrancados, dos dentes quebrados e de todo o resto. Teria sido uma gentileza; um final mais rápido e mais limpo do que aquele que ela e suas irmãs encarariam quando Ramsay as capturasse.

Fedor poderia fazer aquilo. *Teria* feito aquilo, na esperança de agradar Lorde Ramsay. Essas putas pretendiam roubar a noiva dele, Fedor não podia permitir aquilo. Mas os antigos deuses o tinham reconhecido e o chamaram de Theon. *Homem de ferro, eu era um homem de ferro, filho de Balon Greyjoy, e legítimo herdeiro de Pyke.* Os tocos de seus dedos coçaram e se contraíram, mas manteve a adaga na bainha.

Quando Esquilo voltou, as outras quatro estavam com ela: a magra e grisalha Myrtle, Willow Olho-de-Bruxa, com sua longa trança negra, Frenya, da cintura grossa e peitos enormes, Holly com sua faca. Vestidas como servas, em camadas de tecido áspero cinzento, usavam mantos de lã marrom forrados com pele de coelho branco. *Sem espadas,* Theon viu. *Sem machados, sem martelos, sem armas a não ser facas.* O manto de Holly estava preso com um broche de prata, e Frenya tinha uma corda de cânhamo amarrada entre os seios e os quadris. Isso a fazia parecer ainda mais roliça do que era.

Myrthe tinha roupas de serva para Rowan.

– Os pátios estão lotados de tolos – avisou para eles. – Pretendem partir.

– Ajoelhadores – disse Willow, com um ronco de desprezo. – Seu orgulhoso senhor falou, eles devem obedecer.

– Estão indo para a morte – gorjeou Holly, feliz.

– Eles e nós – falou Theon. – Mesmo se passarmos pelos guardas, como pretendem tirar a Senhora Arya de lá?

Holly sorriu.

– Seis mulheres entram, seis mulheres saem. Quem olha para servas? Vestiremos a garota Stark como Esquilo.

Theon olhou para Esquilo. *Elas têm quase o mesmo tamanho. Pode funcionar.*

– E como Esquilo vai sair?

Esquilo respondeu por si mesma.

– Pela janela, e direto para o bosque sagrado. Eu tinha doze anos na primeira vez que meu irmão me levou para invadir o sul da sua Muralha. É daí que vem meu nome. Meu irmão dizia que eu parecia um esquilo correndo em uma árvore. Escalei aquela Muralha seis vezes, atravessando e voltando novamente. Acho que posso descer de uma torre de pedra.

– Feliz, Vira-Casaca? – Rowan perguntou. – Vamos com isso.

As cavernosas cozinhas de Winterfell ocupavam uma construção própria, mantida separada dos salões principais e das fortalezas do castelo, para caso de incêndio. Dentro, os cheiros mudavam a cada hora; um perfume mutante de carnes assadas, alhos-porós, cebolas e pães recém-assados. Roose Bolton colocara guardas na porta da cozinha. Com tantas bocas para alimentar, cada pedaço de comida era precioso. Mesmo as cozinheiras e os ajudantes eram vigiados constantemente. Mas os guardas conheciam Fedor. Gostavam de ameaçá-lo quando ele ia buscar água quente para o banho da Senhora Arya. Mas nenhum deles ousava ir além disso. Fedor era conhecido por ser o animal de estimação de Lorde Ramsay.

– O Príncipe do Mau-cheiro veio buscar água quente – um guarda anunciou quando Theon e as servas apareceram diante dele. Empurrou a porta para abrir para eles. – Rápido, antes que todo o doce ar quente escape.

Lá dentro, Theon agarrou pelo braço um ajudante que passava.

– Água quente para a'nhora, garoto – ordenou. – Seis baldes cheios, e assegure-se de que a água esteja boa e quente. Lorde Ramsay quer sua noiva rosada e limpa.

– Sim,'nhor – o garoto respondeu. – Imediatamente,'nhor.

"Imediatamente" levou mais tempo do que Theon teria gostado. Nenhuma das grandes chaleiras estava limpa, então o ajudante teve que lavar uma antes de enchê-la com água. Então pareceu uma eternidade até que fervesse, e duas vezes mais demorado até encher seis baldes de madeira. Enquanto isso, as mulheres de Abel esperavam, o rosto delas oculto pelo capuz. *Elas estão fazendo tudo errado.* Servas de verdade estavam sempre provocando os ajudantes, flertando com os cozinheiros, adulando para provar isso aqui, dar uma mordida naquilo ali. Rowan e suas irmãs de conspiração não queriam chamar a atenção, mas seu silêncio sombrio logo fez com que os guardas lhes dessem olhares estranhos.

– Onde estão Maisie, Jez e as outras garotas? – um deles perguntou para Theon. – As de sempre.

– A Senhora Arya se desagradou com elas – ele mentiu. – Da última vez, a água já estava fria antes que ela entrasse na banheira.

A água quente enchia o ar com nuvens de vapor, derretendo os flocos de neve assim que caíam. A procissão seguiu pelo emaranhado de trincheiras de parede de gelo. A cada passo, a água congelava. As passagens estavam entupidas com tropas: cavaleiros com armaduras, túnicas de lã e mantos de pele, homens em armas com lanças nos ombros, arqueiros carregando arcos desamarrados e feixes de flechas, mercenários, cavalariços levando cavalos de batalha. Os Frey usavam o emblema das duas torres, aqueles que eram de Porto Branco ostentavam o tritão e o tridente. Caminhavam lado a lado pela tempestade, em direções opostas, e se encaravam com cautela, mas as espadas estavam embainhadas. *Não aqui. Pode ser diferente lá fora, na mata.*

Meia dúzia de homens experientes de Forte do Pavor guardavam as portas da Grande Fortaleza.

– Outro maldito banho? – disse o oficial, quando viu os baldes com vapor de água. Tinha as mãos enfiadas sob as axilas, para espantar o frio. – Ela tomou banho noite passada. Quão suja uma mulher pode ficar em sua própria cama?

Mais suja do que você imagina, quando se divide a cama com Ramsay, Theon pensou, lembrando da noite do casamento e das coisas que ele e Jeyne tiveram que fazer.

– Lorde Ramsay ordenou.

– Entre lá, então, antes que a água congele – o oficial falou. Dois dos guardas empurraram as portas duplas.

A entrada estava quase tão fria quanto o ar do lado de fora. Holly chutou a neve de suas botas e abaixou o capuz do manto.

– Pensei que seria mais difícil. – Sua respiração congelava no ar.

– Há mais guardas lá em cima, nos aposentos de meu senhor – Theon a avisou. – Homens de Ramsay. – Ele não ousava chamá-los de Rapazes do Bastardo, não ali. Nunca se sabia quem podia estar escutando. – Mantenha a cabeça baixa e o capuz erguido.

– Faça como ele diz, Holly – falou Rowan. – Alguns deles podem reconhecer seu rosto. Não precisamos de problemas.

Theon liderou o caminho pelas escadas. *Subi estes degraus milhares de vezes antes.* Quando era garoto, subia correndo; descendo, pulava os degraus de três em três. Uma vez, saltou em cima da Velha Ama e a derrubou no chão. Aquilo lhe garantira a maior surra que já levara em Winterfell, embora fosse quase afetuosa se comparada com os espancamentos que seus irmãos costumavam lhe proporcionar em Pyke. Ele e Robb haviam lutado várias batalhas heroicas naqueles degraus, batendo um no outro com espadas de madeira. Um bom treino, aquele; fazia perceber quão difícil era lutar em uma escada em espiral contra um opositor determinado. Sor Rodrik costumava dizer que um bom homem podia enfrentar uma centena, lutando escada abaixo.

Mas isso fora havia muito tempo. Estavam todos mortos, agora. Jory, o velho Sor Rodrik, Lorde Eddard, Harwin, Hullen, Cayn, Desmond, o Gordo Tom, Alyn, com seus sonhos de se tornar cavaleiro, Mikken, que lhe dera a primeira espada de verdade. Até a Velha Ama, provavelmente.

E Robb. Robb, que fora mais um irmão para Theon do que qualquer filho nascido dos quadris de Balon Greyjoy. *Assassinado no Casamento Vermelho, massacrado pelos Frey. Eu deveria ter estado com ele. Onde eu estava? Eu deveria ter morrido com ele.*

Theon parou tão repentinamente que Willow quase se chocou contra suas costas. A porta dos aposentos de dormir de Ramsay estava diante dele. E, de guarda, estavam dois dos Rapazes do Bastardo, Alyn Azedo e Grunhido.

Os antigos deuses devem nos querer bem. Grunhido não tinha língua e Alyn Azedo não tinha juízo, Lorde Ramsay costumava dizer. Um era brutal, o outro pretendia ser, mas ambos passaram a maior parte de suas vidas a serviço de Forte do Pavor. Faziam o que lhes era dito.

– Tenho água quente para a Senhora Arya – Theon falou para eles.

– Tente lavar a si mesmo, Fedor – disse Alyn Azedo. – Você tem cheiro de mijo de cavalo. – Grunhido grunhiu, concordando. Ou talvez aquele barulho pretendesse ser uma risada. Mas Alyn destrancou a porta do quarto de dormir, e Theon levou as mulheres para dentro.

Nenhum dia amanhecera dentro daquele quarto. As sombras cobriam tudo. Uma última tora crepitava fracamente entre as brasas da lareira, e uma vela tremeluzia na mesa ao lado da cama amassada e vazia. *A garota se foi,* Theon pensou. *Ela se atirou da janela, em desespero.* Mas as janelas estavam fechadas por causa da tempestade, seladas por uma crosta de neve congelada.

– Onde ela está? – perguntou Holly. Suas irmãs esvaziaram os baldes em uma grande banheira redonda de madeira. Frenya fechou a porta do quarto e apoiou as costas contra ela. – *Onde ela está?* – Holly perguntou novamente. Do lado de fora, um berrante tocava. *Uma trombeta. Os Frey se reunindo para a batalha.* Theon podia sentir uma coceira nos dedos que faltavam.

Então ele a viu. Estava encolhida no canto mais escuro do quarto, no chão, enrolada como uma bola, embaixo de uma pilha de peles de lobo. Theon poderia nunca ter notado sua presença, se ela não tivesse se movido. Jeyne puxara as peles sobre si para se esconder. *De nós? Ou estava esperando o senhor seu marido?* A ideia de que Ramsay poderia estar vindo quase o fez gritar.

– Minha senhora. – Theon não podia chamá-la de Arya e não ousava chamá-la de Jeyne. – Não precisa se esconder. Elas são amigas.

As peles se mexeram. Um olho espiou, brilhando com lágrimas. *Escuro, escuro demais. Um olho castanho.*

– Theon?

– Senhora Arya. – Rowan se aproximou. – Precisa vir conosco, e rapidamente. Viemos levá-la para seu irmão.

– Irmão? – O rosto da garota emergiu de baixo das peles de lobos. – Eu... eu não tenho irmãos.

Ela esqueceu quem é. Ela esqueceu seu nome.

– É verdade – disse Theon –, mas você teve irmãos um dia. Três deles. Robb, Bran e Rickon.

– Estão mortos. Não tenho irmãos agora.

– Você tem um meio-irmão – Rowan falou. – Lorde Corvo, é ele.

– Jon Snow?

– Vamos levá-lo até ele, mas precisa vir imediatamente.

Jeyne puxou as peles de lobos até o queixo.

– Não. Isso é algum truque. Foi ele, foi meu... meu senhor, meu doce senhor quem mandou vocês, só para fazer algum teste e se assegurar de que o amo. Eu o amo, eu o amo, amo mais do que qualquer coisa. – Uma lágrima rolou por seu rosto. – Diga para ele, você, diga para ele. Farei o que ele quiser... o que quer que seja... com ele ou... ou com o cão ou... por favor... ele não precisa cortar meu pé fora, não tentarei fugir, nunca, eu lhe darei filhos, eu juro, eu juro...

Rowan assobiou suavemente.

– Que os deuses amaldiçoem esse homem.

– Sou uma *boa* garota – Jeyne choramingou. – Eles me *treinaram.*

Willow fez uma careta.

– Alguém faça-a parar de chorar. O guarda é mudo, não surdo. Vão escutar.

– *Levante*-a, Vira-Casaca. – Holly tinha a faca na mão. – Levante-a, ou eu farei isso. *Temos que ir.* Coloque a bucetinha em pé e chacoalhe um pouco de coragem nela.

– E se ela gritar? – perguntou Rowan.

Estamos todos mortos, Theon pensou. *Eu disse para elas que era uma tolice, mas ninguém me escutou.* Abel as havia condenado. Todos os cantores eram meio loucos. Nas canções, o herói salvava a donzela do castelo do monstro, mas a vida não era uma canção, não mais do que Jeyne era Arya Stark. *Os olhos dela são da cor errada. E não há heróis aqui, apenas putas.* Mesmo assim, ajoelhou-se ao lado dela, puxou as peles, tocou seu rosto.

– Você me conhece. Sou Theon, você lembra. Conheço você também. Sei seu nome.

– Meu nome? – Ela abanou a cabeça. – Meu nome... é...

Ele colocou um dedo nos lábios dela.

– Falaremos sobre isso mais tarde. Precisa ficar quieta agora. Venha conosco. Comigo. Vamos tirá-la daqui. Para longe dele.

Ela arregalou os olhos.

– Por favor – murmurou. – Oh, por favor.

Theon deu a mão para ela. Os tocos de seus dedos perdidos formigavam enquanto a ajudava a ficar em pé. As peles de lobo deslizaram para o chão. Sob elas, a garota estava nua, seus pequenos seios claros cobertos com marcas de dentes. Ele ouviu uma das mulheres puxar a respiração. Rowan empurrou um monte de roupas nas mãos dele.

– Vista-a. Está frio lá fora.

Esquilo estava só de roupas íntimas e revirava um baú de cedro esculpido em busca de algo mais quente. No fim, vestiu um dos gibões acolchoados de Lorde Ramsay e um par de calções bem-cortados que batiam em suas pernas como as velas de um navio na tempestade.

Com a ajuda de Rowan, Theon vestiu Jeyne Poole com as roupas de Esquilo. *Se os deuses forem bons e os guardas forem cegos, ela pode passar.*

– Agora vamos sair e descer a escada – Theon explicou para a garota. – Mantenha a cabeça baixa e o capuz erguido. Siga Holly. Não corra, não chore, não fale, não olhe ninguém nos olhos.

– Fique perto de mim – Jeyne pediu. – Não me deixe.

– Estarei bem ao seu lado – Theon prometeu, enquanto Esquilo entrava na cama da Senhora Arya e se cobria com os lençóis.

Frenya abriu a porta do quarto.

– Deu uma boa lavada nela, Fedor? – perguntou Alyn Azedo quando saíram. Grunhido apertou o seio de Willow quando ela saiu. Tiveram sorte com a escolha dele. Se o homem tivesse tocado em Jeyne, ela poderia ter gritado. Então Holly teria que abrir a garganta dele com a faca escondida em sua manga. Willow simplesmente contorceu o corpo e seguiu adiante.

Por um momento, Theon quase sentiu vertigens. *Eles não olharam. Eles não viram. Passamos com a garota por eles!*

Mas, nos degraus, o medo voltou. E se encontrassem Peleiro ou Damon Dance-para--Mim, ou então Walton Pernas de Aço? Ou o próprio Ramsay? *Deuses, me salvem. Não Ramsay, qualquer um menos ele.* Qual a vantagem de contrabandear a garota para fora do quarto? Ainda estavam dentro do castelo, com cada portão fechado e selado, e as ameias lotadas de sentinelas. Provavelmente, os guardas do lado de fora da fortaleza os parariam. Holly e sua faca teriam pouca utilidade contra seis homens em cotas de malha, com espada e lança.

Mas os guardas do lado de fora estavam amontoados ao lado das portas, de costas para o vento gelado e para a neve que soprava. Mesmo o oficial não deu mais do que uma rápida olhada neles. Theon sentiu uma pontada de pena dele e de seus homens. Ramsay esfolaria todos eles quando soubesse que sua noiva se fora, e o que faria com Grunhido e Alyn Azedo era melhor nem pensar.

A menos de dez metros da porta, Rowan jogou o balde vazio, e suas irmãs fizeram o mesmo. A Grande Fortaleza estava fora de vista. O pátio era um deserto branco, cheio de sons indistintos que ecoavam de modo estranho no meio da tempestade. As trincheiras geladas se erguiam em volta deles, na altura do joelho, então na cintura, e então mais altas que suas cabeças. Estavam no coração de Winterfell, com o castelo ao seu redor, mas não conseguiam ver nada disso. Podiam facilmente estar perdidos na Terra de Sempre Inverno, mais de cinco mil quilômetros para lá da Muralha.

– Está frio – Jeyne Poole choramingou enquanto caminhava com dificuldade ao lado de Theon.

E logo estará mais frio. Além das muralhas do castelo, o inverno aguardava com seus dentes gelados. *Se chegarmos tão longe.*

– Por aqui – disse, quando chegaram a um cruzamento no qual três valas se encontravam.

– Frenya, Holly, vão com eles – disse Rowan. – Vamos ficar com Abel. Não esperem por nós. – E, com isso, virou-se e partiu na neve, em direção ao Grande Salão. Willow e Myrtle correram atrás dela, mantos se agitando ao vento.

Plano louco e ainda mais louco, pensou Theon Greyjoy. A fuga parecia improvável com todas as seis mulheres de Abel; com duas apenas, parecia impossível. Mas haviam ido longe demais para devolver a garota ao seu quarto e fingir que nada havia acontecido. Em vez disso, ele pegou Jeyne pelo braço e a levou até o Portão das Ameias. *Apenas meio portão*, lembrou a si mesmo. *Mesmo se os guardas nos deixarem passar, não tem como atravessar a muralha exterior.* Em outras noites, os guardas haviam permitido que Theon passasse, mas todas as vezes estivera sozinho. Não passaria tão facilmente com três servas a reboque, e se os guardas olhassem sob o capuz de Jeyne e reconhecessem a noiva de Lorde Ramsay...

A passagem virava para a esquerda. Então, diante deles, atrás de um véu de neve que caía, estava o Portão das Ameias, flanqueado por um par de guardas. Em lãs, peles e couros, pareciam tão grandes quanto ursos. As lanças que seguravam tinham dois metros e meio de altura.

– Quem vem aí? – um deles gritou. Theon não reconheceu a voz. A maior parte das feições do homem estava coberta com um cachecol. Apenas os olhos podiam ser vistos. – Fedor, é você?

Sim, pretendia dizer. Em vez disso, ouviu-se responder:

– Theon Greyjoy. Eu... eu trouxe algumas mulheres para vocês.

– Vocês, pobres rapazes, devem estar congelando – disse Holly. – Aqui, deixe-me aquecer você. – Deslizou pela ponta da lança do guarda e chegou até seu rosto, abaixando o cachecol semicongelado para plantar um beijo em sua boca. E, quando seus lábios se tocaram, a lâmina dela deslizou pela carne do pescoço dele, bem abaixo da orelha. Theon viu os olhos do homem se arregalarem. Havia sangue nos lábios de Holly quando deu um passo para trás, e sangue escorrendo da boca dele quando o homem caiu.

O segundo guarda ainda olhava sem entender o que acontecia, quando Frenya agarrou a haste de sua lança. Lutaram por um momento, puxando e empurrando, até que a mulher arrancou a arma da mão dele e o acertou na têmpora com o cabo. Quando ele caiu de costas, ela girou a lança e a enfiou em sua barriga com um grunhido.

Jeyne Poole deu um grito alto e estridente.

– Oh, merda – falou Holly. – Isso vai trazer os ajoelhadores até nós, não tenham dúvida. *Corram!*

Theon colocou uma mão sobre a boca de Jeyne, agarrando-a pela cintura com a outra, puxou-a pelo guarda morto e pelo moribundo, passando pelo portão e sobre o fosso congelado. E talvez os antigos deuses estivessem olhando por eles; a ponte levadiça fora deixada abaixada, para permitir que os guardas de Winterfell cruzassem para as ameias externas mais rapidamente. Atrás deles era possível ouvir alarmes e o som de passos correndo, e então o sopro de uma trombeta partindo do parapeito da muralha interna.

Na ponte levadiça, Frenya parou e se virou.

– Vão em frente. Eu manterei os ajoelhadores aqui. – A lança ensanguentada ainda estava em suas grandes mãos.

Theon cambaleava quando chegaram ao pé da escada. Jogou a garota sobre seu ombro e começou a subir. Jeyne parara de se debater e, além disso, era uma coisinha... mas os degraus estavam escorregadios com o gelo sob a neve macia, e na metade do caminho ele perdeu o passo e caiu duramente sobre um joelho. A dor foi tanta que quase largou a garota e, por meio segundo, temeu que aquilo fosse o máximo que conseguiria seguir. Mas Holly o ajudou a ficar em pé e, entre os dois, finalmente levaram Jeyne até as ameias.

Quando se inclinou contra um merlão, respirando com dificuldade, Theon pôde ouvir os gritos vindos de baixo, onde Frenya lutava com meia dúzia de guardas na neve.

– Qual o caminho? – gritou para Holly. – Aonde vamos agora? *Como vamos sair?*

A fúria no rosto de Holly se transformou em terror.

– Oh, puta que o pariu. A corda. – Deu uma risada histérica. – *Frenya está com a corda.* – Então grunhiu e agarrou o estômago. Uma flecha brotava de sua barriga. Quando enrolou uma mão em torno da ponta, o sangue escorreu por seus dedos. – Ajoelhadores na muralha interna... – suspirou, antes que uma segunda flecha aparecesse entre seus seios. Holly se agarrou ao merlão mais próximo e caiu. A neve que se soltou com o impacto do seu corpo a enterrou com um *baque* suave.

Gritos vinham pela esquerda. Jeyne Poole olhava fixamente para Holly enquanto o cobertor de neve sobre ela passava de branco para vermelho. Na muralha interna, os besteiros estavam recarregando, Theon sabia. Virou-se para a direita, mas havia homens vindo daquele lado também, correndo na direção deles com espadas na mão. Bem distante, ao norte, ouviu o som de um berrante de guerra. *Stannis*, pensou, descontroladamente. *Stannis é nossa única esperança, se pudermos chegar até ele.* O vento uivava, e ele e a garota estavam presos.

A besta disparou. A flecha passou a menos de trinta centímetros dele, estilhaçando a crosta de neve congelada que se acumulava no parapeito mais próximo. Não havia sinal de Abel, Rowan, Esquilo e as outras. Ele e a garota estavam sozinhos. *Se nos pegarem com vida, vão nos entregar a Ramsay.*

Theon agarrou Jeyne pela cintura e pulou.

Daenerys

O céu era de um azul sem piedade, sem um fiapo de nuvem à vista. *Os tijolos logo estarão assando ao sol,* Dany pensou. *Lá embaixo, nas areias, os lutadores sentirão o calor pelas solas de suas sandálias.*

Jhiqui deslizou a túnica de seda pelos ombros da rainha, e Irri a ajudou a entrar na piscina de banho. A luz do sol que nascia brilhava na água, interrompida pelas sombras do caquizeiro.

– Mesmo que a arena deva abrir, Vossa Graça precisa ir até lá? – perguntou Missandei, enquanto lavava o cabelo de Dany.

– Metade de Meereen estará lá para me ver, coração gentil.

– Vossa Graça – falou Missandei –, esta uma pede licença para dizer que metade de Meereen estará lá para ver homens sangrarem e morrerem.

Ela não está errada, a rainha sabia, *mas não faz diferença.*

Logo Dany estava tão limpa como sempre. Ficou em pé, espalhando a água suavemente. Gotas corriam por suas pernas e cobriam seus seios como pequenas pérolas. O sol se erguia no céu, e logo seu povo se reuniria. Ela preferia passar o dia na perfumada piscina, comendo frutas geladas de bandejas de prata e sonhando com uma casa com portas vermelhas, mas uma rainha pertence ao seu povo, não a si mesma.

Jhiqui trouxe uma toalha macia para secá-la.

– *Khaleesi,* que *tokar* quer vestir hoje? – perguntou Irri.

– O de seda amarela. – A rainha dos coelhos não podia ser vista sem suas orelhas de abano. A seda amarela era leve e fresca, e estaria fervendo lá embaixo, na arena. *As areias vermelhas queimarão os pés daqueles prestes a morrer.* – E, em cima dele, os longos véus vermelhos. – Os véus impediriam que o vento soprasse areia em sua boca. *E o vermelho esconderá qualquer respingo de sangue.*

Enquanto Jhiqui escovava os cabelos de Dany e Irri pintava as unhas da rainha, as aias conversavam alegremente sobre as disputas do dia. Missandei voltou.

– Vossa Graça. O rei a convida a se juntar a ele quando estiver vestida. E o Príncipe Quentyn veio com seus Homens Dornenses. Imploram por uma palavra, se for de seu agrado.

Pouca coisa neste dia pode ser do meu agrado.

– Outro dia.

Na base da Grande Pirâmide, Sor Barristan aguardava por eles ao lado de um palanquim aberto ornamentado, cercado por Bestas de Bronze. *Sor Vovô,* Dany pensou. Apesar de sua idade, ele parecia alto e bonito na armadura que ela lhe dera.

– Ficarei mais feliz se tiver guardas Imaculados por perto hoje, Vossa Graça – o velho cavaleiro disse enquanto Hizdahr cumprimentava o primo. – Metade destas Bestas de Bronze são libertos inexperientes. – *E a outra metade são meereeneses de lealdade duvidosa,* deixou sem dizer. Selmy desconfiava de todos os meereeneses, mesmo os cabeças-raspadas.

– E permanecerão inexperientes, a menos que os usemos.

– Uma máscara pode esconder muitas coisas, Vossa Graça. O homem por trás da máscara de coruja é o mesmo que foi seu guarda ontem e no dia anterior? Como podemos saber?

– Como Meereen vai confiar nas Bestas de Bronze se eu não confio? Há homens bons e corajosos atrás dessas máscaras. Ponho minha vida nas mãos deles. – Dany sorriu para o cavaleiro. – Você se preocupa demais, sor. Terei você ao meu lado, que outra proteção preciso?

– Sou um homem velho, Vossa Graça.

– Belwas, o Forte, estará comigo também.

– Como queira. – Sor Barristan baixou a voz. – Vossa Graça, libertamos a mulher Meris, como ordenou. Antes de partir, ela pediu para falar com você. Encontrei-me com ela em seu lugar. Ela afirma que o Príncipe Esfarrapado pretendia trazer os Soprados pelo Vento para a sua causa desde o início. Que ele a enviou para tratar com você secretamente, mas os dornenses os desmascararam e os traíram antes que ela pudesse fazer sua própria abordagem.

Traição da traição, a rainha pensou, cansada. *Não há fim para isso?*

– Em quanto disso acredita, sor?

– Pouco e ainda menos, Vossa Graça, mas essas foram as palavras dela.

– Eles virão para nosso lado, se for preciso?

– Ela diz que sim. Mas por um preço.

– Pague-o. – Meereen precisava de aço, não de ouro.

– O Príncipe Esfarrapado quer mais do que dinheiro, Vossa Graça. Meris diz que ele quer Pentos.

– Pentos? – Os olhos dela se estreitaram. – Como vou lhe dar Pentos? Está a meio mundo de distância.

– Ele poderia estar disposto a esperar, a mulher Meris sugeriu. Até que marchemos para Westeros.

E se eu nunca marchar para Westeros?

– Pentos pertence aos pentoshis. E o Magíster Illyrio está em Pentos. Foi ele quem arranjou meu casamento com Khal Drogo e me deu os ovos de dragão. Quem me enviou você, Belwas e Groleo. Devo muito e ainda mais a ele. Não pagarei essa dívida dando a cidade dele para algum mercenário. Não.

Sor Barristan inclinou a cabeça.

– Vossa Graça é sábia.

– Já viu algum dia mais auspicioso, meu amor? – Hizdahr zo Loraq comentou, quando ela se reuniu a ele. Ajudou Dany a subir no palanquim, onde dois tronos altos estavam lado a lado.

– Auspicioso para você, talvez. Menos para aqueles que devem morrer antes que o sol se ponha.

– Todos os homens devem morrer – disse Hizdahr –, mas nem todos conseguem morrer em glória, com os aplausos da cidade soando em seus ouvidos. – Ergueu a mão para os soldados nas portas. – Abram.

A praça em frente à pirâmide era pavimentada com tijolos de muitas cores, e o calor subia deles em ondas cintilantes. As pessoas vinham de todos os lados. Alguns estavam em liteiras ou cadeirinhas, outros eram levados por burros, muitos estavam a pé. Nove em cada dez seguiam para oeste, pela ampla via pública pavimentada que levava à Arena Daznak. Quando viram sinal do palanquim saindo da pirâmide, aplausos vieram dos que estavam mais próximos e se espalharam pela praça. *Que estranho*, a rainha pensou. *Estão me aplaudindo na mesma praça em que empalei cento e sessenta e três Grandes Mestres.*

Um grande tambor liderava a procissão real, para abrir caminho pelas ruas. Entre cada batida, um arauto cabeça-raspada em uma camisa de discos de cobre polido gritava para a multidão se afastar. *BUM.*

– Estão vindo! – *BUM.* – Abram caminho! – *BUM.* – A rainha! – *BUM.* – O rei! – *BUM.*

Atrás do tambor marchavam Bestas de Bronze, em fileiras de quatro. Alguns levavam bastões, outros, clavas; todos vestiam saias plissadas, sandálias de couro e mantos de retalhos quadrados costurados de muitas cores, para combinar com os tijolos multicoloridos de Meereen. Suas máscaras brilhavam ao sol: javalis e touros, falcões e garças, leões, tigres e ursos, serpentes de línguas bifurcadas e hediondos basiliscos.

Belwas, o Forte, que não tinha nenhum amor por cavalos, andava na frente deles, com seu colete cravejado e sua barriga marrom, marcada por cicatrizes, balançando a cada passo. Irri e Jhiqui seguiam a cavalo, com Aggo e Rakharo, e depois Reznak em uma cadeirinha ornamentada com um toldo, para manter o sol afastado de sua cabeça. Sor Barristan Selmy cavalgava ao lado de Dany, sua armadura resplandecendo ao sol. Um longo manto saía de seus ombros, branco como osso. Em seu braço esquerdo estava um grande escudo branco. Um pouco atrás estava Quentyn Martell, o príncipe dornense, com seus dois companheiros.

A coluna arrastava-se lentamente pela comprida rua de tijolos. *BUM.*

– Estão vindo! – *BUM.* – Nossa rainha. Nosso rei. – *BUM* – Abram caminho!

Dany podia ouvir as aias discutindo atrás dela, debatendo sobre quem ganharia a disputa final do dia. Jhiqui preferia o gigantesco Goghor, que parecia mais um touro do que um homem, até com um anel de bronze no nariz. Irri insistia que o mangual de Belaquo Quebra-Ossos destruiria o gigante. *Minhas aias são dothrakis*, disse para si mesma. *A morte cavalga com cada* khalasar. No dia em que se casara com Khal Drogo, os *arakhs* brilhavam em seu banquete nupcial, e homens morriam enquanto outros bebiam e acasalavam. Vida e morte andavam de mãos dadas entre os senhores dos cavalos, e um respingo de sangue servia para abençoar um casamento. Seu novo casamento logo seria banhado em sangue. Que abençoado seria.

BUM, BUM, BUM, BUM, BUM, BUM, vieram as batidas de tambor, mais rápidas do que antes, repentinamente irritadas e impacientes. Sor Barristan desembainhou a espada quando a coluna fez uma parada repentina entre a pirâmide rosa e branca de Pahl e a verde e negra de Naqqan.

Dany se virou.

– Por que paramos?

Hizdahr se levantou.

– O caminho está bloqueado.

Um palanquim havia tombado no meio da rua. Um de seus carregadores havia caído nos tijolos, vencido pelo calor.

– Ajudem aquele homem. – Dany ordenou. – Tirem-no da rua antes que seja pisoteado, e deem água e comida para ele. Tem a aparência de quem não come há uma quinzena.

Sor Barristan olhava inquieto para a esquerda e para a direita. Rostos ghiscaris eram visíveis nos terraços, olhando para baixo com olhos frios e insensíveis.

– Vossa Graça, não gosto desta parada. Pode ser algum tipo de armadilha. Os Filhos da Harpia...

– ... foram domados – declarou Hizdahr zo Loraq. – Por que iriam querer ferir minha rainha, quando ela me tomou para seu rei e consorte? Agora, ajudem aquele homem, como minha doce rainha ordenou. – Ele pegou a mão de Dany e sorriu.

As Bestas de Bronze fizeram como lhes foi dito. Dany observou-os trabalhar.

– Esses carregadores eram escravos antes da minha chegada. Eu os libertei. Mesmo assim, o palanquim não ficou mais leve.

– Verdade – disse Hizdahr –, mas esses homens são pagos para carregar este peso, agora. Antes da sua vinda, o homem que caísse teria um capataz ao lado dele, tirando-lhe a pele das costas com um chicote. Em vez disso, está sendo ajudado.

Era verdade. Uma Besta de Bronze com máscara de javali oferecera um odre de água para o carregador.

– Suponho que devo ser grata pelas pequenas vitórias – a rainha falou.

– Um passo e depois o seguinte, e logo estaremos correndo. Juntos, faremos uma nova Meereen. – A rua finalmente estava liberada. – Vamos seguir?

O que podia fazer além de concordar? *Um passo e depois o seguinte, mas para onde estou indo?*

Nos portões da Arena de Daznak, dois guerreiros de bronze permaneciam em pose de combate mortal. Um empunhava uma espada, o outro, um machado; o escultor tinha representado os homens no ato de matar um ao outro, com a lâmina e o corpo deles formando um arco sobre a cabeça das pessoas que entravam na arena.

A arte mortal, pensou Dany.

Ela havia visto as arenas de luta muitas vezes de seu terraço. As pequenas salpicavam a face de Meereen como marcas de varíola; as maiores eram feridas purulentas, vermelhas e cruas. Mas nenhuma se comparava a esta. Belwas, o Forte, e Sor Barristan ficaram um de cada lado enquanto ela e o senhor seu marido passavam por baixo da arcada de bronze, para emergir no topo de uma grande bacia de tijolos cercada por fileiras descendentes de bancos, cada fila de uma cor.

Hizdahr zo Loraq levou-a para baixo, através do negro, púrpura, azul, verde, branco, amarelo e laranja, até o vermelho, onde os tijolos escarlate tinham a cor das areias abaixo. Ao redor deles, ambulantes vendiam linguiças de cachorro, cebolas assadas e filhotes não nascidos em um espeto, mas Dany não precisava daquilo. Hizdahr trouxera caixas com jarros de vinho gelado e água doce, além de figos, tâmaras, melões, romãs, nozes, pimentas e uma grande travessa de gafanhotos no mel. Belwas, o Forte, exclamou *Gafanhotos!*, pegou a travessa e começou a comê-los aos punhados.

– Estão muito saborosos – avisou Hizdahr. – Devia experimentar um pouco, meu amor. São passados em especiarias antes do mel, então são doces e picantes ao mesmo tempo.

– Isso explica o jeito que Belwas está suando – Dany falou. – Acho que vou me contentar com figos e tâmaras.

Do outro lado da arena, as Graças estavam sentadas com suas túnicas de muitas cores, ao redor da austera figura de Galazza Galare, a única entre elas a vestir o verde. Os Grandes Mestres de Meereen ocupavam os bancos vermelhos e laranja. As mulheres usavam véus, e os homens haviam penteado e laqueado seus cabelos em formatos de chifres, mãos e espigões. Todos os parentes de Hizdahr, da ancestral linhagem de Loraq, pareciam usar *tokars* de cor púrpura, índigo e lilás, enquanto os de Pahl vestiam listras rosa e brancas. Os enviados de Yunkai estavam todos de amarelo, e enchiam o camarote ao lado do rei, cada um deles com seus escravos e servos. Meereeneses de nascimento mais baixo lotavam as filas mais acima, mais distantes da carnificina. Os bancos de cor negra e púrpura, mais altos e mais afastados da areia, estavam cheios com libertos e outras pessoas do povo. Os mercenários haviam sido colocados ali também, Daenerys notou, com os capitães sentados entre os soldados comuns. Ela espiou o rosto marcado pelas intempéries de Ben Mulato, e o feroz e vermelho bigode e as longas tranças de Barbassangrenta.

O senhor seu marido se levantou e ergueu as mãos.

– *Grandes Mestres!* Minha rainha veio até aqui hoje para demonstrar o amor dela por vocês, seu povo. Por sua graça e com seu consentimento, darei para vocês, agora, sua arte mortal. Meereen! Deixem a Rainha Daenerys ouvir o amor de vocês!

Dez mil gargantas rugiram seus agradecimentos; então vinte mil; então todas. Não diziam seu nome, que poucos conseguiam pronunciar. *Mãe!*, gritavam, em vez disso; na velha língua morta de Ghis, a palavra era *Mhysa!* Batiam os pés, davam tapas na barriga e gritavam *Mhysa, Mhysa, Mhysa*, até que a arena inteira pareceu tremer. Dany deixou o som encobri-la. *Não sou a mãe de vocês*, poderia ter gritado de volta, *sou a mãe de seus escravos, de cada garoto que morreu sobre estas areias enquanto vocês se empanturravam de gafanhotos no mel.* Atrás dela, Reznak se inclinou para sussurrar em seu ouvido:

– Magnificência, ouça como eles a amam!

Não, ela sabia, *eles amam sua arte mortal.* Quando os aplausos começaram a diminuir, Dany se permitiu sentar. O camarote deles estava na sombra, mas sua cabeça latejava.

– Jhiqui – chamou –, água doce, se puder. Minha garganta está muito seca.

– Khrazz terá a honra da primeira morte do dia – Hizdahr contou para ela. – Nunca houve lutador melhor.

– Belwas, o Forte, era melhor – insistiu Belwas, o Forte.

Khrazz era meereenês, de nascimento humilde; um homem alto com um tufo de cabelo duro vermelho e negro saindo do meio da cabeça. Seu inimigo era um lanceiro de pele de ébano das Ilhas do Verão, cujas estocadas mantiveram Khrazz afastado por um tempo, mas assim que ele deslizou para dentro da lança com sua espada curta só sobrou massacre. Depois que acabou, Khrazz cortou o coração do homem negro, ergueu-o sobre sua cabeça, vermelho e gotejante, e deu-lhe uma mordida.

– Khrazz acredita que o coração dos corajosos o deixará mais forte – comentou Hizdahr. Jhiqui murmurou em aprovação. Certa vez, Dany comera o coração de um garanhão para dar força ao seu filho não nascido... mas aquilo não salvara Rhaego quando a *maegi* o assassinou em seu útero. *Três traições você conhecerá. Ela foi a primeira, Jorah a segunda, Ben Mulato Plumm a terceira.* As traições teriam acabado?

– Ah – falou Hizdahr, satisfeito. – Agora vem Gato Malhado. Veja como ele se move, minha rainha. Um poema em dois pés.

O inimigo que Hizdahr encontrara para o poema andante era tão alto quanto Goghor e tão largo quanto Belwas, mas lento. Estavam lutando a dois metros do camarote de Dany quando o Gato Malhado cortou os tendões do outro homem. Quando o lutador caiu de joelhos, o Gato colocou um pé em suas costas e uma mão em cima de sua cabeça e abriu sua garganta de orelha a orelha. As areias vermelhas beberam seu sangue, o vento levou suas últimas palavras. A multidão gritou em aprovação.

– Mau lutando, bom morrendo – disse Belwas, o Forte. – Belwas, o Forte, odeia quando gritam. – Acabara com todos os gafanhotos no mel. Deu um arroto e tomou um gole de vinho.

Qartenos pálidos, negros das Ilhas do Verão, dothrakis com a pele acobreada, tyroshinos com barbas azuis, homens ovelhas, jogos nhai, bravosis rabugentos, meios-homens de pele tigrada das florestas de Sothoros – dos confins do mundo, vieram morrer na Arena de Daznak.

– Este aí é muito promissor, meu doce – Hizdahr comentou, sobre um jovem liseno de longo cabelo loiro que se agitava com o vento... mas seu inimigo agarrou um punhado desse cabelo, desequilibrou o rapaz e tirou suas vísceras. Na morte, ele parecia ainda mais jovem do que com uma espada na mão.

– Um garoto – disse Dany. – Era apenas um garoto.

– Dezesseis – Hizdahr insistiu. – Um homem feito, que livremente escolheu arriscar sua vida por ouro e glória. Nenhuma criança morre hoje em Daznak, como minha gentil rainha, em sua sabedoria, decretou.

Outra pequena vitória. Talvez eu não possa tornar meu povo bom, disse para si mesma, *mas posso tentar fazê-lo um pouco menos mau.* Daenerys teria proibido lutas entre mulheres, também, mas Barsena Cabelo Negro protestara que tinha tanto direito de arriscar a vida quanto qualquer homem. A rainha também desejara proibir as folias, combates cômicos nos quais aleijados, anões e anciãs lutavam uns contra os outros com clavas, tochas e martelos (quanto mais ineptos os lutadores, mais engraçada a folia), mas Hizdahr dissera que seu povo a amaria mais se risse com eles, e argumentou que, sem tais folias, os aleijados, anões e anciãs morreriam de fome. Então Dany cedera.

Havia sido costume sentenciar criminosos para as arenas; ela concordara em retomar aquela prática, mas apenas para determinados crimes.

– Assassinos e estupradores devem ser forçados a lutar, e todos aqueles que persistirem com a escravidão, mas não ladrões ou devedores.

Animais ainda eram permitidos, contudo. Dany viu um elefante dar cabo de uma matilha de seis lobos vermelhos. A seguir, um touro foi colocado para enfrentar um urso, em uma batalha sangrenta que deixou os dois animais dilacerados e moribundos.

– A carne não é desperdiçada – contou Hizdahr. – Os açougueiros usam as carcaças para fazer um saudável ensopado para os famintos. Qualquer homem que se apresentar no Portão do Destino ganha uma tigela.

– Uma boa lei – Dany dissera. *Vocês têm tão poucas assim.* – Temos que nos assegurar que essa tradição continue.

Depois das lutas dos animais, veio uma batalha simulada, entre seis homens a pé contra seis a cavalo, os primeiros armados com escudos e espadas longas, e os últimos com *arakhs* dothrakis. Os cavaleiros de mentira estavam vestidos com cotas de malha, enquanto os falsos dothrakis não usavam armaduras. Inicialmente, os homens a cavalo pareciam levar vantagem, cavalgando sobre dois de seus inimigos e cortando a orelha de um terceiro, mas então os cavaleiros sobreviventes começaram a atacar os cavalos e, um por um, os homens foram desmontados e mortos, para grande desgosto de Jhiqui.

– Isso não é um verdadeiro *khalasar* – comentou.

– Essas carcaças não são destinadas para seu saudável ensopado, espero – Dany falou, enquanto os mortos eram removidos.

– Os cavalos, sim – respondeu Hizdahr. – Os homens, não.

– Carne de cavalo e cebolas fazem você forte – falou Belwas.

A batalha foi seguida pela primeira folia do dia, dois anões que disputavam justas, apresentados por um dos senhores yunkaítas que Hizdahr convidara para os jogos. Um cavalgava um cão, outro uma porca. Suas armaduras de madeira estavam recém-pintadas, e um usava o veado do usurpador Robert Baratheon, o outro, o leão dourado da Casa Lannister. Aquilo era claramente por causa dela. Suas palhaçadas logo fizeram Belwas gargalhar, embora o sorriso de Dany fosse fraco e forçado. Quando o anão de vermelho caiu da sela e começou a perseguir sua porca pelas areias, enquanto o anão no cachorro galopava atrás dele cutucando seu traseiro com uma espada de madeira, ela disse:

– Isso é doce e tolo, mas...

– Seja paciente, meu doce – falou Hizdahr. – Estão prestes a soltar os leões.

Daenerys lhe deu um olhar zombeteiro.

– Leões?

– Três deles. Os anões não esperam por isso.

Ela franziu o cenho.

– Os anões têm espada de madeira. Armadura de madeira. Como espera que lutem contra leões?

– Mal – falou Hizdahr –, mas talvez nos surpreendam. É mais provável que gritem, corram e tentem sair escalando da arena. É o que faz disso uma folia.

Dany não estava satisfeita.

– Proíbo esse tipo de coisa.

– Gentil rainha. Você não quer desapontar seu povo.

– Você me jurou que os lutadores seriam homens feitos que haviam concordado livremente em arriscar a vida por ouro e honra. Estes anões não concordaram em lutar contra leões com espada de madeira. Pare isso. Agora.

O rei apertou os lábios. Por um segundo, Dany pensou ter visto um clarão de raiva naqueles olhos plácidos.

– Será como ordena. – Hizdahr acenou para o mestre da arena. – Nada de leões – disse, quando o homem trotou até ele, chicote na mão.

– Nenhum, Magnificência? Onde está a graça disso?

– Minha rainha falou. Os anões não serão feridos.

– A multidão não gostará disso.

– Então traga Barsena. Isso deve apaziguá-los.

– Vossa Veneração é quem sabe. – O mestre da arena agitou o chicote e gritou as ordens. Os anões foram retirados, porca, cão e tudo mais, enquanto os espectadores assobiavam sua desaprovação e atiravam pedras e frutas podres neles.

Um urro se ergueu quando Barsena Cabelo Negro caminhou pelas areias, nua, exceto por uma tanga e sandálias. Uma mulher alta e escura, com cerca de trinta anos, movia-se com a graça selvagem de uma pantera.

– Barsena é muito amada – Hizdarh falou, quando o som aumentou até encher a arena. – A mulher mais corajosa que já conheci.

Belwas, o Forte, disse:

– Lutar com garotas não é tão corajoso. Lutar contra Belwas, o Forte, seria corajoso.

– Hoje ela lutará contra um javali.

Sim, pensou Dany, *porque você não encontrou uma mulher para enfrentá-la, não importa quão cheia fosse a bolsa de dinheiro.*

– E não com uma espada de madeira, pelo que parece.

O javali era um animal imenso, com presas tão longas quanto o antebraço de um homem e olhos pequenos imersos em raiva. Dany se perguntava se o javali que matara Robert Baratheon teria parecido tão feroz. Uma criatura terrível, e uma morte terrível. Por um segundo, quase sentiu pena do Usurpador.

– Barsena é muito rápida – Reznak comentou. – Ela dançará com o javali, Magnificência, e o fatiará quando passar perto dela. Ele estará inundado de sangue antes de cair, você verá.

Começou do jeito que ele disse. O javali atacou, Barsena girou de lado, sua lâmina brilhando prateada no sol.

– Ela precisa de uma lança – Sor Barristan falou, quando Barsena desviou do segundo ataque do animal. – Isso não é jeito de enfrentar um javali. – Ele soava como o exigente e velho avô de alguém, como Daario sempre dizia.

A lâmina de Barsena já estava vermelha, mas o javali logo parou. *Ele é mais esperto que um touro*, Dany percebeu. *Ele não atacará novamente*. Barsena chegou à mesma conclusão. Gritando, ela se aproximou do javali, jogando a faca de uma mão para a outra. Quando o animal se afastou, ela xingou e cortou seu focinho, tentando provocá-lo... e conseguiu. Desta vez a mulher saltou um instante atrasado, e a presa rasgou sua perna direita, do joelho até a virilha.

Um gemido saiu de trinta mil gargantas. Agarrando a perna rasgada, Barsena derrubou a faca e tentou fugir mancando, mas antes que andasse meio metro o javali estava sobre ela novamente. Dany virou o rosto.

– Isso foi corajoso o suficiente? – perguntou para Belwas, o Forte, quando um grito ecoou pela areia.

– Enfrentar porcos é corajoso, mas não é corajoso gritar tão alto. Machuca os ouvidos de Belwas, o Forte. – O eunuco esfregou sua barriga inchada, atravessada por velhas cicatrizes brancas. – Faz Belwas, o Forte, ficar doente da barriga, também.

O javali enterrou o focinho na barriga de Barsena e começou a arrancar suas entranhas. O cheiro era mais do que a rainha podia suportar. O calor, as moscas, os gritos da multidão... *Não posso respirar*. Levantou o véu e deixou-o voar longe. Tirou o *tokar* também. As pérolas soaram levemente, umas contra as outras, enquanto ela desenrolava a seda.

– *Khaleesi?* – Irri perguntou. – O que está fazendo?

– Tirando minhas orelhas de abano. – Uma dúzia de homens com lanças de javali veio trotando pela areia, para afastar o animal do cadáver e levá-lo de volta ao cercado. O mestre da arena estava entre eles, um longo chicote farpado na mão. Enquanto retiravam o javali, a rainha se levantou. – Sor Barristan, pode me levar em segurança de volta ao meu jardim?

Hizdahr parecia confuso.

– Ainda há mais por vir. Uma folia com seis mulheres idosas, e três lutas. Belaquo e Goghor!

– Belaquo vencerá – Irri declarou. – Isso é sabido.

– Isso *não* é sabido – Jhiqui falou. – Belaquo morrerá.

– Um morrerá, ou o outro – disse Dany. – E o que viver vai morrer outro dia. Isto foi um erro.

– Belwas, o Forte, comeu gafanhotos demais. – Havia uma expressão enjoada no rosto amplo e marrom de Belwas. – Belwas, o Forte, precisa de leite.

Hizdahr ignorou o eunuco.

– Magnificência, o povo de Meereen veio celebrar nossa união. Ouviu-os aplaudindo você. Não jogue fora o amor deles.

– Eram minhas orelhas de abano que aplaudiam, não eu. Tire-me deste abatedouro, esposo. – Ela podia ouvir o ronco do javali, os gritos dos lanceiros, o *estalar* do chicote do mestre da arena.

– Doce senhora, não. Fique um pouco mais. Para a folia e uma última luta. Feche seus olhos, ninguém verá. Estarão assistindo Belaquo e Ghogor. Não é hora para...

Uma sombra cruzou o rosto dele.

O tumulto e a gritaria morreram. Dez mil vozes silenciaram. Todos os olhos se voltaram para o céu. Um vento morno corou as bochechas de Dany, e sobre a batida de seu coração ela ouviu o som de asas. Os lanceiros trombavam uns nos outros, em busca de abrigo. O mestre da arena congelou onde estava. O javali foi fungando de volta para Barsena. Belwas, o Forte, deu um gemido, tropeçou em seu assento e caiu de joelhos.

Acima de todos eles, o dragão se virou, negro contra o sol. Suas escamas eram negras, seus olhos, chifres e chapas da coluna espinhal eram vermelho-sangue. Ainda que sempre tivesse sido o maior dos três, na natureza Drogon ficara ainda maior. Suas asas abertas tinham seis metros de ponta a ponta, negras como azeviche. Ele as bateu uma vez quando mergulhou sobre a areia, e o som era como o estalar de um trovão. O javali ergueu a cabeça, fungando... e a chama o engoliu, fogo negro e vermelho. Dany sentiu a onda de calor a dez metros de distância. Os gritos do animal moribundo soavam quase humanos. Drogon aterrissou sobre a carcaça e enfiou as garras na carne defumada. Quando começou a comer, não fazia distinção entre Barsena e o javali.

– Oh, deuses – gemeu Reznak –, ele a está comendo! – O senescal cobriu a boca. Belwas, o Forte, estava vomitando ruidosamente. Um estranho olhar passou pelo rosto comprido e pálido de Hizdahr zo Loraq; parte medo, parte luxúria, parte arrebatamento. Ele lambeu os lábios. Dany podia ver os Pahl subindo os degraus, agarrando seus *tokars* e tropeçando nas franjas na pressa de se afastar. Outros os seguiam. Alguns corriam, empurrando um ao outro. A maioria ficou nas arquibancadas.

Um homem tomou para si a tarefa de bancar o herói.

Era um dos lanceiros enviados para levar o javali de volta ao cercado. Talvez estivesse bêbado, ou louco. Talvez amasse Barsena Cabelo Negro havia muito tempo, ou tivesse ouvido algum sussurro sobre a menina Hazzea. Talvez fosse apenas um homem comum que quisesse que bardos cantassem sobre ele. Avançou com a lança de javali nas mãos. A areia vermelha erguia-se embaixo de seus calcanhares, e gritos elevavam-se das arquibancadas. Drogon levantou a cabeça, sangue pingando dos dentes. O herói pulou nas costas do dragão e desceu a ponta de ferro da lança na base de seu longo pescoço escamado.

Dany e Drogon gritaram em uníssono.

O herói inclinou-se sobre a lança, usando seu peso para enterrar a ponta mais profundamente. Drogon arqueou-se para cima, com um silvo de dor. Sua cauda ia de um lado para o outro. Dany viu a cabeça do animal se erguer na extremidade do longo pescoço de serpente, viu as asas negras se abrirem. O matador de dragão se desequilibrou e caiu na areia. Estava tentando se levantar quando os dentes do dragão se fecharam com força ao redor de seu antebraço.

– Não – foi tudo o que o homem teve tempo de gritar. Drogon arrancou o braço do ombro e o atirou de lado como um cão arrancaria um rato de sua toca.

– Matem-no – Hizdahr zo Loraq gritou para os outros lanceiros. – *Matem a besta!*

Sor Barristan segurou-a com firmeza.

– Olhe para o outro lado, Vossa Graça.

– Deixe-me! – Dany escapou dele. O mundo parecia se mover lentamente quando ela pulou o parapeito. Quando aterrissou na arena, perdeu uma sandália. Correndo, podia sentir a areia entre seus dedos, quente e áspera. Sor Barristan gritava atrás dela. Belwas, o Forte, ainda estava vomitando. Ela correu mais rápido.

Os lanceiros estavam correndo também. Alguns avançavam em direção ao dragão, lança na mão. Outros fugiam, jogando suas armas enquanto escapavam. O herói estava tendo espasmos na areia, o sangue brilhante se derramando do pedaço arrancado em seu ombro. Sua lança continuava nas costas de Drogon, balançando quando o dragão batia as asas. Fumaça erguia-se da ferida. Quando as outras lanças se aproximaram, o dragão cuspiu fogo, banhando dois homens em chama negra. Sua cauda chicoteava de lado, e pegou o mestre da arena que se arrastava atrás dele, quebrando o homem em dois. Outro atacante tentava apunhalar seus olhos, até que o dragão o pegou entre suas mandíbulas e arrancou sua barriga. O meereeneses gritavam, xingavam, uivavam. Dany podia ouvir passos atrás dela.

– Drogon – gritou. – *Drogon.*

Ele virou a cabeça. Fumaça saía por entre seus dentes. Onde pingava no chão, seu sangue soltava fumaça também. Bateu as asas novamente, levantando uma asfixiante tempestade de areia escarlate. Dany tropeçou na quente nuvem vermelha, tossindo. Ele avançou.

– Não – foi tudo o que ela teve tempo de dizer. *Não, não eu, você não me reconhece?* Os dentes negros se fecharam a centímetros do rosto dela. *Ele queria arrancar minha cabeça.* Os olhos dela estavam cheios de areia. Tropeçou sobre o cadáver do mestre da arena e caiu de costas.

Drogon rugiu. O som encheu a arena. Um vento quente a engoliu. O longo pescoço escamado do dragão se esticou na direção dela. Quando sua boca se abriu, ela pôde ver pedaços de ossos quebrados e carne queimada entre seus dentes. Os olhos dele pareciam ferver. *Estou olhando dentro do inferno, mas não ouso afastar o olhar.* Nunca tivera tanta certeza de alguma coisa. *Se eu correr dele, ele vai me queimar e me devorar.* Em Westeros, os septões falavam sobre os sete infernos e os sete paraísos, mas os Sete Reinos e seus deuses estavam muito longe. Se morresse aqui, Dany se perguntava, o deus-cavalo dos dothrakis viria pela grama para reivindicá-la para seu *khalasar* estrelado e então ela poderia cavalgar pelas terras da noite ao lado de seu sol-e-estrelas? Ou os deuses zangados de Ghis enviariam suas harpias para apanhar sua alma e arrastá-la para o tormento? Drogon rugiu em seu rosto, seu hálito quente o suficiente para fazer bolhas na pele. À sua direita, Dany ouviu Barristan Selmy gritando:

– *Aqui*! Me ataque! Aqui! *Eu*!

Nos fossos vermelhos fumegantes dos olhos de Drogon, Dany viu seu próprio reflexo. Como ela parecia pequena, fraca, frágil e assustada. *Não posso deixá-lo ver meu medo.* Tateou pela areia, empurrando o cadáver do mestre da arena, e seus dedos roçaram no cabo do chicote. Tocá-lo a fez se sentir mais corajosa. O couro estava morno, vivo. Drogon rugiu novamente, o som tão alto que ela quase derrubou o chicote. Os dentes dele estalaram junto dela.

Dany bateu nele.

– Não – gritou, agitando o chicote com toda a força que tinha. O dragão lançou a cabeça para trás. – Não – ela gritou novamente. – *NÃO*! – As farpas arranharam o focinho do animal. Drogon se ergueu, suas asas cobrindo-a com sombras. Dany bateu com o chicote na barriga dele, uma vez após outra, até que seu braço começou a doer. O longo pescoço de serpente do dragão parecia um arco. Com um *shiiiiiiiissssss*, cuspiu fogo negro sobre ela. Dany correu embaixo das chamas, agitando o chicote e gritando. – *Não, não, não. Para BAIXO*! – Seu rugido de resposta estava cheio de medo e fúria, cheio de dor. Suas asas bateram uma vez, duas...

... e se fecharam. O dragão deu um último silvo e deitou-se sobre a barriga. Sangue negro fluía da ferida feita pela lança, soltando fumaça onde pingava nas areias queimadas. *Ele é fogo feito carne*, ela pensou, *e eu também*.

Daenerys Targaryen curvou-se sobre as costas do dragão, pegou a lança e a arrancou. A ponta estava semiderretida, o ferro em brasa, incandescente. Jogou-a de lado. Drogon torceu-se embaixo dela, os músculos ondulando conforme reunia forças. O ar estava cheio de areia. Dany não podia ver, não podia respirar, não podia pensar. As asas negras estalaram como um trovão e, repentinamente, as areias escarlate estavam caindo sob ela.

Tonta, Dany fechou os olhos. Quando os abriu novamente, vislumbrou os meereeneses lá embaixo, através de uma névoa de lágrimas e poeira, espalhando-se pelos degraus e para fora, nas ruas.

O chicote ainda estava em sua mão. Ela o agitou contra o pescoço de Drogon e gritou: – *Mais alto!* – Sua outra mão agarrava as escamas do animal, seus dedos lutando para se manter presos. As largas asas de Drogon batiam no ar. Dany podia sentir o calor dele entre suas coxas. Seu coração parecia estar prestes a explodir. *Sim*, pensou, *sim, agora, agora, faça isso, faça isso, leve-me, leve-me, VOE!*

Jon

Tormund Terror dos Gigantes não era um homem alto, mas o deuses haviam lhe dado um peito largo e uma barriga maciça. Mance Rayder o chamava de Tormund Soprador de Chifres, por causa do poder de seus pulmões, e costumava dizer que a risada de Tormund podia tirar a neve do topo das montanhas. Em sua ira, seus gritos faziam Jon se lembrar do trombetear de um mamute.

Naquele dia, Tormund gritou muitas vezes e bem alto. Rosnou, berrou, bateu o punho contra a mesa com tanta força que virou um jarro de água. Um corno de hidromel nunca estava longe de sua mão, então a saliva que espalhava enquanto fazia ameaças era doce como mel. Chamou Jon de covarde, mentiroso e vira-casaca, xingou-o de ajoelhador sodomizado de coração negro, ladrão e corvo carniceiro, acusou-o de querer enrabar o povo livre. Por duas vezes arremessou o corno que bebia na cabeça de Jon, mas apenas depois de esvaziá-lo. Tormund não era o tipo de homem que desperdiçava um bom hidromel. Jon deixou tudo atingi-lo. Em nenhum momento ergueu a própria voz ou respondeu ameaça com ameaça, mas tampouco lhe deu mais terras do que estava preparado para dar.

Finalmente, quando as sombras da tarde cresciam do lado de fora da tenda, Tormund Terror dos Gigantes – Alto-Falante, Soprador de Chifres e Quebrador de Gelo, Tormund Punho de Trovão, Esposo de Ursas, Rei-Hidromel de Solar Ruivo, Falador com os Deuses e Pai de Tropas – estendeu a mão.

– Feito, então, e que os deuses me perdoem. Há uma centena de mães que nunca me perdoará, sei disso.

Jon apertou a mão que lhe era oferecida. As palavras de seu juramento soavam em sua cabeça. *Sou a espada na escuridão. Sou o vigilante nas muralhas. Sou o fogo que queima contra o frio, a luz que traz consigo a alvorada, a trombeta que acorda os que dormem, o escudo que guarda o reino dos homens.* E, para ele, um novo refrão: *Sou o guarda que abriu o portão e deixou o inimigo passar por ele.* Teria dado muito e ainda mais para saber se estava fazendo a coisa certa. Mas havia ido longe demais para voltar atrás.

– Feito e refeito – disse.

O aperto de mão de Tormund era de partir ossos. Isso não mudara nele. A barba era a mesma também, embora o rosto embaixo daquele cabelo branco emaranhado tivesse emagrecido consideravelmente, e profundas linhas marcassem suas bochechas rosadas.

– Mance devia ter matado você quando teve chance – disse, enquanto fazia o melhor possível para transformar a mão de Jon em uma papa de ossos. – Ouro por mingau de aveia, e meninos... um preço cruel. O que aconteceu com o doce rapaz que conheci?

Fizeram dele o senhor comandante.

– Uma barganha justa deixa os dois lados infelizes, ouvi dizer. Três dias?

– Se eu viver tanto. Alguns dos meus vão cuspir em mim quando ouvirem esses termos. – Tormund soltou a mão de Jon. – Seus corvos vão reclamar também, se os conheço. E devo conhecê-los. Matei mais dos seus pederastas negros do que posso contar.

– Seria melhor se não mencionasse isso tão alto quando vier para o sul da Muralha.

– Har! – Tormund riu. Aquilo tampouco mudara; ele ainda ria tão facilmente quanto antes. – Sábias palavras. Não quero seus corvos me bicando até a morte. – Bateu nas costas de Jon. – Quando todo meu povo estiver seguro atrás da sua Muralha, vamos dividir um pouco de carne e hidromel. Até lá... – O selvagem tirou a braçadeira que usava no braço esquerdo e jogou-a para Jon, então fez o mesmo com a idêntica que estava no direito. – Seu primeiro pagamento. Ganhei isso de meu pai, e ele, do dele. Agora são suas, seu ladrão bastardo negro.

As braçadeiras eram de ouro antigo, sólidas e pesadas, gravadas com antigas runas dos Primeiros Homens. Tormund Terror dos Gigantes usava-as desde que Jon o conhecera; pareciam mais parte dele do que sua barba.

– Os bravosis vão derreter isso pelo ouro. É uma pena. Talvez você devesse ficar com elas.

– Não. Não quero que digam que Tormund Punhos de Trovão fez o povo livre dar seus tesouros enquanto manteve os dele. – Ele riu. – Mas vou ficar com o anel que uso no meu membro. Muito maior do que essas coisinhas. Em você serviria como colar.

Jon teve que rir.

– Você não muda.

– Oh, eu mudo. – O riso derreteu como neve no verão. – Não sou mais o homem que era em Solar Ruivo. Vi muitas mortes e coisas piores também. Meus filhos... – O pesar torceu o rosto de Tormund. – Dormund foi abatido na batalha da Muralha, e ainda era meio garoto. Um dos cavaleiros do seu rei o matou, algum bastardo todo em aço cinza com mariposas no escudo. Vi o ataque, mas meu menino estava morto antes que o alcançasse. E Torwynd... foi o frio que o reivindicou. Sempre adoentado, aquele ali. Uma noite, apenas se deitou e morreu. O pior foi que antes que soubéssemos que estava morto, ele se levantou pálido com aqueles olhos azuis. Eu mesmo tive que cuidar dele. Foi difícil, Jon. – Lágrimas brilharam em seus olhos. – Ele não era muito homem, verdade seja dita, mas tinha sido meu garotinho antes, e eu o amava.

Jon colocou a mão no ombro dele.

– Sinto muito.

– Por quê? Não foi sua culpa. Há sangue em suas mãos, sim, assim como nas minhas. Mas não o sangue dele. – Tormund sacudiu a cabeça. – Ainda tenho dois filhos fortes.

– Sua filha...?

– Munda. – Aquilo trouxe o sorriso de Tormund de volta. – Tomou aquele Ryk Lança Longa como marido, acredita? O garoto tem mais pau do que juízo, se você me perguntar, mas ele a trata bem o suficiente. Eu disse que, se alguma vez a machucasse, eu arrancaria seu membro fora e bateria nele com a coisa sangrando. – Deu outro tapa vigoroso em Jon. – É hora de você voltar. Se o mantivermos por mais tempo, vão pensar que devoramos você.

– Ao amanhecer, então. Três dias a partir de agora. Os garotos primeiro.

– Ouvi você nas primeiras dez vezes, corvo. Um homem poderia pensar que não há confiança entre nós. – Ele cuspiu. – Os garotos primeiro, sim. Os mamutes vão pelo caminho mais longo. Assegure-se que Atalaialeste espere por eles. Eu vou me assegurar de que não haja luta nem correria em seus malditos portões. Entrarão ordenados e bonitinhos, como patinhos em fila. E eu serei a pata mãe. Har! – Tormund levou Jon para fora da tenda.

Do lado de fora, o dia estava claro e sem nuvens. O sol voltara ao céu depois de uma quinzena de ausência e, ao sul, a Muralha erguia-se branco-azulada e brilhante. Havia um dito que Jon ouvira dos homens mais velhos no Castelo Negro: *a Muralha é mais temperamental que o Louco Rei Aerys*, diziam, ou algumas vezes, *a Muralha é mais temperamental que uma mulher*. Em dias nublados, parecia de pedra branca. Em noites sem lua, era negra como carvão. Durante tempestades de neve, parecia escavada na neve. Mas, em dias como esse, não podia ser confundida com nada mais do que gelo. Em dias como esse, a Muralha brilhava como o cristal de um septão, cada rachadura e fenda delineada pela luz do sol, enquanto arco-íris congelados dançavam e morriam em ondulações translúcidas. Em dias como esse, a Muralha era bela.

O filho mais velho de Tormund estava perto dos cavalos, conversando com Couros. Toregg, o Alto, era chamado entre o povo livre. Embora dificilmente tivesse mais do que alguns centímetros a mais que Couros, era quase trinta centímetros mais alto que seu pai. Hareth, o robusto garoto de Vila Toupeira chamado Cavalo, estava agachado perto do fogo, de costas para os outros dois. Ele e Couros eram os únicos homens que Jon trouxera consigo para a conferência; mais do que isso teria sido um sinal de medo, e vinte homens não teriam mais utilidade do que dois se Tormund tivesse sede de sangue. Fantasma era a única proteção que Jon precisava; o lobo gigante podia farejar seus inimigos, mesmo aqueles que escondiam sua inimizade atrás de sorrisos.

Mas Fantasma tinha partido. Jon tirou uma das luvas negras, colocou dois dedos na boca e deu um assobio.

– *Fantasma*! Comigo.

De cima veio o súbito som de asas. O corvo de Mormont voou do galho de um velho carvalho para pousar na sela de Jon. *Grão*, gritou. *Grão, grão, grão.*

– Você me seguiu também? – Jon tentou espantar a ave, mas acabou acariciando suas penas. O corvo levantou os olhos para ele. *Snow*, murmurou, balançando a cabeça intencionalmente. Então Fantasma apareceu entre duas árvores, com Val ao seu lado.

Parecem pertencer um ao outro. Val estava toda vestida de branco, também; calção de lã branca enfiado em botas altas de couro branco, um manto branco de pele de urso, preso ao ombro por um rosto esculpido em represeiro, túnica branca com fechos de ossos. Sua respiração era branca também... mas os olhos eram azuis, a longa trança, da cor de mel escuro, as bochechas rosadas pelo frio. Fazia tempo desde que Jon Snow tivera uma visão tão adorável.

– Está tentando roubar meu lobo? – perguntou para ela.

– Por que não? Se cada mulher tivesse um lobo gigante, os homens seriam muito mais gentis. Mesmo os corvos.

– Har! – riu Tormund Terror dos Gigantes. – Não troque palavras com esta uma, Lorde Snow, ela é esperta demais para tipos como você e eu. Melhor roubá-la rapidamente, antes que Toregg acorde e pegue-a primeiro.

O que aquele idiota do Axell Florent dissera de Val? *Uma garota em idade de se casar, não difícil de ser olhada. Bons quadris, bons seios, bem feita para parir crianças.* Tudo verdade, mas a mulher selvagem era muito mais. Provara isso encontrando Tormund quando patrulheiros experientes da Muralha haviam falhado. *Ela pode não ser uma princesa, mas daria uma esposa digna de qualquer senhor.*

Mas aquela ponte havia sido queimada havia muito tempo, e o próprio Jon atirara a tocha.

– Toregg está disponível para ela – anunciou. – Eu fiz um voto.

– Ela não se importará. Se importará, garota?

Val acariciou a faca de osso comprida em seus quadris.

– Lorde Corvo pode me roubar em minha cama na noite que quiser. Uma vez castrado, manter os votos será muito mais fácil para ele.

– *Har!* – Tormund bufou de novo. – Ouviu isso, Toregg? Fique longe desta aí. Já tenho uma filha, não preciso de outra. – Sacudindo a cabeça, o chefe selvagem inclinou-se e entrou em sua tenda.

Enquanto Jon coçava Fantasma atrás da orelha, Toregg trouxe o cavalo de Val. Ela ainda cavalgava o garrano cinzento que Mully lhe dera no dia em que deixara a Muralha, uma coisa raquítica e desgrenhada, cega de um olho. Quando se virou em direção à Muralha, perguntou:

– Como vai o pequeno monstro?

– Duas vezes maior do que quando você o deixou, e três vezes mais barulhento. Quando quer teta, é possível ouvi-lo em Atalaialeste. – Jon montou seu próprio cavalo.

Val se inclinou para o lado dele.

– Então... eu trouxe Tormund para você, como disse que faria. E agora? Volto para minha antiga cela?

– Sua antiga cela está ocupada. A Rainha Selyse reivindicou a Torre do Rei para si. Você se lembra da Torre de Hardin?

– Aquela que parece prestes a desabar?

– Ela tem essa aparência há centenas de anos. Mandei preparar o piso superior para você, minha senhora. Terá mais espaço do que na Torre do Rei, embora não seja tão confortável. Ninguém chama aquele lugar de Palácio de Hardin.

– Eu sempre escolheria liberdade no lugar de conforto.

– Liberdade no castelo você pode ter, mas sinto dizer que deve permanecer cativa. Posso prometer que não será incomodada por visitantes indesejados, no entanto. Meus próprios homens guardam a Torre de Hardin, não os da rainha. E Wun Wun dorme no salão de entrada.

– Um gigante como protetor? Nem Dalla podia se gabar disso.

Os selvagens de Tormund os observaram passar, espiando das tendas e barracas construídas sob as árvores sem folhas. Para cada homem em idade de lutar, Jon viu três mulheres e muitas crianças, coisas magras, com bochechas chupadas e olhos famintos. Quando Mance Rayder liderou o povo livre até a Muralha, seus seguidores levavam grandes rebanhos de ovinos, caprinos e suínos com eles, mas agora os únicos animais que podiam ser vistos eram os mamutes. Se não fosse pela ferocidade dos gigantes, teriam sido mortos também, não duvidava. Havia muita carne nos ossos dos mamutes.

Jon viu sinais de doenças também. Aquilo o inquietou mais do que poderia dizer. Se o bando de Tormund estava faminto e doente, como estariam os milhares que seguiram Mãe Toupeira até Durolar? *Logo Cotter Pyke deve alcançá-los. Se os ventos forem gentis, sua frota pode estar no caminho de volta a Atalaialeste agora, com a maior quantidade de povo livre que conseguiu enfiar a bordo.*

– Como se saiu com Tormund? – perguntou Val.

– Pergunte-me daqui a um ano. A parte difícil ainda espera por mim. A parte em que convenço os meus a engolir esta refeição que preparei para eles. Nenhum deles gostará do sabor, temo.

– Deixe-me ajudar.

– Você ajudou. Trouxe-me Tormund.

– Posso fazer mais.

Por que não?, pensou Jon. *Estão todos convencidos de que ela é uma princesa.* Val olhava os arredores e cavalgava como se tivesse nascido no lombo de um cavalo. *Uma princesa guerreira*, ele decidiu, *não uma criatura graciosa que se senta em uma torre, escovando os cabelos e esperando que algum cavaleiro a resgate.*

– Preciso informar a rainha sobre este acordo – falou. – Você será bem-vinda se quiser vir comigo encontrá-la e achar que é capaz de se ajoelhar. – Não queria ofender Sua Graça antes dele mesmo abrir a boca.

– Posso rir quando me ajoelhar?

– Não. Isto não é um jogo. Um rio de sangue corre entre nossos povos, antigo, profundo e vermelho. Stannis Baratheon é um dos poucos a admitir selvagens no reino. Preciso do apoio da rainha dele para o que fiz.

O sorriso brincalhão de Val morreu.

– Tem minha palavra, Lorde Snow. Serei uma princesa selvagem adequada para sua rainha.

Ela não é minha rainha, Jon poderia ter dito. *Verdade seja dita, o dia da partida dela parece levar uma eternidade para chegar. E, se os deuses forem bons, ela levará Melisandre consigo.*

Cavalgaram o resto do percurso em silêncio, com Fantasma galopando em seus calcanhares. O corvo de Mormont os seguiu até o portão, então voou para cima, enquanto o restante deles desmontava. Cavalo foi na frente com um ferro em brasa para iluminar o caminho pelo túnel congelado.

Uma pequena multidão de irmãos negros esperava no portão quando Jon e seus companheiros emergiram ao sul da Muralha. Ulmer da Mata de Rei estava entre eles, e foi o velho arqueiro que veio adiante para falar pelos demais.

– Se for do agrado do meu senhor, os rapazes querem saber. Será paz, 'nhor? Ou sangue e ferro?

– Paz – Jon Snow respondeu. – Daqui a três dias, Tormund Terror dos Gigantes levará seu povo pela Muralha. Como amigos, não inimigos. Alguns podem até mesmo engrossar nossas fileiras, como irmãos. Vai depender de nós fazê-los sentir-se bem-vindos. Agora, de volta aos seus deveres. – Jon entregou as rédeas de seu cavalo para Cetim. – Preciso ver a Rainha Selyse. – Sua Graça tomaria como desfeita se não fosse vê-la imediatamente. – Depois, tenho cartas para escrever. Leve pergaminho, penas e um frasco de tinta de meistre para meus aposentos. E então reúna Marsh, Yarwyck, Septão

Cellador e Clydas. – Cellador estaria meio bêbado, e Clydas era um substituto pobre para um meistre de verdade, mas era o que ele tinha. Até que Sam voltasse. – Os nortenhos também. Flint e Norrey. Couros, você deve estar presente também.

– Hobb está assando tortas de cebola – disse Cetim. – Devo pedir que todos eles se juntem a você para a ceia?

Jon considerou.

– Não. Peça que me encontrem no topo da Muralha ao pôr do sol. – Virou-se para Val. – Minha senhora. Venha comigo, se for de seu agrado.

– O corvo ordena, a cativa deve obedecer. – Seu tom era brincalhão. – Essa rainha de vocês deve ser feroz, se as pernas de homens crescidos tremem quando a encontram. Devo usar cota de malha em vez de lã e peles? Estas roupas foram dadas para mim por Dalla, e não gostaria de manchas de sangue sobre elas.

– Se palavras derramassem sangue, você teria motivo de temor. Creio que suas roupas estão salvas, minha senhora.

Foram em direção à Torre do Rei, por caminhos recém-escavados entre montes de neve suja.

– Ouvi dizer que sua rainha tem uma grande barba escura.

Jon sabia que não devia sorrir, mas sorriu.

– Apenas um bigode. Muito ralo. Dá para contar os fios.

– Que decepção.

Apesar de toda a conversa de querer ser a dona de seu castelo, Selyse Baratheon não parecia ter muita pressa de abandonar os confortos de Castelo Negro pelas sombras de Fortenoite. Mantinha guardas, é claro; quatro homens postados na porta, dois do lado de fora, nos degraus, dois do lado de dentro, perto do braseiro. Comandando todos eles estava Sor Patrek da Montanha do Rei, vestido com sua roupa de cavaleiro branca, azul e prata, seu manto coberto de estrelas de cinco pontas. Quando foi apresentado a Val, o cavaleiro apoiou-se em um joelho para beijar a luva da moça.

– É mais encantadora do que disseram, princesa – declarou. – A rainha me falou muito e ainda mais sobre sua beleza.

– Que estranho, ela nunca me viu. – Deu um tapinha na cabeça de Sor Patrek. – Em pé agora, sor ajoelhador. Em pé, em pé. – Parecia estar falando com um cão.

Jon fez o que pôde para não rir. Com o rosto impassível, disse ao cavaleiro que requeriam uma audiência com a rainha. Sor Patrek enviou um dos homens em armas degraus acima, para perguntar se Sua Graça poderia recebê-los.

– Mas o lobo fica aqui – Sor Patrek insistiu.

Jon esperava aquilo. O lobo gigante deixava a Rainha Selyse ansiosa, quase tanto quanto Wun Weg Wun Dar Wun.

– Fantasma, fique.

Encontraram Sua Graça bordando ao lado do fogo, enquanto o bobo dançava uma música que só ele podia ouvir, os guizos chocalhando no chapéu de pontas.

– O corvo, o corvo – Cara-Malhada gritou quando viu Jon. – Sob o mar, os corvos são brancos como a neve, eu sei, eu sei, oh, oh, oh. – A Princesa Shireen estava enroscada em um banco sob a janela, com o capuz erguido para cobrir o escamagris que desfigurara seu rosto.

Não havia sinal da Senhora Melisandre. Jon estava grato por aquilo. Cedo ou tarde teria que encarar a sacerdotisa vermelha, mas preferia que não fosse na presença da rainha.

– Vossa Graça. – Ajoelhou-se. Val fez o mesmo.

A Rainha Selyse deixou o bordado de lado.

– Podem se levantar.

– Se for do agrado de Vossa Graça, posso lhe apresentar a Senhora Val? Sua irmã, Dalla, era...

–... mãe daquele bebê chorão que nos mantém acordados à noite. Sei quem ela é, Lorde Snow. – A rainha fungou. – Tem sorte que ela voltou antes do rei, meu marido, ou isso teria acabado muito mal para você. Muito mal mesmo.

– Você é a princesa selvagem? – Shireen perguntou para Val.

– Alguns me chamam assim – disse Val. – Minha irmã era esposa de Mance Rayder, o Rei-para-lá-da-Muralha. Ela morreu dando à luz o filho dele.

– Também sou uma princesa – Shireen anunciou –, mas nunca tive uma irmã. Tive um primo, certa vez, mas ele foi embora. Era só um bastardo, mas eu gostava dele.

– Honestamente, Shireen – sua mãe falou. – Tenho certeza de que o senhor comandante não veio até aqui para ouvir sobre os filhos ilegítimos de Robert. Cara-Malhada, seja um bom bobo e acompanhe a princesa até seu quarto.

Os guizos no chapéu dele tocaram.

– Vamos, vamos – o bobo cantou. – Venha comigo para o fundo do mar, vamos, vamos, vamos. – Pegou a princesa pela mão e a levou para fora da sala, pulando.

Jon falou.

– Vossa Graça, o líder do povo livre concordou com meus termos.

A Rainha Selyse deu o mais ínfimo dos acenos.

– Sempre foi desejo do senhor meu marido conceder refúgio a esses povos selvagens. Desde que mantenham a paz do rei e as leis do rei, são bem-vindos ao nosso reino. – Apertou os lábios. – Ouvi dizer que há mais gigantes com eles.

Val respondeu.

– Quase duzentos, Vossa Graça. E mais de oitenta mamutes.

A rainha estremeceu.

– Criaturas terríveis. – Jon não sabia dizer se ela falava dos mamutes ou dos gigantes. – Embora tais bestas possam ser úteis ao senhor meu marido em suas batalhas.

– Podem ser, Vossa Graça – Jon falou –, mas os mamutes são grandes demais para passar pelos nossos portões.

– O portão não pode ser alargado?

– Isso... isso seria imprudente, acredito.

Selyse fungou.

– Se é o que diz. Sem dúvida você conhece essas coisas. Onde pretende colocar esses selvagens? Certamente Vila Toupeira não é grande o suficiente para conter... quantos são?

– Quatro mil, Vossa Graça. Eles ajudarão a guarnecer nossos castelos abandonados, a fim de defender a Muralha.

– Eu tinha entendido que esses castelos estavam em ruínas. Lugares lúgubres, sombrios e frios, pouco mais do que montes de escombros. Em Atalaialeste, ouvimos falar de ratos e aranhas.

O frio já deve ter matado as aranhas, Jon pensou, *e os ratos podem ser uma fonte importante de carne no inverno.*

– É tudo verdade, Vossa Graça... mas mesmo ruínas oferecem algum abrigo. E a Muralha ficará entre eles e os Outros.

– Vejo que considerou tudo isso cuidadosamente, Lorde Snow. Estou certa de que o Rei Stannis ficará satisfeito quando retornar triunfante de sua batalha.

Partindo do princípio de que voltará.

– É claro – a rainha continuou –, os selvagens primeiro devem reconhecer Stannis como seu rei e R'hllor como seu deus.

E aqui estamos nós, cara a cara com a passagem estreita.

– Vossa Graça, me perdoe. Esses não foram os termos com os quais concordamos.

O rosto da rainha endureceu.

– Um descuido grave. – Todo traço de calor desapareceu imediatamente da voz dela.

– O povo livre não se ajoelha – Val falou para ela.

– Então devem ser ajoelhados – a rainha declarou.

– Faça isso, Vossa Graça, e eles se erguerão novamente na primeira oportunidade – Val prometeu. – E se erguerão com lâminas nas mãos.

Os lábios da rainha se apertaram, e seu queixo tremeu ligeiramente.

– Você é insolente. Imagino que é isso que se deva esperar de uma selvagem. Devemos encontrar um marido que possa lhe ensinar cortesia. – A rainha voltou seu olhar penetrante para Jon. – Não aprovo isso, senhor comandante. Nem meu marido aprovará. Não posso impedi-lo de abrir seus portões, como ambos sabemos bem, mas prometo que responderá por isso quando o rei retornar da batalha. Talvez queira reconsiderar.

– Vossa Graça – Jon se ajoelhou novamente. Dessa vez, Val não se juntou a ele. – Sinto se minhas atitudes a desagradaram. Fiz como achei melhor. Temos sua permissão para sair?

– Têm. Imediatamente.

Uma vez do lado de fora e bem distante dos homens da rainha, Val deu vazão à sua ira.

– Você mentiu sobre a barba dela. Aquela uma tem mais pelos na cara do que eu tenho entre as pernas. E a filha... o rosto dela...

– Escamagris.

– A morte cinza é como chamamos isso.

– Nem sempre é mortal em crianças.

– Ao norte da Muralha é. Cicuta é uma cura certa, mas um travesseiro ou uma lâmina também servem. Se eu tivesse dado à luz aquela pobre criança, teria lhe dado o presente da misericórdia há muito tempo.

Aquela era uma Val que Jon nunca vira antes.

– A Princesa Shireen é a única filha da rainha.

– Uma pena para ambas. A criança não está limpa.

– Se Stannis vencer sua guerra, Shireen será a herdeira do Trono de Ferro.

– Então, uma pena para seus Sete Reinos.

– Os meistres dizem que o escamagris não é...

– Os meistres podem acreditar no que quiserem. Pergunte para uma feiticeira da floresta se quer saber a verdade. A morte cinza dorme, apenas para despertar novamente. *A criança não está limpa!*

– Ela parece uma garota doce. Você não pode saber...

– Posso. Você não sabe nada, Jon Snow. – Val segurou o braço dele. – Quero o monstro fora de lá. Ele e suas amas de leite. Você não pode deixá-lo na mesma torre que a menina morta.

Jon tirou a mão dela.

– *Ela não está morta.*

– Está. A mãe dela não consegue ver. Nem você, pelo que parece. Mesmo assim a morte está ali. – Afastou-se dele, parou e virou-se novamente. – Trouxe Tormund Terror dos Gigantes para você. Traga-me meu monstro.

– Se eu puder, trarei.

– Você trará. Tem uma dívida comigo, Jon Snow.

Jon observou-a ir embora. *Ela está errada. Tem que estar errada. Escamagris não é tão mortal quanto afirma, não em crianças.*

Fantasma se fora novamente. O sol estava baixo no oeste. *Uma taça de vinho quente com especiarias me cairia bem agora. Duas taças cairiam melhor ainda.* Mas aquilo teria que esperar. Tinha inimigos para enfrentar. Inimigos da pior espécie: irmãos.

Encontrou Couros esperando por ele na gaiola de manivela. Os dois subiram juntos. Quanto mais alto subiam, mais forte era o vento. A quinze metros de altura, a pesada gaiola começou a balançar com cada rajada. De tempos em tempos, raspava contra a Muralha, criando pequenas chuvas cristalinas de gelo que brilhavam na luz do sol enquanto caíam. Erguiam-se acima da torre mais alta do castelo. A cento e vinte metros, o vento tinha dentes e rasgava seu manto negro, que batia ruidosamente nas barras de ferro. A duzentos metros, o vento o atravessava. *A Muralha é minha,* Jon lembrou para si mesmo enquanto os homens prendiam a gaiola, *pelo menos por mais dois dias.*

Jon pulou no gelo, agradeceu aos homens na manivela e acenou com a cabeça para os lanceiros de sentinela. Ambos usavam capuzes de lã sobre a cabeça, então não dava para ver seus rostos, mas ele reconheceu Ty pela corda emaranhada de cabelos negros oleosos que caía em suas costas, e Owen pelas linguiças que recheavam a bainha em sua cintura. Seria capaz de reconhecê-los de qualquer maneira, apenas pelo jeito que ficavam parados. *Um bom senhor deve conhecer seus homens,* seu pai dissera uma vez para ele e Robb, em Winterfell.

Jon foi até a beirada da Muralha e olhou para o campo desolado onde as tropas de Mance Rayder haviam morrido. Perguntava-se onde Mance estaria agora. *Ele a encontrou, irmãzinha? Ou você foi apenas um truque que ele usou para que eu o libertasse?*

Fazia muito tempo desde a última vez que vira Arya. Qual seria a aparência dela agora? Ele a reconheceria? *Arya Sob os Pés. Seu rosto estava sempre sujo.* Ainda teria a pequena espada que ele pedira para Mikken forjar para ela? *Espete neles a ponta aguçada,* dissera para ela. Prudente para a noite de seu casamento, se metade do que ouvira sobre Ramsay Snow fosse verdade. *Traga-a para casa, Mance. Salvei seu filho de Melisandre e agora estou prestes a salvar quatro mil de seu povo livre. Você me deve esta única garotinha.*

Na floresta assombrada, ao norte, as sombras da tarde penetravam nas árvores. O céu ocidental era uma explosão de vermelho, mas, a leste, as primeiras estrelas já espreitavam. Jon Snow flexionou os dedos da mão da espada, lembrando-se de tudo o que perdera. *Sam, seu doce e tolo gordo, você me pregou uma peça cruel quando me fez senhor comandante. Um senhor comandante não tem amigos.*

– Lorde Snow? – falou Couros. – A gaiola está subindo.

– Eu escutei. – Jon se afastou da beirada.

Os primeiros a chegar foram os chefes dos clãs Flint e Norrey, vestidos em peles e ferro. O Norrey parecia uma raposa velha; enrugado e de constituição leve, mas com olhos astutos e ágeis. Torghen Flint era meia cabeça mais baixo, mas pesava duas vezes mais; um homem rude e corpulento, com mãos nodosas tão grandes quanto presuntos, apoiado em uma bengala de espinheiro-negro enquanto mancava através do gelo. Bowen Marsh veio em seguida, empacotado em uma pele de urso. Depois dele, Othell Yarwyck. E, finalmente, o Septão Cellador, meio embriagado.

– Caminhem comigo – Jon falou para eles. Andaram para oeste pela Muralha, por caminhos cobertos de cascalho, em direção ao pôr do sol. Quando estavam a cinquenta metros da área mais aquecida, disse: – Sabem por que os convoquei. Daqui a três dias, nossos portões serão abertos para que Tormund e seu povo atravessem a Muralha. Há muito o que fazer para nos prepararmos para isso.

O silêncio saudou seu pronunciamento. Então, Othell Yarwyck falou:

– Senhor Comandante, há *milhares* de...

– ... selvagens esqueléticos, exaustos, famintos e longe de casa. – Jon apontou para as luzes das fogueiras no acampamento deles. – Ali estão eles. Quatro mil, Tormund afirma.

– Três mil, eu diria, pelas fogueiras. – Bowen Marsh vivia para contas e medidas. – Mais do que duas vezes este número em Durolar, com a feiticeira da floresta, pelo que sabemos. E Sor Denys escreve sobre um grande acampamento nas montanhas além da Torre Sombria.

Jon não podia negar aquilo.

– Tormund diz que o Chorão pretende atacar a Ponte das Caveiras novamente.

A Velha Romã tocou sua cicatriz. Ele a conseguira defendendo a Ponte das Caveiras na última vez que o Chorão tentara abrir caminho pela Garganta.

– Certamente o senhor comandante não pretende permitir isso... que aquele demônio atravesse também?

– Não fico contente com isso. – Jon não esquecera as cabeças que o Chorão deixara para ele, com buracos sangrentos no lugar dos olhos. *Jack Negro Bulwer, Hal Peludo, Garth Pena-Cinza. Não posso vingá-los, mas não esquecerei seus nomes.* – Mas, sim, meu senhor, ele também. Não podemos escolher entre o povo livre, dizendo que este pode passar e aquele, não. Paz significa paz para todos.

O Norrey pigarreou e cuspiu.

– Melhor fazer paz com lobos e corvos carniceiros.

– É pacífico no meu calabouço – resmungou o Velho Flint. – Dê o Chorão para mim.

– Quantos patrulheiros o Chorão matou? – perguntou Othell Yarwyck. – Quantas mulheres ele estuprou, matou ou roubou?

– Três da minha própria estirpe – falou o Velho Flint. – E cegou as garotas que não levou.

– Quando um homem toma o negro, seus crimes são perdoados – Jon recordou-lhes. – Se queremos o povo livre lutando ao nosso lado, devemos perdoar os crimes passados como fazemos com nossos próprios erros.

– O Chorão não dirá as palavras – insistiu Yarwyck. – Ele não usará o manto. Nem os outros saqueadores confiam nele.

– Você não precisa confiar em um homem para usá-lo. – *De outro modo, como eu faria uso de todos vocês?* – Precisamos do Chorão e de outros como ele. Quem conhece a floresta melhor do que um selvagem? Quem conhece nossos inimigos melhor do que um homem que lutou contra eles?

– Tudo o que o Chorão sabe é estuprar e matar – falou Yarwyck.

– Assim que passarem a Muralha, os selvagens terão três vezes nosso número – comentou Bowen Marsh. – E isso é só o grupo de Tormund. Some a isso os homens do Chorão e os que estão em Durolar e eles terão força suficiente para acabar com a Patrulha em uma única noite.

– Números sozinhos não vencem uma guerra. Você não os viu. Metade deles está morrendo em pé.

– Preferia que estivessem mortos no chão – disse Yarwyck. – Se for do agrado de meu senhor.

– *Não* é do meu agrado. – A voz de Jon era fria como o vento que agitava seus mantos. – Há crianças naquele acampamento. Centenas delas, milhares. Mulheres também.

– Esposas de lança.

– Algumas. Juntamente com mães, avós, viúvas e donzelas... você condenaria todas elas à morte, meu senhor?

– Irmãos não devem brigar – falou o Septão Cellador. – Vamos nos ajoelhar e orar para que a Velha ilumine nosso caminho para a sabedoria.

– Lorde Snow – disse O Norrey –, onde você pretende colocar esses seus selvagens? Não nas *minhas* terras, espero.

– Sim – declarou o Velho Flint – Se quer deixá-los na Dádiva, é problema seu, mas assegure-se de que não vão ficar vagando por aí, ou mandarei a cabeça deles para você. O inverno está próximo e não quero mais bocas para alimentar.

– Os selvagens ficarão na Muralha – Jon lhes assegurou. – A maioria será alojada em um dos nossos castelos abandonados. – A Patrulha tinha agora guarnições em Marcagelo, Monte Longo, Solar das Trevas, Guardagris e Lago Profundo, todos com menos homens do que o necessário, e dez castelos ainda permaneciam vazios e abandonados. – Homens com esposas e crianças, todas as meninas órfãs e qualquer menino órfão com menos de dez anos, mulheres velhas, mães viúvas, qualquer mulher que não se importe de lutar. As esposas de lança serão enviadas para Solar das Trevas, para se juntar às suas irmãs, homens sozinhos para os outros fortes que reabriremos. Os que tomarem o negro ficarão aqui, ou serão enviados para Atalaialeste ou Torre Sombria. Tormund tomará Escudo de Carvalho como sua sede, para que possamos tê-lo por perto.

Bowen Marsh suspirou.

– Se não nos matarem com suas espadas, farão isso com suas bocas. Como o senhor comandante pretende alimentar Tormund e seus milhares?

Jon havia antecipado essa questão.

– Por Atalaialeste. Traremos comida de navio, tanta quanto for necessário. Da região do Tridente e de Ponta Tempestade, do Vale de Arryn, de Dorne e da Campina, do outro lado do mar estreito, das Cidades Livres.

– E essa comida será paga com... como, se posso perguntar?

Com ouro, do Banco de Ferro de Bravos, Jon poderia ter respondido. Em vez disso, falou:

– Concordei que o povo livre ficasse com suas peles e couros. Vão precisar deles para aquecê-los quando o inverno chegar. Todas as demais riquezas devem ser entregues.

Ouro e prata, âmbar, pedras preciosas, gravuras, qualquer coisa de valor. Levaremos tudo de navio pelo mar estreito para ser vendido nas Cidades Livres.

– Toda a riqueza dos selvagens – disse O Norrey. – Isso deve dar para comprar um alqueire de milho. Dois alqueires, talvez.

– Senhor Comandante, por que não exigir que os selvagens entreguem suas armas também? – perguntou Clydas.

Couros riu daquilo.

– Querem que o povo livre lute ao lado de vocês contra o inimigo comum. Como farão isso sem armas? Devemos jogar bolas de neve nas criaturas? Ou vocês nos darão bastões para cutucá-los?

As armas que a maioria dos selvagens carrega são pouco mais que bastões, pensou Jon. Clavas de madeira, machados de pedra, marretas, lanças com ponta endurecida no fogo, facas de ossos, pedra e vidro de dragão, escudos de vime, armaduras de ossos, couro fervido. Os thenns trabalhavam com bronze, e saqueadores como o Chorão levavam aço e espadas de ferro roubados de cadáveres... mas mesmo essas eram antigas, amassadas pelo uso contínuo e manchadas de ferrugem.

– Tormund Terror dos Gigantes nunca desarmará seu povo voluntariamente – Jon respondeu. – Ele não é o Chorão, mas tampouco é covarde. Se eu tivesse pedido isso para ele, teríamos terminado em sangue.

O Norrey passou os dedos pela barba.

– Você pode colocar os selvagens nesses castelos em ruínas, Lorde Snow, mas como fará que fiquem lá? O que os impedirá de ir para o sul, para terras mais quentes e mais agradáveis?

– *Nossas* terras – falou o Velho Flint.

– Tormund me deu sua palavra. Ele servirá conosco até a primavera. O Chorão e os outros capitães terão que prometer a mesma coisa, ou não os deixaremos passar.

O Velho Flint abanou a cabeça.

– Eles nos trairão.

– A palavra do Chorão não vale nada – afirmou Othel Yarwyck.

– São bárbaros sem deuses – falou o Septão Cellador. – Mesmo no Sul, a perfídia dos selvagens é renomada.

Couros cruzou os braços sobre o peito.

– Aquela batalha lá embaixo? Eu estava do outro lado, vocês se lembram? Agora uso o negro de vocês e treino seus rapazes para matar. Alguns podem me chamar de vira-casaca. Pode ser... mas não sou mais bárbaro do que vocês, corvos. Temos deuses também. Os mesmos deuses que veneram em Winterfell.

– Os deuses do Norte, desde antes que esta Muralha fosse erguida – falou Jon. – Foi por esses deuses que Tormund jurou. Ele manterá sua palavra. Eu o conheço, como conhecia Mance Rayder. Marchei com eles por um tempo, como devem se lembrar.

– Eu não esqueci – disse o Senhor Intendente.

Não, pensou Jon, *não achei que tivesse.*

– Mance Rayder fez um voto também – Marsh continuou. – Jurou não usar coroa, não tomar esposa, não gerar filhos. Depois virou a casaca, fez todas essas coisas e liderou uma tropa assustadora contra o reino. São os remanescentes dessa tropa que esperam para lá da Muralha.

– Remanescentes quebrados.

– Uma espada quebrada pode ser forjada novamente. Uma espada quebrada ainda pode matar.

– O povo livre não tem leis nem senhores – Jon falou –, mas amam suas crianças. Você admitiria isso ao menos?

– Não são suas crianças que nos preocupam. Tememos os pais, não os filhos.

– E eu também temo. Por isso insisti em mantermos reféns. – *Não sou o tolo crente pelo qual me toma... nem sou meio-selvagem, não importa no que você acredite.* – Cem garotos com idade entre oito e dezesseis. Um filho de cada um de seus chefes e capitães, o restante escolhido por grupo. Esses rapazes servirão como pajens e escudeiros, livrando nossos próprios homens desses deveres. Alguns deles podem escolher tomar o negro algum dia. Coisas estranhas acontecem. Os demais ficarão como garantia da lealdade dos pais.

Os nortenhos olharam um para o outro.

– Reféns – ponderou O Norrey. – Tormund concordou com isso?

Era isso, ou ver seu povo morrer.

– Meu preço de sangue, ele chamou – falou Jon Snow –, mas pagará.

– Sim, e por que não? – O Velho Flint bateu sua bengala contra o gelo. – Protegidos, nós sempre os chamávamos, quando Winterfell exigia rapazes de nós, mas eram reféns, e nada pior que isso.

– Nada, exceto para aqueles cujos pais desagradavam os Reis do Inverno – falou O Norrey. – Esses voltavam para casa uma cabeça mais curtos. Então me diga, rapaz... se esses seus amigos selvagens se mostrarem falsos, você terá estômago para fazer o que precisa ser feito?

Pergunte a Janos Slynt.

– Tormund Terror dos Gigantes me conhece o suficiente para não me testar. Posso ser um rapaz inexperiente aos seus olhos, Lorde Norrey, mas ainda sou um filho de Eddard Stark.

Mas nem mesmo aquilo agradou seu Senhor Intendente.

– Você diz que esses rapazes servirão como escudeiros. Certamente o senhor comandante não pretende que sejam treinados *em armas*?

A raiva de Jon chamejou.

– Não, meu senhor, pretendo que eles nos costurem roupas íntimas de rendas. É claro que serão treinados em armas. Também deverão bater manteiga, cortar lenha, limpar os estábulos, esvaziar as latrinas, levar mensagens... e nos intervalos serão ensinados a usar lanças, espadas e arcos.

O rosto de Marsh foi tomado por um rubor intenso.

– O senhor comandante deve perdoar minha franqueza, mas não há modo suave de dizer isso. O que está propondo não é nada menos do que traição. Por oito mil anos, os homens da Patrulha da Noite permaneceram sobre a Muralha e lutaram contra esses selvagens. Agora você pretende deixá-los passar, quer abrigá-los em nossos castelos, alimentá-los, vesti-los e ensiná-los a lutar. Lorde Snow, tenho que recordá-lo? *Você fez um juramento.*

– Sei o que jurei. – Jon falou as palavras. – *Sou a espada na escuridão. Sou o vigilante nas muralhas. Sou o fogo que queima contra o frio, a luz que traz consigo a alvorada, a trombeta que acorda os que dormem, o escudo que guarda o reino dos homens.* Essas foram as mesmas palavras que você disse quando fez seus votos?

– Foram. Como o senhor comandante sabe.

– Está seguro de que não me esqueci de nenhuma? Aquelas sobre o rei e suas leis, e como devemos defender cada metro de suas terras e nos prender a cada castelo em ruínas? Como é essa parte? – Jon esperou uma resposta. Não veio nenhuma. – *Sou o escudo que guarda o reino dos homens*. Essas são as palavras. Então diga-me, meu senhor: o que esses selvagens são, se não homens?

Bowen Marsh abriu a boca. Nenhuma palavra saiu. Um rubor subiu por seu pescoço.

Jon se afastou. A última luz do sol começava a desvanecer. Viu as rachaduras ao longo da Muralha indo do vermelho ao cinza, até o preto, de riscos de fogo para rios de gelo negro. Lá embaixo, a Senhora Melisandre estaria acendendo sua fogueira noturna e cantando, *Senhor da Luz, defenda-nos, pois a noite é escura e cheia de terrores*.

– O inverno está chegando – Jon falou finalmente, quebrando o silêncio constrangedor. – E, com ele, os caminhantes brancos. A Muralha é onde os deteremos. A Muralha foi *feita* para detê-los... mas a Muralha precisa estar ocupada. Esta discussão termina aqui. Temos muito o que fazer antes que os portões sejam abertos. Tormund e seu povo precisarão ser alimentados, vestidos e abrigados. Alguns estão doentes e precisarão de cuidados. Esses serão enviados para você, Clydas. Salve quantos homens puder.

Clydas piscou com seus opacos olhos rosados.

– Farei o melhor possível, Jon. Meu senhor, quero dizer.

– Precisaremos de cada charrete e carroça disponível para transportar o povo livre até seus novos lares. Othell, você fica encarregado disso.

Yarwyck fez uma careta.

– Sim, Senhor Comandante.

– Lorde Bowen, você deve coletar o pedágio. Ouro, prata, âmbar, torques, braceletes e colares. Classifique todos eles, conte-os, assegure-se de que cheguem em segurança em Atalaialeste.

– Sim, Lorde Snow – respondeu Bowen Marsh.

E Jon pensou, *Gelo, ela disse, e adagas na escuridão. Sangue congelado vermelho e duro, e aço nu*. Sua mão da espada flexionou. O vento estava aumentando.

Cersei

Cada noite parecia mais fria do que a anterior.

A cela não tinha lareira nem braseiro. A única janela era alta demais para permitir uma vista e pequena demais para se espremer por ela, mas mais do que suficiente para deixar entrar o frio. Cersei rasgara a primeira troca de roupa que lhe deram, exigindo que devolvessem a dela, mas aquilo apenas a deixara nua e tremendo. Quando lhe trouxeram outra muda, vestiu-a pela cabeça e agradeceu, sufocando com as palavras.

A janela também deixava entrar sons. Era a única maneira de a rainha saber o que estava acontecendo na cidade. As septãs que lhe traziam comida não diziam nada.

Ela odiava aquilo. Jaime devia estar voltando para ajudá-la, mas como ela saberia quando ele chegaria? Cersei só esperava que ele não fosse tão tolo a ponto de vir correndo antes de seu exército. Precisaria de todas as espadas disponíveis para lidar com a horda esfarrapada dos Pobres Companheiros que cercava o Grande Septo. Perguntava sobre seu irmão gêmeo com frequência, mas suas carcereiras não lhe davam respostas. Perguntava sobre Sor Loras também. A última notícia era que o Cavaleiro das Flores estava morrendo em Pedra do Dragão por causa dos ferimentos sofridos enquanto tentava tomar o castelo. *Que morra,* Cersei pensou, *e que seja rápido.* A morte do rapaz significaria um lugar vago na Guarda Real, e aquilo podia ser sua salvação. Mas as septãs mantinham a boca fechada sobre Loras Tyrell, tanto quanto sobre Jaime.

Lorde Qyburn fora seu último e único visitante. Seu mundo tinha uma população de quatro pessoas: ela e suas três carcereiras, piedosas e inflexíveis. Septã Unella tinha ossos largos e aspecto masculino, com mãos calosas e feições grosseiras e carrancudas. Septã Moelle tinha duros cabelos brancos e olhos pequenos sempre franzidos de desconfiança, em um rosto também enrugado, tão afiado quanto a lâmina de um machado. Septã Scolera tinha cintura grossa e baixa estatura, com peitos grandes, pele cor de oliva e um cheiro azedo como o de leite prestes a estragar. Elas lhe traziam água e comida, esvaziavam a latrina e levavam sua muda de roupa para lavar em intervalos de poucos dias, deixando-a nua sobre o cobertor até que voltassem. Algumas vezes, Scolera lia para ela o *Estrela de Sete Pontas* ou *O Livro das Orações Sagradas,* mas, de outro modo, nenhuma delas falava com ela ou respondia às suas perguntas.

Ela odiava e desprezava as três, quase tanto quanto odiava e desprezava os homens que a haviam traído.

Falsos amigos, servos traiçoeiros, homens que professavam amor eterno, até mesmo seu próprio sangue... todos eles a abandonaram na hora da necessidade. Osney Kettleblack, aquele fraco, fora quebrado sob o chicote e enchera os ouvidos do Alto Pardal com segredos que deveria ter levado para o túmulo. Os irmãos dele, escórias das ruas que ela havia alçado até a posição que ocupavam, fizeram de conta que não tinham nada com o assunto. Aurane Waters, seu almirante, havia fugido com a frota de navios que ela construíra para ele. Orton Merryweather partira para Mesalonga levando sua esposa Taena, que havia sido a única amiga verdadeira da rainha nesses tempos terríveis. Harys Swyft e o Grande Meistre Pycelle a abandonaram ao cativeiro e ofereceram o reino aos mesmos homens que conspiraram contra ela. Meryn Trant e Boros Blount, protetores juramentados do rei, não haviam sido encontrados. Mesmo seu primo, Lancel, que certa vez afirmara amá-la, era um de seus acusadores. Seu tio se recusara a ajudá-la a governar quando quisera torná-lo Mão do Rei.

E Jaime...

Não, ela não podia acreditar naquilo, não acreditaria naquilo. Jaime estaria ali assim que soubesse de sua situação. *Venha imediatamente*, escrevera para ele. *Ajude-me. Salve--me. Preciso de você agora como nunca precisei antes. Amo você. Amo você. Amo você. Venha imediatamente.* Qyburn havia jurado que se asseguraria de que a carta chegasse ao seu irmão gêmeo, que estava no Tridente com seu exército. Qyburn nunca retornara, no entanto. Pelo que ela sabia, podia estar morto, com a cabeça empalada em uma estaca sobre os portões da Fortaleza. Ou talvez estivesse definhando em uma das celas negras sob a Fortaleza Vermelha, sem ter enviado a carta dela. A rainha perguntara por ele uma centena de vezes, mas suas captoras não falavam nada. Tudo o que sabia com certeza era que Jaime não viera.

Ainda não, disse para si mesma. *Mas em breve. E, assim que ele chegar, o Alto Pardal e suas cadelas cantarão uma música diferente.*

Odiava se sentir desamparada.

Ela havia ameaçado, mas suas ameaças foram recebidas com rostos de pedra e ouvidos surdos. Ordenara, mas suas ordens haviam sido ignoradas. Invocara a misericórdia da Mãe, apelando para a simpatia natural de uma mulher por outra, mas as três septãs enrugadas pareciam ter posto sua feminilidade de lado quando fizeram os votos. Tentara usar seu charme, falando com elas gentilmente, aceitando cada novo ultraje com humildade. Elas não se deixaram influenciar. Oferecera recompensas, prometera clemência, honras, ouro, posições na corte. Elas trataram suas promessas como haviam feito com as ameaças.

E ela rezara. Oh, como rezara. Se eram orações que eles queriam, ela deu isso para eles, dera de joelhos, como se fosse uma prostituta qualquer das ruas e não uma filha do Rochedo. Rezara por alívio, por libertação, por Jaime. Em voz alta, pedira que os deuses defendessem sua inocência; silenciosamente rezara para que seus acusadores sofressem mortes súbitas e dolorosas. Rezara até os joelhos ficarem em carne viva e ensanguentados, até que a língua ficasse tão grossa e pesada que quase a sufocasse. Todas as orações que aprendera na infância voltaram para Cersei em sua cela, e ela inventava novas conforme precisava, chamando pela Mãe e pela Donzela, pelo Pai e pelo Guerreiro, pela Velha e pelo Ferreiro. Rezara até mesmo para o Estranho. *Qualquer deus serve em uma tempestade.* Os Sete se provaram tão surdos quanto suas servas terrenas. Cersei deu para eles todas as palavras que tinha dentro de si, deu tudo exceto lágrimas. *Isso nunca terão*, disse para si mesma.

Odiava sentir-se fraca.

Se os deuses tivessem lhe dado a força que deram a Jaime e àquele imbecil fanfarrão de Robert, ela poderia fugir. *Oh, por uma espada e pela habilidade para empunhá-la.* Ela tinha o coração de um guerreiro, mas os deuses, em sua malícia cega, haviam lhe dado o corpo fraco de uma mulher. A rainha tentara lutar contra elas, no início, mas as septãs a dominaram. Eram muitas, e eram mais fortes do que pareciam. Velhas feias, cada uma delas, mas toda uma vida dedicada a orar, esfregar o chão e bater em noviças com paus as haviam deixado duras como raízes.

E não a deixavam descansar. Noite ou dia, sempre que a rainha fechava os olhos para dormir, uma de suas captoras aparecia para despertá-la e exigir que confessasse seus pecados. Era acusada de adultério, fornicação, alta traição e até mesmo assassinato, uma vez que Osney Kettleblack confessara ter sufocado o último Alto Septão por ordem dela.

– Vim ouvir você falar sobre os assassinatos e as fornicações – a Septã Unella rosnava, enquanto sacudia a rainha para acordá-la.

A Septã Moelle dizia que eram seus pecados que a mantinham sem dormir.

– Apenas os inocentes conhecem a paz de um sono descansado. Confesse seus pecados, e dormirá como um bebê recém-nascido.

Acordar, dormir e acordar novamente, toda noite era quebrada em pedaços pelas mãos ásperas de suas torturadoras, e cada noite era mais fria e mais cruel do que a noite anterior. A hora da coruja, a hora do lobo, a hora do rouxinol, o nascer da lua e quando a lua se punha, anoitecer e amanhecer, passavam cambaleando como bêbados. Que horas eram? Que dia era? Quem era ela? Isso era um sonho, ou estava acordada? Os pequenos cacos de sono que lhe permitiam se transformavam em lâminas afiadas, fatiando seu juízo. Perdera todo o senso de quanto tempo estava presa naquela cela, no alto de uma das sete torres do Grande Septo de Baelor. *Envelhecerei e morrerei aqui*, pensou, desesperada.

Cersei não podia permitir que aquilo acontecesse. Seu filho precisava dela. O reino precisava dela. Tinha que se libertar, não importava o risco. Seu mundo reduzira-se a uma cela de dois metros por dois metros, uma latrina, um estrado irregular e um cobertor de lã marrom fino como a esperança e que lhe fazia a pele coçar, mas ainda era a herdeira de Lorde Tywin, uma filha do Rochedo.

Exausta pela falta de sono, tremendo com o frio que invadia a cela da torre a cada noite, febril e faminta por turnos, Cersei soube finalmente que deveria confessar.

Naquela noite, quando a Septã Unella veio arrancá-la de seu sono, encontrou a rainha esperando de joelhos.

– Eu pequei – disse Cersei. Sua língua estava grossa na boca, os lábios em carne viva e rachados. – Pequei gravemente. Vejo isso agora. Como pude ser tão cega por tanto tempo? A Velha veio até mim com sua lanterna erguida, e graças à sua sagrada luz vi a estrada que devo percorrer. Quero ser limpa novamente. Quero apenas absolvição. Por favor, boa septã, imploro, me leve até o Alto Septão para que eu possa confessar meus crimes e fornicações.

– Direi para ele, Vossa Graça – falou a Septã Unella. – Sua Alta Santidade ficará muito satisfeito. Apenas pela confissão e pela real penitência nossas almas imortais podem ser salvas.

E, pelo resto daquela noite, elas a deixaram dormir. Horas e horas de sono abençoado. A coruja, o lobo e o rouxinol passaram invisíveis e despercebidos, enquanto Cersei tinha um longo e doce sonho no qual Jaime era seu marido e o primogênito deles ainda vivia.

Quando a manhã chegou, a rainha quase se sentia ela mesma novamente. Quando suas captoras vieram, fez ruídos piedosos para elas novamente e disse o quão determinada estava em confessar seus pecados e ser perdoada por tudo o que havia feito.

– Regozijamo-nos em ouvir isso – disse Septã Moelle.

– Isso vai tirar um grande peso de sua alma – disse Septã Scolera. – Vai se sentir muito melhor depois, Vossa Graça.

Vossa Graça. Essas duas simples palavras a emocionaram. Durante seu longo cativeiro, suas carcereiras não haviam se incomodado nem mesmo com cortesias simples.

– Sua Alta Santidade está esperando – disse a Septã Unella.

Cersei abaixou a cabeça, humilde e obediente.

– Posso ter a permissão de tomar um banho antes? Não estou em estado adequado para ir até ele.

– Você pode se lavar mais tarde, se Sua Alta Santidade permitir – respondeu a Septã Unella. – É com a limpeza de sua alma imortal que deve se preocupar agora, não com tais vaidades da carne.

As três septãs a levaram pela escadaria da torre, com a Septã Unella indo na frente, e Septã Moelle e Septã Scolera em seus calcanhares, como se tivessem medo que pudesse tentar fugir.

– Faz muito tempo desde que tive uma visita – Cersei murmurou em uma voz tranquila, enquanto desciam. – O rei está bem? Pergunto apenas como uma mãe temerosa por seu filho.

– Sua Graça está bem de saúde – respondeu a Septã Scolera – e bem protegido, dia e noite. A rainha está com ele, sempre.

Eu sou a rainha! Ela engoliu, sorriu e disse:

– É bom saber isso. Tommen a ama tanto. Nunca acreditei nessas coisas terríveis que foram ditas sobre ela. – Teria Margaery Tyrell de algum modo se livrado das acusações de fornicação, adultério e alta traição? – Houve um julgamento?

– Em breve – falou a Septã Scolera –, mas o irmão dela...

– *Quieta.* – A Septã Unella virou-se sobre o ombro para olhar para Scolera. – Você tagarela demais, velha tola. Não devemos falar sobre essas coisas.

Scolera abaixou a cabeça.

– Por favor, me perdoe.

Fizeram o restante da descida em silêncio.

O Alto Pardal a recebeu em seu santuário, uma austera câmara de sete lados, onde rostos dos Sete rudemente esculpidos nas paredes de pedra encaravam com expressões quase tão azedas e desaprovadoras quanto a de Sua Alta Santidade. Quando Cersei entrou, ele estava sentado atrás de uma escrivaninha rústica. O Alto Septão não mudara desde a última vez que estivera em sua presença, o dia em que ele a dominara e a aprisionara. Ainda era um homem esquelético de cabelos grisalhos, com aparência magra, dura, meio faminta, o rosto alinhado e de feição mordaz, olhos desconfiados. No lugar das ricas vestes de seus predecessores, usava uma túnica disforme de lã sem tingir que caía até os tornozelos.

– Vossa Graça – disse, à guisa de saudação. – Entendo que deseja fazer sua confissão.

Cersei caiu de joelhos.

– Desejo, Alta Santidade. A Velha veio até mim enquanto eu dormia, com sua lamparina elevada...

– Certamente. Unella, você ficará e fará um registro das palavras de Sua Graça. Scolera, Moelle, têm minha permissão para sair. – Ele juntou as pontas dos dedos das mãos umas nas outras, o mesmo gesto que ela vira seu pai fazer milhares de vezes.

Septã Unella sentou-se atrás dela, abriu um pergaminho, molhou uma pena em tinta de meistre. Cersei sentiu uma pontada de medo.

– Uma vez que tenha confessado, poderei...

– Vossa Graça deve ser tratada de acordo com seus pecados.

Este homem é implacável, percebeu mais uma vez. Compenetrou-se por um momento.

– Que a Mãe tenha misericórdia de mim, então. Tenho me deitado com homens fora dos laços do casamento. Confesso.

– Com quem? – Os olhos do Alto Septão estavam fixos nos dela.

Cersei podia ouvir Unella escrevendo atrás de si. Sua pena fazia um som de raspar fraco e suave.

– Lancel Lannister, meu primo. E Osney Kettleblack. – Os dois homens confessaram ter se deitado com ela, não seria bom negar. – Com os irmãos dele também. Com os dois. – Ela não tinha como saber o que Osfryd e Osmund tinham dito. Era melhor confessar demais do que de menos. – Isso não perdoa meu pecado, Alta Santidade, mas eu estava sozinha e com medo. Os deuses tiraram o Rei Robert de mim, meu amor e meu protetor. Eu estava sozinha, cercada por conspirações, falsos amigos e traidores que planejavam a morte de meus filhos. Não sabia em quem confiar, então eu... eu usei os únicos métodos que tinha para vincular os Kettleblack a mim.

– Com métodos você quer dizer suas partes femininas?

– Minha carne. – Apertou as mãos contra o rosto, estremecendo. Quando as abaixou novamente, seus olhos estavam úmidos de lágrimas. – Sim. Que a Donzela me perdoe. Mas foi por meus filhos, pelo reino. Não tive prazer nisso. Os Kettleblack... são homens duros e cruéis, e me usaram rudemente, mas o que mais eu podia fazer? Tommen precisava de homens ao redor dele nos quais eu pudesse confiar.

– Sua Graça era protegido pela Guarda Real.

– A Guarda Real se provou inútil quando seu irmão Joffrey morreu, assassinado em seu próprio banquete de casamento. Vi um de meus filhos morrer e não podia suportar perder outro. Cometi fornicação devassa, mas fiz isso por Tommen. Perdoe-me, Alta Santidade, mas eu abriria minhas pernas para cada homem em Porto Real se fosse necessário para manter meus filhos em segurança.

– O perdão vem apenas dos deuses. E com Sor Lancel, que era seu primo e escudeiro do senhor seu marido? Você o levou para a cama para conquistar a lealdade dele também?

– Lancel. – Cersei hesitou. *Cuidado,* disse para si mesma, *Lancel deve ter contado tudo para ele.* – Lancel me amava. Era meio menino, mas nunca duvidei de sua devoção por mim ou por meu filho.

– E, mesmo assim, você o corrompeu.

– Eu estava sozinha. – Engasgou com um soluço. – Tinha perdido meu marido, meu filho, o senhor meu pai. Era regente, mas uma rainha ainda é uma mulher, e mulheres são recipientes fracos, facilmente tentados... Vossa Alta Santidade sabe a verdade disso. Mesmo santas septãs têm conhecido o pecado. Eu tive conforto com Lancel. Ele era gentil e meigo, e eu precisava de alguém. Foi errado, eu sei, mas não tinha mais ninguém... uma mulher precisa ser amada, precisa de um homem ao lado dela, ela... ela... – Começou a soluçar incontrolavelmente.

O Alto Septão não fez nenhum movimento para confortá-la. Ficou sentado com os olhos duros fixos nela, vendo-a chorar, tão imóvel quanto uma das estátuas dos Sete no septo abaixo. Um longo momento se passou, mas finalmente as lágrimas dela secaram. Seus olhos estavam vermelhos e inchados de chorar, e ela se sentia como se fosse desmaiar.

O Alto Pardal não terminara com ela, no entanto.

– Esses são pecados comuns – disse. – A iniquidade das viúvas é bem conhecida, e todas as mulheres são lascivas em seu coração, dadas a usar artimanhas e sua beleza para fazer valer suas vontades sobre os homens. Não há traição aqui, contanto que você não tenha se desviado de sua cama enquanto Sua Graça, o Rei Robert, ainda estava vivo.

– Nunca – ela sussurrou, estremecendo. – Nunca, eu juro.

Ele não prestou atenção.

– Há outras acusações que pesam contra Vossa Graça, crimes muito mais sérios do que meras fornicações. Você admite que Sor Osney Kettleblack era seu amante, e Sor Osney insiste que sufocou meu predecessor a seu mando. Ele também insiste que deu falso testemunho contra a Rainha Margaery e as primas dela, contando histórias de fornicação, adultério e alta traição, novamente sob suas ordens.

– Não – falou Cersei. – Isso não é verdade. Amo Margaery como se fosse uma filha. E o outro... reclamei do Alto Septão, admito. Era criatura de Tyrion, fraco e corrupto, uma mancha em nossa Santa Fé, Vossa Alta Santidade sabe tão bem quanto eu. Pode ser por isso que Osney pensou que a morte dele me agradaria. Se foi isso, levo uma parte da culpa... mas assassinato? Não. Sou inocente. Leve-me para o septo e eu ficarei diante do assento de julgamento do Pai e jurarei a verdade disso.

– Em seu tempo – falou o Alto Septão. – Você também é acusada de conspirar para o assassinato do seu próprio senhor esposo, nosso saudoso e amado Rei Robert, Primeiro de Seu Nome.

Lancel, Cersei pensou.

– Robert foi morto por um javali. Dizem que sou uma troca-peles, agora? Uma *warg*? Sou acusada de matar Joffrey também, meu próprio doce filho, meu primogênito?

– Não. Apenas seu marido. Nega isso?

– Nego isso. Nego. Diante dos deuses e dos homens, nego.

Ele balançou a cabeça.

– E, por último, o pior de todos, alguns dizem que seus filhos não foram gerados pelo Rei Robert, que são bastardos nascidos do incesto e do adultério.

– Stannis diz isso – Cersei falou imediatamente. – Uma mentira, uma mentira, uma mentira palpável. Stannis quer o Trono de Ferro para si, mas os filhos de seu irmão estão em seu caminho, então ele precisa afirmar que não são do irmão. Aquela carta imunda... não há um fragmento de verdade naquilo. Eu nego.

O Alto Septão colocou as duas mãos abertas sobre a mesa e empurrou a cadeira para se levantar.

– Bom. Lorde Stannis deixou a verdade dos Sete para venerar um demônio vermelho, e sua falsa fé não tem lugar nestes Sete Reinos.

Aquilo era quase reconfortante. Cersei assentiu.

– Mesmo assim – Sua Alta Santidade continuou –, essas são acusações terríveis, e o reino precisa saber a verdade sobre elas. Se Vossa Graça disse a verdade, sem dúvida um julgamento provará sua inocência.

Um julgamento, ainda.

– Já confessei...

– ... alguns pecados, sim. Outros, você negou. Seu julgamento separará as verdades das falsidades. Pedirei aos Sete que perdoem os pecados que confessou e rezarei para que a encontrem inocente das outras acusações.

Cersei ergueu-se lentamente de seus joelhos.

– Eu me curvo à sabedoria de Vossa Alta Santidade – disse –, mas, se posso implorar por uma gota da misericórdia da Mãe, eu... faz tanto tempo desde que vi meu filho, por favor...

Os olhos do velho eram pedaços de sílex.

– Não seria apropriado permitir que se aproxime do rei até que tenha sido limpa de todas as suas iniquidades. Contudo, você deu o primeiro passo em seu caminho de volta à honradez e, à luz disso, eu permitirei que tenha outros visitantes. Um por dia.

A rainha começou a chorar novamente. Desta vez, suas lágrimas eram verdadeiras.

– O senhor é tão gentil. Obrigada.

– A Mãe é misericordiosa. É a ela que deve agradecer.

Moelle e Scolera estavam esperando para levá-la de volta à cela da torre. Unella seguia logo atrás delas.

– Todas temos rezado por Vossa Graça – Septã Moelle disse enquanto subiam.

– Sim – Septã Scolera ecoou –, e você deve se sentir tão mais leve, agora, limpa e inocente como uma donzela na manhã de seu casamento.

Trepei com Jaime na manhã do meu casamento, a rainha se lembrou.

– Eu me sinto – disse. – Sinto-me renascida, como se um furúnculo inflamado tivesse sido lancetado, e agora, ao menos, posso começar a me curar. Eu poderia quase voar. – Imaginava como seria agradável dar uma cotovelada no rosto da Septã Scolera e fazê-la rolar pela escada em espiral. Se os deuses fossem bons, a velha boceta enrugada podia trombar na Septã Unella e levá-la para baixo consigo.

– É bom vê-la sorrir novamente – Scolera falou.

– Sua Alta Santidade disse que eu posso receber visitas?

– Disse – falou a Septã Unella. – Se Vossa Graça disser quem deseja ver, enviaremos convites para eles.

Jaime, preciso de Jaime. Mas se seu irmão gêmeo estava na cidade, por que não tinha vindo até ela? Talvez fosse mais prudente esperar Jaime até que tivesse uma noção melhor do que estava acontecendo além das paredes do Grande Septo de Baelor.

– Meu tio – falou. – Sor Kevan Lannister, o irmão de meu pai. Ele está na cidade?

– Está – respondeu Septã Unella. – O Senhor Regente passou a residir na Fortaleza Vermelha. Enviaremos uma mensagem para ele imediatamente.

– Obrigada – disse Cersei, pensando, *Senhor Regente, é?* Ela não podia fingir estar surpresa.

Um coração humilde e contrito provou ter benefícios muito além da limpeza dos pecados da alma. Naquela noite, a rainha foi levada para uma cela maior, dois andares abaixo, com uma janela pela qual podia olhar para fora e cobertores quentes e macios para sua cama. E, quando chegou a hora da ceia, em vez de pão amanhecido e mingau de aveia, serviram capão assado, uma tigela de verduras crocantes polvilhadas com nozes picadas e uma porção de purê de nabo nadando em manteiga. Naquela noite, ela foi para a cama com o estômago cheio pela primeira vez desde que fora presa, e dormiu durante as negras horas da noite sem ser perturbada.

Na manhã seguinte, com a aurora, veio seu tio.

Cersei ainda estava quebrando seu jejum quando a porta se abriu e Sor Kevan Lannister entrou.

– Deixem-nos – ele disse às carcereiras. Septã Unella levou Scolera e Moelle para fora e fechou a porta atrás delas. A rainha ficou em pé.

Sor Kevan parecia mais velho do que quando o vira pela última vez. Era um homem grande, de ombros largos e cintura grossa, com uma barba loira cortada rente que seguia a linha de sua mandíbula pesada, e cabelos loiros curtos em franco recuo de sua testa. Um manto de lã pesado, tingido de carmesim, estava preso a um ombro por um broche de ouro com o formato de cabeça de leão.

– Obrigada por vir – a rainha falou.

Seu tio franziu o cenho.

– É melhor se sentar. Há coisas que preciso contar para você.

Ela não queria sentar.

– Ainda está bravo comigo. Posso ouvir isso em sua voz. Perdoe-me, tio. Eu estava errada em jogar meu vinho em você, mas...

– Acha que me importo com uma taça de vinho? Lancel é meu filho, Cersei. Seu próprio primo. Se estou bravo com você, este é o motivo. Você deveria ter cuidado dele, guiado o rapaz, encontrado uma moça gentil de boa família para ele. Em vez disso, você...

– Eu sei. Eu sei. – *Lancel me desejava mais do que eu jamais o desejei. Ainda deseja, eu apostaria.* – Eu estava sozinha, fraca. Por favor. Tio. Oh, tio. É tão bom ver seu rosto, seu doce, doce rosto. Tenho feito coisas ruins, eu sei, mas não posso suportar que me odeie. – Ela jogou os braços ao redor dele e beijou-o na bochecha. – Perdoe-me. Perdoe-me. Perdoe-me.

Sor Kevan suportou o abraço por alguns segundos antes de finalmente levantar seus próprios braços para retribuir. Seu abraço foi curto e desajeitado.

– Basta – disse, sua voz ainda insípida e fria. – Está perdoada. Agora, sente-se. Trago algumas notícias difíceis, Cersei.

As palavras dele a assustaram.

– Alguma coisa aconteceu a Tommen? Por favor, não. Tenho tanto medo por meu filho. Ninguém me diz nada. Por favor, diga-me que Tommen está bem.

– Sua Graça está bem. Pergunta por você com frequência. – Sor Kevan colocou as mãos nos ombros dela e a manteve a distância.

– Jaime, então? É sobre Jaime?

– Não. Jaime ainda está no Tridente, em algum lugar.

– Em algum lugar? – Ela não gostou de como aquilo soou.

– Ele tomou Corvarbor e aceitou a rendição de Lorde Blackwood – seu tio contou –, mas, no caminho de volta a Correrrio, ele deixou sua tropa e partiu com uma mulher.

– Uma mulher? – Cersei o encarou, sem compreender. – Que mulher? Por quê? Para onde foram?

– Ninguém sabe. Não tivemos mais notícias dele. A mulher pode ter sido a filha do Estrela da Tarde, a Senhora Brienne.

Ela. A rainha de lembrava da Donzela de Tarth, uma coisa imensa, feia e desajeitada que se vestia em cota de malha. *Jaime nunca me abandonaria por tal criatura. Meu corvo nunca chegou até ele, de outra forma ele teria vindo.*

– Temos tido relatos de mercenários desembarcando por todo o Sul – Sor Kevan estava dizendo. – Tarth, Passopedra, Cabo da Fúria... onde Stannis conseguiu dinheiro para contratar uma companhia livre é algo que eu adoraria saber. Não tenho forças para lidar com eles, não aqui. Mace Tyrell tem, mas recusa-se a mover suas tropas até que a questão com sua filha esteja solucionada.

Um carrasco solucionaria a questão de Margaery bem rapidamente. Cersei não dava a mínima para Stannis e seus mercenários. *Os Outros que o levem e aos Tyrell junto. Deixe-os matar uns aos outros, o reino ficará melhor assim.*

– Por favor, tio, me tire daqui.

– Como? Pela força das armas? – Sor Kevan andou até a janela e olhou para fora, franzindo o cenho. – Eu teria que transformar este lugar sagrado em um abatedouro. E não tenho homens para isso. A maior parte de nossas forças estava em Correrrio, com seu irmão. Não tenho tempo de reunir uma nova tropa. – Virou-se para encará-la. – Falei com Sua Alta Santidade. Ele não a soltará até que tenha expiado seus pecados.

– Já confessei.

– *Expiado*, eu disse. Diante da cidade. Uma caminhada...

– Não. – Ela sabia o que o tio estava prestes a dizer e não queria ouvir aquilo. – Nunca. Diga isso para ele, se conversarem novamente. Sou uma rainha, não uma prostituta do cais.

– Nada de mau aconteceria com você. Ninguém tocará...

– Não – ela falou, mais rispidamente. – Eu prefiro morrer.

Sor Kevan não se abalou.

– Se for seu desejo, você pode tê-lo concedido em breve. Sua Alta Santidade está convencido de que você será julgada por regicídio, deicídio, incesto e alta traição.

– Deicídio? – Ela quase riu. – Quando eu matei um deus?

– O Alto Septão fala pelos Sete na terra. Atinja-o e você estará atingindo os próprios deuses. – Seu tio ergueu uma mão antes que ela pudesse protestar. – Não é bom falar dessas coisas. Não aqui. O momento para tudo isso é no julgamento. – Ele contemplou a cela. O olhar em seu rosto falava muito.

Alguém está ouvindo. Mesmo aqui, mesmo agora, ela não se atrevia a falar livremente. Respirou fundo.

– Quem vai me julgar?

– A Fé – seu tio respondeu –, a menos que você insista em um julgamento por combate. Neste caso, terá que ser defendida por um cavaleiro da Guarda Real. Qualquer que seja o resultado, seu governo acabou. Eu serei regente de Tommen até que ele tenha idade. Mace Tyrell foi nomeado Mão do Rei. Grande Meistre Pycelle e Sor Harys Swyft continuarão como antes, mas Paxter Redwyne é agora senhor almirante e Randyll Tarly assumiu os deveres da justiça.

Vassalos dos Tyrell, ambos. A completa governança do reino estava sendo entregue aos inimigos dela, amigos e parentes da Rainha Margaery.

– Margaery continua acusada também. Ela e aquelas primas dela. Como é que os pardais a libertaram e não a mim?

– Randyll Tarly insistiu. Ele foi o primeiro a chegar a Porto Real quando a tempestade começou e trouxe seu exército consigo. As garotas Tyrell ainda serão julgadas, mas o caso contra elas é fraco, Sua Alta Santidade admite. Todos os homens acusados de serem amantes da rainha negaram as acusações ou abjuraram, exceto aquele cantor mutilado que parece estar meio louco. Então o Alto Septão entregou as garotas sob a custódia de Tarly, e Lorde Randyll fez um juramento sagrado de que as entregaria a julgamento quando fosse a hora.

– E os acusadores delas? – A rainha exigiu saber. – Quem está com eles?

– Osney Kettleblack e o Bardo Azul estão aqui, embaixo do septo. Os gêmeos Redwyne foram declarados inocentes, e Hamish, o Harpista, morreu. Os demais estão nos calabouços sob a Fortaleza Vermelha, a cargo de seu homem, Qyburn.

Qyburn, pensou Cersei. Aquilo era bom, uma palha ao menos na qual podia se agarrar. Lorde Qyburn estava com eles, e Lorde Qyburn podia fazer maravilhas. *E horrores. Ele pode fazer horrores, também.*

– Ainda há mais, pior. Quer se sentar?

– Sentar? – Cersei abanou a cabeça. O que poderia ser pior? Ela seria julgada por alta traição, enquanto a pequena rainha e suas primas voavam livres como pássaros. – Diga-me. O que é?

– Myrcella. Temos graves notícias de Dorne.

– *Tyrion* – ela disse, imediatamente. Tyrion enviara sua garotinha para Dorne, e Cersei despachara Sor Balon Swann para trazê-la para casa. Todos os dornenses eram serpentes, e os Martell eram os piores deles. A Víbora Vermelha tentara defender o Duende, e por um triz não conseguira a vitória que teria permitido que o anão escapasse da culpa pelo assassinato de Joffrey. – É ele, ele esteve em Dorne todo esse tempo e agora pegou minha filha.

Sor Kevan fez outra cara feia para ela.

– Myrcella foi atacada por um cavaleiro dornense chamado Gerold Dayne. Está viva, mas ferida. Ele cortou o rosto dela, ela... sinto muito... ela perdeu uma orelha.

– Uma orelha – Cersei o encarou, espantada. *Ela era apenas uma criança, minha preciosa princesa. Era tão bonita também.* – Ele cortou uma orelha dela. E o Príncipe Doran e seus cavaleiros dornenses, onde estavam? Não podiam defender uma garotinha? Onde estava Arys Oakheart?

– Assassinado, defendendo-a. Dayne o cortou também, pelo que dizem.

A Espada da Manhã havia sido um Dayne, a rainha se lembrou, mas estava morto havia muito tempo. Quem era esse Sor Gerold e por que desejava ferir a filha dela? Ela não conseguia ver sentido nisso, a menos...

– Tyrion perdeu metade do nariz na Batalha da Água Negra. Cortando o rosto dela, arrancando uma orelha... os dedinhos imundos do Duende estão nisso.

– O Príncipe Doran não diz nada sobre seu irmão. E Balon Swann escreve que Myrcella coloca toda a culpa neste tal de Gerold Dayne. Estrela Negra, eles o chamam.

Ela deu uma risada amarga.

– Como quer que o chamem, ele é pau mandado do meu irmão. Tyrion tem amigos entre os dornenses. O Duende planejou tudo isso. Foi Tyrion quem prometeu Myrcella ao Príncipe Trystane. Agora vejo o porquê.

– Você vê Tyrion em cada sombra.

– Ele é uma criatura das sombras. Matou Joffrey. Matou nosso pai. Você acha que ele parou aí? Eu temia que o Duende ainda estivesse em Porto Real planejando ferir Tommen, mas, em vez disso, ele foi para Dorne, para matar Myrcella primeiro. – Cersei andou pela cela. – Preciso estar com Tommen. Esses cavaleiros da Guarda Real são tão inúteis quanto mamilos em uma placa peitoral. – Ela se aproximou do tio. – Sor Arys está morto, você disse.

– Pelas mãos desse homem, Estrela Negra, sim.

– Morto, está *morto*, tem certeza disso?

– Foi o que nos disseram.

– Então há um lugar vago na Guarda Real. Preciso preenchê-lo imediatamente. Tommen deve ser protegido.

– Lorde Tarly está elaborando uma lista de cavaleiros dignos para que seu irmão possa considerar, mas até que Jaime reapareça...

– O rei pode dar o manto branco a um homem. Tommen é um bom menino. Diga para ele quem nomear e ele o nomeará.

– E quem você diria para ele nomear?

Ela não tinha uma resposta pronta. *Meu campeão precisará de um novo nome, assim como de um novo rosto.*

– Qyburn saberá. Confie nele para isso. Você e eu tivemos nossas diferenças, tio, mas pelo sangue que dividimos e pelo amor que você tinha por meu pai, pela segurança de Tommen e pela segurança de sua pobre irmã mutilada, faça o que lhe peço. Vá até Lorde Qyburn em meu nome, leve um manto branco para ele e diga-lhe que a hora chegou.

O guarda da Rainha

– Você era homem da rainha – disse Reznak mo Reznak. – O rei deseja seus próprios homens com ele quando estiver em audiência.

Ainda sou homem da rainha. Hoje, amanhã, sempre, até meu último suspiro, ou o dela. Barristan Selmy se recusava a acreditar que Daenerys Targaryen estivesse morta.

Talvez fosse por isso que estivesse sendo colocado de lado. *Um a um, Hizdahr removerá todos nós.* Belwas, o Forte, permanecia às portas da morte no templo, sob os cuidados das Graças Azuis... mas Selmy suspeitava que elas estavam terminando o trabalho que os gafanhotos no mel tinham começado. Skahaz Cabeça-Raspada fora despojado de seu comando. Os Imaculados se retiraram para os quartéis. Jhogo, Daario Naharis, o Almirante Groleo e Herói, dos Imaculados, permaneciam reféns dos yunkaítas. Aggo, Rakharo e o restante do *khalasar* de Daenerys haviam sido despachados pelo rio para procurar sua rainha desaparecida. Mesmo Missandei fora substituída; o rei não achava apropriado usar uma criança como arauto, muito menos uma ex-escrava naathi. *E, agora, eu.*

Houve um tempo em que teria considerado essa destituição como uma mancha em sua honra. Mas aquilo era em Westeros. No poço de serpentes que era Meereen, a honra parecia tão tola quanto a roupa colorida de um bobo. E esta desconfiança era mútua. Hizdahr zo Loraq podia ser o consorte da rainha, mas nunca seria o rei de Barristan Selmy.

– Se Sua Graça deseja que eu me afaste da corte...

– Seu Iluminado – o senescal corrigiu. – Não, não, não, você me entendeu mal. Sua Veneração está recebendo uma delegação de yunkaítas para discutir a retirada de seus exércitos. Eles podem pedir... ah... recompensas por aqueles que perderam suas vidas na ira do dragão. Uma situação delicada. O rei acha que será melhor se virem um rei meereenês sobre o trono, protegido por guerreiros meereeneses. Certamente você compreende isso, sor.

Compreendo mais do que você imagina.

– Posso saber que homens Sua Graça escolheu para protegê-lo?

Reznak mo Reznak sorriu seu sorriso gosmento.

– Guerreiros terríveis, que amam Sua Veneração também. Goghor, o Gigante. Khrazz. O Gato Malhado. Belaquo Quebra-Ossos. Todos heróis.

Todos lutadores de arenas. Sor Barristan não estava surpreso. Hizdahr zo Loraq sentava-se desconfortavelmente em seu novo trono. Já fazia mil anos desde que Meereen tivera seu último rei, e havia alguns entre o sangue antigo que se julgavam uma escolha melhor do que ele. Do lado de fora da cidade estavam os yunkaítas e seus mercenários e aliados; do lado de dentro estavam os Filhos da Harpia.

E os protetores do rei diminuíam a cada dia. O erro estúpido que Hizdahr cometera com Verme Cinzento lhe custara os Imaculados. Quando Sua Graça tentou colocar a tropa sob comando de um primo, como fizera com as Bestas de Bronze, Verme Cinzento informou ao rei que eles eram homens livres, comandados apenas por sua mãe. E, quanto às Bestas de Bronze, metade era de libertos e o restante era de cabeças-raspadas, cuja lealdade verdadeira ainda estava com Skahaz mo Kandaq. Os lutadores de arenas eram o único apoio confiável do Rei Hizdahr contra um oceano de inimigos.

– Eles podem defender Sua Graça contra todas as ameaças. – O tom grave de Sor Barristan não dava pista de seus sentimentos reais; aprendera a escondê-los em Porto Real, anos atrás.

– Sua *Magnificência* – Reznak mo Reznak sublinhou. – Seus outros deveres permanecem os mesmos, sor. Se esta paz falhar, Seu Iluminado ainda deseja que você comande suas forças contra os inimigos de nossa cidade.

Ele tem consciência disso, ao menos. Belaquo Quebra-Ossos e Goghor, o Gigante, podiam servir como escudos de Hizdahr, mas a ideia de um deles liderando um exército em batalha era tão ridícula que o velho cavaleiro quase sorriu.

– Estou às ordens de Sua Graça.

– Não é *Graça* – o senescal reclamou. – Esse tipo de tratamento é westerosi. Sua Magnificência, Seu Iluminado, Sua Veneração.

Sua Vaidade cairia melhor.

– Como queira.

Reznak passou a língua pelos lábios.

– Então terminamos. – Dessa vez, seu sorriso gorduroso denotava despedida. Sor Barristan partiu, grato por deixar o cheiro pestilento do perfume do senescal para trás. *Um homem deve cheirar suor, não flores.*

A Grande Pirâmide de Meereen tinha mais de duzentos metros de altura da base até o topo. Os aposentos do senescal ficavam no segundo nível. Os quartos da rainha, e os seus próprios, ocupavam o andar mais alto. *Uma longa subida para um homem da minha idade,* Sor Barristan pensou, quando começou a escalada. Ficara conhecido por subir cinco ou seis vezes por dia para resolver assuntos da rainha, como as dores cortantes em seus joelhos e o encurtamento das costas podiam atestar. *Virá o dia em que não poderei mais encarar estes degraus,* pensou, *e esse dia está mais próximo do que eu gostaria.* Antes que isso acontecesse, tinha que se assegurar de que pelo menos alguns de seus rapazes estivessem prontos para tomar seu lugar ao lado da rainha. *Eu mesmo os sagrarei cavaleiros quando forem dignos, e darei a cada um deles um cavalo e esporas de ouro.*

Os aposentos reais estavam tranquilos e silenciosos. Hizdahr não viera morar ali, preferindo estabelecer sua própria suíte em quartos bem no coração da Grande Pirâmide, onde tijolos maciços o cercavam por todos os lados. Mezzara, Miklaz, Qezza, e o resto dos jovens copeiros da rainha – reféns, na verdade, mas tanto Selmy quanto a rainha haviam se afeiçoado tanto a eles que era difícil pensar nos garotos e garotas daquela maneira – foram com o rei, enquanto Irri e Jhiqui partiram com os outros dothrakis. Apenas Missandei permanecera, um pequeno fantasma desamparado, assombrando as câmaras da rainha no alto da pirâmide.

Sor Barristan caminhou até o terraço. O céu sobre Meereen tinha a cor da carne de cadáveres, embotada, branca e pesada, uma massa de nuvens ininterrupta de horizonte a horizonte. O sol estava escondido atrás de uma muralha de nuvens. Iria se pôr sem ser visto, como havia se erguido naquela manhã. A noite seria quente; o tipo de noite suada, sufocante, pegajosa, sem um pingo de ar. Por três dias a chuva ameaçara, mas nem uma gota caíra. *A chuva seria um alívio. Poderia ajudar a lavar a cidade.*

Dali, podia ver quatro pirâmides menores, as muralhas ocidentais da cidade e os acampamentos dos yunkaítas nas margens da Baía dos Escravos, onde uma grossa coluna de fumaça engordurada retorcia-se para cima como uma serpente monstruosa. *Os yunkaítas queimando seus mortos*, percebeu. *A égua descorada está galopando pelo acampamento do cerco.* Apesar de tudo o que a rainha fizera, a doença se espalhara, tanto no interior das muralhas quanto fora delas. Os mercados de Meereen estavam fechados, as ruas vazias. O Rei Hizdahr permitira que as arenas de luta permanecessem abertas, mas as multidões eram escassas. O meereeneses tinham começado a evitar até mesmo o Templo das Graças, segundo relatos.

Os mercadores de escravos encontrarão alguma maneira de culpar Daenerys por isso também, Sor Barristan pensou, amargamente. Quase podia ouvi-los quando sussurravam; Grandes Mestres, Filhos da Harpia, yunkaítas, todos dizendo uns aos outros que a rainha dele estava morta. Metade da cidade acreditava naquilo, embora ainda não tivesse coragem de dizer as palavras em voz alta. *Mas logo terão, acredito.*

Sor Barristan sentia-se muito cansado, muito velho. *Para onde foram todos os anos?* Ultimamente, sempre que se ajoelhava para beber de um espelho d'água, via um rosto estranho encarando-o das profundezas da água. Quando esses pés de galinha apareceram ao redor de seus claros olhos azuis? Havia quanto tempo seu cabelo deixara a luz do sol para tornar-se neve? *Anos atrás, velho. Décadas.*

Mesmo assim, parecia ontem que fora sagrado cavaleiro, depois do torneio em Porto Real. Ainda se lembrava do toque da espada do Rei Aegon sobre seu ombro, leve como o beijo de uma donzela. As palavras ficaram presas na garganta quando disse seus votos. No banquete daquela noite, comera costelas de javali selvagem, preparadas à moda de Dorne, com pimentas-dragão, tão quentes que queimaram sua língua. Quarenta e sete anos, e o gosto ainda estava em sua memória, mas não saberia dizer o que ceara dez dias atrás, mesmo se os sete reinos dependessem disso. *Cão cozido, provavelmente. Ou algum outro prato desagradável tão ruim quanto.*

Não pela primeira vez, Selmy admirou o estranho destino que o levara até ali. Era um cavaleiro de Westeros, um homem das terras da tempestade e das marcas dornenses; seu lugar era nos Sete Reinos, não nas praias sufocantes da Baía dos Escravos. *Vim para levar Daenerys para casa.* E, mesmo assim, ele a perdera, exatamente como perdera seu pai e seu irmão. *Até mesmo Robert. Falhei com ele, também.*

Talvez Hizdahr fosse mais sábio do que ele pensava. *Dez anos atrás, eu teria percebido o que Daenerys pretendia fazer. Dez anos atrás, eu teria sido rápido o suficiente para detê-la.* Em vez disso, ficara perplexo e gritando seu nome quando ela pulara na arena, correndo depois inutilmente atrás dela pelas areias escarlate. *Eu me tornei velho e lento.* Não admirava que Naharis zombasse dele chamando-o de Sor Vovô. *Será que Daario teria se mexido com mais rapidez, se estivesse ao lado da rainha naquele dia?* Selmy acreditava saber a resposta daquele pergunta, embora não fosse algo que o agradasse.

Sonhara com aquilo novamente noite passada. Belwas de joelhos, vomitando bile e sangue, Hizdahr instando os matadores de dragão, homens e mulheres fugindo aterrorizados, lutando nos degraus, subindo uns sobre os outros, berrando e gritando. E Daenerys...

O cabelo dela estava em chamas. Ela tinha o chicote nas mãos e estava gritando e, então, estava nas costas do dragão, voando. A areia que Drogon espalhou quando bateu as asas entrou em seus olhos, mas, mesmo atrás de um véu de lágrimas, Sor Barristan vira a besta voar da arena, elevando-se com suas grandes asas negras até os ombros dos guerreiros de bronze nos portões.

O resto, soube mais tarde. Além dos portões, a multidão se comprimia. Enlouquecidos pelo cheiro do dragão, os cavalos empinavam, aterrorizados, dando coices com as ferraduras. Tanto barracas de comida quanto palanquins foram virados, homens derrubados e pisoteados. Lanças foram arremessadas, bestas foram disparadas. Algumas acertaram o alvo. O dragão virou-se violentamente no ar, com os ferimentos soltando fumaça, a garota pendurada em suas costas. Então, soltou fogo.

Levara o resto do dia e quase a noite toda para as Bestas de Bronze reunirem os cadáveres. A contagem final era de duzentos e catorze mortos, e três vezes essa quantidade de queimados ou feridos. Drogon partira da cidade depois disso, sendo visto pela última vez sobre o Skahazadhan, voando para o norte. Nenhum sinal de Daenerys Targaryen foi encontrado. Alguns juravam tê-la visto cair. Outros insistiam que o dragão a levara e a devorara. *Estão errados.*

Sor Barristan não sabia mais de dragões do que as histórias que toda criança escutava, mas conhecia os Targaryen. Daenerys estava *cavalgando* aquele dragão, como Aegon antes cavalgara Balerion.

– Ela pode estar voando para casa – disse para si mesmo, em voz alta.

– Não – murmurou uma voz suave atrás dele. – Ela não faria isso, sor. Ela não iria para casa sem nós.

Sor Barristan se virou.

– Missandei. Filha. Há quanto tempo está aí?

– Não muito. Esta uma sente se o incomodou. – Ela hesitou. – Skahaz mo Kandaq deseja falar com você.

– O Cabeça-Raspada? Você falou com ele? – Aquilo era imprudente, imprudente. A inimizade era profunda entre Skahaz e o rei, e a garota era esperta o suficiente para saber aquilo. Skahaz fora franco em sua oposição ao casamento da rainha, um fato que Hizdahr não esquecera. – Ele está aqui? Na pirâmide?

– Quando ele quer. Ele vem e vai, sor.

Sim. Ele pode fazer isso.

– Quem disse para você que ele quer falar comigo?

– Uma Besta de Bronze. Usava uma máscara de coruja.

Usava uma máscara de coruja quando falou com você. Agora pode ser um chacal, um tigre, um bicho-preguiça. Sor Barristan odiara as máscaras desde o início, e nunca mais do que agora. Homens honestos não precisam esconder seu rosto. E o Cabeça-Raspada...

O que ele estaria pensando? Depois que Hizdahr dera o comando das Bestas de Bronze para seu primo Marghaz zo Loraq, Skahaz fora nomeado Protetor do Rio, ficando a cargo das balsas, dragas e diques de irrigação ao longo do Skahazadhan por trezentos quilômetros, mas o Cabeça-Raspada recusara o "antigo e honorável cargo", como Hizdahr chamara, preferindo se retirar para a modesta pirâmide de Kandaq. *Sem a rainha para protegê-lo, ele assume um grande risco vindo aqui.* E se Sor Barristan fosse visto falando com ele, as suspeitas cairiam sobre si, também.

Não gostava daquilo. Cheirava a engano, sussurros e mentiras, e tramas eclodidas na escuridão, todas as coisas que esperava ter deixado para trás com o Aranha, Lorde Mindinho e sua laia. Barristan Selmy não era um homem dado à leitura, mas várias vezes folheara as páginas do *Livro Branco*, onde os feitos de seus predecessores haviam sido gravados. Alguns foram heróis, outros fracos, patifes ou covardes. A maioria era apenas homens; mais rápidos e mais fortes que os demais, mais habilidosos com a espada e o escudo, mas ainda presas do orgulho, da ambição, da luxúria, do amor, da raiva, do ciúme, ávidos por ouro, famintos por poder, e todas as outras falhas que afligiam meros mortais. Os melhores deles superaram seus erros, cumpriram seu dever e morreram com as espadas nas mãos. Os piores...

Os piores foram aqueles que jogaram o jogo dos tronos.

– Pode encontrar essa coruja novamente? – perguntou para Missandei.

– Esta uma pode tentar, sor.

– Diga para ele que falarei com... com nosso amigo... depois que escurecer, nos estábulos. – As portas principais da pirâmide eram fechadas e lacradas ao pôr do sol. Os estábulos estariam tranquilos nesse horário. – Assegure-se de que seja a mesma coruja. – Não serviria de nada se a Besta de Bronze errada ouvisse isso.

– Esta uma entende. – Missandei virou-se para ir embora, então parou por um momento e disse: – Dizem que os yunkaítas cercaram a cidade com catapultas, para lançar dardos de ferro no céu se Drogon retornar.

Sor Barristan ouvira aquilo também.

– Não é uma coisa simples matar um dragão no céu. Em Westeros, muitos tentaram derrubar Aegon e suas irmãs. Ninguém conseguiu.

Missandei assentiu. Era difícil dizer se aquilo a tranquilizara.

– Acha que a encontrarão, sor? As terras de grama são tão vastas, e dragões não deixam rastros no céu.

– Aggo e Rakharo são sangue do seu sangue... e quem conhece o mar dothraki melhor do que os dothrakis? – Ele apertou o ombro dela. – Eles a encontrarão, se ela puder ser encontrada. – *Se ainda estiver viva.* Outros khals rondavam a região, senhores dos cavalos com *khalasars* cujos membros chegavam a dezenas de milhares. Mas a garota não precisava escutar aquilo. – Você a ama também, eu sei. Juro, manterei a rainha a salvo.

As palavras pareceram trazer algum conforto para a garota. *Mas palavras são vento*, pensou Sor Barristan. *Como posso proteger a rainha se não estou com ela?*

Barristan Selmy conhecera muitos reis. Nascera durante o reinado conturbado de Aegon, o Improvável, amado pelos camponeses, e tinha sido sagrado cavaleiro por suas mãos. O filho de Aegon, Jaehaerys, lhe dera o manto branco quando ele tinha vinte e três, depois de matar Maelys, o Monstruoso, durante a Guerra dos Reis de Nove Moedas. Com aquele mesmo manto, ele ficara ao lado do Trono de Ferro enquanto a loucura consumia o filho de Jaehaerys, Aerys. *Fiquei lá, vi e escutei, e mesmo assim não fiz nada.*

Mas, não. Aquilo não era justo. Cumprira seu dever. Algumas noites, Sor Barristan se perguntava se não tinha cumprido aquele dever bem demais. Jurara seus votos diante dos olhos dos deuses e dos homens e não podia ir contra eles com honra... mas manter esses votos ficara mais difícil nos últimos anos do reinado do Rei Aerys. Vira coisas que eram doloridas de lembrar, e mais de uma vez se perguntou quanto do sangue estava em suas próprias mãos. Se não tivesse ido para Valdocaso resgatar Aerys do calabouço de Lorde Darklyn, o rei bem que poderia ter morrido quando Tywin Lannister saqueou a cidade. Então, o Príncipe Rhaegar teria assumido o Trono de Ferro, talvez para curar o reino. Valdocaso havia sido o melhor momento de Barristan Selmy e, mesmo assim, a memória deixava um gosto amargo em sua língua.

Eram seus fracassos que o assombravam à noite, no entanto. *Jaehaerys, Aerys, Robert. Três reis mortos. Rhaegar, que teria sido um rei melhor do que qualquer um deles. A Princesa Elia e seus filhos. Aegon, apenas um bebê, Rhaenys com seu gatinho.* Mortos, cada um deles, e mesmo assim ele ainda vivia, aquele que havia jurado protegê-los. E, agora, Daenerys, sua brilhante rainha criança. *Ela não está morta. Não acreditarei nisso.*

A tarde trouxe para Sor Barristan uma pausa em suas dúvidas. Ele a passou na sala de treino do terceiro nível da pirâmide, trabalhando com seus garotos, ensinando para eles a arte da espada e do escudo, cavalo e lança... e cavalheirismo, o código que fazia de um cavaleiro mais do que qualquer lutador de arena. Daenerys precisaria de protetores de sua idade quando ele se fosse, e Sor Barristan estava determinado a lhe dar tais homens.

Os rapazes que estava instruindo tinham idade que ia de oito a vinte anos. Começara com mais de sessenta deles, mas o treinamento se provara rigoroso demais para muitos. Menos de metade daquele número permanecia agora, mas alguns mostravam grande promessa. *Sem nenhum rei para guardar, agora tenho mais tempo para treiná-los,* percebeu, enquanto andava de par em par, observando-os irem um até o outro com espadas cegas e lanças com pontas arredondadas. *Bravos garotos. De baixo nascimento, sim, mas alguns serão bons cavaleiros, e amam a rainha. Se não fosse por ela, todos teriam terminado nas arenas. O Rei Hizdahr tem seus lutadores de arena, mas Daenerys terá cavaleiros.*

– Mantenham os escudos levantados – gritou. – Mostrem-me seus ataques. Juntos, agora. Embaixo, em cima, embaixo, embaixo, em cima, embaixo...

Selmy teve sua ceia simples no terraço da rainha naquela noite, e comeu enquanto o sol se punha. Através do crepúsculo púrpura, via fogueiras despertando uma a uma nas grandes pirâmides de degraus, enquanto os tijolos multicoloridos de Meereen desbotavam em tons de cinza e, depois, negro. Sombras se reuniam nas ruas e becos lá embaixo, formando piscinas e rios. Na escuridão, a cidade parecia um lugar tranquilo, até mesmo bonito. *Isso é a peste, não paz,* o velho cavaleiro disse para si mesmo, com o último gole de vinho.

Ele não desejava ser notado, então, quando terminou a ceia, tirou as roupas da corte, trocando o manto branco da Guarda da Rainha por um marrom com capuz que qualquer homem do povo poderia usar. Manteve sua espada e sua adaga. *Isso pode ser uma armadilha.* Tinha pouca confiança em Hizdahr, e menos ainda em Reznak mo Reznak. O senescal perfumado poderia muito bem ser parte daquilo, tentando atraí-lo para um encontro secreto para que pudesse capturar tanto ele quanto Skahaz e acusá-los de conspiração contra o rei. *Se o Cabeça-Raspada falar em traição, não me deixará outra alternativa que não prendê-lo. Hizdahr é o consorte da minha rainha, por menos que eu goste dele. Meu dever é com ele, não com Skahaz.*

Ou era?

O primeiro dever da Guarda Real era defender o rei de danos ou ameaças. Os cavaleiros brancos juravam obedecer as ordens do rei também, manter seus segredos, aconselhá-lo quando conselhos eram pedidos e manter silêncio caso contrário, servir ao seu prazer e defender seu nome e honra. Estritamente falando, era escolha apenas do rei se a proteção da Guarda Real devia ou não ser estendida a outros, mesmo àqueles de sangue real. Alguns reis achavam correto e adequado despachar a Guarda Real para servir e defender suas esposas e filhos, irmãos, tias, tios e primos em maior ou menor grau, e, ocasionalmente, até suas namoradas, amantes e bastardos. Mas outros preferiam usar cavaleiros de suas casas e homens em armas para esses propósitos, enquanto mantinham seus sete bem próximos para sua guarda pessoal.

Se a rainha tivesse me ordenado proteger Hizdahr, eu não teria outra escolha senão obedecer. Mas Daenerys Targaryen nunca estabelecera uma Guarda da Rainha de fato, nem para si mesma, ou emitira qualquer ordem a respeito de seu consorte. *O mundo era mais simples quando eu tinha um senhor comandante para decidir essas questões,* Selmy refletiu. *Agora sou o senhor comandante, e é difícil saber qual o caminho correto.*

Quando finalmente chegou à base do último lance de escadas, encontrou-se sozinho entre os corredores iluminados por tochas dentro das maciças paredes de tijolos da pirâmide. Os grandes portões estavam fechados e lacrados, como antecipara. Quatro Bestas de Bronze estavam de guarda do lado de fora, mais quatro do lado de dentro. Foram esses últimos que o velho cavaleiro encontrou – homens grandes, mascarados como javali, urso, ratazana e manticora.

– Tudo tranquilo, sor – o urso falou para ele.

– Mantenha assim. – Não era incomum que Sor Barristan desse uma volta, à noite, para ter certeza de que a pirâmide estava segura.

Nas profundezas da pirâmide, outras quatro Bestas de Bronze haviam sido escolhidas para guardar as portas de ferro do lado de fora do fosso onde Viserion e Rhaegal estavam presos. A luz das tochas brilhava em suas máscaras – macaco, carneiro, lobo e crocodilo.

– Eles têm sido alimentados? – Sor Barristan perguntou.

– Sim, sor – respondeu o macaco. – Uma ovelha para cada.

E por quanto tempo isso será suficiente, me pergunto? Os dragões cresciam, assim como seus apetites.

Era hora de encontrar o Cabeça-Raspada. Sor Barristan fez o caminho de volta, passando pelos elefantes e pela égua prateada da rainha, até os estábulos. Um burro relinchou quando ele passou, e alguns cavalos se agitaram sob a luz de sua lanterna. Além disso, tudo era escuridão e silêncio.

Então uma sombra se destacou de dentro de um estábulo vazio e transformou-se em outra Besta de Bronze, vestido com saia pregueada, grevas e uma musculosa placa peitoral.

– Um gato? – perguntou Barristan Selmy, quando viu o bronze sob o capuz. Quando o Cabeça-Raspada comandava as Bestas de Bronze, protegia-se com uma máscara de cabeça de serpente, imperiosa e assustadora.

– Gatos vão a qualquer lugar – respondeu a voz familiar de Skahaz mo Kandaq. – Ninguém nem olha para eles.

– Se Hizdahr souber que você está aqui...

– E quem vai dizer para ele? Marghaz? Marghaz sabe o que eu quero que ele saiba. As Bestas ainda são minhas. Não se esqueça disso. – A voz do Cabeça-Raspada estava abafada pela máscara, mas Selmy podia sentir a raiva nela. – Tenho o envenenador.

– Quem?

– O pasteleiro de Hizdahr. O nome dele não significaria nada para você. O homem era apenas um pau mandado. Os Filhos da Harpia pegaram a filha dele e juraram que ela retornaria intacta assim que a rainha estivesse morta. Belwas e o dragão salvaram Daenerys. Ninguém salvou a garota. Ela retornou para seu pai na escuridão da noite, em nove pedaços. Um para cada ano que viveu.

– Por quê? – Dúvidas o torturavam. – Os Filhos haviam parado sua matança. A paz de Hizdahr...

– ... é uma farsa. No início, não. Os yunkaítas estavam com medo de nossa rainha, de seus Imaculados e de seus dragões. Esta terra conhecera dragões antes. Yurkhaz zo Yunzak lera suas histórias, ele sabia. Hizdahr também. Por que não uma paz? Daenerys queria isso, eles podiam ver. Queria demais. Ela deveria ter marchado para Astapor. – Skahaz se aproximou. – Isso foi antes. A arena mudou tudo. Daenerys se foi, Yurkhaz morreu. No lugar de um velho leão, uma matilha de chacais. Barbassangrenta... aquele um não tem gosto pela paz. E há mais. Pior. Volantis lançou sua frota contra nós.

– Volantis. – A mão da espada de Selmy formigava. *Fizemos a paz com Yunkai. Não com Volantis.* – Tem certeza?

– Certeza. Os Sábios Mestres sabem. Assim como os amigos deles. A Harpia, Reznak, Hizdahr. O rei abrirá os portões da cidade para os volantinos quando eles chegarem. Todos aqueles que Daenerys libertou serão escravizados novamente. Até alguns que nunca foram escravos serão colocados em correntes. Você pode terminar seus dias em uma arena de luta, velho. Khrazz comerá seu coração.

A cabeça dele latejava.

– Daenerys precisa ser informada.

– Encontre-a primeiro. – Skahaz agarrou seu antebraço. Seus dedos eram como ferro. – Não podemos esperar por ela. Falei com os Irmãos Livres, com os Homens da Mãe, com os Escudos Robustos. Eles não confiam em Loraq. Devemos quebrar os yunkaítas. Mas precisamos dos Imaculados. Verme Cinzento escutará você. Fale com ele.

– Com que finalidade? – *Ele está falando em traição. Conspiração.*

– Vida. – Os olhos do Cabeça-Raspada eram piscinas negras atrás da máscara de bronze de gato. – Devemos atacar antes que os volantinos cheguem. Quebrar o cerco, matar os senhores mercadores de escravos, trazer os mercenários para nosso lado. Os yunkaítas não esperam um ataque. Tenho espiões no acampamento deles. Há doença, dizem, pior a cada dia. A disciplina está apodrecendo. Os senhores ficam bêbados com frequência, empanturrando-se em banquetes, falando uns para os outros sobre as riquezas que dividirão quando Meereen cair, disputando a primazia. Barbassangrenta e o Príncipe Esfarrapado desprezam um ao outro. Ninguém espera uma luta. Não agora. A paz de Hizdahr nos embalou no sono, eles acreditam.

– Daenerys assinou aquela paz – Sor Barristan falou. – Não podemos quebrá-la sem seu consentimento.

– E se ela estiver morta? – quis saber o Cabeça-Raspada. – E então, sor? Eu digo que ela iria querer que protegêssemos sua cidade. Seus filhos.

Seus filhos eram os libertos. *Mhysa, eles a chamavam, todos aqueles cujas correntes ela quebrara. "Mãe".* O Cabeça-Raspada não estava errado. Daenerys iria querer seus filhos protegidos.

– E quanto a Hizdahr? Ele ainda é o consorte dela. Seu rei. Seu marido.

– Seu envenenador.

Ele é?

– Onde está sua prova?

– A coroa que ele usa é prova suficiente. O trono onde ele senta. Abra seus olhos, velho. Isso é tudo o que ele precisava de Daenerys, tudo o que ele sempre quis. Uma vez que conseguiu, por que compartilhar o governo?

Por que, realmente? Estivera tão quente lá na arena. Ele ainda podia ver o ar cintilando sobre as areias escarlate, sentir o cheiro do sangue derramado de homens que morreram para o divertimento da multidão. E ainda podia ouvir Hizdahr incentivando a rainha a provar os gafanhotos com mel. *Estes são muito saborosos... doces e quentes... e, mesmo assim, ele mesmo não tocou em nenhum...* Selmy esfregou as têmporas. *Não fiz nenhum juramento a Hizdahr zo Loraq. E, se tivesse feito, ele me colocou de lado, exatamente como Joffrey fez.*

– Este... este pasteleiro, quero interrogá-lo eu mesmo. Sozinho.

– É desse jeito? – O Cabeça-Raspada cruzou os braços contra o peito. – Feito, então. Interrogue-o como quiser.

– Se... se o que ele disser me convencer... se eu me juntar a você neste, neste... exijo sua palavra de que nenhum mal acontecerá a Hizdahr zo Loraq até... a menos que... possa ser provado que ele teve alguma participação nisso.

– Por que se importa tanto com Hizdahr, velho? Se ele não é a Harpia, é o primogênito da Harpia.

– Tudo o que sei com certeza é que ele é o consorte da rainha. Quero sua palavra nisso, ou, eu juro, me oporei a você.

O sorriso de Skahaz era selvagem.

– Minha palavra, então. Nenhum mal a Hizdahr até que sua culpa seja provada. Mas quando tivermos a prova, pretendo matá-lo com minhas próprias mãos. Quero arrancar suas entranhas e mostrá-las para ele antes de fazê-lo morrer.

Não, o velho cavaleiro pensou. *Se Hizdahr conspirou pela morte da minha rainha, eu terei com ele pessoalmente, mas sua morte será rápida e limpa.* Os deuses de Westeros estavam longe, mas mesmo assim Sor Barristan Selmy parou por um momento para dizer uma prece silenciosa, pedindo à Velha que iluminasse seu caminho até a sabedoria. *Pelos filhos,* disse para si mesmo. *Pela cidade. Por minha rainha.*

– Falarei com Verme Cinzento – disse.

O pretendente de ferro

O *Luto* apareceu sozinho no raiar do dia, suas velas negras contra o rosa-claro do céu da manhã.

Cinquenta e quatro, Victarion pensou amargamente quando o acordaram, *e navega sozinho.* Silenciosamente, amaldiçoou o Deus da Tempestade por sua maldade, sua raiva uma pedra negra em sua barriga. *Onde estão meus navios?*

Zarpara dos Escudos com noventa e três, dos cem que outrora compunham a Frota de Ferro, uma frota que não pertencia a um único senhor, mas à própria Cadeira de Pedra do Mar, capitaneada e tripulada por homens de todas as ilhas. Navios menores do que os grandes dromons de guerra das terras verdes, sim, mas três vezes o tamanho de qualquer dracar comum, com cascos profundos e quilhas ferozes, aptos para enfrentar as frotas reais em batalha.

Em Passopedra, haviam parado para se reabastecer de cereais, diversão e água fresca, depois de uma longa viagem pela costa desolada e estéril de Dorne, com seus bancos de areia e redemoinhos. Ali, o *Vitória de Ferro* capturara um gordo navio mercante, o grande *Senhora Nobre,* a caminho de Vilavelha, passando por Vila Gaivotas, Valdocaso e Porto Real com um carregamento de bacalhau salgado, óleo de baleia e arenque em conserva. A comida era um reforço bem-vindo aos seus estoques. Outros cinco prêmios tomados no Estreito Redwyne e ao longo da costa dornense – três cocas, uma galé e uma galera – haviam elevado o número deles para noventa e nove.

Noventa e nove navios deixaram Passopedra em três orgulhosas frotas, com ordens para se juntar novamente na ponta sul da Ilha de Cedros. Quarenta e cinco tinham chegado, até agora, ao outro lado do mundo. Vinte e dois do próprio Victarion haviam se extraviado, em grupos de três ou quatro, algumas vezes sozinhos; catorze de Ralf, o Coxo; apenas nove dos que haviam zarpado com Ralf Vermelho Stonehouse. O próprio Ralf Vermelho estava entre os desaparecidos. A esse número, a frota havia somado nove novos prêmios tomados nos oceanos, então o resultado dava cinquenta e quatro... mas os navios capturados eram cocas e barcos de pesca, navios mercantis e de traficantes de escravos, não embarcações de guerra. Em batalha, seriam substitutos pobres para os dracares perdidos da Frota de Ferro.

O último navio a aparecer fora o *Desgraça da Donzela,* três dias antes. No dia anterior, três navios haviam vindo juntos do sul – seu cativo *Senhora Nobre,* arrastando-se entre o *Alimentador de Corvos* e o *Beijo de Ferro.* Mas no dia antes desse e no anterior ainda, não havia aparecido nenhum, e apenas *Jeyne Semcabeça* e *Medo,* antes disso, então dois dias mais de mares vazios e céus sem nuvens depois que Ralf, o Coxo, apareceu com os remanescentes de sua esquadra. *Lorde Quellon, Viúva Branca, Lamentação, Aflição, Leviatã, Senhora de Ferro, Vento do Ceifeiro* e *Martelo de Guerra*, com mais seis navios atrás deles, dois dos quais devastados pela tempestade e rebocados.

– Tempestades – Ralf, o Coxo, resmungara quando veio rastejando até Victarion. – Três grandes tempestades, e ventos abomináveis entre elas. Ventos vermelhos vindos de Valíria, que cheiravam a cinzas e enxofre, e ventos negros que nos levavam em direção àquela costa em ruínas. Esta viagem está amaldiçoada desde o início. O Olho de Corvo teme você, meu senhor, caso contrário, por que o mandaria tão longe? Ele não tem intenção de que retornemos.

Victarion pensara a mesma coisa quando encontrou a primeira tempestade, a um dia da Antiga Volantis. *Os deuses odeiam os assassinos de parentes*, meditou, *caso contrário Euron Olho de Corvo teria morrido uma dúzia de mortes em minhas mãos.* Enquanto o mar colidia em torno dele e o convés se erguia e caía sob seus pés, vira *Banquete de Dagon* e *Maré Vermelha* colidirem tão violentamente que ambos explodiram em pedaços. *Obra do meu irmão*, pensou. Aqueles foram os primeiros navios de um terço perdido de sua frota. Mas não foram os últimos.

Então esbofeteou o Coxo duas vezes no rosto e disse:

– O primeiro é pelos navios que você perdeu, o segundo por falar em maldições. Diga isso novamente e eu pregarei sua língua no mastro. Se Euron pode fazer mudos, eu também posso. – O latejar de dor em sua mão tornou as palavras mais ríspidas do que teriam sido de outro modo, mas ele pretendia dizer o que disse. – Mais navios virão. As tempestades pararam por enquanto. Terei minha frota.

Um macaco no mastro acima berrou de escárnio, quase como se sentisse o gosto de sua frustração. *Imundo, besta barulhenta.* Podia mandar um homem atrás dele, mas os macacos pareciam gostar daquele jogo, e haviam se provado mais ágeis do que sua tripulação. Os berros ficaram em seus ouvidos, contudo, e fizeram o latejar de sua mão parecer ainda pior.

– Cinquenta e quatro – resmungou. Teria sido demais esperar a força completa da Frota de Ferro depois de uma viagem tão longa... mas setenta navios, mesmo oitenta, o Deus Afogado podia ter garantido aquele tanto para ele. *Seria bom se tivéssemos Cabelo Molhado conosco, ou algum outro sacerdote.* Victarion fizera um sacrifício antes de levantar velas, e novamente em Passopedra, quando dividiu a frota em três, mas talvez tenha dito as orações erradas. *Isso, ou o Deus Afogado não tem poder aqui.* Cada vez mais, temia que tivessem navegado longe demais, em mares desconhecidos onde até mesmo os deuses eram estranhos... mas, essas dúvidas, ele confidenciava apenas para sua mulher morena, que não tinha língua para repeti-las.

Quando o *Luto* apareceu, Victarion convocou Wulfe Uma-Orelha.

– Quero conversar com A Ratazana. Mande chamar Ralf, o Coxo, Tom Sem-Sangue e o Negro Shepherd. Todos os grupos de caça devem retornar, e os acampamentos da costa devem ser desmontados à primeira luz. Carreguem o máximo de frutas que possam reunir e levem os porcos a bordo dos navios. Podemos matá-los quando necessário. O *Tubarão* ficará aqui para dizer a qualquer retardatário para onde fomos. – O navio precisaria daquele tempo para fazer reparos; as tempestades haviam deixado pouco mais do que o casco. Aquilo os reduziria a cinquenta e três, mas não tinha outro jeito. – A frota parte amanhã, na maré matutina.

– Ao seu comando – disse Wulfe –, mas outro dia pode significar outro navio, senhor Capitão.

– Sim. E dez dias podem significar dez navios, ou nenhum. Já desperdiçamos tempo demais esperando a visão de velas. Nossa vitória será ainda mais doce se a conquistarmos com uma frota menor. – *E eu preciso alcançar a rainha dragão antes dos volantinos.*

Em Volantis, vira galeras sendo abastecidas com provisões. A cidade inteira parecia embriagada. Marinheiros, soldados e latoeiros eram vistos dançando nas ruas com nobres e gordos mercadores, e em cada estalagem e taberna brindes eram feitos para os novos triarcas. Toda a conversa girava em torno do ouro, das pedras preciosas e dos escravos que inundariam Volantis quando a rainha dragão estivesse morta. Um dia daqueles relatos foi tudo o que Victarion Greyjoy pôde suportar; pagou o preço em ouro por comida e água, embora isso o envergonhasse, e levou seus navios de volta ao mar.

As tempestades deviam ter espalhado e atrasado os volantinos, da mesma forma que acontecera com seus navios. Se a sorte sorrisse, muitos dos navios de guerra de Volantis podiam ter afundado ou encalhado. Mas não todos. Nenhum deus era tão bom, e aquelas galeras novas que tivessem sobrevivido podiam estar navegando perto de Valíria. *Estarão correndo para o norte, em direção a Meereen e Yunkai, grandes dromons de guerra repletos de soldados-escravos. Se o Deus da Tempestade os poupou, eles já podem estar no Golfo da Mágoa. Trezentos navios, talvez até quinhentos.* Os aliados deles já estavam todos em Meereen; yunkaítas e astaporis, homens de Nova Ghis, de Qarth e Tolos, e só o Deus da Tempestade podia saber quem mais, mesmo os navios de guerra de Meereen, aqueles que haviam zarpado antes da queda da cidade. Contra tudo isso, Victarion tinha cinquenta e quatro. Cinquenta e três, menos o *Tubarão*.

O Olho de Corvo havia navegado até o outro lado do mundo, saqueando e pilhando de Qarth até a Vila das Árvores Altas, alcançando portos profanos além dos quais apenas os loucos iam. Euron até mesmo enfrentara o Mar Fumegante e vivera para contar. *E isso com um único navio. Se ele pode zombar dos deuses, eu também posso.*

– Sim, Capitão – disse Wulfe Uma-Orelha. Ele não era nem metade do homem que Nute, o Barbeiro, era, mas o Olho de Corvo lhe havia roubado Nute. Ao torná-lo Senhor de Escudorroble, seu irmão pegara o melhor homem de Victarion para si. – Ainda será para Meereen?

– Para onde mais? A rainha dragão espera por mim em Meereen. – *A mulher mais bonita da terra, se é possível acreditar no meu irmão. Seu cabelo é de ouro-prateado, seus olhos são ametistas.*

Era demais esperar que pelo menos uma vez Euron tivesse dito a verdade? Talvez. Provavelmente, a garota provaria ser uma desmazelada bexiguenta, com tetas batendo contra os joelhos, seus "dragões" não mais do que tatuagens de lagartos dos pântanos de Sothoryos. *Mas, se ela é tudo o que Euron afirma...* Ouviram conversas sobre a beleza de Daenerys Targaryen dos lábios de piratas em Passopedra e de gordos mercadores da Antiga Volantis. Podia ser verdade. E Euron não pretendia dar a moça de presente para Victarion; o Olho de Corvo pretendia tomá-la para si mesmo. *Ele me envia como um servo para buscá-la. Como ele uivará quando eu a reivindicar para mim mesmo.* Que os homens resmungassem. Haviam navegado muito longe e perdido muito para que Victarion voltasse para o oeste sem seu prêmio.

O capitão de ferro fechou sua mão boa.

– Assegure-se de que minhas ordens sejam cumpridas. E encontre o meistre onde quer que ele esteja escondido e envie-o à minha cabine.

– Sim. – Wulfe saiu mancando.

Victarion Greyjoy virou-se em direção à proa, seu olhar varrendo sua frota. Dracares enchiam o mar, velas arriadas e remos levantados, ancorados ou presos na praia de areias claras. *A Ilha de Cedros.* Onde estavam os tais cedros? Afogados há quatrocentos anos, pelo que parecia. Victarion havia desembarcado uma dúzia de vezes para caçar carne fresca, e ainda tinha que ver um cedro.

O meistre afeminado que Euron lhe impusera ainda em Westeros afirmava que este lugar uma vez fora chamado de "Ilha de Uma Centena de Batalhas", mas os homens que lutaram tais batalhas haviam se transformado em pó séculos atrás. *A Ilha dos Macacos, é assim que devia ser chamada.* Havia porcos também; os maiores e mais negros javalis que qualquer homem de ferro já vira e uma abundância de leitões gritando no mato, criaturas ousadas que não tinham medo do homem. *Mas estão aprendendo.* As despensas da Frota de Ferro estavam se enchendo de presuntos defumados, porco salgado e toicinho.

Já os macacos... os macacos eram uma praga. Victarion proibira seus homens de levar qualquer uma dessas criaturas demoníacas para bordo dos navios, mas de algum modo metade de sua frota estava infestada com eles, mesmo seu próprio *Vitória de Ferro.* Podia ver alguns nesse momento, balançando de um mastro para outro, de navio em navio. *Gostaria de ter uma besta.*

Victarion não gostava deste mar, nem desse infinito céu sem nuvens, nem do sol escaldante que batia em suas cabeças e cozinhava o convés até que as tábuas estivessem quentes o suficiente para queimar pés descalços. Não gostava dessas tempestades, que pareciam vir de lugar nenhum. Os mares ao redor de Pyke eram muitas vezes tempestuosos, mas ao menos um homem podia sentir o cheiro quando as tormentas estavam chegando. As tempestades do sul eram tão traiçoeiras quanto as mulheres. Até mesmo a água tinha a cor errada; um turquesa resplandecente perto da costa e, mais distante, um azul tão profundo que era quase negro. Victarion sentia falta das águas cinza-esverdeado de casa, com suas espumas brancas e suas ondas.

Tampouco gostava da Ilha de Cedros. A caça podia ser boa, mas as florestas eram muito verdes e quietas, cheias de árvores retorcidas e estranhas flores brilhantes como nenhuma que seus homens tivessem visto antes, e havia horrores à espreita entre os palácios destruídos e as estátuas quebradas da afogada Velos, a três quilômetros ao norte do ponto em que a frota ancorara. Da última vez em que Victarion passara uma noite em terra firme, seus sonhos foram sombrios e perturbadores e, quando acordou, sua boca estava cheia de sangue. O meistre disse que havia mordido a língua enquanto dormia, mas ele considerou isso um sinal do Deus Afogado, um aviso de que, se permanecesse por muito tempo naquele lugar, poderia se engasgar com seu próprio sangue.

No dia em que a Perdição chegara a Valíria, dizia-se, uma parede de água de quase cem metros de altura descera sobre a ilha, afogando centenas de milhares de homens, mulheres e crianças, não deixando ninguém para contar a história além de alguns pescadores que estavam no mar e um punhado de lanceiros velosinos postados em uma robusta torre de pedra na montanha mais alta da ilha, que haviam visto as colinas e os vales embaixo deles se transformarem em um mar agitado. A bela Velos com seus palácios de cedro e mármore rosa desaparecera em um piscar de olhos. No extremo norte da ilha, as antigas muralhas de tijolos e as pirâmides de degraus do porto escravista de Ghozai sofreram o mesmo destino.

Com tantos homens afogados, o Deus Afogado deve ser poderoso lá, Victarion pensara, ao escolher a ilha para que as três partes de sua frota se reunissem novamente. Mas ele não era nenhum sacerdote. E se tivesse entendido ao contrário? Talvez o Deus Afogado tivesse destruído a ilha em sua ira. Seu irmão Aeron teria sabido, mas o Cabelo Molhado ficara nas Ilhas de Ferro, pregando contra o Olho de Corvo e seu reinado. *Nenhum homem sem deus pode se sentar na Cadeira de Pedra do Mar.* Mesmo assim, os capitães e reis haviam gritado por Euron na assembleia de homens livres, escolhendo-o em detrimento de Victarion e de outros homens tementes ao deus.

O sol da manhã brilhava na água em ondas de luz resplandecentes demais para se olhar. A cabeça de Victarion começara a latejar, embora não pudesse dizer se era pelo sol, por sua mão ou pelas dúvidas que o atormentavam. Desceu para a cabine, onde o ar estava mais fresco e escuro. A mulher morena sabia o que ele queria sem que tivesse que pedir. Quando ele relaxou em sua cadeira, ela pegou um pano úmido e macio da bacia e o colocou em sua testa.

– Bom – ele disse. – Bom. E, agora, a mão.

A mulher morena não respondeu. Euron havia cortado sua língua antes de dá-la para ele. Victarion não duvidada que o Olho de Corvo tivesse dormido com ela também. Era o jeito do seu irmão. *Os presentes de Euron são envenenados,* o capitão lembrara a si mesmo no dia em que a mulher morena veio a bordo. *Não quero nenhum de seus restos.* Decidira, então, que cortaria a garganta dela e a atiraria ao mar, um sacrifício de sangue para o Deus Afogado. De alguma forma, contudo, jamais chegara nem perto de fazer isso.

Haviam percorrido um longo caminho a partir daí. Victarion podia falar com a mulher morena. Ela nunca tentava responder.

– O *Luto* é o último – disse, enquanto ela tirava sua luva. – Os outros estão perdidos ou afogados. – Fez uma careta quando a mulher deslizou a ponta da faca sob o linho sujo que cobria a ferida da sua mão do escudo. – Alguns dirão que eu não devia ter dividido a frota. Tolos. Noventa e nove navios, nós tínhamos... um animal complicado de se guiar pelos mares até o final do mundo. Se eu tivesse mantido todos juntos, os navios mais rápidos teriam ficado reféns dos mais lentos. E onde encontrar provisões para tantas bocas? Nenhum porto quer tantos navios de guerra em suas águas. As tempestades teriam nos separado de qualquer jeito. Como folhas espalhadas no Mar do Verão.

Em vez disso, havia separado a grande frota em esquadras, e enviara cada uma delas por uma rota distinta para a Baía dos Escravos. Os navios mais rápidos foram entregues a Ralf Vermelho Stonehouse, para navegar pelo caminho dos corsários ao longo da costa norte de Sothoryos. Era melhor evitar as cidades mortas que apodreciam naquelas praias ardentes e sufocantes, todo marinheiro sabia, mas nas cidades de lama e sangue das Ilhas Basilisco, repletas de escravos fugidos, traficantes de escravos, traficantes de peles, caçadores, homens tigrados e coisas piores, havia sempre provisões a ser pegas por homens que não tinham medo de pagar o preço de ferro.

Os navios maiores, mais pesados e mais lentos, foram por Lys, para vender os cativos feitos nos Escudos, as mulheres e as crianças da Vila de Lorde Hewett e das outras ilhas, juntamente com os homens que decidiram que preferiam se render a morrer. Victarion tinha apenas desprezo por tais fracos. Mesmo assim, a venda deixava um gosto desagradável em sua boca. Tomar um homem como escravo, ou uma mulher como esposa de sal, era correto e adequado, mas homens não eram cabras ou galinhas para ser comprados e vendidos por ouro. Ficara feliz em deixar essa tarefa para Ralf, o Coxo, que poderia usar o dinheiro para carregar seus grandes navios com provisões para a longa e lenta travessia do meio leste.

Seus próprios navios rastejaram ao longo da costa das Terras Disputadas, para pegar comida, vinho e água fresca em Volantis antes de navegar para o sul, ao redor de Valíria. Esse era o caminho mais comum para o leste, e uma das rotas mais movimentadas, com prêmios para ser tomados e pequenas ilhas onde podiam se abrigar durante tempestades, fazer reparos e renovar seus estoques se fosse necessário.

– Cinquenta e quatro navios é muito pouco – disse para a mulher morena –, mas não posso esperar mais. O único jeito... – Resmungou quando ela puxou o curativo, arrancando um pedaço da pele também. A carne embaixo estava verde e negra onde a espada havia cortado. – ... o único jeito de fazer isso é pegar os traficantes de escravos desprevenidos, como fiz uma vez em Lannisporto. Aparecer do nada e esmagá-los, então pegar a garota e correr para casa antes que os volantinos caiam sobre nós. – Victarion não era covarde, mas tampouco era tolo; não podia enfrentar trezentos navios com cinquenta e quatro. – Ela será minha esposa, e você será minha camareira. – Uma camareira sem língua nunca deixaria escapar nenhum segredo.

Ele poderia ter dito mais, mas foi então que o meistre chegou, batendo na porta da cabine, tímido como um rato.

– Entre – Victarion gritou – e tranque a porta. Você sabe por que está aqui.

– Senhor Capitão. – O meistre parecia um rato também, com sua túnica cinza e seu pequeno bigode castanho. *Será que ele acha que isso o torna mais viril?* Kerwin era seu nome. Era muito jovem, vinte e dois, talvez. – Posso ver sua mão? – perguntou.

Uma pergunta estúpida. Meistres tinham sua utilidade, mas Victarion não tinha nada além de desprezo por esse Kerwin. Com suas suaves bochechas rosadas, mãos macias e cachos castanhos, ele parecia mais feminino que a maioria das garotas. Na primeira vez que subira a bordo do *Vitória de Ferro*, tinha um sorrisinho estúpido também, mas, em uma noite em Passopedra, sorrira para o homem errado, e Quellon Humble arrebentara quatro de seus dentes. Não muito tempo depois daquilo, Kerwin fora se arrastando até o capitão para reclamar que quatro membros de sua tripulação o haviam arrastado para dentro do navio e o usado como mulher.

– É assim que você coloca um fim nisso – Victarion disse para ele, espetando uma adaga na mesa entre eles. Kerwin pegou a lâmina – assustado demais para recusá-la, o capitão julgou –, mas nunca a usou.

– Minha mão está aqui – Victarion falou. – Olhe tudo o que quiser.

Meistre Kerwin se apoiou em um joelho, para inspecionar melhor a ferida. Até mesmo a farejou, como um cão.

– Terei que tirar o pus novamente. A cor... senhor capitão, o corte não está curando. Talvez eu precise amputar sua mão.

Haviam falado sobre isso antes.

– Se amputar minha mão, mato você. Mas, primeiro, eu o amarrarei no parapeito e darei sua bunda de presente para a tripulação. Vamos com isso.

– Haverá dor.

– Sempre há. – *Vida é dor, seu tolo. Não há alegria, exceto nos salões molhados do Deus Afogado.* – Faça.

O rapaz – era difícil pensar em alguém tão suave e rosado como um homem – colocou a ponta do punhal na palma da mão do capitão e cortou. O pus que irrompeu era grosso e amarelo como leite azedo. A mulher morena torceu o nariz para o cheiro, o meistre segurou a ânsia de vômito e até Victarion sentiu seu estômago revirar.

– Corte mais fundo. Tire tudo. Mostre-me sangue.

Meistre Kerwin apertou a adaga mais fundo. Dessa vez doeu, mas o sangue brotou, assim como o pus, um sangue tão escuro que parecia negro à luz da lanterna.

Sangue era bom. Victarion grunhiu em aprovação. Sentou-se firme enquanto o meistre secava, apertava e limpava o pus, com quadrados de tecido macio fervidos em vinagre. Quando terminou, a água limpa na bacia tinha se tornado uma sopa espumante. A visão por si só podia fazer qualquer homem enjoar.

– Pegue esta sujeira e vá. – Victarion acenou para a mulher morena. – Ela pode fazer o curativo.

Mesmo depois que o rapaz partiu, o fedor permaneceu. Ultimamente, não havia como escapar disso. O meistre sugerira que o ferimento seria mais bem drenado no convés, no ar fresco e à luz do sol, mas Victarion proibira. Aquilo não era algo que sua tripulação pudesse ver. Estavam a meio mundo de casa, longe demais para deixá-los ver seu capitão de ferro começar a enferrujar.

Sua mão esquerda ainda latejava – uma dor incômoda, mas persistente. Quando fechava a mão, sentia pontadas, como se uma faca estivesse sendo enfiada em seu braço. *Não uma faca, uma espada longa. Uma espada longa na mão de um fantasma.* Serry, aquele tinha sido o nome dele. Um cavaleiro, e herdeiro de Escudossul. *Eu o matei, mas ele ainda me esfaqueia do além-túmulo. Do coração quente de seja lá qual inferno eu o mandei, ele empurra seu aço na minha mão e torce.*

Victarion se lembrava da luta como se tivesse sido ontem. Seu escudo estava em pedaços, pendendo inútil em seu braço, então, quando a espada longa de Serry veio para baixo, ele estendeu a mão e a agarrou. O rapaz era mais forte do que parecia; sua lâmina atravessou o aço articulado da manopla do capitão e a luva forrada embaixo até atingir a carne da palma de sua mão. *Um arranhão de um gatinho,* Victarion disse para si mesmo, depois. Lavara o corte, despejara um pouco de vinagre fervido sobre ele, enfaixara-o e deixou de pensar naquilo, acreditando que a dor diminuiria e a mão se curaria com o tempo.

Em vez disso, a ferida tinha infeccionado, até que Victarion começou a se perguntar se a lâmina de Serry estava envenenada. Por que mais a ferida se recusaria a sarar? O pensamento o deixou com raiva. Nenhum homem de verdade matava com veneno. No Fosso Cailin, os demônios do pântano haviam arremessado flechas envenenadas em seus homens, mas era o que se podia esperar de tais criaturas degradadas. Serry tinha sido um cavaleiro, bem-nascido. Veneno era para covardes, mulheres e dornenses.

– Se não foi Serry, então quem? – perguntou para a mulher morena. – Poderia aquele rato daquele meistre estar causando isso? Meistres conhecem feitiços e outros truques. Ele pode estar usando um para me envenenar, esperando que eu o deixe cortar minha mão fora. – Quanto mais pensava nisso, mais provável lhe parecia. – O Olho de Corvo o deu para mim, criatura miserável que é. – Euron tirara Kerwin de Escudoverde, onde estava a serviço de Lorde Chester, cuidando de seus corvos e ensinando seus filhos, ou talvez de outros nas redondezas. E como o rato guinchava quando um dos mudos de Euron o entregara a bordo do *Vitória de Ferro*, arrastando-o pela corrente em seu pescoço. – Se isso é por vingança, ele se engana comigo. Foi Euron quem insistiu que ele fosse levado, para evitar que causasse danos com suas aves. – Seu irmão lhe dera três gaiolas de corvos também, para que Kerwin pudesse mandar notícias de sua viagem, mas Victarion proibira que fossem soltas. *Que fique de molho, se perguntando o que está acontecendo.*

A mulher morena estava enfaixando sua mão com linho limpo, enrolando a faixa seis vezes ao redor da palma, quando Aguado Pyke apareceu, batendo na porta da cabine, para dizer que o capitão do *Luto* viera a bordo com um prisioneiro.

– Dizem que nos traz um feiticeiro, Capitão. Dizem que o pescou no mar.

– Um feiticeiro? – Poderia o Deus Afogado ter lhe mandado um presente, aqui, do outro lado do mundo? Seu irmão Aeron saberia, mas Aeron vira a majestade dos salões molhados do Deus Afogado sob o mar, antes de ser trazido de volta à vida. Victarion tinha um temor saudável por seu deus, como todos os homens deveriam ter, mas colocava sua fé no aço. Flexionou a mão ferida, fazendo uma careta, então colocou a luva e se levantou. – Mostre-me esse feiticeiro.

O capitão do *Luto* esperava por ele no convés. Um homem pequeno, tão peludo quanto rústico, era um Sparr por nascimento. Seus homens o chamavam A Ratazana.

– Senhor Capitão – disse, quando Victarion apareceu –, este é Moqorro. Um presente para nós, do Deus Afogado.

O feiticeiro era um monstro de homem, tão alto quanto o próprio Victarion e duas vezes mais largo, com uma barriga como uma rocha e um emaranhado de cabelos branco-osso que cresciam em seu rosto como a juba de um leão. Sua pele era negra. Não o marrom-castanho dos ilhéus do Verão com seus navios cisne, nem o marrom-avermelhado dos senhores dos cavalos dothrakis, nem a cor de carvão-e-terra da pele da mulher morena, mas negra. Mais negra que carvão, mais negra do que o azeviche, mais negra do que as asas de um corvo. *Queimado*, Victarion pensou, *como um homem que foi tostado nas chamas até que sua carne carbonizou e caiu soltando fumaça de seus ossos*. As chamas que o carbonizaram ainda dançavam em suas bochechas e testa, onde os olhos espiavam entre uma máscara de chamas congeladas. *Tatuagens de escravo*, o capitão sabia. *Marcas do mal.*

– Nós o encontramos agarrado a um mastro quebrado – disse A Ratazana. – Estava há dez dias na água, depois que seu navio afundou.

– Se estivesse há dez dias no mar, estaria morto ou louco de beber água salgada. – A água salgada era sagrada; Aeron Cabelo-Molhado e outros sacerdotes podiam abençoar homens com ela e engolir um bocado ou dois de tempos em tempos, para fortalecer sua fé, mas nenhum homem mortal podia beber do mar profundo por dias a fio e esperar viver. – Você afirma ser feiticeiro? – Victarion perguntou ao prisioneiro.

– Não, Capitão – o homem negro respondeu na Língua Comum. Sua voz era tão profunda que parecia ter saído do fundo do mar. – Sou um humilde escravo de R'hllor, o Senhor da Luz.

R'hllor. Um sacerdote vermelho, então. Victarion havia visto tais homens nas cidades estrangeiras, cuidando de suas fogueiras sagradas. Aqueles vestiam ricas túnicas vermelhas de seda, veludo e lã de cordeiro. Esse aqui usava trapos desbotados e manchados pelo sal que se agarravam às suas pernas grossas e penduravam-se em seu torso em frangalhos...

mas, quando o capitão espiou os trapos mais de perto, lhe pareceram que alguma vez tinham sido vermelhos.

– Um sacerdote cor-de-rosa – Victarion anunciou.

– Um sacerdote do demônio – falou Wulfe Uma-Orelha. Cuspiu.

– Talvez suas vestes tenham pegado fogo, então ele pulou do barco para apagá-las – sugeriu Aguado Pyke, para riso geral. Até mesmo os macacos estavam se divertindo. Tagarelavam lá em cima, e um deles arremessou um punhado de sua própria merda no piso do convés.

Victarion desconfiava de risos. O som daquilo sempre o deixava com a desagradável sensação de que era alvo de alguma piada que não podia entender. Euron Olho de Corvo frequentemente zombava dele quando eram crianças. Aeron também, antes que se tornasse o Cabelo Molhado. A zombaria deles quase sempre vinha disfarçada de elogios, e algumas vezes Victarion não chegava a perceber que estava sendo zombado. Não até ouvir as risadas. Então vinha a raiva, fervendo no fundo de sua garganta até que ficasse prestes a engasgar com o gosto. Era como ele se sentia com zombarias. As brincadeiras da tripulação nunca traziam mais do que um sorriso ao rosto do capitão, embora os demais estivessem rugindo, vaiando e assobiando.

– Mande-o para o Deus Afogado antes que traga alguma maldição sobre nós – exigiu Burton Humble.

– Um navio afundou e só ele ficou agarrado aos destroços – falou Wulfe Uma-Orelha. – Onde está a tripulação? Será que ele convocou demônios para devorar todos eles? O que aconteceu com esse navio?

– Uma tempestade. – Moqorro cruzou os braços contra o peito. Não parecia assustado, embora todos ao redor dele pedissem sua morte. Nem mesmo os macacos pareciam gostar desse feiticeiro. Saltavam de corda em corda, sobre a cabeça deles, gritando.

Victarion tinha dúvidas. *Ele saiu do mar. Por que o Deus Afogado o manteria na superfície, a menos que pretendesse que o encontrássemos?* Seu irmão Euron tinha seu feiticeiro de estimação. Talvez o Deus Afogado quisesse que Victarion tivesse um também.

– Por que diz que este homem é um feiticeiro? – perguntou para A Ratazana. – Vejo apenas um sacerdote vermelho esfarrapado.

– Pensei o mesmo, Senhor Capitão... mas ele *sabe* coisas. Sabia que íamos para a Baía dos Escravos antes que qualquer homem lhe contasse isso, e sabia que você estaria aqui, ancorado nesta ilha. – O homenzinho hesitou. – Senhor Capitão, ele me disse... ele me disse que você certamente morreria, a menos que eu o trouxesse até você.

– Que *eu* morreria? – Victarion bufou. *Cortem a garganta dele e o atirem ao mar*, estava prestes a dizer, quando uma pontada de dor em sua mão ferida esfaqueou seu braço até quase o cotovelo, a agonia tão intensa que suas palavras se tornaram bile em sua garganta. Ele tropeçou e agarrou o parapeito para não cair.

– O feiticeiro amaldiçoou o capitão – uma voz falou.

Outros homens começaram a gritar.

– *Cortem a garganta dele! Matem-no antes que ele chame seus demônios sobre nós!*

Aguado Pyke foi o primeiro a desembainhar a adaga.

– *NÃO!* – Victarion gritou. – Para trás! Todos vocês. Pyke, guarde seu aço. Ratazana, de volta para seu navio. Humble, leve o feiticeiro à minha cabine. O resto de vocês, de volta aos seus deveres. – Por meio segundo, não estava seguro de que o obedeceriam. Ficaram murmurando, metade com as lâminas nas mãos, cada um olhando para os outros para se decidirem. Merda de macaco chovia em volta deles todos, *splash, splash, splash*. Ninguém se moveu, até que Victarion agarrou o feiticeiro pelo braço e o empurrou pelo alçapão.

Quando abriu a porta da cabine do capitão, a mulher morena se virou em sua direção, silenciosa e sorridente... mas, quando viu o sacerdote vermelho ao lado dele, seus lábios se afastaram de seus dentes, e ela sibilou em súbita fúria, como uma serpente. Victarion a acertou com as costas da mão boa e a derrubou no chão.

– Quieta, mulher. Vinho para nós dois. – Virou-se para o homem negro. – A Ratazana falou a verdade? Você viu minha morte?

– Isso, e mais.

– Onde? Quando? Eu morrerei em batalha? – Sua mão boa se abria e se fechava. – Se mentir para mim, abrirei sua cabeça como um melão e deixarei os macacos comerem seu cérebro.

– Sua morte está conosco agora, meu senhor. Dê-me sua mão.

– Minha mão. O que sabe sobre minha mão?

– Vi você em minhas chamas noturnas, Victarion Greyjoy. Você veio caminhando pelas chamas, severo e feroz, seu grande machado pingando sangue, cego para os tentáculos que o agarram pelos pulsos, pescoço e tornozelos, as cordas negras que o fazem dançar.

– *Dançar?* – Victarion se eriçou. – Suas chamas noturnas mentem. Não fui feito para dança, e não sou marionete de homem algum. – Arrancou a luva e enfiou a mão ruim no rosto do sacerdote. – Aqui. Era isso que você queria? – O linho novo já estava tingido de sangue e pus. – Ele tinha uma rosa em seu escudo, o homem que me deu isso. Arranhei minha mão em um espinho.

– Mesmo os menores arranhões podem se provar mortais, senhor Capitão, mas, se me permitir, posso curar isso. Precisarei de uma lâmina. Prata seria melhor, mas ferro servirá. Um braseiro, também. Preciso acender uma fogueira. Haverá dor. Uma dor terrível, como você nunca conheceu. Mas, quando terminarmos, sua mão retornará para você.

São todos iguais, esses homens mágicos. O rato me avisou da dor também.

– Sou um homem de ferro, sacerdote. Rio da dor. Você terá o que pede... mas, se falhar, e minha mão não ficar curada, eu mesmo cortarei sua garganta e o darei ao mar.

Moqorro curvou-se, seus olhos escuros brilhando.

– Que assim seja.

O capitão de ferro não foi visto novamente naquele dia, mas, enquanto as horas passavam, a tripulação do seu *Vitória de Ferro* relatou ter ouvido o som de risos selvagens vindos da cabine do capitão, risadas profundas, escuras e loucas, e, quando Aguado Pyke e Wulfe Uma-Orelha tentaram abrir a porta da cabine, encontraram-na trancada. Mais tarde, cantos foram ouvidos, uma estranha e chorosa canção em uma língua que o meistre disse ser Alto Valiriano. Foi quando os macacos deixaram o navio, gritando à medida que pulavam na água.

Veio o pôr do sol, enquanto o mar se tornava negro como tinta e o sol inchado tingia o céu de um vermelho profundo e sangrento, e Victarion voltou para o convés. Estava nu da cintura para cima, seu braço esquerdo ensanguentado até o cotovelo. Quando sua tripulação se reuniu, sussurrando e trocando olhares, ergueu uma mão queimada e enegrecida. Filetes de fumaça escura saíam de seus dedos enquanto apontava para o meistre.

– Este aí. Cortem a garganta dele e joguem-no ao mar, e os ventos serão favoráveis por todo o caminho até Meereen. – Moqorro vira aquilo em suas chamas. Vira o casamento da moça também, mas e daí? Ela não seria a primeira mulher que Victarion Greyjoy deixaria viúva.

Tyrion

O curandeiro entrou na tenda murmurando amabilidades, mas uma cheirada no ar putrefato e uma olhada em Yezzan zo Qaggaz puseram um fim naquilo.

– A égua descorada – o homem falou para Doces.

Que surpresa, Tyrion pensou. *Quem poderia imaginar? Além de qualquer homem com um nariz, e eu com metade dele.* Yezzan estava queimando em febre, contorcendo-se intermitentemente, em uma piscina do próprio excremento. Sua merda se tornara uma lama marrom, banhada em sangue... e cabia a Yollo e Merreca deixar sua bunda amarela limpa. Mesmo com ajuda, o mestre não conseguia levantar o próprio peso; usava toda sua força restante apenas para virar de lado.

– Minhas artes não terão serventia aqui – o curandeiro anunciou. – A vida do nobre Yezzan está nas mãos dos deuses. Mantenham-no fresco se puderem. Alguns dizem que isso ajuda. Tragam água para ele. – Aqueles afligidos pela égua descorada sempre estavam com sede, bebendo galões de água entre suas caganeiras. – Água fresca e limpa, tanta quanta ele puder beber.

– Não água do rio – disse Doces.

– De jeito nenhum. – E, com isso, o curandeiro fugiu.

Precisamos fugir também, pensou Tyrion. Ele era um escravo com uma coleira dourada, com pequenos guizos que tilintavam alegremente a cada passo que dava. *Um dos tesouros especiais de Yezzan. Uma honra indistinguível de uma sentença de morte.* Yezzan zo Qaggaz gostava de manter seus queridinhos por perto, por isso restara para Yollo, Merreca, Doces e seus outros tesouros cuidar dele quando adoeceu.

Pobre velho Yezzan. O senhor da banha não era tão mau quanto os mestres eram. Doces estava certa nisso. Servindo em seus banquetes noturnos, Tyrion logo descobrira que Yezzan se destacava entre os senhores yunkaítas que defendiam honrar a paz com Meereen. A maioria dos demais estava apenas ganhando tempo, esperando que o exército de Volantis chegasse. Uns poucos queriam assaltar a cidade imediatamente, para que os volantinos não pudessem roubar sua glória e a melhor parte da pilhagem. Yezzan não tomou parte naquilo. Nem consentiu devolver os reféns de Meereen com o trabuco, como o mercenário Barbassangrenta havia proposto.

Mas muito e ainda mais podia mudar em dois dias. Dois dias atrás, o Babá estava robusto e saudável. Dois dias atrás, Yezzan não ouvira os cascos fantasmagóricos da égua descorada. Dois dias atrás, as frotas da Antiga Volantis estavam dois dias mais distante. E agora...

– Yezzan vai morrer? – Merreca perguntou, naquela sua voz de por-favor-diga-que-não.

– Todos nós vamos morrer.

– Do fluxo, quero dizer.

Doces deu um olhar desesperado para ambos.

– Yezzan *não pode* morrer. – A hermafrodita acariciou a testa de seu mestre gigantesco, afastando o cabelo molhado de suor. O yunkaíta gemeu, e outra enxurrada de água marrom jorrou por suas pernas. Sua roupa de cama estava manchada e fedida, mas não havia como movê-lo de lá.

– Alguns mestres libertam seus escravos quando morrem – disse Merreca.

Doces deu uma risada nervosa. Era um som medonho.

– Apenas os favoritos. Eles os libertam das desgraças do mundo, para acompanhar seus amados mestres para o túmulo e servi-los no após-morte.

Doces devia saber. A dela seria a primeira garganta a ser cortada.

O menino-bode falou:

– A rainha de prata...

– ... está morta – insistiu Doces. – Esqueça ela! O dragão a levou para o outro lado do rio. Ela se afogou no mar dothraki.

– Você não pode se afogar na *grama* – o menino-bode respondeu.

– Se fôssemos livres – disse Merreca –, poderíamos encontrar a rainha. Ou sair em busca dela, pelo menos.

Você no seu cão e eu na minha porca, perseguindo um dragão pelo mar dothraki. Tyrion coçou sua cicatriz para não rir.

– Esse dragão em particular já evidenciou seu gosto por porco assado. E anão assado é duas vezes mais saboroso.

– Era só um desejo – Merreca falou, melancolicamente. – Podíamos navegar para longe. Há navios novamente, agora que a guerra acabou.

Acabou mesmo? Tyrion estava inclinado a duvidar daquilo. Pergaminhos foram assinados, mas guerras não eram lutadas em pergaminhos.

– Podíamos navegar até Qarth – Merreca continuou. – As ruas lá são pavimentadas com jade, meu irmão sempre dizia. Quando nos apresentarmos em Qarth, ouro e prata choverão sobre nós, você verá.

– Alguns daqueles navios lá na baía são qartenos. – Tyrion a recordou. – Lomas Longstrider viu as muralhas de Qarth. Seus livros são suficientes para mim. Vim tão longe para leste quanto pretendia.

Doces enxugou o rosto febril de Yezzan com um pano úmido.

– Yezzan tem que viver. Ou todos nós morreremos com ele. A égua descorada não leva todos que cavalgam nela. O mestre se recuperará.

Aquilo era uma mentira deslavada. Seria uma maravilha se Yezzan vivesse outro dia. O senhor da banha já estava morrendo de alguma doença terrível que trouxera de Sothoryos, parecia a Tyrion. Isso apenas aceleraria seu fim. *Uma misericórdia, realmente.* Mas não o tipo de sorte que o anão desejava para si.

– O curandeiro disse que ele precisa de água fresca. Vamos ver isso.

– Isso é gentil de sua parte. – Doces parecia entorpecida. Era mais do que apenas medo de ter a garganta cortada; sozinha entre os tesouros de Yezzan, ela realmente parecia gostar de seu imenso mestre.

– Merreca, venha comigo. – Tyrion abriu a cortina da tenda e conduziu-a para o calor da manhã meereenesa. O ar era abafado e opressivo e, mesmo assim, um alívio bem-vindo da mistura de suor, merda e doença que enchia o interior do pavilhão suntuoso de Yezzan.

– Água ajudará o mestre – Merreca falou. – Foi o que o curandeiro disse, deve ser assim. Água doce fresca.

–Água doce fresca não ajudou o Babá. – *Pobre velho Babá*. Os soldados de Yezzan haviam atirado seu corpo na carroça de cadáveres, noite passada, ao anoitecer, outra vítima da égua descorada. Quando homens morriam a cada hora, ninguém olhava por muito tempo para mais um morto, especialmente um tão desprezível quanto o Babá. Os outros escravos de Yezzan tinham se recusado a se aproximar do capataz quando as cólicas começaram, então sobrou para Tyrion mantê-lo aquecido e levar bebidas para ele. *Vinho aguado e limonada doce, e um pouco de boa sopa quente de rabo de cachorro, com lascas de cogumelo no caldo. Beba tudo, Babá, a água de merda que esguicha da sua bunda precisa ser reposta.* A última palavra que o Babá dissera foi "Não". As últimas palavras que escutou foram: "Um Lannister sempre paga suas dívidas".

Tyrion não contara aquilo a Merreca, mas ela precisava entender como era a situação do mestre deles.

– Se Yezzan viver para ver o sol nascer, ficarei atônito.

Ela segurou o braço dele.

– O que acontecerá conosco?

– Ele tem herdeiros. Sobrinhos. – Quatro deles haviam vindo com Yezzan de Yunkai para comandar seus soldados-escravos. Um estava morto, assassinado por mercenários dos Targaryen durante um combate. Os outros três dividiriam os escravos da enormidade amarela entre eles, provavelmente. Se algum dos sobrinhos compartilhava o carinho de Yezzan por aleijados, aberrações e seres grotescos era mais difícil dizer. – Um deles pode nos herdar. Ou podemos terminar indo novamente a leilão.

– Não. – Seus olhos ficaram grandes. – Não aquilo. Por favor.

– Não é uma perspectiva que me agrade também.

A alguns metros de distância, seis dos soldados-escravos de Yezzan estavam de cócoras na terra, jogando ossos e passando um odre de vinho de mão em mão. Um era o oficial chamado Cicatriz, um mulato brutamontes com uma cabeça tão lisa quanto uma pedra e ombros como os de um boi. *Esperto como um boi também*, Tyrion lembrou.

Bamboleou na direção deles.

– Cicatriz – gritou –, o nobre Yezzan precisa de água, água limpa. Pegue dois homens e traga quantos baldes puderem carregar. E seja rápido com isso.

Os soldados interromperam seu jogo. Cicatriz se levantou, carrancudo.

– O que disse, anão? Quem você pensa que é?

– Sei quem sou. Yollo. Um dos tesouros do nosso senhor. Agora, faça o que eu lhe disse.

Os soldados riram.

– Vá, Cicatriz – um deles zombou –, e seja rápido com isso. O macaco de Yezzan lhe deu uma ordem. – Você *não* diz para soldados o que fazer – falou Cicatriz.

– Soldados? – Tyrion fingiu perplexidade. – Escravos, é tudo o que vejo. Você usa uma coleira em volta do pescoço igual à minha.

O golpe violento que Cicatriz lhe deu com as costas da mão o derrubou no chão e arrebentou seus lábios.

– Coleira de Yezzan. Não sua.

Tyrion limpou o sangue do lábio partido com o dorso da mão. Quando tentou se levantar, uma perna se enroscou na outra e ele caiu de joelhos. Precisaria de Merreca para se levantar novamente.

– Doces disse que mestre precisa ter água – disse, em seu melhor choramingo.

– Doces pode foder a si mesma. Foi feita para isso. Não recebemos ordens daquela aberração também.

Não, pensou Tyrion. Mesmo entre escravos, havia os senhores e os camponeses, como rapidamente aprendera. A hermafrodita era, havia muito tempo, o animal de estimação especial do mestre, mimada e favorecida, e os outros escravos do nobre Yezzan a odiavam por isso.

Os soldados estavam acostumados a receber ordens dos mestres e de seus capatazes. Mas Babá estava morto, e Yezzan, doente demais para nomear um sucessor. Quanto aos três sobrinhos, aqueles bravos homens haviam se recordado de negócios urgentes em outros lugares ao primeiro som dos cascos da égua descorada.

– A á-água – falou Tyrion, encolhendo-se. – Não água do rio, o curandeiro disse. Limpa, água bem fresca.

Cicatriz grunhiu.

– Vá pegar *você*. E seja rápido com isso.

– Nós? – Tyrion trocou um olhar desesperado com Merreca. – A água é pesada. Não somos tão fortes como você. Podemos... podemos pegar a charrete com a mula?

– Use suas pernas.

– Precisaremos fazer uma dúzia de viagens.

– Faça uma centena de viagens. Não dou a mínima para isso.

– Apenas nós dois... não seremos capazes de carregar toda a água que o mestre precisa.

– Leve seu urso – sugeriu Cicatriz. – Buscar água é tudo para o que aquele ali serve.

Tyrion se virou.

– Como queira, mestre.

Cicatriz sorriu. *Mestre. Oh, ele gostou disso.*

– Morgo, traga as chaves. Vocês, encham os baldes e voltem imediatamente, anões. Sabem o que acontece com escravos que tentam fugir.

– Pegue os baldes – Tyrion falou para Merreca. Seguiu com Morgo para buscar Sor Jorah Mormont em sua jaula.

O cavaleiro não se adaptara bem ao cativeiro. Quando convocado para interpretar o urso e levar consigo a bela donzela, fora mal-humorado e teimoso, arrastando-se apaticamente quando afinal se dignou a participar do espetáculo deles. Embora não tivesse tentado escapar, nem oferecera violência aos seus captores, ignorava suas ordens com frequência, ou respondia resmungando xingamentos. Nada disso divertira o Babá, que deixava seu descontentamento claro confinando Mormont em uma jaula de ferro e espancando-o todas as tardes, quando o sol mergulhava na Baía dos Escravos. O cavaleiro absorvia as pancadas em silêncio; os únicos sons eram os xingamentos resmungados para os escravos que batiam nele, e os golpes surdos de seus porretes contra a carne machucada e surrada de Sor Jorah.

O homem está um caco, Tyrion pensou, na primeira vez que viu o grande cavaleiro espancado. *Eu devia ter segurado minha língua e deixado Zahrina comprá-lo. Teria sido um destino mais gentil do que esse.*

Mormont saiu do confinamento restrito da jaula encurvado e apertando os olhos, ambos com manchas escuras, e as costas cobertas de sangue seco. Seu rosto estava tão machucado e inchado que dificilmente parecia humano. Estava nu, exceto por uma tanga, um pedaço sujo de pano amarelo.

– Vai ajudar eles a carregar água – Morgo lhe disse.

A única resposta de Sor Jorah foi um olhar carrancudo. *Alguns homens devem preferir morrer livres do que viver como escravos, suponho.* Tyrion não era atingido por tais aflições, felizmente, mas se Mormont assassinasse Morgo, os outros escravos podiam não fazer essa distinção.

– Venha – disse, antes que o cavaleiro fizesse algo corajoso e estúpido. Saiu bamboleando, esperando que Mormont o seguisse.

Os deuses foram bons dessa vez. Mormont o seguiu.

Dois baldes para Merreca, dois para Tyrion e quatro para Sor Jorah, dois em cada mão. O poço mais próximo ficava a sudoeste da Prostituta, então partiram nessa direção, os sinos em suas coleiras tocando alegremente a cada passo. Ninguém prestava atenção neles. Eram apenas escravos buscando água para seu mestre. Usar uma coleira conferia certas vantagens, especialmente uma coleira dourada com o nome de Yezzan zo Qaggaz inscrito nela. O soar daqueles pequenos guizos proclamavam seu valor para qualquer um que escutasse. Um escravo carregava a importância de seu mestre; Yezzan era o homem mais rico da Cidade Amarela e trouxera seiscentos soldados-escravos para a guerra, mesmo se parecesse uma monstruosa lesma amarela e cheirasse a mijo. As coleiras deles lhes davam o direito de ir para qualquer lugar que desejassem dentro do acampamento.

Até que Yezzan morra.

Os Senhores Tinidores tinham seus soldados-escravos se exercitando no campo mais próximo. O barulho das correntes que os prendiam formava uma dura música metálica, enquanto marchavam pela areia em sintonia e entravam em formação com suas longas lanças. Em outros lugares, grupos de escravos erguiam rampas de pedra e areia sob manganelas e balistas, elevando-as no ângulo correto para melhor defender o acampamento se o dragão negro retornasse. O anão sorriu ao vê-los suando a amaldiçoando enquanto lutavam para inclinar as pesadas máquinas. Bestas estavam muito em evidência também. Qualquer homem parecia estar carregando uma, com a aljava cheia de dardos pendurada no quadril.

Se alguém tivesse pensado em lhe perguntar, Tyrion poderia ter dito para eles não se incomodarem. A menos que um dos longos projéteis de ferro das balistas conseguisse acertar um olho, o monstro de estimação da rainha não seria derrubado por tais brinquedos. *Dragões não são tão fáceis de matar. Façam cócegas nele com isso, e só o deixarão irritado.*

Os olhos eram a parte mais vulnerável de um dragão. Os olhos, e o cérebro atrás deles. Não a barriga, como certos contos antigos diziam. As escamas ali eram tão resistentes quanto as que cobriam as costas e os flancos do dragão. E não embaixo da goela também. Aquilo era loucura. Esses pretensos matadores de dragão podiam muito bem tentar apagar um incêndio com um golpe de lança. "A morte sai da boca do dragão", o Septão Barth escrevera em sua *História Antinatural,* "mas a morte não entra por esse caminho."

Mais adiante, duas legiões de Nova Ghis estavam se enfrentando, parede de escudo contra parede de escudo, enquanto oficiais em meios-elmos de ferro com crinas de cavalos de guerra gritavam ordens em seu próprio dialeto incompreensível. A olho nu, os ghiscaris pareciam mais formidáveis do que os soldados-escravos yunkaítas, mas Tyrion nutria dúvidas. Os legionários podiam ser armados e organizados da mesma maneira que os Imaculados... mas os eunucos não conheciam outra vida, enquanto os ghiscaris eram cidadãos livres que serviam por três anos.

A fila para o poço estendia-se por uns quatrocentos metros.

Havia apenas um punhado de poços a menos de um dia de marcha de Meereen, então a espera era sempre longa. A maioria das tropas yunkaítas tirava sua água de beber do Skahazadhan, o que Tyrion sabia que era uma má ideia, mesmo antes do aviso do curandeiro. Os mais espertos tomavam o cuidado de ficar rio acima das latrinas, mas ainda estavam rio abaixo em relação à cidade.

O fato de haver algum poço bom a menos de um dia de marcha da cidade apenas provava que Daenerys Targaryen ainda era inocente quando o assunto eram cercos. *Ela devia ter envenenado cada poço. Então todos os yunkaítas estariam bebendo do rio. Veja quanto tempo o cerco duraria, então.* Era isso o que o senhor seu pai teria feito, Tyrion não tinha dúvidas.

Cada vez que seguiam em direção a outro lugar, os guizos em suas coleiras tocavam alegremente. *Que som feliz, me faz querer arrancar os olhos de alguém com uma colher.* Agora, Griff, Pato e Meiomeistre Haldon podiam estar em Westeros com seu jovem príncipe. *Eu deveria estar com eles... mas, não, eu tinha que ter uma puta. Assassinar parentes não é o suficiente, eu precisava de uma boceta e de vinho para selar minha ruína, e aqui estou eu, do lado errado do mundo, usando uma coleira de escravo com sininhos dourados para anunciar minha chegada. Se eu dançar direito, talvez possa tocar "As Chuvas de Castamere".*

Não havia lugar melhor para ouvir as últimas notícias e rumores do que ao redor do poço.

– Eu sei o que vi – um velho escravo com uma coleira enferrujada estava dizendo, enquanto Tyrion e Merreca se arrastavam na fila –, e vi aquele dragão arrancando braços e pernas, e rasgando homens ao meio, queimando todos eles até cinzas e ossos. As pessoas começaram a correr, tentando sair da arena, mas eu fui ver um espetáculo e, por todos os deuses de Ghis, vi um. Eu estava na fileira púrpura, então não achei que o dragão fosse me incomodar.

– A rainha subiu nas costas do dragão e foi embora – insistiu uma alta mulher marrom.

– Ela tentou – disse o velho –, mas não conseguiu se segurar. As bestas feriram o dragão, e a rainha foi atingida bem entre suas doces tetas rosadas, ouvi dizer. Foi quando caiu. Morreu na sarjeta, esmagada embaixo das rodas de um carroção. Conheço uma garota que conhece um homem que viu ela morrer.

Em tal companhia, o silêncio era a melhor parte da sabedoria, mas Tyrion não conseguiu se conter.

– Nenhum cadáver foi encontrado – disse.

O velho franziu o cenho.

– O que você sabe sobre isso?

– Eles estavam lá – disse a mulher marrom. – São eles, os anões que disputaram a justa, os que lutaram para a rainha.

O homem olhou para baixo, como se estivesse vendo ele e Merreca pela primeira vez.

– Vocês são aqueles que cavalgam porcos.

Nossa notoriedade nos precede. Tyrion fez uma mesura cortês e absteve-se de apontar que um dos porcos era, na verdade, um cão.

– A porca que eu cavalgo é, na verdade, minha irmã. Temos o mesmo nariz, vocês perceberam? Um bruxo lançou um feitiço nela, mas, se você lhe der um grande beijo molhado, ela se transformará em uma bela mulher. O triste é que, uma vez que você a conheça, vai querer beijá-la novamente para transformá-la de volta.

Risos irromperam ao redor deles. Até o velho se juntou a eles.

– Você viu ela, então – disse o rapaz de cabeça vermelha atrás deles. – Você viu a rainha. É tão bonita quanto dizem?

Vi uma garota esguia de cabelo prateado enrolada em um tokar, ele podia ter dito a eles. *Seu rosto estava coberto por um véu, e nunca me aproximei o suficiente para dar uma boa olhada. Eu estava cavalgando um porco.* Daenerys Targaryen estava sentada no camarote principal, ao lado de seu rei ghiscari, mas os olhos de Tyrion foram atraídos para o cavaleiro na armadura branca e dourada atrás dela. Embora suas feições estivessem escondidas, o anão reconheceria Barristan Selmy em qualquer lugar. *Illyrio estava certo sobre isso, ao menos*, pensou, recordando-se. *Mas Selmy me reconheceu? E o que fará nesse caso?*

Ele quase se revelara então e ali, mas algo o impedira – cautela, covardia, instinto, podia chamar como quisesse. Ele não imaginava que Barristan, o Ousado, o recebesse com nada além de hostilidade. Selmy nunca aprovara a presença de Jaime em sua preciosa Guarda Real. Antes da rebelião, o velho cavaleiro o julgava muito jovem e inexperiente; depois ficara conhecido por dizer que o Regicida devia trocar o manto branco por um negro. E seus próprios crimes eram piores. Jaime matara um louco. Tyrion enfiara um dardo através da virilha do próprio pai, um homem que Sor Barristan conhecera e servira por anos. Podia ter arriscado tudo, mesmo assim, mas então Merreca acertara um golpe em seu escudo e o momento se foi, para não mais voltar.

– A rainha nos viu disputar um torneio – Merreca estava contando para os outros escravos na fila –, mas essa foi a única vez em que a vimos.

– Vocês devem ter visto o dragão – falou o velho.

Quem dera tivéssemos. Os deuses não haviam lhe concedido tanto. Enquanto Daenerys Targaryen levantava voo, o Babá estava fechando ferros ao redor de seus tornozelos, para ter certeza de que não tentariam fugir no caminho de volta para seu mestre. Se o capataz tivesse partido depois de entregá-los ao matadouro, ou fugido com o restante dos senhores de escravos quando o dragão desceu do céu, os dois anões podiam ter caminhado para a liberdade. *Ou corrido, mais provavelmente, com nosso sininho tocando.*

– Tinha um dragão? – Tyrion disse, com um dar de ombros. – Tudo o que sei é que nenhuma rainha morta foi encontrada.

O velho não estava convencido.

– Ah, encontraram corpos às centenas. Arrastaram eles para a arena e queimaram todos, embora metade já estivesse torrada. Talvez não a tenham reconhecido, queimada, ensanguentada e esmagada. Talvez a reconheceram, mas decidiram falar o contrário, para manter vocês, escravos, tranquilos.

– Nós, escravos? – disse a mulher marrom. – Você também usa uma coleira.

– Uma coleira de *Ghazdor* – o homem se gabou. – Conheço ele desde que nascemos. Sou quase um irmão para ele. Escravos como vocês, detritos de Astapor e Yunkai, se lamentam sobre ser livres, mas eu não daria minha coleira para a rainha dragão nem se ela se oferecesse para chupar meu pau em troca. O homem tem o mestre certo, isso é melhor.

Tyrion não discutiu com ele. A coisa mais insidiosa sobre o cativeiro era quão fácil era se acostumar a ele. A vida da maioria dos escravos não era totalmente diferente da vida dos servos em Rochedo Casterly, parecia para ele. Era verdade que alguns proprietários de escravos e seus capatazes eram brutais e cruéis, mas o mesmo podia ser dito de alguns senhores westerosis, seus intendentes e meirinhos. A maioria dos yunkaítas tratava suas propriedades com decência suficiente, enquanto fizessem seus trabalhos e não causassem problemas... e esse velho com a coleira enferrujada e sua lealdade feroz ao Lorde Balançabochecha, seu dono, não era um caso atípico.

– Ghazdor, o Coração-Grande? – Tyrion falou, docemente. – Nosso mestre Yezzan tem falado com frequência de sua inteligência. – O que Yezzan tinha realmente dito era algo como *Eu tenho mais inteligência do lado esquerdo da bunda do que Ghazdor e os irmãos têm entre eles*. Mas achou prudente omitir as palavras reais.

O meio-dia veio e se foi antes que ele e Merreca chegassem ao poço, onde um escravo magrela e perneta puxava a água. Olhou para eles com desconfiança.

– Babá sempre vem buscar a água de Yezzan, com quatro homens e uma charrete de mula. – Jogou o balde no poço mais uma vez. Ouviu-se uma suave pancada na água. O homem perneta deixou o balde encher e começou a puxá-lo. Seus braços eram queimados pelo sol e descamados, ele era magro de se olhar, mas todo músculos.

– A mula morreu – falou Tyrion. – E também o Babá, pobre homem. E agora o próprio Yezzan está montado na égua descorada, e seis de seus soldados estão com diarreia. Posso levar dois baldes cheios?

– Como quiser. – Aquele foi o fim da conversa fiada. *São batidas de casco que você ouve?* A mentira sobre os soldados fizera o velho perneta se mexer muito mais rápido.

Começaram a voltar, cada anão carregando dois baldes cheios até a borda de água doce, e Sor Jorah com dois baldes em cada mão. O dia estava ficando mais quente, o ar tão espesso e úmido quanto lã molhada, e os baldes pareciam ficar mais pesados a cada passo. *Um longo caminho em pernas curtas*. A água espirrava dos baldes a cada passo, respingando ao redor de suas pernas, enquanto seus guizos tocavam uma música de marcha. *Se soubesse que chegaria a isto, pai, eu o teria deixado viver*. Meio quilômetro para leste, uma escura coluna de fumaça se erguia onde uma tenda tinha sido incendiada. *Queimando os mortos da noite passada*.

– Por aqui – Tyrion disse, fazendo um sinal com a cabeça para a direita.

Merreca lhe deu um olhar intrigado.

– Não foi por aí que viemos.

– Não queremos respirar aquela fumaça. Está cheia de humores malignos. – Não era mentira. *Não completamente*.

Merreca logo estava bufando, lutando com o peso de seus baldes.

– Preciso descansar.

– Como quiser. – Tyrion colocou os baldes de água no chão, grato pela parada. Suas pernas estavam com sérias câimbras, então encontrou uma pedra para se sentar e esfregar as coxas.

– Eu podia fazer isso para você – ofereceu Merreca.

– Sei onde estão os nós. – Ainda que gostasse cada vez mais da garota, ainda ficava desconfortável quando ela o tocava. Virou-se para Sor Jorah. – Umas porradas a mais e você ficará tão feio quanto eu, Mormont. Diga-me, ainda sobrou algum espírito combativo em você?

O grande cavaleiro ergueu dois olhos enegrecidos e olhou para ele como se estivesse encarando um inseto.

– O suficiente para quebrar seu pescoço, Duende.

– Bom. – Tyrion pegou seus baldes. – Por aqui, então.

Merreca franziu o cenho.

– Não. É para a esquerda. – Ela apontou. – Ali está a Prostituta.

– E ali está a Irmã Vingativa. – Tyrion acenou com a cabeça na outra direção. – Confie em mim – disse. – Meu caminho é mais rápido. – Partiu com os guizos tilintando. Merreca o seguiria, ele sabia.

Algumas vezes, invejava os pequenos sonhos bonitos da garota. Ela o fazia se lembrar de Sansa Stark, a noiva criança que tivera e perdera. Apesar de todos os horrores que sofrera, de alguma forma ela permanecera confiante. *Ela devia saber mais. É mais velha do que Sansa. E é uma anã. Age como se tivesse se esquecido disso, como se fosse bem-nascida e bonita de se olhar, em vez de escrava e grotesca.* À noite, Tyrion frequentemente a ouvia rezar. *Um desperdício de palavras. Se houvesse deuses para escutar, seriam deuses monstruosos, que nos atormentam por esporte. Quem mais faria um mundo como este, cheio de escravidão, sangue e dor? Quem mais nos daria a forma que nos deram?* Algumas vezes, queria bater nela, sacudi-la, gritar com ela, qualquer coisa para fazê-la despertar de seus sonhos. *Ninguém vai nos salvar,* queria gritar para ela. *O pior ainda está por vir.* Mesmo assim, de algum jeito, nunca disse isso. Em vez de dar um bom safanão naquela cara feia dela, para arrancar a viseira de seus olhos, ele se pegava apertando seu ombro ou dando-lhe um abraço. *Cada toque é uma mentira. Eu a paguei com tanta moeda falsa que ela se acha meio rica.*

Ele até mantivera a verdade sobre a Arena de Daznak para si.

Leões. Iam soltar leões sobre nós. Teria sido primorosamente irônico, aquilo. Talvez tivesse tempo para uma curta e amarga gargalhada antes de ser dilacerado.

Ninguém jamais disse o fim que havia sido planejado para eles, não com todas as palavras, mas não havia sido muito difícil juntar as peças, ali embaixo dos tijolos da Arena de Daznak, no mundo oculto sob as arquibancadas, o domínio sombrio dos lutadores de arena e dos servos que cuidavam deles, dos vivos e dos mortos; os cozinheiros que os alimentavam, os ferrageiros que os armavam, os cirurgiões-barbeiros que os sangravam, os barbeavam e atavam suas feridas, as putas que os serviam antes e depois das lutas, os manipuladores de cadáveres que arrastavam os perdedores para fora das areias com ganchos de ferro.

O rosto do Babá dera a Tyrion a primeira pista. Depois da apresentação, ele e Merreca haviam retornado para a abóbada iluminada por tochas onde os lutadores se reuniam antes e depois de suas disputas. Alguns estavam sentados, afiando as armas; outros fazendo sacrifícios para deuses estranhos, ou entorpecendo os nervos com leite de papoula antes de sair para morrer. Aqueles que já tinham lutado e vencido jogavam dados em um canto, rindo como apenas homens que encararam a morte e viveram podem rir.

O Babá estava pagando prata para um homem da arena, por uma aposta perdida, quando viu Merreca levando Triturador. A confusão em seus olhos sumiu em meio segundo, mas não antes que Tyrion percebesse o que significava. *Babá não esperava que voltássemos.* Olhou em volta, para os outros rostos. *Ninguém esperava que voltássemos. Era para termos morrido lá.* A peça final se encaixou quando ouviu um treinador de animais reclamando em voz alta para o mestre da arena:

– Os leões estão famintos. Dois dias sem comer. Me disseram para não alimentar eles, e não alimentei. A rainha vai pagar pela carne.

– Leve isso até ela na próxima vez que der audiências – o mestre da arena respondeu.

Mesmo agora, Merreca não suspeitava. Quando falou sobre a arena, sua preocupação principal era que mais pessoas não tinham rido. *Teriam se mijado de rir se os leões tivessem sido soltos,* Tyrion quase falou para ela. Em vez disso, ele apertou seu ombro.

Merreca fez uma parada repentina.

– Estamos indo para o lado errado.

– Não estamos. – Tyrion colocou seus baldes no chão. As alças haviam deixado sulcos profundos em seus dedos. – Aquelas são as tendas que queremos, ali.

– Os Segundos Filhos? – Um sorriso estranho apareceu no rosto de Sor Jorah. – Se acha que vai encontrar ajuda ali, você não conhece Ben Mulato Plumm.

– Oh, eu o conheço. Plumm e eu jogamos cinco partidas de *cyvasse*. Ben Mulato é astuto, tenaz, não sem inteligência... mas cauteloso. Gosta de deixar seu oponente assumir riscos, enquanto ele se senta e mantém suas opções em aberto, reagindo à batalha conforme ela ganha forma.

– Batalha? Que batalha? – Merreca se afastou dele. – Temos que *voltar*. O mestre precisa de água limpa. Se demorarmos muito, seremos chicoteados. E Porca Bonita e Triturador estão lá.

– Doces se assegurará de que sejam cuidados – Tyrion mentiu. Era mais provável que Cicatriz e seus amigos logo estivessem se banqueteando com presunto, toicinho e um saboroso ensopado de cachorro, mas Merreca não precisava ouvir aquilo. – O Babá está morto e Yezzan está morrendo. Pode estar escuro antes que qualquer um se lembre de sentir nossa falta. Nunca teremos uma oportunidade melhor do que agora.

– *Não*. Você sabe o que fazem quando pegam escravos tentando fugir. Você *sabe*. Por favor. Nunca nos permitirão deixar o acampamento.

– Nós não deixamos o acampamento. – Tyrion pegou seus baldes. Partiu em um bamboleado rápido, sem olhar para trás. Mormont seguiu ao seu lado. Depois de um momento, ouviu o som de Merreca correndo atrás dele, descendo uma ladeira de areia até um círculo de tendas esfarrapadas.

A primeira sentinela apareceu quando se aproximaram dos cavalos amarrados; um lanceiro magro cuja barba castanho-avermelhada indicava que era um tyroshino.

– O que temos aqui? E o que vocês levam nesses baldes?

– Água – respondeu Tyrion –, se for do seu agrado.

– Cerveja me agradaria mais. – Uma ponta de lança cutucou o anão nas costas; um segundo sentinela veio por trás deles. Tyrion pôde ouvir Porto Real em sua voz. *Escória da Baixada da Pulga.*

– Está perdido, anão? – a sentinela exigiu saber.

– Estamos aqui para nos juntar à sua companhia.

Um balde escorregou do braço de Merreca e virou. Metade da água foi derramada antes que ela conseguisse erguê-lo novamente.

– Temos tolos suficientes nesta companhia. Por que iríamos querer mais três? – O tyroshino cutucou a coleira de Tyrion com a ponta de sua lança, tocando os pequenos guizos dourados. – Um escravo fugitivo, é o que eu vejo. Três escravos fugitivos. De quem é esta coleira?

– Da Baleia Amarela. – Aquilo veio de um terceiro homem, atraído pelas vozes deles; uma figura com barba por fazer e dentes manchados de vermelho pela folhamarga. *Um oficial,* Tyrion percebeu, pelo jeito que os outros se dirigiram a ele. Tinha um gancho onde sua mão direita estivera um dia. *A fraca sombra bastarda de Bronn, ou sou Baelor, o Abençoado.* – Estes são os anões que Ben tentou comprar – o oficial disse para os lanceiros, apertando os olhos –, mas o grande... melhor levá-lo também. Todos os três.

O tyroshino apontou com a lança. Tyrion foi naquela direção. O outro mercenário – um rapaz, pouco mais que um menino, com penugem na bochecha e cabelo da cor de palha suja – escorregou a mão sob a túnica de Merreca.

– Oh, o meu tem tetas – disse, rindo. Deslizou uma mão sob a túnica de Merreca, só para ter certeza.

– Basta trazer ela – retrucou o oficial.

O rapaz jogou Merreca sobre um ombro. Tyrion foi em frente, tão rápido quanto suas pernas atrofiadas permitiam. Sabia para onde estavam indo: a grande tenda ao lado da fogueira, com paredes de tela pintada rachadas e desgastadas por anos de sol e chuva. Alguns mercenários se viraram para vê-lo passar, e uma seguidora de acampamento abafou o riso, mas ninguém se moveu para interferir.

Dentro da tenda, encontraram bancos de acampamento e uma mesa de cavalete, prateleiras de lanças e alabardas, o chão coberto com tapetes puídos em meia dúzia de cores conflitantes, e três oficiais. Um era esbelto e elegante, com uma barba pontuda, uma lâmina de espadachim e gibão rosa recortado. Um era gordo e calvo, com manchas de tinta nos dedos, e segurava uma pena em uma mão.

O terceiro era o homem que procurava. Tyrion se inclinou.

– Capitão.

– Pegamos eles se infiltrando no acampamento. – O rapaz jogou Merreca no tapete.

– Fugitivos – o tyroshino declarou. – Com baldes.

– Baldes? – perguntou Ben Mulato Plumm. Quando ninguém se atreveu a explicar, disse: – De volta aos seus postos, rapazes. E nenhuma palavra sobre isto, para ninguém. – Quando partiram, sorriu para Tyrion. – Veio para outra partida de *cyvasse*, Yollo?

– Se desejar. Gosto de derrotar você. Ouvi dizer que é duas vezes vira-casaca, Plumm. Minha alma gêmea.

O sorriso de Ben nunca chegou aos seus olhos. Estudou Tyrion como um homem faria com uma cobra falante.

– Por que está aqui?

– Para tornar seus sonhos realidade. Você tentou nos comprar no leilão. Depois, tentou nos ganhar no *cyvasse*. Mesmo quando eu tinha meu nariz, nunca fui tão bonito para despertar tais paixões... salvo quando reconhecem meu verdadeiro valor. Bem, aqui estou eu, livre para conversar. Agora, seja amigo, traga seu ferreiro e tire estas coleiras de nós. Estou enlouquecendo de tilintar o tempo todo.

– Não quero problemas com seu nobre mestre.

– Yezzan tem assuntos mais urgentes com os quais se preocupar do que três escravos desaparecidos. Está cavalgando a égua descorada. E por que pensariam em nos procurar aqui? Você tem espadas suficientes para desencorajar qualquer um que venha bisbilhotar. Um risco pequeno para um ganho grande.

O indivíduo arrogante no gibão rosa recortado assobiou.

– Trouxeram a doença entre nós. Para dentro das nossas próprias tendas. – Virou-se para Ben Plumm. – Devo cortar a cabeça dele, capitão? Podemos jogar o resto no fosso da latrina. – Desembainhou uma espada, uma delgada lâmina de espadachim com o punho incrustado de pedras preciosas.

– Seja cuidadoso com minha cabeça – falou Tyrion. – Não vai querer meu sangue sobre você. O sangue carrega a doença. E você vai querer ferver nossas roupas ou queimá-las.

– Penso em queimá-las com vocês ainda nelas, Yollo.

– Esse não é meu nome. Mas você sabe isso. Você soube desde a primeira vez que colocou os olhos em mim.

– Pode ser.

– Eu o conheço também, meu senhor – falou Tyrion. – Você é menos púrpura e mais marrom do que os Plumm em casa, mas a menos que seu nome seja uma mentira, você é um homem do oeste, por sangue se não por nascimento. A Casa Plumm é juramentada a Rochedo Casterly, e acontece que eu sei um pouco da sua história. Seu ramo brotou de um pedaço de pedra do outro lado do mar estreito, sem dúvida. Um filho mais jovem de Viserys Plumm, eu apostaria. Os dragões da rainha gostavam de você, não gostavam?

Aquilo pareceu divertir o mercenário.

– Quem contou isso para você?

– Ninguém. A maioria das histórias que se ouve sobre dragões são lorotas para tolos. Dragões falantes, dragões que cospem ouro e pedras preciosas, dragões com quatro pernas e barrigas tão grandes quanto elefantes, dragões adivinhando com esfinges... absurdo, tudo isso. Mas há verdade nos velhos livros também. Não só sei que os dragões da rainha iam até você, mas sei o motivo.

– Minha mãe dizia que meu pai tinha uma gota de sangue de dragão.

– Duas gotas. Isso, ou um pau com dois metros de comprimento. Você conhece esse conto? Eu conheço. Agora, você é um Plumm esperto, então sabe que esta minha cabeça vale uma senhoria... lá em Westeros, a meio mundo de distância. Até chegar lá, apenas ossos e larvas restarão. Minha doce irmã negará que a cabeça é minha e trapaceará você com a recompensa prometida. Sabe como são as rainhas. Bocetas inconstantes, a maioria delas, e Cersei é a pior.

Ben Mulato coçou a barba.

– Posso entregar você vivo e se contorcendo, então. Ou enfiar sua cabeça numa jarra e deixá-la em conserva.

– Ou pode jogar comigo. Esse é o movimento mais sábio. – Sorriu. – Nasci um segundo filho. Esta companhia é meu destino.

– Os Segundos Filhos não têm lugar para pantomimeiros – o espadachim de rosa disse, com desdém. – É de lutadores que precisamos.

– Trouxe um para vocês. – Tyrion apontou o polegar para Mormont.

– Aquela criatura? – riu o espadachim. – Um brutamontes feio, mas cicatrizes sozinhas não fazem um Segundo Filho.

Tyrion revirou seus olhos de cores diferentes.

– Lorde Plumm, quem são esses seus dois amigos? O de rosa é irritante.

O espadachim curvou um lábio, enquanto seu companheiro com a pena gargalhava da insolência. Mas foi Jorah Mormont quem forneceu seus nomes.

– Tinteiros é o tesoureiro da companhia. O pavão chama a si mesmo de Kasporio, o Astuto, embora Kasporio, o Idiota, seja mais adequado. Um sujeitinho desagradável.

O rosto de Mormont podia estar irreconhecível pelo espancamento, mas sua voz não tinha mudado. Kasporio lhe deu um olhar assustado, enquanto as rugas ao redor dos olhos de Plumm se apertaram de divertimento.

– Jorah *Mormont*? É você? Menos orgulhoso do que quando fugiu em disparada, no entanto. Ainda devemos chamá-lo de *sor*?

Os lábios inchados de Mormont se torceram em um sorriso grotesco.

– Dê-me uma espada e pode me chamar do que quiser, Ben.

Kasporio se moveu para trás.

– Você... ela mandou você embora...

– Eu voltei. Pode me chamar de tolo.

Um tolo apaixonado. Tyrion limpou a garganta.

– Vocês podem falar dos velhos tempos mais tarde... depois que eu terminar de explicar por que minha cabeça pode ter mais uso sobre meus ombros. Você descobrirá, Lorde Plumm, que posso ser muito generoso com meus amigos. Se duvida de mim, pergunte para Bronn. Pergunte para Shagga, filho de Dolf. Pergunte para Timett, filho de Timett.

– E quem são eles? – perguntou o homem chamado Tinteiros.

– Bons homens que me juraram suas espadas e prosperaram bastante por esse serviço. – Deu de ombros. – Oh, muito bem, menti sobre o "bons". Eram bastardos sanguinários, como todos vocês.

– Pode ser – disse Ben Mulato. – Ou pode ser que você tenha inventado alguns nomes. Shagga, você diz? Isso é um nome de mulher?

– As tetas dele eram grandes o suficiente. Da próxima vez que nos encontrarmos, eu o apertarei entre os calções, para ter certeza. É um tabuleiro de *cyvasse* ali? Traga-o, e teremos aquela partida. Mas, primeiro, acho, gostaria de uma taça de vinho. Minha garganta está seca como um osso velho, e vejo que tenho muito o que falar.

Jon

Naquela noite, sonhou com selvagens berrando da floresta, avançando com o choro dos berrantes de guerra e o rufar de tambores. Bum BUM bum BUM bum BUM, veio o som, como mil corações em uma única batida. Alguns tinham lanças, alguns tinham arcos e alguns carregavam machados. Outros andavam em carruagens feitas de ossos, puxadas por grupos de cães tão grandes quanto pôneis. Gigantes arrastavam-se pesadamente entre eles, doze metros de altura, com marretas do tamanho de carvalhos.

– Permaneçam firmes – Jon Snow exortou. – Vamos mandá-los embora. – Estava no topo da Muralha, sozinho. – Fogo – gritou –, joguem fogo neles –, mas não havia ninguém para prestar atenção.

Todos se foram. Eles me abandonaram.

Flechas incendiárias assobiaram para cima, arrastando línguas de fogo. Irmãos espantalhos caíram, seus mantos negros em chamas. *Snow*, uma águia gritou, enquanto inimigos escalavam o gelo como aranhas. Jon estava com uma armadura de gelo negro, mas sua lâmina queimava vermelha em seu punho. Conforme os mortos chegavam ao topo da Muralha, ele os enviava para baixo, para morrer novamente. Matou um ancião e um garoto imberbe, um gigante, um homem magro com dentes afiados, uma garota com grossos cabelos vermelhos. Tarde demais, reconheceu Ygritte. Ela se foi tão rápido quanto aparecera.

O mundo se dissolveu em uma névoa vermelha. Jon esfaqueava, fatiava e cortava. Atingiu Donal Noye e tirou as vísceras de Dick Surdo Follard. Qhorin Meia-Mão caiu de joelhos, tentando, em vão, estancar o fluxo de sangue do pescoço.

– *Sou* o Senhor de Winterfell – Jon gritou. Robb estava diante dele agora, o cabelo molhado com neve derretida. Garralonga cortou sua cabeça fora. Então, uma mão enrugada segurou Jon pelo ombro. Ele se contorceu...

... e acordou com um corvo bicando-o no peito. *Snow*, a ave gritou. Jon bateu nela. O corvo gritou de descontentamento e voou até uma das colunas da cama, olhando para baixo malignamente através da escuridão da madrugada.

O dia chegara. Era a hora do lobo. Logo o sol se levantaria, e quatro mil selvagens seriam despejados pela Muralha. *Loucura*. Jon Snow passou a mão queimada pelo cabelo e se perguntou mais uma vez o que estava fazendo. Uma vez que o portão fosse aberto, não seria possível voltar atrás. *Deveria ter sido o Velho Urso a negociar com Tormund. Deveria ter sido Jaremy Rykker, ou Qhorin Meia-Mão, ou Denys Mallister, ou outro homem experien-*

te. *Deveria ter sido meu tio.* Mas era tarde demais para tais receios. Cada escolha tinha seus riscos, cada risco, suas consequências. Jogaria o jogo até o final.

Levantou-se e vestiu-se na escuridão, enquanto o corvo de Mormont reclamava pelo quarto. *Grão*, a ave dizia, e *Rei* e *Snow, Jon Snow, Jon Snow*. Aquilo era estranho. A ave nunca dissera seu nome completo antes, pelo que Jon se lembrava.

Quebrou o jejum na adega, com seus oficiais. Pão frito, ovos fritos, chouriços e mingau de cevada formavam a refeição, empurrados para baixo com uma rala cerveja amarela. Enquanto comiam, repassavam os preparativos mais uma vez.

– Está tudo pronto – Bowen Marsh assegurou. – Se os selvagens mantiverem os termos do acordo, tudo vai correr como você ordenou.

E, se não, pode acabar em sangue e carnificina.

– Lembrem-se – Jon falou –, o povo de Tormund está faminto, com frio e com medo. Alguns deles nos odeiam tanto quanto alguns de vocês os odeiam. Estamos dançando em gelo fino aqui, eles e nós. Uma rachadura e todos nos afogaremos. Se sangue for derramado hoje, é melhor que não seja um dos nossos quem deu o primeiro golpe, ou eu juro pelos deuses antigos e pelos novos que terei a cabeça do homem que começar isso.

Todos responderam com *sim*, com acenos de cabeças e murmurando palavras como *Ao seu comando, Será feito* e *Sim, meu senhor*. E, um por um, eles se levantaram, afivelaram os cinturões das espadas, vestiram seus quentes mantos negros e saíram para o frio.

O último a deixar a mesa foi Edd Doloroso Tollett, que chegara durante a noite com seis carroções de Monte Longo. Monte das Putas, os irmãos negros chamavam o forte agora. Edd fora enviado para reunir tantas esposas de lança quantas coubessem nos carroções e levá-las de volta para se unir a suas irmãs.

Jon observava-o enxugar uma gema mole com um pedaço de pão. Era estranhamente reconfortante ver o rosto melancólico de Edd novamente.

– Como está indo a restauração? – perguntou para seu velho intendente.

– Mais dez anos devem resolver – Tollett respondeu, em seu usual tom sombrio. – O lugar estava infestado de ratos quando chegamos. As esposas de lança mataram os malditinhos nojentos. Agora, o lugar está infestado de esposas de lança. Há dias em que sinto falta dos ratos.

– Como está sendo servir sob o comando de Emmett de Ferro? – Jon perguntou.

– Em geral, Maris Negra está servindo sob ele, meu senhor. Eu, eu tenho as mulas. Urtigas afirma que somos parentes. É verdade que temos a mesma cara comprida, mas não sou nem de perto tão teimoso. De qualquer modo, nunca conheci as mães delas, pela minha honra. – Terminou o último ovo e suspirou. – Eu realmente gosto de um bom ovo mole. Se for do agrado de meu senhor, não deixe os selvagens comerem todas as nossas galinhas.

No pátio, o céu oriental começava a clarear. Não havia um fiapo de nuvem à vista.

– Teremos um bom dia para isso, parece – Jon falou. – Um dia brilhante, quente e ensolarado.

– A Muralha vai chorar. E o inverno está quase sobre nós. Isso não é normal, 'nhor. Um mau sinal, se me perguntar.

Jon sorriu.

– E se estivesse nevando?

– Um sinal pior ainda.

– Que tipo de clima você prefere?

– O tipo que nos mantém dentro de casa – disse Edd Doloroso. – Se for do agrado de meu senhor, devo voltar para minhas mulas. Elas sentem minha falta quando saio. É mais do que posso dizer das esposas de lança.

Separaram-se ali, Tollett para o caminho oriental, onde seus carroções esperavam, Jon Snow para os estábulos. Cetim tinha seu cavalo selado e com freios, esperando por ele; um corcel cinza impetuoso, com uma crina tão negra e brilhante quanto tinta de meistre. Não era o tipo de montaria que Jon teria escolhido, mas, nessa manhã, o mais importante era impressionar e, para isso, o garanhão era a escolha perfeita.

Sua escolta estava esperando também. Jon nunca gostara de estar cercado por guardas, mas hoje parecia prudente manter alguns bons homens ao seu lado. Eles passavam uma imagem severa, com suas cotas de malha, seus meios-elmos de ferro e mantos negros, com lanças compridas nas mãos e espadas e adagas na cintura. Para isso, Jon havia deixado de lado todos os garotos inexperientes e os anciãos a seu comando, escolhendo oito homens em seu apogeu: Ty, Mully, Lew Mão Esquerda, Grande Liddle, Rory, Fulk, a Pulga, Garrett Lançaverde. E Couros, o novo mestre em armas de Castelo Negro, para mostrar ao povo livre que mesmo um homem que lutou por Mance na batalha da Muralha podia encontrar um lugar de honra na Patrulha da Noite.

Um rubor vermelho-escuro aparecera no oriente quando todos se reuniram no portão. *As estrelas estão partindo*, Jon viu. Da próxima vez que reaparecessem, podiam estar iluminando um mundo mudado para sempre. Alguns homens da rainha estavam observando do lado das brasas da fogueira noturna da Senhora Melisandre. Quando Jon olhou para a Torre do Rei, vislumbrou um clarão vermelho atrás de uma janela. Da Rainha Selyse, nenhum sinal.

Era hora.

– Abram os portões – Jon Snow falou suavemente.

– *ABRAM OS PORTÕES!* – o Grande Liddle rugiu. Sua voz era um trovão.

Duzentos metros acima, as sentinelas ouviram e levaram os berrantes de guerra aos lábios. O som ecoou, saindo da Muralha e seguindo pelo mundo. *Ahoooooooooooooooo oooooooooooo*. Um sopro longo. Por mil anos, ou mais, aquele som significara patrulheiros voltando para casa. Hoje, significava algo mais. Hoje, chamava o povo livre para suas novas casas.

Em cada extremidade do comprido túnel, os portões se abriram e as barras de ferro foram destrancadas. A luz brilhava no gelo, rosa, dourada e púrpura. Edd Doloroso não estava errado. A Muralha logo estaria chorando. *Que os deuses permitam que chore sozinha.*

Cetim liderou-os pelo gelo, iluminando o caminho através da escuridão do túnel com uma lanterna de ferro. Jon o seguiu, levando seu cavalo. Atrás dele, seus guardas. Depois vieram Bowen Marsh e seus intendentes, um bando deles, cada homem com uma tarefa designada. Em cima, Ulmer da Mata de Rei tinha a Muralha. Dois grupos dos melhores besteiros de Castelo Negro estavam com ele, prontos para responder a qualquer problema lá embaixo com uma chuva de flechas.

Ao norte da Muralha, Tormund Terror dos Gigantes estava esperando, montado em um pequeno garrano que parecia pouco robusto para suportar seu peso. Os dois filhos que lhe sobravam estavam com ele, o alto Toregg e o jovem Dryn, juntamente com três grupos de guerreiros.

– *Har!* – Tormund falou. – Guardas, é isso? Agora, onde está a confiança, corvo?

– Você trouxe mais homens do que eu.

– Então trouxe. Venha comigo, rapaz. Quero que meu povo veja você. Tenho milhares que nunca viram um senhor comandante, homens crescidos que aprenderam, quando meninos, que seus patrulheiros os comeriam se não se comportassem. Eles precisam ver sua cara limpa e comprida de rapaz em um velho manto negro. Precisam aprender que a Patrulha da Noite não é nada a ser temida.

Esta é uma lição que eu preferia que não aprendessem. Jon tirou a luva da mão queimada, colocou dois dedos na boca e assobiou. Fantasma veio correndo do portão. O cavalo de Tormund se assustou tanto que o selvagem quase caiu da sela.

– Nada a ser temido? – Jon perguntou. – Fantasma, fique.

– Você é um bastardo de coração negro, Lorde Corvo. – Tormund Soprador de Chifres levou o próprio berrante de guerra aos lábios. O som ecoou pelo gelo como um trovão, e o povo livre começou a andar em direção ao portão.

Do amanhecer até o anoitecer, Jon viu a passagem dos selvagens.

Os reféns foram primeiro; cem meninos com idade entre oito e dezesseis.

– Seu preço de sangue, Lorde Corvo – Tormund declarou. – Espero que o pranto das pobres mães não assombre seus sonhos à noite. – Alguns dos garotos foram levados ao portão pela mãe ou pelo pai, outros por irmãos mais velhos. A maioria foi sozinha. Meninos de catorze e quinze anos eram quase homens e não queriam ser vistos pendurados na saia de uma mulher.

Dois intendentes contavam os meninos enquanto eles entravam, anotando cada nome em longos rolos de pele de cordeiro. Um terceiro coletava os objetos de valor para o pedágio e os anotava também. Os meninos estavam indo para um lugar onde nenhum deles havia estado antes, para servir uma ordem que fora inimiga de seus parentes e amigos por milhares de anos, e, mesmo assim, Jon não viu lágrimas nem ouviu pranto das mães. *Este é um povo do inverno,* lembrou a si mesmo. *Lágrimas congelam em seu rosto, lá de onde vieram.* Nenhum dos reféns empacou ou tentou fugir quando chegou sua vez de entrar naquele túnel sombrio.

Quase todos os meninos eram franzinos, alguns passados do ponto da magreza, com canelas finas e braços como galhos. Não era mais do que Jon esperava. Fora isso, eram de todos os formatos, tamanhos e cores. Viu garotos altos e garotos baixos, meninos de cabelos castanhos, negros, loiro-mel e loiro-avermelhados e cabeças vermelhas beijadas pelo fogo, como Ygritte. Viu garotos com cicatrizes, meninos que mancavam, meninos marcados pela varíola. Muitos dos garotos mais velhos tinham penugens nas bochechas e bigodes ralos, mas um deles tinha uma barba tão grossa quanto a de Tormund. Alguns estavam vestidos com finas peles macias, alguns em couro fervido e partes avulsas de armaduras, muitos em lãs e peles de foca, alguns em trapos. Um estava nu. Muitos tinham armas; lanças afiadas, marretas de pedra, facas feitas de ossos, pedras ou vidro de dragão, clavas pontudas, redes de arrasto, e até mesmo uma ou outra velha espada enferrujada. Os meninos cornopés andavam joviais e descalços pelos montes de neve. Outros rapazes usavam patas de urso nas botas e andavam em cima dos mesmos montes, sem jamais afundar. Seis garotos chegaram montados em cavalos, dois em mulas. Um par de irmãos veio com uma cabra. O maior refém tinha um metro e noventa de altura, mas o rosto de bebê; o menor era um menino mirrado que afirmava ter nove anos, mas que não parecia ter mais do que seis.

Uma atenção especial foi dada para os filhos dos homens de renome. Tormund tomou o cuidado de apontá-los conforme eles passavam.

– O menino ali é filho de Soren Quebrescudo – disse de um rapaz alto. – Aquele de cabelo vermelho com ele é cria de Gerrick Sanguederrei. Vem da linhagem de Raymun Barbarruiva, pelo que ele afirma. Da linhagem do irmão caçula de Barbarruiva, se quer saber a verdade. – Dois garotos eram parecidos o suficiente para ser gêmeos, mas Tormund insistiu que eram primos, nascidos com um ano de diferença. – Um é filho de Harle, o Caçador, o outro de Harle, o Bonito, ambos com a mesma mulher. Os pais odeiam um ao outro. Se eu fosse você, mandava um para Atalaialeste e outro para Torre Sombria.

Outros reféns foram apontados como filhos de Howd Andarilho, de Brogg, de Devyn Peledefoca, de Kyleg dos Orelha de Madeira, de Morna Máscara Branca, de Grande Morsa...

– Grande Morsa? De verdade?

– Eles têm nomes estranhos na Costa Gelada.

Três reféns eram filhos de Alfyn Mata-Corvos, um saqueador infame morto por Qhorin Meia-Mão. Ou assim Tormund insistiu.

– Eles não parecem irmãos – Jon observou.

– Meio-irmãos, nascidos de mães diferentes. O membro de Alfyn era uma coisa pequenina, ainda menor do que o seu, mas ele nunca teve vergonha quanto a onde enfiá-lo. Teve um filho em cada vila, aquele lá.

Sobre certo menino mirrado com cara de rato, Tormund disse:

– Aquele ali é filhote de Varamyr Seis-Peles. Você se lembra de Varamyr, Lorde Corvo?

Ele se lembrava.

– O troca-peles.

– Sim, ele era isso. Um tampinha cruel, aquele lá. Morto, provavelmente. Ninguém o viu desde a batalha.

Dois dos meninos eram meninas disfarçadas. Quando Jon as viu, mandou Rory e Grande Liddle trazê-las até ele. Uma veio humildemente, a outra, chutando e mordendo. *Isso pode acabar mal.*

– Esses dois têm pais famosos?

– *Har*! Essas coisas magrelas? Provavelmente, não. Escolhidos em sorteio.

– São meninas.

– São? – Tormund olhou de soslaio para as duas, de cima de sua sela. – Eu e Lorde Corvo fizemos uma aposta sobre qual de vocês tem o membro maior. Abaixem as calças para que possamos dar uma olhada.

Uma das garotas ficou vermelha. A outra encarou desafiadoramente.

– Nos deixe em paz, Tormund Fedor dos Gigantes. Nos deixe ir.

– *Har!* Você ganhou, corvo. Não tem um pau entre elas. A pequena tem colhões, no entanto. Uma esposa de lança em formação, essa. – Chamou seus próprios homens. – Encontrem algo feminino para elas, antes que Lorde Snow molhe o calção.

– Preciso de dois meninos para o lugar delas.

– Como é isso? – Tormund coçou a barba. – Um refém é um refém, me parece. Essa sua grande espada afiada pode arrancar a cabeça de uma menina tão fácil quanto a de um menino. Um pai ama suas filhas também. Bem, a maioria dos pais.

Não são os pais delas que me preocupam.

– Mance alguma vez cantou *Bravo Danny Flint?*

– Não que eu me lembre. Quem era ele?

– Uma garota que se vestiu de menino para tomar o negro. Sua canção é triste e bonita. O que aconteceu com ela não foi. – Em algumas versões da canção, seu fantasma ainda caminhava pelo Fortenoite. – Enviarei as garotas para Monte Longo. – Os únicos homens lá eram Emmett de Ferro e Edd Doloroso, ambos de sua confiança. Isso não era algo que poderia dizer de todos os seus irmãos.

O selvagem entendeu.

– Aves nojentas, seus corvos. – Cuspiu. – Mais dois meninos, então. Você os terá.

Quando noventa e nove reféns haviam passado por eles para atravessar por baixo da Muralha, Tormund Terror dos Gigantes apresentou o último.

– Meu filho, Dryn. Garanta que ele seja bem cuidado, corvo, ou cozinharei seu fígado negro e o comerei.

Jon fez uma inspeção rigorosa no menino. *A idade de Bran, ou a idade que teria se Theon não o tivesse matado.* Dryn não tinha nada da doçura de Bran, no entanto. Era um rapaz robusto, com pernas curtas, braços grossos e um largo rosto vermelho; uma versão em miniatura do pai, com um tufo de cabelo castanho-escuro.

– Ele servirá como meu próprio pajem – Jon prometeu a Tormund.

– Ouviu isso, Dryn? Não vai ficar se achando o tal. – Para Jon, disse: – Ele precisará de uma boa sova de tempos em tempos. Mas tome cuidado com os dentes. Ele morde. – Pegou seu berrante novamente, ergueu-o e deu outro sopro.

Dessa vez, foram os guerreiros que se adiantaram. E não era apenas uma centena deles. *Quinhentos,* Jon julgou, enquanto saíam debaixo das árvores, *talvez mais de mil.* Um em cada dez vinha montado, mas todos vinham com armas. Carregavam nas costas escudos de vime redondos cobertos com peles e couro cozido, mostrando imagens pintadas de cobras e aranhas, cabeças decepadas, martelos ensanguentados, crânios quebrados e demônios. Alguns poucos vestiam aço roubado, partes de armaduras amassadas saqueadas de cadáveres de patrulheiros caídos. Outros usavam armaduras de ossos, como Camisa de Chocalho. Todos vestiam peles e couros.

Havia esposas de lança com eles, com longos cabelos. Jon não podia olhar para elas sem se lembrar de Ygritte; o brilho do fogo nos cabelos, o olhar em seu rosto quando se despiu para ele na gruta, o som de sua voz.

– Você não sabe nada, Jon Snow – ela lhe dissera, uma centena de vezes.

É tão verdade agora quanto era então.

– Você devia mandar as mulheres primeiro – disse para Tormund. – As mães e as donzelas.

O selvagem lhe deu um olhar astuto.

– Sim, eu devia. E seus corvos podiam decidir fechar o portão. Com alguns guerreiros do outro lado, bem, desse jeito o portão fica aberto, não é? – Sorriu. – Comprei seu maldito cavalo, Jon Snow. Não quer dizer que não podemos contar os dentes dele. Agora não fique pensando que eu e os meus não confiamos em você. Confiamos em você tanto quanto confia em nós. – Bufou. – Você queria guerreiros, não é? Bem, aí estão eles. Cada um vale seis dos seus corvos negros.

Jon teve que sorrir.

– Desde que guardem essas armas para nosso inimigo comum, estou satisfeito.

– Dei minha palavra nisso, não dei? A palavra de Tormund Terror dos Gigantes. Forte como ferro. – Ele se virou e cuspiu.

Entre os guerreiros estavam os pais de muitos reféns de Jon. Alguns o encaravam com frios olhos mortos conforme passavam, alisando o punho da espada. Outros sorriam para ele como para um parente havia muito perdido, embora alguns desses sorrisos desconcertassem Jon Snow mais do que qualquer olhar penetrante. Nenhum se ajoelhou, mas muitos fizeram juramentos.

– O que Tormund jurou, eu juro – declarou Brogg, um homem de cabelo negro e poucas palavras.

Soren Quebrescudo inclinou a cabeça alguns centímetros e rosnou:

– O machado de Soren é seu, Jon Snow, se alguma vez precisar dele.

O barba-ruiva Gerrick Sanguederrei trouxe três filhas:

– Serão belas esposas, e darão a seus maridos filhos fortes de sangue real – gabou-se. – Como seu pai, elas descendem de Raymun Barbarruiva, que foi Rei-para-Lá-da-Muralha.

Sangue significava pouco e ainda menos entre o povo livre, Jon sabia. Ygritte lhe ensinara aquilo. As filhas de Gerrick partilhavam o mesmo cabelo vermelho-fogo dela, embora o de Ygritte fosse cheio de cachos e os das meninas fossem longos e lisos. *Beijadas pelo fogo.*

– Três princesas, cada uma mais adorável que a outra – disse ao pai delas. – Farei com que sejam apresentadas à rainha. – Selyse Baratheon se daria melhor com essas três do que com Val, ele suspeitava; elas eram jovens, e consideravelmente mais amedrontadas. *Doces o suficiente para se olhar para elas, embora o pai pareça um tolo.*

Howd Andarilho fez o juramento sobre sua espada, o pedaço de ferro mais cortado e picotado que Jon já vira. Devyn Peledefoca o presenteou com um chapéu de pele de foca, Harle, o Caçador, com um colar de garras de urso. A feiticeira guerreira Morna tirou sua máscara de represeiro o tempo suficiente para beijar a mão enluvada de Jon e jurar ser seu homem ou sua mulher, o que ele preferisse. E assim foi, um e mais outro e outro.

Conforme passava, cada guerreiro tirava seus tesouros e os jogava em uma das carroças que os intendentes haviam colocado antes dos portões. Pingentes de âmbar, *torcs* de ouro, adagas incrustadas de pedras, broches de prata com pedras preciosas, braceletes, anéis, taças de nielo, cálices de ouro, berrantes de guerra e cornos de beber, um pente de jade verde, um colar de pérolas de água doce... todos entregues e anotados por Bowen Marsh. Um homem entregou uma camisa de escamas de prata que certamente fora feita para algum grande senhor. Outro apresentou uma espada quebrada com três safiras no cabo.

E havia coisas mais estranhas: um mamute de brinquedo feito de pelo de mamute verdadeiro, um falo de marfim, um elmo feito com a cabeça de um unicórnio, incluindo o chifre. Quanta comida essas coisas comprariam nas Cidades Livres, Jon Snow não era capaz de dizer.

Depois dos saqueadores vieram os homens da Costa Gelada. Jon assistiu a uma dúzia de suas grandes carruagens de ossos passar por ele, uma a uma, rangendo como Camisa de Chocalho. Metade ainda rolava como antes; outras haviam trocado suas rodas por esquis. Essas deslizavam pelos montes de neve suavemente, enquanto as com rodas encalhavam e afundavam.

Os cães que puxavam as carroças eram bestas assustadoras, tão grandes quanto lobos gigantes. As mulheres vestiam peles de foca, algumas com bebês nos peitos. Crianças mais velhas se arrastavam atrás da mãe e olhavam para Jon com olhos tão escuros e duros quanto as pedras que seguravam. Alguns dos homens usavam galhadas no chapéu, e outros, presas de morsas. Os dois tipos não amavam um ao outro, ele logo percebeu. Algumas renas magras vieram atrás, com os grandes cães agarrando os calcanhares dos retardatários.

– Tenha cuidado com este grupo, Jon Snow – Tormund o avisou. – Um povo primitivo. Os homens são maus, as mulheres, piores. – Pegou um odre de sua sela e o ofereceu para Jon. – Aqui. Isso os fará parecer menos temíveis, talvez. E aquecerá você durante a noite. Não, aceite, é seu agora. Tome um bom gole.

Dentro havia um hidromel tão forte que fez os olhos de Jon se encherem de lágrimas e enviou ondas de fogo serpenteando por seu peito. Tomou um bom gole.

– Você é um bom homem, Tormund Bebê dos Gigantes. Para um selvagem.

– Melhor do que a maioria, talvez. Não tão bom quanto alguns.

Um após o outro, os selvagens vieram, enquanto o sol rastejava pelo brilhante céu azul. Logo depois do meio-dia, o movimento parou quando um carro de boi ficou entalado em uma curva dentro do túnel. Jon Snow entrou para dar uma olhada. O carro estava bem preso. Os homens que vinham atrás ameaçavam desmontar o carro e matar o boi onde ele estava, enquanto o condutor e seus parentes juravam matar quem tentasse. Com a ajuda de Tormund e seu filho Toregg, Jon conseguiu evitar que os selvagens chegassem às vias de fato, mas levou quase uma hora até que o caminho fosse aberto novamente.

– Você precisa de um portão maior – Tormund reclamou para Jon, com um olhar azedo para o céu, onde algumas nuvens haviam aparecido. – Este maldito caminho é muito lento. É como chupar o Guadeleite com um junco. *Har*. Queria ter o Berrante de Joramun. Daria uma boa soprada nele e nós escalaríamos os escombros.

– Melisandre queimou o Berrante de Joramun.

– Queimou? – Tormund deu um tapa na coxa e assobiou. – Ela queimou aquele belo berrante, sim. Um maldito pecado, eu digo. Tinha mais de mil anos. Nós o encontramos no túmulo de um gigante, e nenhum de nós tinha visto um berrante tão grande. Deve ter sido por isso que Mance teve a ideia de falar para você que era de Joramun. Ele queria que os corvos pensassem que ele tinha o poder de soprar sua maldita Muralha para baixo. Mas nunca encontramos o verdadeiro berrante, nem com tudo o que cavamos. Se tivéssemos, cada ajoelhador nos seus Sete Reinos teria pedras de gelo para esfriar seu vinho por todo o verão.

Jon se virou em sua sela, franzindo o cenho. *E Joramun soprou o Berrante do Inverno e acordou gigantes da terra.* Aquele berrante enorme com suas faixas de ouro velho e inscrições de runas antigas... teria Mance Rayder mentido para ele, ou era Tormund quem estava mentindo agora? *Se o berrante de Mance era uma farsa, onde está o verdadeiro?*

Durante a tarde, o sol se foi e o dia se tornou cinza e tempestuoso.

– Um céu de neve – Tormund anunciou gravemente.

Outros pareciam ter visto o mesmo presságio naquelas nuvens brancas monótonas. Aparentemente aquilo os apressava. Os ânimos acirrados deram início a uma briga. Um homem estava esfaqueando outro que tentou passar na frente dos que estavam na fila havia horas. Toregg arrancou a faca do atacante, arrastou os dois homens à força e os levou de volta para o acampamento dos selvagens, para começarem novamente.

– Tormund – Jon falou, enquanto observavam quatro velhas puxarem uma carroça cheia de crianças pelo portão –, fale-me sobre nosso inimigo. Eu gostaria de saber tudo o que há para se saber sobre os Outros.

O selvagem esfregou a boca.

– Não aqui – murmurou –, não neste lado da sua Muralha. – O velho olhou de relance, inquieto, em direção às árvores em seus mantos brancos. – Eles nunca estão longe, você sabe. Não virão durante o dia, não enquanto este velho sol estiver brilhando, mas não pense que isso significa que se foram. Sombras nunca vão embora. Pode ser que você não as veja, mas elas sempre estão agarradas aos seus calcanhares.

– Eles o incomodaram no seu caminho para o sul?

– Nunca atacaram em bloco, se é o que quer dizer, mas estavam conosco do mesmo jeito, comendo pelas beiradas. Perdemos mais batedores do que gosto de pensar, e valia sua vida ficar para trás ou seguir adiante. A cada noite cercávamos nossos acampamentos com fogo. Eles não gostam muito de fogo, sem dúvida alguma. Quando a neve vinha, no entanto... neve, granizo e geada, é muito difícil encontrar lã seca ou manter seus gravetos acesos, e o *frio*... algumas noites nossos fogos pareciam apenas tremeluzir e morrer. Em noites como essa, você sempre encontra algum morto quando vem a manhã. A menos que eles encontrem você antes. Na noite em que Torwynd... meu menino, ele... – Tormund virou o rosto.

– Eu sei – disse Jon Snow.

Tormund virou-se de volta.

– Você não sabe nada. Você matou um homem morto, sim, eu ouvi dizer. Mance matou uma centena. Um homem pode lutar contra os mortos, mas quando os mestres deles vêm, quando a névoa branca se levanta... como se luta contra uma *névoa*, corvo? Sombras com dentes... o ar tão frio que dói respirar, como uma faca dentro do seu peito... você não sabe, você não pode saber... sua espada pode cortar o *frio*?

Veremos, Jon pensou, lembrando-se das coisas que Sam lhe contara, as coisas que encontrara nos velhos livros. Garralonga havia sido forjada nos fogos da antiga Valíria, forjada em chama de dragão e feita com feitiços. *Aço de dragão, Sam chamou. Mais forte do que qualquer aço comum, mais leve, mais resistente, mais afiado...* Mas palavras em um livro eram uma coisa. O teste verdadeiro viria em batalha.

– Você não está errado – Jon falou. – Eu não sei. E, se os deuses forem bons, nunca saberei.

– Os deuses raramente são bons, Jon Snow. – Tormund acenou com a cabeça em direção ao céu. – As nuvens estão aumentando. Já está ficando mais escuro, mais frio. Sua Muralha não chora mais. Olhe. – Ele se virou e chamou seu filho, Toregg. – Cavalgue até o acampamento e faça-os se mexerem. Os doentes, os fracos, os preguiçosos e os covardes, coloquem todos os malditos em pé. Coloque fogo nas malditas tendas, se for necessário. O portão deve se fechar quando a noite cair. Qualquer homem que não tenha atravessado a Muralha até então deve rezar para que os Outros o alcancem antes de mim. Ouviu?

– Ouvi. – Toregg apertou os calcanhares no cavalo e galopou para o fim da fila.

Um após o outro, os selvagens vieram. O dia estava ficando mais escuro, bem como Tormund dissera. Nuvens cobriam o céu de horizonte a horizonte, e o calor fugia. Havia mais empurra-empurra no portão, com homens, cabras e bois se acotovelando para se manter no caminho. *É mais do que impaciência*, Jon percebeu. *Estão com medo. Guerreiros, esposas de lança, saqueadores, estão com medo destas florestas, das sombras se movendo pelas árvores. Querem colocar a Muralha entre eles antes que a noite caia.*

Um floco de neve dançou no ar. Então outro. *Dance comigo, Jon Snow,* ele pensou. *Você dançará comigo em breve.*

Um após o outro, os selvagens vieram. Alguns se moviam mais rápido agora, acelerando enquanto atravessavam o campo de batalha. Outros – os velhos, os jovens, os fracos – mal podiam se mover. Essa manhã, o campo estivera coberto com um grosso cobertor de neve velha, sua crosta branca brilhando no sol. Agora, o campo estava marrom, negro e viscoso. A passagem do povo livre transformara o solo em lama e sujeira: rodas de madeira, cascos de cavalo, esquis de ossos, de chifres e de ferro, patas de porcos, botas pesadas, pegadas de vacas e novilhos, os pés pretos descalços dos cornopés, tudo isso deixara marcas. O chão mole atrasava ainda mais a fila.

– Você precisa de um portão maior – Tormund reclamou novamente.

No final da tarde, a neve caía constante, mas o rio de selvagens havia se reduzido a um córrego. Colunas de fumaça subiam das árvores onde estava o acampamento deles.

– Toregg – Tormund explicou. – Queimando os mortos. Sempre tem quem vai dormir e não acorda. Você os encontra em suas tendas, quando eles têm tendas, enrolados e congelados. Toregg sabe o que fazer.

O córrego não era mais que um fio de água quando Toregg emergiu da floresta. Com ele vinha uma dúzia de cavaleiros montados e armados com lanças e espadas.

– Minha retaguarda – Tormund disse, com um sorriso meio banguela. – Seus corvos têm patrulheiros. Eu também. Deixei eles no acampamento, caso fôssemos atacados antes de todos partirem.

– Seus melhores homens.

– Ou meus piores. Cada um deles matou um corvo.

Entre os cavaleiros, vinha um homem a pé, com um grande animal trotando em seus calcanhares. *Um javali,* Jon viu. *Um javali monstruoso.* Com duas vezes o tamanho de Fantasma, a criatura era coberta com um grosso pelo negro, com presas tão compridas quanto o braço de um homem. Jon nunca vira um javali tão imenso ou tão feio. O homem ao seu lado não era bonito tampouco; corpulento e com sobrancelhas negras, tinha nariz achatado, pesadas papadas escuras pela barba por fazer e olhos pequenos e juntos.

– Borroq. – Tormund virou a cabeça e cuspiu.

– Um troca-peles. – Isso não era uma pergunta. De algum modo, ele sabia.

Fantasma virou a cabeça. A neve que caía havia mascarado o cheiro do javali, mas agora o lobo branco o farejara. Foi para a frente de Jon, os dentes arreganhados em um rosnado silencioso.

– *Não*! – Jon vociferou. – Fantasma, quieto. Fique. *Fique!*

– Javalis e lobos – disse Tormund. – Melhor manter esta sua besta trancada esta noite. Vou me assegurar que Borroq faça o mesmo com seu porco. – Olhou de relance para o céu escurecendo. – São os últimos, e já não é sem tempo. Vai nevar toda a noite, sinto isso. Já é hora de eu dar uma olhada do outro lado de todo esse gelo.

– Vá em frente – Jon falou para ele. – Pretendo ser o último a atravessar o gelo. Me juntarei a você no banquete.

– Banquete? *Har!* Agora, essa é uma palavra que gosto de ouvir. – O selvagem virou seu garrano em direção à Muralha e deu um tapa no traseiro do animal. Toregg e os cavaleiros seguiram, desmontando no portão para atravessar com os cavalos. Bowen Marsh ficara tempo o suficiente para supervisionar enquanto seus intendentes empurravam as últimas carroças pelo túnel. Apenas Jon Snow e seus guardas ficaram.

O troca-peles parou a dez metros. Seu monstro dava patadas na lama, fungando. Uma leve camada de neve cobria as costas negras e curvadas do javali. Ele deu uma fungada e baixou a cabeça, e, por meio segundo, Jon pensou que estivesse prestes a atacar. Os homens que o ladeavam baixaram as lanças.

– Irmão – disse Borroq.

– É melhor você ir. Estamos prestes a fechar o portão.

– Faça isso – Borroq falou. – Feche bem e apertado. Eles estão vindo, corvo. – Sorriu o sorriso mais feio que Jon já vira e seguiu para o portão. O javali seguiu atrás dele. A neve que caía cobriu seus rastros.

– Está feito, então – Rory comentou, quando partiram.

Não, pensou Jon Snow, *isso apenas começou.*

Bowen Marsh estava esperando por ele ao sul da Muralha, com uma tabela cheia de números.

– Três mil, cento e dezenove selvagens passaram pelo portão hoje – o Senhor Intendente comunicou. – Sessenta dos nossos reféns foram enviados para Atalaialeste e para Torre Sombria depois que foram alimentados. Edd Tollett levou seis carroções de mulheres para Monte Longo. O restante permanece conosco.

– Não por muito tempo – Jon prometeu a ele. – Tormund pretende liderar seu próprio povo para Escudo de Carvalho em um dia ou dois. Os demais seguirão, assim que resolvermos onde vamos colocá-los.

– Como queira, Lorde Snow. – As palavras eram duras. O tom sugeria que Bowen Marsh sabia onde *ele* os colocaria.

O castelo para o qual Jon retornou era muito diferente daquele que tinha deixado naquela manhã. Durante todo o tempo que o conhecera, Castelo Negro fora um lugar de silêncios e sombras, onde homens de negro de uma pequena companhia se moviam como fantasmas entre as ruínas de uma fortaleza que uma vez hospedara dez vezes seu número. Tudo aquilo mudara. Luzes agora brilhavam através de janelas nas quais Jon Snow nunca vira luzes brilhando antes. Estranhas vozes ecoavam pelos pátios, e o povo livre ia e vinha pelos caminhos congelados que por anos conhecera apenas as botas negras dos corvos. Do lado de fora das barracas do Velho Flint, cruzou com uma dúzia de homens jogando neve uns nos outros. *Brincando*, Jon pensou, atônito, *homens feitos brincando como crianças, atirando bolas de neve do jeito que Bran e Arya fizeram um dia, e Robb e eu antes deles.*

O velho arsenal de Donal Noye, no entanto, ainda estava escuro e silencioso, e os aposentos de Jon atrás da velha forja ainda estavam mais escuros. Mas nem bem tinha tirado o manto quando Dannel colocou a cabeça pela porta para anunciar que Clydas havia trazido uma mensagem.

– Mande-o entrar. – Jon acendeu uma vela fina com a brasa de seu braseiro, e três outras velas com ela.

Clydas entrou, rosado e piscando, o pergaminho agarrado em uma mão macia.

– Perdoe-me, Senhor Comandante. Sei que deve estar cansado, mas imaginei que iria querer ver isso imediatamente.

– Fez bem. – Jon leu:

Em Durolar, com seis navios. Mares selvagens. Melro *perdido com toda a tripulação, dois navios lisenos encalhados em Skane,* Garra *fazendo água. Muito ruim aqui. Selvagens comendo seus próprios mortos. Coisas mortas nos bosques. Capitães bravosis levarão apenas mulheres e crianças em seus navios. A feiticeira nos chama de traficantes de escravos. Tentativa de tomar* Corvo da Tormenta *derrotada, seis da tripulação mortos, muitos selvagens. Oito corvos partiram. Coisas mortas na água. Enviar ajuda por terra, mares devastados por tempestades. Do* Garra*, pela mão de Meistre Harmune.*

Cotter Pyke fizera sua marca com raiva embaixo.

– É grave, meu senhor? – perguntou Clydas.

– Grave o suficiente. – *Coisas mortas nos bosques. Coisas mortas na água. Seis navios sobraram, dos onze que zarparam.* Jon Snow enrolou o pergaminho, franzindo o cenho. *A noite cai,* pensou, *e, agora, minha guerra começa.*

O cavaleiro descartado

— Todos de joelhos por Sua Magnificência Hizdahr zo Loraq, Décimo Quarto de seu Nobre Nome, Rei de Meereen, Filho de Ghis, Octarca do Antigo Império, Mestre do Skahazadhan, Consorte de Dragões e Sangue da Harpia* — bradou o arauto. Sua voz ecoou pelo chão de mármore e circundou os pilares.

Sor Barristan Selmy escorregou a mão por baixo da dobra de seu manto e soltou a espada da bainha. Nenhuma lâmina era permitida na presença do rei, salvo aquelas de seus protetores. Parecia que ainda era considerado entre esse grupo, a despeito de sua demissão. Pelo menos, ninguém tentara tirar sua espada.

Daenerys Targaryen preferia conceder audiências em um banco de ébano polido, liso e simples, coberto com as almofadas que Sor Barristan encontrara para torná-lo mais confortável. O Rei Hizdahr substituíra o banco por dois imponentes tronos de madeira dourada, os altos encostos esculpidos com o formato de dragões. O rei sentava-se no trono da direita, com uma coroa de ouro na cabeça e um cetro incrustado com pedras preciosas em uma de suas mãos pálidas. O segundo trono permanecia vazio.

O trono importante, pensou Sor Barristan. *Nenhuma cadeira de dragão pode substituir um dragão, não importa quão elaboradamente ela seja esculpida.*

À direita dos tronos gêmeos estava Goghor, o Gigante, um brutamontes imenso de rosto selvagem, marcado por cicatrizes. À esquerda estava o Gato Malhado, com uma pele de leopardo pendurada no ombro. Atrás deles, estava Belaquo Quebra-Ossos e Khrazz, com seus olhos frios. *Todos matadores experientes*, pensou Selmy, *mas uma coisa é encarar um inimigo em uma arena, com sua chegada anunciada com cornetas e tambores, e outra é encontrar um assassino escondido antes que ele ataque.*

O dia estava fresco e apenas começando, mas, mesmo assim, ele sentia os ossos cansados, como se tivesse lutado a noite inteira. Quanto mais velho ficava, menos sono Sor Barristan parecia precisar. Quando era escudeiro, podia dormir dez horas por noite e ainda estar bocejando quando tropeçava para dentro do pátio de treinamento. Com sessenta e três, achava que cinco horas por noite eram mais do que suficientes. Na noite passada, mal conseguira dormir. Seu quarto era uma pequena cela do lado de fora dos aposentos da rainha, originalmente alojamentos de escravos; seus móveis consistiam em uma cama, um penico, um armário para as roupas e uma cadeira se quisesse se sentar. Em uma mesa ao lado da cama, mantinha uma vela de cera de abelha e uma pequena escultura do Guerreiro. Embora não fosse um homem piedoso, a escultura o fazia sentir-se menos sozinho nessa estranha cidade estrangeira, e era para ela que se voltava nas vigílias negras da noite. *Proteja-me destas dúvidas que me corroem,* rezara, *e me dê forças para fazer o que é certo.* Mas nem a oração nem a alvorada lhe trouxeram certezas.

O salão estava lotado como o velho cavaleiro jamais vira, mas foram os rostos ausentes que Barristan Selmy mais notou: Missandei, Belwas, Verme Cinzento, Aggo, Jhogo e Rakharo, Irri e Jhiqui, Daario Naharis. No lugar do Cabeça-Raspada estava um homem gordo com uma placa peitoral musculosa e uma máscara de leão, as pernas pesadas saindo debaixo de uma saia de tiras de couro: Marghaz zo Loraq, o primo do rei, novo comandante das Bestas de Bronze. Selmy já desenvolvera um saudável desprezo pelo homem. Conhecera esse tipo em Porto Real – bajulador com seus superiores, duro com os inferiores, tão cego quanto arrogante, e orgulhoso demais para o pouco que tinha a oferecer.

Skahaz pode estar no salão também, Selmy percebeu, *com aquela cara feia escondida atrás de uma máscara.* Dois grupos de Bestas de Bronze estavam entre os pilares, as luzes das tochas brilhando no bronze polido das máscaras. O Cabeça-Raspada podia ser qualquer um deles.

O salão zumbia com o som de uma centena de vozes baixas, ecoando nos pilares e no chão de mármore. Era um som sinistro, raivoso. Fazia Selmy se lembrar do som que um ninho de vespas fazia um instante antes dos insetos saírem agitados. E, nos rostos na multidão, via raiva, tristeza, desconfiança, medo.

Nem bem o arauto do rei pediu à corte que declarasse e o horror teve início. Uma mulher começou a chorar por um irmão que morrera na Arena de Daznak, outro pelos danos causados ao seu palanquim. Um homem gordo arrancou seus curativos para mostrar à corte seu braço queimado, ainda em carne viva e supurando. E quando um homem em um *tokar* azul e dourado começou a falar de Harghaz, o Herói, um liberto atrás dele o empurrou no chão. Foram necessárias seis Bestas de Bronze para separá-los e arrastá-los para fora do salão. *Raposa, falcão, foca, gafanhoto, leão, sapo.* Selmy se perguntava se as máscaras tinham significado para os homens que as usavam. O mesmo homem usava a mesma máscara todos os dias, ou escolhiam novas faces a cada manhã?

– Silêncio! – Reznak mo Reznak suplicava. – Por favor! Eu responderei se vocês...

– É verdade? – uma liberta gritou. – Nossa mãe está morta?

– Não, não, não – Reznak guinchou. – A Rainha Daenerys retornará a Meereen em seu próprio tempo, em todo o seu poder e majestade. Até esse momento, Sua Veneração o Rei Hizdar deve...

– Ele não é nenhum rei para mim – um liberto gritou.

Os homens começaram a empurrar uns aos outros.

– A rainha não está morta – o senescal proclamou. – Seus companheiros de sangue foram enviados pelo Skahazadhan para encontrar Sua Graça e trazê-la de volta para seu amado senhor e seus leais súditos. Cada um tem dez cavaleiros escolhidos, e cada homem tem três cavalos velozes, então viajarão rápido e para longe. A Rainha Daenerys será encontrada.

Um ghiscari alto em uma veste brocada falou em seguida, em uma voz tão sonora quanto fria. O Rei Hizdahr se mexeu em seu trono de dragão, seu rosto impenetrável, enquanto fazia o melhor possível para parecer atento mas imperturbável. Mais uma vez, o senescal respondeu.

Sor Barristan deixou as palavras oleosas de Reznak passarem por ele. Seus anos na Guarda Real o haviam ensinado o truque de ouvir sem escutar, especialmente útil quando quem falava tinha a intenção de provar que as palavras eram realmente vento. De volta ao fundo do salão, espiou o príncipe dornense e seus dois companheiros. *Eles não deveriam ter vindo. Martell não percebe o perigo. Daenerys era sua única amiga nesta corte, e ela se foi.* Ele se perguntava o quanto eles entendiam do que estava sendo dito. Nem mesmo ele conseguia compreender sempre a língua mestiça ghiscari que os traficantes de escravo falavam, especialmente quando falavam rápido.

O Príncipe Quentyn estava ouvindo atentamente, pelo menos. *Este um é filho de seu pai.* Baixo e atarracado, rosto liso, parecia ser um rapaz decente, sóbrio, sensível, obediente... mas não o tipo que fazia o coração de uma jovem garota bater mais rápido. E Daenerys Targaryen, o que mais ela pudesse ser, ainda era uma jovem garota, como ela mesma afirmava quando pretendia bancar a inocente. Como todas as boas rainhas, colocava seu povo antes de qualquer coisa – caso contrário, jamais teria se casado com Hizdahr zo Loraz –, mas a garota nela ainda ansiava por poesia, paixão e risos. *Ela quer fogo, e Dorne lhe manda lama.*

Era possível fazer um cataplasma de lama para baixar a febre. Era possível plantar sementes na lama e conseguir uma colheita para alimentar os filhos. Lama podia nutrir, enquanto fogo apenas consumia, mas tolos, crianças e jovens garotas sempre escolheriam o fogo.

Atrás do príncipe, Sor Gerris Drinkwater sussurrava alguma coisa para Yronwood. Sor Gerris era o que seu príncipe não era; alto, esbelto e agradável, com a graça de um espadachim e a sagacidade de um cortesão. Selmy não duvidava que muitas donzelas dornenses haviam corrido os dedos por aqueles cabelos riscados pelo sol e beijado aquele sorriso provocante que ele tinha nos lábios. *Se esse aí fosse o príncipe, as coisas poderiam ter sido diferentes,* não podia deixar de pensar... mas havia algo agradável demais em Drinkwater para o gosto dele. *Moeda falsa,* o velho cavaleiro pensou. Havia conhecido muitos homens assim antes.

O que quer que ele estivesse sussurrando devia ser engraçado, pois seu grande amigo careca deu um repentino ronco, segurando o riso, alto o suficiente para que o rei virasse a cabeça na direção dos dornenses. Quando viu o príncipe, Hizdahr zo Loraq franziu o cenho.

Sor Barristan não gostou daquela expressão. E quando o rei chamou seu primo Marghaz mais perto, inclinou-se e sussurrou em seu ouvido, gostou menos ainda.

Não tenho nenhum juramento com Dorne, Sor Barristan disse a si mesmo. Mas Lewyn Martell havia sido seu Irmão Juramentado, nos dias do passado em que os laços entre os membros da Guarda Real ainda eram profundos. *Não pude ajudar o Príncipe Lewyn no Tridente, mas posso ajudar seu sobrinho agora.* Martell estava dançando em um ninho de víboras e nem mesmo via as cobras. Sua presença constante, depois que Daenerys dera a si mesma para outro diante dos olhos dos deuses e dos homens, seria uma provocação para qualquer marido, e Quentyn não tinha mais a proteção da rainha para livrá-lo da ira de Hizdahr. *Embora...*

O pensamento o atingiu como um tapa em seu rosto. Quentyn crescera na corte de Dorne. Conspirações e venenos não eram estranhos para ele. Nem o Príncipe Lewyn era seu único tio. *Ele é parente da Víbora Vermelha.* Daenerys tomara outro como seu consorte, mas, se Hizdahr morresse, ela estaria livre para se casar novamente. *O Cabeça-Raspada poderia estar errado? Quem disse que os gafanhotos eram destinados a Daenerys? Estavam no camarote do próprio rei. E se era para ser ele a vítima o tempo todo?* A morte de Hizdahr teria esmagado a frágil paz. Os Filhos da Harpia teriam retomado seus assassinatos; os yunkaítas, sua guerra. Daenerys não teria alternativa melhor do que Quentyn e seu pacto nupcial.

Sor Barristan ainda estava lutando com a suspeita quando ouviu o som de pesadas botas subindo os degraus da escada íngreme no fundo do salão. Os yunkaítas haviam chegado. Três Sábios Mestres lideravam a procissão da Cidade Amarela, cada um com sua própria comitiva armada. Um mercador de escravos vestia um *tokar* de seda castanho--avermelhada com franjas de ouro, o outro um *tokar* listrado de verde-escuro e laranja, e o terceiro uma placa peitoral ornamentada com cenas eróticas feitas em âmbar-preto, jade e madrepérola. O capitão mercenário Barbassangrenta os acompanhava carregando um saco de couro pendurado em um ombro maciço e exibindo um olhar de júbilo e morte no rosto.

Nada do Príncipe Esfarrapado, Selmy reparou. *Nada de Ben Mulato Plumm*. Sor Barristan olhou Barbassangrenta friamente. *Me dê qualquer motivo para dançar com você, e veremos quem vai rir no final.*

Reznak mo Reznak rastejou para a frente.

– Sábios Mestres, vocês nos honram. Seu Iluminado, o Rei Hizdahr oferece suas boas vindas para seus amigos de Yunkai. Entendemos...

– Entendam isso. – Barbassangrenta puxou uma cabeça decepada do saco e jogou-a no senescal.

Reznak deu um grito de susto e saltou de lado. A cabeça saltou por ele, deixando manchas de sangue no chão de mármore púrpura conforme rolava, até bater contra o pé do trono de dragão do Rei Hizdahr. Por todo o comprimento do salão, Bestas de Bronze abaixaram suas lanças. Goghor, o Gigante, moveu-se pesadamente para a frente, colocando-se na frente do trono do rei, e o Gato Malhado e Khrazz foram um para cada lado do Rei Hizdahr para formar uma parede.

Barbassangrenta riu.

– Ele está morto. Não morderá.

Cuidadosamente, bem cuidadosamente, o senescal se aproximou da cabeça, erguendo--a com delicadeza pelo cabelo.

– Almirante Groleo.

Sor Barristan olhou para o trono. Tinha servido tantos reis que não podia deixar de imaginar como cada um deles teria reagido a esta provocação. Aerys teria se encolhido de horror, provavelmente machucando-se nas farpas do Trono de Ferro, então gritaria para seus espadachins cortarem os yunkaítas em pedaços. Robert teria gritado por seu martelo para pagar a Barbassangrenta em espécie. Mesmo Jaehaerys, considerado fraco por muitos, teria ordenado a prisão de Barbassangrenta e dos mercadores de escravos yunkaítas.

Hizdahr sentava-se congelado, um homem paralisado. Reznak colocou a cabeça em uma almofada de cetim, aos pés do rei, e afastou-se rapidamente, a boca torcida em uma careta de desgosto. Sor Barristan podia sentir o pesado perfume floral do senescal a muitos metros de distância.

O morto olhava com reprovação. Sua barba estava marrom com sangue seco, mas um fio vermelho ainda escorria do pescoço. Só de olhar para ele, era fácil dizer que fora necessário mais de um golpe para separar a cabeça do corpo. No fundo do salão, peticionários começavam a sair. Uma das Bestas de Bronze arrancou a máscara de bronze de falcão e começou a vomitar o desjejum.

Barristan Selmy não era estranho a cabeças decepadas. Esta uma, no entanto... ele tinha cruzado metade do mundo com o velho marinheiro, de Pentos para Qarth e de volta para Astapor. *Groleo era um bom homem. Não merecia este fim. Tudo o que queria era voltar para casa.* O cavaleiro ficou tenso, esperando.

– Isso – o Rei Hizdahr disse, finalmente –, isso não é... não estamos satisfeitos, isso... qual o significado dessa... dessa...

O mercador de escravos no *tokar* castanho-avermelhado pegou um pergaminho.

– Tenho a honra de trazer esta mensagem do conselho de mestres. – Desenrolou o rolo. – Está aqui escrito, *Sete entraram em Meereen para assinar os acordos de paz e testemunhar os jogos comemorativos na Arena de Daznak. Como garantia por sua segurança, sete reféns foram ofertados a nós. A Cidade Amarela lamenta por seu nobre filho Yurkhaz zo Yunzak, que pereceu cruelmente enquanto era convidado de Meereen. Sangue deve pagar por sangue.*

Groleo tinha uma esposa em Pentos. Filhos, netos. *Por que ele, entre todos os reféns?* Jhogo, Herói e Daario Naharis, todos comandavam guerreiros, mas Groleo era um almirante sem frota. *Será que tiraram no palitinho, ou pensaram que Groleo era o menos valioso para nós, o menos propenso a provocar represálias?*, o cavaleiro se perguntava... mas era mais fácil levantar essas questões do que respondê-las. *Não tenho nenhuma habilidade em desfazer tais nós.*

– Vossa Graça – Sor Barristan chamou. – Se for do seu agrado se recordar, o nobre Yurkhaz morreu por acaso. Ele tropeçou nos degraus enquanto tentava fugir do dragão e foi esmagado pelos pés de seus próprios escravos e companheiros. Isso, ou seu coração estourou de terror. Ele era velho.

– Quem é esse que fala sem a permissão do rei? – perguntou o senhor yunkaíta no *tokar* listrado, um homem pequeno com um queixo retraído e dentes grandes demais para sua boca. Fazia Selmy se lembrar de um coelho. – Os senhores de Yunkai devem prestar atenção às conversas fiadas de guardas? – Balançou as pérolas da franja de seu *tokar*.

Hizdahr zo Loraq não conseguia desviar os olhos da cabeça. Apenas quando Reznak sussurrou algo em seu ouvido, ele finalmente se mexeu.

– Yurkhaz zo Yunkaz era seu supremo comandante – disse. – Qual de vocês fala por Yunkai agora?

– Todos nós – disse o coelho. – O conselho dos mestres.

O Rei Hizdahr encontrou alguma firmeza.

– Então todos vocês são responsáveis por esta violação da nossa paz.

O yunkaíta com a placa peitoral respondeu:

– Nossa paz não foi quebrada. Sangue paga sangue, uma vida por uma vida. Para mostrar nossa boa-fé, devolvemos três de seus reféns. – As fileiras de ferro atrás dele se abriram. Três meereeneses foram levados adiante, agarrando seus *tokars* – duas mulheres e um homem.

– Irmã – disse Hizdahr zo Loraq, rigidamente. – Primos. – Fez um gesto para a cabeça sangrando. – Tirem isso da nossa visão.

– O almirante era um homem do mar – Sor Barristan o recordou. – Talvez Vossa Magnificência possa pedir aos yunkaítas que devolvam seu corpo para nós, para que possamos sepultá-lo sob as ondas.

O senhor dente-de-coelho acenou com a mão.

– Se for do agrado de Vosso Iluminado, isso será feito. Um sinal do nosso respeito.

Reznak mo Reznak limpou a garganta ruidosamente.

– Sua Magnificência, a Rainha Daenerys deu para vocês... ah... sete reféns. Os outros três...

– Os outros permanecerão como nossos convidados – anunciou o senhor yunkaíta com a placa peitoral –, até que os dragões sejam destruídos.

Um silêncio caiu no salão. Então vieram os murmúrios e os resmungos, xingamentos sussurrados, orações sussurradas, as vespas se movendo no vespeiro.

– Os dragões... – disse o Rei Hizdahr.

– ... são monstros, como todos os homens viram na Arena de Daznak. Nenhuma paz verdadeira é possível enquanto eles viverem.

Reznak replicou:

– Sua Magnificência, a Rainha Daenerys, é Mãe de Dragões. Apenas ela pode...

O desprezo de Barbassangrenta o interrompeu.

– Ela se foi. Queimada e devorada. Ervas daninhas crescem em seu crânio quebrado.

Um rugido recebeu aquelas palavras. Alguns começaram a gritar e amaldiçoar. Outros batiam os pés e assobiavam em aprovação. Foi necessário que as Bestas de Bronze batessem com os cabos de suas lanças contra o chão para que o salão se acalmasse novamente.

Sor Barristan não tirou os olhos de Barbassangrenta nem por um instante. *Ele veio saquear a cidade, e a paz de Hizdahr burlou sua pilhagem. Ele fará o que for necessário para iniciar o derramamento de sangue.*

Hizdahr zo Loraq levantou-se lentamente de seu trono de dragão.

– Devo consultar meu conselho. Esta audiência está encerrada.

– *Todos de joelhos por Sua Magnificência Hizdahr zo Loraq, Décimo Quarto de seu Nobre Nome, Rei de Meereen, Filho de Ghis, Octarca do Antigo Império, Mestre do Skahazadhan, Consorte de Dragões e Sangue da Harpia* – o arauto bradou. As Bestas de Bronze saíram de entre os pilares para formar uma linha, então começaram um lento avanço conjunto, conduzindo os peticionários para fora do salão.

Os dornenses não tinham que ir tão longe quanto a maioria. Como convinha à sua posição social e título, o Príncipe Martell havia recebido alojamentos dentro da Grande Pirâmide, dois níveis abaixo; um belo conjunto de quartos com sua própria latrina e terraço murado. Talvez fosse por isso que ele e seus companheiros permaneceram, esperando até que a multidão tivesse diminuído antes de começar a seguir em direção às escadas.

Sor Barristan os observou, pensativo. *O que Daenerys iria querer?*, perguntou a si mesmo. Achava que sabia. O velho cavaleiro atravessou o salão, seu longo manto branco ondulando atrás dele. Alcançou os dornenses no topo dos degraus.

– A corte de seu pai nunca foi nem metade tão animada – ouviu Drinkwater brincar.

– Príncipe Quentyn – Selmy chamou. – Posso pedir uma palavra?

Quentyn Martell se virou.

– Sor Barristan. É claro. Meus aposentos estão um nível abaixo.

Não.

– Não é minha função aconselhá-lo, Príncipe Quentyn... mas, se eu fosse você, não retornaria para meus aposentos. Você e seus amigos devem descer esses degraus e partir.

O Príncipe Quentyn o encarou.

– Partir da pirâmide?

– Partir da cidade. Voltar para Dorne.

Os dornenses trocaram um olhar.

– Nossas armas e armaduras estão em nossos aposentos – disse Gerris Drinkwater. – Sem mencionar a maior parte do dinheiro que nos resta.

– Espadas podem ser substituídas – disse Sor Barristan. – E posso providenciar para vocês dinheiro suficiente para a passagem de volta para Dorne. Príncipe Quentyn, o rei reparou em você hoje. Ele franziu o cenho.

Gerris Drinkwater riu.

– Devemos ter medo de Hizdahr zo Loraq? Você acaba de vê-lo. Ele se intimidou diante dos yunkaítas. Mandaram uma *cabeça* para ele, e ele não fez nada.

Quentyn Martell acenou com a cabeça, em concordância.

– Um príncipe faz bem em pensar antes de agir. Este rei... não sei o que pensar dele. A rainha me avisou sobre ele, é verdade, mas...

– Ela o avisou? – Selmy franziu a testa. – Por que ainda está aqui?

O Príncipe Quentyn corou.

– O pacto nupcial...

– ... foi feito por dois homens mortos, e não tem nem uma palavra sobre a rainha ou você. A mão de sua irmã foi prometida ao irmão da rainha, outro homem morto. Não tem validade. Até que você aparecesse aqui, Sua Graça era ignorante da existência disso. Seu pai mantém bem seus segredos, Príncipe Quentyn. Bem demais, temo. Se a rainha tivesse sabido deste pacto em Qarth, talvez ela jamais tivesse vindo para a Baía dos Escravos, mas você veio tarde demais. Não tenho nenhum desejo de colocar sal em suas feridas, mas Sua Graça tem um novo marido e um antigo amante, e parece preferir ambos a você.

A raiva brilhou nos olhos escuros do príncipe.

– Este fidalgote ghiscari não é um consorte adequado para a rainha dos Sete Reinos.

– Isso não cabe a você julgar. – Sor Barristan parou, perguntando-se se já havia falado demais. *Não. Diga-lhe o restante.* – Naquele dia, na Arena de Daznak, uma parte da comida do camarote real foi envenenada. Foi um acaso que Belwas, o Forte, tenha comido tudo. As Graças Azuis dizem que apenas seu tamanho e sua força descomunal o salvaram, mas chegou perto. Ele ainda pode morrer.

O choque era claro no rosto do Príncipe Quentyn.

– Veneno... para Daenerys?

– Para ela ou para Hizdahr. Talvez para ambos. O camarote era dele, no entanto. Sua Graça fez todos os arranjos. Se o veneno foi coisa dele... bem, ele precisaria de um bode expiatório. Quem melhor do que um rival de uma terra distante, sem amigos nesta corte? Quem melhor que um pretendente que a rainha rejeitou?

Quentyn Martell ficou pálido.

– *Eu*? Eu nunca... você não pode pensar que tomei parte em qualquer...

Essa é a verdade, ou ele é um mestre da encenação.

– Outros poderiam – disse Sor Barristan. – A Víbora Vermelha era seu tio. E você tem boas razões para querer o Rei Hizdahr morto.

– Assim como outros – sugeriu Gerris Drinkwater. – Naharis é um deles. O...

– ... amante da rainha – Sor Barristan completou, antes que o cavaleiro dornense dissesse qualquer coisa que pudesse manchar a honra da rainha. – É assim que vocês chamam em Dorne, não é? – Não esperou uma resposta. – O Príncipe Lewyn era meu Irmão Juramentado. Naqueles dias havia poucos segredos entre os homens da Guarda Real. Sei que ele tinha uma amante. Ele não achava que havia qualquer vergonha nisso.

– Não – disse Quentyn, com o rosto vermelho –, mas...

– Daario mataria Hizdahr em um piscar de olhos, se pudesse. – Sor Barristan continuou. – Mas não com veneno. Nunca. E, de todo modo, Daario não estava lá. Hizdahr ficaria satisfeito em culpá-lo pelos gafanhotos, do mesmo jeito... mas o rei ainda precisa dos Corvos Tormentosos, e os perderia se aparentasse cumplicidade na morte de seu capitão. Não, meu príncipe. Se Sua Graça precisar de um envenenador, olhará para você. – Disse tudo o que podia dizer em segurança. Em mais alguns dias, se os deuses sorrissem para eles, Hizdahr zo Loraq não governaria mais Meereen... mas nada de bom haveria em ter o Príncipe Quentyn preso no banho de sangue que estava vindo. – Se deve permanecer em Meereen, deveria ficar bem distante da corte e esperar que Hizdahr o esqueça. – Sor Barristan completou: – Mas um navio para Volantis seria mais sábio, meu príncipe. Qualquer que seja sua escolha, desejo-lhe o melhor.

Antes que tivesse descido três degraus, Quentyn Martell o chamou.

– Barristan, o Ousado, eles o chamam.

– Alguns, sim. – Selmy ganhara aquele nome quando tinha dez anos, recém-feito escudeiro, ainda tão vaidoso, orgulhoso e tolo que colocou na cabeça que podia disputar justas contra cavaleiros provados e comprovados. Então, pegou emprestado um cavalo de guerra e umas partes de armadura do arsenal de Lorde Dondarrion e integrou as listas em Portonegro como um cavaleiro misterioso. *Até o arauto riu. Meus braços eram tão finos que quando abaixei a lança, tudo o que podia fazer era evitar que a ponta arrastasse no chão.* Lorde Dondarrion estaria no direito de arrancá-lo do cavalo e espancá-lo, mas o Príncipe das Libélulas ficara com pena do garoto desorientado na armadura mal ajustada e concedeu-lhe o direito de seguir adiante com o desafio. Uma corrida bastou. Depois, o Príncipe Duncan o ajudara a ficar em pé e a tirar o elmo. "Um garoto", proclamou para a multidão. "Um garoto ousado." *Cinquenta e três anos atrás. Quantos dos homens que estavam em Portonegro ainda estão vivos?*

– Que nome você acha que me darão, se eu voltar para Dorne sem Daenerys? – o Príncipe Quentyn perguntou. – Quentyn, o Cauteloso? Quentyn, o Covarde? Quentyn, a Codorna?

O Príncipe que Chegou Tarde Demais, o velho cavaleiro pensou... mas, se um cavaleiro da Guarda Real não sabe mais nada, aprende a segurar a língua.

– Quentyn, o Sábio – sugeriu. E desejou que fosse verdade.

O pretendente rejeitado

A hora dos fantasmas estava quase sobre eles quando Sor Gerris Drinkwater voltou para a pirâmide, para relatar que havia encontrado Feijões, Livros e Velho Osso Bill em uma das adegas menos agradáveis de Meereen, bebendo vinho amarelo e observando escravos nus matarem-se uns aos outros com as mãos limpas e os dentes afiados.

– Feijões puxou uma lâmina e propôs uma aposta para determinar se desertores tinham barrigas cheias de lodo amarelo. – Sor Gerris contou. – Então joguei para ele um dragão e perguntei se ouro amarelo serviria. Ele mordeu a moeda e perguntou o que eu pretendia comprar. Quando contei, ele colocou a faca de lado e perguntou se eu estava bêbado ou louco.

– Que ele pense o que quiser, desde que entregue a mensagem – disse Quentyn.

– Ele fará isso. Aposto que você conseguirá seu encontro também, a menos que Esfarrapado e Bela Meris arranquem seu fígado e o fritem com cebolas. Devíamos prestar atenção em Selmy. Quando Barristan, o Ousado, diz para fugir, um homem sábio calça as botas. Devemos encontrar um navio para Volantis enquanto o porto ainda está aberto.

Só a menção daquilo fez Sor Archibald ficar verde.

– Sem navios. Prefiro saltar de volta para Volantis em um pé.

Volantis, Quentyn pensou. *E então Lys e, depois, casa. De volta pelo caminho que vim, de mãos vazias. Três bravos homens mortos, para quê?*

Seria encantador ver o Sangueverde novamente, visitar Lançassolar e os Jardins das Águas, respirar o doce ar fresco da montanha em Yronwood, em vez dos humores quentes, úmidos e infectos da Baía dos Escravos. Seu pai não diria uma palavra de reprovação, Quentyn sabia, mas o desapontamento estaria em seus olhos. Sua irmã o desprezaria, as Serpentes de Areia zombariam dele com sorrisos tão afiados quanto espadas, e Lorde Yronwood, seu segundo pai, que enviara seu próprio filho para mantê-lo a salvo...

– Não manterei vocês aqui – Quentyn disse para seus amigos. – Meu pai designou esta tarefa para mim, não para vocês. Vão para casa, se é o que desejam. Por qualquer meio que quiserem. Eu vou ficar.

O grandão deu de ombros.

– Então Drink e eu ficamos também.

Na noite seguinte, Denzo D'han apareceu na porta do Príncipe Quentyn para falar sobre os termos.

– Ele se encontrará com você amanhã, no mercado de especiarias. Procure por uma porta com uma flor de lótus púrpura. Bata duas vezes e chame por liberdade.

– De acordo – respondeu Quentyn. – Arch e Gerris estarão comigo. Ele pode levar dois homens também. Não mais do que isso.

– Se for do agrado do meu príncipe. – As palavras eram polidas o suficiente, mas o tom de Denzo estava afiado com malícia, e os olhos do poeta guerreiro brilhavam de zombaria. – Venha ao pôr do sol. E assegure-se de não ser seguido.

Os dornenses deixaram a Grande Pirâmide uma hora antes do pôr do sol, caso tomassem o caminho errado ou tivessem dificuldade em achar a flor de lótus púrpura. Quentyn e Gerris usavam os cinturões de espada. O grandão tinha seu martelo de guerra pendurado nas costas amplas.

– Ainda não é tarde demais para desistirmos desta tolice – Gerris falou, enquanto seguiam por um beco fétido em direção ao velho mercado de especiarias. O cheiro de mijo estava no ar, e podiam ouvir o barulho das rodas de ferro de uma charrete de cadáveres adiante. – O Velho Osso Bill costumava dizer que Bela Meris podia estender a morte de um homem por uma lua. Mentimos para eles, Quent. Usamos eles para chegar aqui, então fomos até os Corvos Tormentosos.

– Como nos foi ordenado fazer.

– O Esfarrapado nunca pretendeu que fizéssemos isso de verdade, no entanto – lembrou o grandão. – Seus outros meninos, Sor Orson e Pau Fino, Vaudefome, Will da Mata, aquele grupo, eles ainda estão em algum calabouço graças a nós. O velho Esfarrapado não pode ter gostado disso.

– Não – o Príncipe Quentyn concordou –, mas ele gosta de ouro.

Gerris riu.

– Uma pena que não tenhamos nenhum. Você acredita nesta paz, Quent? Eu, não. Metade da cidade está chamando o matador de dragões de herói, e a outra metade cospe sangue à menção de seu nome.

– Harzoo – o grandão disse.

Quentyn franziu o cenho.

– Seu nome era Harghaz.

– Hizdahr, Humzum, Hagnag, o que importa? Chamo todos eles de Harzoo. Ele não era nenhum matador de dragões. Tudo o que conseguiu foi o traseiro torrado e crocante.

– Ele foi bravo. – *Será que eu teria a coragem de encarar aquele monstro com nada além de uma lança?*

– Ele morreu bravamente, é o que você quer dizer.

– Ele morreu gritando – disse Arch.

Gerris colocou a mão sobre o ombro de Quentyn.

– Mesmo se a rainha voltar, ela ainda será casada.

– Não se eu der ao Rei Harzoo uma beijoca do meu martelo – sugeriu o grandão.

– Hizdahr – falou Quentyn. – O nome dele é Hizdahr.

– Um beijo do meu martelo e ninguém vai se importar como era o nome dele – respondeu Arch.

Eles não percebem. Seus amigos haviam perdido de vista seu verdadeiro propósito aqui. *As estradas passam por ela, não até ela. Daenerys era o meio para alcançar o prêmio, não o prêmio em si.*

– "O dragão tem três cabeças", ela disse para mim. "Meu casamento não precisa ser o fim das suas esperanças", ela falou. "Sei por que você está aqui. Por fogo e sangue." Tenho sangue Targaryen em mim, vocês sabem disso. Posso traçar minha linhagem até...

– Foda-se sua linhagem – falou Gerris. – Os dragões não se importam com seu sangue, exceto, talvez, com o gosto dele. Você não pode domar um dragão com uma lição de história. Eles são monstros, não meistres. Quent, é isso realmente o que você quer fazer?

– Isso é o que tenho que fazer. Por Dorne. Por meu pai. Por Cletus, Will e Meistre Kendry.

– Eles estão mortos – disse Gerris. – Não se importam.

– Todos mortos – Quentyn concordou. – E para quê? Para me trazer até aqui, para que eu pudesse me casar com a rainha dragão. Uma grande aventura, Cletus chamou. Estradas do demônio, mares tormentosos e, no fim, a mais bela mulher do mundo. Uma história para contar para nossos netos. Mas Cletus nunca gerará uma criança, a menos que tenha deixado um bastardo na barriga daquela puta da taverna que ele gostava. Will nunca se casará. Essas mortes precisam ter algum significado.

Gerris apontou para onde um cadáver caíra encostado em uma parede de tijolos, cercado por uma nuvem de brilhantes moscas verdes.

– A morte dele tem significado?

Quentyn olhou para o corpo com desgosto.

– Ele morreu de fluxo. Fique bem longe dele. – A égua descorada estava dentro das muralhas da cidade. Não é de admirar que as ruas parecessem tão vazias. – Os Imaculados enviarão uma charrete de cadáveres para pegá-lo.

– Sem dúvida. Mas não foi essa a minha questão. A vida dos homens tem significado, não sua morte. Eu amava Will e Cletus também, mas isso não os trará de volta. Isso é um engano, Quent. Você não pode confiar em mercenários.

– Eles são homens como quaisquer outros. Querem ouro, glória, poder. É nisso que estou acreditando. – *Nisso e no meu próprio destino. Sou um príncipe de Dorne, e o sangue dos dragões está em minhas veias.*

O sol estava mergulhando atrás das muralhas da cidade quando encontraram a flor de lótus púrpura pintada na porta de madeira desgastada de um casebre baixo de tijolos, em meio a uma fileira de casebres iguais, à sombra da grande pirâmide amarela e verde de Rhazdar. Quentyn bateu duas vezes, como fora instruído. Uma voz gutural grunhiu algo ininteligível na língua mestiça da Baía dos Escravos, uma feia mistura de Ghiscari Antigo e Alto Valiriano. O príncipe respondeu na mesma língua:

– Liberdade.

A porta se abriu. Gerris entrou primeiro, por precaução, com Quentyn logo atrás dele e o grandão na retaguarda. Lá dentro, o ar estava nebuloso com uma fumaça azulada, cujo cheiro doce não conseguia encobrir o profundo fedor de mijo, vinho azedo e carne podre. O espaço era muito maior do que parecia de fora, estendendo-se para a direita e para a esquerda pelos casebres vizinhos. O que visto da rua parecia ser uma dúzia de estruturas transformava-se em um longo salão do lado de dentro.

Nessa hora, a casa estava com menos de metade da sua capacidade. Uns poucos fregueses obsequiaram os dornenses com olhares entediados, hostis ou curiosos. Os demais estavam amontoados ao redor de uma arena, no fundo do salão, onde dois homens nus cortavam um ao outro com facas enquanto os observadores torciam.

Quentyn não viu sinal do homem que viera encontrar. Então uma porta que não havia notado antes se abriu, e uma velha saiu dela, uma coisa encolhida em um *tokar* vermelho-escuro com franjas e pequenas caveiras de ouro. Sua pele era branca como leite de égua, o cabelo tão fino que era possível ver o couro cabeludo por baixo.

– Dorne – ela disse –, sou Zahrina. A flor de lótus púrpura. Desça por aqui, você o encontrará. – Segurou a porta e fez um gesto para que passassem.

Depois da porta havia uma escadaria de madeira, íngreme e sinuosa. Dessa vez, o grandão foi na frente e Gerris na retaguarda, com o príncipe entre eles. *Uma adega subterrânea.* Era um longo caminho para baixo, e tão escuro que Quentyn teve que se segurar na parede para evitar escorregar. Perto do fim, Sor Archibald puxou sua adaga.

Chegaram a um salão de tijolos abobadado, três vezes o tamanho da adega acima. Imensos tonéis de madeira cobriam as paredes, tanto quanto o príncipe podia ver. Uma lanterna vermelha estava pendurada em um gancho atrás da porta e uma vela preta gordurosa tremeluzia em um barril virado que servia de mesa. Essa era a única luz.

Caggo Matacadáver andava pelos tonéis de vinho, seu *arakh* negro pendurado na cintura. Bela Meris segurava uma besta, seus olhos tão frios e mortos quanto duas pedras preciosas cinzentas. Denzo D'han trancou a porta assim que os dornenses entraram, então tomou posição diante dela, braços cruzados contra o peito.

Um a mais, Quentyn pensou.

O Príncipe Esfarrapado estava sentado na mesa, acariciando um copo de vinho. Sob a luz amarela da vela, seu cabelo cinza-prateado parecia quase dourado, embora as bolsas sob os olhos estivessem tão grandes quanto alforjes. Ele usava um casaco de viajante de lã marrom, com uma cota de malha prateada reluzente por baixo. Aquilo indicava traição, ou simples prudência? *Um mercenário velho é um mercenário cauteloso.* Quentyn se aproximou da mesa.

– Meu senhor. Parece diferente sem seu manto.

– Minha roupa esfarrapada? – O pentoshi deu de ombros. – Uma coisa simples... e, mesmo assim, aqueles farrapos enchem meus inimigos de medo e, no campo de batalha, a simples visão dos meus trapos soprando ao vento encoraja meus homens mais do que qualquer estandarte. E se quero passar despercebido, só preciso tirá-los para me tornar comum e banal. – Ele fez um gesto em direção ao banco em sua frente. – Sente-se. Soube que é um príncipe. Queria ter sabido antes. Quer beber? Zahrina serve comida, também. Seu pão é velho e o ensopado é indizível. Gordura e sal, com um pedaço ou dois de carne. Cão, ela diz, mas acho que rato é mais provável. Não o matará, no entanto. Descobri que é preciso tomar cuidado apenas quando a comida é tentadora. Envenenadores invariavelmente escolhem os pratos mais seletos.

– Você trouxe três homens – Sor Gerris apontou, com farpas na voz. – Tínhamos concordado com dois para cada.

– Meris não é homem. Meris, querida, levante a blusa, mostre para ele.

– Isso não será necessário – falou Quentyn. Se a conversa que ouvira era verdadeira, embaixo daquela blusa Bela Meris tinha apenas as cicatrizes deixadas pelos homens que cortaram seus seios fora. – Meris é uma mulher, concordo. Ainda assim, você distorceu os termos.

– Esfarrapado e sinuoso, que ladino eu sou. Três para dois não é muita vantagem, deve-se admitir, mas conta para alguma coisa. Neste mundo, um homem deve aprender a aproveitar qualquer que seja o presente que os deuses enviaram para ele. Essa foi uma lição que aprendi com algum custo. Ofereço para você como sinal da minha boa-fé. – Gesticulou para a cadeira novamente. – Sente-se e diga o que veio dizer. Prometo não matá-lo até ouvir tudo. É o mínimo que posso fazer para um companheiro príncipe. Quentyn, não é isso?

– Quentyn da Casa Martell.

– Sapo cai melhor em você. Não tenho costume de beber com mentirosos e desertores, mas você me deixou curioso.

Quentyn se sentou. *Uma palavra errada, e isto pode se transformar em sangue em um piscar de olhos.*

– Peço perdão pelo nosso truque. Os únicos navios zarpando da Baía dos Escravos eram os que haviam sido contratados para trazê-los até a guerra.

O Príncipe Esfarrapado deu de ombros.

– Todo vira-casaca tem sua história. Você não é o primeiro a me jurar sua espada, pegar meu dinheiro e fugir. Todos têm *motivos*. "Meu filhinho está doente" ou "Minha esposa está colocando chifres em mim" ou "Todos os outros homens me fazem chupar seu pau". Um menino encantador, este último, mas não perdoei sua deserção. Outro companheiro me disse que nossa comida era tão miserável, que teve que fugir antes de ficar doente, então cortei o pé dele, assei-o e o obriguei a comê-lo. Depois, eu o fiz cozinheiro do acampamento. Nossas refeições melhoraram significativamente, e quando seu contrato terminou, ele assinou outro. Você, no entanto... vários dos meus melhores estão trancados nos calabouços da rainha, graças a essa sua língua mentirosa, e duvido que você consiga cozinhar.

– Sou um príncipe de Dorne – disse Quentyn. – Tenho um dever com meu pai e com meu povo. Havia um pacto nupcial secreto.

– Ouvi dizer. E quando a rainha prateada viu seu pedaço de pergaminho, ela caiu em seus braços, certo?

– Não – disse Bela Meris.

– Não? Oh, eu me lembro. Sua noiva fugiu em um dragão. Bem, quando ela voltar, assegure-se de nos convidar para suas bodas. Os homens da companhia vão amar beber à sua felicidade, e eu realmente adoro um casamento westerosi. A parte da noite de núpcias, especialmente, só... oh, espere... – Ele se virou para Denzo D'han. – Denzo, achei que você tivesse me dito que a rainha dragão se casou com um ghiscari.

– Um nobre meereenês. Rico.

O Príncipe Esfarrapado se virou novamente para Quentyn.

– Isso pode ser verdade? Certamente não. E seu pacto nupcial?

– Ela riu dele – disse Bela Meris.

Daenerys nunca riu. O resto de Meereen podia olhar para ele como uma curiosidade divertida, como o exilado da Ilha do Verão que o Rei Robert costumava manter em Porto Real, mas a rainha sempre falara com ele gentilmente.

– Chegamos tarde demais – respondeu Quentyn.

– Uma pena que não tenha desertado mais cedo. – O Príncipe Esfarrapado tomou seu vinho. – Então... nenhum casamento para o Príncipe Sapo. É por isso que voltou pulando para mim? Meus três corajosos dornenses resolveram honrar seus contratos?

– Não.

– Que incômodo.

– Yurkhaz zo Yunzak está morto.

– Notícias antigas. Eu o vi morrer. O pobre homem viu um dragão e tropeçou quando tentou fugir. Então milhares de seus amigos mais próximos o pisotearam. Sem dúvida, a Cidade Amarela está inundada em lágrimas. Veio aqui para brindar pela memória dele?

– Não. Os yunkaítas já escolheram um novo comandante?

– O conselho de mestres tem sido incapaz de chegar a um acordo. Yezzan zo Qaggaz tinha mais apoio, mas ele morreu também. Os Sábios Mestres estão revezando o supremo comando entre eles. Hoje nosso líder é aquele que seus amigos das fileiras apelidaram de Conquistador Bêbado. Amanhã será o Lorde Balançabochecha.

– O Coelho – disse Meris. – O Balançabochecha foi ontem.

– Me sinto corrigido, minha querida. Nossos amigos yunkaítas foram gentis o suficiente para nos dar uma tabela. Preciso me esforçar para ser mais assíduo em consultá-la.

– Yurkhaz zo Yunzak foi o homem que contratou você.

– Ele assinou nosso contrato em nome da cidade. Só isso.

– Meereen e Yunkai fizeram as pazes. O cerco está para ser erguido, os exércitos dissolvidos. Não haverá batalha nem matança, nenhuma cidade para saquear ou pilhar.

– A vida é cheia de desapontamentos.

– Por quanto tempo você acha que os yunkaítas vão querer continuar pagando salários de quatro companhias livres?

O Príncipe Esfarrapado tomou um gole de vinho e disse:

– Uma questão incômoda. Mas este é o estilo de vida para nós, homens das companhias livres. Uma guerra termina, outra começa. Felizmente, sempre há alguém lutando em algum lugar. Talvez aqui. Mesmo enquanto estamos sentados bebendo, Barbassangrenta está instando nossos amigos yunkaítas a presentear o Rei Hizdahr com outra cabeça. Libertos e senhores de escravos olham uns para o pescoço dos outros e afiam suas facas, os Filhos da Harpia conspiram em suas pirâmides, a égua descorada cavalga tanto com escravos quanto com senhores, nossos amigos da Cidade Amarela olham para o mar e, em algum lugar nas terras de grama, um dragão mordisca a carne fresca de Daenerys Targaryen. Quem governa Meereen esta noite? Quem governará amanhã? – O pentoshi deu de ombros. – De uma coisa estou certo. Alguém precisará das nossas espadas.

– Eu preciso dessas espadas. Dorne contratará vocês.

O Príncipe Esfarrapado olhou para Bela Meris.

– Ele não tem lugar para rancor, este Sapo. Devo lembrá-lo? Meu caro príncipe, você usou o último contrato que assinamos para limpar seu lindo traseiro rosado.

– Eu dobro o que quer que os yunkaítas estejam pagando.

– E vai pagar em ouro no momento da assinatura do nosso contrato, certo?

– Pagarei parte quando chegarmos a Volantis, o resto quando estiver de volta a Lançassolar. Trouxemos ouro conosco quando zarpamos, mas teria sido difícil escondê-lo uma vez que nos juntássemos à sua companhia, então colocamos nos bancos. Posso mostrar os papéis.

– Ah. Papéis. Mas seremos pagos em *dobro*.

– Duas vezes, com muitos papéis – disse Bela Meris.

– O resto você receberá em Dorne – Quentyn insistiu. – Meu pai é um homem de honra. Se eu colocar meu selo em nosso acordo, ele cumprirá com os termos. Você tem minha palavra nisso.

O Príncipe Esfarrapado terminou seu vinho, virou a taça e colocou-a entre eles.

– Então. Deixe-me ver se entendi. Um comprovado mentiroso e perjuro deseja nos contratar e pagar com promessas. E por quais serviços, me pergunto? Meus Soprados pelo Vento devem esmagar os yunkaítas e saquear a Cidade Amarela? Derrotar um *khalasar* dothraki em campo aberto? Escoltá-lo para casa, até seu pai? Ou você ficaria satisfeito se entregássemos a Rainha Daenerys em sua cama, molhada e disposta? Diga-me a verdade, Príncipe Sapo. O que tem para mim e para os meus?

– Preciso que me ajude a roubar um dragão.

Caggo Matacadáver riu. Bela Meris curvou os lábios em um meio sorriso. Denzo D'han assobiou.

O Príncipe Esfarrapado apenas se recostou em seu assento e disse:

– O dobro não paga por dragões, pequeno príncipe. Mesmo um sapo deveria saber isso. Dragões são caros. E homens que pagam com promessas deveriam ao menos ter o senso de prometer mais.

– Se você quer que eu triplique...

– O que eu quero – disse o Príncipe Esfarrapado – é Pentos.

O grifo renascido

Ele enviou os arqueiros primeiro.

Balaq Negro comandava mil arcos. Em sua juventude, Jon Connington havia partilhado o desdém da maioria dos cavaleiros pelos arqueiros, mas ficara mais esperto no exílio. À sua maneira, a flecha era tão mortal quanto a espada, então havia insistido, para a longa viagem, que Harry Sem-Teto Strickland dividisse o comando de Balaq entre dez companhias de cem homens e colocasse cada uma delas em um navio diferente.

Seis desses navios haviam permanecido juntos o suficiente para desembarcar seus passageiros nas costas do Cabo da Fúria (os outros quatro se atrasaram mas chegariam em algum momento, os volantinos asseguraram para eles, mas Griff achava que era mais provável que estivessem perdidos, ou encalhados em algum lugar), o que deixou a companhia com seiscentos arqueiros. Para isso, duzentos se mostraram suficientes.

– Eles enviarão corvos – Connington dissera para Balaq Negro. – Observe a torre do meistre. Aqui. – Apontou no mapa que havia desenhado no chão do acampamento. – Derrube cada ave que deixar o castelo.

– Faremos isso – respondeu o ilhéu do Verão.

Um terço dos homens de Balaq usava besta, outro terço o arco curvado do leste. Melhor do que este era o grande arco longo de teixo usado pelos arqueiros de sangue westerosi, e melhores do que todos juntos era o excelente arco de amagodouro preferido pelo próprio Balaq Negro e seus cinquenta ilhéus do Verão. Apenas um arco feito de osso de dragão podia superar um de amagodouro. Qualquer que fosse o arco que carregavam, todos os homens de Balaq eram experientes veteranos de olhos afiados, que haviam provado seu valor em uma centena de batalhas, ataques e escaramuças. Provaram novamente em Poleiro do Grifo.

O castelo erguia-se na costa do Cabo da Fúria, sobre um rochedo elevado de pedra vermelho-escura cercada em três lados pelas águas agitadas da Baía dos Náufragos. Sua única entrada era defendida por uma guarita, atrás da qual ficava a longa serra nua que os Connington chamavam de Garganta do Grifo. Entrar à força pela Garganta podia ser um negócio sangrento, uma vez que a serra expunha os atacantes às lanças, pedras e flechas dos defensores posicionados em duas torres redondas que flanqueavam os portões principais do castelo. Uma vez que alcançassem esses portões, os homens dentro deles podiam despejar óleo fervente nos invasores. Griff esperava perder uma centena de homens, talvez mais.

Perderam quatro.

A floresta havia invadido o campo além da guarita, então Franklyn Flowers fora capaz de usar as folhagens para se esconder e liderar seus homens até quase vinte metros dos portões antes de emergir das árvores com o aríete que haviam fabricado no acampamento. A colisão de madeira contra madeira trouxe dois homens para as ameias; os arqueiros de Balaq Negro os abateram antes que pudessem esfregar o sono de seus olhos. O portão continuava fechado, mas não trancado; houve um segundo golpe, e os homens de Sor Franklyn estavam na metade da Garganta antes que o alarme de uma trombeta de guerra soasse do castelo.

O primeiro corvo levantou voo enquanto ganchos com cordas ainda voavam por sobre a muralha, o segundo, alguns momentos depois. Nenhum dos dois pássaros voou cem metros antes que uma flecha o derrubasse. Uma sentinela do lado de dentro virou um balde de óleo no primeiro homem a alcançar os portões, mas como não teve tempo de aquecer o líquido, o balde causou mais danos do que seu conteúdo. Espadas logo soavam em meia dúzia de lugares ao longo das ameias. Os homens da Companhia Dourada escalavam os merlões e corriam pelos adarves gritando "Um grifo! Um grifo!", o antigo grito de guerra da Casa Connington, o que devia deixar os defensores ainda mais confusos.

Acabou em minutos. Griff seguiu pela Garganta em um corcel branco, ao lado de Harry Sem-Teto Strickland. Conforme se aproximavam do castelo, viu um terceiro corvo bater as asas da torre do meistre, apenas para ser abatido pelo próprio Balaq Negro.

– Nada mais de mensagens – Connington disse para Sor Franklyn Flowers no pátio. A próxima coisa a sair voando da torre do meistre foi o próprio meistre. Do jeito que abanava os braços, podia ter sido confundido com outra ave.

Foi o fim de toda a resistência. As sentinelas que sobraram renderam suas armas. Tão rápido assim, Poleiro do Grifo era seu novamente, e Jon Connington era mais uma vez um senhor.

– Sor Franklin – disse –, percorra a fortaleza e as cozinhas e reúna todos que conseguir encontrar. Malo, faça o mesmo na torre do meistre e no arsenal. Sor Brendel, os estábulos, septo e quartéis. Tragam todos para o pátio e tentem não matar ninguém que não insista em morrer. Queremos conquistar as Terras da Tempestade, e não faremos isso com um abate. Assegure-se de olhar sob o altar da Mãe, há uma escada escondida que leva a uma câmara secreta. E outra sob a torre noroeste que vai direto para o mar. Ninguém deve escapar.

– Não irão, meu senhor – prometeu Franklyn Flowers.

Connington os observou saírem correndo, então acenou para o Meiomeistre.

– Haldon, encarregue-se do viveiro. Terei mensagens para enviar esta noite.

– Esperemos que tenham deixado alguns corvos para nós.

Mesmo Harry Sem-Teto ficou impressionado com a rapidez da vitória.

– Nunca pensei que seria tão fácil – o capitão-general falou, enquanto entravam no grande salão para olhar a entalhada e dourada Cadeira do Grifo, onde cinquenta gerações de Connington haviam sentado e governado.

– Ficará mais difícil. Até agora, nós os pegamos desprevenidos. Isso não durará para sempre, mesmo se Balaq Negro derrubar cada corvo do reino.

Strickland estudou as tapeçarias desbotadas nas paredes, as janelas em arco com painéis de vidro vermelho e branco em forma de uma miríade de diamantes, as prateleiras de lanças, espadas e martelos de guerra.

– Deixe-os vir. Este lugar pode se manter contra vinte vezes o nosso número, assim que estivermos com provisões suficientes. E você disse que há um caminho para entrar e sair direto no mar?

– Lá embaixo. Uma enseada escondida embaixo do rochedo, que aparece apenas quando a maré está baixa. – Mas Connington não tinha nenhuma intenção de "deixá-los vir". Poleiro do Grifo era fortificado mas pequeno, e, enquanto estivessem sentados ali, poderiam ser vistos como pequenos também. Mas havia outro castelo por perto, muito maior e inexpugnável. *Tome-o, e o reino se abalará.* – Deve me desculpar, capitão-general. O senhor meu pai está enterrado sob o septo, e já faz muito tempo desde a última vez que rezei para ele.

– É claro, meu senhor.

Mesmo depois que eles partiram, Jon Connington não foi para o septo. Em vez disso, seus passos o levaram ao topo da torre oriental, a mais alta de Poleiro do Grifo. Enquanto subia, lembrava-se de ascensões passadas – uma centena com o senhor seu pai, que gostava de ficar parado ali, olhando os bosques, o rochedo e o mar, e saber que tudo aquilo pertencia à Casa Connington, e uma (apenas uma!) com Rhaegar Targaryen. O Príncipe Rhaegar estava voltando de Dorne, e ele e sua comitiva haviam permanecido ali por uma quinzena. *Ele era tão jovem, então, e eu era mais jovem ainda. Meninos, nós dois.* No banquete de boas-vindas, o príncipe pegara sua harpa de cordas prateadas e tocara para eles. *Uma canção de amor e perdição,* Jon Connington se lembrou, *e toda mulher no salão chorava quando ele abaixou a harpa.* Não os homens, é claro. Particularmente não seu pai, cujo único amor era a terra. Lorde Armond Connington passou a noite toda tentando conquistar o príncipe para seu lado na disputa com Lorde Morrigen.

A porta do telhado da torre estava tão emperrada que era claro que ninguém a abria havia anos. Ele teve que colocar o ombro para forçá-la. Mas, quando Jon Connington andou até as altas ameias, a visão era tão inebriante quanto se lembrava: o rochedo, com suas pedras escavadas pelo vento e picos irregulares, o mar, embaixo, rugindo e se agitando aos pés do castelo como um animal sem descanso, quilômetros sem fim de céu e nuvens, o bosque com suas cores outonais.

– As terras de seu pai são bonitas – o Príncipe Rhaegar dissera, parado bem ali onde Jon estava agora. E o garoto que ele fora respondera:

– Um dia serão minhas. – *Como se isso pudesse impressionar um príncipe que era herdeiro do reino inteiro, da Árvore até a Muralha.*

Poleiro do Grifo havia sido dele, finalmente, mesmo que por alguns poucos anos. Desse lugar, Jon Connington havia governado amplas terras que se estendiam por muitos quilômetros a oeste, norte e sul, do mesmo jeito que seu pai e o pai de seu pai antes dele. Mas seu pai e o pai de seu pai não haviam perdido suas terras. Ele, sim. *Eu me levantei alto demais, amei demais, fui ousado demais. Tentei agarrar uma estrela, exagerei e caí.*

Depois da Batalha dos Sinos, quando Aerys Targaryen tirara seus títulos e o mandara para o exílio em um ataque louco de ingratidão e suspeita, as terras e o senhorio haviam permanecido com a Casa Connington, passando para seu primo, Sor Ronald, o homem que Jon tornara seu castelão quando partiu para Porto Real para servir ao Príncipe Rhaegar. Robert Baratheon completara a destruição dos grifos depois da guerra. O primo Ronald tivera permissão para manter seu castelo e seu assento, mas perdeu a senhoria, tornando-se meramente o Cavaleiro do Poleiro do Grifo, e nove décimos de suas terras foram tiradas dele e divididas entre senhores vizinhos que haviam apoiado a reivindicação de Robert.

Ronald Connington morrera havia alguns anos. O atual Cavaleiro do Poleiro do Grifo era seu filho Ronnet, que estava fora, na guerra no Tridente. Fora melhor assim. Na experiência de Jon Connington, homens podiam lutar por coisas que sentiam serem deles, mesmo coisas que ganharam por roubo. Não apreciava a ideia de celebrar seu retorno matando um de seus próprios parentes. O pai de Ronnet Vermelho fora rápido em levar vantagem na queda do senhor seu primo, era verdade, mas o filho ainda era uma criança nessa época. Jon Connington nem mesmo odiava o falecido Sor Ronald tanto quanto deveria. A culpa fora dele.

Ele perdera tudo no Septo de Pedra, com sua arrogância.

Robert Baratheon se escondera em algum lugar da vila, ferido e sozinho. Jon Connington soubera disso, e também sabia que a cabeça de Robert na ponta de uma lança colocaria um fim à rebelião de uma vez por todas. Ele era jovem e cheio de orgulho. Por que não? O Rei Aerys o nomeara Mão e lhe dera um exército, e ele pretendia se provar digno daquela confiança, do amor de Rhaegar. Mataria o lorde rebelde com suas mãos e conquistaria um lugar em todas as histórias dos Sete Reinos.

Então seguira para o Septo de Pedra, fechara a vila e começara a busca. Seus cavaleiros foram de casa em casa, derrubando cada porta, entrando em cada adega. Até enviara homens para rastejar nos esgotos, mas, de algum modo, Robert ainda lhe escapava. Os moradores da cidade o estavam *escondendo*. Eles o mudavam de um local secreto para outro, sempre um passo adiante dos homens do rei. A vila inteira era um ninho de traidores. No final, esconderam o usurpador em um bordel. Que tipo de rei era esse que se escondia atrás da saia das mulheres? No entanto, enquanto a procura se arrastava, Eddard Stark e Hoster Tully caíram sobre a vila com um exército rebelde. Sinos e batalha se seguiram, e Robert saíra do bordel com uma lâmina na mão e quase matara Jon nos degraus do velho septo que dava nome ao local.

Durante os anos seguintes, Jon Connington dissera a si mesmo que não era culpado, que havia feito tudo o que um homem podia fazer. Seus soldados procuraram em cada buraco e casebre, ele oferecera perdão e recompensas, pegara reféns, pendurara-os em gaiolas de corvos e jurara que nenhum deles teria comida ou bebida até que Robert fosse entregue a ele. Tudo em vão.

– Nem o próprio Tywin Lannister teria feito mais – insistira, uma noite, para Coração Negro, durante seu primeiro ano no exílio.

– É aí que você se engana – Myles Toyne respondera. – Lorde Tywin não teria se incomodado com uma busca. Teria queimado a vila e toda criatura viva nela. Homens e meninos, bebês de peito, cavaleiros nobres e septões santos, porcos e putas, ratos e rebeldes, teria queimado todos. Quando o fogo se apagasse e restassem apenas cinzas, ele teria enviado seus homens para encontrar os ossos de Robert Baratheon. Mais tarde, quando Stark e Tully aparecessem com suas tropas, teria oferecido perdão para os dois, e eles teriam aceitado e voltado para casa com o rabo entre as pernas.

Ele não estava errado, Jon Connington refletiu, inclinando-se sobre as ameias de seus antepassados. *Eu queria a glória de matar Robert em um combate singular, e não ser chamado de açougueiro. Então Robert escapou de mim e matou Rhaegar no Tridente.*

– Falhei com o pai – disse –, mas não falharei com o filho.

Quando Connington desceu, seus homens haviam reunido a guarnição do castelo e os camponeses no pátio. Embora Sor Ronnet estivesse, de fato, em algum lugar ao norte com Jaime Lannister, o Poleiro do Grifo não estava completamente desprovido de grifos. Entre os prisioneiros estavam o irmão mais novo de Ronnet, Raymund, sua irmã Alynne e seu filho natural, um menino feroz de cabelos vermelhos chamado Ronald Storm. Todos dariam reféns úteis, se e quando Ronnet Vermelho voltasse para tentar retomar o castelo que seu pai roubara. Connington ordenou que fossem confinados na torre oeste, sob guarda. A garota começou a chorar, e o menino bastardo tentou morder o lanceiro mais próximo.

– Parem com isso, vocês dois! – Connington ralhou com eles. – Nada de mau acontecerá com nenhum de vocês, a menos que Ronnet Vermelho prove ser um completo idiota.

Apenas alguns cativos tinham estado em serviço ali quando Jon Connington deixara de ser senhor: um oficial grisalho, cego de um olho; duas lavadeiras; um cavalariço que apenas se iniciava no ofício durante a Rebelião de Robert; o cozinheiro, que ficara enormemente gordo; o armeiro do castelo. Griff deixara a barba crescer durante a viagem, pela primeira vez em muitos anos, e, para sua surpresa, ainda estava em grande parte vermelha, embora aqui e ali o cinza se mostrasse entre o fogo. Vestido com uma longa túnica vermelha e branca bordada com os grifos gêmeos de sua Casa, de cores invertidas e combatentes, ele parecia uma versão mais velha e mais severa do jovem senhor que havia sido amigo e companheiro do Príncipe Rhaegar... mas os homens e mulheres de Poleiro do Grifo ainda olhavam para ele como para um estranho.

– Alguns de vocês me reconhecerão – disse para eles. – O restante aprenderá. Sou seu senhor legítimo, retornado do exílio. Meus inimigos disseram para vocês que eu estava morto. Essas histórias são falsas, como podem ver. Sirvam-me fielmente como serviram meu primo, e nenhum mal precisará cair sobre vocês.

Trouxe-os para a frente, um a um, perguntou a cada homem seu nome, então ofereceu-lhes que se ajoelhassem e jurassem fidelidade. Tudo correu rapidamente. Os soldados da guarnição – apenas quatro haviam sobrevivido ao ataque, o velho oficial e três garotos – depositaram as espadas aos seus pés. Ninguém hesitou. Ninguém morreu.

Naquela noite, no grande salão, os vitoriosos se banquetearam com carnes assadas e peixes recém-pescados, tudo empurrado para baixo com ricos vinhos vermelhos das adegas do castelo. Jon Connington presidiu da Cadeira do Grifo, partilhando a mesa principal com Harry Sem-Teto Strickland, Balaq Negro e Franklyn Flowers, e os três jovens grifos que capturara. As crianças eram do seu sangue, e ele sentia que devia conhecê-las, mas, quando o menino bastardo anunciou "Meu pai vai matar você", decidiu que já os conhecera o suficiente, ordenou que voltassem para suas celas e pediu licença.

Meiomeistre Haldon esteve ausente do banquete. Lorde Jon o encontrou na torre do meistre, inclinado sobre uma pilha de pergaminhos, com mapas espalhados ao redor.

– Esperando determinar onde o resto da companhia pode estar? – Connington perguntou para ele.

– Faria se pudesse, meu senhor.

Dez mil homens haviam zarpado de Volon Therys, com todas as suas armas, cavalos e elefantes. Nem metade daquele número havia aparecido em Westeros, no lugar combinado de chegada, ou perto dele, um trecho deserto da costa na extremidade de Matabruma... terras que Jon Connington conhecia bem, já que uma vez haviam sido dele.

Apenas alguns anos antes, não ousaria tentar uma atracagem em Cabo da Fúria; os senhores da tempestade eram ferozmente leais à Casa Baratheon e ao Rei Robert. Mas com Robert e seu irmão Renly mortos, tudo estava mudado. Stannis era um homem muito duro e frio para inspirar esse tipo de lealdade, mesmo se não estivesse a meio mundo de distância, e as terras da tempestade tinham poucas razões para amar a Casa Lannister. E Jon Connington não estava sem seus próprios amigos ali. *Alguns dos velhos senhores ainda se lembrarão de mim, e seus filhos terão ouvido as histórias. E todos conhecerão Rhaegar e seu jovem filho, cuja cabeça foi esmagada contra uma fria parede de pedra.*

Felizmente, seu próprio navio fora um dos primeiros a alcançar seu destino. Então fora apenas uma questão de estabelecer o local do acampamento, reunir os homens conforme chegavam a terra firme, e mover-se rapidamente, antes que os fidalgotes locais tivessem alguma noção do perigo. E então a Companhia Dourada provou seu caráter. O caos que inevitavelmente teria atrasado a marcha com uma tropa apressadamente reunida de cavaleiros de companhias e recrutas locais simplesmente não existiu. Esses homens eram os herdeiros de Açoamargo, e a disciplina era como leite materno para eles.

– Amanhã, neste horário, devemos ter tomado três castelos – disse Connington. A força que tomara Poleiro do Grifo representava um quarto das forças disponíveis; Sor Tristan Rivers partira simultaneamente para a sede da Casa Morrigen, no Ninho de Corvo, e Laswell Peake para Casais de Chuva, a fortaleza dos Wylde, cada um com uma força de tamanho equivalente. O restante dos homens havia permanecido no acampamento para guardar o local de chegada e o príncipe, sob o comando do tesoureiro volantino da companhia, Gorys Edoryen. O número deles ainda continuaria a aumentar, esperavam; mais navios apareciam a cada dia. – Ainda temos poucos cavalos.

– E nenhum elefante – o Meiomeistre o recordou. Nenhuma das grandes cocas carregando os elefantes havia chegado ainda. Haviam sido vistas pela última vez em Lyz, antes da tempestade que dispersara metade da frota. – Cavalos podem ser encontrados em Westeros. Elefantes...

– ... não importam. – As grandes bestas seriam úteis em uma batalha campal, sem dúvida, mas levaria algum tempo antes de terem força para enfrentar o inimigo em campo. – Esses pergaminhos disseram algo de útil?

– Oh, muito e ainda mais, meu senhor. – Haldon lhe deu um sorriso. – Os Lannister fazem inimigos facilmente, mas não parecem perder tempo mantendo amizades. Sua aliança com os Tyrell está desgastada, a julgar pelo que li aqui. A Rainha Cersei e a Rainha Margaery lutam pelo pequeno rei como duas cadelas por um osso de galinha, e ambas foram acusadas de traição e devassidão. Mace Tyrell abandonou o cerco em Ponta Tempestade para marchar de volta a Porto Real e salvar sua filha, deixando apenas uma força simbólica para trás para manter os homens de Stannis encurralados dentro do castelo.

Connington se sentou.

– Conte-me mais.

– No Norte, os Lannister estão na dependência dos Bolton e, no Tridente, dos Frey, as duas casas há muito conhecidas por sua traição e crueldade. Lorde Stannis continua em rebelião aberta, e os homens de ferro das ilhas também declararam um rei. Ninguém nem menciona o Vale, o que me sugere que os Arryn não tomaram partido em nada disso.

– E Dorne? – O Vale estava muito longe; Dorne estava perto.

– O filho mais novo do Príncipe Doran foi prometido em casamento a Myrcella Baratheon, o que poderia sugerir que os dornenses se uniram à Casa Lannister, mas eles têm um exército no Caminho do Espinhaço e outro no Passo do Príncipe, apenas esperando...

– Esperando. – Ele franziu o cenho. – Pelo quê? – Sem Daenerys e seus dragões, Dorne era central para suas esperanças. – Escreva para Lançassolar. Doran Martell precisa saber que o filho de sua irmã ainda está vivo e veio para casa clamar o trono de seu pai.

– Como queira, meu senhor. – O Meiomeistre olhou para outro pergaminho. – Dificilmente teríamos cronometrado melhor nossa chegada. Temos amigos e aliados em potencial em cada mão.

– Mas não temos dragões – disse Jon Connington –, então, para ganhar esses aliados para a nossa causa, precisamos ter alguma coisa para oferecer a eles.

– Ouro e terra são os incentivos tradicionais.

– Quem dera tivéssemos ambos. Promessas de terras e promessas de ouro podem satisfazer alguns, mas Strickland e seus homens esperam reivindicar primeiro os melhores campos e castelos, aqueles que foram tirados de seus antepassados, quando fugiram para o exílio. Não.

– Meu senhor tem um prêmio para oferecer – Meiomeistre Haldon salientou. – A mão do Príncipe Aegon. Uma aliança nupcial, para trazer algumas grandes casas para nossos estandartes.

Uma noiva para nosso príncipe brilhante. Jon Connington se lembrava muito bem do casamento do Príncipe Rhaegar. *Elia nunca foi digna dele. Era muito frágil e doentia desde o início, e dar à luz só a deixou mais fraca.* Depois do nascimento da Princesa Rhaenys, a mãe dela ficara de cama por seis meses, e o nascimento do Príncipe Aegon quase fora sua morte. Ela não poderia ter mais filhos, os meistres disseram ao Príncipe Rhaegar, depois disso.

– Daenerys Targaryen ainda pode vir para casa um dia – Connington disse para o Meiomeistre. – Aegon deve estar livre para se casar com ela.

– Meu senhor sabe o que faz – disse Haldon. – Neste caso, poderíamos considerar oferecer aos nossos potenciais amigos um prêmio menor.

– O que sugere?

– Você. Você não é casado. Um grande senhor, ainda viril, sem nenhum herdeiro que não esses sobrinhos que acabamos de despojar, descendente de uma antiga casa com um bom castelo robusto e amplo, ricas terras que, sem dúvida, serão restauradas e talvez expandidas por um rei grato, uma vez que triunfemos. Você tem um nome como guerreiro, e como Mão do Rei Aegon falará com sua voz e governará o reino em seu nome. Penso que muitos senhores ambiciosos ficariam ansiosos em casar sua filha com tal homem. Mesmo, talvez, o príncipe de Dorne.

A resposta de Jon Connington foi um olhar longo e frio. Havia momentos em que o Meiomeistre o aborrecia quase tanto quanto o anão.

– Acho que não. – *A morte está subindo pelo meu braço. Nenhum homem deve saber, nem uma esposa.* Levantou-se. – Prepare a carta para o Príncipe Doran.

– Como meu senhor ordena.

Jon Connington dormiu naquela noite nos aposentos do senhor, na cama que certa vez havia sido de seu pai, sob um dossel empoeirado de veludo vermelho e branco. Despertou ao amanhecer, com o som da chuva que caía e a batida tímida de um servo na porta, ansioso para descobrir como seu novo senhor quebraria seu jejum.

– Ovos cozidos, pão frito e feijões. E um jarro de vinho. O pior vinho da adega.

– O... o *pior*, 'nhor?

– Você me ouviu.

Quando a comida e o vinho foram trazidos, ele trancou a porta, esvaziou o jarro em uma tigela e enfiou a mão dentro. Cataplasmas e banhos de vinagre eram o tratamento que a Senhora Lemore havia prescrito para o anão, quando ficou com medo que ele tivesse escamagris, mas pedir por um jarro de vinagre toda manhã entregaria o jogo. Vinho teria que servir, embora não visse sentido em desperdiçar uma boa safra. As unhas dos quatro dedos de sua mão estavam negras agora, mas o polegar ainda não. No dedo médio, o cinza havia subido até a segunda articulação. *Eu deveria cortá-lo fora*, pensou, *mas como explicar o dedo perdido?* Não se atrevia a deixar que o escamagris fosse conhecido. Por mais estranho que parecesse, homens que encaravam alegremente a batalha e o risco de morte para resgatar um companheiro abandonariam esse mesmo companheiro em um piscar de olhos se soubessem que ele tinha escamagris. *Eu deveria ter deixado o maldito anão se afogar*.

Mais tarde naquele dia, vestido e enluvado mais uma vez, Connington fez uma inspeção no castelo e enviou um recado para que Harry Sem-Teto Strickland e seis capitães se juntassem a ele para um conselho de guerra. Nove deles se reuniram no solar: Connington, Strickland, Meiomeistre Haldon, Balaq Negro, Sor Franklyn Flowers, Malo Jayn, Sor Brendel Byrne, Dick Cole e Lymond Pease. O Meiomeistre tinha boas novas.

– Notícias de Marq Mandrake chegaram ao acampamento. Os volantinos os deixaram em terra firme, no que acabou sendo Estermonte, com cerca de quinhentos homens. Tomaram Pedraverde.

Estermonte era uma ilha ao largo do Cabo da Fúria, e nunca fora um de seus objetivos.

– Os malditos volantinos estão tão ansiosos para se livrar de nós, que estão nos despejando em qualquer pedaço de terra que encontram – disse Franklyn Flowers. – Aposto que temos rapazes espalhados em metade de Passopedra também.

– Com meus elefantes – Harry Strickland disse, em um tom triste. Ele sentia falta de seus elefantes.

– Mandrake não tinha arqueiros com ele – disse Lymond Pease. – Sabemos se Pedraverde enviou algum corvo antes de cair?

– Imagino que sim – falou Jon Connington –, mas que mensagens levavam? Na melhor das hipóteses, relatos truncados de saqueadores do mar. – Ainda antes de zarparem de Volon Therys, havia instruído seus capitães a não mostrar nenhum estandarte durante os primeiros ataques: nem o dragão de três cabeças do Príncipe Aegon, nem seus próprios grifos, nem crânios e estandartes de batalha dourados da companhia. Que os Lannister suspeitassem de Stannis Baratheon, de piratas de Passopedra, de fora da lei das florestas, ou de quem quer que levasse a culpa. Se os relatos que chegassem a Porto Real fossem confusos e contraditórios, muito melhor. Quanto mais demorada fosse a reação do Trono de Ferro, mais tempo teriam para reunir forças e trazer aliados à sua causa. – Deve haver navios em Estermonte. *É* uma ilha. Haldon, mande instruções para Mandrake deixar uma guarnição para trás e trazer o resto dos homens para o Cabo da Fúria, juntamente com qualquer nobre cativo.

– Ao seu comando, meu senhor. A Casa Estermont tem laços de sangue com ambos os reis, na realidade. Bons reféns.

– Bons resgates – falou Harry Sem-Teto alegremente.

– Já é tempo de trazermos o Príncipe Aegon também – Lorde Jon anunciou. – Ele ficará mais seguro atrás das muralhas de Poleiro do Grifo do que no acampamento.

– Mandarei alguém buscá-lo – disse Franklyn Flowers –, mas o rapaz não vai gostar muito da ideia de ficar a salvo, digo desde já. Ele quer estar no meio da coisa.

Como todos nós na idade dele, Lorde Jon pensou, recordando-se.

– Chegou a hora de levantar seu estandarte? – perguntou Pease.

– Ainda não. Deixem Porto Real pensar que isto não é mais do que um lorde exilado voltando para casa com algumas espadas contratadas para reclamar seus direitos de nascimento. Uma velha história conhecida, essa. Eu até escreverei para o Rei Tommen, afirmando isso e pedindo perdão e a restauração das minhas terras e títulos. Isso dará algo para eles mastigarem por enquanto. E, enquanto vacilam, mandaremos cartas secretas para prováveis amigos nas Terras da Tempestade e na Campina. E para Dorne. – Esse era o passo crucial. Senhores menores poderiam se juntar à causa deles por medo de algum prejuízo ou por esperanças de ganhos, mas apenas o Príncipe de Dorne tinha poder para desafiar a Casa Lannister e seus aliados. – Acima de todos eles, devemos ter Doran Martell.

– Uma pequena chance disso acontecer – disse Strickland. – O dornense tem medo da própria sombra. Nada que se possa chamar de ousadia.

Não mais do que você.

– O Príncipe Doran é um homem cauteloso, isso é verdade. Nunca se juntará a nós, a menos que esteja convencido de que venceremos. Então, para persuadi-lo, temos que mostrar nossa força.

– Se Peake e Rivers tiverem êxito, controlaremos a maior parte do Cabo da Fúria – argumentou Strickland. – Quatro castelos em tão pouco tempo, isso é um começo esplêndido, mas ainda estamos apenas com metade da nossa força. Precisamos esperar o resto dos meus homens. Estamos sentindo falta dos cavalos, também, e dos elefantes. Esperar, eu digo. Reunir nosso poder, ganhar alguns senhores menores para nossa causa, deixar Lysono Maar enviar seus espiões para aprenderem tudo o que puderem aprender sobre nossos inimigos.

Connington deu ao gordo capitão-general um olhar frio. *Este homem não é Coração Negro, não é Açoamargo, não é Maelys. Ele esperaria até que os sete infernos congelassem, se pudesse, em vez de arriscar outro surto de bolhas.*

– Não atravessamos metade do mundo para esperar. Nossa melhor chance é atacar forte e rápido, antes que Porto Real saiba que estamos aqui. Pretendo tomar Ponta Tempestade. Uma fortaleza quase inexpugnável e o último ponto de apoio de Stannis Baratheon no Sul. Uma vez tomado, nos dará uma resistência segura para onde poderemos nos retirar em caso de necessidade, e conquistá-lo provará nossa força.

Os capitães da Companhia Dourada trocaram olhares.

– Se Ponta Tempestade ainda está na mão de homens leais a Stannis, estaremos tomando dele, não dos Lannister – objetou Brendel Byrne. – Por que não fazer causa comum com ele contra os Lannister?

– Stannis é irmão de Robert, da mesma laia que derrubou a Casa Targaryen – Jon Connington recordou-lhe. – Além disso, está a milhares de quilômetros de distância, com qualquer que seja a escassa força que comanda. O reino inteiro está entre nós. Levaria meio ano só para chegar até lá, e ele tem pouco e ainda menos para nos oferecer.

– Se Ponta Tempestade é tão inexpugnável, como pretende tomá-la? – perguntou Malo.

– Pela astúcia.

Harry Sem-Teto Strickland discordou.

– Devemos esperar.

– Esperaremos. – Jon Connington se levantou. – Dez dias. Não mais do que isso. Levará esse tempo para nos prepararmos. Na manhã do décimo primeiro dia, cavalgaremos para Ponta Tempestade.

O príncipe chegou para se juntar a eles quatro dias depois, cavalgando na frente de uma coluna de uma centena de cavalos, com três elefantes pesados na retaguarda. A Senhora Lemore estava com ele, vestida novamente com a túnica branca de septã. Adiante deles ia Sor Rolly Patodocampo, com um manto branco neve fluindo de seus ombros.

Um homem sólido e verdadeiro, Connington pensou enquanto via Pato desmontar, *mas não é digno da Guarda Real*. Fizera o possível para dissuadir o príncipe de dar aquele manto a Patodocampo, salientando que seria melhor reservar aquela honra para guerreiros de maior renome cuja fidelidade acrescentaria brilho à sua causa e para os filhos mais jovens de grandes senhores cujo apoio seria necessário na luta que se aproximava, mas o garoto não mudara de ideia.

– Pato morrerá por mim se for preciso – dissera –, e é tudo o que exijo da minha Guarda Real. O Regicida era um guerreiro de grande renome e filho de um grande senhor também.

Pelo menos consegui convencê-lo a deixar os outros seis postos em aberto, ou Pato poderia ter seis patinhos correndo atrás dele, cada um mais gritantemente adequado que o último.

– Escolte Sua Graça até meu solar – ordenou. – Imediatamente.

Mas o Príncipe Aegon Targaryen não era nem de perto tão dócil quanto o Jovem Griff havia sido. Boa parte de uma hora havia se passado antes que ele finalmente aparecesse no solar, com Pato ao seu lado.

– Lorde Connington – disse –, gostei do seu castelo.

"As terras do seu pai são bonitas", ele disse. Seu cabelo prateado agitava-se ao vento e seus olhos eram um púrpura profundo, mais escuros do que os desse garoto.

– Eu também, Vossa Graça. Por favor, sente-se. Sor Rolly, não precisaremos de você por enquanto.

– Não, eu quero que Pato fique. – O príncipe se sentou. – Estivemos conversando com Strickland e Flowers. Eles nos falaram sobre esse ataque a Ponta Tempestade que você está planejando.

Jon Connington não deixou transparecer sua ira.

– E Harry Sem-Teto tentou persuadi-lo a atrasar o plano?

– Tentou, na verdade – o príncipe disse –, mas não vou. Harry é uma solteirona, não é? Você tem razão nisso, meu senhor. Quero que o ataque vá em frente... com uma mudança. Pretendo liderá-lo.

O sacrifício

Na praça da vila, os homens da rainha construíam sua pira.

Ou seriam jardins de inverno? A neve estava na altura dos joelhos por todos os lados, exceto onde os homens a haviam tirado com pás, para abrir buracos no chão congelado com machados, espadas e picaretas. O vento soprava do oeste, levando ainda mais neve pela superfície congelada dos lagos.

– Você não quer ver isto – Aly Mormont disse.

– Não, mas verei. – Asha Greyjoy era a filha da lula gigante, não uma donzela mimada que não aguentava olhar a feiura.

Tinha sido um dia escuro, frio e pouco produtivo, como o dia anterior e o dia antes desse. Passaram a maior parte dele no gelo, tremendo ao lado de um par de buracos que haviam cortado no menor dos lagos congelados, com linhas de pesca enroladas em desajeitadas mãos enluvadas. Não muito tempo atrás, podiam contar um ou dois peixes pegos por pessoa, e os homens da Matadelobos, mais acostumados com a pesca no gelo, pegavam quatro ou cinco. Hoje, tudo o que Asha conseguira fora um frio de penetrar nos ossos. Aly não se saíra melhor. Fazia três dias que nenhuma das duas pegava um peixe.

A Mulher-Ursa tentou de novo.

– *Eu* não preciso ver isso.

Não é você a quem os homens da rainha querem queimar.

– Então, vá. Você tem minha palavra, não tentarei fugir. Para onde iria? Para Winterfell? – Asha riu. – São apenas três dias de cavalgada, me disseram.

Seis homens da rainha lutavam para colocar dois enormes postes de pinheiro em buracos que outros seis homens da rainha haviam cavado. Asha não teve que perguntar para que serviam. Ela sabia. *Estacas.* O anoitecer estaria sobre eles em breve, e o deus vermelho precisava ser alimentado. *Uma oferenda de sangue e fogo,* os homens da rainha chamavam, *para que o Senhor da Luz possa voltar seus olhos de fogo sobre nós e derreter estas neves três vezes amaldiçoadas.*

– Mesmo neste lugar de medo e escuridão, o Senhor da Luz nos protege – Sor Godry Farring disse para os homens que haviam se reunido para ver as estacas sendo marteladas dentro dos buracos.

– O que esse seu deus sulista tem a ver com a neve? – exigiu saber Artos Flint. Sua barba negra tinha uma crosta de gelo. – Isso é a ira dos antigos deuses sobre nós. É a eles que devemos agradar.

– Sim – disse Grande Balde Wull. – O Rahloo vermelho não significa nada aqui. Vocês apenas deixarão os antigos deuses mais zangados. Eles estão nos observando de sua ilha.

A vila de arrendatários estava entre dois lagos, o maior deles salpicado com pequenas ilhas arborizadas que saíam pelo gelo como punhos congelados de algum gigante afogado. Em uma dessas ilhas erguia-se um represeiro retorcido e antigo, seu tronco e galhos brancos como a neve ao redor. Oito dias atrás, Asha havia caminhado até lá com Aly Mormont e dera uma olhada de perto nos olhos vermelhos semicerrados e na boca sangrenta. *É apenas seiva,* dissera para si mesma, *a seiva vermelha que escorre de dentro desses represeiros.* Mas seus olhos não estavam convencidos; ver era acreditar, e o que via era sangue congelado.

– Vocês, nortenhos, trouxeram estas neves sobre nós – insistiu Corliss Penny. – Vocês e seus deuses demoníacos. R'hllor nos salvará.

– R'hllor nos condenará – disse Artos Flint.

Para o inferno com os deuses de todos vocês, pensou Asha Greyjoy.

Sor Godry, o Matador de Gigantes, supervisionava as estacas, empurrando uma para ter certeza de que estava colocada com firmeza.

– Bom. Bom. Servirão. Sor Clayton, traga o sacrifício.

Sor Clayton Suggs era o braço direito de Godry. *Ou seria seu braço atrofiado?* Asha não gostava de Sor Clayton. Onde Farring parecia feroz em sua devoção ao deus vermelho, Suggs era simplesmente cruel. Ela o vira nas fogueiras noturnas, olhando, os lábios entreabertos e os olhos ávidos. *Não é o deus que ele ama, são as chamas,* ela concluíra. Quando perguntou a Sor Justin se Suggs sempre fora assim, ele fez uma careta.

– Em Pedra do Dragão, ele apostava com os torturadores e os ajudava a interrogar os prisioneiros, especialmente se o prisioneiro fosse uma mulher jovem.

Asha não ficara surpresa. Suggs teria um prazer especial em queimá-la, não duvidava. *A menos que as tempestades parem.*

Estavam a três dias de Winterfell havia dezenove dias. *Quinhentos e cinquenta quilômetros de Bosque Profundo até Winterfell. Menos de quinhentos quilômetros no voo de um corvo.* Mas nenhum deles era corvo, e a tempestade era implacável. A cada manhã Asha acordava esperando poder ver o sol, apenas para encarar outro dia de neve. A tempestade havia enterrado cada cabana e casebre sob pilhas de neve suja, e os montes logo estariam profundos o suficiente para engolir o salão da vila.

E não havia comida, além dos cavalos que morriam, dos peixes pegos nos lagos (menos a cada dia) e qualquer outro escasso sustento que os forrageadores conseguissem encontrar nessas florestas frias e mortas. Com os cavaleiros do rei e os senhores exigindo para si a "parte do leão" da carne de cavalo, pouco e ainda menos restava para os homens comuns. Não era de se admirar, portanto, que tivessem começado a comer seus próprios mortos.

Asha ficara tão horrorizada quanto os demais quando a Mulher-Ursa lhe contou que quatro homens Peasebury haviam sido encontrados retalhando um dos homens do falecido Lorde Fell, pegando pedaços de carne de suas coxas e nádegas enquanto um de seus antebraços se transformara em espeto, mas não pudera fingir estar surpresa. Os quatro não eram os primeiros a provar carne humana durante essa marcha sinistra, podia apostar – apenas os primeiros a ser descobertos.

Os quatro Peasebury pagariam pelo banquete com suas vidas, por decisão do rei... e ao ser queimados acabariam com a tempestade, os homens da rainha afirmavam. Asha Greyjoy não colocava fé no deus vermelho, mas rezou para que tivessem razão. Senão haveria outras piras, e Sor Clayton Suggs poderia conseguir o que seu coração desejava.

Os quatro comedores de carne humana estavam nus quando Sor Clayton os trouxe, os punhos amarrados atrás das costas com tiras de couro. O mais jovem deles chorava enquanto tropeçava pela neve. Outros dois andavam como homens que já estavam mortos, olhos fixos no chão. Asha estava surpresa em ver como pareciam comuns. *Não são monstros*, percebeu, *apenas homens*.

O mais velho dos quatro era o oficial deles. Era o único que permanecia desafiador, cuspindo maldade nos homens da rainha enquanto o incitavam a seguir adiante com suas lanças.

– Fodam-se todos vocês, e foda-se seu deus vermelho também – disse. – Você me ouviu, Farring? *Matador de Gigantes?* Ri quando seu maldito primo morreu, Godry. Devíamos ter comido ele também, cheirava tão bem quando o assaram. Aposto que o garoto era saboroso de tenro. Suculento. – Uma pancada do cabo de uma lança fez o homem cair de joelhos, mas não o calou. Quando se ergueu, cuspiu um punhado de sangue e dentes quebrados e continuou. – O pau é a melhor parte, todo crocante no espeto. Uma gorda e pequena linguiça. – Mesmo quando colocaram as correntes em volta dele, ele seguiu vociferando. – Corliss Penny, venha aqui. Que tipo de nome é Penny? Uma moeda de valor baixo? É quanto sua mãe cobrava? E você, Suggs, seu maldito bastardo, você...

Sor Clayton não disse uma palavra. Um corte rápido abriu a garganta do oficial, mandando um jato de sangue para seu peito.

O rapaz que estava chorando chorou ainda mais, seu corpo sacudindo a cada soluço. Era tão magro que Asha podia contar cada costela.

– Não – ele implorou –, por favor, ele estava morto, estava morto e estávamos famintos, por favor...

– O oficial foi o mais inteligente – Asha disse para Aly Mormont. – Incitou Suggs a matá-lo. – Ela se perguntava se o mesmo truque funcionaria duas vezes, se sua vez chegasse.

Os quatro foram acorrentados de costas uns para os outros, dois em cada estaca. Ali foram suspensos, três homens vivos e um morto, enquanto os devotos do Senhor da Luz empilhavam lenha partida e galhos quebrados sob os pés deles, e então encharcaram as pilhas com óleo de lamparina. Tinham que ser rápidos com isso. A neve estava caindo mais pesada, como sempre, e a madeira logo estaria encharcada.

– Onde está o rei? – perguntou Sor Corliss Penny.

Havia quatro dias, um dos escudeiros do próprio rei sucumbira ao frio e à fome, um menino chamado Byren Farring, que fora parente de Sor Godry. Stannis Baratheon permanecera com o rosto triste ao lado da pira funerária, enquanto o corpo do rapaz era consumido pelas chamas. Depois, o rei se retirara para sua torre de vigia. Não saíra de lá desde esse dia... embora de tempos em tempos Sua Graça fosse visto sobre o telhado da torre, delineado contra o fogo do farol que queimava ali noite e dia. *Falando com o deus vermelho*, alguns diziam. *Chamando pela Senhora Melisandre*, insistiam outros. De qualquer modo, parecia para Asha Greyjoy que o rei estava perdido e gritando por ajuda.

– Canty, encontre o rei e diga-lhe que está tudo pronto – Sor Godry falou para o homem em armas mais próximo.

– O rei está aqui. – A voz era de Richard Horpe.

Sobre sua armadura de placas e cota de malha, Sor Richard vestia um gibão acolchoado, com o brasão de três borboletas-caveira em um campo de cinzas e ossos. O Rei Stannis caminhava ao seu lado. Atrás deles, lutando para manter o ritmo, Arnolf Karstark vinha mancando, apoiado em sua bengala de abrunheiro. Lorde Arnolf os encontrara havia oito noites. O nortenho trouxera um filho, três netos, quatrocentas lanças, dois grupos de arqueiros, uma dúzia de lanças montadas, um meistre e uma gaiola de corvos... mas provisões suficientes para sustentar apenas os seus.

Karstark não era um senhor verdadeiro, Asha tinha sido dada a entender, apenas o castelão de Karhold enquanto o verdadeiro senhor permanecesse cativo dos Lannister. Magro, curvado e torto, com o ombro esquerdo trinta centímetros mais alto do que o direito, ele tinha o pescoço descarnado, olhos cinzentos estrábicos e dentes amarelos. Alguns cabelos brancos eram tudo o que o separava da calvície total; sua barba bifurcada tinha partes iguais branca e cinza, mas sempre misturadas. Asha achava que havia algo azedo em seus sorrisos. No entanto, se as conversas fossem verdadeiras, seria Karstark quem ficaria com Winterfell se tomassem o castelo. Em algum lugar no passado distante, a Casa Karstark brotara da Casa Stark, e Lorde Arnolf fora o primeiro dos vassalos de Eddard Stark a se declarar por Stannis.

Tanto quanto Asha sabia, os deuses dos Karstark eram os antigos deuses do Norte, deuses que partilhavam com os Wull, os Norrey, os Flint e com todos os outros clãs das montanhas. Ela se perguntava se Lorde Arnolf viera ver a queima por ordem do rei, para que pudesse testemunhar o poder do deus vermelho.

À visão de Stannis, dois dos homens atados às estacas começaram a implorar por misericórdia. O rei ouviu em silêncio, sua mandíbula cerrada. Então disse para Godry Farring:

– Pode começar.

O Matador de Gigantes ergueu os braços.

– *Senhor da Luz, escute-nos.*

– *Senhor da Luz, defenda-nos* – os homens da rainha entoaram –, *pois a noite é escura e cheia de terrores.*

Sor Godry ergueu a cabeça em direção ao céu que escurecia.

– *Agradecemos pelo sol que nos aquece e oramos para que o devolva para nós, oh, senhor, que isso possa iluminar nosso caminho até nossos inimigos.* – Flocos de neve derretiam em seu rosto. – *Agradecemos pelas estrelas que nos vigiam à noite, e oramos para que rasgue este véu que as esconde, para que possamos nos regozijar à visão delas mais uma vez.*

– *Senhor da Luz, proteja-nos* – os homens da rainha rezaram – *e mantenha esta escuridão selvagem afastada.*

Sor Corliss Penny foi para a frente, segurando a tocha com as duas mãos. Balançou-a sobre a cabeça, em um círculo, atiçando as chamas. Um dos cativos começou a choramingar.

– *R'hllor* – Sor Godry entoou –, *nós lhe damos quatro homens maus. Com corações felizes e verdadeiros, nós os entregamos para suas chamas purificadoras, para que a escuridão de suas almas possam ser queimadas. Deixe sua carne vil ser cauterizada e enegrecida, para que os espíritos deles possam se erguer livres e puros para ascender até a luz. Aceite seu sangue, oh, senhor, e derreta as correntes geladas que prendem seus servos. Ouça a dor deles, e conceda força às nossas espadas, para que possamos derramar o sangue de nossos inimigos. Aceite este sacrifício e nos mostre o caminho para Winterfell, para que possamos vencer os infiéis.*

– *Senhor da Luz, aceite este sacrifício* – uma centena de vozes ecoou. Sor Corliss acendeu a primeira pira com a tocha, então a levou para a madeira na base da segunda. Alguns tufos de fumaça começaram a subir. Os cativos começaram a tossir. As primeiras chamas apareceram, tímidas como donzelas, correndo e dançando da lenha para as pernas. Em alguns momentos, as duas estacas ficavam mergulhadas no fogo.

– *Ele estava morto* – o garoto chorão gritava, enquanto as chamas lambiam suas pernas. – Nós o encontramos morto... por favor... estávamos com fome... – As chamas alcançaram suas bolas. Quando os pelos em volta de seu pau começaram a queimar, sua súplica se dissolveu em um longo grito sem palavras.

Asha Greyjoy podia sentir a bile no fundo da garganta. Nas Ilhas de Ferro, vira sacerdotes de seu próprio povo cortar as gargantas de escravos e dar seus corpos para o mar em honra ao Deus Afogado. Brutal, mas isso era pior.

Feche os olhos, disse para si mesma. *Feche os olhos. Vire-se. Você não precisa ver isso.* Os homens da rainha cantavam algum hino de louvor ao vermelho R'hllor, mas ela não conseguia ouvir as palavras, abafadas pelos gritos. O calor das chamas batia contra seu rosto, mas mesmo assim ela estremeceu. O ar ficava mais pesado com a fumaça e o fedor de carne queimada, e um dos corpos ainda se contorcia contra as correntes incandescentes que o prendiam à estaca.

Depois de um tempo, os gritos pararam.

Sem uma palavra, o Rei Stannis foi embora, de volta à solidão da sua torre de vigia. *De volta ao fogo do farol,* Asha sabia, *para buscar respostas nas chamas.* Arnolf Karstark começou a mancar atrás dele, mas Sor Richard Horpe o pegou pelo braço e o levou em direção ao salão da vila. Os observadores começaram a se afastar, cada um para sua própria fogueira e para qualquer ceia escassa que conseguissem encontrar.

Clayton Suggs esgueirou-se ao lado dela.

– A boceta de ferro gostou do espetáculo? – Seu hálito fedia a cerveja e cebolas. *Ele tem olhos de porco,* Asha pensou. Isso era apropriado: seu escudo e túnica mostravam um porco com asas. Suggs aproximou o rosto tão perto do dela, que ela pôde contar os pontos negros em seu nariz, e disse: – A multidão será ainda maior quando for você se contorcendo na estaca.

Ele não estava errado. Os lobos não a amavam; ela era uma mulher de ferro e devia responder pelos crimes de seu povo, por Fosso Cailin, Bosque Profundo e Praça Torrhen, por séculos de saques na Costa Rochosa, por tudo o que Theon fizera em Winterfell.

– Solte-me, sor. – Todas as vezes que Suggs falava com ela, deixava-a ansiosa por seus machados. Asha era uma dançarina de dedos tão boa quanto qualquer homem das ilhas, e tinha dez dedos para provar. *Se eu pudesse dançar com esse aí.* Alguns homens tinham rostos que gritavam por uma barba. O rosto de Sor Clayton gritava por um machado entre os olhos. Mas ela estava sem machados aqui, então o melhor que podia fazer era tentar se contorcer para escapar. Isso só fez Sor Clayton agarrá-la com mais força, os dedos enluvados entrando em seu braço como garras de ferro.

– Minha senhora pediu que a soltasse – disse Aly Mormont. – Seria bom escutar, sor. A Senhora Asha não será queimada.

– Ela será – insistiu Suggs. – Já abrigamos essa adoradora do demônio entre nós por muito tempo. – Mesmo assim, soltou o aperto no braço de Asha. Ninguém provocaria a Mulher-Urso sem necessidade.

Esse foi o momento que Justin Massey escolheu para aparecer.

– O rei tem outros planos para seu prêmio cativo – disse, com seu sorriso fácil. Suas bochechas estavam vermelhas de frio.

– O rei? Ou você? – Suggs bufou de desprezo. – Planeje o que quiser, Massey. Ela ainda irá para o fogo, ela e seu sangue real. Há poder no sangue de um rei, a mulher vermelha costumava dizer. Poder para agradar nosso senhor.

– Deixe R'hllor se contentar com os quatro que acabamos de mandar para ele.

– Quatro rústicos de baixo nascimento. Uma oferta de pedinte. Escória como essa nunca parará a neve. Ela pode.

A Mulher-Ursa falou.

– E se você a queimar e a neve continuar a cair, e então? Quem queimará em seguida? Eu?

Asha não pôde segurar a língua.

– Por que não Sor Clayton? Talvez R'hllor goste de um dos seus. Um homem de fé que entoe suas orações enquanto as chamas lambem seu pau.

Sor Justin riu. Suggs achou menos graça.

– Aproveite suas risadinhas, Massey. Se a neve continuar a cair, veremos quem vai rir por último. – Olhou para os homens mortos nas estacas, sorriu e foi se juntar a Sor Godry e os outros homens da rainha.

– Meu campeão – Asha disse para Justin Massey. Ele merecia aquilo, quaisquer que fossem seus motivos. – Obrigada pelo salvamento, sor.

– Isso não lhe trará amigos entre os homens da rainha – falou a Mulher-Ursa. – Perdeu sua fé no vermelho R'hllor?

– Perdi a fé em mais do que isso – Massey falou, sua respiração uma névoa clara no ar –, mas ainda acredito na ceia. Se juntarão a mim, minhas senhoras?

Aly Mormont sacudiu a cabeça.

– Não tenho fome.

– Nem eu. Mas faria bem em engolir um pouco de carne de cavalo mesmo assim, ou em breve poderá desejar ter feito isso. Tínhamos oitocentos cavalos quando marchamos de Bosque Profundo. Na noite passada, a contagem foi de sessenta e quatro.

Aquilo não a chocou. Quase todos os grandes corcéis de batalha haviam caído, incluindo o do próprio Massey. A maioria dos palafréns se fora também. Até mesmo os garranos dos nortenhos vacilavam pela falta de forragem. Mas para que precisavam de cavalos? Stannis já não marchava para lugar algum. O sol, a lua e as estrelas haviam partido havia tanto tempo que Asha começava a se perguntar se sonhara com eles.

– Eu comerei.

Aly sacudiu a cabeça.

– Eu não.

– Deixe-me cuidar da Senhora Asha, então – Sor Justin falou para ela. – Tem minha palavra, não permitirei que fuja.

A Mulher-Ursa deu um consentimento relutante, surda à galhofa no tom de voz dele. Separaram-se ali, Aly para sua tenda, ela e Justin Massey para o salão da vila. Não era longe, mas os montes eram profundos, o vento estava forte e os pés de Asha eram blocos de gelo. Seu tornozelo a esfaqueava a cada passo.

Apesar de pequeno e pobre, o salão era a maior construção da vila, então os senhores e capitães o tomaram para si, enquanto Stannis se estabelecera na torre de vigia de pedra às margens do lago. Duas sentinelas flanqueavam a porta, inclinadas em altas lanças. Uma delas levantou a aba da porta engordurada para Massey, e Sor Justin escoltou Asha para o abençoado calor de dentro.

Bancos e mesas de cavaletes corriam por todos os lados do salão, com espaço para cinquenta homens... embora duas vezes aquele número estivesse se espremendo lá dentro. Uma trincheira de fogo havia sido cavada no meio do chão de terra, com uma fileira de buracos para a fumaça no teto acima. Os lobos sentavam-se em um lado da trincheira, os cavaleiros e senhores sulistas do outro.

Os sulistas pareciam tristes, Asha pensou – magros, com os rostos encovados, alguns pálidos e doentes, outros com as faces vermelhas e polidas pelo vento. Em contraste, os nortenhos pareciam robustos e saudáveis, grandes homens corados com barbas grossas como arbustos, vestidos com pele e ferro. Podiam estar com frio e famintos também, mas a marcha fora muito mais fácil para eles, com seus garranos e suas patas de urso.

Asha tirou as luvas de pele, estremecendo quando flexionou os dedos. Dores subiram por suas pernas quando os pés semicongelados começaram a derreter. Os arrendatários deixaram um bom suprimento de turfa quando fugiram, então o ar estava nebuloso com a fumaça e com cheiro rico e terroso de relva queimando. Ela pendurou o manto em um gancho do lado de dentro da porta, depois de sacudi-lo para tirar a neve.

Sor Justin encontrou lugares no banco e buscou a ceia para ambos – cerveja e pedaços tostados de carne de cavalo, negros por fora e vermelhos por dentro. Asha tomou um gole de cerveja e caiu sobre a carne de cavalo. A porção era menor do que a última que comera, mas sua barriga roncava só com o cheiro.

– Meus agradecimentos, sor – disse, enquanto sangue e gordura escorriam pelo queixo.

– Justin. Insisto. – Massey cortou sua própria carne em pedaços menores, e apanhou um com a ponta da adaga.

Na outra ponta da mesa, Will Foxglove estava dizendo aos homens ao seu redor que Stannis retomaria a marcha para Winterfell em três dias. Ouvira isso da boca de um dos cavalariços que cuidavam dos cavalos do rei.

– Sua Graça vê a vitória em suas chamas – Foxglove falou –, uma vitória que será cantada por mil anos, tanto nos castelos dos senhores quanto nos casebres dos camponeses.

Justin Massey ergueu os olhos de sua carne de cavalo.

– A contagem do frio da noite passada chegou a oitenta. – Puxou um pedaço de cartilagem dos dentes e jogou para o cachorro mais próximo. – Se marcharmos, morreremos às centenas.

– Morreremos aos milhares se ficarmos aqui – replicou Sor Humfrey Clifton. – Vá em frente ou morra, digo.

– Vá em frente e morra, eu respondo. E se chegarmos a Winterfell, e então? Como vamos tomar o castelo? Metade de nossos homens está tão fraca que mal consegue colocar um pé na frente do outro. Vai mandá-los escalar as muralhas? Construir torres de cerco?

– Devemos ficar aqui até que o tempo melhore – disse Sor Ormund Wylde, um velho cavaleiro cadavérico. Asha ouvira rumores de que alguns homens em armas estavam apostando em qual dos grandes cavaleiros e senhores seria o próximo a morrer. Sor Ormund aparecia como um claro favorito. *E quanto dinheiro foi colocado em mim, me pergunto?* Asha pensou. *Talvez ainda dê tempo de apostar alguma coisa.* – Aqui, ao menos, temos algum abrigo – Wylde estava insistindo –, e há peixes nos lagos.

– Peixe de menos para pescadores demais – Lorde Peasebury disse, melancolicamente. Ele tinha boas razões para a tristeza; foram seus homens que Sor Godry acabara de queimar, e alguns naquele salão haviam dito que o próprio Peasebury certamente sabia o que estavam fazendo, e talvez até tivesse participado de seus banquetes.

– Ele não está errado – resmungou Ned da Mata, um dos batedores de Bosque Profundo. Ned Sem-Nariz, era chamado; o congelamento reivindicara a ponta de seu nariz havia dois invernos. Da Mata conhecia a Matadelobos melhor do que qualquer homem vivo. Mesmo o mais orgulhoso senhor do rei aprendera a ouvir quando ele falava. – Conheço os lagos. Vocês estiveram neles como vermes em um cadáver, centenas de vocês. Cortaram tantos buracos no gelo que é inacreditável que não tenham caído dentro deles. Saindo da ilha, há lugares que parecem queijo por onde passaram ratos. – Abanou a cabeça. – Os lagos já eram. Vocês pescaram tudo.

– Mais motivos para marcharmos – insistiu Humfrey Clifton. – Se a morte é nosso destino, vamos morrer com a espada nas mãos.

Era o mesmo argumento da noite passada e da noite antes dessa. *Ir em frente e morrer, ficar aqui e morrer, cair e morrer.*

– Sinta-se livre para morrer como quiser, Humfrey – disse Justin Massey. – Eu, pessoalmente, prefiro viver para ver outra primavera.

– Alguns poderiam chamar isso de covardia – Lorde Peasebury replicou.

– Melhor um covarde do que um canibal.

O rosto de Peasebury se contorceu em repentina fúria.

– Seu...

– A morte é parte da guerra, Justin. – Sor Richard Horpe estava em pé ao lado da porta, seu cabelo escuro molhado com neve derretida. – Aqueles que marcharem conosco terão uma parte em toda a pilhagem que conseguirmos de Bolton e seu bastardo, e uma fatia ainda maior de glória imortal. Aqueles fracos demais para marchar devem cuidar de si mesmos. Mas, têm minha palavra, enviaremos comida assim que tomarmos Winterfell.

– *Vocês não tomarão Winterfell!*

– Sim, tomaremos – veio uma gargalhada da mesa principal, onde Arnolf Karstark sentava-se com seu filho Arthor e três netos. Lorde Arnolf levantou-se, um abutre erguendo-se sobre a presa. Uma mão manchada agarrava o ombro do filho como apoio. – Tomaremos por Ned e por sua filha. Sim, e pelo Jovem Lobo também, que foi tão cruelmente assassinado. Eu e os meus mostraremos o caminho, se for necessário. Já disse isso para Sua Boa Graça, o rei. *Marchemos*, eu disse, e antes da próxima lua estaremos todos nos banhando no sangue dos Frey e dos Bolton.

Homens começaram a bater os pés no chão e a martelar os punhos contra o tampo da mesa. Quase todos nortenhos, Asha notou. Do outro lado da trincheira de fogo, os senhores sulistas sentavam-se silenciosos em seus bancos.

Justin Massey esperou que o tumulto parasse. Então falou:

– Sua coragem é admirável, Lorde Karstark, mas coragem não vai abrir brechas nas muralhas de Winterfell. Como pretende tomar o castelo, se pode dizer? Com bolas de neve?

Um dos netos de Lorde Arnolf deu a resposta.

– Derrubaremos árvores para fazer aríetes e arrebentar os portões.

– E morreremos.

Outro neto se fez ouvir.

– Faremos escadas e escalaremos as muralhas.

– E morreremos.

Até Arthor Karstark, o filho mais novo de Lorde Arnolf, falou:

– Ergueremos torres de cerco.

– E morreremos, e morreremos, e morreremos. – Sor Justin revirou os olhos. – Que os deuses sejam bons, todos vocês Karstark são loucos?

– *Deuses?* – disse Richard Horpe. – Você se esquece, Justin. Temos apenas um deus aqui. Não fale de demônios nesta companhia. Apenas o Senhor da Luz pode nos salvar agora. Não concorda? – Colocou a mão no punho da espada, como se enfatizasse, mas seus olhos não deixaram o rosto de Justin Massey.

Sob esse olhar, Sor Justin se encolheu.

– O Senhor da Luz, sim. Minha fé é tão profunda quanto a sua, Richard, você sabe disso.

– É sua coragem que questiono, Justin, não sua fé. Você pregou a derrota a cada passo do caminho desde que cavalgamos de Bosque Profundo. Isso me faz questionar de que lado você está.

Um rubor subiu pelo pescoço de Massey.

– Não ficarei aqui para ser insultado. – Agarrou seu manto úmido da parede com tanta força que Asha ouviu-o rasgar, então passou por Horpe e saiu pela porta. Uma rajada de ar frio soprou pelo salão, levantando cinzas da trincheira de fogo e atiçando um pouco mais suas chamas.

Quebrado rápido assim, pensou Asha. *Meu campeão é feito de sebo.* Mesmo assim, Sor Justin era um dos poucos que podia fazer alguma objeção se os homens da rainha tentassem queimá-la. Então ela se levantou, vestiu o próprio manto e o seguiu pela nevasca.

Estava perdida antes de percorrer dez metros. Asha podia ver o fogo do farol queimando no topo da torre de vigia, um tênue brilho laranja flutuando no ar. Todo o resto da vila se fora. Estava sozinha em um mundo branco de neve e silêncio, passando por montes de neve tão altos quanto suas coxas.

– *Justin?* – chamou. Não houve resposta. Em algum lugar à sua esquerda, ouviu um cavalo relinchando. *O pobrezinho parece assustado. Talvez saiba que será a ceia de amanhã.* Asha apertou o manto contra o corpo.

Tropeçou de volta para a praça da vila sem perceber. As estacas de pinheiro ainda estavam lá, queimadas e carbonizadas, mas não destruídas pelo fogo. As correntes dos mortos haviam esfriado, ela viu, mas ainda prendiam os cadáveres em seu abraço de ferro. Um corvo estava empoleirado sobre um deles, arrancando nacos de carne queimada que se agarravam ao crânio enegrecido. A neve cobrira as cinzas na base da pira e subira pela perna do morto até a altura do tornozelo. *Os antigos deuses pretendem enterrá-lo,* Asha pensou. *Isso não é trabalho deles.*

– Dê uma boa olhada, boceta – a voz profunda de Clayton Suggs disse, atrás dela. – Você parecerá tão bonita quanto eles, quando estiver assada. Diga-me, as lulas são capazes de gritar?

Deus dos meus pais, se pode me ouvir em seus salões molhados sob as ondas, dê-me apenas um machado de arremesso pequeno. O Deus Afogado não respondeu. Ele raramente respondia. Esse era o problema dos deuses.

– Viu Sor Justin?

– Aquele tolo empinado? O que quer com ele, boceta? Se precisa de uma foda, sou mais homem do que Massey.

Boceta de novo? Era estranho como homens como Suggs usavam aquela palavra para humilhar as mulheres, quando era a única parte de uma mulher que valorizavam. E Suggs era pior do que Liddle do Meio. *Quando ele falou essa palavra, queria dizer isso.*

– Seu rei castra homens por estupro – ela o recordou.

Sor Clayton gargalhou.

– O rei está meio cego de encarar as chamas. Mas não tenha medo, boceta, não estuprarei você. Eu teria que matar você depois, e prefiro ver você queimar.

Aquele cavalo novamente.

– Ouviu isso?

– Ouvi o quê?

– Um cavalo. Não, cavalos. Mais do que um. – Ela virou a cabeça, ouvindo. A neve fazia coisas estranhas ao som. Era difícil saber de que direção vinha.

– Isso é algum jogo de lula? Não escuto... – Suggs fez uma careta. – Maldito inferno. Cavaleiros. – Ele se atrapalhou com seu cinturão, as mãos desajeitadas em suas luvas de pele e couro, até que finalmente conseguiu desembainhar sua espada longa.

Então os cavaleiros já estavam sobre eles.

Emergiram da tempestade como um bando de criaturas, grandes homens em pequenos cavalos, ainda maiores por causa das peles volumosas que usavam. Levavam espadas nos quadris, que cantavam sua suave canção de aço enquanto balançavam nas bainhas. Asha viu um machado de batalha amarrado à sela de um homem e um martelo de guerra nas costas de outro. Usavam escudos também, mas tão escondidos pela neve e pelo gelo que os braços sobre eles não podiam ser decifrados. Com todas as camadas de lã, pele e couro fervido que usava, Asha se sentia nua parada ali. *Um berrante*, pensou, *preciso de um berrante para despertar o acampamento.*

– Corra, sua boceta estúpida – Sor Clayton gritou. – Corra para avisar o rei. Lorde Bolton está sobre nós. – Ele podia ser grosseiro, mas não faltava coragem a Suggs. Espada na mão, caminhou pela neve, colocando-se entre os cavaleiros e a torre do rei, o farol brilhando atrás dele como o olho laranja de algum deus estranho. – Quem vem lá? Alto! *Alto!*

O cavaleiro que vinha na frente parou diante dele. Atrás vinham outros, talvez um grupo inteiro. Asha não teve tempo de contá-los. Centenas mais podiam estar lá fora, na tempestade, vindo logo em seus calcanhares. A tropa inteira de Roose Bolton podia estar descendo sobre eles, escondidos pela escuridão e pela neve. Esses, no entanto...

São muitos para ser batedores e poucos para ser uma vanguarda. E dois estavam completamente de negro. *A Patrulha da Noite*, percebeu, repentinamente.

– Quem são vocês? – ela perguntou.

– Amigos – uma voz meio familiar respondeu. – Procuramos por vocês em Winterfell, mas encontramos apenas o Papa Corvos Umber batendo tambores e soprando berrantes. Levou algum tempo para acharmos vocês. – O cavaleiro saltou de sua sela, abaixou o capuz e inclinou-se. Sua barba estava tão grossa e tão incrustada de gelo que, por um momento, Asha não o reconheceu. Então soube.

–*Tris?* – ela disse.

– Minha senhora. – Tristifer Botley ajoelhou-se. – O Donzel está aqui também. Roggon, Linguacruel, Dedos, Rook... seis de nós, todos os que tinham condições de cavalgar. Cromm morreu de seus ferimentos.

– O que é isso? – Sor Clayton Suggs exigiu saber. – Você é um dos dela? Como conseguiu escapar dos calabouços de Bosque Profundo?

Tris se levantou e limpou a neve dos joelhos.

– Sybelle Glover recebeu uma bela oferta de resgate pela nossa liberdade, e resolveu aceitá-la em nome do rei.

– Que resgate? Quem pagaria por essa escória do mar?

– Eu paguei, sor. – O homem que respondeu veio adiante com seu garrano. Era muito alto, muito magro, com pernas tão longas que era de se admirar que seus pés não arrastassem no chão. – Eu precisava de uma forte escolta para me trazer em segurança até o rei, e a Senhora Sybelle precisava de menos bocas para alimentar. – Um lenço cobria as feições do homem alto, mas sobre sua cabeça estava empoleirado o chapéu mais estranho que Asha já vira desde a última vez que navegara até Tyrosh, uma torre sem bordas de algum tecido macio, como três cilindros enfiados uns sobre os outros. – Fui dado a entender que poderia encontrar o Rei Stannis aqui. É muito urgente que eu fale com ele imediatamente.

– E quem, pelos sete malditos infernos, é você?

O homem alto deslizou graciosamente de seu garrano, tirou seu peculiar chapéu e fez uma mesura.

– Tenho a honra de ser Tycho Nestoris, um humilde servo do Banco de Ferro de Bravos.

De todas as coisas estranhas que podiam sair cavalgando pela noite, a última que Asha Greyjoy jamais esperara era um banqueiro bravosi. Era absurdo demais. Ela teve que rir.

– O Rei Stannis pegou a torre do vigia para si. Sor Clayton terá prazer em mostrá-la para você, tenho certeza.

– Isso seria muito gentil. Tempo é a essência. – O banqueiro a estudou com seus astutos olhos escuros. – Você é a Senhora Asha da Casa Greyjoy, a menos que eu esteja enganado.

– Sou Asha da Casa Greyjoy, sim. As opiniões diferem a respeito de eu ser uma senhora.

O bravosi sorriu.

– Trouxemos um presente para você. – Acenou para os homens atrás dele. – Esperávamos encontrar o rei em Winterfell. Essa mesma nevasca tomou conta do castelo, infelizmente. Sob suas muralhas, encontramos Mors Umber com uma tropa de meninos inexperientes, esperando pela chegada do rei. Ele nos deu isso.

Uma garota e um velho, Asha pensou, quando os dois foram rudemente jogados na neve diante dela. A garota tremia violentamente, mesmo em suas peles. Se não estivesse tão assustada, poderia até mesmo ser bonita, embora a ponta de seu nariz estivesse negra pelo congelamento. O velho... ninguém jamais pensaria em considerá-lo atraente. Ela vira espantalhos com mais carne. Seu rosto era uma caveira com pele, seu cabelo era branco e sujo. E *fedia*. Apenas a visão dele enchia Asha de repulsa.

Ele levantou os olhos.

– Irmã. Veja. Desta vez eu a reconheci.

O coração de Asha pulou no peito.

– *Theon?*

Os lábios dele se afastaram no que poderia ter sido um sorriso. Metade de seus dentes se foram, e metade daqueles que ainda tinha estavam quebrados ou lascados.

– Theon – ele repetiu. – Meu nome é Theon. Você tem que saber seu *nome*.

Victarion

O mar estava negro e a lua, prateada, quando a Frota de Ferro caiu sobre a presa. Eles a viram no estreito entre a Ilha de Cedros e as colinas escarpadas do interior astapori, exatamente como o sacerdote negro Moqorro dissera que encontrariam.

– Ghiscari – Aguado Pyke gritou do cesto do alto do mastro. Victarion Greyjoy viu a vela ficar cada vez maior do castelo de proa. Logo veria os remos levantando e baixando, e o longo rastro branco atrás do barco, brilhando na lua como uma cicatriz no mar.

Não é um navio de guerra de verdade, Victarion percebeu. *Uma galé mercante, e das grandes*. Daria um bom prêmio. Fez sinal para os capitães atacarem. Tinham que invadir o navio e tomá-lo.

O capitão da galé já percebera o perigo. Mudou o curso para oeste, em direção à Ilha de Cedros, talvez na esperança de se abrigar em alguma enseada escondida, ou de levar seus perseguidores até as pedras irregulares ao longo da costa nordeste da ilha. A galé, no entanto, estava sobrecarregada, e os homens de ferro estavam a favor do vento. O *Luto* e o *Vitória de Ferro* bloquearam o caminho da galé até as pedras, enquanto o rápido *Gavião* e o ágil *Dança dos Dedos* aproximavam-se por trás. Mesmo assim, o capitão ghiscari não abaixou sua bandeira. A essa altura, o *Lamentação* chegou ao lado da presa, encostando a bombordo e estilhaçando seus remos, os dois navios tão próximos das ruínas assombradas de Ghozai que podiam ouvir os macacos tagarelando enquanto as primeiras luzes da madrugada cobriam as pirâmides quebradas da cidade.

O prêmio chamava-se *Aurora Ghiscari*, disse o capitão da galé, quando foi levado acorrentado até Victarion. Tinha saído de Nova Ghis e retornava para lá por Yunkai, após negociar em Meereen. O homem não falava nenhuma língua decente, apenas um ghiscari gutural, cheio de rosnados e assobios, o idioma mais feio que Victarion Greyjoy já havia ouvido. Moqorro traduziu as palavras do capitão para a Língua Comum de Westeros. A guerra por Meereen estava ganha, o capitão afirmava; a rainha dragão estava morta e um ghiscari chamado Hizdahr governava a cidade.

Victarion mandou arrancar a língua do homem por mentir. Daenerys Targaryen *não* estava morta, Moqorro lhe assegurara; seu deus vermelho R'hllor havia lhe mostrado o rosto da rainha em suas chamas sagradas. Victarion não podia tolerar mentiras, então o capitão ghiscari teve as mãos e os pés amarrados e foi atirado ao mar, como sacrifício para o Deus Afogado.

– Seu deus vermelho terá o que lhe é devido – prometeu para Moqorro –, mas os mares são governados pelo Deus Afogado.

– Não há outros deuses além de R'hllor e do Outro, cujo nome não deve ser dito. – O sacerdote feiticeiro estava vestido todo de negro, com exceção de um fio dourado na gola, punhos e bainhas. Não havia tecido vermelho a bordo do *Vitória de Ferro*, mas não era justo que Moqorro ficasse com os trapos manchados de sal que usava quando a Ratazana o pescou do mar. Então Victarion ordenou que Tom Tidewood costurasse novas túnicas para ele com o que tivesse à mão, e até mesmo doara algumas de suas próprias roupas para esse fim. Eram negras e douradas, por causa das armas da Casa Greyjoy que traziam uma lula gigante dourada em um campo negro, e os estandartes e as velas de seus navios mostravam a mesma imagem. As túnicas carmesins e escarlate dos sacerdotes vermelhos eram estranhas aos homens de ferro, mas Victarion esperava que seus homens pudessem aceitar Moqorro mais facilmente uma vez que estivesse vestido nas cores Greyjoy.

Sua esperança foi vã. Vestido de negro da cabeça aos pés, com uma máscara vermelha e laranja de chamas tatuadas no rosto, o sacerdote parecia mais sinistro do que nunca. A tripulação o evitava quando ele caminhava pelo convés, e os homens cuspiam se a sombra do sacerdote caísse sobre eles. Mesmo a Ratazana, que havia pescado Moqorro no mar, incitara Victarion a dá-lo ao Deus Afogado.

Mas Moqorro conhecia esses estranhos litorais de modos que os homens de ferro não conheciam, e segredos dos dragões também. *Se o Olho de Corvo pode ter bruxos, por que eu não posso?* Seu feiticeiro negro era mais poderoso do que todos os três de Euron, mesmo se jogasse todos eles numa panela e os transformasse em apenas um. O Cabelo Molhado desaprovaria, mas Aeron e suas devoções estavam muito distantes.

Então Victarion fechou a mão queimada em um punho poderoso e disse:

– *Aurora Ghiscari* não é um bom nome para um navio da Frota de Ferro. Por você, feiticeiro, eu o renomearei *Ira do Deus Vermelho*.

Seu feiticeiro inclinou a cabeça.

– Como meu capitão queira. – E os navios da Frota de Ferro somavam cinquenta e quatro novamente.

No dia seguinte, uma tempestade repentina caiu sobre eles. Moqorro previra aquilo também. Quando as chuvas passaram, três navios haviam desaparecido. Victarion não tinha como saber se tinham afundado, encalhado ou saído do curso.

– Eles sabem para onde estamos indo – disse para a tripulação. – Se ainda estão flutuando, nós os encontraremos novamente.

O capitão de ferro não tinha tempo para esperar por retardatários. Não com sua noiva cercada por inimigos. *A mulher mais bonita do mundo precisa urgentemente do meu machado*.

Além disso, Moqorro lhe assegurara que os três navios não estavam perdidos. A cada noite, o sacerdote feiticeiro acendia uma fogueira no castelo de proa do *Vitória de Ferro* e caminhava ao redor das chamas, entoando orações. A luz do fogo fazia sua pele negra brilhar como ônix polido, e, algumas vezes, Victarion podia jurar que as chamas tatuadas no rosto dele também dançavam, contorcendo-se e dobrando-se, fundindo-se umas nas outras, as cores mudando cada vez que o sacerdote virava a cabeça.

– O sacerdote negro está chamando demônios sobre nós – ouviram um remador dizer. Quando aquilo foi relatado para Victarion, ele mandou que o homem fosse açoitado até que suas costas estivessem ensanguentadas dos ombros às nádegas. Então, quando Moqorro disse:

– Suas ovelhas perdidas retornarão ao rebanho depois da ilha chamada Yaros.

O capitão respondeu:

– Reze para que sim, sacerdote. Ou você pode ser o próximo a sentir o gosto do chicote.

O mar estava azul e verde, e o sol resplandecia em um limpo céu azul quando a Frota de Ferro conseguiu seu segundo prêmio, nas águas a noroeste de Astapor.

Dessa vez era uma coca de Myr chamada *Pomba*, que estava a caminho de Yunkai, passando por Nova Ghis, com um carregamento de tapetes, vinhos verdes doces e renda myrish. Seu capitão tinha um olho de Myr que fazia coisas distantes parecerem próximas – duas lentes de vidro em uma série de tubos de cobre, ardilosamente forjados para que cada seção deslizasse dentro da seguinte, até que o olho não fosse maior do que um punhal. Victarion reivindicou aquele tesouro para si. A coca foi renomeada *Picanço*. A tripulação seria mantida para resgate, o capitão decretou. Não eram nem escravos nem mercadores de escravos, mas homens livres de Myr e marinheiros experientes. Tais homens valiam um bom dinheiro. Zarpando de Myr, o *Pomba* não trouxe nenhuma notícia fresca de Meereen ou Daenerys, apenas relatos obsoletos de cavaleiros dothrakis ao longo do Roine, da Companhia Dourada em marcha, e outras coisas que Victarion já sabia.

– O que você vê? – o capitão perguntou para seu sacerdote negro naquela noite, quando Moqorro ficou diante de sua fogueira noturna. – O que nos espera amanhã? Mais chuva? – Para ele, o ar estava com cheiro de chuva.

– Céus cinzentos e ventos fortes – disse Moqorro. – Nenhuma chuva. Atrás vêm os tigres. Adiante, seu dragão aguarda.

Seu dragão. Victarion gostou de como aquilo soou.

– Diga-me algo que eu não saiba, sacerdote.

– O capitão ordena, e eu obedeço – falou Moqorro. A tripulação começara a chamá-lo de Chama Negra, nome dado pelo Gago Steffar, que não conseguia dizer "Moqorro". Qualquer que fosse o nome, o sacerdote tinha poderes. – A linha costeira aqui vai de oeste para leste – ele disse para Victarion. – Onde ela vira para o norte, você conseguirá mais duas lebres. Rápidas, com muitas pernas.

E assim aconteceu. Dessa vez, a presa provou ser um par de galeras, longas, elegantes e velozes. Ralf, o Coxo, foi o primeiro a vê-las, mas elas logo se distanciaram do *Aflição* e do *Esperança Perdida*, então Victarion enviou *Vento de Ferro*, *Gavião* e *Beijo da Lula Gigante* para persegui-los. Ele não tinha navios mais rápidos do que aqueles três. A perseguição durou grande parte do dia, mas no final as duas galeras foram abordadas e tomadas, depois de lutas breves e brutais. Estavam navegando vazias, Victarion descobriu, indo para Nova Ghis para carregar suprimentos e armas para as legiões ghiscaris acampadas do lado de fora de Meereen... e para levar novos legionários à guerra, para substituir os homens que haviam morrido.

– Homens mortos em batalha? – perguntou Victarion. As tripulações das galeras negaram; as mortes eram do fluxo sangrento. A égua descorada, eles chamavam. E, como o capitão do *Aurora Ghiscari*, os capitães das galeras repetiram a mentira que Daenerys Targaryen estava morta.

– Deem a ela um beijo por mim em qualquer que seja o inferno que a encontrem – Victarion disse. Pediu seu machado e cortou as cabeças deles ali mesmo. Depois, condenou as tripulações à morte também, salvando apenas os escravos acorrentados aos remos. Quebrou as correntes deles e lhes disse que agora eram homens livres e que teriam o privilégio de remar para a Frota de Ferro, uma honra que todo garoto das Ilhas de Ferro sonhava ter quando crescesse. – A rainha dragão liberta escravos, e eu faço o mesmo – proclamou.

Renomeou as galeras como *Fantasma* e *Sombra*.

– Elas voltarão e assombrarão esses yunkaítas – disse para a mulher morena naquela noite, depois que teve seu prazer com ela. Estavam perto, agora, e ficando mais perto a cada dia. – Cairemos sobre eles como um raio – falou, enquanto apertava o seio da mulher. Ele se perguntava se era assim que seu irmão Aeron se sentia quando o Deus Afogado falava com ele. Quase podia ouvir a voz do deus brotando das profundezas do mar. *Você deve me servir bem, meu capitão*, as ondas pareciam dizer. *Foi para isso que fiz você.*

Mas ele alimentaria o deus vermelho também, o deus das chamas de Moqorro. O braço que o sacerdote curara estava horrível de se ver, um torresmo de porco do cotovelo à ponta dos dedos. Algumas vezes, quando Victarion fechava a mão, a pele se abria e soltava fumaça, e mesmo assim o braço estava mais forte do que jamais estivera.

– Dois deuses estão comigo agora – disse para a mulher morena. – Nenhum inimigo consegue se sustentar diante de dois deuses. – Então a virou de costas e a tomou mais uma vez.

Quando as falésias de Yaros apareceram a bombordo, Victarion encontrou os três navios perdidos esperando por ele, exatamente como Moqorro prometera. O capitão deu ao sacerdote um torc de ouro como recompensa.

Agora, tinha que fazer uma escolha: arriscaria ir pelo estreito, ou faria a Frota de Ferro circundar a ilha? A lembrança da Ilha Leal ainda incomodava o capitão de ferro. Stannis Baratheon descera sobre a Frota de Ferro pelo norte e pelo sul, simultaneamente, enquanto ficavam presos no canal entre a ilha e o continente, levando Victarion à sua mais esmagadora derrota. Mas navegar ao redor de Yaros custaria dias preciosos. Com Yunkai tão perto, a navegação pelo estreito devia ser lenta, mas ele não esperava encontrar navios de guerra yunkaítas até estarem mais perto de Meereen.

O que o Olho de Corvo faria? Meditou sobre aquilo por um tempo, então fez sinal para seus capitães.

– Navegaremos pelo estreito.

Mais três prêmios foram tomados antes que Yaros sumisse em sua popa. Uma gorda galé foi capturada pelo Ratazana e o *Luto*, e uma galera mercante por Marfryd Merlyn, no *Pipa*. Seus porões estavam cheios de mercadorias, vinhos, sedas e especiarias, madeiras raras e perfumes mais raros ainda, mas os próprios navios eram o prêmio verdadeiro. Mais tarde, naquele dia, um veleiro de pesca foi tomado pelo *Sete Crânios* e pelo *Ruína da Servidão*. Era uma coisa pequena, lenta e suja, que dificilmente valeria o esforço da abordagem. Victarion não gostou de saber que foram necessários dois de seus navios para capturar os pescadores. Mesmo assim, foi dos lábios deles que escutou a história do retorno do dragão.

– Ela voou no dragão, para além do mar dothraki.

– Onde é o mar dothraki? – ele exigiu saber. – Navegarei com a Frota de Ferro por ele e encontrarei a rainha onde quer que ela esteja.

O pescador riu em voz alta.

– Isso é uma coisa que valeria a pena ver. O mar dothraki é feito de grama, seu tolo.

Ele não devia ter dito aquilo. Victarion o agarrou pela garganta com sua mão queimada e o levantou no ar. Batendo suas costas contra o mastro, apertou até que o rosto do yunkaíta ficasse negro como os dedos que penetravam em sua carne. O homem chutou e se contorceu por um momento, tentando inutilmente se soltar do aperto do capitão.

– Nenhum homem chama Victarion Greyjoy de tolo e vive para se gabar disso. – Quando abriu a mão, o corpo mole do homem caiu no convés. Aguado Pyke e Tom Tidewood o atiraram pela amurada, outra oferta ao Deus Afogado.

– Seu Deus Afogado é um demônio – o sacerdote negro Moqorro disse, mais tarde. – Ele não é mais do que um servo do Outro, o deus sombrio cujo nome não deve ser dito.

– Tome cuidado, sacerdote – Victarion o avisou. – Há homens piedosos a bordo deste navio que arrancariam sua língua por falar tais blasfêmias. Seu deus vermelho terá seu tributo, eu prometo. Minha palavra é de ferro. Pergunte para qualquer um.

O sacerdote negro inclinou a cabeça.

– Não há necessidade. O Senhor da Luz me mostrou seu valor, senhor capitão. A cada noite, em minhas chamas, vislumbro a glória que aguarda por você.

Aquelas palavras agradaram Victarion Greyjoy imensamente, como disse à mulher morena naquela noite.

– Meu irmão Balon foi um grande homem – comentou –, mas eu farei o que ele não pôde fazer. As Ilhas de Ferro serão livres novamente, e o Costume Antigo voltará. Nem mesmo Dagon pôde fazer isso. – Quase uma centena de anos se passara desde que Dagon Greyjoy sentou-se na Cadeira de Pedra do Mar, mas os homens de ferro ainda contavam histórias de suas pilhagens e batalhas. Na época de Dagon, um rei fraco sentava-se no Trono de Ferro, seus olhos remelentos fixos no outro lado do mar estreito, onde bastardos e exilados tramavam rebeliões. Então, Lorde Dagon saiu de Pyke para tornar seu o Mar do Pôr do Sol. – Ele enfrentou o leão em seu covil e deu nós no rabo do lobo gigante, mas nem mesmo Dagon pôde derrotar os dragões. Mas eu tornarei a rainha dragão minha. Ela partilhará minha cama e me dará muitos filhos poderosos.

Naquela noite, os navios da Frota de Ferro somavam sessenta.

Velas estranhas se tornavam mais comuns ao norte de Yaros. Estavam muito perto de Yunkai agora, e a costa entre a Cidade Amarela e Meereen estaria repleta de navios mercantes e de abastecimento indo e vindo, então Victarion levou a Frota de Ferro para águas mais profundas, além do alcance da vista de terra. Mesmo lá encontrariam outras embarcações.

– Não deixem ninguém escapar para avisar nossos inimigos – o capitão de ferro ordenou. Ninguém escapou.

O mar estava verde e o céu, cinza, na manhã em que *Luto*, *Guerreira Meretriz* e *Vitória de Ferro* do próprio Victarion capturaram a galé de traficantes de escravos de Yunkai nas águas exatamente ao norte da Cidade Amarela. Em seus porões estavam vinte garotos perfumados e quatro grupos de garotas destinados às casas de prazer de Lys. A tripulação jamais imaginara encontrar perigo em águas tão próximas de casa, e os homens de ferro tiveram pouco trabalho para tomar o navio. Chamava-se *Donzela Disposta*.

Victarion passou os traficantes de escravos pela espada, então enviou seus homens para baixo para desacorrentar os remadores.

– Vocês remam para mim, agora. Remem forte, e prosperarão. – Dividiu as garotas entre seus capitães. – Os lisenos transformariam vocês em prostitutas – disse para elas –, mas nós salvamos vocês. Agora, terão que servir a apenas um homem, em vez de vários. Aquelas que agradarem seus capitães podem ser tomadas como esposas de sal, uma posição honrosa. – Os meninos perfumados foram enrolados em correntes e atirados ao mar. Eram criaturas não naturais, e o navio cheirou melhor depois que foi limpo da presença deles.

Para si, Victarion reivindicou as sete garotas mais seletas. Uma tinha cabelo vermelho-dourado e sardas nas tetas. Outra se depilava completamente. Outra tinha cabelos e olhos castanhos, e era tímida como um camundongo. Outra, ainda, tinha os maiores seios que ele já vira. A quinta era uma coisinha, com cabelos pretos lisos e pele dourada. Seus olhos eram da cor do âmbar. A sexta era branca como leite, com anéis dourados nos mamilos e nos lábios inferiores, a sétima era negra como tinta de lula. Os senhores de escravos de Yunkai as haviam treinado no caminho dos sete suspiros, mas não era para isso que Victarion precisava delas. Sua mulher morena era suficiente para satisfazer seus apetites até que pudesse chegar a Meereen e reivindicar sua rainha. Nenhum homem precisava de velas quando o sol aguardava por ele.

A galé foi renomeada como *Grito dos Traficantes de Escravos*. Com mais esse, os navios da Frota de Ferro chegaram a sessenta e um.

– Cada navio que capturamos nos deixa mais fortes – Victarion disse para seus homens de ferro –, mas, a partir daqui, ficará mais difícil. Amanhã ou no dia seguinte, encontraremos navios de guerra. Estamos entrando nas águas de Meereen, onde as frotas de nossos inimigos aguardam por nós. Encontraremos navios de todas as Cidades-Escravos, navios de Tolos, de Elyria e Nova Ghis, até mesmo navios de Qarth. – Tomou cuidado de não mencionar as galés novas da Antiga Volantis que certamente estavam navegando pelo Golfo da Aflição enquanto falavam. – Esses senhores de escravos são coisas frágeis. Vocês viram como eles correm diante de nós, ouviram como guincham quando os passamos pela espada. Cada um de vocês vale vinte deles, pois somente nós somos feitos de ferro. Lembrem-se disso quando avistarmos a próxima vela de traficantes de escravos. Não deem trégua e não esperem por ela. Que necessidade temos de trégua? Somos homens de ferro, e dois deuses olham por nós. Vamos capturar seus navios, esmagar suas esperanças e transformar a baía deles em sangue.

Um grande clamor seguiu-se às suas palavras. O capitão respondeu com um aceno de cabeça, o rosto sério, e então pediu que as sete garotas que havia reivindicado fossem trazidas ao convés, as mais adoráveis de todas encontradas a bordo do *Donzela Disposta*. Beijou cada uma nas bochechas e falou-lhes da honra que as aguardava, embora elas não entendessem o que ele dizia. Então, colocou-as a bordo do veleiro de pesca que haviam capturado, desamarrou-o e colocou fogo nele.

– Com esse presente de inocência e beleza, honramos os dois deuses – proclamou, enquanto os barcos de guerra da Frota de Ferro passavam remando pelo veleiro em chamas. – Que essas garotas renasçam na luz, sem máculas pelas luxúrias mortais, ou que desçam até os salões molhados do Deus Afogado, para se banquetear, dançar e rir até que os mares sequem.

Perto do fim, antes que o veleiro queimado fosse engolido pelo mar, pareceu a Victarion Greyjoy que os gritos das sete doçuras tinham se transformado em um canto alegre.

Um grande vento veio, então, um vento que inflou suas velas e os varreu para o norte e leste, e para o norte novamente, em direção a Meereen e suas pirâmides de tijolos multicoloridos. *Nas asas da canção, voo até você, Daenerys,* o capitão de ferro pensou.

Naquela noite, pela primeira vez, ele pegou o berrante do dragão que o Olho de Corvo encontrara entre as ruínas fumegantes da grande Valíria. Era uma coisa retorcida, com um metro e oitenta de ponta a ponta, negro cintilante, e unido com faixas de ouro vermelho e escuro aço valiriano. *O berrante do inferno de Euron.* Victarion correu a mão por ele. O berrante era morno e suave como as coxas da mulher morena, e tão brilhante que podia ver a imagem distorcida de seu rosto em suas profundezas. Estranhos escritos mágicos haviam sido entalhados nas faixas que o cingiam.

– Hieróglifos valirianos – Moqorro reconheceu.

Isso Victarion já sabia.

– O que dizem?

– Muito e ainda mais. – O sacerdote negro apontou para uma faixa dourada. – Aqui está o nome do berrante. *Sou o Atador de Dragões,* diz. Você já ouviu o som que ele faz?

– Uma vez. – Um dos mestiços de seu irmão havia soado o berrante do inferno na assembleia de homens livres, na Velha Wyk. Era um monstro de homem, imenso e de cabeça raspada, com anéis de ouro, âmbar negro e jade ao redor dos braços musculosos, e um grande falcão tatuado no peito. – O som que ele faz... queima, de alguma maneira. Como se meus ossos estivessem pegando fogo, queimando minha carne por dentro. Esses escritos brilhavam vermelho-incandescente, depois branco-quente, doloroso de se olhar. Parecia que o som não acabaria nunca. Era como um longo grito. Mil gritos, todos fundidos em um só.

– E o homem que soprou o berrante, o que aconteceu com ele?

– Morreu. Apareceram bolhas em seus lábios, depois disso. Sua ave sangrava, também. – O capitão bateu no peito. – O falcão, bem aqui. Cada pena pingava sangue. Ouvi dizer que o homem estava todo queimado por dentro, mas pode ter sido só história.

– Uma história verdadeira – Moqorro virou o berrante do inferno, examinando as estranhas letras entalhadas em uma segunda faixa dourada. – Aqui diz: *Nenhum homem mortal deve me fazer soar e viver.*

Victarion meditou amargamente sobre a traição de irmãos. *Os presentes de Euron são sempre envenenados.*

– O Olho de Corvo jurou que este berrante prenderia os dragões à minha vontade. Mas como isso vai me servir se o preço é a morte?

– Seu irmão não tocou o berrante ele mesmo. Nem você deve fazer isso. – Moqorro apontou para a faixa de aço. – *Sangue por fogo, fogo por sangue.* Quem sopra o berrante, não importa. Os dragões virão para o mestre do berrante. Você deve *reivindicar* o berrante. Com sangue.

A garotinha feia

Onze servos do Deus de Muitas Caras se reuniram naquela noite embaixo do templo, mais do que ela jamais vira juntos de uma única vez. Apenas o fidalgote e o sujeito gordo chegaram pela porta da frente; o restante veio por caminhos secretos, através de túneis e passagens ocultas. Vestiam túnicas pretas e brancas, mas, conforme tomava seu assento, cada homem puxava o capuz para baixo, para mostrar o rosto que havia escolhido usar naquele dia. As altas cadeiras eram esculpidas em ébano e represeiro, como as portas do templo acima. As cadeiras de ébano tinham rostos de represeiros na parte de trás, e as cadeiras de represeiro tinham rostos esculpidos em ébano.

Outro acólito estava do lado oposto do salão com um garrafão de vinho tinto escuro. Ela segurava a água. Sempre que um dos servos desejava beber, erguia os olhos ou curvava um dedo, e um deles – ou ambos – ia até lá encher seu copo. Mas, na maior parte do tempo, ficaram esperando olhares que nunca vieram. *Sou esculpida em pedra,* ela recordou a si mesma. *Sou uma estátua, como os Senhores do Mar que ficam ao longo do Canal dos Heróis.* A água estava pesada, mas seus braços eram fortes.

Os sacerdotes usavam a língua de Bravos, embora, uma vez, três falaram acaloradamente em Alto Valiriano por alguns minutos. Em geral, a garota entendia as palavras, mas eles falavam com voz suave, e nem sempre ela conseguia ouvir.

– Conheço este homem – ela ouviu um sacerdote com o rosto de uma vítima da praga dizer.

– Conheço este homem – o sujeito gordo ecoou, enquanto ela o servia.

Mas o homem bonito disse:

– Darei a este homem o presente, não o conheço. – Mais tarde, o vesgo disse a mesma coisa de mais alguém.

Depois de três horas de vinho e conversas, os sacerdotes partiram... todos menos o homem gentil, a criança abandonada e aquele cujo rosto mostrava marcas da praga. Suas bochechas estavam cobertas com feridas purulentas e o cabelo tinha caído. Sangue pingava de uma narina, e havia crostas nos cantos dos dois olhos.

– Nosso irmão quer ter algumas palavras com você, filha – o homem gentil disse para ela. – Sente-se, se desejar. – Ela se sentou em uma cadeira de represeiro com rosto de ébano. Feridas ensanguentadas não a aterrorizavam. Havia muito tempo que estava na Casa do Preto e Branco para se assustar com um rosto enganoso.

– Quem é você? – o rosto com a praga perguntou, quando ficaram sozinhos.

– Ninguém.

– Não é assim. Você é Arya da Casa Stark, que morde o lábio e não pode contar uma mentira.

– Eu era. Não sou agora.

– Por que está aqui, mentirosa?

– Para servir. Para aprender. Para mudar meu rosto.

– Primeiro, mude seu coração. O presente do Deus de Muitas Caras não é um brinquedo de criança. Você mataria para seus próprios propósitos, para sua própria satisfação. Nega isso?

Ela mordeu o lábio.

– Eu...

Ele a esbofeteou.

O golpe deixou seu rosto ardendo, mas ela sabia que tinha merecido.

– Obrigada. – Com tapas suficientes, poderia parar de morder o lábio. *Arya* fazia aquilo, não o lobo da noite. – Eu nego.

– Você mente. Posso ver a verdade nos seus olhos. Você tem olhos de lobo e gosto por sangue.

Sor Gregor, ela não podia deixar de pensar. *Dunsen, Raff, o Querido. Sor Ilyn, Sor Meryn, Rainha Cersei.* Se falasse, teria que mentir, e ele saberia. Manteve silêncio.

– Você era uma gata, me disseram. Rondando pelos becos que cheiram a peixe, vendendo vôngoles e mexilhões por dinheiro. Uma vida pequena, bem adequada a uma criatura pequena como você. Peça e isso lhe será devolvido. Empurre seu carrinho de mão, grite para vender seus produtos, seja feliz. Seu coração é muito brando para ser uma de nós.

Ele pretende me mandar embora.

– Não tenho coração. Tenho apenas um buraco. Matei muitas pessoas. Posso matar você se eu quiser.

– Isso teria um gosto doce para você?

Ela não sabia a resposta correta.

– Talvez.

– Então você não pertence a este lugar. A morte não traz doçura nesta casa. Não somos guerreiros, nem soldados, nem fanfarrões bravosis com o peito estufado de orgulho. Não matamos para servir a algum senhor, para engordar nossas bolsas, para afagar nosso orgulho. Nunca damos o presente para agradar a nós mesmos. Nem escolhemos quem matar. Somos apenas servos do Deus de Muitas Caras.

– *Valar dohaeris.* – *Todos os homens devem servir.*

– Você conhece as palavras, mas é orgulhosa demais para servir. Uma serva deve ser humilde e obediente.

– Eu obedeço. E posso ser mais humilde do que qualquer um.

Aquilo o fez rir.

– Você será a própria deusa da humildade, tenho certeza. Mas consegue pagar o preço?

– Que preço?

– O preço é você. O preço é tudo o que você tem e tudo o que já esperou ter. Tomamos seus olhos e os devolvemos a você. Da próxima vez, pegaremos seus ouvidos, e você andará no silêncio. Você nos dará suas pernas, e rastejará. Você não será filha de ninguém, esposa de ninguém, mãe de ninguém. Seu nome será uma mentira, e até mesmo o rosto que você usar não será o seu.

Ela quase mordeu o lábio novamente, mas dessa vez parou a tempo. *Meu rosto é uma piscina escura, escondendo tudo, não mostrando nada.* Pensou em todos os nomes que já usara: Arry, Doninha, Nymeria, Gata dos Canais. Pensou naquela garota estúpida de Winterfell, chamada Arya Cara de Cavalo. Nomes não importavam.

– Posso pagar o preço. Me dê um rosto.

– Rostos devem ser ganhos.

– Diga-me como.

– Dando um certo presente para um certo homem. Pode fazer isso?

– Que homem?

– Ninguém que você conheça.

– Não conheço um monte de gente.

– Ele é um deles. Um estranho. Ninguém que você ame, ninguém que você odeie, ninguém que jamais tenha visto. Você o matará?

– Sim.

– Então, amanhã, você será a Gata dos Canais novamente. Use aquele rosto, observe, obedeça. E veremos se é realmente digna de servir Aquele de Muitas Caras.

Então, no dia seguinte, ela voltou para Brusco e suas filhas na casa do canal. Os olhos de Brusco se arregalaram quando ele a viu, e Brea teve um pequeno sobressalto.

– *Valar morghulis* – a Gata disse, a modo de cumprimento.

– *Valar dohaeris* – Brusco respondeu.

Depois disso, foi como se ela nunca tivesse partido.

Deu a primeira olhada no homem que deveria matar mais tarde, naquela manhã, enquanto empurrava seu carrinho de mão pelas ruas pavimentadas que passavam pela frente do Porto Púrpura. Era um velho, já passado dos cinquenta anos. *Ele já viveu muito tempo*, tentou dizer a si mesma. *Por que ele teve tantos anos e meu pai teve tão poucos?* Mas a Gata dos Canais não tinha pai, então manteve aquele pensamento consigo.

– *Vôngoles, mariscos e moluscos* – a Gata gritou, enquanto ele passava –, *ostras, camarões e gordos mexilhões verdes.* – Até sorriu para ele. Algumas vezes, um sorriso era tudo o que era preciso para fazê-los parar e comprar. O velho não sorriu de volta. Fez uma careta para ela e seguiu adiante, espirrando água ao passar em uma poça. O respingo molhou os pés dela.

Ele não tem cortesia, ela pensou, observando-o partir. *Seu rosto é duro e mesquinho.* O nariz do velho era pontudo e afiado, os lábios eram finos, os olhos pequenos e juntos. O cabelo estava ficando cinza, mas a barbicha pontuda em seu queixo ainda era negra. A Gata achou que podia ser tingida, e se perguntou por que ele não pintava o cabelo também. Um dos ombros era mais alto do que o outro, dando-lhe um aspecto torto.

– É um homem mau – anunciou naquela noite, quando voltou para a Casa do Preto e Branco. – Seus lábios são cruéis, os olhos são mesquinhos, e ele tem uma barba de canalha.

O homem gentil riu.

– Ele é um homem como qualquer outro, com luz e escuridão. Não cabe a você julgá-lo.

Aquilo a fez parar.

– Os deuses o julgaram?

– Alguns deuses, talvez. Para que servem os deuses se não para julgar os homens? O Deus de Muitas Caras, contudo, não pesa as almas dos homens. Ele dá seu presente para os melhores homens tanto quanto dá para os piores. De outra forma, os bons viveriam para sempre.

As mãos do velho eram a pior coisa nele, a Gata concluiu no dia seguinte, enquanto o observava por detrás de seu carrinho de mão. Os dedos eram compridos e ossudos, sempre se movendo, coçando a barba, cutucando uma orelha, tamborilando em uma mesa, se mexendo, se mexendo, se mexendo. *Suas mãos parecem duas aranhas brancas.* Quanto mais olhava aquelas mãos, mais as odiava.

– Ele mexe demais as mãos – contou para eles, no templo. – Ele deve estar cheio de medo. O presente lhe trará paz.

– O presente traz paz para todos os homens.

– Quando eu o matar, ele olhará nos meus olhos e me agradecerá.

– Se ele fizer isso, você terá falhado. Seria melhor se ele não notasse você de jeito nenhum.

O velho era algum tipo de comerciante, a Gata concluiu após observá-lo por alguns dias. Seu comércio estava relacionado com o mar, embora ela nunca o tivesse visto colocar o pé em um navio. Ele passava os dias sentado em uma loja de sopa perto do Porto Púrpura, uma taça de caldo de cebola esfriando junto ao cotovelo enquanto remexia papéis, lacrava-os com cera e falava em tom cortante com um desfile de capitães, armadores e outros comerciantes, nenhum dos quais parecia gostar muito dele.

Mesmo assim, eles lhe traziam dinheiro: bolsas de couro cheias de ouro, de prata e das moedas de ferro quadradas de Bravos. O velho contava-as cuidadosamente, classificando-as e empilhando-as ordenadamente, umas com as outras. Ele nunca olhava para as moedas. Em vez disso, ele as mordia, sempre no lado esquerdo de sua boca, onde ainda tinha todos os dentes. De tempos em tempos, girava uma na mesa e ouvia o som que fazia quando parava.

E, quando todas as moedas estavam contadas e provadas, o velho rabiscava algo em um pergaminho, carimbava-o com seu selo e dava ao capitão. Ou, então, balançava a cabeça e empurrava as moedas de volta. Sempre que fazia isso, o outro homem ficava com o rosto vermelho de raiva, ou pálido e com o olhar assustado.

A Gata não entendia.

– Eles pagam ouro e prata para ele, mas ele só lhes dá escritos. São estúpidos?

– Alguns, talvez. A maioria é simplesmente cautelosa. Alguns acham que podem enganá-lo. Mas ele não é um homem que se possa enganar facilmente.

– Mas o que ele está *vendendo*?

– Ele está escrevendo a cada um deles um compromisso. Se seus navios se perderem em uma tempestade ou forem tomados por piratas, ele promete pagar o valor da embarcação e de todo o seu conteúdo.

– É algum tipo de aposta.

– Uma espécie. Uma aposta que todo capitão espera perder.

– Sim, mas se ganharem...

– ... eles perdem seus navios, algumas vezes perdem muitas vidas. Os mares são perigosos, ainda mais no outono. Sem dúvida, muitos capitães que afundaram em uma tempestade tiveram um pouco de consolo com o compromisso que tinham em Bravos, sabendo que suas viúvas e filhos não ficariam desamparados. – Um sorriso triste tomou seus lábios. – Mas uma coisa é escrever tal compromisso, e outra é cumpri-lo.

A Gata entendeu. *Um deles deve odiá-lo. Um deles veio até a Casa do Preto e Branco e rezou para que o deus o levasse.* Ela se perguntava quem teria sido, mas o homem gentil não lhe contaria.

– Não cabe a você bisbilhotar esses assuntos – ele disse. – Quem é você?

– Ninguém.

– Ninguém não faz perguntas. – Ele pegou as mãos dela. – Se não pode fazer isso, só precisa falar. Não há vergonha nisso. Alguns são feitos para servir ao Deus de Muitas Caras e outros não. Diga as palavras, e tirarei essa tarefa de você.

– Eu farei isso. Disse que faria. Vou fazer.

Como, no entanto? Aquilo era mais difícil.

Ele tinha guardas. Dois, um alto e magro e um baixo e robusto. Estavam com ele em todos os lugares, desde quando saía de casa pela manhã até voltar à noite. Não deixavam ninguém se aproximar do velho sem sua permissão. Uma vez, um bêbado quase deu um encontrão nele quando saiu da loja de sopa para ir para casa, mas o magro se colocou entre os dois e deu um empurrão tão forte no homem, que ele caiu no chão. Na loja de sopa, o baixo sempre provava o caldo de cebola primeiro. O velho esperava até que o caldo tivesse esfriado antes de tomar um gole, tempo suficiente para ter certeza de que seu guarda não adoecera.

– Ele está assustado – ela percebeu –, ou então sabe que alguém quer matá-lo.

– Ele não sabe – falou o homem gentil –, mas suspeita.

– Os guardas vão com ele até quando ele vai colocar água para esquentar – ela disse –, mas ele não vai quando eles vão. O alto é o mais rápido. Esperarei até que esteja preparando a água, vou até a loja de sopa e esfaqueio o velho no meio dos olhos.

– E o outro guarda?

– Ele é lento e estúpido. Posso matá-lo também.

– E você é algum carniceiro de campo de batalha, derrubando qualquer homem que atravessa seu caminho?

– Não.

– Espero que não. Você é uma serva do Deus de Muitas Caras, e nós servimos Àquele com Muitas Caras dando seu presente apenas para os que foram marcados e escolhidos.

Ela entendeu. *Matá-lo. Matar apenas ele.*

Ficou mais três dias observando, antes de descobrir uma maneira, e outro dia praticando com sua lâmina de dedo. Roggo Vermelho lhe ensinara a usá-la, mas ela não batia uma carteira desde antes de tirarem sua visão. Queria ter certeza de que ainda sabia como fazer. *Suave e rápido, esse é o jeito, sem se atrapalhar*, disse para si mesma, e deslizou a pequena lâmina para fora da manga, uma vez, e mais outra, e outra. Quando ficou satisfeita em ver que ainda se lembrava, afiou o aço em uma pedra de amolar até que o fio reluziu azul-prateado à luz da vela. A outra parte era mais complicada, mas a criança abandonada estava ali para ajudá-la.

– Darei o presente ao homem amanhã – anunciou, quando estava quebrando o jejum.

– Aquele com Muitas Caras ficará satisfeito. – O homem gentil se levantou. – A Gata dos Canais é muito conhecida. Se for vista fazendo isso, pode trazer problemas para Brusco e suas filhas. É hora de você ter outro rosto.

A garota não sorriu, mas por dentro estava satisfeita. Perdera a Gata uma vez, e lamentara por isso. Não queria perdê-la novamente.

– Que aparência vou ter?

– Feia. As mulheres olharão para o outro lado quando a virem. As crianças a encararão e apontarão. Homens fortes terão pena de você, alguns podem até derramar uma lágrima. Ninguém que olhar para você vai esquecê-la tão cedo. Venha.

O homem gentil tirou uma lanterna de ferro do gancho e a levou pela piscina negra e pelas filas de deuses escuros e silenciosos, até os degraus nos fundos do templo. A criança abandonada seguia atrás deles enquanto desciam. Ninguém falava. O raspar suave de pés calçados nos degraus era o único som. Dezoito degraus os levaram até as galerias, onde cinco passagens arqueadas se espalhavam como os dedos da mão de um homem. Lá embaixo, os degraus ficavam mais estreitos e mais íngremes, mas a garota os subira e descera mil vezes e eles não a assustavam. Mais vinte e dois degraus e estavam no porão inferior. Os túneis ali eram estreitos e tortos, negros buracos de minhocas contorcendo-se até o coração da grande rocha. Uma passagem estava fechada por uma pesada porta de ferro. O sacerdote pendurou a lanterna em um gancho, deslizou a mão para dentro da túnica e exibiu uma chave ornamentada.

Arrepios subiam pelos braços dela. *O santuário*. Estavam indo ainda mais para baixo, até o terceiro nível, para as câmaras secretas onde apenas os sacerdotes eram permitidos.

A chave soou três vezes, muito suavemente, quando o homem gentil a girou na fechadura. A porta girou sobre dobradiças de ferro lubrificadas, sem fazer nenhum som. Atrás havia mais degraus, escavados na rocha sólida. O sacerdote pegou a lanterna mais uma vez e mostrou o caminho. A garota seguiu a luz, contando os degraus enquanto desciam. *Quatro, cinco, seis, sete*. Pegou-se desejando ter trazido seu bastão. *Dez, onze, doze*. Sabia quantos degraus havia entre o templo e o porão, entre o porão e o porão inferior, contara até mesmo os degraus da estreita escada em espiral que subia para o sótão, e os degraus na íngreme escada de madeira que subia para o telhado e o poleiro assolado pelo vento do lado de fora.

Mas esta escada era desconhecida para ela, e isso a tornava perigosa. *Vinte e um, vinte e dois, vinte e três*. A cada degrau o ar parecia ficar um pouco mais frio. Quando a contagem chegou a trinta, ela sabia que estavam embaixo até mesmo dos canais. *Trinta e três, trinta e quatro*. Quão fundo estavam indo?

Chegara a cinquenta e quatro quando os degraus finalmente terminaram em outra porta de ferro. O homem gentil abriu-a e entrou. Ela o seguiu, com a criança abandonada em seus calcanhares. Seus passos ecoavam na escuridão. O homem gentil ergueu a lanterna e descerrou os anteparos. A luz lavou todas as paredes ao redor deles.

Mil faces estavam olhando para ela.

Estavam penduradas nas paredes, atrás dela e diante dela, de cima até embaixo, por todos os lados que olhava, para onde quer que se virasse. Viu rostos velhos e rostos jovens, rostos pálidos e escuros, rostos suaves e rostos enrugados, rostos sardentos, rostos marcados por cicatrizes, rostos bonitos e rostos rústicos, homens e mulheres, meninos e meninas, até mesmo bebês, rostos sorridentes, rostos carrancudos, rostos cheios de ganância, raiva e luxúria, rostos carecas e rostos com cabelos eriçados. *Máscaras*, disse para si mesma, *são apenas máscaras*, mas, mesmo enquanto o pensamento passava por sua cabeça, sabia que não eram. Eram peles.

– Elas assustam você, filha? – perguntou o homem gentil. – Não é tarde demais para você nos deixar. Isso é realmente o que você quer?

Arya mordeu o lábio. Não sabia o que queria. *Se eu partir, para onde vou?* Ela havia lavado e despido uma centena de cadáveres, coisas mortas não a assustavam. *Eles os trazem aqui para baixo e tiram seus rostos, e daí?* Ela era a loba da noite, nenhum pedaço de pele podia assustá-la. *Capuzes de couro, é isso o que são, não podem me ferir.*

– Faça isso – ela disse, abruptamente.

Ele a levou pela câmara, por uma fileira de túneis que conduziam a passagens laterais. A luz da lanterna dele iluminou um de cada vez. Um túnel fora murado com ossos humanos, seu teto suportado por colunas de crânios. Outro se abria para degraus sinuosos que desciam ainda mais. *Quantos porões há?*, ela se perguntava. *Seria possível descer para sempre?*

– Sente-se – o sacerdote ordenou. Ela se sentou. – Agora, feche os olhos, filha. – Ela fechou os olhos. – Isso vai doer – ele a avisou –, mas a dor é o preço do poder. Não se mova.

Parada como uma pedra, ela pensou. Ficou sentada imóvel. O corte foi rápido, a lâmina afiada. Normalmente, o metal seria frio contra sua carne, mas pareceu morno em vez disso. Ela podia sentir o sangue escorrendo por sua face, uma ondulante cortina vermelha caindo por sua sobrancelha, bochechas e queixo, e entendeu porque o sacerdote a fizera fechar os olhos. Quando alcançou seus lábios, o gosto era de sal e cobre. Ela o lambeu e estremeceu.

– Traga-me o rosto – disse o homem gentil. A criança abandonada não respondeu, mas ela ouviu seus chinelos sussurrando pelo chão de pedra. Para a garota, ele disse: – Beba isso – e pressionou uma taça em sua mão. Ela bebeu tudo de uma vez. Era muito azedo, como dar uma dentada em um limão. Mil anos atrás, conhecera uma garota que amava bolos de limão. *Não, essa não era eu, era apenas Arya.*

– Pantomimeiros mudam seu rosto com truques – o homem gentil dizia –, e feiticeiros usam sedução, tecem luz, sombra e desejo para fazer ilusões que enganam o olho. Essas artes você deve aprender, mas o que fazemos aqui vai mais profundo. Homens sábios podem ver através dos truques, e a sedução se dissolve diante de olhos afiados, mas o rosto que você está prestes a vestir será tão verdadeiro e sólido quanto o rosto com o qual nasceu. Mantenha os olhos fechados. – Ela sentiu os dedos dele afastando seus cabelos. – Fique parada. Isso vai parecer estranho. Você pode ficar atordoada, mas não deve se mover.

Então veio um puxão e um ruído suave enquanto o novo rosto era colocado sobre o antigo. O couro raspou em sua testa, seco e duro, mas conforme seu sangue o ensopava, tornava-se macio e flexível. Suas bochechas ficavam mornas, coradas. Ela podia sentir seu coração palpitando sob o peito e, por um longo momento, não conseguiu respirar. Mãos se fecharam ao redor de sua garganta, duras como pedra, sufocando-a. Suas próprias mãos se ergueram para agarrar os braços de seu agressor, mas não havia ninguém ali. Uma terrível sensação de medo tomou conta dela, e ela ouviu uma voz, um barulho horrível de algo sendo esmagado, acompanhado por uma dor cegante. Um rosto flutuou diante dela, gordo, barbudo, brutal, sua boca torcida pela raiva. Ouviu o sacerdote dizer:

– Respire, filha. Expire o medo. Afaste as sombras. Ele está morto. Ela está morta. A dor dela se foi. Respire.

A garota respirou profundamente, estremecendo, e percebeu que era verdade. Ninguém a estava sufocando, ninguém estava batendo nela. Mesmo assim, sua mão estava tremendo quando a levantou para tocar seu rosto. Pedaços de sangue seco se desintegraram ao toque de seus dedos, negros sob a luz da lanterna. Sentiu as bochechas, tocou os olhos, traçou a linha do queixo.

– Meu rosto ainda é o mesmo.

– É? Tem certeza?

Ela *tinha* certeza? Não sentia nenhuma mudança, mas talvez fosse algo que não pudesse sentir. Passou a mão pelo rosto, de cima até embaixo, como vira Jaqen H'ghar fazer certa vez, ainda em Harrenhal. Quando ele fez isso, seu rosto inteiro tinha ondulado e mudado. Quando ela fez, nada aconteceu.

– Sinto como se fosse o mesmo.

– Para você – disse o sacerdote. – Não parece o mesmo.

– Para os olhos dos outros, seu nariz e queixo estão quebrados – disse a criança abandonada. – Um lado de seu rosto cedeu, onde o osso da bochecha foi quebrado, e metade de seus dentes está faltando.

Ela sondou por dentro da boca com a língua, mas não encontrou buracos ou dentes quebrados. *Feitiçaria*, pensou. *Tenho um novo rosto. Um rosto feio e quebrado.*

– Você pode ter pesadelos por um tempo – avisou o homem gentil. – O pai dela a espancava com tanta frequência e brutalidade que ela nunca esteve realmente livre da dor ou do medo, até vir a nós.

– Vocês o mataram?

– Ela pediu o presente para si mesma, não para seu pai.

Vocês deviam ter matado ele.

Ele devia ter lido seus pensamentos.

– A morte veio para ele no fim, como vem para todos os homens. Como deve vir para um certo homem pela manhã. – Ele ergueu a lâmpada. – Terminamos aqui.

Por agora. Enquanto faziam o caminho de volta para os degraus, os buracos vazios dos olhos das peles nas paredes pareciam segui-la. Por um momento, ela quase pôde ver seus lábios se movendo, sussurrando sombrios e doces segredos uns para os outros, em palavras muito fracas para escutar.

O sono não veio com facilidade naquela noite. Enrolada nos cobertores, ela se virava de um lado para o outro no frio quarto escuro, mas, para onde se virasse, via os rostos. *Eles não têm olhos, mas podem me ver.* Via o rosto de seu pai pendurado na parede. Ao lado dele estava o da senhora sua mãe e, embaixo deles, seus três irmãos em uma fileira. *Não. Isso era alguma outra garota. Não sou ninguém, e meus únicos irmãos vestem túnicas pretas e brancas.* No entanto, lá estava o cantor negro, estava o cavalariço que ela matara com a Agulha, estava o escudeiro cheio de espinhas da pousada do Tridente e, acima de todos eles, a sentinela cuja garganta ela cortara para fugir de Harrenhal. Cócegas estava pendurado na parede também, com buracos negros onde ficavam seus olhos cheios de malícia. A visão dele trouxe de volta a sensação da adaga em suas mãos enquanto ela a enfiava em suas costas, uma vez e outra e mais outra.

Quando finalmente o dia chegou a Bravos, veio cinza, escuro e nublado. A garota esperava por neblina, mas os deuses ignoraram suas preces, como os deuses faziam tão frequentemente. O ar estava limpo e frio, e o vento era uma pontada desagradável. *Um bom dia para uma morte*, ela pensou. Espontaneamente, sua oração veio até seus lábios. *Sor Gregor, Dunsen, Raff, o Querido. Sor Ilyn, Sor Meryn, Rainha Cersei.* Murmurou os nomes em silêncio. Na Casa do Preto e Branco, nunca se sabia quem podia estar escutando.

As galerias estavam cheias de roupas velhas, trajes reivindicados daqueles que vieram para a Casa do Preto e Branco para beber a paz da piscina do templo. Tudo, desde trapos de mendigos até ricas sedas e veludos, podia ser encontrado ali. Uma garota feia devia vestir roupas feias, ela decidiu, então escolheu um manto marrom manchado, desfiando na bainha, uma túnica verde-musgo que cheirava a peixe e um par de botas pesadas. Por último, colocou sua lâmina de dedo.

Não havia pressa, então decidiu tomar o caminho mais longo ao redor do Porto Púrpura. Foi para o outro lado da ponte, para a Ilha dos Deuses. A Gata dos Canais vendera vôngoles e mexilhões entre esses templos, sempre que a filha de Brusco, Talea, tinha seu sangue da lua fluindo e tinha que ir para a cama. Ela meio que esperava ver Talea vendendo por ali, talvez do lado de fora do Warren, onde todos os deuses menores esquecidos tinham seus pequenos santuários abandonados, mas aquilo era tolice. O dia estava muito frio, e Talea não gostava de levantar tão cedo. A estátua ao lado do santuário da Senhora Chorona de Lys estava chorando lágrimas de prata quando a garota feia passou por ela. Nos Jardins de Gelenei havia uma árvore dourada de trinta metros de altura com folhas de prata batida. Luzes de tochas brilhavam atrás das janelas de vidro chumbado no salão de madeira do Senhor da Harmonia, mostrando meia centena de tipos de borboletas em todas as suas cores vivas.

Uma vez, a garota lembrou, a Esposa do Marinheiro dera uma volta com ela e lhe contara as histórias dos estranhos deuses da cidade.

– Esta é a casa do Grande Pastor. Trios, de três cabeças, tem este campanário com três torres. A primeira cabeça devora os moribundos, e os ressuscitados emergem da terceira. Não sei o que a cabeça do meio deveria fazer. Estas são as Pedras do Deus Silencioso, e aqui está a entrada para o Labirinto do Criador de Padrões. Apenas aqueles que aprendem a andar nele com propriedade serão capazes de encontrar seu caminho para a sabedoria, dizem os sacerdotes do Padrão. Ali atrás, junto do canal, está o templo de Aquan, o Touro Vermelho. Todo décimo terceiro dia, seus sacerdotes cortam a garganta de um bezerro puro e branco e oferecem tigelas de sangue para os mendigos.

Hoje não era o décimo terceiro dia, pelo que parecia; os degraus do Touro Vermelho estavam vazios. Os deuses irmãos Semosh e Selloso sonhavam em templos gêmeos em lados opostos do Canal Negro, ligados por uma ponte esculpida em pedra. A garota cruzou por ali e fez seu caminho para as docas, depois pelo Porto do Trapeiro e passando pelas torres semiafundadas e pelas cúpulas da Cidade Afogada.

Um grupo de marinheiros lisenos vinha cambaleando do Porto Feliz quando ela passou, mas a garota não viu nenhuma das putas. O Navio estava fechado e abandonado; sua trupe de pantomimeiros sem dúvida ainda dormia. Mas, mais adiante, no cais, ao lado de um baleeiro ibenês, ela espiou o velho amigo da Gata, Tagganaro, jogando uma bola para a frente e para trás com Casso, Rei das Focas, enquanto seu último batedor de carteiras trabalhava entre a multidão de curiosos. Quando parou para ver e ouvir por um momento, Tagganaro olhou para ela sem reconhecê-la, mas Casso latiu e bateu as nadadeiras. *Ele me reconhece*, a garota pensou, *ou então sente o cheiro de peixe*. Apressou-se a sair dali.

Quando chegou ao Porto Púrpura, o velho estava escondido dentro da loja de sopa, em sua mesa costumeira, contando uma bolsa de moedas enquanto discutia com o capitão de um navio. O guarda alto pairava sobre ele. O baixo estava sentado perto da porta, onde podia dar uma boa olhada em qualquer um que entrasse. Aquilo não importava. Ela não pretendia entrar. Em vez disso, empoleirou-se no topo de uma pilha de madeiras a menos de vinte metros dali, enquanto o vento tempestuoso puxava seu manto com dedos fantasmagóricos.

Mesmo em um dia frio e cinzento como aquele, o porto era um lugar movimentado. Viu marinheiros à espreita de prostitutas, e prostitutas à espreita de marinheiros. Dois bravosis passaram em roupas amarrotadas, apoiados um no outro enquanto cambaleavam bêbados pelas docas, e suas lâminas chocalhavam de lado. Um sacerdote vermelho veio correndo, com sua túnica escarlate e carmesim sacudindo ao vento.

Era quase meio-dia antes que visse o homem que queria, um próspero armador que ela já vira fazendo negócios com o velho por três vezes. Grande, careca e corpulento, ele vestia um pesado manto de veludo marrom debruado com pele e um cinto de couro marrom ornamentado com luas e estrelas de prata. Algum contratempo deixara sua perna rígida. Ele caminhava lentamente, apoiado em uma bengala.

Ele serviria tão bem quanto qualquer um e melhor do que a maioria, a garota feia decidiu. Pulou da pilha e o seguiu. Uma dúzia de passos a colocou bem atrás dele, sua lâmina de dedo pronta. A bolsa do homem estava do lado direito, no cinto, mas seu manto estava no caminho. A lâmina dela brilhou para fora, suave e rápida, um corte profundo através do veludo e ele não sentiu nada. Roggo Vermelho teria sorrido ao ver aquilo. Ela deslizou a mão pelo vão, abriu a bolsa com sua lâmina de dedo, encheu o punho de ouro...

O grande homem se virou.

– O que...

O movimento enroscou o braço da garota nas dobras do manto dele quando ela puxou a mão. Moedas se espalharam pelos seus pés.

– *Ladrão!* – O grande homem ergueu o bastão para acertá-la. Ela chutou sua perna ruim, desviou e disparou quando ele caiu, empurrando uma mãe com uma criança. Mais moedas caíram de seus dedos e saltaram pela terra. Gritos de *ladrão, ladrão* soavam atrás dela. Um estalajadeiro barrigudo que passava por ali fez um gesto para agarrar seu braço, mas ela girou ao redor dele, passou voando por uma prostituta que gargalhava e correu apressadamente para o beco mais próximo.

A Gata dos Canais conhecia esses becos, e a menina feia se lembrava. Disparou para a esquerda, pulou um muro baixo, saltou sobre um pequeno canal e escapou por uma porta destrancada em algum armazém empoeirado. Todos os sons de perseguição haviam sumido, mas era melhor ter certeza. Esperou quase uma hora, então decidiu que era seguro partir, escalando o lado de um edifício e fazendo seu caminho pelos telhados quase até chegar ao Canal dos Heróis. A essa altura, o armador já devia ter juntado as moedas e a bengala e mancado até a loja de sopa. Devia estar bebendo uma caneca de caldo quente agora mesmo e reclamando para o velho sobre a garota feia que tentara roubar sua bolsa.

O homem gentil esperava por ela na Casa do Preto e Branco, sentado na beirada da piscina do templo. A garota feia sentou-se ao lado dele e colocou uma moeda na borda da piscina, entre eles. Era de ouro, com um dragão em uma face e um rei na outra.

– O dragão de ouro de Westeros – disse o homem gentil. – E como você conseguiu isso? Não somos ladrões.

– Não foi roubo. Tomei uma das dele, mas deixei com ele uma das nossas.

O homem gentil entendeu.

– E com esta moeda e as outras em sua bolsa, ele pagou um certo homem. Logo depois o coração daquele homem parou. É isso o que aconteceu? Muito triste. – O sacerdote pegou a moeda e a jogou na piscina. – Você tem muito e ainda mais para aprender, mas não é um caso perdido.

Naquela noite lhe deram de volta o rosto de Arya Stark.

Trouxeram uma túnica para ela também, a túnica grossa e macia de um acólito, preta de um lado e branca do outro.

– Vista isso quando estiver aqui – o sacerdote disse –, mas saiba que terá pouca necessidade dela no momento. Amanhã você irá para Izembaro, para começar sua primeira aprendizagem. Pegue as roupas que quiser nas galerias lá embaixo. A patrulha da cidade está procurando por certa menina feia, conhecida por frequentar o Porto Púrpura, então é melhor que você tenha um novo rosto também. – Segurou-a pelo queixo, virou sua cabeça para um lado e para o outro, e assentiu. – Um rosto bonito, desta vez, eu acho. Tão bonito quanto seu próprio rosto. Quem é você, filha?

– Ninguém – ela respondeu.

Cersei

Na última noite em que esteve presa, a rainha não pôde dormir. Cada vez que fechava os olhos, sua cabeça se enchia com pressentimentos e fantasias a respeito do dia seguinte. *Terei guardas*, disse para si mesma. *Eles manterão a multidão longe. Ninguém poderá tocar em mim.* O Alto Pardal lhe prometera aquilo.

Mesmo assim, estava com medo. No dia em que Myrcella zarpara para Dorne, o dia do motim dos pães, os mantos dourados estavam posicionados ao longo da rota da procissão, mas a multidão invadira para fazer o velho e gordo Alto Septão em pedaços e estuprar Lollys Stokeworth meia centena de vezes. Se aquela criatura pálida e estúpida podia incitar os animais estando completamente vestida, quanta luxúria uma rainha não inspiraria?

Cersei caminhou pela cela, inquieta como os leões encarcerados que viviam nas entranhas de Rochedo Casterly quando ainda era uma garota, um legado dos tempos de seu avô. Ela e Jaime costumavam desafiar um ao outro para subir na jaula, e uma vez ela conseguira reunir coragem suficiente para deslizar a mão entre duas barras e tocar um dos grandes animais amarelados. Sempre fora mais ousada que o irmão. O leão havia virado a cabeça para encará-la com imensos olhos dourados. Então, lambera seus dedos. Sua língua era áspera como uma lima, mas, mesmo assim, ela não tirou a mão, não até que Jaime a pegara pelos ombros e a puxara para longe da jaula.

– Sua vez – dissera para ele, depois. – Puxe a juba dele, desafio você. – *Ele nunca puxou. Eu devia ter a espada, não ele.*

Descalça e tremendo, ela andava de um lado para o outro com um fino cobertor sobre os ombros. Estava ansiosa pelo dia que viria. Até o anoitecer, tudo estaria acabado. *Uma pequena caminhada e estarei em casa, estarei novamente com Tommen, em meus próprios aposentos dentro da Fortaleza de Maegor.* Seu tio dissera que era a única maneira de se salvar. Seria, realmente? Não confiava no tio, não mais do que confiava nesse Alto Septão. *Ainda posso me recusar. Ainda posso insistir na minha inocência e arriscar tudo em um julgamento.*

Mas não ousava deixar a Fé a cargo de seu julgamento, como aquela Margaery Tyrell pretendia fazer. Aquilo podia servir bem o suficiente para a pequena rosa, mas Cersei tinha poucos amigos entre as septãs e os pardais ao redor do novo Alto Septão. Sua única esperança seria um julgamento por batalha e, para isso, precisava ter um campeão.

Se Jaime não tivesse perdido a mão...

Aquele caminho não levaria a lugar nenhum, no entanto. A mão da espada de Jaime se fora, assim como ele, desaparecido com a mulher Brienne em algum lugar no Tridente.

A rainha teria que encontrar outro defensor, ou a provação de hoje seria o menor de seus problemas. Seus inimigos a acusavam de alta traição. Ela tinha que chegar até Tommen, não importava quanto custasse. *Ele me ama. Ele não rejeitará a própria mãe. Joff era teimoso e imprevisível, mas Tommen é um bom menino, um bom reizinho. Ele fará o que lhe for dito.* Se permanecesse ali, estaria condenada, e o único jeito de voltar para a Fortaleza Vermelha era caminhando. O Alto Septão fora duro, e Sor Kevan se recusara a erguer um dedo contra ele.

– Nada de mal vai me acontecer hoje – Cersei disse, quando as primeiras luzes do dia roçaram sua janela. – Apenas meu orgulho sofrerá. – As palavras soaram vazias em seus ouvidos. *Jaime ainda pode vir.* Ela o imaginou cavalgando pela neblina da manhã, a armadura dourada brilhando na luz do sol que se erguia. *Jaime, se você já me amou...*

Quando suas carcereiras vieram, Septã Unella, Septã Moelle e Septã Scolera lideravam a procissão. Com elas estavam quatro noviças e duas irmãs silenciosas. A visão das irmãs silenciosas em suas túnicas cinzentas encheu a rainha de um terror súbito. *Por que estão aqui? Vou morrer?* As irmãs silenciosas auxiliam os mortos.

– O Alto Septão prometeu que nada de mau me aconteceria.

– E nada acontecerá. – Septã Unella acenou para as noviças. Elas trouxeram sabão de lixívia, uma bacia com água morna, uma tesoura e uma longa navalha reta. A visão do aço fez um arrepio percorrer seu corpo. *Elas pretendem cortar meu cabelo. Um pouco mais de humilhação, uma passa para meu mingau.* Não lhes daria a satisfação de ouvi-la implorar. *Sou Cersei da Casa Lannister, um leão do Rochedo, a verdadeira rainha dos Sete Reinos, filha legítima de Tywin Lannister. E cabelos crescem novamente.*

– Vamos com isso – disse.

A mais velha das duas irmãs silenciosas pegou a tesoura. Uma barbeira experiente, sem dúvida; sua ordem frequentemente limpava os cadáveres dos nobres mortos antes de devolvê-los para os parentes, e aparar barbas e cortar cabelos era parte disso. Primeiro, a mulher descobriu a cabeça da rainha. Cersei sentou-se tão rígida quanto uma estátua de pedra, enquanto a tesoura trabalhava. Tufos de cabelo dourado caíam no chão. Ela não tivera permissão de mantê-lo devidamente penteado em sua cela, mas mesmo sem lavar e emaranhado, brilhava como se tivesse sido tocado pelo sol. *Minha coroa,* a rainha pensou. *Eles tiraram a outra coroa de mim, e agora estão roubando esta também.* Quando os cabelos e cachos empilharam-se ao redor de seus pés, uma das noviças ensaboou sua cabeça e a irmã silenciosa raspou o que restava com a navalha.

Cersei esperava que fosse o final daquilo, mas não.

– Tire a roupa, Vossa Graça – a Septã Unella ordenou.

– Aqui? – a rainha perguntou. – Por quê?

– Você deve ser tosquiada.

Tosquiada, ela pensou, *como uma ovelha.* Arrancou a túnica pela cabeça e a jogou ao chão.

– Façam o que têm que fazer.

Então, lá estava o sabão novamente, a água morna e a navalha. O cabelo embaixo dos braços veio em seguida, então as pernas, e por último o ouro fino que cobria seu monte. Quando a irmã silenciosa se arrastou entre suas pernas com a navalha, Cersei se pegou lembrando todas as vezes em que Jaime se ajoelhara onde ela estava ajoelhada agora, plantando beijos na parte de dentro das suas cochas, fazendo-a ficar molhada. Os beijos dele eram sempre quentes. A navalha era gelada.

Quando a ação estava acabada, ela estava tão nua e vulnerável quanto uma mulher poderia estar. *Nem mesmo um fio de cabelo para me esconder atrás.* Uma pequena risada explodiu de seus lábios, sombria e amarga.

– Vossa Graça acha isso divertido? – disse a Septã Scolera.

– Não, septã – falou Cersei. *Mas um dia terei sua língua arrancada por uma pinça quente, e isso será hilário.*

Uma das noviças trouxera uma túnica para ela, uma túnica de septã branca e macia para cobri-la enquanto fizesse o caminho pelos degraus da torre e através do septo, portanto, qualquer adorador com quem se encontrasse no meio do caminho seria poupado da visão de sua carne nua. *Sete, salvem-nos a todos, que hipócritas eles são.*

– Terei permissão para um par de sandálias? – ela perguntou. – As ruas estão imundas.

– Não tão imundas quanto seus pecados – disse a Septã Moelle. – Sua Alta Santidade ordenou que você se apresentasse como os deuses a fizeram. Você tinha sandálias nos pés quando saiu do útero da senhora sua mãe?

– Não, septã – a rainha foi obrigada a dizer.

– Então já tem sua resposta.

Um sino começou a soar. O longo aprisionamento da rainha estava no fim. Cersei puxou a túnica de encontro ao corpo, grata por seu calor, e disse:

– Vamos. – Seu filho a aguardava do outro lado da cidade. Quanto mais cedo saísse, mais cedo o veria.

A pedra áspera raspava as solas de seus pés, enquanto Cersei Lannister fazia sua descida. Viera ao Septo de Baelor como uma rainha, em uma liteira. Estava saindo careca e descalça. *Mas estou saindo. Isso é tudo o que importa.*

Os sinos da torre estavam tocando, convocando a cidade para testemunhar sua vergonha. O Grande Septo de Baelor estava lotado de fiéis vindos para os serviços do amanhecer, o som das orações ecoando pela cúpula sobre as cabeças, mas, quando a procissão da rainha apareceu, um súbito silêncio tomou conta do lugar e mil olhos se viraram para segui-la enquanto ela seguia pelo corredor, passando pelo lugar em que o senhor seu pai fora velado após ter sido assassinado. Cersei passou rapidamente por eles, não olhando nem para a direita nem para a esquerda. Seus pés descalços batiam contra o frio chão de mármore. Ela podia sentir os olhares. Atrás dos altares, os Sete pareciam observá-la também.

No Salão das Lamparinas, uma dúzia de Filhos do Guerreiro esperava sua chegada. Mantos arco-íris pendiam de suas costas, e os cristais que ornamentavam os grandes elmos brilhavam sob as luzes das lamparinas. As armaduras eram de placas de prata polidas até parecerem espelhos, mas por baixo, ela sabia, cada um deles usava um cilício. Seus escudos triangulares tinham o mesmo padrão: uma espada de cristal brilhando na escuridão, o antigo emblema daqueles que o povo chamava de Espadas.

O capitão deles se ajoelhou diante dela.

– Talvez Vossa Graça se recorde de mim. Sou Sor Theodan, o Fiel, e Sua Alta Santidade ordenou que eu a escoltasse. Meus irmãos e eu garantiremos sua segurança pela cidade.

O olhar de Cersei passou pelo rosto dos homens atrás dele. E lá estava ele: Lancel, seu primo, filho de Sor Kevan, que certa vez declarara amá-la, antes de decidir que amava mais os deuses. *Meu sangue e meu traidor.* Ela não o perdoaria.

– Pode se levantar, Sor Theodan. Estou pronta.

O cavaleiro levantou-se, virou-se e ergueu a mão. Dois de seus homens aproximaram--se das altas portas e as abriram, e Cersei atravessou-as até o ar livre, piscando sob a luz do sol como uma toupeira despertada de sua toca.

Um vento forte soprava e fazia a ponta da túnica se agarrar e ondular em suas pernas. O ar da manhã estava denso com os velhos e conhecidos fedores de Porto Real. Ela respirou o cheiro de vinho azedo, pão sendo assado, peixe podre e excrementos, fumaça, suor e mijo de cavalo. Nenhuma flor jamais cheirara tão bem. Encolhida em sua túnica, Cersei parou no topo dos degraus de mármore enquanto os Filhos do Guerreiro entravam em formação ao redor dela.

De repente, percebeu que já tinha estado naquele mesmo lugar, no dia em que Lorde Eddard Stark perdera a cabeça. *Aquilo não era para ter acontecido. Joff devia ter poupado sua vida e o enviado para a Muralha.* O filho mais velho de Stark o teria substituído como Senhor de Winterfell, mas Sansa teria ficado na corte, como refém. Varys e Mindinho tinham acertado os termos, e Ned Stark tinha engolido sua preciosa honra e confessado sua traição para salvar a cabecinha vazia da filha. *Eu teria conseguido um bom casamento para Sansa. Um casamento Lannister. Não Joff, é claro, mas Lancel poderia servir, ou um de seus irmãos mais jovens.* Petyr Baelish se oferecera para casar com a garota, ela se lembrou, mas é claro que era impossível, ele era de nascimento muito baixo. *Se Joff simplesmente tivesse feito o que lhe foi dito, Winterfell jamais teria ido à guerra, e o pai teria lidado com os irmãos de Robert.*

Em vez disso, Joff ordenara que a cabeça de Stark fosse cortada, e Lorde Slynt e Sor Ilyn Payne se apressaram em obedecer. *Foi bem ali*, a rainha se lembrou, olhando para o local. Janos Slynt erguera a cabeça de Ned Stark pelos cabelos, enquanto o sangue de sua vida escorria pelos degraus, e depois não havia como voltar atrás.

As lembranças pareciam tão distantes agora. Joffrey estava morto, e todos os filhos de Stark também. Até mesmo seu pai perecera. E, agora, ela estava nos degraus do Grande Septo novamente, só que dessa vez era ela quem a multidão estava olhando, não Eddard Stark.

A ampla praça de mármore embaixo estava tão lotada quanto no dia que Stark morrera. Por todos os lados, a rainha via olhos. A multidão parecia ter partes iguais de homens e mulheres. Alguns tinham crianças nos ombros. Mendigos e ladrões, taverneiros e comerciantes, curtidores, cavalariços e pantomimeiros, as prostitutas mais rampeiras, toda a escória saíra para ver a rainha humilhada. E, misturados a eles, estavam os Pobres Irmãos; criaturas sujas e barbudas, armadas com lanças e machados e vestidos com pedaços de placas amassadas, cotas de malha enferrujadas e couro rachado, sobre túnicas ásperas branqueadas e adornadas com a estrela de sete pontas da Fé. O exército esfarrapado do Alto Pardal.

Parte dela ainda esperava que Jaime aparecesse e a resgatasse dessa humilhação, mas seu irmão gêmeo estava em algum lugar desconhecido. Nem seu tio estava presente. Aquilo não a surpreendia. Sor Kevan tinha deixado seu ponto de vista claro durante a última visita; a vergonha dela não devia manchar a honra de Rochedo Casterly. Nenhum leão caminharia com ela hoje. Essa provação era dela, e apenas dela.

Septã Unella ficou à sua direita, Septã Moelle à sua esquerda, Septã Scolera atrás dela. Se a rainha fugisse ou se recusasse a continuar, as três bruxas a arrastariam para dentro e, dessa vez, se assegurariam de que nunca deixasse sua cela.

Cersei ergueu a cabeça. Além da praça, e do mar de olhos famintos, bocas escancaradas e rostos sujos, do outro lado da cidade, a Grande Colina de Aegon erguia-se a distância, as torres e as ameias da Fortaleza Vermelha parecendo rosadas sob a luz do sol que nascia. *Não é tão longe.* Uma vez que alcançasse os portões, o pior do seu sofrimento estaria terminado. Teria seu filho novamente. Teria seu campeão. Seu tio lhe prometera isso. *Tommen está esperando por mim em casa. Meu reizinho. Eu posso fazer isso. Eu devo.*

Septã Unella deu um passo à frente.

– Uma pecadora vem diante de vocês – declarou. – Ela é Cersei da Casa Lannister, rainha pelo casamento, mãe de Sua Graça o Rei Tommen, viúva de Sua Graça o Rei Robert, e cometeu graves falsidades e fornicações.

Septã Moelle moveu-se na direita da rainha.

– A pecadora confessou seus pecados e implorou por absolvição e perdão. Sua Alta Santidade ordenou que ela demonstrasse seu arrependimento colocando de lado todo o orgulho e os artifícios, apresentando-se como os deuses a fizeram diante do bom povo da cidade.

Septã Scolera completou.

– Então, agora, esta pecadora vem diante de vocês com o coração humilde, despojada de segredos e ocultações, nua diante dos olhos dos deuses e dos homens, para fazer sua caminhada de expiação.

Cersei tinha um ano de idade quando o avô morrera. A primeira coisa que o pai fizera em sua ascensão fora expulsar de Rochedo Casterly a amante gananciosa e de baixo nascimento de seu próprio pai. As sedas e os veludos que Lorde Tytos derramara sobre ela e as joias que ela tomara para si lhe foram tirados, e fora enviada nua para caminhar pelas ruas de Lannisporto, para que o oeste pudesse ver o que ela era.

Embora fosse jovem demais para testemunhar o espetáculo, Cersei ouvira a história se espalhando nas bocas das lavadeiras e dos guardas que estiveram ali. Falaram sobre como a mulher chorara e implorara, da forma desesperada que agarrara suas roupas quando lhe ordenaram que se despisse, dos esforços fúteis para cobrir os seios e o sexo com as mãos enquanto seguira mancando descalça e nua pelas ruas para o exílio.

– Antes ela era vaidosa e altaneira – ela lembrava um guarda falando –, tão arrogante que poderia se pensar que esquecera que viera da sujeira. Uma vez que tiraram suas roupas, no entanto, ela era apenas outra prostituta.

Se Sor Kevan e o Alto Pardal pensavam que aconteceria o mesmo com ela, estavam muito enganados. O sangue de Lorde Tywin estava nela. *Sou uma leoa. Não vou me assustar diante deles.*

A rainha deslizou a túnica pelos ombros.

Ela se desnudou em um movimento suave e sem pressa, como se estivesse em seus próprios aposentos, tirando a roupa para o banho com ninguém além das aias observando. Quando o frio tocou sua pele, tremeu violentamente. Reuniu todas as suas forças para não tentar se cobrir com as mãos, como a puta de seu avô fizera. Os dedos se fecharam em punhos, as unhas penetrando na palma da mão. Estavam olhado para ela, todos os olhos famintos. Mas o que estavam vendo? *Sou bonita,* lembrou a si mesma. Quantas vezes Jaime lhe dissera aquilo? Mesmo Robert lhe dizia isso quando vinha bêbado para sua cama a fim de lhe prestar uma embriagada homenagem com seu pau.

Eles, no entanto, olharam para Ned Stark do mesmo jeito.

Tinha que se mexer. Nua, tosquiada, pés descalços, Cersei começou a descer lentamente pelos amplos degraus de mármore. Arrepios subiam pelos seus braços e pernas. Manteve o queixo erguido, como uma rainha deve fazer, e sua escolta se espalhou diante dela. Os Pobres Irmãos empurravam as pessoas para abrir caminho na multidão, enquanto as Espadas se posicionaram em cada lado dela. Septã Unella, Septã Scolera e Septã Moelle a seguiam. Atrás delas vinham as noviças vestidas de branco.

– *Puta!* – alguém gritou. Uma voz de mulher. Mulheres eram sempre as mais cruéis quando outra mulher estava em questão.

Cersei a ignorou. *Haverá mais, e pior. Essas criaturas não têm alegria mais doce na vida do que zombar de seus superiores.* Não podia silenciá-los, então devia fingir que não estava ouvindo. Não deveria olhar para eles também. Manteria os olhos na Grande Colina de Aegon, do outro lado da cidade, nas torres da Fortaleza Vermelha que resplandeciam sob a luz. Era onde encontraria a salvação, se o tio mantivesse sua parte na barganha.

Ele quis isso. Ele e o Alto Pardal. E a pequena rosa também, não duvido. Eu pequei e devo expiar, devo desfilar minha vergonha diante dos olhos de cada mendigo da cidade. Eles acham que isso quebrará meu orgulho, que acabará comigo, mas estão enganados.

Septã Unella e Septã Moelle caminhavam ao lado dela, enquanto Septã Scolera seguia atrás, tocando um sino.

– *Vergonha* – a velha bruxa dizia –, *vergonha sobre a pecadora, vergonha, vergonha.*

De algum lugar à direita, outra voz cantava em contraponto à dela, algum menino vendedor de tortas gritando:

– Tortas de carne, três dinheiros, tortas quentinhas de carne, aqui.

O chão de mármore era frio e liso, e Cersei tinha que andar cuidadosamente, com medo de escorregar. O caminho os levou até a estátua de Baelor, o Abençoado, alto e sereno sobre seu pedestal, seu rosto um esboço cuidadoso de benevolência. Olhando para ele, não era possível imaginar o tolo que fora. A dinastia Targaryen produzira tanto reis ruins quanto bons, mas nenhum tão amado quanto Baelor, aquele piedoso e gentil rei-septão que amara o povo e os deuses em partes iguais e, mesmo assim, aprisionara as próprias irmãs. Era incrível que a estátua não desmoronasse à visão dos seios nus da rainha. Tyrion costumava dizer que o Rei Baelor ficava apavorado com o próprio pau. Certa vez, ela se lembrou, ele expulsara todas as putas de Porto Real. Rezava por elas enquanto eram levadas para fora dos muros da cidade, as histórias contavam, mas não olhara para elas.

– Prostituta – uma voz gritou. Outra mulher. Algo voou da multidão. Algum vegetal podre. Marrom e soltando líquido, passou por cima de sua cabeça para se espatifar nos pés de um dos Pobres Irmãos. *Não estou com medo. Sou uma leoa.* Continuou andando.

– Tortas quentes – o menino das tortas gritava. – Pegue sua torta quente aqui.

Septã Scolera tocava o sino, entoando:

– *Vergonha, vergonha, vergonha sobre a pecadora, vergonha, vergonha.*

Os Pobres Irmãos seguiam na frente, empurrando os homens com seus escudos, abrindo um caminho estreito. Cersei seguiu-os, a cabeça ereta, os olhos fixos e distantes. Cada passo deixava a Fortaleza Vermelha mais próxima. Cada passo a deixava mais perto do filho e da salvação.

Pareceu levar cem anos para cruzar a praça, mas finalmente o mármore deu lugar aos paralelepípedos sob seus pés, lojas, estábulos e casas fechadas ao redor deles, e começaram a descer a Colina de Visenya.

O percurso era mais lento ali. A rua era íngreme e estreita, a multidão se comprimia firmemente. Os Pobres Irmãos empurravam aqueles que bloqueavam o caminho, tentando movê-los para o lado, mas não havia para onde ir, e os que estavam na parte de trás da multidão eram levados para trás. Cersei tentava manter a cabeça erguida, mas pisou em algo liso e molhado que a fez escorregar. Teria caído, mas a Septã Unella a pegou pelo braço e a manteve em pé.

– Vossa Graça deve prestar atenção onde coloca os pés.

Cersei puxou o braço para se libertar.

– Sim, septã – disse, com uma voz mansa, embora estivesse com raiva suficiente para cuspir na mulher. A rainha continuou, vestida apenas com arrepios e orgulho. Olhou para a Fortaleza Vermelha, mas estava escondida agora, coberta ao seu olhar por altos prédios de madeira que se erguiam por todos os lados.

– *Vergonha, vergonha* – entoava Septã Scolera, seu sino tocando.

Cersei tentou andar mais rápido, mas logo se deparou com as costas das Estrelas, que seguiam diante dela, e teve que reduzir os passos novamente. Um homem diante deles estava vendendo carne assada no espeto em um carrinho, e a procissão parou enquanto os Pobres Irmãos o tiravam do caminho. A carne parecia suspeitosamente de rato aos olhos de Cersei, mas o cheiro enchia o ar, e metade dos homens ao redor deles traziam espetos na mão quando a rua ficou livre o suficiente para que ela pudesse retomar seu trajeto.

– Vossa Graça quer um pouco? – um dos homens gritou. Era um brutamontes forte, com olhos de porco, uma barriga enorme e uma barba negra desgrenhada que a fez se lembrar de Robert. Quando ela desviou o olhar com nojo, ele jogou o espeto nela. Acertou-a na perna e caiu na rua, e a carne meio cozida deixou uma mancha de gordura e sangue em sua coxa.

A gritaria parecia mais alta ali do que na praça, talvez porque a multidão estivesse muito mais próxima. "Puta" e "pecadora" eram os gritos mais comuns, mas "fode-irmão", "boceta" e "traidora" eram atirados para ela também, e uma ou outra vez ouvia alguém gritar por Stannis ou Margaery. Os paralelepípedos sob seus pés estavam sujos, e havia tão pouco espaço que a rainha não podia nem desviar das poças. *Ninguém jamais morreu de um pé molhado*, disse para si mesma. Queria acreditar que as poças eram apenas água da chuva, embora mijo de cavalo fosse o mais provável.

Mais lixo era jogado das janelas e dos balcões: frutas apodrecidas, baldes de cerveja, ovos que explodiam em um fedor sulfuroso quando estouravam no chão. Então alguém atirou um gato morto sobre os Pobres Irmãos e os Filhos do Guerreiro. A carcaça acertou os paralelepípedos com tanta força que se abriu, respingando as pernas dela com entranhas e larvas.

Cersei continuou. *Sou cega e surda, e eles são vermes*, disse para si mesma.

– *Vergonha, vergonha* – a septã entoava.

– Castanhas, castanhas assadas quentinhas – um vendedor ambulante gritava.

– Rainha Boceta – um bêbado pronunciou solenemente de um balcão acima deles, erguendo a caneca para ela em um brinde zombeteiro. – Salve as tetas reais!

Palavras são vento, Cersei pensou. *Palavras não podem me ferir.*

Na metade da descida da Colina de Visenya, a rainha caiu pela primeira vez, quando seu pé escorregou em algo que devia ser excremento. Quando a Septã Unella a levantou, seu joelho estava ralado e sangrando. Uma risada áspera veio do meio da multidão, e um homem se ofereceu para beijá-la para que se sentisse melhor. Cersei olhou para trás. Podia ver a grande cúpula e as sete torres de cristal do Grande Septo de Baelor, no alto da colina. *Eu realmente caminhei tão pouco?* Pior, cem vezes pior, perdera de vista a Fortaleza Vermelha.

– Onde... onde...?

– Vossa Graça. – O capitão da escolta foi até ela. Cersei havia esquecido o nome dele. – Você deve continuar. A multidão está ficando mais rebelde.

Sim, ela pensou. *Rebelde.*

– Não tenho medo...

– Deveria ter. – Ele puxou-a pelo braço, colocando-a ao seu lado.

Ela cambaleou colina abaixo – para baixo, sempre para baixo –, estremecendo a cada passo, deixando que ele a apoiasse. *Devia ser Jaime ao meu lado.* Ele desembainharia sua espada dourada e abriria caminho pela multidão, arrancando os olhos das cabeças de todo homem que ousasse olhar para ela.

As pedras do pavimento eram rachadas e irregulares, escorregadias e ásperas contra seus pés suaves. Seu calcanhar tocou em alguma coisa afiada, uma pedra ou um pedaço de louça quebrada. Cersei gritou de dor.

– Eu pedi sandálias – cuspiu para Septã Unella. – Vocês podiam ter me dado sandálias, podiam ter feito isso.

O cavaleiro agarrou seu braço novamente, como se ela fosse uma serviçal qualquer. *Ele se esqueceu de quem eu sou?* Era a rainha de Westeros; ele não tinha o direito de colocar as mãos rudes sobre ela.

Na parte de baixo da colina, a encosta ficou mais suave e a rua começou a alargar. Cersei pôde ver a Fortaleza Vermelha novamente, brilhando carmesim ao sol da manhã no topo da grande colina de Aegon. *Preciso continuar andando.* Libertou-se das mãos de Sor Theodan.

– Não precisa me arrastar, Sor. – Ela mancava, deixando um rastro de pegadas sangrentas nas pedras atrás de si.

Caminhou pela lama e pelo esterco, sangrando, sentindo arrepios, cambaleando. Ao redor dela, um tagarelar sem fim.

– Minha esposa tem tetas melhores do que essas – um homem gritou.

Um cocheiro amaldiçoava enquanto os Pobres Irmãos ordenavam que sua carroça saísse do caminho.

– *Vergonha, vergonha, vergonha da pecadora* – entoavam as septãs.

– Olhem para esta aqui – uma puta falou da janela de um bordel, levantando a saia para os homens lá embaixo –, não teve metade dos paus que essa aí.

Sinos tocavam, tocavam, tocavam.

– Essa não pode ser a rainha – um menino disse –, ela é flácida como minha mãe.

Essa é minha penitência, Cersei disse para si mesma. *Pequei muito gravemente, essa é minha expiação. Acabará logo, ficará para trás, então poderei esquecer.*

A rainha começou a ver rostos familiares. Um homem careca com costeletas grossas franziu o cenho em uma janela como seu pai faria e, por um instante, ele se pareceu tanto com Lorde Tywin que ela tropeçou. Uma jovem estava sentada ao lado de uma fonte, molhando-se com a água que espirrava, e a encarou com os olhos acusadores de Melara Hetherspoon. Viu Ned Stark e, ao lado dele, a pequena Sansa com seu cabelo ruivo e um cão cinza felpudo que devia ser sua loba. Cada criança se contorcendo no meio da multidão se tornou seu irmão Tyrion, escarnecendo dela como ele fizera quando Joffrey morreu. E ali estava Joffrey também, seu filho, seu primogênito, seu belo menino com cachos dourados e sorriso doce, ele tinha lábios tão adoráveis, ele...

Foi quando ela caiu pela segunda vez.

Estava tremendo como uma folha quando a colocaram em pé.

– Por favor – disse. – Mãe, tenha misericórdia. Eu confessei.

– Você confessou – disse Septã Moelle. – Esta é sua expiação.

– Não falta muito – falou Septã Unella. – Vê? – apontou. – Até o alto da colina, e é tudo.

Até o alto da colina. E é tudo. Era verdade. Estavam aos pés da Grande Colina de Aegon, o castelo acima deles.

– Puta – alguém gritou.

– Fode-irmão – outra voz completou. – Abominação.

– Quer dar uma chupada aqui, Vossa Graça? – um homem com um avental de açougueiro agarrou o pau pelo calção, rindo. Não importava. Ela estava quase em casa.

Cersei começou a subida.

De algum modo, as vaias e os gritos eram mais grosseiros ali. Sua caminhada não a havia levado até a Baixada das Pulgas, então seus habitantes tinham se reunido nas encostas mais baixas da Grande Colina de Aegon para ver o espetáculo. Seus rostos maliciosos, vistos por detrás dos escudos e das lanças dos Pobres Irmãos, pareciam distorcidos, monstruosos, medonhos. Porcos e crianças nuas estavam em todos os lugares, mendigos aleijados e batedores de carteiras fervilhavam como baratas entre a aglomeração de pessoas. Ela viu homens cujos dentes haviam sido afiados em pontas, velhas com bócio tão grande quanto a cabeça, uma puta com uma imensa cobra listrada sobre os seios e os ombros, um homem com o queixo e as bochechas cobertos com feridas abertas que vazavam pus cinza. Sorriam, lambiam os lábios e vaiavam enquanto ela passava mancando por eles, os seios arfando com o esforço da subida. Alguns gritavam propostas obscenas, outros, insultos. *Palavras são vento,* ela pensou, *palavras não podem me ferir. Sou bonita, a mais bela mulher de toda Westeros, Jaime diz isso, Jaime nunca mentiria para mim. Mesmo Robert, Robert nunca me amou, mas ele via que eu era bonita, ele me queria.*

Mas não se sentia bonita. Ela se sentia velha, usada, suja, feia. Havia estrias em sua barriga das crianças que parira, e os seios não eram mais tão firmes quanto eram quando era mais jovem. Sem um vestido para mantê-los, cediam contra seu peito. *Eu não devia ter feito isso. Eu era a rainha deles, mas agora eles viram, eles viram, eles viram. Eu nunca deveria tê-los deixado ver.* Vestida e coroada, ela era uma rainha. Nua, sangrando, mancando, era apenas uma mulher, não muito diferente das esposas deles, mais parecidas com suas mães do que com suas belas filhinhas donzelas. *O que eu fiz?*

Havia algo em seus olhos, ardendo, borrando a visão. Não podia chorar, não podia chorar, os vermes não deviam vê-la chorando. Cersei esfregou os olhos com as palmas das mãos. Uma rajada de vento frio a fez tremer violentamente.

E repentinamente a bruxa estava ali, parada na multidão, suas tetas penduradas e a pele cheia de verrugas esverdeadas, maldosa como os demais, com a malícia brilhando nos duros olhos amarelos.

– *Rainha você será* – ela sibilou –, *até que venha outra, mais jovem e mais bonita, para derrubar você e tomar tudo o que lhe é mais caro.*

E então não foi mais possível segurar as lágrimas. Elas queimavam pelas bochechas da rainha como ácido. Cersei deu um grito agudo, cobriu os mamilos com um braço, deslizou a outra mão para esconder sua fenda e começou a correr, forçando o caminho pela fileira de Pobres Irmãos, abaixando-se enquanto se arrastava colina acima. No meio do caminho, tropeçou e caiu, ergueu-se, então caiu novamente dez metros adiante. A próxima coisa que soube é que estava rastejando, correndo para cima de quatro, como um cão, enquanto a boa gente de Porto Real abria caminho para ela, rindo, zombando e aplaudindo.

Então a multidão ficou para trás e pareceu se dissolver, e lá estavam os portões do castelo diante dela, e uma fileira de lanceiros em brilhantes meios-elmos e mantos carmesins. Cersei ouviu o som rude e familiar de seu tio rosnando ordens, e viu um clarão branco de ambos os lados enquanto Sor Boros Blount e Sor Meryn Trant caminhavam na direção dela com armaduras claras e mantos nevados.

– Meu filho – ela gritou. – Onde está meu filho? Onde está Tommen?

– Não está aqui. Nenhum filho deve testemunhar a vergonha da mãe. – A voz de Sor Kevan era dura. – Cubram-na.

Então Jocelyn estava debruçada sobre ela, enrolando-a em um cobertor de lã verde, macio e limpo, que cobria sua nudez. Uma sombra caiu sobre ambas, cobrindo o sol. A rainha sentiu o aço frio deslizar sob seu corpo, um par de grandes braços blindados erguendo-a do chão, levantando-a no ar tão facilmente quanto ela erguia Joffrey quando ele ainda era um bebê. *Um gigante*, Cersei pensou, tonta, enquanto ele a levava com passos largos em direção à entrada da Fortaleza. Ouvira que gigantes ainda podiam ser encontrados na natureza sem deuses além da Muralha. *Isso é só uma história. Estou sonhando?*

Não. Seu salvador era real. Dois metros e meio de altura, talvez mais, com pernas tão grossas quanto árvores, tinha um peito digno de um cavalo de arado e ombros que não desonrariam um boi. Sua armadura era de chapa de aço, esmaltada branca e brilhante como as esperanças de uma donzela e, sobre ela, uma cota de malha dourada. Um grande elmo cobria seu rosto. Do alto de sua cabeça saíam sete plumas sedosas nas cores do arco-íris da Fé. Um par de estrelas de sete pontas douradas prendiam seu manto esvoaçante nos ombros.

Um manto branco.

Sor Kevan mantivera sua parte na barganha. Tommen, seu precioso menininho, nomeara seu campeão para a Guarda Real.

Cersei nunca soube de onde Qyburn veio, mas de repente ele estava ao lado deles, lutando para acompanhar os largos passos de seu campeão.

– Vossa Graça – disse –, é bom tê-la de volta. Posso ter a honra de lhe apresentar nosso mais novo membro da Guarda Real? Este é Sor Robert Forte.

– Sor Robert – Cersei murmurou, enquanto entravam pelos portões.

– Para o agrado de Vossa Graça, Sor Robert fez o sagrado voto do silêncio – Qyburn falou. – Jurou que não falará até que todos os inimigos de Sua Graça estejam mortos e o mal seja expulso do reino.

Sim, pensou Cersei Lannister. *Oh, sim.*

Tyrion

A pilha de pergaminhos estava formidavelmente alta. Tyrion olhou para ela e suspirou.

– Eu tinha entendido que vocês eram um bando de irmãos. Esse é o amor que um irmão nutre pelo outro? Onde está a confiança? A amizade, o respeito carinhoso, a profunda afeição que apenas homens que lutam e sangram juntos são capazes de conhecer?

– Tudo a seu tempo – disse Ben Mulato Plumm.

– Depois que você assinar – disse Tinteiros, afinando uma pena.

Kasporio, o Astuto, tocou no cabo da espada.

– Se quiser começar a sangrar agora, ficarei feliz em lhe proporcionar isso.

– É muita gentileza sua oferecer isso – disse Tyrion. – Mas acho que não.

Tinteiros colocou os pergaminhos diante dele e lhe estendeu a pena.

– Aqui está sua tinta. Esta é da Antiga Volantis. Dura tanto quanto as tintas negras dos meistres. Tudo o que precisa fazer é assinar e passar as notas para mim. Eu farei o resto.

Tyrion deu um sorriso torto.

– Posso ler primeiro?

– Se quiser. São todas iguais, de modo geral. Exceto as que estão no fundo, mas chegaremos nelas no devido tempo.

Oh, estou certo que sim. Para a maioria dos homens, não havia custo para se juntar a uma companhia, mas ele não era a maioria dos homens. Mergulhou a pena no pote de tinta, inclinou-se sobre o primeiro pergaminho, parou e olhou para cima.

– Vocês preferem que eu assine *Yollo* ou *Hugor Hill?*

Ben Mulato apertou os olhos.

– Você prefere voltar para os herdeiros de Yezzan ou apenas ser decapitado?

O anão riu e assinou o pergaminho, *Tyrion da Casa Lannister*. Passou o documento para Tinteiros e folheou a pilha que restava.

– Aqui há... o quê? Cinquenta? Sessenta? Pensei que eram quinhentos Segundos Filhos.

– Quinhentos e treze no presente – Tinteiros disse. – Quando você assinar nosso livro, seremos quinhentos e quatorze.

– Apenas um em cada dez recebe uma nota? Isso dificilmente parece justo. Pensei que vocês das companhias livres eram do tipo que divide tudo igualmente. – Assinou outra folha.

Ben Mulato riu.

– Oh, tudo dividido. Mas não igualmente. Os Segundos Filhos não são diferentes de uma família...

– ... e toda família tem primos babões. – Tyrion assinou outra nota. O pergaminho enrugado crepitou quando o passou para o tesoureiro. – Há celas dentro das entranhas de Rochedo Casterly onde o senhor meu pai mantinha os piores dos nossos. – Mergulhou a pena no pote de tinta. *Tyrion da Casa Lannister,* rabiscou, prometendo pagar ao portador da nota cem dragões de ouro. *Cada movimento da pena me deixa um pouco mais pobre... ou deixaria, se eu não fosse um pedinte, para começar.* Um dia, poderia se arrepender dessas assinaturas. *Mas não hoje.* Soprou a tinta molhada, passou o pergaminho para o tesoureiro e assinou outro que estava embaixo. E novamente. E novamente. E novamente. – Isso me fere profundamente, devo dizer – disse, entre uma assinatura e outra. – Em Westeros, a palavra de um Lannister é considerada tão boa quanto ouro.

Tinteiros deu de ombros.

– Não estamos em Westeros. Neste lado do mar estreito, colocamos nossas promessas no papel. – Em cada folha que lhe era passada, ele jogava uma fina camada de areia na assinatura para absorver o excesso de tinta, sacudia e colocava de lado. – Dívidas escritas no vento tendem a ser... esquecidas, podemos dizer?

– Não por nós. – Tyrion assinou outra folha. E outra. Encontrara um ritmo, agora. – Um Lannister sempre paga suas dívidas.

Plumm riu.

– Sim, mas a palavra de um mercenário é sem valor.

Bem, a sua é, pensou Tyrion, *e graças aos deuses por isso.*

– É verdade, mas não serei um mercenário até assinar seu livro.

– Em breve – disse Ben Mulato. – Depois das notas.

– Estou dançando o mais rápido que posso. – Queria rir, mas isso teria arruinado o jogo. Plumm estava gostando daquilo, e Tyrion não tinha nenhuma intenção de tirar sua diversão. *Deixe-o pensar que está se deitando sobre mim e comendo meu cu, e comprarei espadas de aço com dragões de pergaminho.* Se alguma vez voltasse para Westeros para reivindicar seu direito de nascimento, teria todo o ouro de Rochedo Casterly para cumprir suas promessas. Se não, bem, estaria morto, e seus novos irmãos podiam limpar a bunda com os pergaminhos. Talvez alguns deles fossem para Porto Real carregando seus rabiscos, na esperança de convencer sua doce irmã a pagá-los. *E eu gostaria de ser uma barata para testemunhar isso.*

O texto nos pergaminhos mudou da metade da pilha para baixo. As notas de cem dragões eram todas para oficiais. De repente, as quantias ficavam maiores. Agora Tyrion prometia pagar ao portador mil dragões de ouro. Abanou a cabeça, riu, assinou. E novamente. E novamente.

– Então – disse, enquanto rabiscava –, quais serão meus deveres com a companhia?

– Você é feio demais para ser michê de Bokkoko – disse Kasperio –, mas pode ser aparador de seta.

– Sou melhor do que você imagina – disse Tyrion, recusando-se a morder a isca. – Um homem pequeno com um grande escudo deixará os arqueiros loucos. Um homem mais sábio do que você me disse isso certa vez.

– Você trabalhará com Tinteiros – disse Ben Mulato Plumm.

– Você trabalhará *para* Tinteiros – corrigiu Tinteiros. – Manter os livros, contar moedas, escrever contratos e cartas.

– Com prazer – falou Tyrion. – Amo livros.

– O que mais você faria? – escarneceu Kasporio. – Olhe para você. Não é feito para a batalha.

– Certa vez fiquei encarregado de todos os drenos de Rochedo Casterly – Tyrion disse suavemente. – Alguns deles estavam parados havia anos, mas logo os fiz drenarem alegremente. – Mergulhou a pena na tinta novamente. Outra dúzia de notas, e estava acabado. – Talvez eu possa supervisionar suas seguidoras de acampamento. Não podemos ter os homens parados sobre elas, podemos?

Aquela brincadeira não agradou Ben Mulato.

– Fique longe das putas – avisou. – A maioria delas tem sífilis, e elas falam. Você não é o primeiro escravo fugido a se juntar à companhia, mas isso não significa que precisamos alardear sua presença. Não quero você desfilando por onde possa ser visto. Fique aqui dentro o máximo que puder, e cague em seu balde. Há muitos olhos nas latrinas. E nunca vá além do nosso acampamento sem a minha permissão. Podemos vestir você com aço de escudeiro e fingir que é o michê de Jorah, mas alguns verão a verdade. Uma vez que tomemos Meereen e estejamos longe, em Westeros, você pode se empinar todo em ouro e carmesim. Até lá, no entanto...

– ... devo viver sob uma rocha e nunca fazer um som. Tem minha palavra nisso. – *Tyrion da Casa Lannister*, assinou mais uma vez, com um floreio. Era o último pergaminho. Restavam três notas, diferentes das demais. Duas estavam escritas em pergaminho fino e eram nominais. Para Kasporio, o Astuto, dez mil dragões. O mesmo para Tinteiros, cujo nome verdadeiro parecia ser Tybero Istarion. – *Tybero?* – disse Tyrion. – Soa quase como Lannister. Você é algum tipo de primo há muito perdido?

– Talvez. Sempre pago minhas dívidas também. É o que se espera de um tesoureiro. Assine.

Ele assinou.

A nota de Ben Mulato era a última. Aquela fora inscrita sobre um rolo de pele de cordeiro. *Cem mil dragões de ouro, seis mil acres de terra fértil, um castelo e uma senhoria. Muito bem. Esse Plumm não vem barato.* Tyrion mexeu em sua cicatriz e se perguntou se devia fazer um espetáculo de indignação. Quando alguém fode um homem, espera um grito ou dois. Podia amaldiçoar, jurar e exaltar o roubo, recusar-se a assinar por um momento, então ceder relutantemente, protestando todo o tempo. Mas estava cansado da encenação, então, em vez disso, riu, assinou e deu o rolo para Ben Mulato.

– Seu pau é tão grande quanto reza a lenda – disse. – Considere-me bem e realmente fodido, Lorde Plumm.

Ben Mulato assoprou a assinatura.

– O prazer é meu, Duende. E agora, faremos você um dos nossos. Tinteiros, pegue o livro.

O livro era encadernado em couro, com dobradiças de ferro, e grande o suficiente para que se pudesse cear sobre ele. Dentro das pesadas placas de madeira estavam nomes e datas que remontavam mais de um século.

– Os Segundos Filhos estão entre as mais antigas companhias livres – Tinteiros disse, enquanto virava as páginas. – Este é o quarto livro. O nome de cada homem que serviu conosco está escrito aqui. Quando se juntaram a nós, onde lutaram, quanto tempo serviram, como foram suas mortes – tudo no livro. Você encontrará nomes famosos aqui, alguns dos seus Sete Reinos. Aegor Rivers serviu um ano conosco, antes de nos deixar para fundar a Companhia Dourada. Açoamargo, vocês o chamam. O Príncipe Brilhante, Aerion Targaryen, foi um Segundo Filho. E Rodrik Stark, o Lobo Andarilho, também. Não, não com essa tinta. Aqui, use essa. – Destampou um novo pote e o deu ao anão.

Tyrion inclinou a cabeça.

– Tinta vermelha?

– Uma tradição da companhia – Tinteiros explicou. – Houve um tempo em que cada novo homem escrevia seu nome com o próprio sangue, mas acontece que sangue dá uma tinta muito pobre.

– Os Lannister amam tradições. Empreste-me sua faca.

Tinteiros ergueu uma sobrancelha, deu de ombros, tirou a adaga da bainha e a deu pelo cabo. *Ainda dói, Meiomeistre, muito obrigado*, pensou Tyrion enquanto furava a ponta do polegar. Apertou uma gorda gota de sangue no pote de tinta, trocou a adaga por uma pena nova e rabiscou, *Tyrion da Casa Lannister, Senhor de Rochedo Casterly*, em uma grande letra de mão, bem abaixo da assinatura bem mais modesta de Jorah Mormont.

E está feito. O anão balançou para trás no banco de acampamento.

– É tudo o que exigem de mim? Não preciso fazer um juramento? Matar um bebê? Chupar o pau do capitão?

– Chupe o que quiser. – Tinteiros virou o livro e salpicou a página com um pouco de areia fina. – Para a maioria de nós, a assinatura é suficiente, mas eu odiaria desapontar um novo irmão em armas. Bem-vindo aos Segundos Filhos, Lorde Tyrion.

Lorde Tyrion. O anão gostou do som daquilo. Os Segundos Filhos podiam não desfrutar da reputação brilhante da Companhia Dourada, mas haviam conquistado algumas vitórias famosas através dos séculos.

– Outros senhores já serviram com a companhia?

– Senhores sem terras – disse Ben Mulato. – Como você, Duende.

Tyrion saltou do banco.

– Meus irmãos anteriores foram completamente insatisfatórios. Espero mais dos novos. Agora, como faço para conseguir armas e uma armadura?

– Quer um porco para cavalgar também? – perguntou Kasporio.

– Ora, não sabia que sua esposa estava na companhia – disse Tyrion. – É muita gentileza sua oferecê-la, mas prefiro um cavalo.

O espadachim corou, mas Tinteiros gargalhou alto e Ben Mulato chegou a rir.

– Tinteiros, mostre-lhe os carroções. Ele pode escolher entre o aço da companhia. A garota também. Coloque um elmo nela, um pouco de cota de malha, e talvez alguns a tomem por um garoto.

– Lorde Tyrion, comigo. – Tinteiros segurou a porta de lona para deixá-lo bambolear para fora. – Pedirei para Bocados levar vocês até os carroções. Pegue sua mulher e encontre com ele na tenda da cozinha.

– Ela não é minha mulher. Talvez queira ficar com ela. Tudo o que faz ultimamente é dormir e me olhar fixamente.

– Você precisa bater nela com mais força e fodê-la com mais frequência – o tesoureiro sugeriu amavelmente. – Leve-a, deixe-a, como queira. Bocados não vai se importar. Venha me encontrar quando estiver com sua armadura, e iniciarei você nos livros.

– Como quiser.

Tyrion encontrou Merreca dormindo no canto de sua tenda, em um fino colchão de palha, sob uma pilha de roupas de cama sujas. Quando a tocou com a ponta da bota, ela virou, piscou para ele e bocejou.

– Hugor? O que é?

– Estamos falando de novo? – Era melhor do que seu silêncio mal-humorado. *Tudo por causa de um cão e um porco abandonados. Salvei nós dois da escravidão, imagina-se que um pouco de gratidão seja adequado.* – Se dormir mais tempo, vai perder a guerra.

– Estou triste. – Ela bocejou novamente. – Estou cansada. Tão cansada.

Cansada ou doente? Tyrion se ajoelhou diante do colchão dela.

– Você parece pálida. – Ele sentiu sua testa. *Está quente aqui, ou ela está com um pouco de febre?* Não ousava fazer a pergunta em voz alta. Mesmo homens duros como os Segundos Filhos morriam de medo de montar a égua descorada. Se pensassem que Merreca estava doente, eles a expulsariam sem um momento de hesitação. *Podem até nos devolver para os herdeiros de Yezzan, com notas ou sem notas.* – Eu assinei o livro deles. Do jeito antigo, com sangue. Sou agora um Segundo Filho.

Merreca sentou-se, esfregando o sono dos olhos.

– E eu? Posso assinar também?

– Acho que não. Algumas companhias livres são conhecidas por aceitar mulheres, mas... bem, eles não são as Segundas Filhas, afinal de contas.

– Nós – ela o corrigiu. – Se você é um deles, deve dizer nós, não *eles*. Alguém viu Porca Bonita? Tinteiros disse que perguntaria por ela. Ou Triturador, tem alguma notícia do Triturador?

Apenas se acreditar em Kasporio. O não-tão-astuto-segundo-em-comando de Plumm afirmava que três apanhadores de escravos estavam rondando pelo acampamento, perguntando por um par de anãos fugitivos. Um deles levava uma lança alta com uma cabeça de cachorro empalada na ponta, pelo que Kaspo dissera. Tais notícias não tirariam Merreca da cama, no entanto.

– Nada, ainda – mentiu. – Venha. Precisamos encontrar uma armadura para você.

Ela lhe deu um olhar cauteloso.

– Armadura? Por quê?

– Por algo que meu velho mestre em armas me falava. "Nunca vá para a batalha despido, rapaz", ele dizia. Sigo suas palavras. Além disso, agora que sou um mercenário, eu realmente devo ter uma espada para vender. – Ela ainda não mostrava sinais de que ia se mexer. Tyrion a pegou pelo pulso, a colocou em pé e jogou um punhado de roupas em seu rosto. – Vista-se. Use o manto com o capuz e mantenha a cabeça baixa. Supostamente somos um par de rapazes, para o caso dos apanhadores de escravos estarem observando.

Bocados estava esperando na tenda da cozinha, mastigando folhamarga quando os dois anões chegaram, cobertos com os mantos e encapuzados.

– Ouvi dizer que vocês dois vão lutar conosco – o oficial disse. – Eles devem estar mijando nas calças em Meereen. Algum de vocês já matou um homem?

– Eu já – disse Tyrion. – Eu os golpeei como moscas.

– Com o quê?

– Um machado, uma adaga, de preferência. Embora seja mais mortal com minha besta.

Bocados coçou a barba por fazer com a ponta de seu gancho.

– Coisa desagradável, uma besta. Quantos homens você matou com isso?

– Nove. – Seu pai valia pelo menos por esse tanto, certamente. Senhor de Rochedo Casterly, Protetor do Oeste, Escudo de Lannisporto, Mão do Rei, marido, irmão, pai, pai, pai.

– Nove. – Bocados bufou e cuspiu um bocado de gosma vermelha. Talvez tivesse apontado para os pés de Tyrion, mas acertou seu joelho. Claramente era o que pensava sobre "nove". Os dedos do oficial estavam manchados de vermelho do suco da folhamarga que mastigava. Levou dois até a boca e assobiou. – *Kem!* Venha aqui, seu pote de mijo da porra. – Kem veio correndo. – Leve o Senhor e a Senhora Duende até os carroções e peça para Martelo arrumar-lhes algum aço da companhia.

– Martelo deve estar desmaiado de bêbado – Kem avisou.

– Mije na cara dele. Isso o acordará. – Bocados se virou para Tyrion e Merreca. – Nunca tivemos nenhum maldito anão antes, mas garotos nunca nos faltaram. Filhos dessa puta ou daquela, pequenos tolos fugidos de casa em busca de aventuras, michês, escudeiros e tipos assim. Algumas das merdas deles podem ser pequenas o bastante para caber em duendes. É a porra que usavam quando morreram, provavelmente, mas sei que isso não vai incomodar fodidos ferozes como vocês dois. Nove, é isso? – Balançou a cabeça e se afastou.

Os Segundos Filhos mantinham as armaduras da companhia em seis grandes carroções colocados perto do meio do acampamento. Kem mostrou o caminho, balançando a lança como se fosse um bastão.

– Como um rapaz de Porto Real termina em uma companhia livre? – Tyrion perguntou para ele.

O rapaz lhe deu um olhar de soslaio desconfiado.

– Quem disse para você que sou de Porto Real?

– Ninguém. – *Cada palavra que sai da sua boca fede à Baixada das Pulgas.* – Sua inteligência o denuncia. Não há ninguém mais esperto do que alguém de Porto Real, dizem.

Aquilo pareceu sobressaltá-lo.

– Quem diz isso?

– Todo mundo. – *Eu.*

– Desde quando?

Desde que eu inventei.

– Há muito tempo – mentiu. – Meu pai costumava dizer isso. Você conhece Lorde Tywin, Kem?

– A Mão. Uma vez eu o vi cavalgando pela colina. Seus homens tinham mantos vermelhos e pequenos leões nos elmos. Gostei daqueles elmos. – Sua boca se apertou. – Nunca gostei da Mão, no entanto. Ele saqueou a cidade. E então nos esmagou no Água Negra.

– Você estava lá?

– Com Stannis. Lorde Tywin chegou com o fantasma de Renly e nos acertou pelo flanco. Larguei minha lança e corri, mas aquele maldito cavaleiro nos navios disse: "Onde está sua lança, garoto? Não temos espaço para covardes", e me deixaram lá, e milhares além de mim. Mais tarde ouvi dizer que seu pai estava mandando eles para lutar contra Stannis na Muralha, então atravessei o mar estreito e me juntei aos Segundos Filhos.

– Sente falta de Porto Real?

– Um pouco. Sinto falta de um garoto, ele... ele era meu amigo. E do meu irmão, Kennet, mas ele morreu na ponte dos navios.

– Muitos homens bons morreram naquele dia. – A cicatriz de Tyrion coçava ferozmente. Ele a cutucou com a unha.

– Sinto falta da comida, também – Kem falou, melancolicamente.

– Da comida da sua mãe?

– Os ratos não comeriam a comida da minha mãe. Mas tinha uma loja de ensopados. Ninguém fazia uma tigela de sopa marrom como eles. Tão grossa que você podia colocar a colher de pé na tigela, com pedaços disso e daquilo. Já provou uma tigela de sopa marrom, Meio-Homem?

– Uma vez ou duas. Ensopado de cantor, eu a chamava.

– Por quê?

– Era tão boa que me fazia querer cantar.

Kem gostou daquilo.

– Ensopado de cantor. Pedirei assim, da próxima vez que voltar para a Baixada das Pulgas. Do que você sente falta, Meio-Homem?

De Jaime, pensou Tyrion. *De Shae. De Tysha. Da minha esposa, sinto falta da minha esposa, da esposa que mal conheci.*

– Vinho, putas e riqueza – respondeu. – Especialmente da riqueza. A riqueza compra vinho e putas. – *E também compra espadas, e os Kems para manejá-las.*

– É verdade que as latrinas de Rochedo Casterly são feitas de ouro maciço? – Kem perguntou para ele.

– Você não devia acreditar em tudo o que ouve. Especialmente quando a Casa Lannister está em questão.

– Dizem que todos os Lannister são serpentes sinuosas.

– Serpentes? – Tyrion riu. – Este som que você ouviu é o senhor meu pai se revirando no túmulo. Somos leões, como alguns de nós gostam de dizer. Mas não faz diferença, Kem. Tropece em uma serpente ou no rabo de um leão, e você acaba morto do mesmo jeito.

Chegaram ao assim chamado arsenal, tal como era. O ferreiro, o lendário Martelo, mostrou ser um estranho brutamontes, com o braço esquerdo duas vezes mais grosso do que o direito.

– Ele fica bêbado com frequência – Kem falou. – Ben Mulato deixa quieto, mas um dia teremos um armeiro de verdade.

O aprendiz de Martelo era um jovem magro de cabelos vermelhos, chamado Prego. *É claro. O que mais?*, divertiu-se Tyrion. Martelo estava dormindo de bêbado quando alcançaram a forja, exatamente como Kem profetizara, mas Prego não tinha objeção de que os dois anões subissem nos carroções.

– Ferro porcaria, a maior parte – o rapaz avisou –, mas podem pegar o que quiserem.

Sob teto de madeira inclinada e couro esticado, a base dos carroções tinha armas e armaduras antigas amontoadas. Tyrion deu uma olhada e suspirou, lembrando as reluzentes prateleiras de espadas, lanças e alabardas no arsenal dos Lannister, sob Rochedo Casterly.

– Isso vai levar um tempo – declarou.

– Há som de aço aqui, se puder encontrá-lo – uma voz profunda resmungou. – Nenhum deles é bonito, mas parará uma espada.

Um grande cavaleiro veio do fundo de um carroção, vestido da cabeça aos pés em aço da companhia. Sua greva esquerda não combinava com a direita, o gorjal estava salpicado de ferrugem, seus braços ricos e ornamentados, incrustados com flores de nielo. A mão direita tinha uma luva de placas de ferro, na esquerda uma luva sem dedos de cota de malha enferrujada. Os mamilos de sua musculosa placa peitoral tinham um par de anéis de ferro. O grande elmo ostentava chifres de carneiro, um dos quais estava quebrado.

Quando o tirou, revelou o rosto espancado de Jorah Mormont.

Ele parece um mercenário dos pés a cabeça, e não a coisa meio quebrada que pegamos da jaula de Yezzan, Tyrion refletiu. A maioria dos hematomas estava sumindo, e o inchaço em seu rosto tinha abrandado em grande parte, então Mormont parecia quase humano mais uma vez... embora apenas vagamente parecesse consigo mesmo. A máscara de demônio que os traficantes de escravos haviam queimado em sua bochecha direita para marcá-lo como perigoso e desobediente nunca o deixaria. Sor Jorah nunca fora o que alguém poderia chamar de um homem gracioso. A marca havia transformado seu rosto em algo assustador.

Tyrion riu.

– Enquanto eu parecer mais bonito do que você, estarei feliz. – Virou-se para Merreca. – Você fica com aquele carroção. Começarei com este aqui.

– Será mais rápido se olharmos juntos. – Ela pegou um meio-elmo de ferro enferrujado, deu uma risadinha e enfiou-o na cabeça. – Pareço temível?

Você parece uma pantomimeira com um penico na cabeça.

– Isso é um meio-elmo. Você quer um grande elmo. – Encontrou um e trocou o meio-elmo por ele.

– É muito grande. – A voz de Merreca ecoou cavernosa dentro do aço. – Não posso olhar para fora. – Ela tirou o elmo e o jogou de lado. – O que tem de errado com o meio-elmo?

– Tem o rosto aberto. – Tyrion apertou o nariz dela. – Gosto de olhar seu nariz. É melhor que você o deixe guardado.

Os olhos dela se arregalaram.

– Você gosta do meu nariz?

Ó, Sete, salvem-me. Tyrion virou-se e começou a fuçar entre algumas pilhas de armaduras velhas em direção ao fundo do carroção.

– Há outras partes minhas de que você gosta? – Merreca perguntou.

Talvez ela pretendesse que aquilo soasse brincalhão. Em vez disso, soou triste.

– Gosto de todas as suas partes – Tyrion respondeu, na esperança de encerrar qualquer outra discussão sobre o assunto –, e gosto até mesmo das minhas.

– Por que precisamos de armaduras? Somos apenas pantomimeiros. Apenas *fingimos* lutar.

– Você finge muito bem – disse Tyrion, examinando uma pesada camisa de cota de malha de ferro tão cheia de buracos que quase parecia comida por traças. *Que tipo de traça come correntes de ferro?* – Fingir-se de morta é uma maneira de sobreviver à batalha. Uma boa armadura é outra. – *Embora haja bem pouco disso aqui, temo.* No Ramo Verde, ele lutara com pedaços desencontrados de placas dos carroções de Lorde Lefford, com um elmo cilíndrico pontudo que o fazia parecer como se alguém tivesse virado um balde de água suja em sua cabeça. Esse aço da companhia era pior. Não apenas velho e inadequado, mas amassado, rachado e quebradiço. *Isso é sangue seco ou apenas ferrugem?* Deu uma cheirada, mas ainda assim não podia ter certeza.

– Aqui está uma besta. – Merreca mostrou para ele.

Tyrion olhou para a arma.

– Não posso usar um guincho de estribo. Minhas pernas não são compridas o suficiente. Uma manivela seria melhor. – Embora, verdade fosse dita, ele não quisesse uma besta. Levavam muito tempo para recarregar. Mesmo se ficasse escondido na vala das latrinas esperando que algum inimigo viesse se agachar, as chances de perder mais de uma flecha podiam não ser poucas.

Em vez disso, pegou uma clava, deu uma balançada e colocou-a no lugar. *Muito pesada.* Passou por um martelo de guerra (muito longo), uma maça (também muito pesada), e meia dúzia de espadas longas antes de encontrar um punhal do qual gostou, um desagradável pedaço de aço com uma lâmina triangular.

– Isto pode servir – disse. A lâmina tinha um pouco de ferrugem, mas isso apenas a deixava mais asquerosa. Encontrou uma bainha de madeira e couro que se adaptava e colocou o punhal dentro.

– Uma espada pequena para um homem pequeno? – brincou Merreca.

– É um punhal, e feito para um grande homem. – Tyrion mostrou para ela uma antiga espada longa. – Isso é uma espada. Experimente.

Merreca pegou a arma, balançou-a, franziu o cenho.

– É muito pesada.

– Aço pesa mais do que madeira. Golpeie o pescoço de um homem com essa coisa, no entanto, e é como se a cabeça dele se transformasse em um melão. – Pegou a espada dela e a inspecionou mais de perto. – Aço barato. E chanfrado. Aqui, vê? Retiro o que eu disse. Você precisa de uma lâmina melhor para arrancar cabeças.

– Não quero arrancar cabeças.

– Nem devia. Mantenha os golpes abaixo do joelho. Panturrilha, tendão, tornozelo... até gigantes caem se você cortar os pés deles fora. Uma vez que estejam caídos, não são maiores do que você.

Merreca olhou como se estivesse prestes a chorar.

– Noite passada, sonhei que meu irmão estava vivo novamente. Estávamos disputando justas para um grande senhor, cavalgando Triturador e Porca Bonita, e os homens jogavam rosas em nós. Estávamos tão felizes...

Tyrion deu um tapa nela.

Foi um golpe suave, apesar de tudo, um pequeno movimento do pulso, com pouca força atrás dele. Nem deixou marca na bochecha. Mas os olhos dela se encheram de lágrimas do mesmo jeito.

– Se quer sonhar, volte a dormir – ele lhe disse. – Quando acordar, ainda seremos escravos fugitivos no meio de um cerco. Triturador está morto. A porca também, provavelmente. Agora encontre alguma armadura e a coloque, não importa onde ela incomode. O espetáculo de pantomimeiros acabou. Lute, esconda-se ou se cague, como quiser, mas o que quer que decida fazer, fará vestida em aço.

Merreca tocou a bochecha que ele batera.

– Nunca devíamos ter fugido. Não somos mercenários. Não somos nenhum tipo de guerreiros. Não era tão ruim com Yezzan. Não era. O Babá era cruel algumas vezes, mas Yezzan não. Nós éramos seus favoritos, seus... seus...

– *Escravos*. A palavra que você está procurando é *escravos*.

– Escravos – ela disse, enrubescendo. – Mas éramos seus escravos especiais. Como Doces. Seus tesouros.

Seus animais de estimação, pensou Tyrion. *E ele nos amava tanto que nos mandou para a arena, para sermos devorados por leões.*

Ela não estava completamente errada. Os escravos de Yezzan comiam melhor do que muitos camponeses nos Sete Reinos, e era menos provável que morressem de fome no inverno. Escravos eram bens, sim. Podiam ser comprados e vendidos, chicoteados e marcados, usados para o prazer carnal de seus proprietários, acasalados para gerarem mais escravos. Nesse sentido, não eram mais do que cães ou cavalos. Mas a maioria dos senhores tratava seus cães e cavalos muito bem. Homens orgulhosos podiam gritar que preferiam morrer do que viver como escravos, mas o orgulho era barato. Quando o aço soltava faísca, tais homens eram raros como dente de dragão; de outro modo, o mundo não estaria tão cheio de escravos. *Nunca houve um escravo que não escolheu ser escravo*, o anão refletiu. *Sua escolha pode ser entre a escravidão e a morte, mas a escolha sempre está ali.*

Tyrion Lannister não era exceção. Sua língua lhe garantira algumas listras nas costas no início, mas logo aprendera os truques para agradar o Babá e o nobre Yezzan. Jorah Mormont lutara mais tempo e mais duramente, mas chegara ao mesmo lugar no final.

E Merreca, bem...

Merreca estivera procurando um novo mestre desde o dia em que seu irmão Tostão perdera a cabeça. *Ela quer alguém que tome conta dela, alguém que lhe diga o que fazer.*

Teria sido muito cruel dizer uma coisa dessas, no entanto. Em vez disso, Tyrion falou:

– Os escravos especiais de Yezzan não escaparam da égua descorada. Estão mortos, todos eles. Doces foi a primeira a ir. – O mestre mamute deles morrera no dia em que fugiram, Ben Mulato Plumm lhe contara. Nem ele, nem Kasporio, nem nenhum dos outros mercenários sabia o destino dos habitantes do circo grotesco de Yezzan... mas, se a Bela Merreca precisava de mentiras para parar com seu lamento, ele mentiria para ela. – Se quer ser uma escrava novamente, eu encontrarei um mestre gentil para você quando a guerra acabar e venderei você por ouro suficiente para me levar para casa – Tyrion prometeu. – Encontrarei um bom yunkaíta que lhe dê outra bela coleira dourada, com guizos que toquem aonde quer que você vá. Primeiro, no entanto, você precisa sobreviver ao que está chegando. Ninguém compra pantomimeiros mortos.

– Ou anãos mortos – disse Jorah Mormont. – Estaremos todos alimentando vermes quando esta batalha acabar. Os yunkaítas já perderam esta guerra, embora levem algum tempo para descobrir isso. Meereen tem um exército de Imaculados, os melhores do mundo. E Meereen tem dragões. Três deles, uma vez que a rainha retorne. Ela retornará. Ela tem que retornar. Nosso lado consiste em dois grupos de fidalgotes yunkaítas, cada um com seus próprios homens-macacos semitreinados. Escravos em pernas de pau, escravos em correntes... pode ser que tenham tropas de cegos e de crianças paralíticas também, não me estranharia.

– Oh, eu sei – disse Tyrion. – Os Segundos Filhos estão no lado perdedor. Precisam virar suas casacas novamente, e virar agora. – Ele riu. – Deixe isso comigo.

O derrubador de reis

Uma sombra clara e uma escura, os dois conspiradores chegaram juntos à quietude do arsenal no segundo nível da Grande Pirâmide, entre estantes de lanças, feixes de setas e paredes onde estavam pendurados troféus de batalhas esquecidas.

– Esta noite – disse Skahaz mo Kandaq. O rosto de bronze de um morcego vampiro surgiu por baixo do capuz do manto de retalhos. – Todos os meus homens estão a postos. A senha é Groleo.

– Groleo. – *Isso é justo, suponho.* – Sim. O que foi feito com ele... você estava na corte?

– Um guarda entre quarenta. Todos esperando que aquela túnica vazia no trono desse a ordem para que pudéssemos cortar Barbassangrenta e os outros. Você acha que os yunkaítas ousariam presentear *Daenerys* com a cabeça de seu refém?

Não, pensou Selmy.

– Hizdahr parecia perturbado.

– Fingimento. Os parentes de Loraq foram devolvidos sem danos. Você viu. Os yunkaítas encenaram uma farsa de pantomimeiros, com o nobre Hizdahr como o pantomimeiro-chefe. A questão nunca foi Yurkhaz zo Yunzak. Os outros senhores de escravos alegremente pisoteariam aquele velho tolo eles mesmos. Isso era para dar a Hizdahr um pretexto para matar os dragões.

Sor Barristan remoeu aquilo.

– Ele ousaria?

– Ele ousaria matar a rainha. Por que não os animais de estimação dela? Se não agirmos, Hizdahr vai hesitar por um tempo, para provar sua relutância e permitir que os Sábios Mestres tenham a chance de livrá-lo do Corvo Tormentoso e do companheiro de sangue. Então agirá. Eles querem os dragões mortos antes que a frota volantina chegue.

Sim, eles iriam querer isso. Tudo se encaixa. Isso não significava que Barristan Selmy gostasse daquela história.

– Isso não vai acontecer. – Sua rainha era a Mãe de Dragões; ele não permitiria que os filhos dela fossem machucados. – Na hora do lobo. A parte mais escura da noite, quando o mundo todo está dormindo. – Ouvira essas palavras pela primeira vez de Tywin Lannister, do lado de fora das muralhas de Valdocaso. *Ele me deu um dia para tirar Aerys de lá. Se eu não retornasse com o rei ao amanhecer do dia seguinte, ele tomaria a cidade com aço e fogo, me disse. Era a hora do lobo quando entrei e era a hora do lobo quando saí.* – Verme Cinzento e os Imaculados fecharão e trancarão os portões à primeira luz.

– Melhor atacar à primeira luz – Skahaz disse. – Irrompemos dos portões e invadimos as linhas do cerco, esmagamos os yunkaítas enquanto estiverem tropeçando para fora de suas camas.

– Não. – Os dois já tinham discutido isso antes. – Há uma paz, assinada e selada por Sua Graça, a rainha. Não seremos os primeiros a rompê-la. Uma vez que tivermos capturado Hizdahr, formaremos um conselho para governar no lugar dele e exigir que os yunkaítas devolvam nossos reféns e retirem seus exércitos. Se eles se recusarem, então, e somente então, vamos informá-los de que a paz está rompida, e sairemos para lhes dar batalha. Seu jeito é desonroso.

– Seu jeito é estúpido – o Cabeça-Raspada disse. – A hora é agora. Nossos libertos estão prontos. Famintos.

Isso era verdade, Selmy sabia. Symon Costas-Listradas, dos Irmãos Livres, e Mollono Yos Dob, dos Escudos Robustos, estavam ansiosos por batalha, com a intenção de testar a si mesmos e lavar todos os males que tinham sofrido em uma maré de sangue yunkaíta. Apenas Marselen, dos Homens da Mãe, partilhava as dúvidas de Sor Barristan.

– Já discutimos isso. Você concordou que seria do meu jeito.

– Concordei – o Cabeça-Raspada resmungou –, mas isso foi antes de Groleo. A cabeça. Os senhores de escravos não têm honra.

– Nós temos – disse Sor Barristan.

O Cabeça-Raspada murmurou alguma coisa em ghiscari e então disse:

– Como quiser. Embora creia que vamos lastimar sua honra de velho antes que este jogo acabe, eu acho. E os guardas de Hizdahr?– Sua Graça mantém dois homens com ele quando dorme. Um na porta do quarto de dormir, um segundo do lado de dentro, em uma alcova adjacente. Esta noite serão Khrazz e Pele de Aço.

– Khrazz – o Cabeça-Raspada resmungou. – Não gosto deste aí.

– Isso não precisa chegar a sangue – Sor Barristan disse para ele. – Pretendo conversar com Hizdahr. Se ele entender que não pretendemos matá-lo, pode ordenar que os guardas se rendam.

– E se não? Hizdahr pode escapar de nós.

– Ele não escapará. – Selmy não temia Khrazz, muito menos Pele de Aço. Eram apenas lutadores de arena. A temível coleção de ex-escravos lutadores de Hizdahr formava guardas indiferentes, na melhor das hipóteses. Tinham velocidade, força e ferocidade, e alguma habilidade nas armas também, mas jogos de sangue eram um treinamento pobre para proteger reis. Nas arenas, os inimigos eram anunciados com trombetas e tambores, e, depois que a batalha acabava, os vencedores podiam ter suas feridas tratadas e tomar grandes goles de leite de papoula para a dor, sabendo que a ameaça havia passado e estavam livres para beber, festejar e fornicar até a próxima luta. Mas a batalha nunca acabava de verdade para um cavaleiro da Guarda Real. Ameaças vinham de todos os lugares e de lugar algum, e a qualquer hora do dia ou da noite. Nenhuma trombeta anunciava o inimigo; vassalos, servos, amigos, irmãos, filhos, até mesmo esposas, qualquer um podia ter uma faca sob o manto e o assassinato escondido no coração. Para cada hora de luta, o cavaleiro da Guarda Real gastava dez mil horas observando, esperando, parado em silêncio nas sombras. Os lutadores de arena do Rei Hizdahr já estavam ficando entediados e impacientes com seus novos deveres, e homens entediados ficavam negligentes e lentos na reação.

– Eu lidarei com Khrazz – disse Sor Barristan. – Apenas assegure-se de que não precisarei lidar com nenhuma Besta de Bronze também.

– Não tema. Teremos Marghaz acorrentado antes que possa fazer mal. Eu disse para você, as Bestas de Bronze são minhas.

– Você disse que tem homens entre os yunkaítas?

– Delatores e espiões. Reznak tem mais.

Reznak não é de confiança. Ele cheira muito doce e parece muito desleal.

– Alguém precisa libertar nossos reféns. A menos que tenhamos nosso pessoal de volta, os yunkaítas os usarão contra nós.

Skahaz bufou pelos buracos do nariz da sua máscara.

– Fácil falar em resgate. Difícil fazer. Deixe os senhores de escravos ameaçarem.

– E se fizerem mais do que ameaçar?

– Sentiria muita falta deles, velho? Um eunuco, um selvagem e um mercenário?

Herói, Jhogo e Daario.

– Jhogo é companheiro de sangue da rainha, sangue de seu sangue. Atravessaram o deserto vermelho juntos. Herói é o segundo em comando de Verme Cinzento. E Daario... – *Ela ama Daario.* Via isso em seus olhos, quando ela olhava para o mercenário, ouvia em sua voz quando falava dele. – ... Daario é vaidoso e imprudente, mas é caro à Sua Graça. Ele deve ser resgatado, antes que seus Corvos Tormentosos decidam resolver a questão por si. Isso pode ser feito. Uma vez eu tirei o pai da rainha em segurança de Valdocaso, onde estava sendo mantido cativo por um senhor rebelde, mas...

– ... você nunca poderia esperar passar despercebido entre os yunkaítas. Todos os homens deles conhecem seu rosto agora.

Eu poderia esconder meu rosto, como você, pensou Selmy, mas sabia que o Cabeça-Raspada estava certo. Valdocaso acontecera havia muito tempo. Era velho demais para tais atos heroicos.

– Então precisamos encontrar outro meio. Algum outro salvador. Alguém conhecido dos yunkaítas, cuja presença no acampamento não seja notada.

– Daario chama você de Sor Vovô – Skahaz o recordou. – Não vou dizer do que ele me chama. Se você e eu fôssemos os reféns, ele arriscaria a pele por nós?

Provavelmente não, pensou, mas respondeu:

– Ele poderia....

– Daario mijaria em nós se estivéssemos queimando. Caso contrário, não espere ajuda dele. Deixe os Corvos Tormentosos escolherem outro capitão, um que conheça seu lugar. Se a rainha não voltar, o mundo terá um mercenário a menos. Quem vai lamentar?

– E quando ela retornar?

– Ela vai chorar, arrancar os cabelos e amaldiçoar os yunkaítas. Não nós. Nenhum sangue estará em nossas mãos. Você pode confortá-la. Conte-lhe alguma história dos velhos tempos, ela gosta disso. Pobre Daario, seu bravo capitão... ela nunca o esquecerá, não... mas será melhor para todos nós se ele estiver morto, não? Melhor para Daenerys também.

Melhor para Daenerys e para Westeros. Daenerys Targaryen amava seu capitão, mas essa era a garota nela, não a rainha. *O Príncipe Rhaegar amou sua Senhora Lyanna, e milhares morreram por isso. Daemon Blackfyre amou a primeira Daenerys, e levantou-se em rebelião quando ela lhe foi negada. Açoamargo e Corvo de Sangue amaram Shiera Seastar, e os Sete Reinos sangraram. O Príncipe das Libélulas amou tanto Jenny de Pedravelhas que deixou de lado uma coroa, e Westeros pagou o dote da noiva em cadáveres.* Todos os três filhos do quinto Aegon se casaram por amor, em desafio aos desejos do pai. E porque aquele monarca fora do comum tinha, ele mesmo, seguido seu coração quando escolheu sua rainha, permitiu que os filhos trilhassem seu caminho, fazendo amargos inimigos onde poderia ter tido bons amigos. Traição e tumulto se sucederam, como a noite segue o dia, terminando no Solar de Verão, em feitiçaria, fogo e lamento.

O amor dela por Daario é veneno. Um veneno mais lento do que os gafanhotos, mas no fim tão mortal quanto.

– Ainda há Jhogo – Sor Barristan disse. – Ele e Herói. Ambos preciosos para Sua Graça.

– Temos reféns também – Skahaz Cabeça-Raspada o recordou. – Se os senhores de escravos matarem um dos nossos, matamos um dos deles.

Por um momento, Sor Barristan não soube o que ele quis dizer. Então entendeu.

– Os copeiros da rainha?

– *Reféns* – insistiu Skahaz mo Kandaq. – Grazhar e Qezza são do sangue da Graça Verde. Mezzara é de Merreq, Kezmya é Pahl, Azzak, Ghazeen. Bhakaz é Loraq, parente do próprio Hizdahr. Todos são filhos e filhas das pirâmides. Zhak, Quazzar, Uhlez, Hazkar, Dhazak, Yherizan, todos filhos dos Grandes Mestres.

– Garotas inocentes e meninos imberbes. – Sor Barristan viera a conhecer todos eles durante o tempo em que serviram a rainha, Grazhar com seus sonhos de glória, a tímida Mezzara, o preguiçoso Miklaz, a vaidosa e bonita Kezmya, Qezza com seus grandes olhos suaves e voz de anjo, Dhazzar, o dançarino, e os demais. – Crianças.

– Crianças da Harpia. Apenas sangue pode pagar sangue.

– O mesmo disse o yunkaíta que trouxe a cabeça de Groleo.

– Ele não estava errado.

– Não permitirei isso.

– Para que servem reféns, se não podem ser tocados?

– Talvez possamos oferecer três das crianças por Daario, Herói e Jhogo – Sor Barristan consentiu. – Sua Graça...

– ... não está aqui. Somos você e eu que temos que fazer o que deve ser feito. Você sabe que estou certo.

– O Príncipe Rhaegar tinha dois filhos – Sor Barristan contou. – Rhaenys era uma menininha, Aegon um bebê de colo. Quando Tywin Lannister tomou Porto Real, seus homens mataram os dois. Ele apresentou os corpos ensanguentados em mantos carmesins, um presente para o novo rei. – *E o que Robert disse quando os viu? Será que ele sorriu?* Barristan Selmy fora gravemente ferido no Tridente, então fora poupado da visão do presente de Lorde Tywin, mas frequentemente se perguntava isso. *Se eu o tivesse visto sorrir sobre os restos tingidos de vermelho dos filhos de Rhaegar, nenhum exército nesta terra teria me impedido de matá-lo.* – Não suportarei o assassinato de crianças. Aceite, ou não tomarei parte nisso.

Skahaz riu.

– Você é um velho teimoso. Seus meninos imberbes crescerão apenas para se tornar Filhos da Harpia. Mate-os agora, ou mate-os então.

– Você mata homens pelos erros que cometeram, não pelos erros que podem cometer um dia.

O Cabeça-Raspada pegou um machado da parede, inspecionou-o e grunhiu.

– Que seja. Nenhum dano para Hizdahr ou seus reféns. Isso o contentará, Sor Vovô?

Nada a respeito disso me contentará.

– Servirá. A hora do lobo. Lembre-se.

– Não pretendo esquecer, sor. – Embora a boca do morcego de bronze não se mexesse, Sor Barristan pôde sentir o largo sorriso sob a máscara. – Por muito tempo, Kandaq esperou por esta noite.

É isso que temo. Se o Rei Hizdahr fosse inocente, o que fariam era traição. Mas como poderia ser inocente? Selmy ouvira-o insistir para que Daenerys provasse os gafanhotos envenenados, gritar aos seus homens que matassem o dragão. *Se não agirmos, Hizdahr matará os dragões e abrirá os portões para os inimigos da rainha. Não temos escolha.* Mesmo assim, não importava o quanto virasse ou revirasse, o velho cavaleiro não encontrava honra em nada daquilo.

O restante daquele longo dia passou com a rapidez de um caracol.

Em algum lugar, ele sabia, o Rei Hizdahr estava se consultando com Reznak mo Reznak, Marghaz zo Loraq, Galazza Galare e seus outros conselheiros meereeneses, decidindo qual a melhor resposta para as exigências de Yunkai... mas Barristan Selmy não fazia mais parte desses conselhos. Nem tinha um rei para proteger. Em vez disso, fez rondas na pirâmide, do topo à base, para assegurar-se de que as sentinelas estavam todas em seus postos. Aquilo tomou a maior parte da manhã. Passou a tarde com seus órfãos, e até pegou uma espada e um escudo para fazer, ele mesmo, um teste mais vigoroso com alguns dos rapazes mais velhos.

Alguns já haviam sido treinados para as arenas de lutas quando Daenerys Targaryen tomou Meereen e os libertou de suas correntes. Tinham um bom conhecimento da espada, da lança e do machado de batalha antes mesmo que Sor Barristan tomasse conta deles. Alguns poderiam muito bem estar prontos. *O garoto das Ilhas Basilisco, para começar. Tumco Lho.* Era negro como tinta de meistre, mas rápido e forte, o melhor espadachim natural que Selmy conhecera desde Jaime Lannister. *Larraq também. O Chicote.* Sor Barristan não aprovava seu estilo de luta, mas não tinha dúvida de suas habilidades. Larraq tinha anos de trabalho pela frente antes de dominar apropriadamente as armas dos cavaleiros, espada, lança e clava, mas era mortal com o chicote e o tridente. O velho cavaleiro o avisara de que o chicote seria inútil contra um inimigo em armadura... até ver como Larraq o usava, enrolando-o na perna de seus oponentes para derrubá-los. *Não é um cavaleiro ainda, mas um guerreiro feroz.*

Larraq e Tumco eram seus melhores. Depois deles, o lhazareno, aquele que os outros meninos chamavam de Ovelha Vermelha, embora fosse todo ferocidade e nenhuma técnica. Talvez os irmãos também, três ghiscaris de baixo nascimento escravizados para pagar as dívidas do pai.

Aquilo totalizava seis. *Seis de vinte e sete.* Selmy poderia ter esperado mais, mas seis era um bom começo. Os outros meninos eram mais jovens, na maior parte, e mais familiares com teares, arados e penicos do que com espadas e escudos, mas trabalhavam duro e aprendiam rápido. Alguns anos como escudeiros, e poderia ter mais seis cavaleiros para dar à sua rainha. E para aqueles que nunca estariam prontos, bem, nem todo menino está destinado a ser um cavaleiro. *O reino precisa de fabricantes de velas, de estalajadeiros e de armeiros também. Isso é tão verdade em Meereen quanto era em Westeros.*

Enquanto os observava em seus exercícios, Sor Barristan considerou elevar Tumco e Larraq à cavalaria ali mesmo e naquele momento, e talvez a Ovelha Vermelha também.

Era necessário um cavaleiro para treinar um cavaleiro, e, se algo desse errado naquela noite, o amanhecer podia encontrá-lo morto ou em um calabouço. Quem se responsabilizaria por seus escudeiros, então? Por outro lado, a reputação de um jovem cavaleiro derivava em parte da honra do homem que conferia o título a ele. Não faria aos seus rapazes bem algum ficarem conhecidos por ter recebido as esporas de um traidor, e isso ainda poderia colocá-los em um calabouço ao seu lado. *Eles merecem algo melhor,* Sor Barristan decidiu. *É melhor uma vida longa como escudeiro do que uma curta como cavaleiro sujo.*

Quando a tarde começou a se misturar com a noite, ele propôs que os pupilos baixassem espadas e escudos e se reunissem ao seu redor. Falou o que significava ser um cavaleiro.

– É o cavalheirismo que faz um verdadeiro cavaleiro, não a espada – disse. – Sem honra, um cavaleiro não é mais do que um simples matador. É melhor morrer com honra do que viver sem ela. – Os garotos olharam para ele com estranheza, pensou, mas um dia entenderiam.

Depois disso, de volta ao ápice da pirâmide, Sor Barristan encontrou Missandei entre pilhas de rolos de pergaminhos e livros, lendo.

– Fique aqui esta noite, filha – disse para ela. – O que quer que aconteça, o que quer que veja ou escute, não saia dos aposentos da rainha.

– Esta uma escuta – a garota disse. – Se pode perguntar...

– Melhor não. – Sor Barristan caminhou sozinho até os jardins do terraço. *Não sou feito para isso,* refletiu, enquanto olhava para a grande cidade. As pirâmides despertavam, uma a uma, lanternas e tochas ganhando vida, enquanto as sombras se reuniam nas ruas abaixo. *Conluios, estratagemas, sussurros, mentiras, segredos dentro de segredos, e de alguma maneira me tornei parte disso.*

Talvez já devesse ter se acostumado a isso. A Fortaleza Vermelha tinha seus segredos também. *Até mesmo Rhaegar.* O Príncipe de Pedra do Dragão nunca confiara nele como confiara em Arthur Dayne. Harrenhal era a prova disso. *O ano da falsa primavera.*

A lembrança ainda era amarga. O velho Lorde Whent havia anunciado o torneio logo depois de uma visita de seu irmão, Sor Oswell Whent da Guarda Real. Com Varys sussurrando em seu ouvido, o Rei Aerys se convenceu de que seu filho estava conspirando para depô-lo, e que o torneio de Whent era apenas um estratagema para dar a Rhaegar o pretexto de se encontrar com muitos grandes senhores que estariam reunidos. Aerys não havia colocado o pé para fora da Fortaleza Vermelha desde Valdocaso, mesmo assim, repentinamente, anunciou que acompanharia o Príncipe Rhaegar a Harrenhal, e tudo dera errado a partir dali.

Se eu tivesse sido um cavaleiro melhor... se eu tivesse derrubado o príncipe do cavalo na última volta, como derrubei tantos outros, teria sido eu a escolher a rainha do amor e da beleza...

Rhaegar escolhera Lyanna Stark de Winterfell. Barristan Selmy teria feito uma escolha diferente. Não a rainha, que não estava presente. Nem Elia de Dorne, embora fosse boa e gentil; se ela tivesse sido escolhida, muita guerra e desgraça teriam sido evitadas. Sua escolha recairia em uma jovem donzela que estava não havia muito tempo na corte, uma das acompanhantes de Elia... embora, se comparada com Ashara Dayne, a princesa dornense fosse uma desleixada qualquer.

Mesmo depois de todos esses anos, Sor Barristan ainda se lembrava do sorriso de Ashara, do som de sua risada. Tinha apenas que fechar os olhos para vê-la, com seu longo cabelo escuro descendo pelos ombros e aqueles assombrosos olhos púrpura. *Daenerys tem os mesmos olhos*. Algumas vezes, quando a rainha o olhava, ele sentia como se estivesse vendo a filha de Ashara.

Mas a filha de Ashara nascera morta, e sua bela mãe se jogara de uma torre pouco tempo depois, louca de dor pela criança que perdera e, talvez, pelo homem que a desonrara em Harrenhal também. Morreu sem saber que Sor Barristan a amava. *Como poderia saber?* Ele era um cavaleiro da Guarda Real, juramentado ao celibato. Nada de bom viria ao contar seus sentimentos para ela. *Nada de bom veio do silêncio tampouco. Se eu tivesse derrubado Rhaegar do cavalo e coroado Ashara rainha do amor e da beleza, ela teria olhado para mim em vez de Stark?*

Nunca saberia. Mas, de todos os seus fracassos, nenhum assombrava Barristan Selmy tanto quanto esse.

O céu estava nublado, o ar quente, abafado, opressivo, mas havia algo nele que fazia sua espinha formigar. *Chuva*, pensou. *Uma tempestade está chegando. Se não esta noite, amanhã*. Sor Barristan se perguntava se estaria vivo para ver. *Se Hizdahr tem seu próprio Aranha, estou praticamente morto*. Se chegasse a isso, pretendia morrer como vivera, com sua espada longa na mão.

Quando a última luz desapareceu no oeste, atrás das velas dos navios que rondavam a Baía dos Escravos, Sor Barristan entrou, convocou um par de servos e disse-lhes que esquentassem um pouco de água para o banho. Treinar com seus escudeiros no calor da tarde o deixara sentindo-se sujo e suado.

A água, quando chegou, estava apenas morna, mas Selmy se demorou no banho até que esfriasse, e esfregou a pele até que estivesse em carne viva. Limpo como nunca estivera, levantou-se, secou-se e vestiu-se de branco. Meias, roupas íntimas, túnica de seda, justilho acolchoado, tudo recém-lavado e branqueado. Por cima, vestiu a armadura que a rainha lhe dera como símbolo de sua estima. A cota de malha era dourada, finamente trabalhada, os elos tão flexíveis quanto couro bom, as placas esmaltadas, duras como gelo e brilhantes como neve recém-caída. A adaga estava em um lado do quadril, a espada longa do outro, pendurada em um cinto de couro branco com fivelas douradas. Por último, colocou o longo manto branco e o prendeu nos ombros.

Deixou o elmo pendurado em um gancho. A fenda estreita do olho limitava a visão, e precisava ser capaz de ver o que estava por vir. As salas da pirâmide ficavam escuras à noite, e inimigos podiam chegar de todos os lados. Além disso, embora as asas de dragão ornamentadas que adornavam o elmo fossem esplêndidas de se ver, também podiam facilmente prender uma espada ou um machado. Deixaria o elmo para o próximo torneio, se os Sete lhe garantissem um.

Armado e blindado, o velho cavaleiro esperou, sentado na escuridão de sua pequena câmara adjacente aos aposentos da rainha. O rosto de todos os reis que servira e com os quais falhara flutuava diante dele na escuridão, e o rosto dos irmãos que serviram ao seu lado na Guarda Real também. Perguntava-se quantos deles teriam feito o que ele estava prestes a fazer. *Alguns, certamente. Mas não todos. Alguns não teriam hesitado em prender o Cabeça-Raspada como traidor*. Do lado de fora da pirâmide, começou a chover. Sor Barristan continuou sentado na escuridão, ouvindo. *Soam como lágrimas*, pensou. *Soam como reis mortos chorando*.

Então chegou a hora de ir.

A Grande Pirâmide de Meereen fora construída como uma cópia da Grande Pirâmide de Ghis, cujas colossais ruínas Lomas Longstrider visitara certa vez. Como a antiga predecessora, com seus salões de mármore vermelho agora assombrados por morcegos e aranhas, a pirâmide meereenesa ostentava trinta e três níveis, número que era de alguma forma sagrado aos deuses de Ghis. Sor Barristan começou a longa descida sozinho, o manto branco ondulando atrás dele. Foi pela escada de serviço, não pela grande escadaria de mármore raiado, mas pelos degraus estreitos, íngremes e retos escondidos entre as grossas paredes de tijolos.

Doze níveis abaixo, encontrou o Cabeça-Raspada esperando, as feições grosseiras ainda escondidas pela máscara que usara naquela manhã, do morcego vampiro. Seis Bestas de Bronze estavam com ele. Todos mascarados como insetos, idênticos uns aos outros.

Gafanhotos, Selmy percebeu.

– Groleo – disse.

– Groleo – um dos gafanhotos respondeu.

– Tenho mais gafanhotos, se precisar – disse Skahaz.

– Seis servirão. E os homens nas portas?

– Meus. Vocês não terão problemas.

Sor Barristan agarrou o Cabeça-Raspada pelo braço.

– Não derrame sangue, a menos que precise. Quando a manhã chegar, convocaremos um conselho e diremos à cidade o que fizemos e por quê.

– Como quiser. Boa sorte para você, velho.

Foram por caminhos diferentes. As Bestas de Bronze seguiram Sor Barristan enquanto ele continuava sua descida.

Os aposentos do rei estavam enterrados bem no coração da pirâmide, no décimo sexto e décimo sétimo níveis. Quando Selmy chegou a esses andares, encontrou as portas para o interior da pirâmide fechadas com correntes, com um par de Bestas de Bronze postadas como sentinelas. Sob o capuz de seus mantos de retalhos, um era um rato e o outro, um touro.

– Groleo – Sor Barristan disse.

– Groleo – o touro respondeu. – Terceiro salão à direita. – O rato destrancou a corrente. Sor Barristan e sua escolta entraram por um corredor de serviço estreito e iluminado por tochas, de tijolos vermelhos e negros. Seus passos ecoavam no chão enquanto passavam por dois salões e pegaram o terceiro à direita.

Do lado de fora das portas de madeira entalhadas dos aposentos do rei, estava Pele de Aço, um lutador de arena mais jovem, ainda não considerado de primeira categoria. Suas bochechas e testa eram marcadas por tatuagens intrincadas verdes e negras, antigos sinais de feitiçaria valirianos que, supostamente, tornavam a carne e a pele tão duras quanto aço. Marcas similares cobriam o peito e os braços, embora se realmente paravam uma espada ou um machado era algo que faltava ser visto.

Mesmo sem elas, Pele de Aço parecia formidável; um jovem magro e rijo, quase quinze centímetros mais alto do que Sor Barristan.

– Quem vem aí? – perguntou, balançando seu machado longo de um lado para o outro para barrar o caminho deles. Quando viu Sor Barristan com os gafanhotos de bronze atrás dele, abaixou a arma. – Velho Sor.

– Se for do agrado do rei, preciso ter algumas palavras com ele.

– A hora é tardia.

– A hora é tardia, mas a necessidade é urgente.

– Posso perguntar. – Pele de Aço bateu a coronha de seu machado longo contra a porta dos aposentos do rei. Um buraco deslizante se abriu. Um olho de criança apareceu. Uma voz de criança falou pela porta. Pele de Aço respondeu. Sor Barristan ouviu o som de uma pesada barra sendo puxada. A porta se abriu.

– Apenas você – disse Pele de Aço. – As bestas esperam aqui.

– Como quiser. – Sor Barristan acenou com a cabeça para os gafanhotos. Um deles acenou de volta. Sozinho, Selmy atravessou a porta.

Escuros e sem janelas, cercados por todos os lados por paredes de tijolos de dois metros e meio de espessura, os aposentos que o rei tomara para si eram grandes e luxuosos por dentro. Grandes vigas de carvalho negro apoiavam o alto pé direito. O chão era coberto com tapetes de seda de Qarth. Nas paredes estavam tapeçarias de valor inestimável, antigas e muito desbotadas, representando a glória do Antigo Império de Ghis. A maior delas mostrava os últimos sobreviventes de um derrotado exército valiriano sendo subjugados e acorrentados. A arcada que conduzia ao quarto de dormir real era guardada por um par de amantes de sândalo, moldados, polidos e envernizados. Sor Barristan achou de mau gosto, embora, sem dúvida, pretendessem ser excitantes. *Quanto antes sairmos deste lugar, melhor.*

Um braseiro de ferro fornecia a única luz. Ao lado dele estavam dois dos copeiros da rainha, Draqaz e Qezza.

– Miklaz foi acordar o rei – disse Qezza. – Posso trazer-lhe vinho, sor?

– Não. Obrigado.

– Pode se sentar – disse Draqaz, indicando um banco.

– Prefiro ficar em pé. – Podia ouvir vozes através da arcada, vindas do quarto de dormir. Uma delas era a do rei.

Passaram ainda uns bons momentos antes que o Rei Hizdahr zo Loraq, Décimo Quarto de Seu Nobre Nome, emergisse bocejando, amarrando o cinto que prendia seu roupão. O roupão era de cetim verde, ricamente trabalhado com pérolas e fios prateados. Por baixo, o rei estava totalmente nu. Isso era bom. Homens nus sentiam-se vulneráveis e eram menos inclinados a atos de heroísmo suicida.

A mulher que Sor Barristan vislumbrou espiando pelas arcadas, atrás de uma cortina transparente, estava nua também, os seios e quadris apenas parcialmente escondidos pela seda ondulante.

– Sor Barristan. – Hizdahr bocejou novamente. – Que horas são? Há alguma notícia da minha doce rainha?

– Nenhuma, Vossa Graça.

Hizdahr suspirou.

– Vossa *Magnificência*, por favor. Embora, a esta hora, "Vossa Sonolência" fosse mais adequado. – O rei foi até o aparador servir-se de um pouco de vinho, mas apenas uma gota restava no fundo do jarro. Um lampejo de contrariedade cruzou seu rosto. – Miklaz, vinho. Imediatamente.

– Sim, Vossa Veneração.

– Leve Draqaz com você. Um jarro de dourado da Árvore, e um daquele tinto doce. Nada do nosso mijo amarelo, por favor. E, da próxima vez que eu encontrar meu jarro vazio, posso ter que fazer uma mudança nas suas belas bochechas rosadas. – O garoto saiu correndo, e o rei virou-se para Selmy. – Sonhei que tinha encontrado Daenerys.

– Sonhos podem mentir, Vossa Graça.

– "Vosso Iluminado" serve. O que o traz aqui a esta hora, sor? Algum problema na cidade?

– A cidade está tranquila.

– É mesmo? – Hizdahr pareceu confuso. – Por que você veio?

– Para fazer uma pergunta. Magnificência, você é a Harpia?

A taça de vinho de Hizdahr escorregou de seus dedos, caiu no tapete, rolou.

– Você vem aos meus aposentos na escuridão da noite para me perguntar isso? Está louco? – Foi só então que o rei pareceu notar que Sor Barristan estava vestindo armadura e cota de malha. – O que... por que... como ousa...

– O veneno foi obra sua, Magnificência?

O Rei Hizdahr deu uns passos para trás.

– Os gafanhotos? Aquilo... aquilo foi trabalho do dornense. Quentyn, o tal príncipe. Pergunte a Reznak, se duvida de mim.

– Você tem provas disso? Reznak tem?

– Não, ou então eu os teria presos. Talvez deva fazer isso de qualquer jeito. Marghaz arrancará uma confissão deles, não duvido. São todos envenenadores, esses dornenses. Reznak diz que são adoradores de serpentes.

– Eles comem serpentes – disse Sor Barristan. – Era sua arena, seu camarote, seus assentos. Vinho doce e almofadas macias, figos, melões e gafanhotos no mel. Você providenciou tudo. Você insistiu para que Sua Graça experimentasse os gafanhotos, mas você mesmo não provou nenhum.

– Eu... temperos quentes não combinam comigo. Ela era minha esposa. Minha rainha. Por que eu iria querer envenená-la?

Era, ele diz. Ele acredita que ela está morta.

– Apenas você pode responder isso, Magnificência. Talvez desejasse colocar outra mulher no lugar dela. – Sor Barristan acenou com a cabeça para a garota espiando timidamente do quarto de dormir. – Aquela ali, talvez?

O rei olhou ao redor freneticamente.

– *Ela?* Ela não é nada. Uma escrava de cama. – Ergueu as mãos. – Me expressei mal. Não uma escrava. Uma mulher livre. Treinada no prazer. Mesmo um rei tem necessidades, ela... ela não é da sua conta, sor. Eu nunca machucaria Daenerys. Nunca.

– Você insistiu para que a rainha provasse os gafanhotos. Eu escutei.

– Achei que ela gostaria deles. – Hizdahr recuou mais um passo. – Quentes e doces ao mesmo tempo.

– Quentes, doces e envenenados. Com meus próprios ouvidos escutei você ordenar aos homens da arena que matassem Drogon. Você gritou para eles.

Hizdahr passou a língua pelos lábios.

– A besta devorou a carne de Barsena. Dragões caçam homens. Ele estava matando, queimando...

– ... queimando homens que pretendiam ferir sua rainha. Filhos da Harpia, provavelmente. Seus amigos.

– Não meus amigos.

– Você diz isso e, mesmo assim, quando pediu que parassem a matança, eles obedeceram. Por que fariam isso se não é um deles?

Hizdahr balançou a cabeça. Dessa vez não tinha resposta.

– Diga-me a verdade – Sor Barristan disse –, você alguma vez a amou, mesmo que um pouco? Ou era apenas a coroa que você desejava?

– Desejo? Você ousa me falar em desejo? – A boca do rei contorceu-se de raiva. – Eu desejei a coroa, sim... mas nem metade do que ela desejou seu mercenário. Talvez tenha sido seu precioso capitão quem tentou envenená-la, por colocá-lo de lado. E se eu comesse os gafanhotos também, bem, seria muito melhor.

– Daario é um matador, não um envenenador. – Sor Barristan aproximou-se do rei. – Você é a Harpia? – Dessa vez, colocou a mão no cabo de sua espada longa. – Diga-me a verdade, e eu prometo que terá uma morte rápida e limpa.

– Você presume demais, sor – disse Hizdahr. – Cansei dessas perguntas e de você. Está dispensado dos meus serviços. Deixe Meereen imediatamente e eu o deixarei viver.

– Se você não é a Harpia, dê-me o nome dele. – Sor Barristan puxou a espada da bainha. A borda afiada refletia a luz do braseiro, tornando-a uma linha de fogo laranja.

Hizdahr desmantelou.

– Khrazz! – gritou, tropeçando para trás, na direção de seu quarto de dormir. – Khrazz! *Khrazz!*

Sor Barristan ouviu uma porta se abrir em algum lugar à sua esquerda. Virou-se a tempo de ver Khazz sair de trás de uma tapeçaria. Ele movia-se lentamente, ainda grogue de sono, mas estava com a arma em mãos: um *arakh* dothraki, comprido e curvo. Uma espada de golpeador, feita para permitir cortes profundos do lombo de um cavalo. Uma lâmina assassina contra inimigos seminus, na arena ou no campo de batalha. Mas, aqui, em um ambiente fechado, o comprimento do *arakh* era um fator contra, e Barristan Semly estava vestido com placas e cota de malha.

– Estou aqui por Hizdahr – o cavaleiro disse. – Abaixe seu aço e permaneça de lado, e nada de mau acontecerá a você.

Khrazz riu.

– Velho. Comerei seu coração. – Os dois homens tinham quase a mesma altura, mas Khrazz era uns doze quilos mais pesado e quarenta anos mais jovem, com pele clara, olhos mortos e uma crista de cabelo vermelho e negro eriçado que corria da testa até a base do pescoço.

– Então venha – disse Barristan, o Ousado.

Khrazz foi.

Pela primeira vez naquele dia, Selmy tinha certeza. *Foi para isso que fui feito*, pensou. *A dança, a doce canção do aço, uma espada na mão e um inimigo na minha frente.*

O lutador de arena era veloz, muito veloz, tão rápido quanto qualquer homem com o qual Sor Barristan já lutara. Naquelas grandes mãos, o *arakh* tornava-se um borrão assobiante, uma tempestade de aço que parecia chegar até o velho cavaleiro de três direções ao mesmo tempo. A maioria dos golpes era direcionada à sua cabeça. Khrazz não era tolo. Sem um elmo, Selmy era mais vulnerável do pescoço para cima.

Bloqueou os golpes com calma, sua espada longa encontrando cada ataque e desviando--o. As lâminas se tocaram e se tocaram novamente. Sor Barristan recuou. Pelo canto do olho, viu os copeiros observando com olhos tão grandes e brancos quanto ovos de galinha.

Khrazz xingou e transformou um golpe alto em um baixo, passando pela lâmina do velho cavaleiro pela primeira vez, apenas para raspar inutilmente em uma greva branca de aço. O contragolpe de Selmy encontrou o ombro esquerdo do lutador de arena, partindo o linho fino para morder a carne embaixo. Sua túnica amarela começou a ficar rosada, depois vermelha.

– Apenas covardes se vestem de ferro – Khrazz declarou, circulando. Ninguém usava armadura nas arenas de luta. Era por sangue que a multidão vinha: morte, desmembramentos e gritos de agonia, a música das areias escarlate.

Sor Barristan virou-se para ele.

– Este covarde está prestes a matá-lo, sor. – O homem não era nenhum cavaleiro, mas sua coragem o fizera merecedor de tal cortesia. Khrazz não sabia lutar com um homem em armadura. Sor Barristan podia ver em seus olhos: dúvida, confusão, um princípio de medo. O lutador de arena surgiu novamente, gritando dessa vez como se o som pudesse matar seu inimigo onde o aço não pudera. O *arakh* golpeou embaixo, em cima, embaixo novamente.

Selmy bloqueou os ataques à sua cabeça e deixou a armadura parar o resto, enquanto sua própria lâmina abria a bochecha do lutador da orelha à boca, depois traçou uma linha em carne viva pelo seu peito. Sangue jorrava dos ferimentos de Khrazz. Aquilo parecia apenas torná-lo mais selvagem. Ele agarrou o braseiro com as mãos e atirou-o, espalhando brasas quentes pelos pés de Selmy. Sor Barristan saltou sobre elas. Khrazz golpeou seu braço e o acertou, mas o *arakh* conseguiu apenas lascar o esmalte duro antes de encontrar o aço embaixo.

– Na arena, isso teria arrancado seu braço, velho.

– Não estamos na arena.

– *Tire essa armadura!*

– Não é tarde demais para baixar seu aço. Renda-se.

– Morra – cuspiu Khrazz... mas quando ergueu o *arakh*, a ponta da lâmina ficou presa em uma das tapeçarias da parede. Aquela era a oportunidade que Sor Barristan precisava. Cortou a barriga do lutador de arena, defendeu-se do *arakh* que se libertou, então acabou com Khrazz com um rápido golpe no coração enquanto as entranhas do lutador começaram a escorregar para fora como um ninho de enguias gordurosas.

Sangue e vísceras manchavam os tapetes de seda do rei. Selmy deu um passo para trás. A espada longa em sua mão estava vermelha até a metade de seu comprimento. Aqui e ali, os tapetes começavam a arder, onde brasas dispersas haviam caído. Podia ouvir a pobre Qezza soluçando.

– Não tenha medo – o velho cavaleiro disse. – Não pretendo feri-la, filha. Quero apenas o rei. – Limpou a espada em uma cortina e foi para o quarto de dormir, onde encontrou Hizdahr zo Loraq, Décimo Quarto de Seu Nobre Nome, escondido atrás de uma tapeçaria e choramingando.

– Poupe-me – implorou. – Não quero morrer.

– Poucos querem. Mesmo assim, todos os homens morrem. – Sor Barristan embainhou a espada e colocou Hizdahr em pé. – Venha. Vou escoltá-lo até sua cela. – As Bestas de Bronze já deviam ter desarmado Pele de Aço. – Será mantido prisioneiro até que a rainha volte. Se nada for provado contra você, nenhum mal lhe acontecerá. Tem minha palavra como cavaleiro. – Pegou o braço do rei e o levou para fora do quarto de dormir, sentindo-se estranhamente tonto, quase bêbado. *Eu era um Guarda Real. O que sou agora?*

Miklaz e Draqaz haviam retornado com o vinho de Hizdahr. Estavam parados na porta aberta, apertando os jarros contra o peito e encarando o cadáver de Khrazz com olhos arregalados. Qezza ainda estava chorando, mas Jezhene aparecera para confortá-la. Abraçou a menina mais nova, acariciando seus cabelos. Alguns dos outros copeiros estavam atrás delas, olhando.

– Vossa Veneração – Miklaz disse –, o nobre Reznak mo Reznak pede para lhe d-dizer que venha imediatamente.

O garoto se dirigiu ao rei como se Sor Barristan não estivesse ali, como se não houvesse um homem morto deitado sobre o tapete, seu sangue lentamente tingindo a seda de vermelho. *Skahaz devia ter levado Reznak sob custódia até que tivéssemos certeza de sua lealdade. Alguma coisa deu errado?*

– Ir aonde? – Sor Barristan perguntou para o garoto. – Aonde o senescal quer que Sua Graça vá?

– Lá fora. – Miklaz pareceu vê-lo pela primeira vez. – Lá fora, sor. No t-terraço. Para ver.

– Ver o quê?

– D-d-dragões. Os dragões foram soltos, sor.

Que os Sete salvem todos nós, o velho cavaleiro pensou.

O domador de dragões

A noite passou arrastando-se em lentos passos negros. A hora do morcego deu vez à hora da enguia, a hora da enguia à hora dos fantasmas. O príncipe permaneceu na cama, encarando o teto, sonhando sem dormir, lembrando-se, imaginando, virando-se em seus lençóis de linho, sua mente febril com pensamentos de fogo e sangue.

Finalmente, aflito pelo descanso, Quentyn Martell foi para seu solar, onde se serviu de uma taça de vinho e bebeu na escuridão. O gosto era um doce consolo em sua língua, então acendeu uma vela e serviu-se novamente. *O vinho me ajudará a dormir,* disse para si mesmo, mas sabia que era mentira.

Encarou a vela por um longo tempo, então colocou a taça de lado e levou a palma da mão por sobre a chama. Foi necessário cada bocado de vontade para abaixá-la até que o fogo tocasse sua carne, e, quando isso aconteceu, puxou a mão com um grito de dor.

– Quentyn, está louco?

Não, apenas assustado. Não quero me queimar.

– Gerris?

– Ouvi você se mexendo.

– Não podia dormir.

– Queimaduras são uma cura para isso? Um pouco de leite quente e uma canção de ninar serviriam melhor. Ou, melhor ainda, posso levá-lo ao Templo das Graças e encontrar uma garota para você.

– Uma prostituta, você quer dizer.

– Eles as chamam de Graças. Elas vêm em cores diferentes. As vermelhas são as únicas que fodem. – Gerris sentou-se do outro lado da mesa. – As septãs da nossa terra deviam adotar esses costumes, se me perguntar. Já reparou que as velhas septãs sempre parecem ameixas secas? É isso o que uma vida de castidade fará com você.

Quentyn olhou o terraço lá fora, onde as sombras da noite ficavam mais espessas entre as árvores. Podia ouvir o som suave de água caindo.

– Isso é chuva? Suas prostitutas terão ido embora.

– Nem todas elas. Há esses pequenos recantos nos jardins de prazer, onde elas esperam todas as noites até que um homem as escolha. Aquelas que não são escolhidas devem permanecer ali até que o sol venha, sentindo-se sozinhas e negligenciadas. Podemos consolá-las.

– Elas podiam me consolar, é isso o que você quer dizer.

– Isso também.

– Não é o tipo de consolo que preciso.

– Discordo. Daenerys Targaryen não é a única mulher no mundo. Quer morrer donzelo?

Quentyn não queria morrer de jeito nenhum. *Quero voltar para Paloferro e beijar suas duas irmãs, casar com Gwyneth Yronwood, vê-la florescer na beleza, ter um filho com ela. Quero cavalgar em torneios, fazer falcoaria e caçar, visitar minha mãe em Norvos, ler alguns dos livros que meu pai me manda. Quero ver Cletus, Will e Meistre Kedry vivos novamente.*

– Você acha que Daenerys ficaria satisfeita de saber que me deitei com uma prostituta?

– Pode ser que sim. Homens podem gostar de donzelas, mas mulheres gostam de homens que sabem o que fazer na cama. É outro tipo de esgrima. Exige treinamento para se ficar bom nisso.

A zombaria doeu. Quentyn nunca se sentira tão menino como quando estivera diante de Daenerys Targaryen, pedindo sua mão. A ideia de ir para a cama com ela o aterrorizava quase tanto quanto seus dragões. E se não pudesse agradá-la?

– Daenerys tem um amante – disse, defensivamente. – Meu pai não me mandou aqui para entreter a rainha na cama. Você sabe por que viemos.

– Você não pode se casar com ela. Ela tem um marido.

– Ela não ama Hizdahr zo Loraq.

– O que amor tem a ver com casamento? Um príncipe devia saber essas coisas. Seu pai se casou por amor, dizem. Quanta alegria teve com isso?

Pouca e ainda menos. Doran Martell e sua esposa norvoshi passaram metade do casamento separados e a outra metade discutindo. Fora a única coisa impensada que seu pai já fizera, pelo que ouvira, a única vez que seguira o coração em vez da cabeça, e vivera para lastimar isso.

– Nem todos os riscos levam à ruína – insistiu. – Este é meu dever. Meu destino. – *Suponho que você seja meu amigo, Gerris. Por que zomba das minhas esperanças? Tenho dúvidas suficientes sem que jogue óleo na fogueira do meu medo.* – Esta será minha grande aventura.

– Homens morrem em grandes aventuras.

Ele não estava errado. Estava nas histórias, também. O herói sai com os amigos e companheiros, enfrenta perigos, volta para casa triunfante. Apenas alguns de seus companheiros não retornam. *O herói nunca morre, no entanto. Eu devo ser o herói.*

– Tudo o que preciso é coragem. Quer que Dorne se lembre de mim como um fracassado?

– Dorne não se lembra de nós há muito tempo.

Quentyn chupou o ponto queimado na palma da mão.

– Dorne se lembra de Aegon e suas irmãs. Dragões não são esquecidos tão facilmente. Eles se lembrarão de Daenerys também.

– Não se ela estiver morta.

– Ela vive. – *Ela tem que estar viva.* – Está perdida, mas posso encontrá-la. – *E, quando eu fizer isso, ela olhará para mim do jeito que olha para seu mercenário. Uma vez que eu tenha provado meu valor para ela.*

– Nas costas de um dragão?

– Ando a cavalo desde que tinha seis anos de idade.

– E já foi jogado uma ou duas vezes.

– Isso nunca me impediu de voltar à sela.

– Você nunca foi jogado a trezentos metros do chão – Gerris apontou. – E cavalos raramente transformam seus cavaleiros em ossos torrados e cinzas.

Conheço os perigos.

– Não ouvirei mais isso. Você tem minha permissão para ir. Encontre um navio e corra para casa, Gerris. – O príncipe se levantou, soprou a vela e se arrastou de volta para a cama e para os lençóis de linho molhados de suor. *Eu devia ter beijado uma das gêmeas Drinkwater, ou talvez as duas. Devia tê-las beijado enquanto podia. Eu devia ter ido para Norvos ver minha mãe e o lugar em que ela nasceu, então ela saberia que não a esqueci.* Ele podia ouvir a chuva caindo do lado de fora, batendo contra os tijolos.

Quando a hora do lobo rastejou sobre eles, a chuva ainda caía de forma constante, correndo para baixo em uma torrente fria que logo transformaria as ruas de tijolos de Meereen em rios. Os três dornenses quebraram o jejum no frio da madrugada – uma refeição simples de fruta, pão e queijo, empurrada para baixo com leite de cabra. Quando Gerris foi se servir de uma taça de vinho, Quentyn o interrompeu.

– Sem vinho. Haverá tempo suficiente para beber depois.

– Esperemos que sim – disse Gerris.

O grandão olhou pelo terraço.

– Eu sabia que ia chover – disse, em um tom sombrio. – Meus ossos doíam noite passada. Eles sempre doem antes da chuva. Os dragões não gostarão disso. Fogo e água não combinam, e isso é um fato. Você pega uma boa fogueira acesa, brilhando bonita, começa a chover e logo depois a madeira está ensopada e as chamas estão mortas.

Gerris riu.

– Dragões não são feitos de madeira, Arch.

– Alguns são. Aquele velho Rei Aegon, o tarado, construiu dragões de madeira para nos conquistar. Terminou mal, no entanto.

Assim como isso pode acabar, o príncipe pensou. As loucuras e fracassos de Aegon, o Indigno, não diziam respeito a ele, mas estava cheio de dúvidas e receios. As brincadeiras de seus amigos apenas faziam sua cabeça doer. *Eles não entendem. Eles podem ser dornenses, mas eu sou Dorne. Daqui a anos, quando eu estiver morto, esta será a canção que vão cantar de mim.* Ergueu-se abruptamente.

– Chegou a hora.

Seus amigos ficaram em pé. Sor Archibald secou a última gota de seu leite de cabra e limpou o bigode branco do lábio superior com as costas da grande mão.

– Vou pegar nosso traje de pantomimeiros.

Voltou com o pacote que tinham recebido do Príncipe Esfarrapado em seu segundo encontro. Dentro estavam três longos mantos com capuz feito de uma miríade de pequenos quadrados de tecido costurados, três porretes, três espadas curtas, três máscaras de bronze polido. Um touro, um leão e um macaco.

Tudo o que era necessário para ser uma Besta de Bronze.

– Eles podem perguntar por uma senha – o Príncipe Esfarrapado os avisara, quando entregou o pacote. – *É cão.*

– Tem certeza disso? – Gerris lhe perguntou.

– Certeza suficiente para apostar uma vida.

O príncipe entendeu o que ele quis dizer.

– Minha vida.

– Essa seria a primeira.

– Como aprendeu essa senha?

– Nós nos encontramos casualmente com algumas Bestas de Bronze e Meris lhes perguntou com gentileza. Mas um príncipe deveria saber que não se fazem tais perguntas, dornense. Em Pentos, temos um ditado. Nunca pergunte ao padeiro o que vai na torta. Apenas coma.

Apenas coma. Havia sabedoria nisso, Quentyn supôs.

– Eu serei o touro – Arch anunciou.

Quentyn lhe passou a máscara de touro.

– O leão para mim.

– O que me torna um macaco. – Gerris pressionou a máscara de macaco no rosto. – Como eles respiram com essas coisas?

– Apenas coloque. – O príncipe não estava no clima para brincadeiras.

O pacote continha um chicote também; um pedaço desagradável de couro velho com um punho de cobre e osso, robusto o suficiente para arrancar a pele de um boi.

– Para que é isso? – Arch perguntou.

– Daenerys usou um chicote para intimidar a besta negra. – Quentyn enrolou o chicote e o pendurou no cinto. – Arch, traga seu martelo também. Podemos precisar dele.

Não era uma coisa fácil entrar na Grande Pirâmide de Meereen à noite. As portas eram fechadas e lacradas todos os dias ao pôr do sol e permaneciam fechadas até a primeira luz. Sentinelas eram colocadas em cada entrada, e mais sentinelas patrulhavam o terraço inferior, de onde podiam olhar para a rua. Antigamente, essas sentinelas eram Imaculados. Agora eram Bestas de Bronze. E isso faria toda a diferença, Quentyn esperava.

O turno mudaria quando o sol se levantasse, mas ainda faltava meia hora para o amanhecer quando os três dornenses fizeram o caminho pelas escadas de serviço. As paredes ao redor deles eram feitas de tijolos de meia centena de cores, mas as sombras transformavam todos em cinza, até serem tocados pela luz da tocha que Gerris carregava. Não encontraram ninguém na longa descida. O único som era o roçar das botas nos tijolos gastos sob seus pés.

Os portões principais da pirâmide davam de frente para a praça central de Meereen, mas os dornenses foram para uma entrada lateral, aberta em um beco. Esses eram os portões que os escravos usavam antigamente enquanto tratavam dos assuntos de seus mestres, onde o povo e os comerciantes iam e vinham fazer suas entregas.

As portas eram de bronze sólido, fechadas com uma pesada barra de ferro. Diante delas estavam duas Bestas de Bronze, armadas com porretes, lanças e espadas curtas. Luzes de tochas brilhavam no bronze polido de suas máscaras – um rato e uma raposa. Quentyn gesticulou para o grandão permanecer nas sombras. Ele e Gerris seguiram juntos.

– Vieram cedo – a raposa disse.

Quentyn deu de ombros.

– Podemos ir embora, se quiser. Agradecemos por ficarem com nosso turno. – Ele não soava nem um pouco ghiscari, sabia disso; mas metade das Bestas de Bronze eram escravos libertos, com toda a sorte de línguas nativas, então seu sotaque passou despercebido.

– Foda-se isso – comentou o rato.

– Nos dê a senha do dia – disse a raposa.

– Cão – disse o dornense.

As duas Bestas de Bronze trocaram um olhar. Por três longos segundos, Quentyn teve medo de que algo desse errado, que de alguma forma Bela Meris e o Príncipe Esfarrapado tivessem conseguido a senha errada. Então a raposa grunhiu.

– Cão, então – disse. – Os portões são seus. – Quando partiram, o príncipe começou a respirar novamente.

Não tinham muito tempo. O alívio real viria, sem dúvida, em breve.

– Arch – o príncipe chamou, e o grandão apareceu, com a luz da tocha brilhando em sua máscara de touro. – A barra. Rápido.

A barra de ferro era grossa e pesada, mas bem lubrificada. Sor Archibald não teve problemas para erguê-la. Como estava parado na outra extremidade, Quentyn empurrou os portões e Gerris passou por eles, acenando com a tocha.

– Traga-o agora. Seja rápido com isso.

O carroção de açougueiro estava do lado de fora, esperando no beco. O condutor deu uma pancada na mula e começou a se deslocar com barulho, as rodas de ferro soando alto nos tijolos. A carcaça de um boi esquartejado enchia o carroção, juntamente com duas ovelhas mortas. Meia dúzia de homens entrou a pé. Cinco vestiam os mantos e as máscaras das Bestas de Bronze, mas Bela Meris não se preocupou em se disfarçar.

– Onde está seu senhor? – Quentyn perguntou para Meris.

– Não tenho *senhor* – ela respondeu. – Se você está falando do seu companheiro príncipe, está por perto, com cinquenta homens. Tragam o dragão para fora, e ele o levará em segurança, como prometido. Caggo comanda aqui.

Sor Archibald deu um olhar azedo para o carroção do açougueiro.

– Essa carroça será grande o suficiente para caber um dragão? – perguntou.

– Deve ser. Nele cabem dois bois. – O Matacadáver estava vestido como uma Besta de Bronze, o rosto costurado e marcado por cicatrizes escondido atrás de uma máscara de naja, mas o familiar *arakh* negro pendurado em seu quadril o denunciava. – Ouvimos dizer que essas bestas são menores do que o monstro da rainha.

– O fosso retardou o crescimento deles. – As leituras de Quentyn sugeriam que o mesmo ocorrera nos Sete Reinos. Nenhum dos dragões gerados e criados no Fosso de Dragões em Porto Real sequer se aproximara do tamanho de Vhagar ou Meraxes, muito menos do Terror Negro, o monstro do Rei Aegon. – Trouxe correntes suficientes?

– Quantos dragões você tem? – disse Bela Meris. – Temos correntes suficientes para dez, escondidas sob a carne.

– Muito bem. – Quentyn sentia vertigens. Nada daquilo parecia muito real. Num momento, parecia um jogo, no seguinte, algum pesadelo, como um sonho ruim onde ele se encontrava abrindo uma porta escura, sabendo que o horror e a morte esperavam do outro lado, e, mesmo assim, era incapaz de parar. As palmas das mãos estavam lisas de suor. Ele as secou nas pernas e disse: – Haverá mais sentinelas do lado de fora do fosso.

– Sabemos disso – disse Gerris.

– Precisamos estar prontos para eles.

– Nós estamos – disse Arch.

A barriga de Quentyn se retorceu. Ele sentiu a súbita necessidade de suas entranhas se moverem, mas sabia que não ousaria pedir para sair agora.

– Por aqui, então. – Nunca se sentira tanto como um menino como naquele momento. Mesmo assim, eles o seguiram; Gerris e o grandão, Meris, Caggo e os outros Soprados pelo Vento. Dois dos mercenários haviam pegado bestas de algum lugar escondido dentro do carroção.

Além dos estábulos, o nível do solo da Grande Pirâmide tornava-se um labirinto, mas Quentyn Martell estivera ali com a rainha e se lembrava do caminho. Passaram sob três imensos arcos de tijolos, então desceram uma rampa íngreme de pedra para dentro das profundezas, através de calabouços e câmaras de tortura, e passaram por um par de fundas cisternas de pedra. Seus passos ecoavam cavernosos pelas paredes, a carroça de açougueiro avançando ruidosamente atrás deles. O grandão arrancou uma tocha de um candeeiro para liderar o caminho.

Por fim, um par de pesadas portas de ferro erguia-se diante deles, comidas pela ferrugem e trancadas, fechadas com uma corrente comprida cujos elos eram grossos como os braços de um homem. O tamanho e a grossura daquelas portas eram suficientes para fazer Quentyn Martell questionar a sensatez de sua conduta. E, ainda pior, ambas estavam claramente prejudicadas por algo de dentro tentando sair. O ferro espesso estava rachado e partido em três lugares, e o canto superior da porta esquerda parecia parcialmente derretido.

Quatro Bestas de Bronze permaneciam guardando as portas. Três tinham lanças longas; o quarto, o oficial, estava armado com uma espada curta e uma adaga. Sua máscara havia sido feita na forma da cabeça de um basilisco. Os outros três estavam mascarados como insetos.

Gafanhotos, Quentyn percebeu.

– Cão – disse.

O oficial enrijeceu.

Isso foi o suficiente para que Quentyn Martell percebesse que algo dera errado.

– Peguem-nos – resmungou, enquanto a mão do basilisco seguia para a espada curta.

Era rápido, aquele oficial. O grandão era mais rápido. Avançou a tocha na direção do gafanhoto mais próximo, trouxe-a de volta e apanhou seu martelo de guerra. A lâmina do basilisco mal saíra da bainha de couro quando a ponta do martelo atingiu sua têmpora, triturando o bronze fino de sua máscara, a carne e os ossos embaixo. O oficial cambaleou meio passo para o lado antes dos joelhos se dobrarem e ele cair no chão, o corpo todo tremendo grotescamente.

Quentyn olhava paralisado, com a barriga roncando. Sua própria lâmina ainda estava na bainha. Não queria que tivesse chegado a isso. Seus olhos estavam fixos no oficial morrendo diante dele, sacudindo-se. A tocha estava caída no chão, gotejando, fazendo com que cada sombra saltasse e se contorcesse em um arremedo monstruoso do tremor do homem morto. O príncipe não viu a lança do gafanhoto vindo em sua direção até que Gerris trombou nele, empurrando-o para o lado. A ponta da lança roçou a bochecha da cabeça de leão que ele usava. Mesmo assim, o golpe foi tão violento que quase arrancou a máscara. *Teria ido direto na minha garganta*, o príncipe pensou, atordoado.

Gerris xingava enquanto os gafanhotos os cercavam. Quentyn ouviu o som de pés correndo. Então os mercenários irromperam das sombras. Uma das sentinelas olhou de relance para eles o tempo suficiente para que Gerris passasse por sua lança. Enfiou a ponta da espada sob a máscara de bronze e através da garganta do homem que a usava, enquanto o segundo gafanhoto via uma flecha de besta brotar em seu peito.

O último gafanhoto largou a lança.

– Eu me rendo. Eu me rendo.

– Não. Você morre. – Caggo arrancou a cabeça do homem com um golpe de *arakh*, o aço valiriano cortando através da carne, ossos e cartilagem como se fossem feitos de sebo. – Muito barulho – reclamou. – Qualquer homem com ouvidos vai escutar.

– Cão – Quentyn disse. – A senha do dia devia ser cão. Por que não nos deixaram passar? Dissemos...

– Nós dissemos que seu esquema era loucura, se esqueceu? – falou Bela Merris. – Faça o que veio fazer.

Os dragões, o Príncipe Quentyn pensou. *Sim. Viemos pelos dragões.* Sentia-se como se estivesse doente. *O que estou fazendo aqui? Pai, por quê? Quatro homens mortos em um piscar de olhos, e pelo quê?*

– Fogo e sangue – murmurou –, sangue e fogo. – O sangue estava empoçado em seus pés, embebendo o chão de tijolos. O fogo estava além daquelas portas. – As correntes... não temos chave...

Arch disse:

– Eu tenho a chave. – Balançou o martelo de guerra com força e rapidez. Faíscas brilharam quando a cabeça do martelo acertou a porta. E então novamente, novamente, novamente. Na quinta balançada, o cadeado quebrou e as correntes caíram com um chocalhar tão alto que Quentyn teve certeza de que metade da pirâmide os escutara.

– Tragam o carroção. – Os dragões ficariam mais dóceis depois de alimentados. *Deixem que se empanturrem de carne de carneiro torrada.*

Archibald Yronwood agarrou as portas de ferro e puxou para abri-las. As dobradiças enferrujadas soltaram um par de gritos, para todos aqueles que podiam ter dormido durante o arrombamento do cadeado. Um banho de súbito calor os assaltou, pesado com odores de cinzas, enxofre e carne queimada.

Estava escuro além das portas, uma escuridão sombria que parecia viva e ameaçadora, faminta. Quentyn podia sentir que havia algo naquela escuridão, enrolado e esperando. *Guerreiro, dê-me coragem*, rezou. Não queria fazer aquilo, mas não via outro jeito. *Por que mais Daenerys teria me mostrado os dragões? Ela queria que eu me provasse para ela.* Gerris lhe deu uma tocha. O príncipe caminhou através das portas.

O verde é Rhaegal, o branco Viserion, ele se lembrou. *Use seus nomes, comande-os, fale com eles calmamente mas com firmeza. Domine-os, como Daenerys dominou Drogon na arena.* A garota estava sozinha, vestida em fiapos de seda, mas sem medo. *Não devo ter medo. Ela fez isso, então eu também posso.* A coisa principal era não demonstrar medo. *Animais podem sentir o medo, e dragões...* O que ele sabia sobre dragões? *O que qualquer homem sabe sobre dragões? Eles tinham estado ausentes do mundo por mais de um século.*

A borda do fosso estava bem na frente dele. Quentyn avançou lentamente, movendo a tocha de um lado para o outro. Paredes, chão e teto bebiam a luz. *Queimados*, percebeu. *Tijolos queimados negros, desintegrando-se em cinzas.* O ar ficava mais quente a cada passo que dava. Começou a suar.

Dois olhos ergueram-se diante dele.

Bronze, eles eram, brilhantes como escudos polidos, incandescendo com o próprio calor, queimando atrás de um véu de fumaça que se levantava das narinas do dragão. A luz da tocha de Quentyn banhava as escamas verde-escuras, o verde do musgo nas profundezas da floresta ao entardecer, bem antes das últimas luzes desaparecerem. Então o dragão abriu a boca, e luz e calor o banharam. Atrás de uma fileira de dentes negros afiados, ele vislumbrou o ardor de uma fornalha, a cintilação de uma lareira, cem vezes mais brilhante que sua tocha. A cabeça do dragão era maior do que a de um cavalo, e o pescoço se esticava mais e mais, desenrolando-se como uma grande serpente verde enquanto a cabeça se erguia, até que aqueles dois brilhantes olhos de bronze o encararam de cima.

Verde, o príncipe pensou, *suas escamas são verdes.*

– Rhaegal – disse. Sua voz estava presa na garganta, e saiu como um coaxar quebrado. *Sapo*, pensou, *estou me tornando o Sapo novamente.* – A comida – resmungou, lembrando-se. – Tragam a comida.

O grandão o ouviu. Arch arrancou uma das ovelhas do carroção, segurando-a em duas patas, então girou-a e lançou-a no fosso.

Rhaegal pegou o animal no ar. Sua cabeça rodopiou, e de entre suas mandíbulas um jato de chama irrompeu, uma tempestade rodopiante de fogo laranja e amarelo com veios verdes. A ovelha estava queimando antes que começasse a cair. Antes que a carcaça defumada pudesse atingir os tijolos, os dentes do dragão se fecharam ao redor dela. Um halo de chamas ainda tremulava sobre o corpo. O ar fedia a lã queimada e enxofre. *Fedor de dragão.*

– Achei que eram dois – o grandão disse.

Viserion. Sim. Onde está Viserion? O príncipe abaixou sua tocha, para jogar um pouco de luz na escuridão abaixo. Podia ver o dragão verde que rasgava a carcaça defumada da ovelha, a longa cauda batendo de um lado para o outro enquanto comia. Uma grossa coleira de ferro era visível em seu pescoço, com um metro de corrente quebrada pendurada nela. Elos quebrados estavam espalhados pelo chão do fosso entre ossos enegrecidos; metal retorcido, parcialmente derretido. *Rhaegal estava acorrentado à parede e ao chão da última vez que estive aqui*, o príncipe se lembrou, *mas Viserion estava pendurado no teto.* Quentyn recuou, ergueu a tocha e esticou a cabeça para trás.

Por um momento, viu apenas os arcos enegrecidos dos tijolos acima, queimados por chama de dragão. Um filete de cinzas chamou sua atenção, traindo movimento. Algo claro, meio escondido, movendo-se. *Ele fez uma caverna para si*, o príncipe percebeu. *Uma toca nos tijolos.* As fundações da Grande Pirâmide de Meereen eram maciças e grossas para suportar o peso da imensa estrutura sobre suas cabeças; mesmo o interior das paredes era três vezes mais grosso do que qualquer muralha de castelo. Mas Viserion havia cavado para si um buraco nelas, com chama e garras, um buraco grande o suficiente para dormir dentro dele.

E nós acabamos de despertá-lo. Ele podia ver o que se parecia com uma imensa serpente branca desenrolando-se dentro da parede, bem onde a estrutura se curvava para começar o teto. Mais cinzas caíram, assim como um bocado de tijolos despedaçados. A serpente se transformou em um pescoço e uma cauda, e então a longa cabeça chifruda do dragão apareceu, seus olhos brilhando na escuridão como carvões dourados. Sacudiu as asas, esticando-as.

Todos os planos de Quentyn haviam abandonado sua cabeça. Podia ouvir Caggo Matacadáver gritando para seus mercenários. *As correntes, está mandando que peguem as correntes*, o príncipe dornense pensou. O plano era alimentar as bestas e acorrentá-las durante seu torpor, exatamente como a rainha fizera. Um dragão ou, preferivelmente, ambos.

– Mais carne – Quentyn disse. *Assim que as bestas estiverem alimentadas, ficarão mais lentos.* Ele havia visto o trabalho com serpentes em Dorne, mas aqui, com aqueles monstros... – Tragam... tragam...

Viserion lançou-se do teto, as claras asas de couro se desdobrando em toda a largura. A corrente quebrada pendurada em seu pescoço balançava freneticamente. Sua chama acendeu o fosso, ouro claro permeado de vermelho e laranja, e o ar viciado explodiu em uma nuvem de cinzas quentes e enxofre, enquanto as asas brancas batiam e batiam novamente.

Uma mão agarrou Quentyn pelo ombro. A tocha caiu de sua mão, para rodar pelo chão e então cair dentro do fosso, ainda queimando. Ele se encontrou cara a cara com um macaco de bronze. *Gerris.*

– Quent, isso não vai funcionar. Eles são muito selvagens, eles...

O dragão veio para baixo, entre os dornenses e a porta, com um rugido que teria feito cem leões fugirem. Sua cabeça movia-se de um lado para o outro enquanto inspecionava os intrusos – os dornenses, os Soprados pelo Vento, Caggo. Por último e mais longamente, a besta encarou Bela Meris, farejando. *A mulher,* Quentyn percebeu. *Ele sabe que ela é fêmea. Está procurando por Daenerys. Ele quer sua mãe e não entende por que ela não está aqui.*

Quentyn se libertou de Gerris.

– Viserion – chamou. *O branco é Viserion.* Por meio segundo, teve medo de ter se enganado. – Viserion – chamou novamente, hesitando para encontrar o chicote pendurado em seu cinto. *Ela intimidou o negro com um chicote. Preciso fazer o mesmo.*

O dragão sabia seu nome. Virou a cabeça e seu olhar se encontrou com o do príncipe dornense por três longos segundos. Chamas claras queimavam por trás das brilhantes adagas negras que eram seus dentes. Os olhos eram lagos de ouro derretido, e fumaça saía das narinas.

– Para baixo – Quentyn disse. Então tossiu, e tossiu novamente.

O ar estava grosso com a fumaça, e o cheiro de enxofre era asfixiante.

Viserion perdera o interesse. O dragão se virou na direção dos Soprados pelo Vento e deu uma guinada para a porta. Talvez pudesse sentir o sangue das sentinelas mortas, ou a carne no carroção do açougueiro. Ou talvez apenas tivesse visto que o caminho estava livre.

Quentyn ouviu os mercenários gritarem. Caggo pedia as correntes, e Bela Meris gritava para alguém se afastar. O dragão se moveu de modo desajeitado no chão, como um homem rastejando sobre os joelhos e cotovelos, mas mais rapidamente do que o príncipe dornense teria acreditado. Quando os Soprados pelo Vento demoraram demais para sair de seu caminho, Viserion soltou outro rugido. Quentyn ouviu o barulho de correntes e o arranhar profundo de uma besta.

– Não – gritou –, não, não, *não* – mas era tarde demais. *O tolo* foi tudo o que teve tempo de pensar enquanto a seta raspava o pescoço de Viserion para sumir na escuridão. Uma linha de fogo cintilou em seu rastro; sangue de dragão, brilhando dourado e vermelho.

O besteiro procurava desajeitadamente outra flecha quando os dentes do dragão se fecharam ao redor de seu pescoço. O homem usava a máscara de uma Besta de Bronze, à semelhança de um temível tigre. Quando derrubou a arma para tentar abrir as mandíbulas de Viserion, uma chama saiu da boca do tigre. Seus olhos queimaram com um suave estalo, e o bronze ao redor deles começou a escorrer. O dragão arrancou um pedaço de carne, a maior parte do pescoço do mercenário, então o engoliu enquanto o cadáver em chamas caía no chão.

Os outros Soprados pelo Vento estavam recuando. Aquilo era mais do que Bela Meris tinha estômago para suportar. A cabeça chifruda de Viserion moveu-se para a frente e para trás, entre eles e sua presa, mas depois de um momento esqueceu-se dos mercenários e dobrou o pescoço para arrancar outro bocado do morto. Uma perna, desta vez.

Quentyn deixou o chicote desenrolado.

– Viserion – chamou, mais alto, agora. Podia fazer isso, faria isso, seu pai o enviara aos confins da terra para isso, ele não falharia. – *VISERION!* – Agitou o chicote no ar com um estalido que ecoou pelas paredes enegrecidas.

A cabeça clara se ergueu. Os grandes olhos dourados se estreitaram. Tufos espiralados de fumaça subiam das narinas do dragão.

– Para baixo – o príncipe ordenou. *Não deve deixá-lo sentir seu medo.* – Para baixo, para baixo, *para baixo*. – Trouxe o chicote rodando e estalou um golpe na cara do dragão. Viserion assobiou.

E então um vento quente o acertou e ele ouviu o som de asas de couro, e o ar estava cheio de cinzas e um monstruoso rugido veio ecoando pelos tijolos queimados e enegrecidos, e pôde escutar seus amigos gritando freneticamente. Gerris chamava seu nome, uma vez e outra, e o grandão berrava:

– Atrás de você, atrás de você, *atrás de você!*

Quentyn virou-se e jogou o braço esquerdo no rosto para proteger os olhos do vento da fornalha. *Rhaegal*, ele se lembrou, *o verde é Rhaegal*.

Quando ergueu seu chicote, viu que o açoite estava queimando. Sua mão também. Todo ele, todo ele estava queimando.

Oh, pensou. Então começou a gritar.

Jon

– Deixe-os morrer – disse a Rainha Selyse.

Era a resposta que Jon Snow esperava. *Esta rainha nunca deixa de decepcionar.* De alguma forma, isso não suavizava o golpe.

– Vossa Graça – insistiu, teimosamente –, estão famintos em Durolar, milhares deles. Muitos são mulheres...

– ... e crianças, sim. Muito triste. – A rainha puxou a filha para mais perto e lhe deu um beijo na bochecha. *A bochecha intocada pelo escamagris,* Jon não deixou de notar. – Sentimos pelos pequeninos, é claro, mas devemos ser sensatos. Não temos comida para eles, e são jovens demais para ajudar o rei meu marido nas guerras. Melhor que renasçam na luz.

Isso era apenas um jeito mais suave de dizer *deixe-os morrer.*

O aposento estava lotado. A Princesa Shireen estava ao lado do assento da mãe, com Cara-Malhada de pernas cruzadas aos seus pés. Atrás da rainha assomava-se Sor Axell Florent. Melisandre de Asshai estava parada perto do fogo, o rubi na garganta pulsando a cada respiração. A mulher vermelha tinha seus assistentes também; o escudeiro Devan Seaworth e dois dos guardas que o rei deixara para ela.

Os protetores da Rainha Selyse estavam ao longo das paredes, brilhantes cavaleiros em uma fila: Sor Malegorn, Sor Benethon, Sor Narbert, Sor Patrek, Sor Dorden, Sor Brus. Com tantos selvagens sanguinários infestando Castelo Negro, Selyse mantinha seus próprios escudos juramentados consigo noite e dia. Tormund Terror de Gigantes rugira ao ouvir isso.

– Ela está com medo de ser levada? Espero que nunca tenha dito quão grande é meu membro, Jon Snow, isso assusta qualquer mulher. Sempre quis para mim uma com bigodes. – Então riu e riu.

Ele não estaria rindo agora.

Jon perdera tempo suficiente ali.

– Sinto ter incomodado Vossa Graça. A Patrulha da Noite cuidará deste assunto.

As narinas da rainha se dilataram.

– Você ainda pretende ir a Durolar. Vejo em seu rosto. *Deixe-os morrer,* eu digo, e mesmo assim você persiste nessa loucura. Não negue.

– Preciso fazer o que acho melhor. Com todo o respeito, Vossa Graça, a Muralha é minha, assim como esta decisão.

– É – Selyse concordou –, e você responderá por isso quando o rei retornar. E por outras decisões que tem tomado, temo. Mas vejo que é surdo ao bom-senso. Faça o que deve fazer.

Sor Malegorn falou:

– Lorde Snow, quem liderará essa patrulha?

– Está se oferecendo, sor?

– Eu pareço tolo?

Cara-Malhada pulou.

– Eu lidero! – Seus guizos soaram alegremente. – Marcharemos para o mar e para fora novamente. Sob as ondas, montaremos em cavalos-marinhos, e sereias soprarão conchas para anunciar nossa chegada, oh, oh, oh.

Todos riram. Até a Rainha Selyse se permitiu um pequeno sorriso. Jon estava menos divertido.

– Não pedirei aos meus homens que façam o que eu mesmo não faria. Pretendo liderar a patrulha.

– Como você é ousado – disse a rainha. – Nós aprovamos. Depois, algum bardo fará uma comovente canção sobre você, sem dúvida, e teremos um senhor comandante mais prudente. – Tomou um gole de vinho. – Falemos de outros assuntos. Axell, seja bom e traga o rei selvagem.

– Imediatamente, Vossa Graça. – Sor Axell saiu por uma porta e retornou um momento mais tarde com Gerrick Sanguederrei. – Gerrick da Casa Barbarruiva – anunciou –, Rei dos Selvagens.

Gerrick Sanguederrei era um homem alto, de pernas longas e ombros largos. A rainha o vestira com algumas das antigas roupas do rei, pelo que parecia. Limpo e arrumado, vestido com veludo verde e uma meia-capa de arminho, com os longos cabelos ruivos recentemente lavados e a barba vermelha aparada, o selvagem parecia, em cada detalhe, um senhor sulista. *Poderia andar na sala do trono em Porto Real e ninguém piscaria,* Jon pensou.

– Gerrick é o verdadeiro e legítimo rei dos selvagens – a rainha disse –, descendente em linha direta masculina do grande rei Raymun Barbarruiva, enquanto o usurpador Mance Rayder era nascido de alguma mulher do povo, gerado por um de seus irmãos negros.

Não, Jon poderia ter dito, *Gerrick é descendente de um irmão mais jovem de Raymun Barbarruiva.* Para o povo livre, aquilo contava tanto quanto ser descendente do cavalo de Raymun Barbarruiva.

– Gerrick graciosamente concordou em dar a mão da filha mais velha para meu amado Axell, para serem unidos pelo Senhor da Luz em sagrado matrimônio – a Rainha Selyse falou. – Suas outras garotas se casarão ao mesmo tempo: a segunda filha com Sor Brus Buckler e a mais jovem com Sor Malegorn de Lagoa Vermelha.

– Sors. – Jon inclinou a cabeça para os cavaleiros em questão. – Que possam encontrar a felicidade com suas noivas.

– No fundo do mar, homens casam com peixes. – Cara-Malhada fez uns passinhos de dança, tilintando seus guizos. – Casam, casam, casam.

A Rainha Selyse fungou novamente.

– Quatro casamentos podem ser feitos tão simplesmente quanto três. Já passou da hora de assentar essa mulher Val, Lorde Snow. Decidi que ela se casará com meu bom e leal cavaleiro, Sor Patrek da Montanha do Rei.

– Val foi comunicada, Vossa Graça? – perguntou Jon. – Entre o povo livre, quando um homem deseja uma mulher, ele a rouba, e assim prova sua força, astúcia e coragem. O pretendente corre o risco de uma surra feroz se for pego por um dos parentes da mulher, e, pior, se a própria mulher o achar indigno.

– Um costume bárbaro – Axell Florent disse.

Sor Patrek apenas riu.

– Nenhum homem jamais teve motivo para questionar minha coragem. E nenhuma mulher jamais o fará.

A Rainha Selyse apertou os lábios.

– Lorde Snow, como a Senhora Val é estranha aos nossos costumes, por favor, envie-a para mim, para que eu possa instruí-la sobre os deveres de uma nobre senhora em relação ao senhor seu marido.

Isso será esplêndido, posso imaginar. Jon se perguntava se a rainha ficaria tão ansiosa em ver Val casada com um de seus próprios cavaleiros, se soubesse dos sentimentos da moça em relação à Princesa Shireen.

– Como quiser – disse –, no entanto, se posso falar francamente...

– Não, acho que não. Pode se retirar.

Jon Snow dobrou um joelho, abaixou a cabeça e se retirou.

Desceu os degraus, dois de cada vez, acenando com a cabeça para os guardas da rainha no caminho. Sua Graça colocara homens em cada andar, para mantê-la a salvo dos selvagens assassinos. A meio caminho, uma voz o chamou de trás.

– Jon Snow.

Jon se virou.

– Senhora Melisandre.

– Devemos falar.

– Devemos? – *Acho que não*. – Minha senhora, tenho deveres.

– É sobre esses deveres que falarei. – Ela desceu, a bainha da saia vermelha farfalhando sobre os degraus. Era quase como se flutuasse. – Onde está seu lobo gigante?

– Dormindo em meus aposentos. Sua Graça não permite Fantasma em sua presença. Ela afirma que assusta a princesa. E enquanto Borroq e seu javali estiverem por aqui, não ouso deixá-lo solto. – O troca-peles iria acompanhar Soren Quebrescudo para Portapedra, assim que as carroças que tinham levado o clã Peledefoca para Guardaverde voltassem. Até então, Borroq passara a morar em uma das antigas tumbas ao lado do cemitério do castelo. A companhia de homens mortos havia muito tempo parecia agradá-lo mais do que a dos vivos, e seu javali parecia feliz em fuçar entre os túmulos, bem longe de outros animais. – Essa coisa é do tamanho de um touro, com presas tão longas quanto espadas. Fantasma iria atrás dele se estivesse solto, e um dos dois, ou ambos, não sobreviveria ao encontro.

– Borroq é a última das minhas preocupações. Essa patrulha...

– Uma palavra sua poderia ter influenciado a rainha.

– Selyse está certa nisso, Lorde Snow. *Deixe-os morrer*. Não pode salvá-los. Seus navios estão perdidos...

– Seis restam. Mais da metade da frota.

– Seus navios estão perdidos. *Todos* eles. Nenhum homem retornará. Vi isso em minhas chamas.

– Suas chamas têm sido conhecidas por mentir.

– Cometi enganos, admito, mas...

– Uma garota cinzenta em um cavalo moribundo. Adagas na escuridão. Um príncipe prometido, nascido da fumaça e do sal. Parece que não tem feito outra coisa além de enganos, minha senhora. Onde está Stannis? E Camisa de Chocalho e suas esposas de lança? *Onde está minha irmã?*

– Todas as suas perguntas serão respondidas. Olhe para os céus, Lorde Snow. E, quando tiver suas respostas, envie para mim. O inverno está quase sobre nós. Sou sua única esperança.

– A esperança de um tolo. – Jon virou-se e a deixou.

Couros estava rondando o pátio externo.

– Toregg voltou – contou, quando Jon apareceu. – O pai dele assentou seu povo em Escudo de Carvalho e voltará esta tarde com oitenta guerreiros. O que a rainha barbuda disse?

– Sua Graça não pode nos fornecer nenhuma ajuda.

– Muito ocupada arrancando pelos do queixo? – Couros cuspiu. – Não importa. Os homens de Tormund e os nossos serão suficientes.

Suficientes para nos levar até lá, talvez. Era a viagem de volta que preocupava Jon Snow. Voltando para casa, seriam retardados por milhares do povo livre, muitos doentes e famintos. *Um rio de humanos movendo-se mais lentamente do que um rio de gelo.* Isso os deixaria vulneráveis. *Coisas mortas na floresta. Coisas mortas na água.*

– Quantos homens são suficientes? – perguntou para Couros. – Uma centena? Duas centenas? Quinhentos? Mil? – *Devo levar mais homens, ou menos?* Uma patrulha menor chegaria a Durolar mais rápido... mas de que serviriam espadas sem comida? Mãe Toupeira e seu povo já estavam no ponto de comer seus mortos. Para alimentá-los, precisaria levar carroças e charretes, e animais de tração para transportá-los – cavalos, bois, cães. Em vez de voar pela floresta, seriam condenados a rastejar. – Ainda há muito o que decidir. Espalhe a notícia. Quero todos os homens de liderança no Salão de Escudos quando o turno da noite começar. Até então, Tormund deve estar de volta. Onde posso encontrar Toregg?

– Com o monstrinho, provavelmente. Ele está gostando de uma das amas de leite, ouvi dizer.

Ele está gostando de Val. A irmã dela era uma rainha, por que não ela? Tormund havia pensado certa vez em se fazer Rei-para-lá-da-Muralha, antes que Mance o derrotasse. Toregg, o Alto, podia muito bem ter o mesmo sonho. *Melhor ele do que Gerrick Sanguederrei.*

– Deixe-o lá – disse Jon. – Posso falar com Toregg mais tarde. – Deu uma olhada para a Torre do Rei. A Muralha estava de um branco opaco, o céu sobre ela mais branco ainda. *Um céu de neve.* – Apenas reze para que não tenhamos outra tempestade.

Do lado de fora do arsenal, Mully e a Pulga, de guarda, tremiam.

– Vocês não deviam estar lá dentro, fora deste vento? – Jon perguntou.

– Seria ótimo, 'nhor – disse Fulk, a Pulga –, mas seu lobo não está a fim de companhia hoje.

Mully concordou.

– Ele tentou me dar uma mordida, tentou, sim.

– *Fantasma?* – Jon estava chocado.

– A menos que sua senhoria tenha outro lobo branco, sim. Nunca vi ele assim, 'nhor. Todo selvagem, quero dizer.

Ele não estava errado, como Jon descobriu por conta própria quando passou pelas portas. O grande lobo gigante branco não parava quieto. Andava de um lado para o outro do arsenal, passava pela forja fria e voltava.

– Calma, Fantasma. – Jon chamou. – Quieto. Senta, Fantasma. *Quieto*. – No entanto, quando tentou tocá-lo, o lobo se eriçou e mostrou os dentes. *É aquele maldito javali. Mesmo aqui, Fantasma pode sentir seu fedor.*

O corvo de Mormont parecia agitado também. *Snow*, a ave gritava. *Snow, Snow, Snow*. Jon o espantou, pediu para Cetim acender o fogo e depois ir atrás de Bowen Marsh e Othell Yarwyck.

– Traga um jarro de vinho quente com especiarias também.

– Três taças, 'nhor?

– Seis. Mully e a Pulga parecem precisar de algo quente. E você também.

Quando Cetim partiu, Jon se sentou e deu outra olhada nos mapas das terras ao norte da Muralha. O caminho mais rápido para Durolar era ao longo da costa... de Atalaialeste. Os bosques eram mais estreitos perto do mar, e o terreno era, em grande parte, formado por planícies, colinas e pântanos de água salgada. E quando as tempestades de outono chegavam uivando, a costa tinha granizo e chuva gelada em vez de neve. *Os gigantes estão em Atalaialeste, e Couros diz que alguns podem ajudar*. De Castelo Negro, o caminho era mais difícil, direto pelo coração da floresta assombrada. *Se a neve está com esta profundidade na Muralha, quão pior estará além?*

Marsh entrou fungando, Yarwyck sisudo.

– Outra tempestade – o Primeiro Construtor anunciou. – Como vamos trabalhar assim? Preciso de mais construtores.

– Use o povo livre – Jon respondeu.

Yarwyck abanou a cabeça.

– Mais problema do que valor, nesse grupo. Desleixados, descuidados, preguiçosos... alguns bons marceneiros aqui e ali, não vou negar, mas dificilmente um pedreiro entre eles e nunca um ferreiro. Costas fortes, pode ser, mas não fazem o que lhes é dito. E nós com estas três ruínas para transformar novamente em fortes. Não pode ser feito, meu senhor. Falo a verdade. Não pode ser feito.

– Será feito – disse Jon –, ou eles viverão em ruínas.

Um senhor precisava de homens ao seu lado nos quais pudesse confiar para um conselho honesto. Marsh e Yarwyck não tinham papas na língua, e isso era bom... mas também raramente eram de alguma *ajuda*. Cada vez mais era capaz de saber o que eles responderiam, antes mesmo de lhes perguntar.

Especialmente quando se tratava do povo livre, em relação ao qual a desaprovação deles vinha de dentro dos ossos. Quando Jon dera Portapedra para Soren Quebrescudo, Yarwyck reclamara que era muito isolado. Como poderiam saber que danos Soren causaria lá naquelas montanhas? Quando conferira Escudo de Carvalho para Tormund Terror de Gigantes e Portão da Rainha para Morna Máscara Branca, Marsh chamara a atenção para o fato de que Castelo Negro agora teria inimigos em ambos os lados que facilmente poderiam isolá-los do resto da Muralha. Quanto a Borroq, Othell Yarwyck afirmara que as matas ao norte de Portapedra eram cheias de javalis selvagens. Quem garantia que o troca-peles não faria o próprio exército de porcos?

Colina da Geadalva e Portão da Geada ainda precisavam de guarnições, então Jon perguntara a opinião deles sobre quais dos chefes selvagens e senhores de guerra que ainda restavam podiam ser enviados para esses locais.

– Temos Brogg, Gavin, o Negociante, o Grande Walrus... Howd Andarilho anda sozinho, diz Tormund, mas ainda há Harle, o Caçador, Harle, o Bonito, Cego Doss... Ygon Velhopai comanda seguidores, mas a maioria são seus próprios filhos e netos. Ele tem dezoito esposas, metade delas roubadas em assaltos. Quais desses...

– Nenhum – Bowen Marsh dissera. – Conheço todos esses homens por seus atos. Devíamos prepará-los para a forca, não lhes dar nossos castelos.

– Sim – Othell Yarwyck concordara. – Mau, ruim e pior fazem uma escolha de pedinte. Meu senhor quer nos presentear com uma matilha de lobos e pergunta se gostaríamos que eles nos arrancassem as gargantas.

Era o mesmo novamente com Durolar. Cetim servia enquanto Jon lhes contava a audiência com a rainha. Marsh ouvia atentamente, ignorando o vinho com especiarias, enquanto Yarwyck bebia uma taça e então outra. Mas nem bem Jon terminou, o Senhor Intendente disse:

– Sua Graça é sábia. Deixe-os morrer.

Jon sentou-se.

– Esse é o único conselho que pode me oferecer, meu senhor? Tormund está trazendo oitenta homens. Quanto devemos mandar? Devemos chamar os gigantes? As esposas de lança em Monte Longo? Se tivermos mulheres conosco, deixaremos o povo de Mãe Toupeira mais à vontade.

– Mande mulheres, então. Mande gigantes. Mande bebês de peito. É isso que meu senhor deseja ouvir? – Bowen Marsh esfregou a cicatriz que ganhara na Ponte das Caveiras. – Mande todos eles. Quantos mais perdermos, menos bocas teremos que alimentar.

Yarwyck não foi mais prestativo.

– Se os selvagens em Durolar precisam de resgate, deixe os selvagens irem até lá para salvá-los. Tormund conhece o caminho para Durolar. Pelo que ele diz, pode salvá-los todos com seu membro imenso.

Isso é inútil, Jon pensou. *Inútil, infrutífero, sem esperança.*

– Obrigado pelos conselhos, meus senhores.

Cetim os ajudou a colocar novamente os mantos. Enquanto andavam pelo arsenal, Fantasma os cheirou, seu rabo em pé e eriçado. *Meus irmãos.* A Patrulha da Noite precisava de líderes com a sabedoria de Meistre Aemon, o conhecimento de Samwell Tarly, a coragem de Qhorin Meia-Mão, a força obstinada do Velho Urso, a compaixão de Donal Noye. O que tinha, em vez disso, eram eles.

A neve estava caindo com força do lado de fora.

– Ventos do sul – Yarwyck observou. – Está soprando a neve bem contra a Muralha. Vê?

Ele estava certo. A escada em zigue-zague estava enterrada quase até o primeiro lance, Jon viu, e as portas de madeira das celas de gelo e dos armazéns tinham desaparecido atrás de uma parede branca.

– Quantos homens temos nas celas de gelo? – perguntou para Bowen Marsh.

– Quatro vivos. Dois mortos.

Os cadáveres. Jon quase se esquecera deles. Esperara aprender algo dos corpos que trouxera do bosque de represeiros, mas os mortos haviam teimosamente permanecido mortos. – Precisamos desencavar essas celas.

– Dez intendentes e dez pás farão isso – disse Marsh.

– Use Wun Wun também.

– Como quiser.

Dez intendentes e um gigante trabalharam rapidamente nos montes de neve, mas, mesmo quando as portas ficaram livres novamente, Jon não pareceu satisfeito.

– Essas celas estarão enterradas novamente pela manhã. Melhor tirarmos os prisioneiros antes que sufoquem.

– Karstark também, 'nhor? – perguntou Fulk, a Pulga. – Não podemos simplesmente deixar esse um tremendo até a primavera?

– Deixaria, se pudesse. – Cregan Karstark pegara de uivar tarde da noite e a jogar fezes congeladas em quem quer que fosse alimentá-lo. Isso não o fizera ser amado pelos guardas. – Leve-o para a Torre do Senhor Comandante. As celas no subsolo devem segurá-lo. – Embora desmoronada em parte, a antiga sede do Velho Urso seria mais quente que as celas de gelo. Os porões estavam intactos em sua maioria.

Cregan chutou os guardas quando passaram pela porta, contorcendo-se e empurrando quando o agarraram, chegando até mesmo a tentar mordê-los. Mas o frio o enfraquecera, e os homens de Jon eram maiores, mais jovens e mais fortes. Eles o puxaram com força para fora, ainda se debatendo, e o arrastaram pela neve na altura da coxa até sua nova casa.

– O que o senhor comandante gostaria que fizéssemos com os cadáveres? – perguntou Marsh, quando os vivos foram retirados.

– Deixe-os aí. – Se a tempestade os sepultasse, muito bem. Sem dúvida, algum dia precisaria queimá-los, mas por enquanto estavam presos com correntes de ferro dentro das celas. Isso, e estarem mortos, devia ser o suficiente para mantê-los inofensivos.

Tormund Terror de Gigantes marcou sua chegada com perfeição, trovejando com seus guerreiros quando todo o serviço de pá havia sido feito. Apenas cinquenta pareciam ter retornado, não os oitenta que Toregg prometera a Couros, mas Tormund não era chamado Alto-Falador por nada. O selvagem chegou com o rosto vermelho, gritando por um corno de cerveja e algo quente para comer. Tinha gelo em sua barba e mais crostas no bigode.

Alguém já havia contado para o Punho de Trovão sobre Gerrick Sanguederrei e seu novo estilo.

– Rei dos Selvagens? – Tormund rugiu. – Har! Rei do Racho da minha Bunda Peluda é mais provável.

– Ele tem um ar régio – disse Jon.

– Ele tem um pauzinho vermelho para combinar com todo aquele cabelo vermelho, é isso o que ele tem. Raymun Barbarruiva e seus filhos morreram no Lago Longo, graças aos seus malditos Stark e ao Bêbado Gigante. Não o irmãozinho. Já se perguntou por que o chamam de Corvo Que Arde? – A boca de Tormund se abriu em um sorriso semibanguela. – Primeiro por voar da batalha. Há uma canção sobre isso, além do mais. O cantor tinha que encontrar uma rima para *covarde*, então... – Limpou o nariz. – Se os cavaleiros da sua rainha querem aquelas garotas dele, que façam bom proveito.

Garotas, gritou o corvo de Mormont. *Garotas, garotas.*

Aquilo fez Tormund gargalhar novamente.

– Agora, eis um pássaro com juízo. Quanto quer por ele, Snow? Eu lhe dei um filho, o mínimo que podia fazer era me dar o maldito pássaro.

– Eu daria – disse Jon –, mas provavelmente você o comeria.

Tormund rugiu daquilo também.

Comer, o corvo disse, sombriamente, batendo as asas negras. *Grão? Grão? Grão?*

– Precisamos conversar sobre a patrulha – disse Jon. – Quero que sejamos uma só mente no Salão de Escudos, devemos... – Parou de falar quando Mully enfiou o nariz pela porta, com expressão séria, para anunciar que Clydas trouxera uma carta.

– Diga-lhe para deixá-la com você. Eu a lerei mais tarde.

– Como queira, 'nhor, só que... Clydas não parece propriamente consigo mesmo... está mais branco do que rosado, se entende o que quero dizer... e está tremendo.

– Asas escuras, palavras escuras – murmurou Tormund. – Não é assim que vocês ajoelhadores dizem?

– Dizemos *Sangre um frio, mas festeje uma febre* também – Jon contou para ele. – Dizemos *Nunca beba com um dornense quando a lua está cheia*. Dizemos um monte de coisas.

Mully deu seu pitaco.

– Minha velha avó sempre costumava dizer, *Amigos de verão derretem como neves de verão, mas amigos de inverno são amigos para sempre*.

– Acho que é sabedoria suficiente para o momento – disse Jon Snow. – Seja gentil e faça Clydas entrar.

Mully não estava errado; o velho intendente *estava* tremendo, o rosto tão pálido quanto a neve lá fora.

– Estou sendo tolo, Senhor Comandante, mas... esta carta me assustou. Vê aqui?

Bastardo, era a única palavra escrita do lado de fora do pergaminho. Nada de *Lorde Snow* ou *Jon Snow* ou *Senhor Comandante*. Simplesmente *Bastardo*. E a carta estava selada com um pelote duro de cera rosa.

– Estava certo em vir imediatamente – Jon falou. *Está certo em ter medo*. Ele rompeu o selo, desenrolou o pergaminho e leu.

Seu falso rei está morto, bastardo. Ele e toda sua tropa foram esmagados em sete dias de batalha. Estou com a espada mágica dele. Conte isso para a puta vermelha.

Os amigos de seu falso rei estão mortos. Suas cabeças estão sobre as muralhas de Winterfell. Venha vê-las, bastardo. Seu falso rei morreu, e o mesmo acontecerá com você. Você disse ao mundo que queimou o Rei-para-lá-da-Muralha. Em vez disso, você o enviou para Winterfell, para roubar minha noiva.

Terei minha noiva de volta. Se quer Mance Rayder de volta, venha buscá-lo. Eu o tenho em uma jaula, para que todo o Norte possa ver, a prova de suas mentiras. A jaula é fria, mas fiz um manto quente para ele, com as peles das seis putas que o seguiram até Winterfell.

Quero minha noiva de volta. Quero a rainha do falso rei. Quero a filha deles e a bruxa vermelha. Quero sua princesa selvagem. Quero seu pequeno príncipe, o bebê selvagem. Quero meu Fedor. Mande-os para mim, bastardo, e não incomodarei você e seus corvos negros. Fique com eles, e eu arrancarei seu coração bastardo e o comerei.

Estava assinado:

Ramsay Bolton
Legítimo Senhor de Winterfell.

– Snow? – disse Tormund Terror de Gigantes. – Você está como se a cabeça do seu pai tivesse rolado para fora desse papel.

Jon Snow não respondeu imediatamente.

– Mully, ajude Clydas a voltar para seus aposentos. A noite é escura, e os caminhos estarão escorregadios com a neve. Cetim, vá com ele. – Passou a carta para Tormund. – Aqui, veja você mesmo.

O selvagem deu um olhar dúbio para a carta e a devolveu.

– Parece indecente... mas Tormund Punhos de Trovão tinha coisas melhores para fazer do que aprender a fazer papéis falarem com ele. Eles nunca têm nada de bom para dizer, não é mesmo?

– Em geral, não – Jon Snow admitiu. *Asas escuras, palavras escuras.* Talvez houvesse mais verdade nesse velho e sábio ditado do que ele imaginava. – Foi enviada por Ramsay Snow. Lerei para você o que ele escreveu.

Quando terminou, Tormund assobiou.

– Har. Isso é foda, sem nenhum engano. E isso sobre Mance? Tem ele em uma jaula, é isso? Como, quando centenas viram sua bruxa vermelha queimar o homem?

Aquele era Camisa de Chocalho, Jon quase disse. *Aquilo era feitiçaria. Uma sedução, ela chamou.*

– Melisandre... *olhe para os céus,* ela disse. – Baixou a carta. – Um corvo na tempestade. Ela viu isso chegando. – *Quando tiver suas respostas, envie para mim.*

– Pode ser tudo um monte de mentiras. – Tormund coçou sob sua barba. – Se eu tivesse uma bela pena de ganso e um pote de tinta de meistre, poderia escrever que meu membro é mais comprido e grosso que meu braço, o que não o tornaria assim.

– Ele tem Luminífera. Fala de cabeças sobre as muralhas de Winterfell. Sabe sobre as esposas de lança e a quantidade delas. – *Ele sabe sobre Mance Rayder.* – Não. Há verdade aqui.

– Não direi que está errado. O que pretende fazer, corvo?

Jon flexionou os dedos da mão da espada. *A Patrulha da Noite não toma partido.* Fechou a mão e a abriu novamente. *O que você propõe não é nada menos do que traição.* Pensou em Robb, com flocos de neve derretendo no cabelo. *Mate o menino e deixe o homem nascer.* Pensou em Bran, escalando a parede da torre, ágil como um macaco. Na risada sem fôlego de Rickon. Em Sansa, escovando o pelo de Lady e cantando para si mesma. *Você não sabe nada, Jon Snow.* Pensou em Arya, seu cabelo tão emaranhado quanto um ninho de ave. *Fiz para ele um manto quente das peles das seis putas que o seguiram até Winterfell... quero minha noiva de volta... quero minha noiva de volta... quero minha noiva de volta...*

– Acho que é melhor alterarmos o plano – Jon Snow disse.

Conversaram por quase duas horas.

Cavalo e Rory haviam substituído Fulk e Mully na porta do arsenal com a mudança de turno.

– Venham comigo – Jon lhes disse, quando a hora chegou. Fantasma o teria seguido também, mas quando o lobo começou a caminhar atrás dele, Jon o agarrou pelo cangote e o arrastou para dentro. Borroq poderia estar entre os reunidos no Salão de Escudos. A última coisa que precisava agora era seu lobo atacando o javali do troca-peles.

O Salão de Escudos era uma das partes mais antigas de Castelo Negro, um longo e frio salão de banquetes de pedra escura, vigas de carvalho negras com a fumaça dos séculos. No passado, quando a Patrulha da Noite era muito maior, as paredes eram decoradas com fileiras de coloridos e brilhantes escudos de madeira. Mesmo agora, quando um cavaleiro tomava o negro, a tradição decretava que deixasse de lado suas antigas armas e passasse a usar um escudo negro liso da irmandade. Os escudos descartados eram pendurados no Salão de Escudos.

Centenas de cavaleiros significavam centenas de escudos. Falcões e águias, dragões e grifos, sóis e veados, lobos e *wyverns*, manticoras, touros, árvores e flores, harpas, lanças, caranguejos e lulas gigantes, leões vermelhos, leões dourados e leões de várias cores, corujas, ovelhas, donzelas e tritões, garanhões, estrelas, baldes e fivelas, homens esfolados, homens enforcados e homens queimados, machados, espadas longas, tartarugas, unicórnios, ursos, penas, aranhas, cobras e escorpiões, e uma centena de outros símbolos heráldicos tinham adornado as paredes do Salão de Escudos, exibindo mais cores do que qualquer arco-íris poderia sonhar.

Mas, quando um cavaleiro morria, seu escudo era tirado para que pudesse ir com ele para a pira ou para a tumba, e, ao longo dos anos e séculos, menos e menos cavaleiros tomaram o negro. Chegou o dia em que não fazia mais sentido os cavaleiros do Castelo Negro cearem separados dos demais. O Salão de Escudos foi abandonado. Nos últimos cem anos, fora usado apenas de vez em quando. Como salão de jantar, deixava muito a desejar – era escuro, sujo, frio e difícil de aquecer no inverno, seus porões infestados de ratos, suas maciças vigas de madeira carcomidas e enfeitadas com teias de aranhas.

Mas era largo e comprido o suficiente para duzentas pessoas sentadas, e mais quase metade disso ainda se ficassem coladas umas das outras. Quando Jon e Tormund entraram, um som atravessava o salão, como vespas se mexendo em seu ninho. Os selvagens suplantavam os corvos em cinco para um, pelo pouco negro que via. Restava menos do que uma dúzia de escudos, tristes coisas cinzentas com tinta desbotada e longas rachaduras na madeira. Mas tochas recém-acesas queimavam nas arandelas de ferro ao longo das paredes, e Jon havia ordenado que trouxessem mesas e bancos. Homens sentados confortavelmente eram mais inclinados a ouvir, Meistre Aemon lhe dissera uma vez; homens em pé eram mais inclinados a gritar.

Na ponta do salão havia uma plataforma encurvada. Jon subiu nela, com Tormund Terror de Gigantes ao seu lado, e ergueu as mãos pedindo silêncio. As vespas apenas zumbiram mais alto. Então Tormund colocou seu corno de guerra nos lábios e deu um sopro. O som encheu o salão, ecoando nas vigas sobre suas cabeças. Fez-se silêncio.

– Eu os chamei para fazermos planos para o socorro a Durolar – Jon Snow começou. – Milhares do povo livre estão reunidos ali, presos e famintos, e temos relatos de coisas mortas na floresta. – À sua esquerda, viu Marsh e Yarwyck. Othell estava cercado por seus construtores, enquanto Bowen tinha Wick Whittlestick, Lew Mão Esquerda e Alf de Runnymudd ao seu lado. À sua esquerda, Soren Quebrescudo sentava-se com os braços cruzados contra o peito. Mais atrás, Jon viu Gavin, o Negociante, e Harle, o Bonito, sussurrando um para o outro. Ygon Velhopai estava sentado entre suas esposas, e Howd Andarilho, sozinho. Borroq estava recostado contra uma parede em um canto escuro. Felizmente, seu javali não estava em evidência em lugar algum. – Os navios que enviei para buscar Mãe Toupeira e seu povo foram devastados por tempestades. Precisamos enviar a ajuda que pudermos por terra, ou deixá-los morrer. – Dois dos cavaleiros da Rainha Selyse estavam ali também, Jon viu. Sor Narbert e Sor Benethon estavam parados perto da porta, no fundo do salão. Mas a ausência do restante dos homens da rainha era evidente. – Eu esperava liderar a patrulha eu mesmo e trazer tantos do povo livre quantos pudessem sobreviver à jornada. – Um clarão vermelho no fundo do salão capturou o olhar de Jon. A Senhora Melisandre chegara. – Mas agora descobri que não poderei ir a Durolar. A patrulha será liderada por Tormund Terror de Gigantes, conhecido por todos vocês. Prometi a ele tantos homens quantos ele exigir.

– *E onde você estará, corvo?* – Borroq trovejou. – Escondido aqui em Castelo Negro com seu cachorro branco?

– Não. Eu cavalgarei para o sul. – Então Jon leu para eles a carta que Ramsay Snow escrevera.

O Salão de Escudos foi à loucura.

Todos os homens começaram a gritar ao mesmo tempo. Ficaram em pé, sacudindo os punhos. *Foi demais para o efeito calmante dos bancos confortáveis.* Espadas foram brandidas, machados batidos contra escudos. Jon Snow olhou para Tormund. O Terror de Gigantes tocou seu corno novamente, duas vezes mais longo e duas vezes mais alto do que da primeira vez.

– A Patrulha da Noite não toma partido nas guerras dos Sete Reinos – Jon recordou a eles quando alguma calma aparente retornou. – Não é para vocês se oporem ao Bastardo de Bolton, vingarem Stannis Baratheon, defenderem sua viúva ou sua filha. Essa *criatura* que faz mantos com peles de mulheres jurou arrancar meu coração, e pretendo fazê-lo responder por essas palavras... mas não pedirei aos meus irmãos que renunciem aos seus votos. A Patrulha da Noite irá para Durolar. Eu cavalgarei para Winterfell sozinho, a menos... – Jon fez uma pausa. – ... há algum homem aqui que queira ir comigo?

O rugido era tudo o que podia ter esperado, o tumulto tão alto que dois dos antigos escudos caíram das paredes. Soren Quebrescudo estava em pé, o Andarilho também. Toregg, o Alto, Brogg, tanto Harle, o Caçador, quanto Harle, o Bonito, Ygon Velhopai, Cego Doss, até mesmo o Grande Walrus. *Tenho minhas espadas*, pensou Jon Snow, *e vamos até você, Bastardo.*

Yarwyck e Marsh estavam saindo, ele viu, e todos os seus homens atrás deles. Não importava. Não precisava deles agora. Não os *queria. Ninguém poderá dizer que fiz meus irmãos quebrarem seus votos. Se isso é perjuro, este crime é meu e meu apenas.* Então Tormund estava batendo nas costas dele, aquele sorriso semibanguela de orelha a orelha.

– Bem falado, corvo. Agora, traga o hidromel! Faça-os seus e embebede-os, assim que é feito. Faremos de você um selvagem, garoto. Har!

– Pedirei cerveja – Jon falou, distraído. Melisandre se fora, ele percebeu, e também os cavaleiros da rainha. *Eu devia ter ido a Selyse primeiro. Ela tem o direito de saber que seu senhor está morto.* – Precisa me dar licença. Deixarei você para embebedá-los.

– Har! Uma tarefa para a qual estou bem adaptado, corvo. Vá em frente!

Cavalo e Rory seguiram ao lado de Jon quando ele deixou o Salão de Escudos. *Eu devia falar com Melisandre depois de ver a rainha,* pensou. *Se ela pôde ver o corvo na tempestade, pode encontrar Ramsay Snow para mim.* Então ouviu o grito... e um rugido tão alto que pareceu sacudir a Muralha.

– Veio da Torre de Hardin, 'nhor – Cavalo relatou. Teria dito mais, mas outro grito o interrompeu.

Val, foi o primeiro pensamento de Jon. Mas aquele não era o grito de uma mulher. *Isso é um homem em agonia mortal*. Saiu correndo. Cavalo e Rory correram atrás dele.

– Serão criaturas? – perguntou Rory. Jon se perguntava o mesmo. Poderiam os cadáveres ter escapado das correntes?

Os gritos pararam no momento em que chegaram à Torre de Hardin, mas Wun Weg Wun Dar Wun ainda estava rugindo. O gigante segurava um cadáver ensanguentado por uma perna, da mesma forma que Arya costumava segurar suas bonecas quando era pequena, balançando-as de um lado para o outro quando era ameaçada com vegetais. *Arya nunca fez suas bonecas em pedaços, no entanto*. O braço da espada do morto estava a metros de distância, a neve sob ele tornando-se vermelha.

– Solte ele – Jon gritou. – Wun Wun, *solte ele*.

Wun Wun não ouviu ou não entendeu. O gigante também estava sangrando, com cortes de espada na barriga e no braço. Bateu o cavaleiro morto contra a pedra cinza da torre, uma vez, outra e mais outra, até que a cabeça do homem se tornasse uma polpa vermelha como um melão de verão. O manto do cavaleiro agitava-se no ar frio. De lã branca tinha sido, com acabamento de samito de prata e estampado com estrelas azuis. Sangue e ossos voavam por todos os lados.

Homens saíam aos montes das fortalezas e torres ao redor. Nortenhos, povo livre, homens da rainha.

– Formem uma linha – Jon Snow ordenou para eles. – Mantenha-os afastados. Todos eles, especialmente os homens da rainha. – O morto era Sor Patrek da Montanha do Rei; sua cabeça em grande parte desaparecera, mas sua heráldica o distinguia tanto quanto seu rosto. Jon não queria arriscar que Sor Malegorn ou Sor Brus ou qualquer um dos outros cavaleiros da rainha tentasse vingá-lo.

Wun Weg Wun Dar Wun rugiu novamente e deu uma torcida e um puxão no outro braço de Sor Patrek. Arrancou-o do ombro com um jato de brilhante sangue vermelho. *Como uma criança puxando as pétalas de uma margarida*, pensou Jon.

– Couros, fale com ele, acalme-o. O Idioma Antigo, ele entende o Idioma Antigo. *Para trás*, o restante de vocês. Abaixem seu aço, nós o estamos assustando. – Não podiam ver que o gigante fora cortado? Jon tinha que pôr um fim naquilo, ou mais homens podiam morrer. Não tinham ideia da força de Wun Wun. *Um berrante, preciso de um berrante*. Viu o brilho do aço, virou-se em direção a ele. – *Sem lâminas!* – gritou. – Wick, coloque essa faca...

... *de lado*, ele pretendia dizer. Quando Wick Whittlestick cortou sua garganta, a palavra se tornou um grunhido. Jon desviou-se no exato momento em que a faca veio, apenas o suficiente para que passasse por sua pele. *Ele me cortou*. Quando colocou a mão do lado do pescoço, o sangue jorrou entre seus dedos.

– Por quê?

– Pela Patrulha. – Wick atacou-o novamente. Dessa vez, Jon agarrou seu pulso e curvou seu braço para trás, até que ele soltou a adaga. O desengonçado intendente se afastou, as mãos erguidas como se dissesse *Não fui eu, não fui eu*. Homens estavam gritando. Jon alcançou Garralonga, mas seus dedos haviam ficado duros e desajeitados. De alguma maneira, não conseguia tirar a espada da bainha.

Então Bowen Marsh parou diante dele, lágrimas correndo pelo rosto.

– Pela Patrulha. – Acertou Jon na barriga. Quando tirou a mão, a adaga ficou onde ele a havia enterrado.

Jon caiu de joelhos. Pegou a adaga pelo cabo e a arrancou. No ar frio da noite, a ferida soltava fumaças.

– Fantasma – sussurrou. A dor tomou conta dele. *Espete neles a ponta aguçada.* Quando a terceira adaga o atingiu entre as omoplatas, ele deu um grunhido e caiu com o rosto na neve. Nunca sentiu a quarta faca. Apenas o frio...

A mão da Rainha

O príncipe dornense levou três dias morrendo.

Deu o último suspiro trêmulo no momento mais escuro da madrugada, enquanto a chuva fria sibilava de um céu escuro para transformar as ruas de tijolos da antiga cidade em rios. A chuva apagara a maior parte dos incêndios, mas nuvens de fumaça ainda se erguiam da ruína fumegante que havia sido a pirâmide de Hazkar, e da grande pirâmide negra de Yherizan, onde Rhaegal fizera seu imenso covil na escuridão como uma mulher gorda adornada com brilhantes joias cor de laranja.

Talvez os deuses não sejam surdos, no final das contas, Sor Barristan Selmy refletiu, enquanto observava as brasas distantes. *Se não fosse a chuva, o fogo podia ter consumido toda Meereen agora.*

Não via sinal dos dragões, mas não esperava por isso. Os dragões não gostavam da chuva. Uma fina linha vermelha marcava o horizonte oriental, onde o sol logo apareceria. Fazia com que Selmy se lembrasse do primeiro sangue escorrendo de um ferimento. Frequentemente, mesmo em cortes profundos, o sangue vinha antes da dor.

Estava parado ao lado dos parapeitos do andar mais alto da Grande Pirâmide, vasculhando o céu como fazia a cada manhã, sabendo que o amanhecer teria que vir, e esperando que sua rainha viesse com ele. *Ela não nos abandonaria, ela nunca deixaria seu povo,* estava dizendo para si mesmo, quando ouviu a agitação da morte do príncipe vindo dos aposentos da rainha.

Sor Barristan entrou. Água da chuva escorria pelas costas de seu manto branco, e suas botas deixaram pegadas no chão e nos tapetes. Por ordem sua, Quentyn Martell fora colocado na cama da rainha. Ele havia sido um cavaleiro e um príncipe de Dorne, além disso. Parecia a única gentileza possível deixá-lo morrer na cama que cruzara metade do mundo para alcançar. A cama estava arruinada – lençóis, colchas, travesseiros, colchões, tudo fedendo a sangue e fumaça, mas Sor Barristan achava que Daenerys o perdoaria.

Missandei estava sentada ao lado da cama. Estivera com o príncipe noite e dia, atendendo a qualquer necessidade que ele pudesse expressar, dando-lhe água e leite de papoula enquanto estava forte o suficiente para beber, ouvindo as poucas palavras torturadas que ofegava de tempos em tempos, lendo para ele quando estava tranquilo, dormindo sentada em uma cadeira ao lado dele. Sor Barristan pedira a alguns dos copeiros da rainha que a ajudassem, mas a visão do homem queimado era demais mesmo para o mais forte deles. E as Graças Azuis nunca vieram, embora as tivesse chamado quatro vezes. Talvez a última delas já tivesse sido levada pela égua descorada.

A pequena escriba naathi olhou para cima ao sentir sua aproximação.

– Honrado sor. O príncipe está além da dor agora. Seus deuses dornenses o levaram para casa. Vê? Ele sorri.

Como você sabe? Ele não tem lábios. Teria sido mais gentil se os dragões o tivessem devorado. Teria sido rápido, ao menos. Isso... *Fogo é uma maneira horrível de morrer. Não é de se admirar que os infernos sejam feitos de chamas.*

– Cubra-o.

Missandei puxou a coberta sobre o rosto do príncipe.

– O que será feito dele, sor? Está tão longe de casa.

– Providenciarei que seja devolvido a Dorne. – *Mas como? Como cinzas?* Aquilo exigiria mais fogo, e Sor Barristan não suportaria tal coisa. *Teremos que arrancar a carne dos ossos. Com besouros, não fervendo.* As irmãs silenciosas teriam cuidado disso em casa, mas aqui era a Baía dos Escravos. A irmã silenciosa mais próxima estava a milhares de quilômetros de distância. – Você devia dormir agora, filha. Em sua cama.

– Esta uma pode estar sendo ousada, sor, mas você devia fazer o mesmo. Você não dorme uma noite inteira.

Não, há muitos anos, filha. Não, desde o Tridente. Grande Meistre Pycelle lhe dissera uma vez que homens velhos não precisavam de tanto sono quanto os jovens, mas era mais do que isso. Ele chegara àquela idade em que detestava fechar os olhos, com medo de nunca mais abri-los. Outros homens podiam desejar morrer na cama, dormindo, mas essa não era uma morte para um cavaleiro da Guarda Real.

– As noites são muito compridas – disse para Missandei –, e há muito e ainda mais para se fazer, sempre. Aqui, como nos Sete Reinos. Mas você já fez o suficiente por enquanto, filha. Vá e descanse. – *E, se os deuses forem bons, você não sonhará com dragões.*

Depois que a garota se foi, o velho cavaleiro levantou a coberta para dar uma última olhada no rosto de Quentyn Martell, ou no que restava dele. A maior parte da carne do príncipe tinha se soltado, e era possível ver o crânio embaixo. Seus olhos eram piscinas de pus. *Ele devia ter ficado em Dorne. Devia ter permanecido um sapo. Nem todos os homens são feitos para dançar com dragões.* Quando cobriu o rapaz novamente, pegou-se perguntando a si mesmo se haveria alguém para cobrir sua rainha, ou se o cadáver dela permaneceria insepulto entre as altas gramas do mar dothraki, encarando cegamente o céu até que sua carne se soltasse dos ossos.

– Não – disse em voz alta. – Daenerys não está morta. Está cavalgando naquele dragão. Vi com meus próprios olhos. – Havia dito isso uma centena de vezes antes... mas a cada dia que passava ficava mais difícil acreditar. *Seu cabelo estava pegando fogo. Vi isso também. Ela estava queimando... e se não a vi cair, centenas juram que viram.*

O dia havia penetrado na cidade. Embora a chuva ainda caísse, uma vaga luz impregnava o céu oriental. E, com o sol, chegou o Cabeça-Raspada. Skahaz estava vestido com seu familiar traje de saia preta plissada, grevas e placa peitoral musculosa. A máscara de bronze sob seu braço era nova – uma cabeça de lobo com a língua pendurada.

– Então – disse, à guisa de cumprimento –, o tolo está morto, não está?

– O Príncipe Quentyn morreu exatamente antes da primeira luz. – Selmy não estava surpreso que Skahaz soubesse. As notícias corriam rapidamente dentro da pirâmide. – O conselho está reunido?

– Esperam a vontade da Mão lá embaixo.

Não sou nenhuma Mão, uma parte dele queria gritar. *Sou apenas um simples cavaleiro, o protetor da rainha. Nunca quis isso*. Mas com a rainha fora e o rei acorrentado, alguém tinha que governar, e Sor Barristan não confiava no Cabeça-Raspada.

– Alguma notícia da Graça Verde?

– Ainda não retornou à cidade. – Skahaz se opusera a enviar a sacerdotisa. Nem a própria Galazza Galare abraçara a tarefa. Ela podia ir, concordou, pelo bem da paz, mas Hizdahr zo Loraq era mais adequado para tratar com os Sábios Mestres. Mas Sor Barristan não se rendia facilmente, e finalmente a Graça Verde abaixara a cabeça e jurara fazer o melhor possível.

– Como está a cidade? – Selmy perguntou para o Cabeça-Raspada.

– Todos os portões estão fechados e barrados, como você ordenou. Estamos caçando qualquer mercenário ou yunkaíta que tenha permanecido dentro da cidade, e expulsando ou prendendo aqueles que pegamos. A maioria parece ter se escondido. Dentro das pirâmides, sem dúvida. Os Imaculados estão nas muralhas e torres, prontos para qualquer ataque. Há duzentos bem-nascidos reunidos na praça, parados na chuva com seus *tokars* e uivando por audiência. Querem Hizdahr livre e eu morto, e querem que você mate esses dragões. Alguém contou para eles que cavaleiros são bons nisso. Os Grandes Mestres de Yherizan e Uhlez abandonaram suas próprias pirâmides para os dragões.

Sor Barristan sabia daquilo tudo.

– E o cálculo da matança? – perguntou, temendo a resposta.

– Vinte e nove.

– Vinte e nove? – Isso era muito pior do que podia ter imaginado. Os Filhos da Harpia haviam retomado sua guerra de sombras havia dois dias. Três mortos na primeira noite, nove na segunda. Mas chegar a vinte e nove em uma única noite...

– A contagem passará dos trinta antes do meio-dia. Por que parece tão cinza, velho? O que esperava? A Harpia quer Hizdahr livre, então ele envia seus filhos de volta às ruas com facas nas mãos. Os mortos são todos libertos e cabeças-raspadas, como antes. Um deles era meu, uma Besta de Bronze. O sinal da Harpia foi deixado ao lado do corpo deles, riscado no chão ou rabiscado em uma parede. Há mensagens também. *Os dragões devem morrer*, escreveram, e *Harghaz, o Herói*. *Morte a Daenerys* foi visto também, antes que a chuva apagasse as palavras.

– O imposto de sangue...

– Duas mil e novecentas peças de ouro de cada pirâmide, sim – Skahaz resmungou. – Será coletado... mas as perdas de algumas moedas nunca pararam a mão da Harpia. Apenas sangue pode fazer isso.

– Assim você diz. – *Os reféns novamente. Ele mataria todos eles, se eu concordasse com isso*. – Ouvi você das primeiras cem vezes. Não.

– Mão da Rainha – Skahaz resmungou com desgosto. – Uma velha mão da rainha, estou achando, enrugada e fraca. Rezo para que Daenerys retorne logo para nós. – Colocou a máscara sobre o rosto. – Seu conselho deve estar ficando inquieto.

– Eles são o conselho da rainha, não meu. – Selmy trocou o manto molhado por um seco, afivelou o cinto da espada, e então acompanhou o Cabeça-Raspada escada abaixo.

O salão dos pilares estava vazio de peticionários naquela manhã. Embora tivesse assumido o título de Mão, Sor Barristan não pretendia dar audiências na ausência da rainha, nem permitiria que Skahaz mo Kandaq fizesse isso. Os grotescos tronos de dragão de

Hizdahr haviam sido removidos por ordem de Sor Barristan, mas ele não trouxera de volta o banco almofadado simples que a rainha gostava. Em vez disso, uma larga mesa redonda fora colocada no centro do salão, com altas cadeiras ao redor onde homens podiam se sentar e conversar como pares.

Eles se ergueram quando Sor Barristan chegou pelos degraus de mármore, com Skahaz Cabeça-Raspada ao lado. Marselen, dos Homens da Mãe, estava presente, assim como Symon Costas-Listradas, comandante dos Irmãos Livres. Os Escudos Robustos haviam escolhido um novo comandante, um ilhéu do Verão de pele negra chamado Tal Toraq, já que seu antigo capitão, Mollono Yos Dob, havia sido levado pela égua descorada. Verme Cinzento estava ali pelos Imaculados, auxiliado por três oficiais eunucos em pontudos capacetes de bronze. Os Corvos Tormentosos eram representados por dois mercenários experientes, um arqueiro chamado Jokin e o guerreiro amargo e marcado por cicatrizes conhecido simplesmente como Viúvo. Os dois haviam assumido o comando conjunto da companhia na ausência de Daario Naharis. A maioria do *khalasar* da rainha havia ido com Aggo e Rakharo para procurá-la no mar dothraki, mas o estrábico e coxo *jaqqa rhan* Rommo estava ali para falar pelos senhores dos cavalos que restavam.

E, do outro lado da mesa de onde se sentava Sor Barristan, estavam quatro guardas do outrora Rei Hizdahr, os lutadores de arena Goghor, o Gigante, Belaquo Quebra-Osso, Camarron do Conde e o Gato Malhado. Selmy insistira na presença deles, apesar das objeções de Skahaz Cabeça-Raspada. Eles haviam ajudado Daenerys Targaryen a tomar a cidade uma vez, e aquilo não podia ser esquecido. Podiam ser brutamontes encharcados de sangue e matadores, mas à sua maneira haviam sido leais... ao Rei Hizdahr, sim, mas à rainha também.

Último a chegar, Belwas, o Forte, veio caminhando devagar pelo salão.

O eunuco olhara a morte no rosto, tão de perto que podia tê-la beijado nos lábios. Aquilo o marcara. Parecia ter perdido uns doze quilos, e a escura pele marrom, que antes estivera esticada contra o peito e a barriga maciços, cruzada por centenas de cicatrizes desbotadas, agora se pendurava em pregas soltas, flácidas e balançando, como uma túnica cortada três vezes maior. Seus passos estavam mais lentos também, e pareciam um pouco inseguros.

Mesmo assim, a visão dele alegrou o coração do velho cavaleiro. Havia cruzado o mundo com Belwas, o Forte, certa vez, e sabia que podia confiar nele, se tudo isso acabasse em espadas.

– Belwas. Estamos felizes que tenha podido se juntar a nós.

– Barba-Branca. – Belwas sorriu. – Onde está o fígado acebolado? Belwas, o Forte, não está tão forte quanto antes, precisa comer, ficar grande novamente. Fizeram Belwas, o Forte, ficar doente. Alguém deve morrer.

Alguém morrerá. Muitos alguéns, provavelmente.

– Sente-se, meu amigo. – Quando Belwas se sentou e cruzou os braços, Sor Barristan prosseguiu. – Quentyn Martell morreu esta manhã, logo antes do amanhecer.

O Viúvo riu.

– O cavaleiro de dragões.

– Tolo, eu o chamo – disse Symon Costas-Listradas.

Não, apenas um garoto. Sor Barristan não esquecera as loucuras de sua própria juventude.

– Não falemos mal dos mortos. O príncipe pagou um preço terrível pelo que fez.

– E os outros dornenses? – perguntou Tal Taraq.

– Prisioneiros, por enquanto. – Nenhum dos dornenses oferecera qualquer resistência. Archibald Yronwood embalava o corpo queimado e esfumaçado de seu príncipe quando as Bestas de Bronze o encontraram, como suas mãos queimadas podiam testemunhar. Usara-as para abafar as chamas que haviam engolido Quentyn Martell. Gerris Drinkwater estava parado ao lado deles, com a espada na mão, mas soltou a lâmina no momento em que os gafanhotos apareceram. – Eles dividem uma cela.

– Deixe-os partilhar uma forca – disse Symon Costas-Listradas. – Eles soltaram dois dragões na cidade.

– Abram as arenas e deem-lhes espadas – exortou o Gato Malhado. – Matarei ambos enquanto toda Meereen grita meu nome.

– As arenas de luta permanecerão fechadas – disse Selmy. – Sangue e barulho só servem para chamar os dragões.

– Todos os três, talvez – sugeriu Marselen. – A besta negra veio uma vez, por que não novamente? Desta vez, com nossa rainha.

Ou sem ela. Se Drogon retornasse a Meereen sem Daenerys montada nas costas, a cidade explodiria em sangue e chamas, disso Sor Barristan não tinha dúvidas. Os mesmos homens sentados nessa mesa logo teriam adagas apontadas uns para os outros. Uma jovem garota ela podia ser, mas Daenerys Targaryen era a única coisa que mantinha todos juntos.

– Sua Graça retornará quando retornar – disse Sor Barristan. – Arrebanhamos mil ovelhas na Arena de Daznak, enchemos a Arena de Ghrazz com bois, e a Arena Dourada com animais que Hizdahr zo Loraq reunira para seus jogos. – Até agora, os dois dragões pareciam apreciar cordeiro, retornando para Daznak sempre que ficavam com fome. Se um deles estivesse caçando homens, dentro ou fora da cidade, Sor Barristan teria ouvido. Os únicos meereeneses que os dragões haviam matado, desde Harghaz, o Herói, haviam sido os senhores de escravos tolos o bastante para objetar quando Rhaegal tentara fazer seu covil no topo da pirâmide de Hazkar. – Temos assuntos mais urgentes para discutir. Enviei a Graça Verde para os yunkaítas para tomar as providências para a soltura dos nossos reféns. Espero o retorno dela ao meio-dia, com a resposta deles.

– Com palavras – disse o Viúvo. – Os Corvos Tormentosos conhecem os yunkaítas. Suas línguas são vermes que se contorcem para este lado ou para aquele. A Graça Verde voltará com palavras de vermes, não com o capitão.

– Se for do agrado da Mão da Rainha se lembrar, os Sábios Mestres mantêm nosso Herói também – disse Verme Cinzento. – E também o senhor dos cavalos Jhogo, companheiro de sangue da própria rainha.

– Sangue de seu sangue – concordou o dothraki Rommo. – Ele deve ser libertado. A honra do *khalasar* exige isso.

– Ele será libertado – disse Sor Barristan –, mas primeiro precisamos esperar e ver se a Graça Verde consegue concluir...

Skahaz Cabeça-Raspada bateu o punho sobre a mesa.

– A Graça Verde não concluirá *nada*. Ela pode estar conspirando com os yunkaítas enquanto estamos sentados aqui. *Negociações*, você disse? *Fazer negociações?* Que tipo de *negociação?*

– Resgate – falou Sor Barristan. – O peso de cada homem em ouro.

– Os Sábios Mestres não precisam do nosso ouro, sor – disse Marselen. – Eles são mais ricos do que seus senhores westerosis, cada um deles.

– Os mercenários, no entanto, vão querer o ouro. O que são os reféns para eles? Se os yunkaítas recusarem, isso será como uma lâmina entre eles e seus contratados. – *Ou pelo menos espero.* Fora Missandei quem sugerira o estratagema. Ele nunca teria pensado nisso por conta própria. Em Porto Real, subornos eram o domínio de Mindinho, enquanto Lorde Varys tinha a tarefa de promover a divisão entre os inimigos da coroa. Seus próprios deveres haviam sido mais simples. *Onze anos de idade, mesmo assim Missandei é mais esperta do que metade dos homens nesta mesa, e mais sábia do que todos eles.* – Eu instruí a Graça Verde a apresentar a oferta apenas quando todos os comandantes yunkaítas estivessem reunidos para ouvi-la.

– Eles recusarão, mesmo assim – insistiu Symon Costas-Listradas. – Dirão que querem os dragões mortos e o rei restaurado.

– Rezo para que esteja errado. – *E temo que esteja certo.*

– Seus deuses estão muito distantes, Sor Vovô – disse o Viúvo. – Não acho que escutem suas orações. E quando os yunkaítas mandarem de volta a velha para cuspir em seu olho, então o quê?

– *Fogo e sangue* – disse Barristan Selmy, mansamente, mansamente.

Por um longo momento, ninguém falou. Então Belwas, o Forte, bateu na barriga e disse:

– Melhor do que fígado acebolado.

E Skahaz Cabeça-Raspada encarou através dos olhos da sua máscara de cabeça de lobo e disse:

– Você quebraria a paz do Rei Hizdahr, velho?

– Eu a quebraria. – Uma vez, havia muito tempo, um príncipe o chamara de Barristan, o Ousado. Uma parte daquele garoto ainda estava nele. – Construímos um farol no topo da pirâmide, onde antes estava a Harpia. Lenha seca embebida em óleo, coberta para manter a chuva afastada. Se a hora chegar, e rezo para que não chegue, acenderemos este farol. As chamas serão o sinal para sair pelos portões e atacar. Cada um dos seus homens terá um papel a desempenhar, então cada homem deve estar em prontidão o tempo todo, dia e noite. Destruiremos nossos inimigos ou seremos nós mesmos destruídos. – Fez um sinal com a mão para seus escudeiros. – Tenho alguns mapas preparados para mostrar a disposição dos nossos inimigos, seus acampamentos, linhas de cerco e catapultas. Se pudermos quebrar os senhores de escravos, seus mercenários os abandonarão. Sei que vocês terão preocupações e perguntas. Digam-nas agora. Quando deixarmos esta mesa, todos nós devemos ser uma única mente, com um único propósito.

– Melhor pedir alguma comida e bebida, então – sugeriu Symon Costas-Listradas. – Isso levará um tempo.

Levou o restante da manhã e a maior parte da tarde. Os capitães e comandantes discutiram debruçados sobre os mapas como peixeiras sobre um balde de caranguejos. Pontos fracos e pontos fortes, qual a melhor forma de empregar sua pequena companhia de arqueiros, se os elefantes deviam ser usados para romper as linhas yunkaítas ou mantidos na reserva, quem deveria ter a honra de liderar o primeiro avanço, se a cavalaria seria mais bem empregada nos flancos ou na vanguarda.

Sor Barristan deixou cada homem falar o que tinha em mente. Tal Toraq achava que deviam marchar sobre Yunkai uma vez que tivessem atravessado as linhas; a Cidade Amarela estaria quase indefesa, então os yunkaítas não teriam alternativa senão erguer o cerco e seguir para lá. O Gato Malhado propôs desafiar o inimigo a enviar um campeão para encará-lo em um combate singular. Belwas, o Forte, gostava daquela ideia, mas insistia que ele devia lutar, não o Gato. Camarron do Conde propôs um esquema para aproveitar os navios amarrados ao longo do rio e usar o Skahazadhan para levar trezentos lutadores de arena pela retaguarda yunkaíta. Cada homem ali concordou que os Imaculados eram sua melhor tropa, mas nenhum deles concordou em como podiam ser posicionados. O Viúvo queria usar os eunucos como um punho de ferro para esmagar o coração das defesas dos yunkaítas. Marselen achava que podiam ser colocados em cada extremidade da linha de batalha principal, onde podiam derrotar qualquer tentativa do inimigo atacar seu flanco. Symon Costas-Listradas queria dividi-los em três, um grupo para cada uma das três companhias de libertos. Seus Irmãos Livres eram corajosos e estavam ansiosos por lutar, afirmou, mas, sem os Imaculados para fortalecê-los, temia que suas tropas inexperientes pudessem não ter a disciplina para encarar mercenários experientes na batalha. Verme Cinzento disse apenas que os Imaculados obedeceriam o que quer que lhes fosse solicitado.

E quando tudo havia sido discutido, debatido e decidido, Symon Costas-Listradas levantou um ponto final.

– Enquanto era escravo em Yunkai, ajudei meu mestre a barganhar com as companhias livres e vi o pagamento de seus salários. Conheço os mercenários, e sei que os yunkaítas não podem pagar o suficiente para fazê-los encarar chamas de dragão. Então, eu lhe pergunto... se a paz falhar e esta batalha acontecer, os dragões virão? Eles se juntarão à luta?

Eles virão, Sor Barristan podia ter dito. *O barulho os trará, os berros e gritos, o cheiro do sangue. Isso os atrairá ao campo de batalha, exatamente como o javali da Arena de Daznak atraiu Drogon para as areias escarlate. Mas, quando vierem, distinguirão um lado do outro?* De alguma forma, achava que não. Então, disse apenas:

– Os dragões farão o que dragões fazem. Se vierem, apenas a sombra de suas asas será o suficiente para desanimar os senhores de escravos e despachá-los em fuga. – Então agradeceu a todos eles e os dispensou.

Verme Cinzento permaneceu depois que todos os outros saíram.

– Esses uns estarão prontos quando o fogo do farol se acender. Mas a Mão precisa certamente saber que, quando atacarmos, os yunkaítas matarão os reféns.

– Farei todo o possível para evitar isso, meu amigo. Tenho uma... ideia. Mas você deve me dar licença. Já passou da hora dos dornenses ouvirem que seu príncipe está morto.

Verme Cinzento inclinou a cabeça.

– Este um obedece.

Sor Barristan levou dois de seus recém-sagrados cavaleiros consigo para os calabouços. Pesar e culpa são conhecidos por levar bons homens à loucura, e Archibald Yronwood e Gerris Drinkwater tinham ambos tomado parte na morte do amigo. Mas, quando chegaram à cela, disse para Tum e Cordeiro Vermelho que esperassem do lado de fora, enquanto entrou para contar aos dornenses que a agonia do príncipe terminara.

Sor Archibald, o grande careca, não tinha nada a dizer. Sentou-se na beira de seu catre, olhando as mãos enfaixadas com tiras de linho. Sor Gerris socou uma parede.

– Eu disse para ele que era tolice. Implorei para ele ir para casa. Sua rainha cadela não tinha utilidade para ele, qualquer um podia ver isso. Ele cruzou o mundo para oferecer-lhe amor e lealdade, e ela riu na cara dele.

– Ela nunca riu – disse Selmy. – Se a conhecesse, saberia disso.

– Ela o rejeitou. Ele lhe ofereceu o coração dele, e ela o jogou de volta e foi foder com o mercenário.

– É melhor segurar a língua, sor. – Sor Barristan não gostava de Gerris Drinkwater e não permitiria que ele caluniasse Daenerys. – A morte do Príncipe Quentyn foi seu próprio feito, e o de vocês.

– *Nosso?* Como estamos em falta, sor? Quentyn era nosso amigo, sim. Um pouco tolo, você poderia dizer, mas todos os sonhadores são tolos. Mas, antes de mais nada, ele era nosso príncipe. Nós lhe devíamos obediência.

Barristan Selmy não podia discutir a verdade daquilo. Passara a maior parte da vida obedecendo ordens de bêbados e loucos.

– Ele chegou tarde demais.

– Ele ofereceu a ela seu coração – Sor Gerris disse novamente.

– Ela precisava de espadas, não de corações.

– Ele lhe teria dado as lanças de Dorne também.

– Isso ele teria. – Ninguém queria que Daenerys tivesse olhado com favorecimento para o príncipe dornense mais do que Barristan Selmy. – Ele chegou tarde demais, no entanto, e essa loucura... contratar mercenários, soltar dois dragões na cidade... isso foi loucura e pior do que loucura. Isso foi traição.

– O que ele fez, fez por amor à Rainha Daenerys – Gerris Drinkwater insistiu. – Para provar-se digno da mão dela.

O velho cavaleiro já ouvira o bastante.

– O que o Príncipe Quentyn fez, ele fez por Dorne. Você me toma por algum avô apaixonado? Passei minha vida ao lado de reis, rainhas e príncipes. Lançassolar pretende levantar armas contra o Trono de Ferro. Não, não se incomode em negar isso. Doran Martell não é homem que convoque suas lanças sem esperança de vitória. O dever trouxe o Príncipe Quentyn aqui. Dever, honra, sede de glória... nunca amor. Quentyn estava aqui pelos dragões, não por Daenerys.

– Você não o conhecia, sor. Ele...

– Ele está morto, Drink. – Yronwood ficou em pé. – Palavras não o trarão de volta. Cletus e Will estão mortos também. Então cale sua maldita boca antes que eu enfie meu punho nela. – O grande cavaleiro se voltou para Selmy. – O que pretende fazer conosco?

– Skahaz Cabeça-Raspada quer vocês enforcados. Vocês mataram quatro de seus homens. Quatro dos homens da *rainha*. Dois eram libertos que haviam seguido Sua Graça desde Astapor.

Yronwood não parecia surpreso.

– Os homens bestas, sim. Eu matei apenas um, o da cabeça de basilisco. Os mercenários fizeram o resto. Mas isso não importa, eu sei.

– Estávamos protegendo Quentyn – disse Drinkwater. – Nós...

– Fique *quieto*, Drink. Ele sabe. – Para Sor Barristan, o grande cavaleiro disse: – Não seria necessário vir e conversar conosco se pretendesse nos enforcar. Então, não é isso, é?

– Não. – *Esse aí pode não ter o espírito tão obtuso quanto parece.* – Tenho mais utilidade para vocês vivos do que mortos. Sirvam-me, e depois de tudo acabado arranjarei um navio para levá-los de volta a Dorne e devolver os ossos do seu Príncipe Quentyn para o senhor seu pai.

Sor Archibald fez uma careta.

– Por que são sempre navios? Alguém precisa levar Quent para casa, no entanto. O que quer de nós, sor?

– Suas espadas.

– Você tem milhares de espadas.

– Os libertos da rainha ainda são inexperientes. Nos mercenários, eu não confio. Os Imaculados são bravos soldados... mas não são guerreiros. Não são *cavaleiros*. – Fez uma pausa. – O que aconteceu quando vocês tentaram pegar os dragões? Contem-me.

Os dornenses trocaram um olhar. Então Drinkwater disse:

– Quentyn disse ao Príncipe Esfarrapado que poderia controlá-los. Estava em seu sangue, disse. Ele tinha sangue Targaryen.

– Sangue do dragão.

– Sim. Os mercenários deveriam nos ajudar a acorrentar os dragões, para que pudéssemos levá-los para as docas.

– O Esfarrapado arranjou um navio – disse Yronwood. – Um grande, para o caso de conseguirmos os dois dragões. E Quent ia montar em um deles. – Olhou para suas mãos enfaixadas. – No momento em que entramos, no entanto, dava para ver que nada daquilo ia funcionar. Os dragões eram muito selvagens. As correntes... havia pedaços de correntes quebradas em todos os lugares, *grandes* correntes, elos do tamanho da sua cabeça, misturados com todos aqueles ossos partidos e estilhaçados. E Quent, que os Sete o salvem, parecia que ia cagar nas calças. Caggo e Meris não estavam cegos, viram isso também. Então um dos besteiros disparou. Talvez eles pretendessem matar os dragões todo o tempo e estivessem apenas nos usando para chegar até eles. Nunca se sabe com Farrapos. De qualquer maneira que você o rasga, nunca é a forma mais inteligente. A confusão apenas deixou os dragões zangados, e eles não estavam de muito bom humor desde o começo. Então... então as coisas ficaram feias.

– E os Soprados pelo Vento fugiram – disse Sor Gerris. – Quent estava gritando, coberto em chamas, e eles se foram. Caggo, Bela Meris, todos, exceto o morto.

– E o que você esperava, Drink? Um gato matará um rato, um porco fuçará na lama, e um mercenário fugirá quando mais precisarmos dele. Não podem ser culpados. É apenas a natureza da besta.

– Ele não está errado – Sor Barristan disse. – O que o Príncipe Quentyn prometeu ao Príncipe Esfarrapado em troca de sua ajuda?

Não teve resposta. Sor Gerris olhou para Sor Archibald. Sor Archibald olhou para as mãos, para o chão, para a porta.

– Pentos – disse Sor Barristan. – Ele lhe prometeu Pentos. Digam. Nenhuma de suas palavras podem ajudar ou ferir o Príncipe Quentyn agora.

– Sim – disse Sor Archibald, infeliz. – Foi Pentos. Fizeram marcas no papel, os dois.

Há uma oportunidade aí.

– Ainda temos os Soprados pelo Vento nos calabouços. Aqueles desertores fingidos.

– Eu me lembro – disse Yronwood. – Vaudefome, Pau Fino, aquele grupo. Alguns deles não eram tão maus para mercenários. Outros, bem, poderiam ficar um pouco perto da morte. O que tem eles?

– Pretendo enviá-los de volta ao Príncipe Esfarrapado. E vocês com eles. Vocês serão dois entre milhares. Sua presença no acampamento yunkaíta deve passar despercebida. Quero que entreguem uma mensagem ao Príncipe Esfarrapado. Digam a ele que eu os enviei, e que eu falo com a voz da rainha. Digam a ele que pagarei seu preço, se ele nos entregar nossos reféns, ilesos e inteiros.

Sor Archibald fez uma careta.

– É mais provável que Farrapos dê nós dois para Bela Meris. Ele não fará isso.

– Por que não? A tarefa é bem simples. – *Comparada a roubar dragões.* – Uma vez tirei o pai da rainha de Valdocaso.

– Aquilo era Westeros – disse Gerris Drinkwater.

– Isto é Meereen.

– Arch não pode segurar uma espada com essas mãos.

– Ele não deve precisar. Vocês terão os mercenários com vocês, a menos que eu tenha errado os homens.

Gerris Drinkwater empurrou para trás um punhado de seus cabelos riscados pelo sol.

– Podemos ter algum tempo para discutir isso entre nós?

– Não – disse Selmy.

– Eu farei isso – ofereceu-se Sor Archibald –, desde que não haja nenhum maldito barco envolvido. Drink fará também. – Sorriu. – Ele ainda não sabe, mas fará.

E aquilo estava feito.

A parte simples, pelo menos, pensou Barristan Selmy, enquanto fazia a longa escalada de volta ao topo da pirâmide. A parte difícil ele deixara nas mãos dos dornenses. Seu avô teria ficado chocado. Os dornenses eram cavaleiros, pelo menos no nome, embora apenas Yronwood o tivesse impressionado por ter aço verdadeiro. Drinkwater tinha o rostinho bonito, uma língua loquaz e um belo cabelo.

Quando o cavaleiro retornou aos aposentos da rainha no topo da pirâmide, o cadáver do Príncipe Quentyn havia sido removido. Seis dos jovens copeiros estavam brincando com algum jogo infantil, sentados em um círculo no chão enquanto giravam uma adaga. Quando o giro parava, eles cortavam um pouco do cabelo de quem quer que a adaga apontasse. Sor Barristan participara de um jogo similar com os primos quando era apenas um garoto em Solar da Colheita... embora em Westeros, pelo que se lembrava, beijar estava envolvido também.

– Bhakaz – chamou. – Uma taça de vinho, por gentileza. Grazhar, Azzak, a porta é de vocês. Estou esperando a Graça Verde. Tragam-na imediatamente quando ela chegar. De outro modo, não quero ser perturbado.

Azzak ficou em pé.

– Como ordenar, Senhor Mão.

Sor Barristan saiu para o terraço. A chuva parara, embora uma parede cinza de nuvens cor de ardósia escondesse o sol poente que fazia sua descida na Baía dos Escravos. Alguns tufos de fumaça ainda se erguiam das montanhas escurecidas de Hazdar, como fitas torcidas pelo vento. Ao longe, no leste, além das muralhas da cidade, viu asas claras movendo-se acima da linha distante de montanhas. *Viserion*. Caçando, talvez, ou voando apenas por voar. Perguntava-se onde estaria Rhaegal. Até agora, o dragão verde tinha se mostrado mais perigoso do que o branco.

Quando Bhakaz trouxe o vinho, o velho cavaleiro tomou um longo gole e enviou o garoto para buscar água. Algumas taças de vinho podiam ser exatamente a coisa de que precisava para ajudá-lo a dormir, mas precisaria de seu juízo quando Galazza Galare retornasse das negociações com o inimigo. Então bebeu o vinho bem aguado, enquanto o mundo ficava mais escuro ao redor dele. Estava muito cansado e cheio de dúvidas. Os dornenses, Hizdahr, Reznak, o ataque... estava fazendo as escolhas certas? Estava fazendo o que Daenerys teria querido? *Não fui feito para isso.* Outros guardas reais haviam servido como Mão antes dele. Não muitos, mas alguns. Leu sobre eles no Livro Branco. Agora se encontrava perguntando a si mesmo se eles haviam se sentido tão perdidos e confusos quanto ele estava.

– Senhor Mão – Grazhar estava parado na porta, uma vela na mão. – A Graça Verde chegou. Você pediu para ser avisado.

– Traga-a aqui. E acenda algumas velas.

Galazza Galare estava acompanhada por quatro Graças Rosa. Uma aura de sabedoria e dignidade parecia envolvê-la, e Sor Barristan não podia deixar de admirar. *Essa é uma mulher forte, e tem sido uma amiga fiel de Daenerys.*

– Senhor Mão – ela disse, o rosto escondido atrás de brilhantes véus verdes. – Posso sentar? Estes ossos estão velhos e cansados.

– Grazhar, uma cadeira para a Graça Verde. – As Graças Rosa se arrumaram atrás dela, com olhos baixos e mãos entrelaçadas na frente do corpo. – Posso lhe oferecer um refresco? – perguntou Sor Barristan.

– Isso seria muito bem-vindo, Sor Barristan. Minha garganta está seca de tanto falar. Um suco, talvez?

– Como quiser. – Fez um sinal para Kezmya e pediu que buscasse para a sacerdotisa uma taça de suco de limão, adoçado com mel. Para beber, a sacerdotisa teve que tirar o véu, e Selmy se lembrou de quão velha ela era. *Vinte anos mais velha do que eu, ou mais.* – Se a rainha estivesse aqui, ela se juntaria ao meu agradecimento por tudo que tem feito por nós.

– Sua Magnificência sempre foi muito graciosa. – Galazza Galare terminou a bebida e prendeu o véu novamente. – Teve alguma outra notícia da nossa doce rainha?

– Nenhuma ainda.

– Rezarei por ela. E quanto ao Rei Hizdahr, se posso ser ousada? Posso ter a permissão de ver Seu Iluminado?

– Em breve, espero. Ele está ileso, tem minha palavra.

– Me agrada ouvir isso. Os Sábios Mestres de Yunkai perguntaram por ele. Não o surpreenderia saber que eles desejam que o nobre Hizdahr seja restaurado imediatamente ao seu lugar de direito.

– Ele será, se puder ser provado que não tentou matar nossa rainha. Até então, Meereen será governado por um conselho de leais e justos. Há um lugar para você neste conselho. Sei que tem muito a nos ensinar, Vossa Benevolência. Precisamos de sua sabedoria.

– Temo que me lisonjeie com cortesias vazias, Senhor Mão – a Graça Verde disse. – Se realmente me achasse sábia, me atenderia agora. Solte o nobre Hizdahr e restaure-o no trono.

– Apenas a rainha pode fazer isso.

Sob seus véus, a Graça Verde suspirou.

– A paz que trabalhamos tão duramente para forjar tremula como uma folha ao vento de outono. Estes são dias terríveis. A morte espreita em nossas ruas, cavalgando a égua descorada da três vezes amaldiçoada Astapor. Dragões são vistos com frequência nos céus, banqueteando-se de carne de crianças. Centenas estão pegando navios, navegando para Yunkai, para Tolos, para Qarth, para qualquer refúgio que possam ter. A pirâmide de Hazkar desmoronou em uma ruína esfumaçada, e muitos da antiga linhagem morreram sob as pedras enegrecidas. As pirâmides de Uhlez e Yherizan se tornaram covis de monstros, seus mestres são pedintes sem teto. Meu povo perdeu toda a esperança e se virou contra os próprios deuses, passando as noites na embriaguez e na fornicação.

– E assassinato. Os Filhos da Harpia mataram trinta esta noite.

– Lamento ouvir isso. Mais uma razão para libertar o nobre Hizdahr zo Loraq, que parou tais mortes uma vez.

E como ele conseguiu isso, a menos que ele mesmo seja a Harpia?

– Sua Graça deu sua mão para Hizdahr zo Loraq, o fez seu rei e consorte, restaurou a arte mortal, como ele lhe havia implorado. Em troca, ele deu a ela gafanhotos envenenados.

– Em troca, ele lhe deu paz. Não jogue isso fora, sor, eu lhe imploro. A paz é uma pérola sem preço. Hizdahr é de Loraq. Nunca sujaria as mãos com veneno. Ele é inocente.

– Como pode ter certeza? – *A menos que conheça o envenenador.*

– Os deuses de Ghis me disseram.

– Meus deuses são os Sete, e os Sete ficaram em silêncio sobre esse assunto. Vossa Sabedoria apresentou minha oferta?

– Para todos os senhores e capitães de Yunkai, como você me ordenou... mesmo assim, temo que não gostará da resposta.

– Eles recusaram?

– Recusaram. Nem todo o ouro comprará seu pessoal de volta, me disseram. Apenas o sangue dos dragões pode libertá-los.

Era a resposta que Sor Barristan esperava, não a que desejava. Sua boca se apertou.

– Sei que essas não eram as palavras que desejava ouvir – disse Galazza Galare. – No entanto, de minha parte, eu entendo. Esses dragões são bestas terríveis. Yunkai as teme... e com boas razões, não pode negar. Nossas histórias falam de senhores dos dragões da horrível Valíria, e da devastação que causaram sobre o povo da Antiga Ghis. Mesmo sua jovem rainha, a bela Daenerys, que chamava a si mesma de Mãe de Dragões... nós a vimos queimando, naquele dia na arena... nem mesmo ela estava a salvo da ira do dragão.

– Sua Graça não está... ela...

– ... está morta. Que os deuses lhe garantam um doce sono. – Lágrimas brilharam atrás dos véus. – Deixe os dragões morrerem também.

Selmy estava tateando em busca de uma resposta quando ouviu o som de passos pesados. A porta se abriu com força para dentro, e Skahaz mo Kandaq irrompeu com quatro Bestas de Bronze atrás de si. Quando Grazhar tentou bloquear seu caminho, ele empurrou o garoto de lado.

Sor Barristan levantou-se imediatamente.

– O que é isso?

– As catapultas – o Cabeça-Raspada rosnou. – Todas as seis.

Galazza Galare se ergueu.

– Eis Yunkai respondendo sua oferta, sor. Eu avisei que não gostaria da resposta deles.

Escolheram a guerra, então. Que assim seja. Sor Barristan sentiu-se estranhamente aliviado. De guerra ele entendia.

– Se acham que vão quebrar Meereen atirando pedras...

– Não pedras. – A voz da velha mulher estava cheia de lamento, de medo. – Cadáveres.

Daenerys

O morro era uma ilha de pedra em um mar verde.

Dany levou metade da manhã para descê-lo. Quando chegou ao fim, estava sem fôlego. Seus músculos doíam, e sentia-se como se estivesse com um início de febre. As rochas haviam deixado suas mãos em carne viva. *Estão melhores do que estavam*, pensou, enquanto cutucava uma bolha estourada. Sua pele estava rosada e macia, e um claro líquido leitoso vazava das rachaduras nas palmas, mas as queimaduras estavam sarando.

O morro era maior dali. Dany começara a chamá-lo de Pedra do Dragão, por causa da antiga citadela onde nascera. Não tinha lembranças daquela Pedra do Dragão, mas não esqueceria dessa tão cedo. Um matagal de gramíneas e arbustos espinhosos cobria as encostas inferiores; mais acima, um emaranhado irregular de rochas nuas se erguia íngreme e repentinamente para o céu. Lá no alto, entre pedregulhos quebrados, cumes afiados e pináculos finos, Drogon fizera seu covil em uma caverna rasa. Ele morava lá havia algum tempo, Dany percebeu na primeira vez em que viu o morro. O ar cheirava a cinzas, cada pedra e árvore à vista estava queimada e enegrecida, o chão repleto de ossos queimados e partidos, mesmo assim, era um lar para ele.

Dany conhecia a atração de um lar.

Dois dias atrás, subindo em um pináculo de pedra, vislumbrara água ao sul, uma linha tênue que brilhara brevemente enquanto o sol se punha. *Um córrego*, Dany reconheceu. Pequeno, mas poderia levar a um riacho maior, e esse riacho poderia desaguar em algum rio pequeno, e todos os rios nessa parte do mundo eram vassalos do Skahazadhan. Uma vez que encontrasse o Skahazadhan, precisaria apenas seguir a jusante até a Baía dos Escravos.

Preferia ter retornado para Meereen nas asas do dragão, é claro. Mas aquele era um desejo que Drogon não parecia partilhar.

Os senhores de dragões da antiga Valíria controlavam suas montarias com feitiços de ligação e cornos mágicos. Daenerys fizera com uma palavra e um chicote. Montada nas costas do dragão, frequentemente se sentia como se estivesse aprendendo a montar novamente. Quando chicoteava sua égua prateada no flanco direito, a égua ia para a esquerda, por causa do instinto primitivo dos cavalos de fugir do perigo. Quando acertava o chicote do lado direito de Drogon, ele desviava para a direita, pois o primeiro instinto do dragão é sempre atacar. Mas, algumas vezes, parecia não fazer diferença onde ela o acertava; algumas vezes ele ia para onde queria e a levava consigo. Nem chicote nem palavras podiam virar Drogon, se ele não quisesse ser virado. O chicote mais irritava o animal do que o feria, ela viera a perceber; suas escamas haviam ficado mais duras do que um chifre.

E não importava o quão longe o dragão voasse cada dia, chegando o anoitecer algum instinto levava-o para casa em Pedra do Dragão. *A casa dele, não a minha.* Sua casa estava em Meereen, com seu marido e seu amante. Era o local ao qual pertencia, certamente.

Continuar andando. Se olhar para trás, estarei perdida.

As lembranças caminhavam com ela. Nuvens vistas de cima. Cavalos tão pequenos quanto formigas andando pela grama. Uma lua prateada, quase perto o suficiente para ser tocada. Rios correndo brilhantes e azuis embaixo, resplandecendo ao sol. *Verei essas coisas novamente?* Nas costas de Drogon, ela se sentira *inteira*. Lá em cima, no céu, os infortúnios do mundo não podiam tocá-la. Como poderia abandonar aquilo?

Já era tempo, no entanto. Uma garota passaria a vida nessa brincadeira, mas ela era uma mulher crescida, uma rainha, uma esposa, mãe de milhares. Seus filhos precisavam dela. Drogon se dobrara diante do chicote, e ela também devia. Tinha que vestir sua coroa novamente e retornar para seu banco de ébano e para os braços de seu nobre marido.

Hizdahr, dos beijos tépidos.

O sol estava quente naquela manhã, e o céu, azul e sem nuvens. Aquilo era bom. As roupas de Dany eram dificilmente mais do que trapos e forneciam muito pouco calor. Uma de suas sandálias escorregara durante a luta selvagem em Meereen, e deixara a outra na caverna de Drogon, preferindo andar descalça do que meio calçada. O *tokar* e os véus, ela abandonara na arena, sua roupa de baixo de linho não fora feita para enfrentar os dias quentes e as noites frias do mar dothraki. Suor, grama e sujeira a mancharam, e Dany havia rasgado uma faixa da bainha para fazer uma bandagem para sua canela. *Devo parecer uma coisa esfarrapada e faminta*, pensou, *mas se os dias permanecerem quentes, não congelarei.*

A jornada dela fora solitária, e na maior parte do tempo estivera machucada e com fome... mesmo assim, apesar de tudo sentira-se estranhamente feliz ali. *Algumas dores, uma barriga vazia, frio à noite... o que isso importa quando você pode voar? Eu faria tudo novamente.*

Jhiqui e Irri deviam estar esperando no topo da pirâmide em Meereen, disse para si mesma. Sua doce escriba, Missandei, também, e seus pequenos pajens. Eles lhe trariam comida, e ela poderia se banhar na piscina sob o caquizeiro. Seria bom sentir-se limpa novamente. Dany não precisava de um espelho para saber que estava imunda.

Estava faminta também. Em uma manhã, encontrara algumas cebolas selvagens crescendo a meio caminho da encosta sul e, mais tarde, naquele mesmo dia, um frondoso vegetal avermelhado que podia ser algum tipo estranho de repolho. O que quer que fosse não a deixara doente. Além daquilo, e de um peixe que pegara na lagoa temporária do lado de fora da caverna de Drogon, tivera que sobreviver da melhor maneira possível dos restos do dragão, ossos queimados e pedaços de carne esfumaçada, meio torradas e meio cruas. Precisava de mais, sabia. Um dia, chutou o crânio partido de uma ovelha com a lateral do pé descalço e a mandou saltando pela beira do morro. Enquanto observava o crânio rolar pela encosta íngreme até o mar de grama, percebeu que poderia seguir por ali.

Dany partiu pela grama alta em um ritmo acelerado. A terra estava quente entre os dedos de seus pés. A grama era tão alta quanto ela. *Não parecia tão alta quando eu estava montada na minha prata, cavalgando ao lado do meu sol-e-estrelas na frente de seu khalasar.*

Conforme andava, batia em suas coxas com o chicote do mestre da arena. Aquilo e os trapos em suas costas era tudo o que trouxera de Meereen.

Embora caminhasse entre um reino verde, não era o profundo e rico verde do verão. Mesmo aqui o outono marcava sua presença, e o inverno não estava muito longe. A grama era mais clara do que ela se lembrava, um verde abatido e doentio, em vias de se tornar amarelo. Depois disso, viria o marrom. A grama estava morrendo.

Daenerys Targaryen não era estranha ao mar dothraki, o grande oceano de grama que se estendia da floresta de Qohor até a Mãe das Montanhas e o Ventre do Mundo. Vira-o pela primeira vez quando ainda era uma garota, recém-casada com Khal Drogo e a caminho de Vaes Dothraki para ser apresentada às anciãs do *dosh khaleen*. A visão de toda aquela grama se espalhando diante dela lhe tirara o fôlego. *O céu era azul, a grama era verde, e eu estava cheia de esperanças.* Sor Jorah estava com ela, seu velho urso rude. Tinha Irri, Jhiqui e Doreah para cuidar dela, seu sol-e-estrelas para abraçá-la à noite, seu filho crescendo dentro de si. *Rhaego. Eu ia chamá-lo de Rhaego, e o* dosh khaleen *disse que ele seria o Garanhão que Monta o Mundo.* Nunca, desde aqueles dias de poucas lembranças em Bravos, quando vivera na casa com a porta vermelha, havia sido tão feliz.

Mas, no deserto vermelho, toda sua alegria se transformara em cinzas. Seu sol-e-estrelas caíra do cavalo, a *maegi* Mirri Maz Duur matara Rhaego em seu útero, e Dany asfixiara a casca vazia de Khal Drogo com as próprias mãos. Depois, o grande *khalasar* de Drogo fora aniquilado. Ko Pono nomeara-se Khal Pono e levara muitos cavaleiros consigo, e muitos escravos também. Ko Jhaqo nomeara-se Khal Jhaqo e cavalgara com muitos mais. Mago, companheiro de sangue de Khal Jhaqo, estuprara e matara Eroeh, uma garota que Daenerys salvara dele. Apenas o nascimento dos dragões entre o fogo e a fumaça da pira funerária de Khal Drogo poupara Dany de ser arrastada de volta a Vaes Dothrak para viver o restante de seus dias entre as anciãs do *dosh khaleen*.

O fogo queimou meu cabelo, mas, fora isso, não tocou em mim. Acontecera o mesmo na Arena de Daznak. Disso ela se lembrava, embora muito do que se seguiu estivesse obscuro. *Tantas pessoas, gritando e empurrando.* Lembrava-se de cavalos empinando, de uma carroça de comida espalhando melões quando tombou. Por baixo, uma lança veio voando, seguida por flechas de bestas. Uma passou tão perto que Dany sentiu raspar em sua bochecha. Outras escorregaram pelas escamas de Drogon, alojaram-se entre elas ou atravessaram a membrana de suas asas. Lembrava-se do dragão torcendo-se embaixo dela, estremecendo aos impactos, enquanto ela tentava desesperadamente se agarrar às costas do animal. Os ferimentos soltavam fumaça. Dany viu uma das flechas queimando em chamas súbitas. Outra caiu, soltando-se com a batida das asas. Embaixo, via homens girando, envoltos em chamas, mãos para cima, como se apanhados em alguma dança louca. Uma mulher em um *tokar* verde alcançou uma criança que chorava, puxando-a para seus braços para protegê-la das chamas. Dany viu a cor vividamente, mas não o rosto da mulher. Pessoas a pisotearam enquanto se enroscavam nos tijolos. Alguns estavam em chamas.

Então tudo aquilo desaparecera, os sons ficando mais baixos, as pessoas encolhendo, as lanças e flechas caindo embaixo deles, conforme Drogon arranhava seu caminho para o céu. Para cima, para cima, e para cima ele a levara, bem acima das pirâmides e das arenas, as asas estendidas para pegar o ar quente que se erguia dos tijolos da cidade cozidos pelo sol. *Se eu cair e morrer, mesmo assim terá valido a pena,* ela pensara.

Voaram para o norte, além do rio, Drogon deslizando com asas rasgadas e esfarrapadas, através de nuvens que se moviam como os estandartes de algum exército fantasmagórico. Dany vislumbrara a costa da Baía dos Escravos e a antiga estrada valiriana que corria ao lado por areia e desolação até desaparecer no oeste. *O caminho para casa.* Então não havia nada sob eles além de grama ondulando ao vento.

Esse primeiro voo foi há mil anos? Algumas vezes, parecia que sim.

O sol ficava mais quente conforme se levantava no céu, e, em pouco tempo, a cabeça dela latejava. O cabelo de Dany estava crescendo de novo, mas lentamente.

– Preciso de um chapéu – disse em voz alta. No alto da Pedra do Dragão, tentara fazer um, tecendo hastes de grama como vira as mulheres dothraki fazendo durante seu tempo com Drogo, mas estava usando o tipo errado de grama, ou simplesmente não tinha a habilidade necessária. Seus chapéus desfaziam-se aos pedaços em suas mãos. *Tente novamente,* dizia para si mesma. *Você fará melhor da próxima vez. Você é o sangue do dragão, você pode fazer um chapéu.* Tentou e tentou, mas sua última tentativa não fora mais bem sucedida do que a primeira.

Só à tarde Dany encontrou o córrego que vislumbrara do alto do morro. Era um ribeirinho, um regato, um fio d'água, não mais largo que seu braço... e seu braço emagrecera cada dia que passara em Pedra do Dragão. Dany pegou um punhado de água e jogou no rosto. Quando colocou as mãos em concha na água, os nós de seus dedos se afundaram na lama no meio do regato. Ela desejara água mais fria e mais limpa... mas, não, se tivesse que se prender a esperanças e desejos, desejaria um resgate.

Ainda se agarrava à esperança de que alguém viria atrás dela. Sor Barristan poderia vir procurá-la; ele era o primeiro de sua Guarda da Rainha, jurado a defendê-la com a própria vida. Seus companheiros de sangue não eram estranhos ao mar dothraki, e as vidas deles estavam ligadas à dela. Seu marido, o nobre Hizdahr zo Loraq, devia enviar pessoas para buscá-la. E Daario... Dany o imaginava cavalgando na direção dela através da grama alta, sorrindo, seu dente de ouro brilhando com a última luz do sol poente.

Só que Daario fora enviado para os yunkaítas, um refém para garantir que nenhum mal acontecesse aos capitães de Yunkai. *Daario, Herói, Jhogo e Groleo, e três dos parentes de Hizdahr.* Agora, certamente, todos os reféns deviam ter sido libertados. Mas...

Ela se perguntava se as lâminas de seu capitão ainda estavam penduradas na parede ao lado de sua cama, esperando que Daario voltasse para reivindicá-las.

– *Deixarei minhas garotas com você* – ele dissera. – *Mantenha-as a salvo para mim, amada.*

E ela se perguntara o quanto os yunkaítas sabiam sobre o tanto que seu capitão significava para ela. Fizera aquela pergunta a Sor Barristan na tarde em que os reféns foram enviados.

– Eles devem ter ouvido boatos – ele respondera. – Naharis pode até mesmo ter se gabado da grande... estima... de Vossa Graça por ele. Se me perdoa dizer isso, a modéstia não é uma das virtudes do capitão. Ele tem muito orgulho de sua... de sua habilidade na espada.

Ele se gaba de dormir comigo, você quer dizer. Mas Daario não seria tão tolo de vangloriar-se disso entre seus inimigos. *Não importa. Neste momento, os yunkaítas devem estar marchando para casa.* Fora por isso que ela fizera tudo o que fizera. Pela paz.

Virou-se para o caminho de onde tinha vindo, para onde Pedra do Dragão se erguia sobre as terras de grama como um punho cerrado. *Parece tão perto. Estive andando por horas e, mesmo assim, parece que eu poderia alcançá-la e tocá-la.* Não era muito tarde para voltar. Havia peixes no lago temporário na caverna de Drogon. Pegara um no primeiro dia ali, podia pegar mais. E haveria ossos despedaçados e carbonizados, com pedaços de carne ainda neles, os restos das matanças de Drogon.

Não, Dany disse para si mesma. *Se olhar para trás, estou perdida.* Podia viver anos entre as rochas cozidas pelo sol de Pedra do Dragão, montando nas costas de Drogon durante o dia e roendo suas sobras todo entardecer, enquanto o grande mar de grama passava de dourado para laranja, mas essa não era a vida para a qual nascera. Então, mais uma vez, virou as costas para o morro distante e fechou os ouvidos para a canção de voos e liberdade que o vento cantava enquanto brincava entre os cumes de pedra do morro. O córrego corria para sul e sudeste, tanto quanto podia dizer. Ela seguiu o curso. *Leve-me para o rio, é tudo o que peço. Leve-me para o rio, e farei o resto.*

As horas passavam lentamente. O córrego dobrava por aqui e por ali, e Dany seguia, marcando o tempo em sua perna com o chicote, tentando não pensar sobre quão longe tinha que ir, ou no latejar em sua cabeça, ou em sua barriga vazia. *Dê um passo. Dê o seguinte. Outro passo. Outro.* O que mais poderia fazer?

Estava quieto em seu mar. Quando o vento soprava, a grama suspirava, como se os caules roçassem uns nos outros, sussurrando em uma língua que apenas os deuses podiam entender. Agora e novamente o pequeno córrego borbulhava onde fluía ao redor de uma pedra. A lama saía em jatos entre seus dedos dos pés. Insetos zumbiam em volta dela, preguiçosas libélulas, brilhantes vespas verdes e mosquitos quase pequenos demais para se ver. Ela os golpeava distraidamente, quando pousavam em seus braços. Uma vez, foi para cima de um rato que bebia do córrego, mas ele fugiu quando ela apareceu, correndo entre os caules e desaparecendo na grama alta. Algumas vezes ouvia pássaros cantando. O som fazia sua barriga roncar, mas não tinha redes para fazer uma armadilha e, até agora, não vira nenhum ninho. *Uma vez sonhei que estava voando,* ela pensou, *e agora já voei, e sonho em roubar ovos.* Aquilo a fez gargalhar.

– Homens são loucos e deuses são mais loucos – disse para a grama, e a grama murmurou concordando.

Por três vezes naquele dia, ela avistou Drogon. Da primeira vez, ele estava tão longe que poderia ter sido uma águia, deslizando para dentro e para fora das nuvens distantes, mas Dany o reconhecia agora, mesmo quando não era mais do que um pontinho. Da segunda vez, ele passou diante do sol, as asas negras estendidas, e o mundo escureceu. Da última vez, ele voou bem sobre ela, tão perto que pôde ouvir o som de suas asas. Por meio segundo, Dany pensou que ele a estivesse caçando, mas ele voou sem tomar qualquer conhecimento dela e desapareceu em algum lugar no leste. *Ainda bem,* ela pensou.

A noite a pegou quase desprevenida. Enquanto o sol dourava os pináculos distantes de Pedra do Dragão, Dany tropeçou em um muro de pedra baixo, quebrado e coberto de mato. Talvez tivesse sido parte de um templo, ou o salão do senhor do vilarejo. Mais ruínas estavam além; um velho poço e alguns círculos na grama que marcavam os locais onde os casebres estiveram. Haviam sido construídos de lama e palha, ela julgou, mas longos anos de vento e chuva os desgastaram completamente. Dany encontrou oito antes que o sol desaparecesse, mas poderia haver mais por ali, escondidos na grama.

O muro de pedra durara mais que o resto. Embora não tivesse mais do que noventa centímetros de altura, o ângulo onde ele se encontrava com outra parede mais baixa ainda oferecia algum abrigo dos elementos, e a noite chegava rapidamente. Dany encolheu-se em um canto, fazendo um ninho com vários tipos de grama que cresciam ao redor das ruínas, arrancados aos punhados. Estava muito cansada, e novas bolhas haviam aparecido em seus pés, incluindo um conjunto combinado em cima dos seus dedos rosados. *Deve ser do jeito que ando*, pensou, dando uma risadinha.

Quando o mundo escureceu, Dany se instalou e fechou os olhos, mas o sono se recusava a vir. A noite estava fria, o chão duro, sua barriga vazia. Pegou-se pensando em Meereen, em Daario, seu amante, e Hizdahr, seu marido, em Irri e Jhiqui e na doce Missandei, em Sor Barristan, em Reznak e em Skahaz Cabeça-Raspada. *Será que temem que eu esteja morta? Eu voei nas costas de um dragão. Eles pensarão que ele me comeu?* Ela se perguntava se Hizdahr ainda era rei. A coroa dele vinha dela, ele poderia mantê-la em sua ausência? *Ele queria Drogon morto. Eu o ouvi. "Matem ele", ele gritava, "matem a besta", e o olhar em seu rosto era lascivo.* E Belwas, o Forte, estava de joelhos, arfando e estremecendo. *Veneno. Tinha que ser veneno. Os gafanhotos no mel. Hizdahr insistiu que eu os provasse, mas Belwas comeu todos eles.* Ela fizera de Hizdahr seu rei, levou-o para sua cama, abriu as arenas por ele, ele não tinha razão para querê-la morta. No entanto, quem mais poderia ter sido? Reznak, seu senescal perfumado? Os yunkaítas? Os Filhos da Harpia?

Ao longe, um lobo uivou. O som a fez se sentir triste e sozinha, mas não menos faminta. Quando a lua se ergueu sobre as terras da grama, Dany mergulhou finalmente em um sono agitado.

Ela sonhou. Todas as preocupações a deixaram, assim como todas as dores, e parecia flutuar em direção ao céu. Estava voando mais uma vez, rodopiando, rindo, dançando, enquanto as estrelas giravam em torno dela e lhe sussurravam segredos ao ouvido.

– Para ir para o norte, você deve viajar para o sul. Para alcançar o oeste, você deve ir para leste. Para ir adiante, você precisa ir para trás. Para tocar a luz, você precisa passar sob a sombra.

– Quaithe? – Dany chamou. – Onde você está, Quaithe?

Então ela viu. *Sua máscara é feita da luz das estrelas.*

– Lembre-se de quem você é, Daenerys – as estrelas sussurraram, em uma voz de mulher. – Os dragões sabem. Você sabe?

Na manhã seguinte, despertou dura, ferida e com dores, com formigas rastejando em seus braços, pernas e rosto. Quando percebeu que estavam ali, chutou de lado os gravetos e a grama marrom seca que haviam lhe servido de cama e lençol e fez um grande esforço para ficar de pé. Tinha mordidas por todo o corpo, pequenos inchaços vermelhos, inflamados e coçando. *De onde vieram todas estas formigas?* Dany se esfregou para tirá-las dos braços, das pernas e da barriga. Passou a mão pelo couro cabeludo, onde seu cabelo havia se queimado, e sentiu mais formigas na cabeça, e uma delas rastejando para baixo, pelo seu pescoço. Jogou-as no chão e as esmagou com seus pés descalços. Havia tantas...

Descobriu que o formigueiro estava do outro lado da sua parede. Perguntava-se como as formigas conseguiram escalar tudo aquilo para encontrá-la. Para elas, essas pedras em ruínas deviam parecer tão grandes quanto a Muralha de Westeros. *A maior muralha em todo o mundo*, seu irmão Viserys costumava dizer, tão orgulhoso como se ele mesmo a tivesse construído.

Viserys contava para ela histórias de cavaleiros tão pobres que tinham que dormir sob as antigas sebes que cresciam ao longo dos caminhos secundários dos Sete Reinos. Dany teria dado muito e ainda mais por uma bela e grossa sebe. *De preferência, uma sem um formigueiro.*

O sol estava apenas nascendo. Algumas estrelas brilhantes permaneciam no céu cobalto. *Talvez uma delas seja Khal Drogo, sentado em seu garanhão de fogo nas terras da noite e sorrindo para mim.* Pedra do Dragão ainda estava visível sobre as terras da grama. *Parece tão perto. Devo estar a quilômetros de distância agora, mas é como se eu pudesse estar de volta em uma hora.* Ela queria se deitar, fechar os olhos e entregar-se ao sono. *Não. Preciso continuar. O córrego. Apenas siga o córrego.*

Dany levou um momento para se assegurar da direção. Não podia ir pelo caminho errado e perder seu córrego.

– Meu amigo – disse em voz alta. – Se permanecer perto do meu amigo, não me perderei.

Teria dormido ao lado da água, se ousasse, mas alguns animais iam ao córrego para beber durante a noite. Vira os rastros deles. Dany daria uma refeição minguada para um lobo ou um leão, mas mesmo uma refeição minguada era melhor do que nenhuma.

Assim que teve certeza de qual lado era o sul, contou os passos de volta. O córrego apareceu no oito. Dany colocou as mãos em concha para beber. A água fez sua barriga se contrair, mas cólicas eram mais fáceis de suportar do que a sede. Ela não tinha outra bebida que não o orvalho da manhã que brilhava na grama alta, e absolutamente nenhuma comida, a menos que gostasse de comer grama. *Eu podia tentar comer formigas.* As amarelinhas eram pequenas demais para garantir qualquer tipo de sustento, mas havia formigas vermelhas na grama, e aquelas eram maiores.

– Estou perdida no mar – disse, enquanto mancava ao lado do regato sinuoso –, então, talvez, encontre alguns caranguejos, ou um belo e gordo peixe.

O chicote batia suavemente contra sua coxa, *tap, tap, tap.* Um passo por vez, e o riacho a levaria para casa.

Um pouco depois do meio-dia, chegou a um arbusto que crescia ao lado do córrego, seus galhos retorcidos cobertos com duras bagas verdes. Dany olhou para elas com desconfiança, então pegou uma e a mordiscou. Sua polpa era azeda e mastigável, com um gosto residual amargo que lhe pareceu familiar.

– No *khalasar*, eles usavam estas bagas para temperar os assados – lembrou-se.

Dizer isso em voz alta a fez ter mais certeza daquilo. Sua barriga roncava, e Dany pegou a si mesma arrancando as bagas com as duas mãos e enfiando-as na boca.

Uma hora mais tarde, seu estômago começou a se contrair tão violentamente que não pôde continuar. Passou o resto do dia vomitando gosma verde. *Se ficar aqui, morrerei. Posso estar morrendo agora.* Será que o deus cavalo dos dothrakis partira a grama e a reivindicara para seu *khalasar* estrelado, para que pudesse cavalgar nas terras da noite com Khal Drogo? Em Westeros, os mortos da Casa Targaryen eram dados às chamas, mas quem acenderia uma pira para ela ali? *Minha carne alimentará os lobos e os corvos carniceiros,* pensou, tristemente, *e vermes cavarão meu ventre.* Seus olhos se voltaram para Pedra do Dragão. Parecia menor. Podia ver fumaça se erguendo do cume esculpido pelo vento, a quilômetros de distância. *Drogon retornou de sua caçada.*

O pôr do sol a encontrou de cócoras na grama, gemendo. Cada uma de suas fezes era mais solta do que a anterior, e cheirava pior. Quando a lua chegou, estava evacuando água marrom. Quanto mais bebia, mais evacuava, mas, quanto mais evacuava, sua sede aumentava, e a sede a fez rastejar até o córrego para sugar um pouco de água. Quando finalmente fechou os olhos, Dany não sabia se teria forças suficientes para abri-los novamente.

Sonhou com seu irmão morto.

Viserys parecia exatamente como era da última vez que o vira. Sua boca estava retorcida de angústia, o cabelo estava queimado e o rosto estava negro e esfumaçado onde o ouro derretido escorrera por sua testa, bochechas e pelos olhos.

– Você está morto – Dany falou.

Assassinado. Embora os lábios dele não se movessem, de alguma forma podia ouvir sua voz, sussurrando no ouvido dela. *Você nunca me velou, irmã. É duro morrer sem ser velado.*

– Eu o amei uma vez.

Uma vez, ele disse, tão amargamente que a fez estremecer. *Você devia ter sido minha esposa, me dar filhos com cabelos prateados e olhos cor de púrpura, manter o sangue do dragão puro. Tomei conta de você. Ensinei quem você era. Eu a alimentei. Vendi a coroa da nossa mãe para mantê-la alimentada.*

– Você me machucava. Você me assustava.

Apenas quando você acordava o dragão. Eu amava você.

– Você me vendeu. Você me traiu.

Não. Você é a traidora. Você se virou contra mim, contra seu próprio sangue. Eles me trapacearam. Seu marido cavalo e seus bárbaros fedorentos. Eram trapaceiros e mentirosos. Me prometeram uma coroa de ouro e me deram isso. Ele tocou o ouro derretido que se espalhara por seu rosto, e a fumaça se levantou de seu dedo.

– Você podia ter tido sua coroa – Dany lhe disse. – Meu sol-e-estrelas a teria conquistado para você, se você tivesse esperado.

Eu esperei tempo demais. Esperei minha vida inteira. Eu era rei deles, o legítimo rei. Eles riram de mim.

– Você devia ter ficado em Pentos com o Magíster Illyrio. Khal Drogo teria me apresentado para o *dosh khaleen*, mas você não tinha que ir conosco. Essa foi sua escolha. Seu erro.

Quer acordar o dragão, sua putinha estúpida? O khalasar *de Drogo era meu. Eu o comprei dele, mil gritadores. Paguei por eles com sua virgindade.*

– Você nunca entendeu. Dothrakis não compram e vendem. Eles dão presentes e os recebem. Se você tivesse esperado...

Eu esperei. Por minha coroa, por meu trono, por você. Todos estes anos, e tudo o que consegui foi um pote de ouro derretido. Por que deram os ovos de dragão para você? Eles deviam ter sido meus. Se eu tivesse um dragão, teria ensinado ao mundo o significado do nosso lema. Viserys começou a rir, até que sua mandíbula caiu de seu rosto, soltando fumaça, e sangue e ouro derretido escorreram de sua boca.

Quando ela acordou, ofegante, suas coxas estavam escorregadias de sangue.

Por um momento, não percebeu o que era aquilo. O mundo apenas começava a clarear, e a grama alta farfalhava suavemente ao vento. *Não, por favor, deixe-me dormir mais. Estou tão cansada.* Tentou se enterrar sob a pilha de grama que havia feito quando foi dormir. Alguns dos talos estavam molhados. Estava chovendo novamente? Sentou-se, com medo de ter se sujado enquanto dormia. Quando levou os dedos da mão ao rosto, pôde sentir o cheiro de sangue neles. *Estou morrendo?* Então viu a pálida lua crescente flutuando alta sobre a grama e percebeu que aquilo não era nada mais do que sangue da lua.

Se não estivesse tão doente e assustada, poderia ter sido um alívio. Em vez disso, começou a tremer violentamente. Esfregou os dedos na terra e agarrou um punhado de grama para secar entre as pernas. *O dragão não chora.* Estava sangrando, mas era apenas sangue de mulher. *A lua ainda está crescente, no entanto. Como pode ser?* Tentou se lembrar da última vez que havia sangrado. Na última lua cheia? Na anterior? Na anterior ainda? *Não, não pode ter sido há tanto tempo assim.*

– Sou o sangue do dragão – disse para a grama, em voz alta.

Antes, a grama sussurrou de volta, *até que você acorrentou os dragões na escuridão.*

– Drogon matou uma garotinha. O nome dela era... seu nome... – Dany não conseguia se lembrar do nome da criança. Aquilo a deixou tão triste que teria chorado se todas as suas lágrimas não tivessem sido queimadas. – Nunca terei uma garotinha. Eu era a Mãe dos Dragões.

Sim, a grama disse, *mas você se virou contra seus filhos.*

Sua barriga estava vazia, os pés doloridos e com bolhas, e parecia que suas cólicas estavam ficando piores. Suas entranhas estavam cheias de cobras que se contorciam e mordiam seus intestinos. Pegou um punhado de lama e água com as mãos trêmulas. Ao meio-dia, a água estaria tépida, mas no frio do amanhecer era quase gelada e a ajudaria a manter os olhos abertos. Quando molhou o rosto, viu sangue fresco nas coxas. A bainha esfarrapada de sua túnica de baixo estava manchada com ele. A visão de tanto vermelho a assustou. *Sangue da lua, é apenas meu sangue da lua,* mas não se lembrava de ter um fluxo tão intenso. *Poderia ser a água?* Se fosse a água, estava condenada. Tinha que beber, ou morrer de sede.

– Ande – Dany ordenou a si mesma. – Siga o riacho e ele o levará ao Skahazadhan. É onde Daario encontrará você. – Usou toda a força que tinha para ficar em pé, e quando conseguiu, tudo o que pôde fazer foi ficar parada ali, febril e sangrando. Ergueu os olhos para o céu azul vazio, olhando o sol. *Metade da manhã já se foi,* percebeu, consternada. Obrigou-se a dar um passo, depois outro, e então estava caminhando novamente, seguindo o pequeno riacho.

O dia ficava mais quente, e o sol batia sobre sua cabeça e queimava o que restava de seus cabelos. A água espirrava contra a sola de seus pés. Estava caminhando no riacho. Por quanto tempo estava fazendo aquilo? A suave lama marrom era agradável entre os dedos e ajudava a aliviar as bolhas. *No riacho ou fora dele, tenho que continuar andando. A água segue a jusante. O riacho me levará para o rio, e o rio me levará para casa.*

Só que não, não realmente.

Meereen não era a casa dela, e nunca seria. Era uma cidade de homens estranhos, com deuses estranhos e cabelos estranhos, de senhores de escravos enrolados em *tokars,* onde a graça era obtida pela prostituição, a matança era uma arte, e cachorro era uma iguaria. Meereen sempre seria a cidade da harpia, e Daenerys não podia ser uma harpia.

Nunca, disse a grama, no tom rude de Jorah Mormont. *Você foi advertida, Vossa Graça. Deixe a cidade, eu disse. Sua guerra é em Westeros, eu lhe falei.*

A voz não era mais do que um murmúrio, mesmo assim, de algum modo, Daenerys sentia que ele estava andando bem atrás dela. *Meu urso,* ela pensou, *meu doce e velho urso, que me amou e me traiu.* Sentia tanta falta dele. Queria ver seu rosto feio, enrolar os braços em torno dele e se apertar contra seu peito, mas sabia que se virasse para trás, Sor Jorah teria partido.

– Estou sonhando – disse. – Um sonho acordada, um sonho acordada. Estou só e perdida.

Perdida, porque permaneceu em um lugar que não era para ser, murmurou Jorah Mormont, tão suavemente quanto o vento. *Sozinha, porque me expulsou do seu lado.*

– Você me traiu. Você dava informações sobre mim, por ouro.

Pelo lar. Lar era tudo o que sempre quis.

– E a mim. Você me queria. – Dany vira isso em seus olhos.

Queria, a grama sussurrou, com tristeza.

– Você me beijou. Eu nunca disse que podia, mas você fez. Você me vendeu aos meus inimigos, mas foi a sério que me beijou.

Eu lhe dei bons conselhos. Consegui suas lanças e espadas para os Sete Reinos, eu lhe disse. Deixe Meereen para os meereeneses e vá para oeste, eu falei. Você não ouviu.

– Eu tinha que tomar Meereen ou ver meus filhos morrerem de fome ao longo da marcha. – Dany ainda podia ver a trilha de cadáveres que deixara para trás quando cruzara o deserto vermelho. Não era uma visão que desejava ter novamente. – Tive que tomar Meereen para alimentar meu povo.

Você tomou Meereen, ele retrucou, e, *mesmo assim, permaneceu.*

– Para ser uma rainha.

Você é uma rainha, seu urso disse. *Em Westeros.*

– É um caminho muito longo – ela reclamou. – Eu estava cansada, Jorah. Estava farta da guerra. Queria descansar, rir, plantar árvores e vê-las crescer. Sou apenas uma garota jovem.

Não. Você é o sangue do dragão. O sussurro estava ficando mais baixo, como se Sor Jorah estivesse ficando para trás. *Dragões não plantam árvores. Lembre-se disso. Lembre-se de quem você é, para o que você foi feita. Lembre-se do seu lema.*

– Fogo e Sangue – Daenerys disse para a grama que balançava.

Uma pedra virou embaixo de seu pé. Tropeçou, caiu sobre um joelho e gritou de dor, na esperança de que seu urso viesse até ela e a ajudasse a ficar em pé. Quando virou a cabeça para olhá-lo, tudo o que viu foi a água corrente marrom... e a grama, ainda se movendo um pouco. *O vento,* disse para si mesma, *o vento agita os caules e os fazem balançar.* Só que nenhum vento estava soprando. O sol estava a pino, o mundo imóvel e quente. Mosquitos invadiam o ar, e uma libélula voava sobre o riacho, pousando aqui e ali. E a grama se movia quando não havia motivo para se mover.

Tateou na água, encontrou uma pedra do tamanho de seu punho, tirou-a da lama. Era uma arma frágil, mas melhor do que uma mão vazia. Do canto do olho, Dany viu a grama se mover novamente, bem à sua direita. A grama balançava e se inclinava, como se estivesse diante de um rei, mas nenhum rei apareceu para ela. O mundo estava verde e vazio. O mundo estava verde e silencioso. O mundo estava amarelo, morrendo. *Eu devia me levantar,* disse a si mesma. *Tenho que andar. Tenho que seguir o riacho.*

Através da grama veio um suave tilintar de prata.

Sinos, Dany pensou, sorrindo, lembrando-se de Khal Drogo, seu sol-e-estrelas, e os sinos trançados em seus cabelos. *Quando o sol nascer no ocidente e se puser no oriente, quando os mares secarem e as montanhas forem sopradas pelo vento como folhas, quando meu ventre voltar a ganhar vida para dar à luz um filho vivo, Khal Drogo retornará para mim.*

Mas nenhuma daquelas coisas acontecera. *Sinos,* Dany pensou novamente. Seus companheiros de sangue a haviam encontrado.

– Aggo – murmurou. – Jhogo. Rakharo. – Daario teria vindo com eles?

O mar de grama se abriu. Um cavaleiro apareceu. Sua trança era negra e brilhante, a pele tão escura quanto cobre polido, os olhos no formato de amêndoas amargas. Sinos tocavam em seu cabelo. Ele vestia um cinto de medalhões e um colete pintado, tinha um *arakh* em um quadril e um chicote no outro. Um arco de caça e uma aljava de flechas estavam pendurados em sua sela.

Um cavaleiro, e sozinho. Um batedor. Era quem cavalgava diante do *khalasar* para encontrar a caça e a grama bem verde, e farejar inimigos onde quer que pudessem estar escondidos. Se a encontrasse ali, ele a mataria, a estupraria, ou a escravizaria. Na melhor das hipóteses, ele a mandaria de volta para as anciãs do *dosh khaleen,* aonde supunha-se que as boas *khaleesi* deveriam ir depois que seus khals morriam.

Ele não a vira, no entanto. A grama a escondeu, e ele estava olhando para outro lado. Dany seguiu seu olhar, e a sombra voou, com suas asas estendidas. O dragão estava a quilômetros de distância, e mesmo assim o batedor congelou até que seu garanhão começou a relinchar de medo. Então despertou, como se estivesse sonhando, virou sua montaria e correu pela grama alta a galope.

Dany o observou partir. Quando o som dos cascos tinham sumido no silêncio, começou a gritar. Gritou até que sua voz ficou rouca... e Drogon veio, bufando nuvens de fumaça. A grama se prostrou diante dele. Dany saltou em suas costas. Ela fedia a sangue, fedor e medo, mas nada disso importava.

– Para seguir em frente, tenho que voltar para trás – disse. Suas pernas nuas se apertaram no pescoço do dragão. Ela o chutou, e Drogon atirou-se no céu. Seu chicote se perdera, então usou as mãos e os pés para virá-lo para noroeste, o caminho que o batedor tomara. Drogon foi com suficiente boa vontade; talvez tivesse sentido o medo do cavaleiro.

Em uma dúzia de segundos, ultrapassaram o dothraki, que galopava bem abaixo. Para a direita e para a esquerda, Dany vislumbrava lugares em que a grama havia sido queimada e transformada em cinzas. *Drogon já veio por este caminho,* percebeu. Como uma corrente de ilhas cinzentas, as marcas de suas caçadas pontilhavam o mar de grama verde.

Um vasto rebanho de cavalos apareceu embaixo deles. Havia cavaleiros também, um grupo ou mais, mas eles se viraram e fugiram ao primeiro sinal do dragão. Os cavalos pararam e fugiram quando a sombra passou sobre eles, galopando através da grama até que suas laterais ficassem brancas de espuma, rasgando o chão com seus cascos... mas por mais velozes que fossem, não podiam voar. Logo um cavalo começou a ficar para trás. O dragão desceu sobre ele, rugindo, e imediatamente a pobre besta estava em chamas, mas, de alguma forma, continuou correndo, gritando a cada passo, até que Drogon pousou sobre ele e quebrou seu pescoço. Dany agarrou o pescoço do dragão com todas as suas forças, para não escorregar.

A carcaça era muito pesada para que pudesse levar para sua toca, então Drogon consumiu sua caça ali, rasgando a carne carbonizada enquanto a grama queimava ao redor deles, o ar grosso com a fumaça que subia e com o cheiro de pelo de cavalo queimado. Dany, faminta, desceu de suas costas e comeu com o dragão, arrancando pedaços de carne defumada do cavalo morto com as mãos queimadas e nuas. *Em Meereen eu era uma rainha, em sedas, mordiscando tâmaras e cordeiro no mel,* lembrou-se. *O que meu nobre marido pensaria se pudesse me ver agora?* Hizdahr ficaria horrorizado, sem dúvida. Mas Daario...

Daario daria risada, tiraria um pedaço de carne de cavalo com seu *arakh* e se agacharia para comer ao lado dela.

Quando o céu no ocidente ficou com a cor de um hematoma sangrento, ouviu o som de cavalos se aproximando. Dany se levantou, limpou as mãos na túnica esfarrapada e foi para o lado do dragão.

Foi como Khal Jhaqo a encontrou, quando meia centena de guerreiros montados emergiram das nuvens de fumaça.

Epílogo

– Não sou um traidor – o Cavaleiro de Poleiro do Grifo declarou. – Sou homem do Rei Tommen, e seu.

Um constante pinga-pinga pontuava suas palavras, enquanto a neve derretida escorria de seu manto para empoçar no chão. A neve caíra em Porto Real a maior parte da noite; do lado de fora, os montes estavam na altura do tornozelo. Sor Kevan Lannister puxou o manto contra o corpo.

– Assim você diz, sor. Palavras são vento.

– Deixe-me provar a verdade delas com minha espada. – A luz das tochas transformava em chama a barba e os cabelos compridos vermelhos de Ronnet Connington. – Envie-me contra meu tio e eu lhe trarei a cabeça dele, e a cabeça desse falso dragão também.

Lanceiros Lannister, com mantos carmesins e meios-elmos com leões em cima estavam parados ao longo da parede ocidental da sala do trono. Guardas Tyrell, em mantos verdes, estavam de frente para eles, na parede oposta. O frio da sala do trono era palpável. Embora nem a Rainha Cersei nem a Rainha Margaery estivessem entre eles, a presença de ambas podia ser sentida envenenando o ar, como fantasmas em um banquete.

Atrás da mesa onde os cinco membros do pequeno conselho do rei estavam sentados, o Trono de Ferro se acocorava como uma grande besta negra, suas farpas, garras e lâminas semiocultas na sombra. Kevan Lannister podia senti-lo em suas costas, uma coceira entre as omoplatas. Era fácil imaginar o velho Rei Aerys empoleirado lá, sangrando por algum corte recente, olhando furiosamente para baixo. Mas, hoje, o trono estava vazio. Não via razão para Tommen se juntar a eles. Era mais gentil deixar o menino ficar com a mãe. Apenas os Sete sabiam quanto tempo filho e mãe teriam juntos antes do julgamento de Cersei... e possivelmente sua execução.

Mace Tyrell estava falando.

– Vamos lidar com seu tio e esse garoto forjado em seu devido tempo. – A nova Mão do Rei estava sentada em um trono de carvalho esculpido no formato de uma mão, uma vaidade absurda que sua senhoria apresentara no dia em que Sor Kevan concordara em lhe conceder o cargo tão cobiçado. – Você esperará aqui, até que estejamos prontos para marchar. Então terá a oportunidade de provar sua lealdade.

Sor Kevan não tinha nenhum problema com isso.

– Escoltem Sor Ronnet de volta aos seus aposentos – disse. *E garantam que permaneça lá* ficou sem ser dito. Apesar de seus altos protestos, o Cavaleiro do Poleiro do Grifo continuava sendo suspeito. Supostamente, os mercenários que haviam desembarcado no sul eram comandados por um de seu próprio sangue.

Quando os ecos dos passos de Connington desapareceram, Grande Meistre Pycelle sacudiu pesadamente a cabeça.

– Certa vez, o tio dele ficou parado bem ali onde o garoto estava agora e disse ao Rei Aerys que lhe entregaria a cabeça de Robert Baratheon.

É isso que acontece quando um homem fica tão velho quanto Pycelle. Tudo o que vê ou escuta o recorda de algo que viu ou escutou quando era jovem.

– Quantos homens em armas acompanharam Sor Ronnet à cidade? – Sor Kevan perguntou.

– Vinte – disse Lorde Randyll Tarly –, a maioria deles do antigo grupo de Gregor Clegane. Seu sobrinho, Jaime, os deu a Connington. Para livrar-se deles, aposto. Eles não tinham estado em Lagoa da Donzela um dia antes de um matar um homem e outro ser acusado de estupro. Tive que enforcar o primeiro e castrar o segundo. Se fosse por mim, enviaria todos eles para a Patrulha da Noite, e Connington com eles. A Muralha é o lugar ao qual essa escória pertence.

– Um cão faz o que seu mestre manda – declarou Mace Tyrell. – Mantos negros cairiam bem neles, concordo. Não suportaria tais homens na patrulha da cidade. – Uma centena de homens do Jardim de Cima havia sido somada aos mantos dourados, mesmo assim, claramente, sua senhoria pretendia resistir a qualquer tipo de equilíbrio com os homens do oeste.

Quanto mais dou, mais ele quer. Kevan Lannister começara a entender por que Cersei ficara tão ressentida com os Tyrell. Mas esse não era o momento de provocar uma disputa aberta. Randyll Tarly e Mace Tyrell tinham ambos trazido exércitos a Porto Real, enquanto a melhor parte da força da Casa Lannister permanecera nas terras fluviais, desaparecendo rapidamente.

– Os homens da Montanha sempre foram lutadores – disse, em tom conciliatório –, e podemos precisar de cada espada contra esses mercenários. Se esta realmente é a Companhia Dourada, como os murmuradores de Qyburn insistem...

– Chame-os como quiser – disse Randyll Tarly. – Ainda não são mais do que aventureiros.

– Talvez – Sor Kevan falou. – Mas quanto mais ignoramos esses aventureiros, mais fortes eles ficam. Temos um mapa preparado, um mapa de incursões. Grande Meistre?

O mapa era bonito, pintado pelas mãos de um meistre em uma folha do mais fino papel vegetal, tão grande que cobria a mesa.

– Aqui. – Pycelle apontou com a mão manchada. Onde a manga de sua túnica se ergueu, uma aba de carne pálida pôde ser vista dançando sob seu antebraço. – Aqui e aqui. Ao longo de toda a costa e nas ilhas. Tarth, Passopedra, até mesmo Estermonte. E agora temos relatos de que Connington se dirige para Ponta Tempestade.

– Se for mesmo Jon Connington – comentou Randyll Tarly.

– Ponta Tempestade. – Lorde Mace grunhiu as palavras. – Ele não pode tomar Ponta Tempestade. Nem se fosse Aegon, o Conquistador. E se tomar, e daí? Stannis mantém o lugar agora. Deixe o castelo passar de um pretendente para outro, por que isso deveria nos incomodar? Eu o recapturarei depois que a inocência de minha filha for provada.

Como você pode recapturá-lo se, para começar, não o capturou?

– Eu entendo, meu senhor, mas...

Tyrell não o deixou terminar.

– Essas acusações contra minha filha são mentiras imundas. Pergunto novamente, *por que* devemos encenar essa farsa de pantomimeiros? Que o Rei Tommen declare a inocência da minha filha, sor, e colocaremos um fim a essa loucura aqui e agora.

Faça isso, e os murmúrios acompanharão Margaery o resto de sua vida.

– Nenhum homem duvida da inocência de sua filha, meu senhor – Sor Kevan mentiu –, mas Sua Alta Santidade insiste em um julgamento.

Lorde Randyll bufou.

– O que nos tornamos, quando reis e grandes senhores precisam dançar conforme o piado de pardais?

– Temos inimigos por todos os lados, Lorde Tarly – Sor Kevan o recordou. – Stannis no norte, homens de ferro no oeste, mercenários no sul. Desafie o Alto Septão, e teremos sangue correndo nas sarjetas de Porto Real também. Se formos vistos indo contra os deuses, isso apenas levará os piedosos para os braços de um ou de outro desses aspirantes a usurpador.

Mace Tyrell permaneceu impassível.

– Assim que Paxter Redwyne varrer os homens de ferro para os mares, meus filhos retomarão os Escudos. As neves cuidarão de Stannis, ou Bolton o fará. E quanto a Connington...

– Se for ele – Lorde Randyll disse.

– ... quanto a Connington – Tyrell repetiu –, que vitórias ele já conquistou para que o temamos? Ele podia ter acabado com a Rebelião de Robert no Septo de Pedra. Falhou. Exatamente como a Companhia Dourada tem sempre falhado. Alguns podem correr para se juntar a eles, sim. É bom para o reino se livrar de tais tolos.

Sor Kevan desejava poder partilhar dessas certezas. Conhecera Jon Connington ligeiramente – um jovem orgulhoso, o mais teimoso do bando de jovens fidalgotes que se reunira em torno do Príncipe Rhaegar Targaryen, competindo pelo favor real. *Arrogante, mas capaz e enérgico.* Aquilo e sua habilidade com as armas fizeram com que o Rei Louco Aerys o nomeasse Mão. A inércia do velho Lorde Merryweather havia permitido que a rebelião se enraizasse e se espalhasse, e Aerys queria alguém jovem e vigoroso para enfrentar a juventude e o vigor do próprio Robert.

– Muito cedo – Lorde Tywin Lannister declarara quando a notícia da escolha do rei chegara a Rochedo Casterly. – Connington é muito jovem, muito ousado, muito sedento de glória.

A Batalha dos Sinos provara a verdade daquilo. Sor Kevan esperara que, depois disso, Aerys não tivesse outra escolha que não convocar Tywin mais uma vez... mas o Rei Louco se voltara para os Lordes Chelsted e Rossard, e pagou com sua vida e sua coroa. *Mas isso foi há muito tempo. Se este é realmente Jon Connington, ele será um homem diferente. Mais velho, mais duro, mais experiente... mais perigoso.*

– Connington pode ter mais do que a Companhia Dourada. Dizem que tem um pretendente Targaryen.

– Um menino forjado é o que ele é – disse Randyll Tarly.

– Pode ser que sim. Ou não. – Kevan Lannister tinha estado ali, naquele mesmo salão, quando Tywin colocara o corpo dos filhos do Príncipe Rhaegar aos pés do Trono de Ferro e enrolara-os em mantos carmesins. A garota era reconhecidamente a Princesa Rhaenys, mas o menino... *um horror de ossos, cérebro e sangue coagulado, sem rosto, poucas meadas do belo cabelo. Nenhum de nós olhou por muito tempo. Tywin disse que era o Príncipe Aegon, e confiamos em sua palavra.* – Temos essas histórias vindas do leste também. Uma segunda Targaryen, e uma cujo sangue nenhum homem pode questionar. Daenerys Nascida da Tormenta.

– Tão louca quanto o pai – declarou Lorde Mace Tyrell.

Que seria o mesmo pai que Jardim de Cima e a Casa Tyrell apoiaram até o amargo fim e muito além.

– Ela pode ser louca – Sor Kevan disse –, mas com tanta fumaça à deriva no oeste, certamente há algum fogo queimando no leste.

Grande Meistre Pycelle balançou a cabeça.

– Dragões. Essas mesmas histórias alcançaram Vilavelha. Demasiadas para não serem levadas em conta. Uma rainha de cabelos prateados com três dragões.

– Do outro lado do mundo – falou Mace Tyrell. – Rainha na Baía dos Escravos, sim. Seremos gratos se ficar por lá.

– Nisso concordamos – disse Sor Kevan –, mas a garota é do sangue de Aegon, o Conquistador, e não acho que ficará satisfeita em permanecer em Meereen para sempre. Se ela alcançar esta costa e unir forças a Lorde Connington e esse príncipe dele, falso ou não... devemos destruir Connington e seu pretendente *agora*, antes que Daenerys Nascida da Tormenta venha para o oeste.

Mace Tyrell cruzou os braços.

– Pretendo fazer exatamente isso, sor. Depois dos julgamentos.

– Mercenários lutam por dinheiro – declarou o Grande Meistre Pycelle. – Com ouro suficiente, podemos persuadir a Companhia Dourada a entregar Lorde Connington e o pretendente.

– Sim, se tivéssemos ouro – Sor Harys Swyft disse. – Ai de mim, meus senhores, nossos cofres têm apenas ratos e baratas. Escrevi novamente para os banqueiros de Myr. Se eles concordarem em assumir a dívida da coroa com os bravosis e nos estender um novo empréstimo, talvez não tenhamos que aumentar os impostos. Caso contrário...

– Os magísteres de Pentos são conhecidos por emprestar dinheiro também – lembrou Sor Kevan. – Tente com eles. – Os pentoshis gostariam ainda menos de prestar ajuda, mas o esforço devia ser feito. A menos que um novo recurso de dinheiro fosse encontrado, ou o Banco de Ferro persuadido a ceder, ele seria obrigado a pagar a dívida da coroa com ouro Lannister. Não se atreveria a recorrer a novos impostos, não com os Sete Reinos se arrastando em rebelião. Metade dos senhores do reino podia não distinguir tributação de tirania e se agarraria ao usurpador mais próximo em um piscar de olhos se isso lhe salvasse uns cobres cortados. – Se isso falhar, você deve ir a Bravos, negociar pessoalmente com o Banco de Ferro.

Sor Harys fraquejou.

– Devo?

– Você é o mestre da moeda – Lorde Randyll disse rispidamente.

– Sou. – O tufo de cabelo branco na ponta do queixo de Swyft tremeu de indignação. – Devo lembrar ao meu senhor que este problema não é feito meu? E nem todos nós tivemos a oportunidade de reabastecer nossos cofres com os saques de Lagoa da Donzela e Pedra do Dragão.

– Eu me ressinto de sua insinuação, Swyft – Mace Tyrell disse, enfurecido. – Nenhuma riqueza foi encontrada em Pedra do Dragão, eu lhe garanto. Os homens do meu filho procuraram em cada centímetro daquela ilha úmida e triste e voltaram com não mais do que uma simples pedra preciosa ou uma pitada de ouro. Nenhum sinal daquele fabuloso tesouro escondido de ovos de dragão.

Kevan Lannister vira Pedra do Dragão com os próprios olhos. Duvidava muito que Loras Tyrell tivesse procurado em cada centímetro da antiga fortaleza. Os valirianos a tinham erguido, afinal de contas, e todas as suas obras cheiravam a feitiçaria. E Sor Loras era jovem, propenso a todos os juízos temerários da juventude e, além disso, fora gravemente ferido no assalto ao castelo. Mas isso não faria Tyrell recordar que seu filho era falível.

– Se houvesse alguma riqueza em Pedra do Dragão, Stannis a teria encontrado – declarou Sor Kevan. – Vamos em frente, meus senhores. Temos duas rainhas para julgar por alta traição, como devem se lembrar. Minha sobrinha escolheu julgamento por combate, segundo me informou. Sor Robert Forte será seu campeão.

– O gigante silencioso. – Lorde Randyll fez uma careta.

– Diga-me, sor, de onde veio esse homem? – exigiu saber Mace Tyrell. – Por que nunca ouvimos seu nome antes? Ele não fala, não mostra seu rosto, nunca é visto sem sua armadura. Sabemos com certeza que é mesmo um cavaleiro?

Não sabemos nem se está vivo. Meryn Trant afirmava que Forte nunca comia ou bebia, e Boros Blount ia além, dizendo que nunca vira o homem usar a latrina. *Por que deveria? Mortos não cagam.* Kevan Lannister tinha uma forte suspeita de quem este Sor Robert realmente era embaixo daquela reluzente armadura branca. Uma suspeita que Mace Tyrell e Randyll Tarly sem dúvida partilhavam. Qualquer que fosse o rosto escondido atrás do elmo do Forte, devia permanecer oculto por enquanto. O gigante silencioso era a única esperança de sua sobrinha. *E rezemos para que seja tão formidável quanto parece.*

Mas Mace Tyrell não conseguia ver além da ameaça à sua própria filha.

– Sua Graça nomeou Sor Robert para a Guarda Real – Sor Kevan o recordou –, e Qyburn atesta pelo homem também. Seja como for. Precisamos que Sor Robert prevaleça, meus senhores. Se minha sobrinha for considerada culpada por essas traições, a legitimidade de seus filhos será colocada em questão. Se Tommen deixar de ser rei, Margaery deixará de ser rainha. – Deixou Tyrell remoer aquilo por um momento. – O que quer que Cersei tenha feito, ainda é uma filha do Rochedo e do meu próprio sangue. Não deixarei que morra como traidora, mas me assegurei de remover suas presas. Todos os guardas dela foram dispensados e substituídos pelo meus homens. No lugar de suas antigas damas de companhia, ela passará a ser atendida por uma septã e três noviças escolhidas pelo Alto Septão. Não tem mais voz no governo do reino, nem na educação de Tommen. Pretendo que ela retorne a Rochedo Casterly depois do julgamento e vou garantir para que permaneça lá. É o suficiente.

O resto, deixou sem ser dito. Cersei era mercadoria suja agora, seu poder se acabara. Todo padeiro e pedinte na cidade havia visto sua vergonha, e cada vendedor de tortas e curtidor da Baixada da Pulga à Curva do Mijaguado vira sua nudez, seus olhos ansiosos se arrastando por seus seios, barriga e partes femininas. Nenhuma rainha esperava governar novamente depois daquilo. Em ouro, seda e esmeraldas, Cersei fora uma rainha, a coisa mais próxima de uma deusa; nua, era apenas uma mulher, uma mulher de idade com estrias na barriga e tetas que começavam a ceder... como as megeras na multidão haviam ficado felizes em apontar para seus maridos e amantes. *Melhor viver na vergonha do que morrer orgulhosa*, Sor Kevan disse a si mesmo.

– Minha sobrinha não causará mais nenhum mal – prometeu para Mace Tyrell. – Tem minha palavra nisso, meu senhor.

Tyrell deu um aceno relutante.

– Como quiser. Minha Margaery prefere ser julgada pela Fé, então o reino inteiro poderá testemunhar sua inocência.

Se sua filha é tão inocente quanto você quer que acreditemos, por que precisa ter seu exército presente quando ela encarar seus acusadores?, Sor Kevan podia ter perguntado.

– Em breve, espero – disse, em vez disso, antes de se virar para o Grande Meistre Pycelle. – Há mais alguma coisa?

O Grande Meistre consultou seus papéis.

– Devíamos endereçar a herança de Rosby. Seis petições foram colocadas...

– Podemos tratar de Rosby em alguma data futura. O que mais?

– Preparativos devem ser feitos para a Princesa Myrcella.

– É isso que dá em se tratar com os dornenses – Mace Tyrell disse. – Certamente, um partido melhor pode ser encontrado para a garota.

Como seu próprio filho Willas, talvez? Ela, desfigurada por um dornense, ele, aleijado por outro?

– Sem dúvida – Sor Kevan disse –, mas temos inimigos suficientes sem ofender Dorne. Se Doran Martell unir suas forças às de Connington e apoiar esse falso dragão, as coisas ficarão feias para todos nós.

– Talvez possamos persuadir nossos amigos dornenses a lidar com Lorde Connington – Sor Harys Swyft sugeriu com um irritante riso manso. – Isso pouparia um tanto de sangue e problemas.

– Pode ser – Sor Kevan disse, cansado. Era hora de colocar um fim naquilo. – Obrigado, meus senhores. Nos reuniremos novamente daqui a seis dias. Após o julgamento de Cersei.

– Como quiser. Que o Guerreiro dê forças aos braços de Sor Robert. – As palavras eram de má vontade, a inclinação de queixo que Mace Tyrell deu ao Senhor Regente a mais superficial das mesuras. Mas era algo, e, por esse tanto, Sor Kevan Lannister estava grato.

Randyll Tarly deixou o salão com seu senhor suserano, os lanceiros de mantos verdes atrás deles. *Tarly é o perigo real*, Sor Kevan refletiu enquanto via a partida dos dois. *Um homem estrito, mas de vontade férrea e astuto, e tão bom soldado quanto a Campina pode se gabar. Mas como posso ganhá-lo para nosso lado?*

– Lorde Tyrell não gosta de mim – o Grande Meistre Pycelle disse em tom sombrio quando a Mão partiu. – Essa questão do chá da lua... eu nunca devia ter falado sobre isso, mas a Rainha Viúva me ordenou! Se for do agrado do Senhor Regente, eu dormiria mais profundamente se pudesse me emprestar alguns de seus guardas.

– Lorde Tyrell pode levar a mal.

Sor Harys Swyft puxou a barba do queixo.

– Também preciso de guardas para mim. Esses são tempos perigosos.

Sim, pensou Kevan Lannister, *e Pycelle não é o único membro do conselho que nossa Mão gostaria de substituir*. Mace Tyrell tinha seu próprio candidato para mestre do tesouro: seu tio, Senhor Senescal de Jardim de Cima, aquele a quem os homens chamavam de Garth, o Grosso. *A última coisa que preciso é de outro Tyrell no pequeno conselho.* Ele já estava em desvantagem. Sor Harys era pai de sua esposa, e Pycelle podia ser contado ao seu favor, também. Mas Tarly era juramentado ao Jardim de Cima, assim como Paxter Redwyne, senhor almirante e mestre dos navios, atualmente navegando com sua frota ao redor de Dorne para lidar com os homens de Euron Greyjoy. Uma vez que Redwyne retornasse a Porto Real, o conselho ficaria três a três, Lannister e Tyrell.

A sétima voz seria a da mulher dornense que agora escoltava Myrcella para casa. *A Senhora Nym. Que não é nenhuma senhora, se metade do que Qyburn relatou for verdade.* Uma filha bastarda da Víbora Vermelha, quase tão famosa quanto o pai e com a intenção de reivindicar o assento no conselho que o próprio Víbora Vermelha ocupara tão brevemente. Sor Kevan ainda não julgara adequado informar Mace Tyrell da chegada dela. A Mão, ele sabia, não ficaria satisfeita. *O homem que precisamos é Mindinho. Petyr Baelish tem o dom de conjurar dragões do ar.*

– Contrate os homens da Montanha – Sor Kevan sugeriu. – Ronnet Vermelho não terá mais utilidade para eles. – Não achava que Mace Tyrell seria tão tosco para tentar matar Pycelle ou Swyft, mas se guardas os fariam se sentir melhor, que tivessem guardas.

Os três homens saíram juntos da sala do trono. Do lado de fora, a neve estava rodopiando na ala externa, uma besta enjaulada uivando para ser libertada.

– Já sentiram tal frio? – perguntou Sor Harys.

– A hora para falar do frio – disse o Grande Meistre Pycelle – não é quando estamos parados nele. – Cruzou lentamente a ala externa, de volta a seus aposentos.

Os outros permaneceram um momento nos degraus da sala do trono.

– Não coloco fé nesses banqueiros de Myr – Sor Kevan disse para o sogro. – É melhor você se preparar para ir a Bravos.

Sor Harys não pareceu feliz com a perspectiva.

– Se eu devo... Mas, digo novamente, esse problema não é feito meu.

– Não. Foi Cersei quem decidiu que o Banco de Ferro esperaria pelo que lhes é devido. Devo mandá-la para Bravos?

Sor Harys piscou.

– Sua Graça... isso... isso...

Sor Kevan o salvou.

– Era uma brincadeira. Uma péssima brincadeira. Vá e encontre uma fogueira quente. Pretendo fazer o mesmo. – Puxou as luvas e começou a cruzar o pátio, inclinando-se com dificuldade contra o vento, enquanto seu manto batia e rodopiava atrás dele.

O fosso seco que cercava a Fortaleza de Maegor tinha quase um metro de neve, e as pontas de ferro que se alinhavam nele brilhavam com a geada. O único meio de entrar ou sair de Maegor era cruzando a ponte levadiça que passava por cima do fosso. Um cavaleiro da Guarda Real estava sempre postado na outra extremidade. Esta noite, o dever havia ficado com Sor Meryn Trant. Com Balon Swann caçando o desonesto cavaleiro Estrela Negra em Dorne, Loras Tyrell gravemente ferido em Pedra do Dragão, e Jaime desaparecido nas terras fluviais, apenas quatro das Espadas Brancas permaneciam em Porto Real, e Sor Kevan jogara Osmund Kettleblack (e seu irmão Osfryd) nos calabouços na mesma hora em que Cersei confessara que tomara os dois homens como amantes. Aquilo deixava apenas Trant, o fraco Boros Blount e o monstro mudo de Qyburn, Robert Forte, para proteger o jovem rei e a família real.

Preciso encontrar algumas espadas novas para a Guarda Real. Tommen devia ter sete bons cavaleiros com ele. No passado, a Guarda Real servia a vida toda, mas aquilo não impedira Joffrey de dispensar Sor Barristan Selmy para conseguir um lugar para seu cão, Sandor Clegane. Kevan podia se utilizar desse precedente. *Poderia colocar Lancel em um manto branco,* ele refletiu. *Há mais honra nisso do que ele jamais encontrará nos Filhos do Guerreiro.*

Kevan Lannister pendurou a capa encharcada pela neve dentro de seu solar, tirou as botas e ordenou ao seu servo que buscasse um pouco de lenha fresca para o fogo.

– Uma taça de vinho quente com especiarias também cairia bem– disse, enquanto se acomodava ao lado da lareira. – Providencie isso.

O fogo logo o descongelou, e o vinho aqueceu suas entranhas agradavelmente. Também o deixou com sono, então não ousou tomar outra taça. Seu dia estava longe de acabar. Tinha relatos para ler, cartas para escrever. *E cear com Cersei e o rei.* Sua sobrinha tinha estado subjugada e submissa desde a caminhada de expiação, graças aos deuses. As noviças que a atendiam relatavam que ela passava um terço de suas horas desperta com o filho, outro terço em oração e o resto na banheira. Estava se banhando quatro ou cinco vezes ao dia, esfregando-se com escovas de crina de cavalo e um sabão forte de lixívia, como se pretendesse arrancar a pele.

Ela nunca mais tirará a mancha, não importa o quão forte se esfregue. Sor Kevan se lembrava da garota que fora, tão cheia de vida e travessuras. E quando florescera, ahhh... teria havido donzela mais doce de se olhar? *Se Aerys tivesse concordado em casá-la com Rhaegar, quantas mortes poderiam ter sido evitadas?* Cersei poderia ter dado ao príncipe os filhos que ele queria, leões com olhos púrpura e jubas prateadas... e, com tal esposa, Rhaegar nunca teria olhado duas vezes para Lyanna Stark. A garota nortenha tinha uma beleza selvagem, ele se lembrava, mas por mais brilhante que uma tocha queimasse, nunca corresponderia ao sol nascente.

Mas de nada adiantava cismar com batalhas perdidas e trilhas não percorridas. Isso era um vício de velhos homens feitos. Rhaegar havia se casado com Elia de Dorne, Lyanna Stark morrera, Robert Baratheon tomara Cersei como noiva, e aqui estavam eles. E esta noite, seu próprio caminho o levaria para os aposentos da sobrinha, e cara a cara com Cersei.

Não tenho motivos para me sentir culpado, Sor Kevan disse para si mesmo. *Tywin entenderia isso, certamente. Foi sua filha quem trouxe a vergonha para nosso nome, não eu. O que eu fiz foi para o bem da Casa Lannister.*

Não era como se seu irmão nunca tivesse feito isso. Nos últimos anos de vida do pai deles, depois que a mãe morrera, o velho Lorde Tytos tomara a formosa filha de um fabricante de velas como amante. Não era incomum que um senhor viúvo mantivesse uma garota do povo para aquecer sua cama... mas Lorde Tytos logo começara a sentar a mulher ao lado dele no salão, a cobri-la com presentes e honras, e até mesmo perguntava sua opinião em assuntos de estado. Em um ano, ela estava dispensando servos, dando ordens nos cavaleiros da casa, chegando a falar por sua senhoria quando ele estava indisposto. Ela ficara tão influente que se dizia, em Lannisporto, que qualquer homem que desejasse que sua petição fosse ouvida deveria se ajoelhar diante dela e falar em voz alta para seu colo... pois as orelhas de Tytos Lannister estavam entre as pernas de sua senhora. Ela até passara a usar as joias da mãe deles.

Isso fora até o dia em que o coração do senhor seu pai estourara no peito enquanto ele subia um lance íngreme de degraus para a cama dela. Todos aqueles que haviam se autointitulado amigos dela e cultivado seus favores a abandonaram rapidamente quando

Tywin a deixou despida e a fez desfilar através de Lannisporto até as docas, como uma puta comum. Embora nenhum homem tivesse colocado a mão nela, aquela caminhada significava o fim de seu poder. Certamente Tywin jamais sonhara que o mesmo destino aguardava sua filha dourada.

– Teve que ser – Sor Kevan murmurou diante do último gole de vinho. Sua Alta Santidade ficara satisfeito. Tommen precisava da Fé ao seu lado nas batalhas que viriam. E Cersei... a menina dourada se transformara em uma mulher vaidosa, tola, gananciosa. Se deixada no governo, teria arruinado Tommen como fizera com Joffrey.

Do lado de fora, o vento aumentava, arranhando as janelas de seus aposentos. Sor Kevan ficou em pé. Hora de encarar a leoa em sua toca. *Arrancamos suas garras. Jaime, no entanto...* Mas, não, não ficaria remoendo isso.

Vestiu um gibão velho e bem cortado, caso sua sobrinha tivesse em mente jogar outra taça de vinho em seu rosto, mas deixou o cinturão da espada pendurado na parte de trás da cadeira. Apenas os cavaleiros da Guarda Real tinham permissão de manter espadas na presença de Tommen.

Sor Boros Blount atendia ao rei menino e sua mãe quando Sor Kevan entrou nos aposentos reais. Blount usava escamas esmaltadas, manto branco e meio-elmo. Não parecia bem. Ultimamente, Boros ficara notavelmente mais pesado no rosto e na barriga, e sua cor não era boa. Estava apoiado contra a parede atrás dele, como se ficar em pé tivesse se tornado um grande esforço.

A refeição foi servida pelas três noviças, garotas bem limpas, de bom nascimento, com idade entre doze e dezesseis anos. Em suas suaves lãs brancas, cada uma parecia mais inocente e irreal do que a anterior, mesmo assim, o Alto Septão insistira que cada garota não passasse mais do que sete dias a serviço da rainha, para que Cersei não as corrompesse. Elas cuidavam do guarda-roupa da rainha, preparavam seu banho, serviam-lhe vinho, mudavam as roupas de cama pela manhã. Uma dividia a cama com a rainha todas as noites, para assegurar-se de que ela não teria outra companhia; as outras duas dormiam no quarto ao lado com a septã que as vigiava.

Uma garota alta como uma cegonha e com o rosto coberto de marcas o escoltou até a presença real. Cersei se levantou quando ele entrou e o beijou suavemente no rosto.

– Querido tio. É tão bom que tenha vindo cear conosco. – A rainha estava vestida tão modestamente quanto qualquer matrona, em um vestido marrom-escuro abotoado até o pescoço e um manto com capuz verde que cobria sua cabeça raspada. *Antes da caminhada, ela teria ostentado a calvície embaixo de uma coroa.* – Venha se sentar – ela disse. – Gostaria de vinho?

– Uma taça. – Ele se sentou, ainda cauteloso.

Uma noviça sardenta encheu as taças com vinho quente com especiarias.

– Tommen me disse que Lorde Tyrell pretende reconstruir a Torre da Mão – comentou Cersei.

Sor Kevan assentiu.

– A nova torre será duas vezes mais alta que aquela que você queimou, ele diz.

Cersei deu uma risada gutural.

– Longas lanças, altas torres... Lorde Tyrell está insinuando alguma coisa?

Aquilo o fez sorrir. *É bom que ela ainda se lembre de como rir.* Quando perguntou se ela tinha tudo o que precisava, a rainha respondeu:

– Estou bem servida. As garotas são doces, e a boa septã se assegura de que eu diga minhas orações. Mas, uma vez que minha inocência seja provada, me deixaria satisfeita se Taena Merryweather pudesse me atender novamente. Ela traria o filho à corte. Tommen precisa de outro garoto com ele, amigos de nascimento nobre.

Era um pedido modesto. Sor Kevan não via nenhuma razão pela qual não pudesse ser concedido. Ele mesmo podia adotar o menino Merryweather, enquanto a Senhora Taena acompanhava Cersei de volta a Rochedo Casterly.

– Eu a buscarei após o julgamento – prometeu.

A ceia começou com carne e sopa de aveia, seguidas por um par de codornas e um assado no espeto de quase noventa centímetros de comprimento, com nabos, cogumelos, e diversos pães quentes e manteiga. Sor Boros provava cada prato que era enviado antes do rei. Um dever humilhante para um cavaleiro da Guarda Real, mas talvez tudo o que Blount fosse capaz de fazer naqueles dias... e sábio, depois da maneira como o irmão de Tommen morrera.

O rei parecia mais feliz do que Kevan Lannister vira durante muito tempo. Da sopa ao doce, Tommen balbuciou sobre as façanhas de seus filhotes, enquanto os alimentava com pedaços do espeto tirados de seu prato real.

– O gato mau estava do lado de fora da minha janela noite passada – contou para Kevan a determinada altura –, mas Sor Salto sibilou para ele e ele fugiu pelo telhado.

– O gato mau? – Sor Kevan disse, divertido. *Ele é um menino doce.*

– Um velho gato preto com uma orelha rasgada – Cersei contou para ele. – Uma coisa imunda e mal-humorada. Arranhou a mão de Joff uma vez. – Ela fez uma careta. – Os gatos mantêm os ratos afastados, eu sei, mas esse aí... ele é conhecido por atacar os corvos no viveiro.

– Pedirei para os caçadores de ratos colocarem uma armadilha para ele. – Sor Kevan não se lembrava de ter visto a sobrinha tão tranquila, tão submissa, tão reservada. Tudo para o bem, ele supôs. Mas aquilo também o deixava triste. *Seu fogo está apagado, ela que costumava queimar tão radiante.* – Você não me perguntou sobre seu irmão – disse, enquanto esperavam pelos bolos de creme. Bolos de creme eram os favoritos do rei.

Cersei ergueu o queixo, os olhos verdes brilhando sob a luz das velas.

– Jaime? Você teve notícias?

– Nenhuma. Cersei, você precisa se preparar para...

– Se ele estivesse morto, eu saberia. Viemos para este mundo juntos, Tio. Ele não partiria sem mim. – Ela tomou um gole de vinho. – Tyrion pode partir quando desejar. Tampouco teve notícias dele, suponho.

– Ninguém tentou nos vender a cabeça de um anão ultimamente, não.

Ela assentiu.

– Tio, posso lhe fazer uma pergunta?

– O que quiser.

– Sua esposa... pretende trazê-la à corte?

– Não. – Dorna era uma alma gentil, nunca à vontade, exceto em casa, com amigos e parentes ao redor dela. Cuidara bem de seus filhos, sonhava em ter netos, rezava sete vezes ao dia, amava bordados e flores. Em Porto Real, seria tão feliz quanto um dos gatinhos de Tommen em um poço de víboras. – A senhora minha esposa não gosta de viagens. O lugar dela é em Lannisporto.

– É sábia a mulher que conhece seu lugar.

Ele não gostou de como aquilo soou.

– Explique o que quer dizer.

– Eu pensei que soubesse. – Cersei pegou sua taça. A garota sardenta a encheu novamente. Os bolos de creme apareceram, então, e a conversa tomou um rumo mais leve. Apenas depois que Tommen e seus gatinhos foram escoltados até o quarto de dormir real por Sor Boros, a conversa deles se voltou para o julgamento da rainha.

– Os irmãos de Osney não ficarão de braços cruzados vendo-o morrer – Cersei o advertiu.

– Nem esperava que ficassem. Tenho os dois presos.

Aquilo pareceu surpreendê-la.

– Por qual crime?

– Fornicação com a rainha. Sua Alta Santidade diz que você confessou ter dormido com ambos. Você se esqueceu?

O rosto dela corou.

– Não. O que fará com eles?

– A Muralha, se admitirem sua culpa. Se a negarem, podem encarar Sor Robert. Tais homens nunca deviam ter sido erguidos tão alto.

Cersei abaixou a cabeça.

– Eu... eu os julguei mal.

– Você julgou mal bons homens também, pelo que parece.

Ele teria mais a comentar, mas a noviça de cabelos escuros e rosto redondo voltou para dizer:

– Meu senhor, minha senhora, sinto interromper, mas há um rapaz lá embaixo. O Grande Meistre Pycelle implora o favor da presença do Senhor Regente imediatamente.

Asas escuras, palavras escuras, Sor Kevan pensou. *Será que Ponta Tempestade caiu? Ou será que as notícias são de Bolton, no Norte?*

– Podem ser notícias de Jaime – a rainha falou.

Só havia um jeito de saber. Sor Kevan se levantou.

– Por favor, me dê licença. – Antes de sair, apoiou-se em um joelho e beijou a sobrinha na mão. Se seu gigante silencioso falhasse, aquele poderia ser o último beijo que ela receberia.

O mensageiro era um garoto de oito ou nove anos, tão empacotado em pele que parecia um filhote de urso. Trant o deixara esperando na ponte levadiça em vez de admiti-lo no Maegor.

– Vá procurar uma fogueira, rapaz – Sor Kevan disse para ele, colocando uma moeda de um dinheiro em sua mão. – Conheço o caminho para o viveiro bem o bastante.

A neve finalmente parara de cair. Atrás de um véu de nuvens esfarrapadas, uma lua cheia flutuava gorda como uma bola de neve. As estrelas brilhavam frias e distantes. Enquanto Sor Kevan seguia pela ala interna, o castelo parecia um lugar estranho, onde em cada fortaleza e torre haviam crescido dentes congelados, e todos os caminhos familiares haviam desaparecido sob um lençol branco. Um pingente longo como uma lança caiu para se espatifar a seus pés. *Outono em Porto Real,* ele meditou. *Como deve ser na Muralha?*

A porta foi aberta por uma serva, uma coisa magrela em uma túnica forrada de pele grande demais para ela. Sor Kevan sacudiu a neve de suas botas, tirou o manto e entregou-o à garota.

– O grande meistre está me esperando – anunciou. A menina acenou com a cabeça, solene e silenciosa, e apontou para os degraus.

Os aposentos de Pycelle ficavam embaixo do viveiro, um espaçoso conjunto de quartos cheios de prateleiras de ervas e pomadas, e estantes repletas de livros e pergaminhos. Sor Kevan sempre achara o local desconfortavelmente quente. Não nessa noite. Uma vez atravessada a porta do aposento, o frio era palpável. Cinza negra e brasas morrendo era tudo o que restava de uma fogueira. Algumas velas tremeluzindo lançavam luzes fracas aqui e ali.

O resto estava envolto em sombras... exceto sob a janela aberta, onde nuvens de cristais de gelo brilhavam à luz da lua, rodopiando ao vento. No banco sob a janela, um corvo perambulava, claro, imenso, com as penas eriçadas. Era o maior corvo que Kevan Lannister já vira. Maior do que qualquer falcão de caça em Rochedo Casterly, maior do que a maior coruja. Neve soprada pelo vento dançava ao redor dele, e a lua o pintava de prateado.

Não prateado. Branco. O pássaro é branco.

Os corvos brancos da Cidadela não carregavam mensagens, como seus primos escuros faziam. Quando deixavam Vilavelha, era apenas com um propósito: anunciar a mudança da estação.

– Inverno – disse Sor Kevan. A palavra formou uma névoa branca no ar. Deu as costas para a janela.

Então algo o acertou no peito entre as costelas, duro como o punho de um gigante. Aquilo o fez perder o ar e o fez cambalear para trás. O corvo branco saiu voando, as asas claras batendo sobre sua cabeça. Sor Kevan meio sentou e meio caiu no banco sob a janela. *O que... quem...* Uma seta estava afundada quase até a altura das penas em seu peito. *Não. Não, foi assim que meu irmão morreu.* Sangue escorria em volta da haste.

– Pycelle – murmurou, confuso. – Ajude-me... eu...

Então ele viu. O Grande Meistre Pycelle estava sentado em sua mesa, a cabeça apoiada em um grande tomo encadernado de couro diante dele. *Dormindo,* Kevan pensou... até que piscou e viu o profundo corte vermelho no crânio sarapintado do velho, e o sangue empoçado sob sua cabeça, manchando as páginas do livro. Ao redor de sua vela havia pedaços de ossos e cérebro, ilhas em um lago de cera derretida.

Ele queria guardas, Sor Kevan pensou. *Eu devia ter enviado guardas para ele.* Poderia Cersei estar certa o tempo todo? Isso seria trabalho de seu sobrinho?

– Tyrion – chamou. – Onde...?

– Muito longe – uma voz meio familiar respondeu.

Ele estava parado na sombra de uma estante de livros, gordo, rosto pálido, ombros redondos, segurando uma besta nas suaves mãos empoadas. Chinelos de seda envolviam seus pés.

– Varys?

O eunuco abaixou a besta.

– Sor Kevan. Perdoe-me, se puder. Não lhe tenho nenhum ressentimento. Isso não foi feito com malícia. Foi pelo reino. Pelas crianças.

Eu tenho crianças. Tenho uma esposa. Oh, Dorna. A dor o encobriu. Fechou os olhos e os abriu novamente.

– Há... Há centenas de guardas Lannister neste castelo.

– Mas nenhum neste quarto, felizmente. Isso me dói, meu senhor. Você não merece morrer sozinho em uma noite escura e fria como esta. Há muitos como você, bons homens a serviço de causas más... mas você estava tramando para desfazer todo o bom trabalho da rainha, queria reconciliar Jardim de Cima e Rochedo Casterly, ligar a Fé ao seu pequeno rei, unir os Sete Reinos sob o governo de Tommen. Então...

Uma rajada de vento soprou. Sor Kevan tremeu violentamente.

– Está com frio, meu senhor? – perguntou Varys. – Perdoe-me. O Grande Meistre se sujou enquanto morria, e o fedor estava tão abominável que pensei que fosse asfixiar.

Sor Kevan tentou se levantar, mas sua força o deixara. Não conseguia sentir as pernas.

– Achei a besta adequada. Você partilhou tanto com Lorde Tywin, por que não isso? Sua sobrinha pensará que os Tyrell o assassinaram, talvez com a conivência do Duende. Os Tyrell suspeitarão dela. Alguém, de alguma forma, encontrará uma maneira de culpar os dornenses. Dúvida, divisão e desconfiança vão roer o chão por baixo do seu rei Tommen, enquanto Aegon levanta seu estandarte sobre Ponta Tempestade e os senhores do reino se reúnem em torno dele.

– Aegon? – Por um momento, ele não entendeu. Então se lembrou. Um bebê envolto em um manto carmesim, o tecido manchado com o sangue e o cérebro dele. – Morto. Ele está morto.

– Não. – A voz do eunuco pareceu mais profunda. – Ele está aqui. Aegon tem sido moldado para governar desde antes que pudesse andar. Foi treinado em armas, como convém a um cavaleiro, mas esse não foi o fim de sua educação. Ele lê e escreve, fala diversas línguas, estudou história, leis e poesia. Uma septã o instruiu nos mistérios da Fé desde que teve idade suficiente para entendê-los. Viveu com pescadores, trabalhou com as próprias mãos, nadou em rios, remendou redes e aprendeu a lavar as próprias roupas na necessidade. Ele consegue pescar, cozinhar e curar uma ferida, sabe como é sentir fome, ser caçado, sentir medo. Tommen tem sido ensinado que a realeza é o direito dele. Aegon sabe que a realeza é seu dever, que um rei deve colocar seu povo em primeiro lugar, e viver e governar para eles.

Kevan Lannister tentou gritar... para seus guardas, a esposa, o irmão... mas as palavras não saíram. Sangue escorreu de sua boca. Estremeceu violentamente.

– Sinto muito. – Varys torceu as mãos. – Você está sofrendo, eu sei, e eu aqui continuando a falar como uma velha tola. É tempo de pôr um fim nisso. – O eunuco franziu os lábios e deu um pequeno assobio.

Sor Kevan estava frio como gelo, e cada respiração ofegante enviava uma nova pontada de dor por seu corpo. Ele vislumbrou um movimento, ouviu o som suave de passos de um chinelo se arrastando na pedra. Uma criança saiu de uma poça de escuridão, um garoto pálido em uma túnica esfarrapada, com não mais do que nove ou dez anos. Outro se ergueu de trás da cadeira do grande meistre. A garota que abrira a porta para ele estava ali também. Estavam todos ao redor dele, meia dúzia deles, crianças de rosto branco e olhos escuros, meninos e meninas juntos.

E, em suas mãos, as adagas.

Westeros

O Rei Menino

TOMMEN BARATHEON, o Primeiro de seu Nome, Rei dos Ândalos, dos Roinares e dos Primeiros Homens, Senhor dos Sete Reinos, um menino de oito anos,

- sua esposa, RAINHA MARGAERY da Casa Tyrell, três vezes casada, duas vezes viúva, acusada de alta traição, mantida cativa no Grande Septo de Baelor,
  - suas damas de companhia e primas, MEGGA, ALLA e ELINOR TYRELL, acusadas de fornicação,
    - o prometido de Elinor, ALYN AMBROSE, escudeiro,
- sua mãe, CERSEI da Casa Lannister, Rainha Viúva, Senhora de Rochedo Casterly, acusada de alta traição, cativa no Grande Septo de Baelor,
- seus irmãos:
  - seu irmão mais velho {REI JOFFREY I BARATHEON}, envenenado durante o banquete de seu casamento,
  - sua irmã mais velha, PRINCESA MYRCELLA BARATHEON, uma garota de nove, protegida do Príncipe Doran Martell em Lançassolar, prometida ao seu filho Trystane,
- seus gatinhos, SOR SALTOS, SENHORA BIGODES e BOTAS,
- seus tios:
  - SOR JAIME LANNISTER, chamado REGICIDA, gêmeo da Rainha Cersei, Senhor Comandante da Guarda Real,
  - TYRION LANNISTER, chamado DUENDE, um anão, acusado e condenado por regicídio e assassinato de familiares,
- seus outros parentes:
  - seu avô {TYWIN LANNISTER}, Senhor de Rochedo Casterly, Protetor do Oeste e Mão do Rei, assassinado na latrina pelo filho Tyrion,

– seu tio-avô, SOR KEVAN LANNISTER, Senhor Regente e Protetor do Reino, c. Dorna Swyft,
  – seus filhos:
  – SOR LANCEL LANNISTER, cavaleiro da Sagrada Ordem dos Filhos do Guerreiro,
  – {WILLEM}, gêmeo de Martyn, assassinado em Correrrio,
  – Martyn, gêmeo de Willem, um escudeiro,
  – JANEI, uma garota de três anos,
– sua tia-avó, GENNA LANNISTER, c. Sor Emmon Frey,
  – seus filhos:
  – {SOR CLEOS FREY}, morto por foras da lei,
    – seu filho, SOR TYWIN FREY, chamado TY,
    – seu filho, WILLEM FREY, escudeiro,
  – SOR LYONEL FREY, segundo filho da Senhora Genna,
  – {TION FREY}, escudeiro, assassinado em Correrrio,
  – WALDER FREY, chamado WALDER VERMELHO, pajem em Rochedo Casterly,
– seu tio-avô, {SOR TYGETT LANNISTER}, c. Darlessa Marbrand,
  – seu filho:
  – TYREK LANNISTER, escudeiro, desaparecido durante os tumultos da comida em Porto Real,
    – SENHORA ERMESANDE HAYFORD, a esposa infanta de Tyrek,
– seu tio-avô, GERION LANNISTER, perdido no mar,
  – JOY HILL, sua filha bastarda,

– o pequeno conselho do Rei Tommen:
  – SOR KEVAN LANNISTER, Senhor Regente,
  – LORDE MACE TYRELL, Mão do Rei,
  – GRANDE MEISTRE PYCELLE, conselheiro e curandeiro,
  – SOR JAIME LANNISTER, Senhor Comandante da Guarda Real,
  – LORDE PAXTER REDWYNE, grande almirante e mestre dos navios,
  – QYBURN, meistre que caiu em desgraça e renomado necromante, mestre dos sussurros,

– o antigo pequeno conselho da Rainha Cersei,
  – {LORDE GYLES ROSBY}, senhor tesoureiro e mestre da moeda, morto de tosse,
  – LORDE ORTON MERRYWEATHER, chefe de justiça e mestre das leis, fugiu para Mesalonga após a prisão da Rainha Cersei,
  – AURANE WATERS, o Bastardo de Derivamarca, grande almirante e mestre dos navios, fugiu para o mar com a frota real após a prisão de Cersei,

– a Guarda Real do Rei Tommen:
  – SOR JAIME LANNISTER, Senhor Comandante,
  – SOR MERYN TRANT,
  – SOR BOROS BLOUNT, afastado e depois readmitido,
  – SOR BALON SWANN, em Dorne, com a Princesa Myrcella,
  – SOR OSMUND KETTLEBLACK,

- SOR LORAS TYRELL, o Cavaleiro das Flores,
- {SOR ARYS OAKHEART}, morto em Dorne,

- a corte de Tommen em Porto Real:
  - RAPAZ LUA, bobo real,
  - PATE, um garoto de oito anos, castigado no lugar do Rei Tommen,
  - ORMOND DE VILAVELHA, harpista real e bardo,
  - SOR OSFRYD KETTLEBLACK, irmão de Sor Osmund e Sor Osney, capitão na Patrulha da Cidade,
  - NOHO DIMITTIS, enviado do Banco de Ferro de Bravos,
  - {SOR GREGOR CLEGANE}, chamado A MONTANHA QUE CAVALGA, morto de um ferimento envenenado,
  - RENNIFER LONGWATERS, chefe dos carcereiros de segunda das masmorras da Fortaleza Vermelha,

- os alegados amantes da Rainha Margaery:
  - WAT, cantor apresentando-se como BARDO AZUL, um cativo levado à loucura pela tortura,
  - {HAMISH, O HARPISTA}, cantor idoso, morto no cativeiro,
  - SOR MARK MULLENDORE, que perdeu um macaco e metade do braço na Batalha da Água Negra,
  - SOR TALLAD, chamado O ALTO, SOR LAMBERT TURNBERRY, SOR BAYARD NORCROSS, SOR HUGH CLIFTON,
  - JALABHAR XHO, Príncipe do Vale da Flor Vermelha, exilado das Ilhas do Verão,
  - SOR HORAS REDWYNE, considerado inocente e libertado,
  - SOR HOBBER REDWYNE, considerado inocente e libertado,

- o principal acusador da Rainha Cersei:
  - SOR OSNEY KETTLEBLACK, irmão de Sor Osmund e Sor Osfryd, mantido cativo pela Fé,

- as pessoas da Fé:
  - O ALTO SEPTÃO, Pai dos Fiéis, Voz dos Sete na Terra, um homem velho e frágil,
    - SEPTÃ UNELLA, SEPTÃ MOELLE, SEPTÃ SCOLERA, as carcereiras da rainha,
    - SEPTÃO TORBERT, SEPTÃO RAYNARD, SEPTÃO LUCEON, SEPTÃO OLLIDOR, os Mais Devotos,
    - SEPTÃ AGLANTINE, SEPTÃ HELICENT, servas dos Sete no Grande Septo de Baelor,
    - SOR THEODAN WELLS, chamado THEODAN, O FIEL, comandante piedoso dos Filhos do Guerreiro,
    - os "pardais", os mais humildes dos homens, ferozes em sua piedade,

- as pessoas de Porto Real:
  - CHATAYA, proprietária de um bordel de luxo,
    - ALAYAYA, sua filha,
    - DANCY, MAREI, duas das garotas de Chataya,
  - TOBHO MOTT, mestre armeiro,

- senhores das terras da coroa, juramentados ao Trono de Ferro:
  - RENFRED RYKKER, Senhor de Valdocaso,
    - SOR RUFUS LEEK, um cavaleiro de uma perna a seu serviço, castelão no Forte Pardo, em Valdocaso,
  - {TANDA STOKEWORTH}, Senhora de Stokeworth, morreu de uma costela quebrada,
    - sua filha mais velha, {FALYSE}, morta aos gritos nas celas negras,
      - {SOR BALMAN BYRCH}, marido da Senhora Falyse, morto em uma justa,
    - sua filha mais nova, LOLLYS, fraca do juízo, Senhora de Stokeworth,
      - seu filho recém-nascido, TYRION TANNER, de uma centena de pais,
      - seu marido, SOR BRONN DA ÁGUA NEGRA, mercenário transformado em cavaleiro,
    - MEISTRE FRENKEN, a serviço de Stokeworth,

O estandarte do Rei Tommen ostenta o veado coroado dos Baratheon, negro sobre dourado, e o leão dos Lannister, dourado sobre carmesim.

O Rei na Muralha

STANNIS BARATHEON, o Primeiro de Seu Nome, segundo filho de Lorde Steffon Baratheon e da Senhora Cassana da Casa Estermont, Senhor de Pedra do Dragão, autointitulado Rei de Westeros,

- com o Rei Stannis em Castelo Negro:
  - SENHORA MELISANDRE DE ASSHAI, chamada MULHER VERMELHA, sacerdotisa de R'hllor, o Senhor da Luz,
  - seus cavaleiros e espadas juramentadas:
    - SOR RICHARD HORPE, seu segundo em comando,
    - SOR GODRY FARRING, chamado MATADOR DE GIGANTES,
    - SOR JUSTIN MASSEY,
    - LORDE ROBIN PEASEBURY,
    - LORDE HARWOOD FELL,
    - SOR CLAYTON SUGGS, SOR CORLISS PENNY, homens da rainha e seguidores fervorosos do Senhor da Luz,
    - SOR WILLAM FOXGLOVE, SOR HUMFREY CLIFTON, SOR ORMUND WYLDE, SOR HARYS COBB, cavaleiros,
  - seus escudeiros, DEVAN SEAWORTH e BRYEN FARRING,
  - seus cativos, MANCE RAYDER, Rei-para-Lá-da-Muralha,
    - o filho recém-nascido de Rayder, "o príncipe selvagem",
      - a ama de leite do menino, GOIVA, uma garota selvagem,
      - o filho recém-nascido de Goiva, "a abominação", gerado pelo pai dela, {CRASTER},

– em Atalaialeste do Mar:
  – RAINHA SELYSE da Casa Florent, sua esposa,
    – PRINCESA SHIREEN, filha deles, uma garota de onze anos,
      – CARA-MALHADA, o bobo tatuado de Shireen,
    – seu tio, SOR AXELL FLORENT, principal homem da rainha, autointitulado Mão da Rainha,
    – seus cavaleiros e espadas juramentadas, SOR NARBERT GRANDISON, SOR BENETHON SCALES, SOR PATREK DA MONTANHA DO REI, SOR DORDEN, O OBSTINADO, SOR MALEGORN DA LAGOA VERMELHA, SOR LAMBERT WHITEWATER, SOR PERKIN FOLLARD, SOR BRUS BUCKLER,
– SOR DAVOS SEAWORTH, Senhor da Mata de Chuva, Almirante do Mar Estreito e Mão do Rei, chamado CAVALEIRO DAS CEBOLAS,
– SALLADHAR SAAN, de Lys, pirata e mercenário, dono do *Valiriana* e de uma frota de galés,
– TYCHO NESTORIS, emissário do Banco de Ferro de Bravos.

Stannis escolheu para estandarte o coração incandescente do Senhor da Luz – um coração vermelho cercado por chamas laranja sobre fundo amarelo. No interior do coração está o veado coroado da Casa Baratheon, em negro.

Rei das Ilhas e do Norte

Os Greyjoy de Pyke afirmam descenderem do Rei Cinzento da Era dos Heróis. As lendas dizem que o Rei Cinzento governava o próprio mar e que tinha uma sereia como esposa. Aegon, o Conquistador, encerrou a linhagem do último Rei das Ilhas de Ferro, mas permitiu que os homens de ferro retomassem o antigo costume e escolhessem quem teria a primazia entre eles. O escolhido foi Lorde Vickon Greyjoy de Pyke. O símbolo dos Greyjoy é uma lula gigante dourada sobre fundo negro. Seu lema é *Nós não semeamos*.

EURON GREYJOY, o Terceiro de Seu Nome desde o Rei Cinzento, Rei das Ilhas de Ferro e do Norte, Rei do Sal e da Rocha, Filho do Vento Marinho e Senhor Ceifeiro de Pyke, capitão do *Silêncio*, chamado OLHO DE CORVO,

– seu irmão mais velho, {BALON}, Rei das Ilhas de Ferro e do Norte, o Nono de Seu Nome desde o Rei Cinzento, morto em uma queda,
  - – SENHORA ALANNYS da Casa Harlaw, viúva de Balon,
  - – seus filhos:
    - – {RODRIK}, assassinado durante a primeira rebelião de Balon,
    - – {MARON}, assassinado durante a primeira rebelião de Balon,
    - – ASHA, capitã do *Vento Negro* e conquistadora do Bosque Profundo, c. Erik Ironmaker,
    - – THEON, chamado pelos nortenhos de THEON VIRA-CASACA, cativo no Forte do Pavor,

– seu irmão mais novo, VICTARION, Senhor Capitão da Frota de Ferro, mestre do *Vitória de Ferro*,

– seu irmão caçula, AERON, chamado CABELO-MOLHADO, sacerdote do Deus Afogado,

- seus capitães e espadas juramentadas:
  - TORWOLD DENTE-CASTANHO, JON CARA-SUMIDA MYRE, RODRIK FREEBORN, O REMADOR VERMELHO, LUCAS MÃO-ESQUERDA CODD, QUELLON HUMBLE, HARREN MEIO-HOARE, KEMMETT PYKE, O BASTARDO, QARL, O SERVO, MÃO DE PEDRA, RALF, O PASTOR, RALF DE FIDALPORTO,

- sua tripulação:
  - {CRAGORN}, que soprou o berrante do inferno e morreu,

- seus senhores vassalos:
  - ERIK IRONMAKER, chamado ERIK QUEBRA-BIGORNA e ERIK, O JUSTO, Senhor Intendente nas Ilhas de Ferro, castelão de Pyke, um velho, outrora famoso, c. Asha Greyjoy,
  - senhores de Pyke:
    - GERMUND BOTLEY, Senhor de Fidalporto,
    - WALDON WYNCH, Senhor de Bosque de Ferro,
  - senhores da Velha Wyk:
    - DUNSTAN DRUMM, o Drumm, Senhor da Velha Wyk,
    - NORNE GOODBROTHER, de Pedrasmagada,
    - STONEHOUSE,
  - senhores da Grande Wyk:
    - GOROLD GOODBROTHER, Senhor de Cornartelo,
    - TRISTON FARWYND, Senhor de Ponta de Pelefoca,
    - SPARR,
    - MELDRED MERLYN, Senhor de Seixeira,
  - senhores de Montrasgo:
    - ALYN ORKWOOD, chamado ORKWOOD DE MONTRASGO,
    - LORDE BALON TAWNEY,
  - senhores de Salésia:
    - LORDE DONNOR SALTCLIFFE,
    - LORDE SUNDERLY,
  - senhores de Harlaw:
    - RODRIK HARLAW, chamado O LEITOR, Senhor de Harlaw, Senhor das Dez Torres, Harlaw de Harlaw,
    - SIGFRYD HARLAW, chamado SIGFRYD CABELO DE PRATA, seu tio-avô, mestre de Solar de Harlaw,
    - HOTHO HARLAW, chamado HOTHO CORCUNDA, da Torre Bruxuleante, um primo,
    - BOREMUND HARLAW, chamado BOREMUND, O AZUL, mestre em Monte da Bruxa, um primo,
  - senhores das ilhas e rochedos menores:
    - GYLBERT FARWYND, Senhor da Luz Solitária,

- os conquistadores nascidos no ferro:
  - nas Ilhas Escudos:

– ANDRIK, O SISUDO, Senhor de Escudossul,
– NUTE, O BARBEIRO, Senhor de Escudo de Carvalho,
– MARON VOLMARK, Senhor de Escudoverde,
– SOR HARRAS HARLAW, Senhor de Escudocinza, o Cavaleiro dos Jardins Cinzentos,

– em Fosso Cailin:
  – RALF KENNING, castelão e comandante,
  – ADRACK HUMBLE, sem metade de um braço,
  – DAGON CODD, que não se rende a ninguém,

– em Praça Torrhen:
  – DAGMER, chamado BOCA-FENDIDA, capitão do *Bebedor de Espuma*,

– em Bosque Profundo:
  – ASHA GREYJOY, a filha da lula gigante, capitã do *Vento Negro*,
    – seu amante, QARL, O DONZEL, um espadachim,
    – seu antigo amante, TRISTIFER BOTLEY, herdeiro de Fidalporto, despojado de suas terras,
    – sua tripulação, ROGGON BARBA-ENFERRUJADA, LINGUACRUEL, ROLFE, O ANÃO, LORREN MACHADOLONGO, DEDOS, HARL SEIS DEDOS, DALE OLHO-TORTO, EARL HARLAW, CROMM, HAGEN, O CORNO, e sua bela filha de cabelos vermelhos,
    – seu primo, QUENTON GREYJOY,
    – seu primo, DAGON GREYJOY, chamado DAGON, O BÊBADO.

Outras Casas Grandes e Pequenas

Casa Arryn

Os Arryn descendem dos Reis da Montanha e do Vale. Seu símbolo é a lua e o falcão, em branco sobre um campo azul-celeste. A Casa Arryn não tomou parte na Guerra dos Cinco Reis.

ROBERT ARRYN, Senhor do Ninho da Águia, Defensor do Vale, um garoto doentio de oito anos, chamado PASSARINHO,

– sua mãe, {SENHORA LYSA da Casa Tully}, viúva de Jon Arryn, empurrada pela Porta da Lua para a morte,

– seu guardião, PETYR BAELISH, chamado MINDINHO, Senhor de Harrenhal, Senhor Supremo do Tridente e Senhor Protetor do Vale,

  – ALAYNE STONE, filha natural de Lorde Petyr, uma donzela de treze anos, na realidade Sansa Stark,

  – SOR LOTHOR BRUNE, mercenário a serviço de Lorde Petyr, capitão da guarda do Ninho da Águia,

  – OSWELL, homem em armas grisalho a serviço de Lorde Petyr, algumas vezes chamado KETTLEBLACK,

  – SOR SHADRICK DO VALE OBSCURO, chamado O RATO LOUCO, cavaleiro andante a serviço de Lorde Petyr,

  – SOR BYRON, O BELO, SOR MORGARTH, O FELIZ, cavaleiros andantes a serviço de Lorde Petyr,

– o pessoal de sua casa:

  – MEISTRE COLEMON, conselheiro, curandeiro e tutor,

  – MORD, carcereiro brutal com dentes de ouro,

  – GRETCHEL, MADDY e MELA, criadas,

- seus vassalos, os Senhores da Montanha e do Vale:
  - YOHN ROYCE, chamado BRONZE YOHN, Senhor de Pedrarruna,
    - seu filho, SOR ANDAR, herdeiro de Pedrarruna,
- LORDE NESTOR ROYCE, Supremo Intendente do Vale e castelão dos Portões da Lua,
  - seu filho e herdeiro, SOR ALBAR,
  - sua filha, MYRANDA, chamada RANDA, viúva, mas pouco usada,
  - MIA STONE, filha bastarda do Rei Robert,
- LYONEL CORBRAY, Senhor de Lar do Coração,
  - SOR LYN CORBRAY, seu irmão, que brande a famosa espada Senhora Desespero,
  - SOR LUCAS CORBRAY, seu irmão caçula,
- TRISTON SUNDERLAND, Senhor das Três Irmãs,
  - GODRIC BORRELL, Senhor de Doceirmã,
  - ROLLAND LONGTHORPE, Senhor de Longairmã,
  - ALESANDOR TORRENT, Senhor de Pequenairmã,
- ANYA WAYNWOOD, Senhora de Castelo de Ferrobles,
  - SOR MORTON, seu filho mais velho e herdeiro,
  - SOR DONNEL, o Cavaleiro do Portão Sangrento,
  - WALLACE, seu filho mais novo,
  - HARROLD HARDYNG, seu protegido, um escudeiro frequentemente chamado HARRY, O HERDEIRO,
- SOR SYMOND TEMPLETON, o Cavaleiro das Nove Estrelas,
- SOR LYNDERLY, Senhor da Mata de Cobras,
- EDMUND WAXLEY, o Cavaleiro de Tocalar,
- GEROLD GRAFTON, Senhor de Vila Gaivota,
- {EON HUNTER}, Senhor de Solar de Longarco, recentemente falecido,
  - SOR GILWOOD, filho mais velho e herdeiro de Lorde Eon, agora chamado JOVEM LORDE HUNTER,
  - SOR EUSTACE, segundo filho de Lorde Eon,
  - SOR HARLAN, filho caçula de Lorde Eon,
  - o pessoal da casa do Jovem Lorde Hunter:
    - MEISTRE WILLAMEN, conselheiro, curandeiro, tutor,
- HORTON REDFORT, Senhor de Fortencarnado, três vezes casado,
  - SOR JASPER, SOR CREIGHTON, SOR JON, seus filhos,
  - SOR MYCHEL, seu filho caçula, recém-sagrado cavaleiro, c. Ysilla Royce de Pedrarruna,
- BENEDAR BELMORE, Senhor de Cantoforte,
- chefes de clãs das Montanhas da Lua:
  - SHAGGA, FILHO DE DOLF, DOS CORVOS DE PEDRA, atualmente liderando um bando na mata de rei,
    - TIMETT, FILHO DE TIMETT, DOS HOMENS QUEIMADOS,
    - CHELLA, FILHA DE CHEYK, DOS ORELHAS NEGRAS,
    - CRAWN, FILHO DE CALOR, DOS IRMÃOS DA LUA.

O lema dos Arryn é *Tão Alto Como a Honra.*

Casa Baratheon

A mais nova das Grandes Casas, a Casa Baratheon surgiu durante a Guerra da Conquista quando Orys Baratheon, que rumores diziam ser irmão bastardo de Aegon, o Conquistador, derrotou e matou Argilac, o Arrogante, o último Rei da Tempestade. Aegon o recompensou com os castelos, as terras e a filha de Argilac. Orys tomou a garota como noiva e adotou o estandarte, as honras e o lema da linhagem dela.

Em 283 depois da Conquista de Aegon, Robert da Casa Baratheon, Senhor de Ponta Tempestade, derrubou o Rei Louco, Aerys II Targaryen, e assumiu o Trono de Ferro. Sua reivindicação à coroa derivava de sua avó, filha do Rei Aegon V Targaryen, embora Robert preferisse dizer que seu martelo de guerra era sua reivindicação.

{ROBERT BARATHEON}, o Primeiro de Seu Nome, Rei dos Ândalos, dos Roinares e dos Primeiros Homens, Senhor dos Sete Reinos e Protetor do Reino, morto por um javali,

- sua esposa, RAINHA CERSEI da Casa Lannister,
- seus filhos:
  - {REI JOFFREY BARATHEON}, o Primeiro de Seu Nome, assassinado em seu banquete de casamento,
  - PRINCESA MYRCELLA, protegida em Lançassolar, prometida ao Príncipe Trystane Martell,
  - REI TOMMEN BARATHEON, o Primeiro de Seu Nome,
- seus irmãos:
  - STANNIS BARATHEON, rebelde, Senhor de Pedra do Dragão e pretendente ao Trono de Ferro,

– sua filha SHIREEN, uma garota de onze anos,

– {RENLY BARATHEON}, rebelde, Senhor de Ponta Tempestade e pretendente ao Trono de Ferro, assassinado em Ponta Tempestade, no meio de seu exército,

– seus filhos bastardos:

– MYA STONE, donzela de dezenove anos, a serviço de Lorde Nestor Royce, nos Portões da Lua,

– GENDRY, fora da lei nas terras fluviais, ignorante de sua ascendência,

– EDRIC STORM, seu filho bastardo reconhecido com a Senhora Delena da Casa Florent, escondido em Lys,

– SOR ANDREW ESTERMONT, seu primo e guardião,

– seus guardas e protetores:

– SOR GERALD GOWER, LEWYS, chamado PEIXEIRA, SOR TRISTON DE MONTE DA TALHA, OMER BLACKBERRY,

– {BARRA}, sua filha bastarda com uma prostituta em Porto Real, morta por ordem de sua viúva,

– seus outros parentes:

– seu tio-avô, SOR ELDON ESTERMONT, Senhor de Pedraverde,

– seu primo, SOR AEMON ESTERMONT, filho de Eldon,

– seu primo, SOR ALYN ESTERMONT, filho de Aemon,

– seu primo, SOR LOMAS ESTERMONT, filho de Eldon,

– seu primo, SOR ANDREW ESTERMONT, filho de Lomas,

– vassalos juramentados a Ponta Tempestade, os senhores da tempestade:

– DAVOS SEAWORTH, Senhor de Mata da Chuva, Almirante do Mar Estreito e Mão do Rei,

– sua esposa, MARYA, a filha de um carpinteiro,

– seus filhos, {DALE, ALLARD, MATTHOS, MARIC}, mortos na Batalha da Água Negra,

– o filho deles, DEVAN, escudeiro do Rei Stannis,

– seus filhos, STANNIS e STEFFON,

– SOR GILBERT FARRING, castelão em Ponta Tempestade,

– seu filho, BRYEN, escudeiro do Rei Stannis,

– seu primo, SOR GODRY FARRING, chamado MATADOR DE GIGANTES,

– ELWOOD MEADOWS, Senhor da Fortaleza da Campina, senescal em Ponta Tempestade,

– SELWYN TARTH, chamado ESTRELA DA TARDE, Senhor de Tarth,

– sua filha, BRIENNE, A DONZELA DE TARTH, também chamada BRIENNE, A BELA,

– seu escudeiro, PODRICK PAYNE, um garoto de dez anos,

– SOR RONNET CONNINGTON, chamado RONNET VERMELHO, o Cavaleiro de Poleiro do Grifo,

– seus irmãos mais novos, RAYMUND e ALYNNE,

– seu filho bastardo, RONALD STORM,

– seu primo, JON CONNINGTON, antigamente Senhor de Ponta Tempestade e Mão do Rei, exilado por Aerys II Targaryen, provavelmente morto pela bebida,

– LESTER MORRIGEN, Senhor do Ninho dos Corvos,
  – seu irmão e herdeiro, SOR RICHARD MORRIGEN,
  – seu irmão, {SOR GUYARD MORRIGEN, chamado GUYARD, O VERDE}, assassinado na Batalha da Água Negra,
– ARSTAN SELMY, Senhor de Solar da Colheita,
  – seu tio-avô, SOR BARRISTAN SELMY,
– CASPER WYLDE, Senhor de Casais de Chuva,
  – seu tio, SOR ORMUND WYLDE, um cavaleiro idoso,
– HARWOOD FELL, Senhor de Matacaída,
– HUGH GRANDISON, chamado BARBACINZENTA, Senhor de Vistagrande,
– SEBASTION ERROL, Senhor de Solar de Montefeno,
– CLIFFORD SWANN, Senhor de Pedrelmo,
– BERIC DONDARRION, Senhor de Portonegro, chamado O SENHOR DO RELÂMPAGO, um fora da lei nas terras fluviais, frequentemente assassinado e agora dado como morto,
– {BRYCE CARON}, Senhor de Nocticanga, assassinado por Sor Philip Foote na Água Negra,
  – seu assassino, SOR PHILIP FOOTE, um cavaleiro de um olho só, Senhor de Nocticanga,
  – seu meio-irmão de baixo nascimento, SOR ROLLAND STORM, chamado O BASTARDO DE NOCTICANGA, pretendente a Senhor de Nocticanga,
– ROBIN PEASEBURY, Senhor de Campovagem,
– MARY MERTYNS, Senhora de Matabruma,
– RALPH BUCKER, Senhor de Portabronze,
  – seu primo, SOR BRUS BUCKER.

O símbolo dos Baratheon é um veado coroado, negro, em fundo dourado. Seu lema é *Nossa É a Fúria*.

Casa Frey

Os Frey são vassalos da Casa Tully, mas nem sempre foram diligentes em desempenhar seu dever. Ao rebentar a Guerra dos Cinco Reis, Robb Stark conquistou a aliança de Lorde Walder com a promessa de desposar uma de suas filhas ou netas. Quando, em vez disso, se casou com a Senhora Jeyne Westerling, os Frey conspiraram com Roose Bolton e assassinaram o Jovem Lobo e seus seguidores no que ficou conhecido como Casamento Vermelho.

WALDER FREY, Senhor da Travessia,
- de sua primeira esposa, {SENHORA PERRA, da Casa Royce}:
  - {SOR STEVRON FREY}, morto após a Batalha de Cruzaboi,
  - SOR EMMON FREY, seu segundo filho,
  - SOR AENYS FREY, liderando as forças Frey no Norte,
    - o filho de Aenys, AEGON NASCIDO EM SANGUE, um fora da lei,
    - o filho de Aenys, RHAEGAR, um enviado a Porto Branco,
  - PERRIANE, sua filha mais velha, c. Sor Leslyn Haigh,

- de sua segunda esposa, {SENHORA CYRENA, da Casa Swann}:
  - SOR JARED FREY, um enviado a Porto Branco,
  - SEPTÃO LUCEON, seu quinto filho,

- de sua terceira esposa, {SENHORA AMAREI da Casa Crakehall}:
  - SOR HOSTEEN FREY, cavaleiro de grande reputação,
  - LYENTHE, sua segunda filha, c. Lorde Lucias Vypren,
  - SYMOND FREY, seu sétimo filho, contador de moedas, um enviado a Porto Branco,
  - SOR DANWELL FREY, seu oitavo filho,

- {MERRETT FREY}, seu nono filho, enforcado em Pedravelhas,
  - a filha de Merrett, WALDA, chamada WALDA GORDA, c. Roose Bolton, Senhor de Forte do Pavor,
  - o filho de Merrett, WALDER, chamado PEQUENO WALDER, oito anos, escudeiro a serviço de Ramsay Bolton,
- {SOR GEREMY FREY}, seu décimo filho, afogado,
- SOR RAYMUND FREY, seu décimo primeiro filho,

– de sua quarta esposa, {SENHORA ALYSSA, da Casa Blackwood}:
- LOTHAR FREY, seu décimo segundo filho, chamado LOTHAR COXO,
- SOR JAMMOS FREY, seu décimo terceiro filho,
  - o filho de Jammos, WALDER, chamado GRANDE WALDER, oito anos, escudeiro a serviço de Ramsay Bolton,
- SOR WHALEN FREY, seu décimo quarto filho,
- MORYA, sua terceira filha, c. Sor Flement Brax,
- TYTA, sua quarta filha, chamada TYTA, A DONZELA,

– de sua quinta esposa, {SENHORA SARYA, da Casa Whent}:
- nenhuma prole,

– de sua sexta esposa, {SENHORA BETHANY, da Casa Rosby}:
- SOR PERWYN FREY, seu décimo quinto filho,
- {SOR BENFREY FREY}, seu décimo sexto filho, morto de um ferimento recebido no Casamento Vermelho,
- MEISTRE WILLAMEN, seu décimo sétimo filho, a serviço em Solar de Longarcom
- OLYVAR FREY, seu décimo oitavo filho, antigo escudeiro de Robb Stark,
- ROSLIN, sua quinta filha, c. Lorde Edmure Tully no Casamento Vermelho, grávida do filho dele,

– de sua sétima esposa, {SENHORA ANNARA, da Casa Farring}:
– ARWYN, sua sexta filha, uma donzela de catorze anos,
– WENDEL, seu décimo nono filho, um pajem em Guardamar,
– COLMAR, seu vigésimo filho, onze anos e prometido à Fé,
– WALTYR, chamado TYR, seu vigésimo primeiro filho, dez anos,
– ELMAR, seu vigésimo segundo filho e último filho varão nascido, um garoto de nove anos, por um breve período prometido a Arya Stark,
– SHIREI, sua sétima e mais nova filha, uma garota de sete anos,
– sua oitava esposa, SENHORA JOYEUSE da Casa Erenford,
- atualmente grávida,

– filhos ilegítimos de Lorde Walder, de mães diversas:
- WALDER RIVERS, chamado WALDER BASTARDO,
- MEISTRE MELWYS, a serviço em Rosby,
- JEYNE RIVERS, MARTYN RIVERS, RYGER RIVERS, RONEL RIVERS, MELLARA RIVERS e outros.

Casa Lannister

Os Lannister de Rochedo Casterly permanecem o principal apoio da pretensão do Rei Tommen ao Trono de Ferro. Orgulham-se de descender de Lann, o Esperto, o lendário trapaceiro da Era dos Heróis. O ouro de Rochedo Casterly e de Dente Dourado fez dela a mais rica das Grandes Casas. O símbolo dos Lannister é um leão dourado sobre campo carmesim. Seu lema é *Ouçam-me Rugir!*

{TYWIN LANNISTER}, Senhor de Rochedo Casterly, Escudo de Lannisporto, Protetor do Oeste e Mão do Rei, assassinado pelo filho anão em sua latrina,

- os filhos de Lorde Tywin:
  - CERSEI, gêmea de Jaime, viúva do Rei Robert I Baratheon, prisioneira no Grande Septo de Baelor,
  - SOR JAIME, gêmeo de Cersei, chamado REGICIDA, Senhor Comandante da Guarda Real,
    - seus escudeiros, JOSMYN PECKLEDON, GARRETT PAEGE, LEW PIPER,
    - SOR ILYN PAYNE, um cavaleiro sem língua, ultimamente Justiça do Rei e carrasco,
    - SOR RONNET CONNINGTON, chamado RONNET VERMELHO, o Cavaleiro de Poleiro do Grifo, enviado para Lagoa da Donzela com um prisioneiro,
    - SOR ADDAM MARBRAND, SOR FLEMENT BRAX, SOR ALYN STACKSPEAR, SOR STEFFON SWYFT, SOR HUMFREY SWYFT, SOR LYLE CRAKEHALL, chamado VARRÃO FORTE, SOR JON BETTLEY, chamado JON SEMBARBA, cavaleiros servindo com as tropas de Sor Jaime em Correrrio,
  - TYRION, chamado DUENDE, anão e assassino de parentes, fugitivo no exílio do outro lado do mar estreito,

– o pessoal de sua casa em Rochedo Casterly:
  – MEISTRE CREYLEN, curandeiro, tutor e conselheiro,
  – VYLLAR, capitão dos guardas,
  – SOR BENEDICT BROOM, mestre em armas,
  – WAT RISO-BRANCO, um cantor,

– os irmãos de Lorde Tywin e seus respectivos descendentes:
  – SOR KEVAN LANNISTER, c. Dorna da Casa Swyft,
  – SENHORA GENNA, c. Sor Emmon Frey, atual Senhor de Correrrio,
    – o filho mais velho de Genna, {SOR CLEOS FREY}, c. Jeyne da Casa Darry, morto por foras da lei,
      – o filho mais velho de Cleos, SOR TYWIN FREY, chamado TY, atual herdeiro de Correrrio,
      – segundo filho de Cleos, WILLEM FREY, um escudeiro,
    – os filhos mais novos de Genna, SOR LYONEL FREY, {TION FREY}, WALDER FREY, chamado WALDER VERMELHO,
  – {SOR TYGETT LANNISTER}, morto de varíola,
    – TYREK, filho de Tygett, desaparecido e julgado morto,
      – SENHORA ERMESANDE HAYFORD, esposa infanta de Tyrek,
    – {GERION LANNISTER}, perdido no mar,
      – JOY HILL, filha bastarda de Gerion, onze anos de idade,

– outros parentes próximos de Lorde Tywin:
  – {SOR STAFFORD LANNISTER}, primo e irmão da esposa de Lorde Tywin, assassinado na Batalha de Cruzaboi,
    – CERENNA e MYRIELLE, filhas de Stafford,
    – SOR DAVEN LANNISTER, filho de Stafford,
  – SOR DAMION LANNISTER, um primo, c. Senhora Shiera Crakehall,
    – o filho deles, SOR LUCION,
    – a filha deles, LANNA, c. Lorde Antario Jast,
  – SENHORA MARGOT, uma prima, c. Lorde Titus Peake,

– vassalos e espadas juramentadas, Senhores do Oeste:
  – DAMON MARBRAND, Senhor de Cinzamarca,
  – ROLAND CRAKEHALL, Senhor de Paço de Codorniz,
  – SEBASTON FARMAN, Senhor da Ilha Leal,
  – TYTOS BRAX, Senhor de Valcorno,
  – QUENTEN BANEFORT, Senhor de Forte Ruína,
  – SOR HARYS SWYFT, sogro de Sor Kevan Lannister,
  – REGENARD ESTREN, Senhor de Vieleira,
  – GAWEN WESTERLING, Senhor do Despenhadeiro,
  – LORDE SELMOND STACKSPEAR,
  – TERRENCE KENNING, Senhor de Kayce,
  – LORDE ANTARIO JAST,

– LORDE ROBIN MORELAND,
– SENHORA ALYSANNE LEFFORD,
– LEWYS LYDDEN, Senhor de Toca Funda,
– LORDE PHILIP PLUMM,
– LORDE GARRISON PRESTER,
– SOR LORENT LORCH, cavaleiro com terras,
– SOR GARTH GREENFIELD, cavaleiro com terras,
– SOR LYMOND VIKARY, cavaleiro com terras,
– SOR RAYNARD RUTTIGER, cavaleiro com terras,
– SOR MANFRYD YEW, cavaleiro com terras,
– SOR TYBOLT HETHERSPOON, cavaleiro com terras.

Casa Martell

Dorne foi o último dos Sete Reinos a jurar lealdade ao Trono de Ferro. Sangue, costumes, geografia e história, tudo ajuda a manter os dornenses à parte dos outros reinos. Quando rebentou a Guerra dos Cinco Reis, Dorne não tomou partido, mas quando Myrcella Baratheon foi prometida ao Príncipe Trystane, Lançassolar declarou seu apoio ao Rei Tommen. O estandarte dos Martell é um sol vermelho trespassado por uma lança dourada. Seu lema é: *Insubmissos, Não Curvados, Não Quebrados.*

DORAN NYMEROS MARTELL, Senhor de Lançassolar, Príncipe de Dorne,
- sua esposa, MELLARIO, da Cidade Livre de Norvos,
- seus filhos:
  - PRINCESA ARIANNE, herdeira de Lançassolar,
  - PRÍNCIPE QUENTYN, cavaleiro recém-sagrado, educado em Paloferro,
  - PRÍNCIPE TRYSTANE, prometido a Myrcella Baratheon,
    - SOR GASCOYNE DO SANGUEVERDE, seu escudo juramentado,
- seus irmãos:
  - {PRINCESA ELIA}, estuprada e assassinada durante o Saque de Porto Real,
    - sua filha, {RHAENYS TARGARYEN}, assassinada durante o Saque de Porto Real,
    - seu filho, {AEGON TARGARYEN}, um bebê de peito, assassinado durante o saque de Porto Real,
  - {PRÍNCIPE OBERYN, chamado VÍBORA VERMELHA}, assassinado por Sor Gregor Clegane durante um julgamento por combate,
    - sua amante, ELLARIA SAND, filha ilegítima de Lorde Harmen Uller,
    - suas filhas bastardas, as SERPENTES DE AREIA:
      - OBARA, sua filha com uma prostituta de Vilavelha,

– NYMERIA, chamada SENHORA NYM, sua filha com uma nobre da Antiga Volantis,
– TYENE, sua filha com uma septã,
– SARELLA, sua filha com uma capitã mercante das Ilhas do Verão,
– ELIA, sua filha com Ellaria Sand,
– OBELLA, sua filha com Ellaria Sand,
– DOREA, sua filha com Ellaria Sand,
– LOREZA, sua filha com Ellaria Sand,

– a corte do Príncipe Doran:
  – em Jardim de Águas:
    – AREO HOTAH, de Norvos, capitão dos guardas,
    – MEISTRE CALEOTTE, conselheiro, curandeiro e tutor,
  – em Lançassolar:
    – MEISTRE MYLES, conselheiro, curandeiro e tutor,
    – RICASSO, senescal, velho e cego,
    – SOR MANFREY MARTELL, castelão em Lançassolar,
    – SENHORA ALYSE LADYBRIGHRT, senhora tesoureira,

– sua protegida, PRINCESA MYRCELLA BARATHEON, prometida ao Príncipe Trystane,
  – seu escudo juramentado, {SOR ARYS OAKHEART}, assassinado por Areo Hotah,
  – sua aia e companheira, ROSAMUND LANNISTER, uma prima distante,

– seus vassalos, os Senhores de Dorne:
  – ANDERS YRONWOOD, Senhor de Paloferro, Protetor do Caminho de Pedra, o Sangue-Real,
    – YNYS, sua filha mais velha, c. Ryon Allyrion,
    – SOR CLETUS, seu filho e herdeiro,
    – GWYNETH, sua filha mais nova, uma garota de doze anos,
  – HARMEN ULLER, Senhor de Toca do Inferno,
  – DELONNE ALLYRION, Senhora de Graçadivina,
    – RYON ALLYRION, seu filho e herdeiro,
  – DAGOS MANWOODY, Senhor de Tumbarreal,
  – LARRA BLACKMONT, Senhora de Monpreto,
  – NYMELLA TOLAND, Senhora de Monte Espírito,
  – QUENTYN QORGYLE, Senhor de Arenito,
  – SOR DEZIEL DALT, o Cavaleiro de Limoeiros,
  – FRANKLYN FOWLER, Senhor de Alcanceleste, chamado O VELHO FALCÃO, Protetor do Passo do Príncipe,
  – SOR SYMON SANTAGAR, o Cavaleiro de Matamalhada,
  – EDRIC DAYNE, Lorde de Tombastela, um escudeiro,
  – TREBOR JORDAYNE, Senhor da Penha,
  – TREMOND GARGALEN, Senhor da Costa do Sal,
  – DAERON VAITH, Senhor das Dunas Rubras.

Casa Stark

Os Stark traçam sua ascendência até Brandon, o Construtor, e os Reis do Norte. Por milhares de anos, governaram de Winterfell como Reis do Norte, até que Torrhen Stark, o Rei que Ajoelhou, decidiu jurar fidelidade a Aegon, o Dragão, em vez de lhe dar batalha. Quando Lorde Eddard Stark de Winterfell foi executado pelo Rei Joffrey, os nortenhos renunciaram sua lealdade ao Trono de Ferro e proclamaram o filho de Lorde Eddard, Robb, como Rei do Norte. Durante a Guerra dos Cinco Reis, ele venceu todas as batalhas, mas foi traído e assassinado pelos Frey e pelos Bolton nas Gêmeas, durante o casamento do tio.

{ROBB STARK}, Rei do Norte, Rei do Tridente, Senhor de Winterfell, chamado JOVEM LOBO, assassinado no Casamento Vermelho,

– {LOBO CINZENTO}, seu lobo gigante, morto no Casamento Vermelho,
– seus irmãos legítimos:
  – SANSA, sua irmã, c. Tyrion da Casa Lannister,
    – {LADY}, sua loba gigante, morta no Castelo de Darry,
  – ARYA, uma garota de onze anos, desaparecida e julgada morta,
    – NYMERIA, sua loba gigante, que vagueia pelas terras fluviais,
  – BRANDON, chamado BRAN, um menino aleijado de nove anos, herdeiro de Winterfell, julgado morto,
    – VERÃO, seu lobo gigante,
  – RICKON, um menino de quatro anos, julgado morto,
    – CÃO-FELPUDO, seu lobo gigante, negro e selvagem,
    – OSHA, uma mulher selvagem, outrora cativa em Winterfell,
– seu meio-irmão bastardo, JON SNOW, da Patrulha da Noite,

– FANTASMA, o lobo gigante de Jon, branco e silencioso,
– seus outros parentes:
  – seu tio, BENJEN STARK, Primeiro Patrulheiro da Patrulha da Noite, perdido para lá da Muralha, julgado morto,
  – sua tia, {LYSA ARRYN}, Senhora do Ninho da Águia,
    – seu filho, ROBERT ARRYN, Senhor do Ninho da Águia e Defensor do Vale, um menino doentio,
  – seu tio, EDMURE TULLY, Senhor de Correrrio, tomado como cativo no Casamento Vermelho,
    – SENHORA ROSLIN, da Casa Frey, noiva de Edmure, grávida,
  – seu tio-avô, SOR BRYNDEN TULLY, chamado PEIXE NEGRO, antes castelão em Correrrio, agora um homem caçado,

– vassalos de Winterfell, os Senhores do Norte:
  – JON UMBER, chamado GRANDE-JON, Senhor da Última Lareira, cativo nas Gêmeas,
    – {JON, chamado PEQUENO-JON}, filho mais velho e herdeiro de Grande-Jon, assassinado no Casamento Vermelho,
    – MORS, chamado PAPA CORVOS, tio de Grande-Jon, castelão na Última Lareira,
    – HOTHER, chamado TERROR DAS RAMEIRAS, tio de Grande-Jon, também castelão na Última Lareira,
  – {CLEY CERWYN}, Senhor de Cerwyn, morto em Winterfell,
    – JONELLE, sua irmã, uma donzela de trinta e dois anos,
  – ROOSE BOLTON, Senhor de Forte do Pavor,
    – {DOMERIC}, seu herdeiro, morto por problemas na barriga,
    – WALTON, chamado PERNAS DE AÇO, seu capitão,
    – RAMSAY BOLTON, seu filho ilegítimo, chamado BASTARDO DE BOLTON, Senhor de Hornwood,
    – WALDER FREY e WALDER FREY, chamados GRANDE WALDER e PEQUENO WALDER, escudeiros de Ramsay,
    – BEN OSSOS, mestre dos canis no Forte do Pavor,
    – {FEDOR}, um homem em armas famoso por seu mau cheiro, morto ao passar por Ramsay,
    – os Rapazes do Bastardo, homens em armas de Ramsay:
      – CARALHO AMARELO, DAMON DANCE-PARA-MIM, LUTON, ALYN AZEDO, PELEIRO, GRUNHIDO,
– {RICKARD KARSTARK}, Senhor de Karhold, decapitado pelo Jovem Lobo por assassinar prisioneiros,
  – {EDDARD}, seu filho, morto no Bosque dos Murmúrios,
  – {TORRHEN}, seu filho, morto no Bosque dos Murmúrios,
  – HARRION, seu filho, cativo em Lagoa da Donzela,
  – ALYS, sua filha, uma donzela de quinze anos,
  – seu tio, ARNOLF, castelão em Karhold,
    – CREGAN, filho mais velho de Arnolf,
    – ARTHOR, filho mais novo de Arnolf,
– WYMAN MANDERLY, Senhor de Porto Branco, muitíssimo gordo,

– SOR WYLIS MANDERLY, seu filho mais velho e herdeiro, muito gordo, cativo em Harrenhal,
  – a esposa de Wylis, LEONA, da Casa Woolfield,
    – WYNAFRYD, filha mais velha deles,
    – WYLLA, filha mais nova deles,
– {SOR WENDEL MANDERLY}, seu segundo filho, assassinado no Casamento Vermelho,
– SOR MARLON MANDERLY, seu primo, comandante da guarnição em Porto Branco,
– MEISTRE THEOMORE, conselheiro, tutor, curandeiro,
– WEX, um garoto de doze anos, antigamente escudeiro de Theon Greyjoy, mudo,
– SOR BARTIMUS, um velho cavaleiro com uma perna, um olho e frequentemente bêbado, castelão na Toca do Lobo,
  – GARTH, carcereiro e carrasco,
    – seu machado, SENHORA LU,
  – THERRY, um jovem carcereiro,

– MAEGE MORMONT, Senhora da Ilha dos Ursos, a Mulher-Ursa,
  – {DACEY}, sua filha mais velha, assassinada no Casamento Vermelho,
  – ALYSANE, sua filha, a jovem Mulher-Ursa,
  – LYRA, JORELLE, LYANNA, suas filhas mais jovens,
  – {JEOR MORMONT}, seu irmão, Senhor Comandante da Patrulha da Noite, assassinado por seus próprios homens,
    – SOR JORAH MORMONT, seu filho, exilado,

– HOWLAND REED, Senhor de Atalaia da Água Cinzenta, um cranogmano,
  – sua esposa, JYANA, dos cranogmanos,
  – seus filhos:
    – MEERA, uma jovem caçadora,
    – JOJEN, garoto abençoado com a visão verde,

– GARBART GLOVER, Mestre em Bosque Profundo, solteiro,
  – ROBETT GLOVER, seu irmão e herdeiro,
    – a esposa de Robett, SYBELLE, da Casa Locke,
    – BENJICOT BRANCH, NED SEM-NARIZ WOODS, homens da Matadelobos juramentados a Bosque Profundo,
  – {SOR HELMAN TALLHART}, Mestre de Praça Torrhen, assassinado em Valdocaso,
    – {BENFRED}, seu filho e herdeiro, assassinado pelos homens de ferro na Costa Rochosa,
    – EDDARA, sua filha, cativa em Praça Torrhen,
    – {LEOBALD}, seu irmão, morto em Winterfell,
      – a esposa de Leobald, BERENA da Casa Hornwood, cativa em Praça Torrhen,
      – seus filhos, BRANDON e BEREN, também cativos em Praça Torrhen,
  – RODRIK RYSWELL, Senhor dos Regatos,
    – BARBREY DUSTIN, sua filha, Senhora de Vila Acidentada, viúva de Lorde Willam Dustin,
      – HARWOOD STOUT, seu vassalo, um pequeno senhor em Vila Acidentada,

– {BETHANY BOLTON}, sua filha, segunda esposa de Lorde Roose Bolton, morreu de uma febre,
– ROGER RYSWELL, RICKARD RYSWELL, ROOSE RYSWELL, seus irascíveis primos e vassalos,
– LYESSA FLINT, Senhora de Atalaia da Viúva,
– ONDREW LOCKE, Senhor de Castelovelho, um velho,

– os chefes dos clãs das montanhas:
– HUGO WULL, chamado GRANDE BALDE, ou O WULL,
– BRANDON NORREY, chamado O NORREY,
– BRANDON NORREY, o Jovem, seu filho,
– TORREN LIDDLE, chamado O LIDDLE,
– DUNCAN LIDDLE, seu filho mais velho, chamado GRANDE LIDDLE, um homem da Patrulha da Noite,
– MORGAN LIDDLE, seu segundo filho, chamado MEIO LIDDLE,
– RICKARD LIDDLE, seu terceiro filho, chamado PEQUENO LIDDLE,
– TORGHEN FLINT, dos Primeiros Flints, chamado O FLINT ou VELHO FLINT,
– DONNEL NEGRO FLINT, seu filho e herdeiro,
– ARTOS FLINT, seu segundo filho, meio-irmão de Donnel Negro.

As armas dos Stark mostram um lobo gigante cinzento correndo por um campo branco-gelo. O lema dos Stark é: *O Inverno Está Chegando*.

Casa Tully

Lorde Edmyn Tully de Correrrio foi um dos primeiros senhores dos rios a jurar lealdade a Aegon, o Conquistador. O Rei Aegon o recompensou atribuindo à Casa Tully o domínio sobre todas as terras do Tridente. O símbolo dos Tully é uma truta saltante, prateada, em um fundo ondulado de azul e vermelho. O lema dos Tully é: *Família, Dever, Honra.*

EDMURE TULLY, Senhor de Correrrio, tomado como cativo em seu casamento e mantido prisioneiro pelos Frey,

- sua noiva, SENHORA ROSLIN da Casa Frey, agora grávida,
- sua irmã, {SENHORA CATELYN STARK}, viúva de Lorde Eddard Stark de Winterfell, assassinada no Casamento Vermelho,
- sua irmã, {SENHORA LYSA ARRYN}, viúva de Lorde Jon Arryn do Vale, empurrada para a morte no Ninho da Águia,
- seu tio, SOR BRYNDEN TULLY, chamado PEIXE NEGRO, antes castelão em Correrrio, agora um fora da lei,
- o pessoal de sua casa em Correrrio:
  - MEISTRE VYMAN, conselheiro, curandeiro e tutor,
  - SOR DESMOND GRELL, mestre em armas,
  - SOR ROBIN RYGER, capitão da guarda,
    - LEW COMPRIDO, ELWOOD, DELP, guardas,
  - UTHERYDES WAYN, intendente de Correrrio,

- seus vassalos, os Senhores do Tridente:
  - TYTOS BLACKWOOD, Senhor de Solar de Corvarbor,
    - BRYNDEN, seu filho mais velho e herdeiro,

– {LUCAS}, seu segundo filho, assassinado no Casamento Vermelho,
– HOSTER, seu terceiro filho, um garoto dado aos livros,
– EDMUND e ALYN, seus filhos mais novos,
– BETHANY, sua filha, uma menina de oito anos,
– {ROBERT}, seu filho caçula, morto de intestinos soltos,

– JONOS BRACKEN, Senhor de Barreira de Pedra,
– BARBARA, JAYNE, CATELYN, BESS, ALYSSANE, suas cinco filhas,
– HILDY, uma seguidora de acampamentos,

– JASON MALLISTER, Senhor de Guardamar, prisioneiro em seu próprio castelo,
– PATREK, seu filho, aprisionado com o pai,
– SOR DENYS MALLISTER, tio de Lorde Jason, um homem da Patrulha da Noite,

– CLEMENT PIPER, Senhor de Castelo de Donzelarrosa,
– seu filho e herdeiro, SOR MARQ PIPER, feito cativo no Casamento Vermelho,

– KARYL VANCE, Senhor de Pouso do Viajante,

– NORBERT VANCE, o cego Senhor de Atranta,

– THEOMAR SMALLWOOD, Senhor de Solar de Bolotas,

– WILLIAM MOOTON, Senhor de Lagoa da Donzela,
– ELEANOR, sua filha e herdeira, treze anos, c. Dickon Tarly de Monte Chifre,
– SHELLA WHENT, a desalojada Senhora de Harrenhal,
– SOR HALMON PAEGE,
– LORDE LYMOND GOODBROOK.

Casa Tyrell

Os Tyrell ascenderam ao poder como intendentes dos Reis da Campina, embora afirmem descender de Garth Greenhand, rei jardineiro dos Primeiros Homens. Quando o último rei da Casa Gardener foi morto no Campo de Fogo, seu intendente, Harlen Tyrell, entregou Jardim de Cima a Aegon, o Conquistador. Aegon lhe concedeu o castelo e o domínio sobre a Campina. Mace Tyrell declarou seu apoio a Renly Baratheon no início da Guerra dos Cinco Reis e deu a ele a mão de sua filha Margaery. Após a morte de Renly, Jardim de Cima fez aliança com a Casa Lannister, e Margaery foi prometida ao Rei Joffrey.

MACE TYRELL, Senhor de Jardim de Cima, Protetor do Sul, Defensor das Marcas, Supremo Marechal da Campina,
- sua esposa, SENHORA ALERIE, da Casa Hightower de Vilavelha,
- seus filhos:
  - WILLAS, o filho mais velho, herdeiro de Jardim de Cima,
  - SOR GALAN, chamado GALANTE, o segundo filho, recentemente nomeado Senhor das Águas Claras,
    - a esposa de Garlan, SENHORA LEONETTE da Casa Fossoway,
  - SOR LORAS, o Cavaleiro das Flores, o filho mais jovem, Irmão Juramentado da Guarda Real, ferido em Pedra do Dragão,
  - MARGAERY, sua filha, três vezes casada e duas vezes viúva,
    - acompanhantes e damas de companhia de Margaery:
    - suas primas, MEGGA, ALLA e ELINOR TYRELL,
      - o prometido de Elinor, ALYN AMBROSE, escudeiro,

– SENHORA ALYSANNE BULWER, SENHORA ALYCE GRACEFORD, SENHORA TAENA MERRYWEATHER, MEREDYTH CRANE, chamada MERRY, SEPTÃ NYSTERICA, suas acompanhantes,

– sua mãe viúva, SENHORA OLENNA, da Casa Redwyne, chamada RAINHA DOS ESPINHOS,

– suas irmãs:

– SENHORA MINA, c. Paxter Redwyne, Senhor da Árvore,

– seu filho, SOR HORAS REDWYNE, chamado HORROR,

– seu filho, SOR HOBBER REDWYNE, chamado BARBEIRO,

– sua filha, DESMERA REDWYNE, de dezesseis anos,

– SENHORA JANNA, casada com Sor Jon Fossoway,

– seus tios:

– seu tio, GARTH TYRELL, chamado o GROSSO, Senhor Senescal de Jardim de Cima,

– os filhos bastardos de Garth, GARSE e GARRETT FLOWERS,

– seu tio, SOR MORYN TYRELL, Senhor Comandante da Patrulha da Cidade de Vilavelha,

– seu tio, MEISTRE GORMON, servindo na Cidadela,

– o pessoal da casa de Mace em Jardim de Cima:

– MEISTRE LOMYS, conselheiro, curandeiro e tutor,

– IGON VYRWEL, capitão da guarda,

– SOR VORTIMER CRANE, mestre em armas,

– BOSSAS DE MANTEIGA, bobo, enormemente gordo,

– seus vassalos, os Senhores da Campina:

– RANDYLL TARLY, Senhor de Monte Chifre, comandando o exército do Rei Tommen no Tridente,

– PAXTER REDWYNE, Senhor da Árvore,

– SOR HORAS e SOR HOBBER, seus filhos gêmeos,

– o curandeiro de Lorde Paxter, MEISTRE BALLABAR,

– ARWYN OAKHEART, Senhora de Carvalho Velho,

– MATHIS ROWAN, Senhor de Bosquedouro,

– LEYTON HIGHTOWER, Voz de Vilhavelha, Senhor do Porto,

– HUMFREY HEWETT, Senhor de Escurorroble,

– FALIA FLOWERS, sua filha bastarda,

– OSBERT SERRY, Senhor em Escudossul,

– GUTHOR GRIMM, Senhor de Escudogris,

– MORIBALD CHESTER, Senhor de Escudoverde,

– ORTON MERRYWEATHER, Senhor de Mesalonga,

– SENHORA TAENA, sua esposa, uma mulher de Myr,

– RUSSELL, seu filho, um garoto de oito anos,

– LORDE ARTHUR AMBROSE,

– LORENT CASWELL, Senhor de Ponteamarga,

- seus cavaleiros e espadas juramentadas:
  - SOR JON FOSSOWAY, dos Fossoway da maçã verde,
  - SOR TANTON FOSSOWAY, dos Fossoway da maçã vermelha.

O símbolo dos Tyrell é uma rosa dourada em campo verde-relva. Seu lema é *Crescendo Fortes*.

Os irmãos juramentados da Patrulha da Noite

JON SNOW, o Bastardo de Winterfell, nonocentésimo nonagésimo oitavo Senhor Comandante da Patrulha da Noite,
– FANTASMA, seu lobo gigante branco,
– seu intendente, EDDISON TOLLETT, chamado EDD DOLOROSO,

– em Castelo Negro:
  – MEISTRE AEMON (TARGARYEN), curandeiro e conselheiro, um cego de cento e dois anos,
    – o intendente de Aemon, CLYDAS,
    – o intendente de Aemon, SAMWELL TARLY, gordo e dado aos livros,
  – BOWEN MARSH, Senhor Intendente,
    – HOBB TRÊS-DEDOS, intendente e cozinheiro-chefe,
    – {DONAL NOYE}, armeiro e ferreiro de um braço, morto no portão por Mag, o Poderoso,
    – OWEN, chamado IDIOTA, TIM LÍNGUA-ENREDADA, MULLY, CUGEN, DONNEL HILL, chamado DOCE DONNEL, LEW MÃO-ESQUERDA, JEREN, TY, DANNEL, WICK WHITTLESTICK, intendentes,
  – OTHELL YARWYCK, Primeiro Construtor,
    – BOTA EXTRA, HALDER, ALBETT, BARRICAS, ALF DE RUNNYMUDD, construtores,
  – SEPTÃO CELLADOR, um devoto bêbado,
  – JACK NEGRO BULWER, Primeiro Patrulheiro,
    – DYWEN, KEDGE OLHO-BRANCO, BEDWYCK, chamado GIGANTE, MATTHAR, GARTH PENA-CINZA, ULMER DA MATA DE REI, ELRON, GARRETT LANÇA-VERDE, FULK, A PULGA, PYPAR, chamado PYP, GRENN, chamado AUROQUE, BERNARR, chamado

BERNARR PRETO, TIM STONE, RORY, BEN BARBUDO, TOM GRÃO-DE-CEVADA, GOADY GRANDE LIDDLE, LUKE DE VILALONGA, HAL PELUDO, patrulheiros,

– COUROS, um selvagem que se tornou corvo,

– SOR ALLISER THORNE, antigo mestre em armas,

– LORD JANOS SLYNT, antigo comandante da Patrulha da Cidade de Porto Real, por pouco tempo Senhor de Harrenhal,

– EMMETT DE FERRO, antigamente de Atalaialeste, mestre em armas,

– HARETH, chamado CAVALO, os gêmeos ARRON e EMRICK, CETIM, SALTO DE PISCO, recrutas em treinamento,

– na Torre Sombria:

– SOR DENYS MALLISTER, comandante,

– seu intendente e escudeiro, WALLACE MASSEY,

– MEISTRE MULLIN, curandeiro e conselheiro,

{QHORIN MEIA-MÃO, ESCUDEIRO DALBRIDGE, EGGEN}, patrulheiros, assassinados para lá da Muralha,

– COBRA DAS PEDRAS, patrulheiro, desaparecido no Passo dos Guinchos,

– em Atalaialeste do Mar:

– COTTER PYKE, um bastardo das Ilhas de Ferro, comandante,

– MEISTRE HARMUNE, curandeiro e conselheiro,

– VELHO FARRAPO SALGADO, capitão do *Melro*,

– SOR MAYNARD HOLT, capitão do *Garra*,

– RUSS BARLEYCORN, capitão do *Corvo da Tormenta*.

Os selvagens, ou o povo livre

MANCE RAYDER, Rei-Para-Lá-da-Muralha, cativo em Castelo Negro,
– sua esposa, {DALLA}, morta no parto,
– seu filho, nascido durante a batalha, ainda sem nome,
– VAL, irmã mais nova de Dalla, "a princesa selvagem", cativa em Castelo Negro,
– {JARL}, amante de Val, morto em uma queda,
– seus capitães, chefes e saqueadores:
– O SENHOR DOS OSSOS, escarnecido como CAMISA DE CHOCALHO, saqueador e chefe de um bando de guerra, cativo em Castelo Negro,
– {YGRITTE}, uma jovem esposa de lança, amante de Jon Snow, morta durante o ataque ao Castelo Negro,
– RYK, chamado LANÇA-LONGA, membro de seu bando,
– RAGWYLE, LENYL, membros de seu bando,
– TORMUND, Rei-Hidromel de Solar Ruivo, chamado TERROR DOS GIGANTES, ALTO-FALANTE e QUEBRADOR DE GELO, e ainda PUNHO DE TROVÃO, ESPOSO DE URSAS, FALADOR COM OS DEUSES e PAI DE HOSTES,
– os filhos de Tormund, TOREGG, O ALTO, TORWYRD, O MANSO, DORMUND e DRYN, sua filha MUNDA,
– O CHORÃO, famoso saqueador e chefe de um bando de guerra,
– {HARMA, chamada CABEÇA DE CÃO}, morta junto à Muralha,
– HALLECK, seu irmão,
– {STYR}, Magnar de Thenn, morto durante o ataque ao Castelo Negro,
– SIGORN, filho de Styr, novo Magnar de Thenn,
– VARAMYR, chamado SEIS-PELES, um troca-peles e *warg* chamado LUMP quando menino,

– UM-OLHO, MANHOSA, PERSEGUIDOR, seus lobos,
– seu irmão, {BUMP}, morto por um cão,
– seu pai adotivo, {HAGGON}, um *warg* e caçador,
– THISTLE, uma esposa de lança, rígida e acolhedora,
– {BRIAR, GRISELA}, troca-peles, mortas há muito tempo,
– BORROQ, chamado O JAVALI, troca-peles muito temido,
– GERRICK SANGUERREAL, do sangue de Raymun Barbarruiva,
– suas três filhas,
– SOREN QUEBRESCUDO, um famoso guerreiro,
– MORNA MÁSCARA BRANCA, a bruxa-guerreira, uma saqueadora,
– YGON VELHOPAI, chefe de clã com dezoito esposas,
– O GRANDE WALRUS, líder da Costa Gelada,
– MÃE TOUPEIRA, bruxa da floresta dada a profecias,
– BROGG, GAVIN, O NEGOCIANTE, HARLE, O CAÇADOR, HARLE, O BONITO, HOWD ANDARILHO, CEGO DOSS, KYLEG DOS ORELHA DE MADEIRA, DEVYN PELEDEFOCA, chefes e líderes entre o povo livre,
– {ORELL, chamado ORELL, A ÁGUIA}, troca-peles morto por Jon Snow no Passo Guincho,
– {MAG MAR TUN DOH WEG, chamado MAG, O PODEROSO}, um gigante, morto por Donal Noye no portão do Castelo Negro,
– WUN WEG WUN DAR WUN, chamado WUN WUN, um gigante,
– ROWAN, HOLLY, ESQUILO, WILLOW OLHO-DE-BRUXA, FRENYA, MYRTLE, esposas de lança, cativas na Muralha.

Para lá da muralha

- na Floresta Assombrada:
  - BRANDON STARK, chamado BRAN, príncipe de Winterfell e herdeiro do Norte, um garoto aleijado de nove anos,
  - seus companheiros e protetores:
    - MEERA REED, uma donzela de dezesseis anos, filha de Lorde Howland Reed de Atalaia da Água Cinzenta,
    - JOJAN REED, seu irmão, treze anos, abençoado com a visão verde,
    - HODOR, um rapaz simplório, de mais de dois metros de altura,
  - o guia deles, MÃOS FRIAS, vestido de negro, talvez tenha sido, antigamente, um homem da Patrulha da Noite, agora um mistério,

- na Fortaleza de Craster:
  - os traidores, antigamente homens da Patrulha da Noite:
    - ADAGA, que assassinou Craster,
    - OLLO MÃO-CORTADA, que assassinou o Velho Urso, Jeor Mormont,
    - GARTH DE VIAVERDE, MAWNEY, GRUBBS, ALAN DE ROSBY, ex-patrulheiros,
    - KARL PÉ-TORTO, ÓRFÃO OSS, BILL RESMUNGÃO, antigos intendentes,

- nas cavernas sob a colina:
  - O CORVO DE TRÊS OLHOS, também chamado O ÚLTIMO VIDENTE VERDE, feiticeiro, antigamente um homem da Patrulha da Noite chamado BRYNDEN, agora mais árvore do que homem,
  - os filhos da floresta, aqueles que cantam a canção da terra, últimos de sua raça em extinção,
    - FOLHA, CINZA, ESCAMAS, FACA NEGRA, TRAVANEVE, BRASAS.

Essos
Para lá do mar Estreito

Em Bravos

FERREGO ANTARYON, Senhor do Mar de Bravos, doentio e piorando,

– QARRO VOLENTIN, Primeira Espada de Bravos, seu protetor,

– BELLEGERE OTHERYS, chamada PÉROLA NEGRA, cortesã descendente da rainha pirata de mesmo nome,

– A SENHORA VELADA, A RAINHA BADEJO, A SOMBRA DE LUA, A FILHA DO CRESPÚSCULO, O ROUXINOL, A POETISA, famosas cortesãs,

– O HOMEM GENTIL e A CRIANÇA ABANDONADA, servos do Deus de Muitas-Caras na Casa do Preto e Branco,

– UMMA, a cozinheira do templo,

– O HOMEM BONITO, O GORDO, O FIDALGOTE, O ROSTO SEVERO, O VESGO e O ESFOMEADO, servos secretos d' Aquele de Muitas Caras,

– ARYA da Casa Stark, uma noviça a serviço da Casa do Preto e Branco, também conhecida como ARRY, NAN, DONINHA, POMBINHA, SALGADA e GATA DOS CANAIS,

– BRUSCO, um peixeiro,

– suas filhas, TALEA e BREA,

– MERALYN, chamada MERRY, proprietária do Porto Feliz, um bordel próximo ao Porto do Trapeiro,

– A ESPOSA DO MARINHEIRO, prostituta do Porto Feliz,

– LANNA, sua filha, uma jovem prostituta,

– ROGGO VERMELHO, GYLORO DOTHARE, GYLENO DOTHARE, um escriba chamado PENA, COSSOMO, O PRESTIDIGITADOR, fregueses do Porto Feliz,

– TAGGANARO, batedor de carteira e ladrão das docas,

– CASSO, O REI DAS FOCAS, sua foca treinada,

– S'VRONE, prostituta das docas com inclinações assassinas,

– A FILHA BÊBADA, prostituta de temperamento instável.

Na antiga Volantis

– os triarcas reinantes:
– MALAQUO MAEGYR, Triarca de Volantis, um tigre,
– DONIPHOS PAENYMION, Triarca de Volantis, um elefante,
– NYESSOS VHASSAR, Triarca de Volantis, um elefante,

– povo de Volantis:
– BENERRO, Alto Sacerdote de R'hllor, Senhor da Luz,
  – seu braço direito, MOQORRO, sacerdote de R'hllor,
– A VIÚVA DO CAIS, rica liberta da cidade, também chamada PROSTITUTA DE VOGARRO,
  – seus ferozes protetores, OS FILHOS DA VIÚVA,
– MERRECA, uma garota anã e pantomimeira,
  – sua porca, PORCA BONITA,
  – seu cachorro, TRITURADOR,
– {TOSTÃO}, irmão de Merreca, um anão pantomimeiro, assassinado e decapitado,
– ALIOS QHAEDAR, um candidato a triarca,
– PARQUELLO VAELAROS, um candidato a triarca,
– BELICHO STAEGONE, um candidato a triarca,
– GRAZAN MO ERAZ, um enviado de Yunkai.

Na Baía dos Escravos

– em Yunkai, a Cidade Amarela:
- – YURKHAZ ZO YUNZAK, Supremo Comandante dos Exércitos e Aliados de Yunkai, senhor de escravos e nobre de idade, de nascimento impecável,
- – YEZZAN ZO QAGGAZ, zombado como BALEIA AMARELA, monstruosamente obeso, doentio e imensamente rico,
  - – BABÁ, capataz dos escravos,
  - – DOCES, escrava hermafrodita, seu tesouro,
  - – CICATRIZ, oficial e soldado-escravo,
  - – MORGO, soldado-escravo,
- – MORGHAZ ZO ZHERZYN, nobre frequentemente embriagado, zombado como O CONQUISTADOR BÊBADO,
- – GORZHAK ZO ERAZ, nobre e senhor de escravos, zombado como CARA-DE-PUDIM,
- – FAEZHAR ZO FAEZ, nobre e senhor de escravos, conhecido como O COELHO,
- – GHAZDOR ZO AHLAQ, nobre e senhor de escravos, conhecido como LORDE BALANÇABOCHECHA,
- – PAEZHAR ZO MYRAQ, nobre de baixa estatura, zombado como O POMBINHO,
- – CHEZDHAZ ZO RHAEZN, MAEZON ZO RHAEZN, GRAZDHAN ZO RHAEZN, nobres e irmãos, zombados como SENHORES TINIDORES,
- – O COCHEIRO, O MESTRE DOS ANIMAIS, O HERÓI PERFUMADO, nobres e senhores de escravos,

– em Astapor, a Cidade Vermelha:
- – CLEON, O GRANDE, chamado O REI AÇOUGUEIRO,
- – CLEON II, seu sucessor, rei por oito dias,

– REI CORTAGARGANTA, um barbeiro, cortou a garganta de Cleon II para roubar sua coroa,
– RAINHA PUTA, a concubina do Rei Cleon II, reivindicou o trono após sua morte.

A Rainha do outro lado do mar

DAENERYS TARGARYEN, a Primeira de Seu Nome, Rainha de Meereen, Rainha dos Ândalos, dos Roinares e dos Primeiros Homens, Senhora dos Sete Reinos, Protetora do Reino, *Khaleesi* do Grande Mar de Grama, chamada DAENERYS NASCIDA DA TORMENTA, a NÃO QUEIMADA, MÃE DE DRAGÕES,

– seus dragões, DROGON, VISERION, RHAEGAL,
– seu irmão, {RHAEGAR}, Príncipe de Pedra do Dragão, morto por Robert Baratheon no Tridente,
  – a filha de Rhaegar, {RHAENYS}, assassinada durante o Saque de Porto Real,
  – o filho de Rhaegar, {AEGON}, um bebê de colo, assassinado durante o Saque de Porto Real,
– seu irmão {VISERYS}, o Terceiro de Seu Nome, chamado O REI PEDINTE, coroado com ouro derretido,
– o senhor seu marido, {DROGO}, um *khal* dos dothrakis, morreu de um ferimento gangrenado,
  – o filho natimorto de Daenerys e Khal Drogo, {RHAEGO}, assassinado no ventre pela *maegi* Mirri Maz Duur,

– seus protetores:
– SOR BARRISTAN SELMY, chamado BARRISTAN, O OUSADO, Senhor Comandante da Guarda da Rainha,
  – seus rapazes, escudeiros em treinamento para a cavalaria:
    – TUMCO LHO, das Ilhas Basilisco,
    – LARRAQ, chamado O CHICOTE, de Meereen,
    – OVELHA VERMELHA, lhazareno liberto,

– os GAROTOS, três irmãos ghiscaris,

– BELWAS, O FORTE, eunuco e antigo escravo lutador,

– seus companheiros de sangue dothrakis:

– JHOGO, o chicote, sangue de seu sangue,

– AGGO, o arco, sangue de seu sangue,

– RAKHARO, o *arakh*, sangue de seu sangue,

– seus capitães e comandantes:

– DAARIO NAHARIS, excêntrico mercenário tyroshino, capitão dos Corvos Tormentosos, uma companhia livre,

– BEN PLUMM, chamado BEN MULATO, mercenário mestiço, capitão dos Segundos Filhos, uma companhia livre,

– VERME CINZENTO, eunuco, comandante dos Imaculados, uma companhia de infantaria eunuca,

– HERÓI, um capitão Imaculado, segundo em comando,

– ESCUDO ROBUSTO, um lanceiro Imaculado,

– MOLLONO YOS DOB, comandante dos ESCUDOS ROBUSTOS, uma companhia de libertos,

– SYMON COSTAS-LISTRADAS, comandante dos IRMÃOS LIVRES, uma companhia de libertos,

– MARSELEN, comandante dos HOMENS DA MÃE, uma companhia de libertos, um eunuco, irmão de Missandei,

– GROLEO de Pentos, antigo capitão da grande coca *Saduleon*, agora almirante sem frota,

– ROMMO, *jaqqa rhan* dos dothrakis,

– sua corte meereenesa:

– REZNAK MO REZNAK, seu senescal, careca e adulador,

– SKAHAZ MO KANDAQ, chamado CABEÇA-RASPADA, comandante de cabeça raspada das Bestas de Bronze, a patrulha da cidade,

– suas aias e serventes:

– IRRI e JHIQUI, jovens mulheres dos dothrakis,

– MISSANDEI, escriba naathi e tradutora,

– GRAZDAR, QEZZA, MEZZARA, KEZMYA, AZZAK, BHAKAZ, MIKLAZ, DHAZZAR, DRAQAZ, JHEZANE, filhos das pirâmides de Meereen, seus copeiros e pajens,

– povo de Meereen, bem-nascidos e pessoas comuns:

– GALAZZA GALARE, a Graça Verde, alta sacerdotisa no Templo das Graças,

– GRAZDAM ZO GALARE, seu primo, um nobre,

– HIZDAHR ZO LORAQ, rico e nobre meereenês, de linhagem antiga,

– MARGHAZ ZO LORAQ, seu primo,

– RYLONA RHEE, mulher liberta e harpista,

– {HAZZEA}, a filha de um fazendeiro, quatro anos de idade,

– GOGHOR, O GIGANTE, KHRAZZ, BELAQUO QUEBRA-OSSO, ITHOKE DESTEMIDO, GATO MALHADO, BARSENA CABELO NEGRO, PELE DE AÇO, lutadores de arena e escravos libertados,

– seus aliados incertos, falsos amigos e inimigos declarados:
  – SOR JORAH MORMONT, antigo Senhor da Ilha dos Ursos,
  – {MIRRI MAZ DUUR}, esposa do deus e *maegi*, uma serva do Grande Pastor de Lhazar,
  – XARO XHOAN DAXOS, príncipe mercador de Qarth,
  – QUAITHE, necromante de Asshai,
  – ILLYRIO MOPATIS, um Magíster da Cidade Livre de Pentos, que intermediou seu casamento com Khal Drogo,
  – CLEON, O GRANDE, rei açougueiro de Astapor,

– os pretendentes da rainha:
  – na Baía dos Escravos:
    – DAARIO NAHARIS, antigamente de Tyrosh, mercenário e capitão dos Corvos Tormentosos,
    – HIZDAHR ZO LORAQ, rico e nobre meereenês,
    – SKAHAZ MO KANDAQ, chamado CABEÇA-RASPADA, nobre menor de Meereen,
    – CLEON, O GRANDE, Rei Açougueiro de Astapor,

  – em Volantis:
    – PRÍNCIPE QUENTYN MARTELL, filho mais velho de Doran Martell, Senhor de Lançassolar e Príncipe de Dorne,
      – seus escudos juramentados e companheiros:
        – {SOR CLETUS YRONWOOD}, herdeiro de Paloferro, morto por saqueadores,
        – SOR ARCHIBALD YRONWOOD, primo de Cletus, chamado GRANDÃO,
        – SOR GERRIS DRINKWATER,
        – {SOR WILLAN WELLS}, morto por saqueadores,
        – {MEISTRE KEDRY}, morto por saqueadores,

– no Roine:
  – O JOVEM GRIFF, um rapaz de cabelos azuis e dezoito anos,
    – seu pai adotivo, GRIFF, um antigo mercenário da Companhia Dourada,
    – seus companheiros, professores e protetores:
      – SOR ROLLY PATODOCAMPO, chamado PATO, um cavaleiro,
      – SEPTÃ LEMORE, uma mulher da Fé,
      – HALDON, chamado, MEIOMEISTRE, seu tutor,
      – YANDRY, mestre e capitão do *Donzela Tímida*,
        – YSILLA, esposa de Yandry,

– no mar:
  – VICTARION GREYJOY, Senhor Capitão da Frota de Ferro, chamado CAPITÃO DE FERRO,
    – sua companheira de cama, uma mulher morena sem língua, presente de Euron Olho de Corvo,

- seu curandeiro, MEISTRE KERWIN, antigamente de Escudoverde, um presente de Euron Olho de Corvo,
- sua tripulação no *Vitória de Ferro:*
  - WULFE UMA-ORELHA, RAGNOR PYKE, AGUADO PYKE, TOM TIDEWOOD, BURTON HUMBLE, QUELLON HUMBLE, STEFFAR STAMMERER,
- seus capitães:
  - RODRIK SPARR, chamado RATAZANA, capitão do *Luto,*
  - RALF VERMELHO STONEHOUSE, capitão do *Gracejador Vermelho,*
  - MANFRYD MERLYN, capitão do *Pipa,*
  - RALF, O COXO, capitão do *Lorde Quellon,*
  - TOM CODD, chamado TOM SEM-SANGUE, capitão do *Lamento,*
  - DAEGON SHEPHERD, chamado O NEGRO SHEPHERD, capitão do *Adaga.*

Os Targaryen são o sangue do dragão, descendentes dos grandes senhores do antigo Domínio de Valíria, sua descendência marcada por olhos lilases, índigos ou violeta e cabelos loiro-prateados. Para preservar seu sangue e mantê-lo puro, a Casa Targaryen frequentemente casou irmão com irmã, primo com prima e tio com sobrinha. O fundador da dinastia, Aegon, o Conquistador, tomou ambas as irmãs como esposas e gerou filhos homens em cada uma delas. O estandarte Targaryen é um dragão de três cabeças, vermelho no negro, as três cabeças representando Aegon e suas irmãs. O lema Targaryen é: *Fogo e Sangue.*

Os mercenários
homens e mulheres das Companhias Livres

A COMPANHIA DOURADA, com uma força de dez mil soldados e lealdade incerta:

– HARRY SEM-TETO STRICKLAND, capitão-general,

  – WATKYN, seu escudeiro e copeiro,

– {SOR MYLES TOYNE, chamado CORAÇÃO NEGRO}, morto há quatro anos, o capitão-general anterior,

– BALAQ NEGRO, ilhéu do Verão de cabelos brancos, comandante da companhia de arqueiros,

– LYSONO MAAR, mercenário que era da Cidade Livre de Lys, mestre da espionagem da companhia,

– GORYS EDORYEN, mercenário que era da Cidade Livre de Volantis, tesoureiro da companhia,

– SOR FRANKLYN FLOWERS, o Bastardo de Solar da Sidra, um mercenário da Campina,

– SOR MARQ MANDRAKE, um exilado fugido da escravidão, marcado pela varíola,

– SOR LASWELL PEAKE, um senhor exilado,

  – seus irmãos, TORMAN e PYKEWOOD,

– SOR TRISTAN RIVERS, bastardo, fora da lei, exilado,

– CASPOR HILL, HUMFREY STONE, MALO JAYN, DICK COLE, WILL COLE, LORIMAS MUDD, JON LOTHSTON, LYMOND PEASE, SOR BRENDEL BYRNE, DUNCAN STRONG, DENYS STRONG, CORRENTES, JOVEM JOHN MUDD, oficiais da companhia,

– {SOR AEGON RIVERS, chamado AÇOAMARGO}, filho bastardo do Rei Aegon IV Targaryen, fundador da companhia,

– {MAELYS I BLACKFYRE, chamado MAELYS, O MONSTRUOSO}, capitão-general da companhia, pretendente ao Trono de Ferro de Westeros, membro do Bando dos Nove, assassinado durante a Guerra dos Rei de Nove Moedas,

OS SOPRADOS PELO VENTO, dois mil cavalos e soldados, juramentados a Yunkai:
– O PRÍNCIPE ESFARRAPADO, ex-nobre da Cidade Livre de Pentos, capitão e fundador,
  – CAGGO, chamado MATACADÁVER, seu braço direito,
  – HUGH VAUDEFOME, oficial, ex-tesoureiro da companhia, multado em três dedos por roubar,
  – SOR ORSON STONE, SOR LUCIFER LONG, WILL DA MATA, PAU FINO, GINJER JACK, mercenários westerosi,
  – BELA MERIS, torturadora da companhia,
  – LIVROS, mercenário volantino e notório leitor,
  – FEIJÕES, um besteiro, antigamente de Myr,
  – VELHO OSSO BILL, experiente ilhéu do Verão,
  – MYRIO MYRAKIS, um mercenário, antigamente de Pentos,

A COMPANHIA DO GATO, com uma força de três mil homens, juramentados a Yunkai,
– BARBASSANGRENTA, capitão e comandante,

AS LONGAS LANÇAS, oitocentos homens a cavalo, juramentados a Yunkai,
– GYLO RHEGAN, capitão e comandante,

OS SEGUNDOS FILHOS, quinhentos homens a cavalo, juramentados à Rainha Daenerys,
– BEN MULATO PLUMM, capitão e comandante,
– KASPORIO, chamado KASPORIO, O ASTUTO, um espadachim, segundo em comando,
– TYBERO ISTARION, chamado TINTEIROS, tesoureiro da companhia,
– MARTELO, um ferreiro bêbado e armeiro,
  – seu aprendiz chamado PREGO,
– BOCADOS, um oficial maneta,
– KEM, jovem mercenário da Baixada da Pulga,
– UHLAN, oficial da companhia,

OS CORVOS TORMENTOSOS, quinhentos homens a cavalo, juramentados à Rainha Daenerys,
– DAARIO NAHARIS, capitão e comandante,
  – O VIÚVO, seu segundo em comando,
  – JOKIN, comandante da companhia de arqueiros.

Agradecimentos

O último foi dos diabos. Este aqui foi três vezes do inferno e um pouco mais. Novamente, meus agradecimentos aos meus editores, que sofrem há tanto tempo: para Jane Johnson, Joy Chamberlain, Scott Shannon, Nita Taublib e Anne Groell. Sua compreensão, bom humor e sábios conselhos ajudaram nos momentos mais difíceis, e nunca deixarei de ser grato por sua paciência.

Agradeço, também, aos meus agentes igualmente pacientes e infinitamente apoiadores, Chris Lotts, Vince Gerardis, a fabulosa Kay McCauley e o falecido Ralph Vicinanza. Ralph, eu gostaria que estivesse aqui para partilhar este momento.

E obrigado a Stephen Boucher, o errante Aussie, que ajuda a manter meu computador lubrificado e tinindo, sempre que se deixa abalar de Santa Fé para um café da manhã com burritos, jalapeños e bacon.

Aqui, no *front* do lar, agradecimentos também são devidos aos meus queridos amigos Melinda Snodgrass e Daniel Abraham, por seu encorajamento e apoio, ao meu webmaster Pati Nagle, por manter meu canto na internet, e à incrível Raya Golden, pelas refeições, pela arte, pela alegria inabalável que ajuda a abrilhantar todos os dias sombrios em Terrapin Station. Mesmo quando tenta roubar meu gato.

O tempo que levei para dançar esta dança teria sido certamente duas vezes mais longo sem a ajuda do meu fiel (e mordaz) assistente e algumas vezes companheiro de viagem Ty Franck, que cuida do meu computador quando Stephen não está por perto, mantém as arrebatadoras multidões virtuais do lado de fora das minhas portas virtuais, atende meus recados, faz meus depósitos, faz o café, anda a pé e troca dez mil dólares para mudar uma lâmpada – tudo isso enquanto escreve seus próprios livros às quartas-feiras.

Finalmente, mas não por último, todo meu amor e gratidão à minha esposa Parris, que dançou cada passo ao meu lado. Amo você, Phipps.

George R. R. Martin
13 de maio de 2011

Sobre o autor

GEORGE R. R. MARTIN vendeu sua primeira história em 1971 e vem escrevendo profissionalmente desde essa época. Já escreveu fantasia, terror e ficção científica, e, para seus pecados, passou dez anos em Hollywood como escritor/produtor, trabalhando em *The Twilight Zone*, *Beauty and the Beast*, e vários longas-metragens e pilotos para a TV. Em meados dos anos 1990, retornou à prosa, seu primeiro amor, e começou a trabalhar em sua série épica fantástica, *As crônicas de gelo e fogo*. Desde então, tem estado nos Sete Reinos. Sempre que pode, retorna a Santa Fé, Novo México, onde vive com a esposa, Parris, e seus quatro gatos.

As Cidades Livres

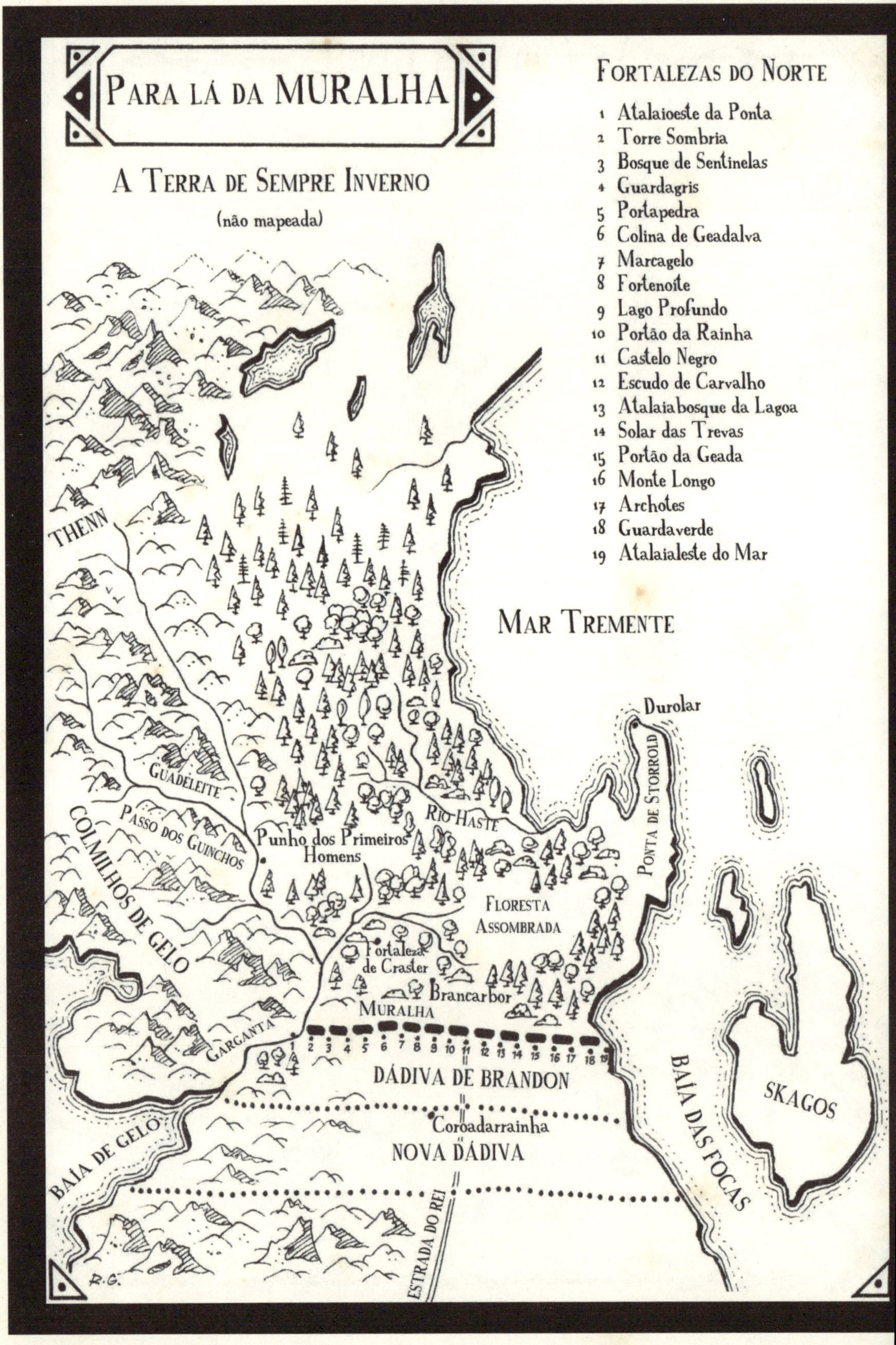

Para lá da Muralha
A Terra de Sempre Inverno
(não mapeada)
Fortalezas do Norte
1 Atalaioeste da Ponta
2 Torre Sombria
3 Bosque de Sentinelas
4 Guardagris
5 Portapedra
6 Colina de Geadalva
7 Marcagelo
8 Fortenoite
9 Lago Profundo
10 Portão da Rainha
11 Castelo Negro
12 Escudo de Carvalho
13 Atalaiabosque da Lagoa
14 Solar das Trevas
15 Portão da Geada
16 Monte Longo
17 Archotes
18 Guardaverde
19 Atalaialeste do Mar
Thenn
Mar Tremente
Durolar
Ponta de Storrold
Guadeleite
Passo dos Guinchos
Colmilhos de Gelo
Punho dos Primeiros Homens
Rio Haste
Floresta Assombrada
Fortaleza de Craster
Brancarbor
Muralha
Garganta
Dádiva de Brandon
Coroadarrainha
Nova Dádiva
Baía de Gelo
Baía das Focas
Skagos
Estrada do Rei
R.G.

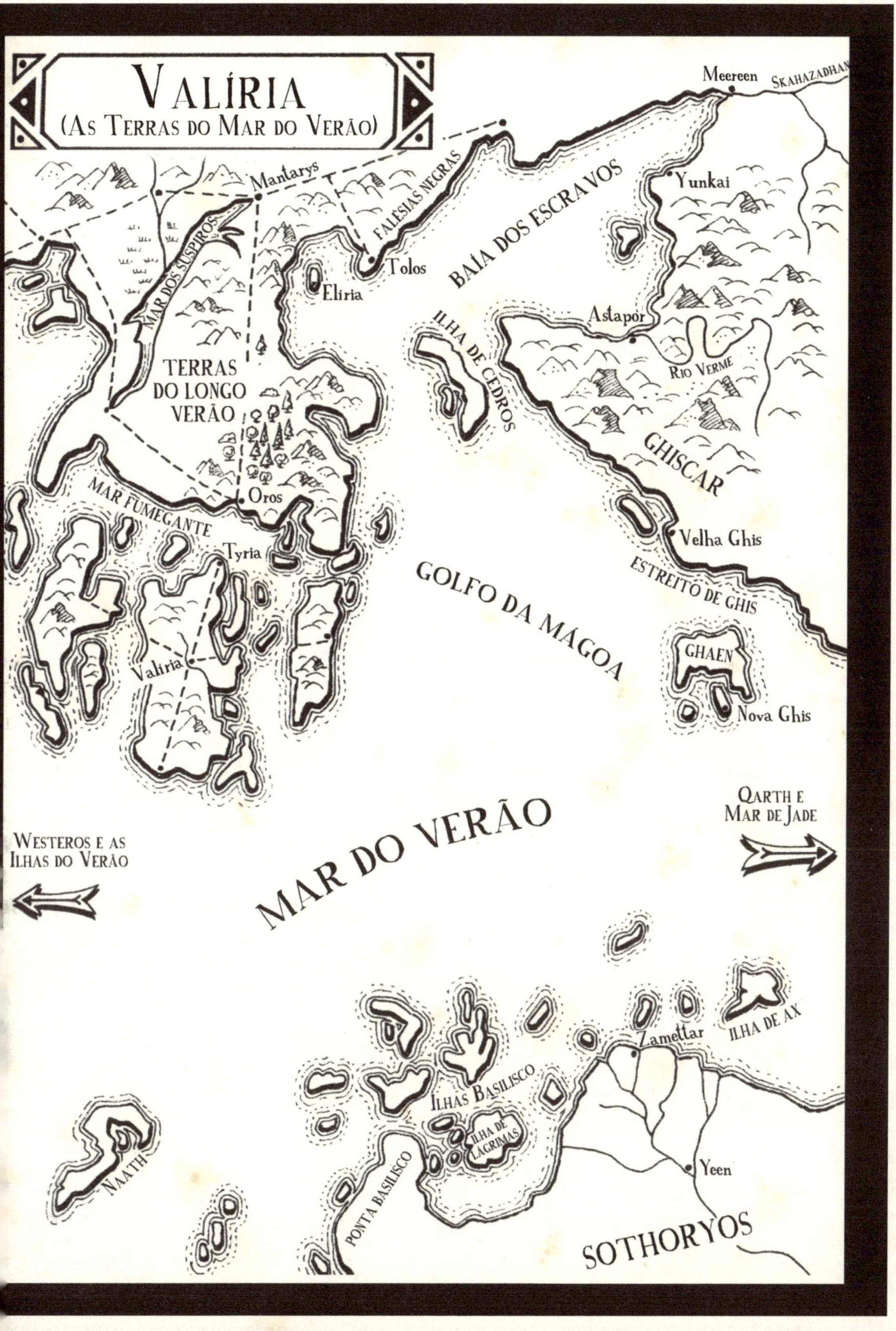

VALÍRIA
(AS TERRAS DO MAR DO VERÃO)
Meereen
SKAHAZADHAN
Mantarys
FALÉSIAS NEGRAS
BAÍA DOS ESCRAVOS
Yunkai
MAR DOS SUSPIROS
Tolos
Elíria
ILHA DE CEDROS
Astapor
TERRAS DO LONGO VERÃO
RIO VERME
GHISCAR
MAR FUMEGANTE
Oros
Tyria
Velha Ghis
ESTREITO DE GHIS
GOLFO DA MÁGOA
Valíria
GHAEN
Nova Ghis
QARTH E MAR DE JADE
MAR DO VERÃO
WESTEROS E AS ILHAS DO VERÃO
Zamettar
ILHA DE AX
ILHAS BASILISCO
ILHA DE LÁGRIMAS
NAATH
PONTA BASILISCO
Yeen
SOTHORYOS

O Sul
N
Três Irmãs
Os Dedos
Aguafria
As Gêmeas
Bosque Afundado
Cantoforte
Ilhas de Ferro
Pretamare
Montrasgo
Velha Wyk
Grande Wyk
Harlaw
Pyke
Salésta
Guardamar
Ramo Verde
Ramo Azul
Ramo Vermelho
VALE DE ARRYN
Ninho da Águia
Tridente
Feirajusta
Passo Sangrento
Ferrobles
Vila Gaivotas
Forte Vermelho
Forte Desgraça
Pedregoso
Correrrio
Salinas
Baía dos Caranguejos
Ilha Leal
Harrenhal
Olho de Deus
Ilha Silenciosa
Lagoa da Donzela
Pouso de Gralhas
Estrada do Rio
Dente Dourado
Donzelarrosa
Hastes
Valecorno
Campossorgo
Rochedo Casterly
Toca Funda
Estrada do Rei
Valdocaso
Lannisporto
Estrada de Ouro
Ponta Afiada
Porto Real
Solardeprata
Paço de Codorniz
CAMPINA
Campodemilho
Lago Vermelho
Estrada do Mar
Bosquedouro
Mataderrei
Solar de Montefeno
Estrada da Rosa
Carvalho Velho
Vale d'Erva
Arroiazul
Mesalonga
Vago
Ponta Tempestade
Solar de Verão
Solar da Cidra
Poleiro do Grifo
Ilhas do Escudo
Vaufreixo
Jardim de Cima
Ninho de Corvo
MARCA DE DORNE
Caminho do Espinhaço
Pedrelmo
Matabruma
Monte Chifre
Poleiro do Abutre
Cabo da Fúria
Bandallon
MAR DE DORNE
Tumbarreal
Vilavelha
Terraltas
Monpreto
Ghaston Grey
Coroanegra
Alto Ermitério
Tor
Colina Fantasma
Três Torres
Braço Partido
Tombastella
DORNE
Graça-dos-Deuses
Casasolar
Arenito
Vaith
Lançassolar
Costa do Sal
Limoeiros
Árvore

Este livro foi composto com as famílias tipográficas Adobe Jenson Pro
e Blackmoor Std para Texto Editores Ltda. em janeiro de 2014